Andrei Bantaș

Dicționar ROMÂN-ENGLEZ

Andrei Bantaș

Dicționar ROMÂN ENGLEZ

Teora

Titlul: **Dicționar român-englez, 40.000 de cuvinte**

Pentru informații generale despre Editura Teora –
cărți, librării, distribuitori, oferte speciale, promoții,
adrese de e-mail etc. – vă invităm să vizitați www.teora.ro.

Librăria „Teora - Cartea prin poştă":
Website: www.teora.ro
CP 79-30, cod 024380, Bucureşti, Romania

Editura Teora SRL,
Calea Moşilor nr. 211, sector 2, cod 020863,
Bucureşti, Romania
Tel.: 021 - 619.30.04,
Fax: 021 - 210.38.28
Preşedinte: Teodor Răducanu

NOT 8942 DIC ROMAN ENGLEZ 40000 CUV.
ISBN 10: 973-601-145-3
ISBN 13: 978-973-601-145-0

Printed in Romania

Cuvânt înainte
la NOUL DICȚIONAR ROMÂN-ENGLEZ

Vă prezentăm un dicționar român-englez relativ cuprinzător, de proporții medii: 40.000 cuvinte-titlu – în special din vocabularul românesc contemporan – și câteva mii de alte unități lexicale: compuși și sintagme (colocații), locuțiuni, abrevieri, denumiri geografice, precum și adjective și substantive derivate de la ele.

Așadar, este *cel mai amplu dicționar român-englez de până acum*, din punctul de vedere al cuvintelor-titlu, chiar dacă nu este la fel de bogat sub raport idiomatic sau frazeologic. Este menit a sluji mai ales ca instrument de lucru pentru românii care studiază limba engleză, pentru englezii și americanii care studiază limba română, pentru economiști și oameni de afaceri, tehnicieni, turiști și artiști care călătoresc în și din România, pentru profesori de toate gradele, pentru interpreți și traducători din diverse domenii ș.a.m.d.

Firește, ar fi absurd să pretindem de la acest dicționar să acopere toate nevoile traducătorilor literari, ale străinilor care citesc literatura română – deși am explicat mulți termeni populari și chiar regionali, ori de câte ori nu am putut găsi echivalente propriu-zise.

Dicționarul de față se deosebește de cel elaborat de profesorul Leon Levițchi începând de prin 1950, a cărui a treia ediție (revizuită de autor și de subsemnatul) a fost tipărită de Editura Științifică acum două decenii, mai exact în 1973, și de diferitele dicționare ale noastre – în mai multe privințe:

— ca *structură*, prin aplicarea celor mai noi concepții lexicografice făurite și perfecționate de profesorul Levițchi și concretizate în *Dicționar Frazeologic Român-Englez* de Bantaș – Gheorghițoiu – Levițchi, adică în ordinea strict alfabetică a cuvintelor și compușilor (cu foarte puține locuțiuni păstrate în cadrul cuibului – mai ales cele greu de separat);

— insistența asupra unei secțiuni importante a vocabularului – peste 10.000 de cuvinte-titlu – *care nu și-a găsit până acum locul în nici un alt dicționar român-englez* și de fapt nici în dicționarele român-francez, român-german etc.);

— dezvoltarea seriilor de *sinonime*, cuprinzând și *variantele americane* cu delimitări și explicații ori de câte ori a fost necesar;

— explicarea noțiunilor specifice vieții românești, meșteșugurilor, agriculturii și altor ocupații, folclorului și mai ales istoriei noastre *(realiile românești)*, când nu s-au putut găsi pentru ele echivalente englezești exacte – sau însoțind asemenea echivalente dacă au prea puține șanse de a fi cunoscute marelui public de limbă engleză (întrucât apar numai în dicționarele de proporții enciclopedice);

— *mai puține trimiteri*, pentru a-i cruța pe cei care consultă dicționarul de efortul de a întoarce prea des paginile;

— *cernerea tuturor surselor de informare de care dispunem* – care au sporit spectaculos în ultimii douăzeci de ani;

— *includerea terminologiei de bază a tuturor științelor, a domeniului economic și a tehnicii moderne.*

În linii mari, tezaurul *limitat* din care am extras Dicționarul Român-Englez de față, este alcătuit din:

I) *Micul dicționar enciclopedic* + *Dicționarul explicativ al limbii române și Suplimentul* său (DEX-S) + *Dicționarul de neologisme* (DN^3) + *Dicționarul ortografic, ortoepic și morfologic al limbii române* + *Dicționarul general al limbii române* de Vasile Breban + *Dicționarele botanice, zoologice, economice, tehnice* și *alte lucrări specializate* (pentru stabilirea listei de articole de dicționar).

II) *Dicționar român-englez* de Leon Levițchi + diferitele *Dicționare romăno-engleze* de Andrei Bantaș + *Dicționarul tehnic poliglot* și *Dicționarul tehnic român-englez* + diferitele *Dicționare romăno-franceze* și *romăno-germane* + Harrap's *Standard French-English Dictionary* + *Dicționarele enciclopedice germano-engleze* Harrap și Langenscheidt (folosite drept canale către echivalentele englezești și verificarea lor).

III) Webster's *Third New International Dictionary* (cu Addenda), 1986 + Webster's *Ninth New Collegiate Dictionary*, 1986 + Harrap's *Standard English-French Dictionary* + ultima ediție a lui Langenscheidt *Encyclopaedic English-German Dictionary* de Muret-Sanders, revizuit de Otto Springer (pentru definitivarea echivalentelor englezești, a denumirilor științifice ale plantelor, animalelor etc., pluralele latinești sau străine, variante ortografice etc.).

Am amânat temporar aspectele idiomatice ale bogatului lexic românesc, dar terminologia este vastă, diversă și adusă la zi.

În plus, cititorii sunt îndemnați să recurgă la asemenea liste și tabele din secțiunea mediană a *Dicționarului* nostru *englez-român* și *român-englez* (Editura Teora, 1993), la glosarele de termeni literari și la tabelele cronologice din *Manual de literatură engleză și americană* de Bantaș – Clonțea – Brânzeu (Editura Teora, 1993) și la diferite tabele și liste din alte cărți ale seriei *Essential English* (Editura Teora).

Pentru diferitele operații complicate – și mai ales modernizate – pe care le-a implicat redactarea actualului dicționar, trebuie să mulțumim *echipei de tineri lexicografi a Editurii Teora*, care au efectuat o muncă admirabilă și continuă s-o facă în folosul nostru, al tuturora.

Recunoștința noastră cea mai profundă se îndreaptă către opera și concepțiile lexicografice ale profesorului și mentorului nostru Leon Levițchi, a cărui activitate de pionierat încercăm s-o ducem mai departe.

Andrei Bantaș

Foreword
to the CONCISE ROMANIAN-ENGLISH DICTIONARY

This is a new, fairly comprehensive, medium sized Romanian-English dictionary. It includes over 40,000 entries – mainly of the contemporary Romanian vocabulary – and several thousand other lexical units: compounds and syntagms (collocations), phrases, abbreviations, geographical names, as well as adjectives and nouns derived from them.

Therefore, in point of entries, it is *the amplest Romanian-English dictionary so far*, though it is not as rich in phrases and idioms. It is meant mainly as a working instrument for Romanian students of English and English and American students of Romanian, for businessmen, technicians, tourists and artists who travel to and from Romania, for professors and teachers, for interpreters and translators in various fields, a.s.o.

We can hardly claim it will meet all the needs of literary translators, of foreign readers of Romanian literature, although many popular and even regional terms are explained, whenever true equivalents have not been found.

The present dictionary differs from the one made by Professor Leon Levițchi in the 50's, the third edition of which (revised by the author and myself) was printed by Editura științifică two decades ago, more exactly in 1973, and from our own various dictionaries in several ways:

— in point of *structure*, through the application of the latest lexicographic conceptions, as developed by Professor Levițchi, in the form materialized in the *Dicționar frazeologic român-englez* by Bantaș – Gheorghițoiu – Levițchi, i.e. in the strictly alphabetical order of words and compounds (with only very few phrases – hard to separate – comprised in the main entry);

— insistence on a substantial section of the vocabulary – more than 10,000 entries – not yet included in any of the Romanian-English dictionaries (or, for that matter, in Romanian-French, Romanian-German and other dictionaries);

— more *synonyms* provided, including *American variants* with delimitations and explanations whenever necessary;

— explanations of notions specific to Romanian life, crafts, agriculture, and other occupations, folklore and particularly history (the Romanian *realia*) whenever it has been impossible to find English equivalents for them, or accompanying these equivalents if they stand a very slim chance of being known to the English public at large (as they are only recorded in encyclopaedic dictionaries);

— *fewer cross-references*, to spare the users the effort of turning many pages this way and that;

— *churning all sources at our disposal* – which have increased spectacularly in the last twenty years;

— *the inclusion of the basic terminology of all sciences, of business and modern technology.*

Basically, the *limited* treasure from which we have extracted the present Romanian-English Dictionary consists of:

I) *Micul dicționar enciclopedic* + *Dicționarul explicativ al limbii române* and its *Supliment* (DEX- S) + *Dicționarul de neologisme* (DN[3]) + *Dicționarul ortografic, ortoepic și morfologic al limbii române* + *Dicționarul general al limbii române* by Vasile Breban + *botanical, zoological, economic, technical* and *other specialized dictionaries* (for establishing the standard list of entries).

II) Prof. Levițchi's *Dicționar Român-Englez* + the various *Romanian-English Dictionaries* by Andrei Bantaș + *Dicționarul tehnic poliglot* and *Dicționarul tehnic român-englez* + the various *Romanian-French and Romanian-German Dictionaries* + Harrap's *Standard French-English Dictionary* + the Harrap's and Langenscheidt's *Encyclopedic German-English Dictionaries* (as channels to finding and ascertaining the English equivalents).

III) Webster's *Third New International Dictionary* (with Addenda), 1986 + Webster's *Ninth New Collegiate Dictionary*, 1986 + Harrap's *Standard English-German Dictionary* + the latest edition of Langenscheidt's *Encyclopedic English-German Dictionary* by Muret-Sanders, revised by Otto Springer (for establishing the English equivalents, the scientific names of plants and animals, Latin and foreign plurals, spelling variants etc.).

We have temporarily deferred the idiomatic aspects of the rich Romanian lexic, but the terminology is vast, diverse and brought up to date.

Moreover, readers are advised to resort to such lists and tables as printed in the middle section of our *Dicționar englez-român și român-englez* (Editura Teora, 1993), to the glossaries of literary terms and the chronological tables in *Manual de literatură engleză și americană* by Bantaș – Clonțea – Brânzeu (Editura Teora, 1993) and to various tables in our other books of Teora's *Essential English* series.

For the various complicated and modern operations involved by the work on the present dictionary, we have to thank *the Teora team of young lexicographers*, who have been doing a splendid job.

Our utmost gratitude is due, however, to the lexicographic work and conceptions of our professor and mentor Leon Levițchi, whose pioneering activity we are carrying on.

Andrei Bantaș

Lista prescurtărilor folosite în dicționar
List of abbreviations used in the dictionary

acuz.	acuzativ	accusative
adj.	adjectiv	adjective
adv.	adverb	adverb
AE	americanism	American English
agr.	agricultură	agriculture
anat.	anatomie	anatomy
antrop.	antropologie	anthropology
aprox.	aproximativ	approximately
arh.	arhitectură	architecture
art. hot.	articol hotărât	definite article
art. neh.	articol nehotărât	indefinite article
astr.	astronomie	astronomy
auto.	auto(mobilism)	motoring
aux.	auxiliar	auxiliary
av.	aviație	aviation
biochim.	biochimie	biochemistry
biol.	biologie	biology
bis.	biserică	church
bot.	botanică	botany
chim.	chimie	chemistry
cib.	cibernetică	cybernetics
cin.	cinema(tografie)	cinema
conj.	conjuncție	conjunction
constr.	construcții	building industry
cul.	culinar	culinary
d.	despre	about
dat.	dativ	dative
ec.	economie	economics, business
ec. pol.	economie politică	political economy
el.	electricitate	electricity
elev.	elevat	elevated
entom.	entomologie	entomology
etc.	et caetera	et caetera
fam.	familiar	colloquial, informal
farm.	farmaceutică	pharmaceutics
ferov.	feroviar	railway
fig.	figurat	figurative
filoz.	filozofie	philosophy
fin.	finanțe	finances
fiz.	fizică	physics
fiziol.	fiziologie	physiology
foto.	fotografie	photography
gen.	genitiv	genitive
geogr.	geografie	geography
geol.	geologie	geology
geom.	geometrie	geometry
gram.	gramatică	grammar
iht.	ihtiologie	ichthyology
impers.	impersonal	impersonal
ind.	industrie	industry
ind. alim.	industrie alimentară	food industry
ind. text.	industrie textilă	textile industry

interj.	interjecție	interjection
ist.	istorie	history
înv.	învechit	obsolete
jur.	juridic	juridical, law
lingv.	lingvistică	linguistics
lit.	literatură	literature
livr.	livresc	elevated
log.	logică	logic
mar.	marină	navy, navigation
mat.	matematică	mathematics
med.	medicină	medicine
med. vet.	medicină veterinară	veterinary medicine
met.	metalurgie	metallurgy
meteo.	meteorologie	meteorology
mil.	militar	military
min.	minerit	mining
mineral.	mineralogie	mineralogy
mitol.	mitologie	mythology
muz.	muzică	music
nav.	naval	naval, ship building
num. card.	numeral cardinal	cardinal numeral
num. ord.	numeral ordinal	ordinal numeral
odin.	odinioară	in the past
opt.	optică	optics
ornit.	ornitologie	ornithology
paleont.	paleontologie	paleontology
pas.	pasiv	passive
peior.	peiorativ	derogatory, pejorative
pl.	plural	plural
pol.	politică	politics
pos.	posesiv	possessive
pron.	pronume	pronoun
prep.	prepoziție	preposition
psih.	psihologie	psychology
pt.	pentru	for
radio.	radiocomunicații	radio communications
reg.	regionalism	regionalism
rel.	religie	religion
s.f.	substantiv feminin	feminine noun
s.m.	substantiv masculin	masculine noun
smb.	cineva	somebody
smth.	ceva	something
s.n.	substantiv neutru	neuter noun
sociol.	sociologie	sociology
stil.	stilistică	stylistics
telec.	telecomunicații	telecommunications
tehn.	tehnică	techonology
text.	textile	textiles
univ.	universitar	university (life)
vet.	veterinar	veterinary
vi.	verb intranzitiv	intransitive verb
v. impers.	verb impersonal	impersonal verb
voc.	vocativ	vocative
vr.	verb reflexiv	reflexive verb
vt.	verb tranzitiv	transitive verb
vulg.	vulgar	vulgar
zool.	zoologie	zoology

A

A, a *s.m.* the first letter of the Romanian alphabet.
a- *prefix* a-.
a I. *art. pos. fem.* the. **II.** *art. pos.* of. ~ *lui Petru* Peter's; ~ *lui* his. **III.** v. *aux.* has. **IV.** *prep.* like; of. **V.** *interj.* a(h)! o(h)! **VI.** *particulă infinitivală* to.
aalenian *subst., adj. geol.* Aalenian.
aba *s.f. text.* frieze, flushing.
abac *s.n. mat.* abacus.
abaca *s.f. text.* abaca.
abacă *s.f. arh.* abacus.
abagiu *s.m. înv.* draper, weaver.
abajur *s.n.* (lamp) shade.
abandon *s.n.* **1.** abandonment. **2.** *(părăsire)* desertion.
abandona I. *vt.* **1.** to abandon. **2.** *(a părăsi)* to desert. **3.** to renounce. **II.** *vi.* to abandon.
abandonare *s.f.* **1.** abandonment, relinquishing. **2.** *(părăsire)* desertion.
abanos *s.m.* ebony.
abataj *s.n. min.* working, stope.
abate I. *s.m.* abbot. **II.** *vt.* **1.** to divert. **2.** *fig.* to turn (away). **3.** *(a doborî)* to fell; *a ~ de la drumul drept* to lead astray. **III.** *vr.* **1.** to swerve. **2.** *(a se îndepărta)* to stray; *a se ~ asupra* to rush upon; *a se ~ din drum* to go out of one's way; *a i se ~* to have a mind to.
abatere *s.f.* **1.** deviation. **2.** *(disciplinară)* misbehaviour. **3.** *(încălcare)* infringement. **4.** *(de la regulă)* exception.
abatiză *s.f. mil.* abattis.
abator *s.n.* slaughter-house.
abaţie *s.f.* abbey, abbacy.
abazie *s.f. med.* abasia.
abătut *adj.* downcast, depressed.
abbevilian, -ă *adj. geol., ist.* Abbevillian, Abbevillean.
abces *s.n.* abscess.
abdica *vi.* to abdicate *(cu acuz.); a ~ de la un drept* to renounce a right.
abdicare *s.f.* abdication.
abdomen *s.n.* abdomen.
abdominal *adj.* belly, abdominal.
abductor *adj. anat.* abducent.
abducţie *s.f. fiziol.* abduction.
abecedar *s.n.* primer.
aberant *adj.* aberrant.
aberaţie *s.f.* **1.** aberration. **2.** absurdity.
abia *adv.* **1.** hardly, scarcely. **2.** *(numai)* just; only.
abietacee *s.f. pl., bot.* abies genus, pinaceae, firs.
abil *adj.* **1.** skilful; clever. **2.** *(şiret)* sly.
abilita *vt.* to qualify.
abilitate *s.f.* **1.** skill; cleverness. **2.** tact(fulness).
abiotic *adj. biol.* abiotic.
abis *s.n.* abyss.
abisal *adj.* abysmal.
abisinian *adj. s.m.* Abyssinian.
abitaclu *s.n. nav.* binnacle.
abitaţie *s.f. jur.* occupancy (of a house).
abitir *adv. mai ~* better; stronger; harder.
abject *adj.* **1.** abject. **2.** *(servil)* cringing.
abjecţie *s.f.* abjection.
abjura *vt., vr.* to abjure.
abjurare *s.f.* abjuration.
ablativ *s.n. gram.* ablative (case).
ablaţiune *s.f. geogr., med.* ablation.
ablaut *s.n. gram.* ablaut.
ablefarie *s.f. med.* ablepharia.
abluţiune *s.f. rel. etc.* ablution.
abnegaţie *s.f.* abnegation; self-denial.
aboli *vt.* to abolish.
abolire *s.f.* abolition, abolishment.
aboliţionism *s.n. ist.* abolitionism.
aboliţionist *s.m. ist.* abolitionist.
abominabil I. *adj.* abominable. **II.** *adv.* abominably.
abona *vr.* to subscribe (to a newspaper etc.).
abonament *s.n.* **1.** *(la ziar etc.)* subscription. **2.** *(bilet)* season ticket.
abonare *s.f.* subscription.
abonat *s.m.* subscriber; *~ telefonic* telephone user.
aborda *vt.* **1.** to approach (smb.). **2.** to tackle (a problem etc.).
abordabil *adj.* accessible.
abordaj *s.n. nav.* collision.
abordare *s.f.* approach.
aborigen *adj.* aboriginal.
abortiv *adj. med., biol.* abortive.
abracadabra *s.f.* abracadabra.
abracadabrant *adj.* bizarre.
abradant *s.m.* grinding material.
abrazare *s.f. tehn., med.* abrasion.
abraziune *s.f. tehn., geogr.* abrasion.
abraziv *s.m. adj.* abrasive.
abrazor *s.n. tehn.* abrasive blade.
abrămescă *s.f. bot.* bitterwort, yellow gentian *(Gentiana lutea)*.
abrevia *vt.* to abbreviate.
abreviat *adj.* abbreviated; abridged.
abreviativ *adj. elev.* abbreviated, abbreviative.
abreviaţie *s.f.* abbreviation.
abreviere *s.f.* abbreviation, abbreviating.
abroga *vt.* to annul, to repeal.
abrogare *s.f. jur.* abrogation.
abrudeanca *s.f. muz.* Transylvanian dance specific to Abrud area.
abrupt *adj.* **1.** steep. **2.** *fig.* abrupt.
abrutiza *vt.* to brutify.
abrutizant *adj.* brutalizing.
abrutizare *s.f.* brutalization.
abrutizat *adj.* brutified.
abscisă *s.f. mat.* abscissa.
absciziune *s.f. med.* abscision.
abscons *adj.* abstruse.
absenta *vi.* to be absent / missing.
absentare *s.f.* absence.
absenteism *s.n. pol.* absenteeism.
absenteist *s.m.* remittance man.
absent I. *s.m.* absentee. **II.** *adj.* **1.** absent. **2.** *(distrat)* absent-minded.
absenţă *s.f.* **1.** absence. **2.** *(neatenţie)* absence of mind.
absidă *s.f. arh.* apse, apsis.
absidial *adj. arh., geom.* apsidal.
absidiolă *s.f. arh.* apsidole, absidole.
absint *s.n.* absinth(e).
absolut I. *adj.* absolute. **II.** *adv.* **1.** absolutely. **2.** completely.
absolutism *s.n.* absolutism.
absolutist *s.m.* absolutist.
absolutiza *vt.* to generalize.
absolutizare *s.f.* absolutization.
absolvent *s.m.* **1.** *univ.* graduate. **2.** school leaver.
absolvenţă *s.f.* graduation.
absolvi *vt.* **1.** to graduate. **2.** *fig.* to absolve; to forgive.

absolvire *s.f.* absolution, graduation.
absorbant *s.m. adj.* absorbent.
absorbi *vt.* **1.** to absorb. **2.** *fig.* to engross.
absorbire *s.f.* absorption.
absorbit *adj.* absorbed.
absorbitor *adj.* absorbent.
absorbție *s.f.* absorption.
abstenționism *s.n. pol.* abstentionism.
abstinent I. *adj.* abstinent. **II.** *s.m.* abstainer, teetotal(l)er.
abstinență *s.f.* abstinence; abstemiousness.
abstract I. *adj.* abstract. **II.** *adv.* abstractly.
abstractiza *vt., vi.* to abstract.
abstractizare *s.f.* abstracting.
abstracție *s.f.* abstraction.
abstracționism *s.n. artă* abstractionism.
abstracționist *s.m. artă* abstractionist.
abstracțiune *s.f.* abstraction.
abstrage *vt.* to abstract.
abstragere *s.f.* abstraction.
abstrus *adj.* abstruse.
absurd I. *s.n.* absurdity; *prin ~* against all reason. **II.** *adj.* **1.** absurd; unreasonable. **2.** *(nefiresc)* preposterous.
absurditate *s.f.* absurdity, aberration.
abțibild *s.n.* **1.** transfer picture. **2.** *pl. fig.* trifles.
abține *vr.* to abstain; to refrain.
abținere *s.f.* abstention.
abulic *med.* **I.** *adj.* ab(o)ulic. **II.** *s.m.* ab(o)ulic person.
abulie *s.f. med.* ab(o)ulia.
abunda *vi.* to abound, to be plentiful, to be in plenty / abundance; *a ~ în* to abound in / with, to be rich in; to teem / to swarm / to bristle with.
abundent *adj.* abundant, plentiful.
abundență *s.f.* plenty.
abur *s.m.* **1.** steam; vapour. **2.** *(al câmpiei)* haze. **3.** *fig.* fume.
aburca I. *vt. pop.* to lift up. **II.** *vr.* **1.** *(a se cățăra)* to climb (up), to clamber (up). **2.** *(a se ridica în zbor)* to take wing, to fly up.
aburcare *s.f. pop.* lifting up etc. v. a b u r c a.
abureală *s.f.* *(exalare)* exhalation; *(produsă de lichide)* steam, vapour; fume.
aburi *vt., vr.* to steam.
aburire *s.f.* steaming, fuming.
aburit *adj.* covered with steam; reeky, smoky.
aburitor *s.n. tehn.* steamer.
aburos *adj.* **1.** steamy; reeky. **2.** vapoury, steam-engendering.
abuz *s.n.* **1.** abuse. **2.** excess; *~ de încredere* breach of trust.
abuza *vi. a ~ de* **1.** to abuse; to misuse. **2.** *(a înșela)* to deceive.
abuziv I. *adj.* **1.** abusive; improper. **2.** arbitrary; illegal. **II.** *adv.* **1.** abusively; improperly. **2.** arbitrarily; illegally.
ac *s.n.* **1.** needle. **2.** *(cu gămălie, de cravată etc.)* pin. **3.** *(de viespe etc.)* sting. **4.** *(țeapă și fig.)* prick. **5.** *ferov.* point. **6.** *(de patefon)* needle. **7.** *(de păr)* (hair)pin. **8.** *(de picup)* stylus. **9.** *(de siguranță)* safety pin. **10.** *(orar)* hour hand.
acacia *s.f. bot.* acacia.
acadea *s.f.* lollipop, rock.
academic I. *adj.* **1.** academic. **2.** academical. **II.** *adv.* academically.
academician *s.m.* academician.
academie *s.f.* academy.
academism *s.n.* academi(ci)sm.
acaju *s.m.* **1.** mahogany. **2.** *bot.* cashew *(Anachardium occidentale).*
acalmie *s.f.* lull, calm at sea.
acana *adv. pop.* aside; on the side; out of the way.
acant *s.n. arh.* acanthus.
acantacee *s.f. pl. bot.* acanthaceae.
acantă *s.f.* **1.** *bot.* acanthus *(Acanthus sp.).* **2.** *arh.* acanthus.
acantocefali *s.m. pl. zool.* acanthocephala.
acantoză *s.f. med.* acanthozis.
acapara *vt.* **1.** to seize. **2.** to monopolize. **3.** *(a stoca)* to stock(pile).
acaparare *s.f.* buying up etc. v. a c a p a r a.
acaparator I. *adj.* forestalling; monopolizing. **II.** *s.m.* buyer-up; monopolizer; food hoarder.
acar[1] *s.n.* *(cutie)* needle / pin box / case; *(perniță)* pin cushion.
acar[2] *s.m.* pointsman.
acareturi *s.n. pl.* **1.** outhouses; annexes. **2.** *(lucruri)* chattels. **3.** *(unelte)* implements.
acarian *entom.* **I.** *s.m.* acarian, mite, tick. **II.** *adj.* acarian.
acaricid *chim., med., biol.* **I.** *s.n.* acaricide, acaracide. **II.** *adj.* acaricidal.
acarioză *s.f. entom.* acarine disease.
acarniță *s.f.* v. a c a r [1].
acasă *adv.* **1.** at home; in. **2.** *(spre casă)* home; *ca ~* at home; in a homely way.
acatină *s.f. bot.* common matrimony vine *(Lycium halimofolium).*
acatist *s.n.* prayer for the dead.
acătării *adj.* decent; regular.
accelera I. *vt.* to speed (up). **II.** *vi. auto.* to step on the gas.
accelerando *adv. muz.* accelerando.
accelerare *s.f.* **1.** speeding (up). **2.** *ec.* speed-up.
accelerat I. *s.n.* fast train. **II.** *adj.* **1.** accelerated. **2.** *c. f.* fast.
accelerator *s.n.* **1.** accelerator. **2.** *auto.* throttle.
accelerație *s.f.* acceleration.
accelerograf *s.n. fiz.* accelerograph.
accelerometru *s.n. fiz.* accelerometer.
accent *s.n.* **1.** stress. **2.** *(mai ales străin etc.)* accent. **3.** *fig.* emphasis.
accentua I. *vt.* **1.** to stress. **2.** *fig.* to emphasize. **II.** *vr.* to increase.
accentuare *s.f.* accentuation, accenting.
accentuat *adj.* accented, stressed.
accept *s.n. ec.* acceptance.
accepta *vt.* to agree to; to accept.
acceptabil I. *adj.* acceptable; satisfactory; admissible. **II.** *adv.* acceptably; passably.
acceptant *s.m. ec.* accepter, acceptor.
acceptare *s.f.* acceptance.
acceptor I. *s.m. fiz.* acceptor. **II.** *adj.* accepting, accepted; receptive.
accepți(un)e *s.f.* accept(at)ion.
acces *s.n.* **1.** access. **2.** *(de furie etc.)* fit; attack. **3.** *(izbucnire)* outburst; *~ul interzis* no entry.
accesibil *adj.* **1.** accesible. **2.** *(d. persoane)* easy of access.
accesibilitate *s.f.* access; accessibility.
accesiune *s.f.* accession.
accesoriu *s.n. adj.* accessory.
accident *s.n.* accident.
accidenta I. *vt.* to wound in an accident. **II.** *vr.* to hurt oneself (in an accident).
accidental I. *adj.* accidental, casual. **II.** *adv.* accidentally, casually.
accidentat I. *adj.* **1.** injured, hurt. **2.** broken, uneven, rugged. **II.** *s.m.* injured / wounded person; sufferer from / victim of an accident; casualty.
accidență *s.f. poligr.* display / job work, job.
acciz *s.n. odin.* excise.
accizar *s.m. odin.* exciseman.
accompaniere *s.f.* **1.** accompanying. **2.** *muz.* accompaniment.
acea *adj.* that.
aceasta I. *adj.* this. **II.** *pron.* this (one).

această *adj.* this.
aceea I. *adj.* that **II.** *pron.* that (one); *după* ~ then, afterwards.
aceeași *adj. pron.* the same.
acefal *adj. biol., zool.* acephalous, acephalic.
acefalie *s.f. biol.* acephalia.
acei *adj.* those.
aceia I. *adj.* those. **II.** *pron.* those (ones).
aceiași *adj. pron.* the same.
acel *adj.* that.
acela I. *adj.* that. **II.** *pron.* that (one).
același *adj. pron.* the same.
acele *adj.* those.
acelea I. *adj.* those. **II.** *pron.* those (ones).
aceleași *adj. pron.* the same.
aceracee *s.f. pl. bot.* Aceraceae.
aceratherium *s.m. zool., geol.* Aceratherium.
acerb I. *adj.* bitter, harsh. **II.** *adv.* bitterly.
acerbitate *s.f. rar, elev.* acerbity.
acest *adj.* this.
acesta I. *adj.* this. **II.** *pron.* this (one).
aceste *adj.* these.
acestea I. *adj.* these. **II.** *pron.* these (ones); *cu toate* ~ nevertheless, in spite of all this; *toate* ~ all this.
acești *adj.* these.
aceștia I. *adj.* these. **II.** *pron.* these (ones).
acetaldehidă *s.f. chim.* acetaldehyde.
acetamidă *s.f. chim.* acetamide.
acetat *s.m. chim.* acetate.
acetic *adj. chim.* acetic.
acetifica *chim.* **I.** *vt.* to acetify. **II.** *vr. pas.* to acetify, to be acetified.
acetificare *s.f. chim.* acetification.
acetil *s.n. chim.* acetyl.
acetilare *s.f. chim.* acetylation.
acetilceluloză *s.f. chim.* cellulose acetate, acetyl cellulose.
acetilcolină *s.f. chim.* acetylcholine.
acetilenă *s.f. chim.* acetylene (gas), ethine.
acetilsalicilic *adj. chim., farm.* acetylsallicylic (acid).
acetilură *s.f. chim.* acetylide.
acetobutirat *s.m. chim.* acetobutyrate.
acetofenonă *s.f. chim.* acetophenone.
acetonă *s.f. chim.* acetone.
acetonurie *s.f. med.* acetonuria.
achenă *s.f. bot.* achene, akene.
acheulean *adj. geol., ist.* Acheulean, Acheulian.
achiesare *s.f. jur.* acquiescence; consent, assent.
achilie *s.f. med.* achylia (gastrica).
achita I. *vt.* **1.** to pay (off). **2.** *jur.* to acquit. **3.** *fig.* to do for. **II.** *vr. a se* ~ *de* to discharge; to acquit oneself of (a duty etc.).
achitare *s.f.* **1.** payment. **2.** *jur.* acquittal, absolution; deliverance; discharge.
achiu *s.m. înv. bot.* (turnip-rooted) celery *(Apium graveolens).*
achiu *s.n. (la biliard)* lead; *(tac) (billiard)* cue.
achizitor *s.m.* acquirer, buyer.
achiziție *s.f.* acquisition.
achiziționa I. *vt.* **1.** *ec.* to acquire (by purchase), to buy, to purchase; **2.** *(a obține, a procura)* to obtain, to procure, to get. **II.** *vr. pas.* to be acquired (by purchase), to be bought.
achiziționare *s.f.* acquisition.
aci *adv.* v. a i c i .
aciclic *chim., bot.* **I.** *adj.* acyclic. **II.** *adv.* acyclically.
acicul *s.m. bot.* acicula.
acicular *adj. bot.* acicular.
acid *s.m. adj.* acid.
acidimetru *s.n. chim.* acidimeter.
aciditate *s.f.* acidity.
acidofil *chim.* **I.** *adj.* acidophilic, acidophilous, acidophile. **II.** *s.n.* acidophil(e).
acidoliză *s.f. chim.* acidolysis.
acidorezistență *s.f. chim.* acid resistance.
acidoză *s.f. med.* acidosis.
acidula I. *vt.* to acidulate, to make somewhat acid / sour, to acidify. **II.** *vr. pas.* to become acidulated / somewhat acid / sour; to acidify.
acidulare *s.f.* acidulation.
acidulat *adj.* acidulated, somewhat acid / sour.
acil *s.m. chim.* acyl.
acila *vt. chim.* to acylate.
acilea *adv. reg.* v. a c i c i.
acin *s.m. anat., med.* acinus, *pl.* acini.
acioaie *s.f. pop.* **1.** bronze. **2.** alloy, composition.
acioală *s.f. pop. rar* shelter; dwelling (place), lodgings; house.
acipenseride *s.f. pl. iht.* acipenseres *(Acipenseroidei).*
aciua *vr.* **1.** to take shelter. **2.** *(a se ascunde)* to hide.
aciuare *s.f.* sheltering.
aciuat *adj.* safe; protected; sheltered.
aciui(a) *vt., vr.* v. a c i u a.
aclama *vt., vi.* to cheer.
aclamare *s.f.* acclamation, acclaiming.
aclamație *s.f.* cheer, ovation.
aclimatiza I. *vt.* to acclimate, to acclimatize; to adapt. **II.** *vr.* **1.** *bot.* etc. to acclimate, to acclimatize, to get / to become acclimatized (to new surroundings); to adapt oneself. **2.** *fig. (d. oameni)* to accustom oneself to new surroundings.
aclimatizare *s.f.* acclimation, acclimatization.
acnee *s.f. med.* acne(a).
acoladă *s.f.* **1.** brace. **2.** *ist.* accolade.
acolea *adv.* pop. *fam.* over there.
acolit *s.m.* acolyte; accomplice.
acolo *adv.* there; *de* ~ from that place; *dintr-*~ from there; *într-*~ there; *pe* ~ thereabout(s).
acomoda *vr.* to adjust sau accomodate oneself; *a se* ~ *cu* to put up with.
acomodabil *adj.* accomodating.
acomodare *s.f.* adaptation, accomodation.
acomodat *adj.* adapted, accomodated.
acompania *vt.* to accompany.
acompaniament *s.n.* accompaniment.
acompaniatoare *s.f. muz.* (lady) accompanist.
acompaniator *s.m. muz.* accompanist.
acondroplazie *s.f. med., vet.* achondroplasia.
aconitină *s.f. chim., med.* aconitine.
acont *s.n.* **1.** advance (money). **2.** *(arvună)* earnest (money). **3.** *(la plata în rate)* down payment.
aconta *vt.* **1.** to pay an instalment on. **2.** *(a arvuni)* to pay earnest money for.
acontare *s.f. (cu gen.)* paying on account (for); paying / giving earnest money (for).
acoperământ *s.n.* **1.** cover; layer. **2.** roof(ing); shelter, refuge.
acoperi I. *vt.* **1.** to cover. **2.** *(a ascunde)* to hide. **3.** *(a adăposti)* to shelter. **4.** *fig.* to screen. **II.** *vr.* **1.** to cover oneself. **2.** to be covered.
acoperire *s.f.* **1.** covering. **2.** *fig.* protection. **3.** *fin.* security.
acoperiș *s.n.* roof.
acoperit *adj.* covered, overcast.
acoperitoare *s.f.* cover.
acord *s.n.* **1.** agreement. **2.** *fig.* concord; harmony. **3.** *muz.* chord, accord. **4.** *ec.* piecework. **5.** *de ~!* all right!; *muncă în* ~ piecework.
acorda *vt.* **1.** to grant. **2.** *(a armoniza)* to put in concord. **3.** *(a potrivi)* to fit. **4.** *muz.*, radio to tune.

acordaj *s.n. muz.* tuning; harmony, accord.
acordant *s.m.* piece worker, jobber, tasker.
acordare *s.f.* tuning, granting.
acordat *adj.* **1.** *muz.* in tune, attuned; poetic attune. **2.** *gram.* agreed, in agreement / concord.
acordeon *s.n.* accordion.
acordeonist *s.n. muz.* accordion sau concertina player.
acordor *muz.* **I.** *s.m.* tuner (of a musical instrument). **II.** *s.n.* tuning key / hammer; tuning cone.
acosta I. *vt.* to accost. **II.** *vi.* to land; to moor.
acostament *s.n. constr.* footway; verge, road shoulder.
acostare *s.f.* accosting.
acotiledonate *s.f. pl. bot.* acotyledons.
acotiledon(at) *adj. bot.* acotyledonous.
acraniat *s.n. zool., geol.* acraniate.
acreală *s.f.* sourness.
acredita *vt.* to accredit.
acreditare *s.f.* opening a credit, accreditation, accrediting.
acreditat *adj.* accredited.
acreditat I. *adj.* accredited. **II.** *s.m.* plenipotentiary.
acreditiv *s.n. ec.* letter of credit.
acrescământ *s.n. jur.* accretion.
acri I. *vt.* to (make) sour. **II.** *vr.* to (turn) sour; *a i se ~ (de ceva)* to be fed up (with smth.).
acribie *s.f. elev.* (scholarly) exactingness, rigorousness; (over) conscientionsness.
acridă *s.f. entom.* grasshopper *(Locusta viridissima).*
acridină *s.f. chim.* acridine.
acrilat *s.n. chim.* acrylate.
acrilonitril *s.m. chim.* acrylonitrile.
acrime *s.f. rar* **1.** v. a c r e a l ă. **2.** sour taste; **3.** *fig.* enmity; hostility.
acrimonios *adj. rar* acrimonious.
acrire *s.f.* souring.
acriș *s.m. bot.* barberry, devil's bit *(Berberis vulgaris).*
acrișor *adj.* sourish, tartish; acidulous.
acrit I. *adj.* **1.** soured, acidified. **2.** tainted, spoilt, damaged. **II.** *s.n.* souring.
acritură *s.f.* **1.** sour food; sour drink. **2.** *pl.* pickles.
acrobat *s.m.* acrobat.
acrobatic *adj.* **1.** acrobatic. **2.** *fig.* neckbreaking.
acrobație *s.f.* acrobatics.
acrocefalie *s.f. zool.* acrocephaly.
acrocianoză *s.f. med.* acrocyanosis.
acrofobie *s.f. med., psih.* acrophobia.
acroleină *s.f. chim.* acrolein.
acromat *adj.* achromatic, achromatous.
acromatic *adj. opt.* achromatic; colourless.
acromatism *s.n. opt.* achromatism; lack of colour.
acromatiza *vt.* to achromatize.
acromatopsie *s.f. med.* achromatopsy, achromatism, colour blindness.
acromegalie *s.f. med., anat.* acromegaly.
acromicrie *s.f. med., anat.* acromicria.
acromie *s.f. biol., med.* achromia, achrema.
acromion *s.n. anat.* acromion (process).
acronic *adj. elev.* timeless, atemporal, non-temporal.
acroparestezie *s.f. med.* acropar(a)esthesia.
acropolă *s.f.* acropolis.
acrostih *s.n. stil.* acrostic.
acroșa *fr.* **I.** *vt.* **1.** *tehn. (a agăța) (de)* to hang (up) (on); *(un vehicul)* to couple / to hitch on (to). **2.** *(a prinde)* to hold; *(într-un cârlig)* to hook. **II.** *vr. a se ~ de* to cling / to fasten to.
acroșaj *s.n.* hooking, catching; *tehn.* coupling; sport clinch(ing).
acroșare *s.f.* catching; hooking; bumping (into smth. / smb.); *el.* synchronization, putting into step.
acroteră *s.f. arh.* acroterium, acroterion.
acru I. *s.m.* acre (0,4 ha). **II.** *adj.* **1.** sour. **2.** *fig.* peevish.
act *s.n.* **1.** *(teatru)* act. **2.** *(document)* deed; document, paper. **3.** *(acțiune)* act(ion); deed; *~ de acuzare* bill of indictment; *~ de donație* deed of gift.
acta *s.n. pl.* **1.** acta, proceedings; transactions. **2.** deeds, records; chronicles.
acteonela *s.f. geol., biol.* act(a)eonella.
ACTH *s.n., chim., farm., med.* ACTH, adrenocorticotropic hormone.
actinic *adj. fiz.* actinic.
actinide *s.f. pl. zool.* Actinidia.
actinie *s.f. zool.* actinia (Actinia).
actinism *s.m. fiz.* actinism.
actiniu *s.n. chim.* actinium.
actinograf *s.n. fiz., opt.* actinograph.
actinografie *s.f. fiz., opt.* actinography.
actinometric *adj. fiz.* actinometric.
actinometrie *s.f. fiz.* actinometry.
actinometru *s.n. chim., fiz.* actinometer.
actinomicete *s.n. pl. zool.* actinomycetes.
actinomicina *s.f. farm., med.* actinomycin.
actinomicoză *s.f. med.* actinomycosis.
actinomorf *adj. biol.* actinomorphic, actinomorphous.
actinon *s.n. fiz.* actinon, actinium emanation.
actinopterigii *s.n. pl. iht.* actinopterygii, actinopteri.
actinot *s.m.* mineral. actinolite.
actinoterapie *s.f. fiz., med.* actinotherapy.
activa I. *vt.* **1.** to speed up. **2.** to intensify. **II.** *vi.* to work; to act.
activant I. *adj.* activating. **II.** *s.m.* activator, activating factor.
activare *s.f.* intensification, intensifying.
activator *s.m. fiz., chim.* activating agent.
activ I. *s.n.* **1.** active. **2.** *fin.* assets. **3.** *pol.* (party) cadre; *~ de conducere* leading cadre. **II.** *adj.* **1.** active. **2.** efficient. **3.** *(d. un ofițer etc.)* with the colours.
activist *s.m.* militant.
activitate *s.f.* activity; work; *~ obștească* social sau welfare work; *~ personală* personal record; *în ~* active; with the colours.
activiza I. *vt. (d. oameni)* to make more active; to rouse, to stir up, to stir to activity. **II.** *vr.* to be(come) more active; to liven (up).
activizare *s.f.* making more active etc.
actor *s.m.* actor; *~ de compoziție* character actor.
actoricesc *adj.* an actor's...; theatrical, histrionic; dramatic.
actorie *s.f.* acting, performing (on the stage), histrionism.
actriță *s.f.* actress.
actual *adj.* **1.** present(-day); today's, nowadays; current. **2.** *(interesant)* topical.
actualism *s.n. filoz.* actualism.
actualitate *s.f.* **1.** present. **2.** up-to-dateness; topical interest.
actualiza *vt.* to make sau render topical; to bring up-to-date.
actualizare *s.f.* bringing up-to-date; making topical.
actualmente *adv.* now(adays), at present.
actuar *s.m.* actuary.

actuariat *s.m.* **1.** function(s) / profession of an actuary. **2.** actuaries table.
acționa I. *vt.* **1.** *jur.* to sue. **2.** *tehn.* to drive, to actuate. **II.** *vi.* **1.** to act; to take action. **2.** *fig.* to operate.
acționar *s.m.* shareholder; *(mare)* stockholder.
acționare *s.f.* acting; action; activity.
acțiune *s.f.* **1.** act(ion); deed. **2.** *lit.* plot, story. **3.** activity. **4.** operation; influence. **5.** *fin.* share; *pl.* stock. **6.** *jur.* (law) suit. **7.** ~ *culturală* cultural manifestation.
acu *adv. fam.* v. a c u m.
acuaforte *s.f.* arte etching.
acuarelă *s.f.* watercolour(s).
acuarelist *s.m.* aquarellist, watercolourpainter.
acuitate *s.f.* acuity, sharpness, acuteness.
aculeat I. *adj.* aculeate; pointed, stinging. **II.** *s.n.* *entom.* aculeate.
aculturație *s.f.* sociol. acculturation.
acum *adv.* **1.** now(adays). **2.** at once; ~ *doi ani* two years ago; *de* ~ present(-day); *de* ~ *înainte* from now on; *până* ~ so far.
acuma *adv. reg.* v. acum.
acumetrie *s.f. med.*, *fiz.* audiometry.
acumetru *s.n. med.*, *fiz.* audiometer.
acuminat *adj. bot.* acuminate.
acumula I. *vt.* to accumulate, to amass; *(a îngrămădi)* to heap (up), to pile; *(d. bani)* to hoard up. **II.** *vr.* **1.** to be accumulated etc. **2.** to accumulate; *(a se îngrămădi)* to heap (up).
acumulare *s.f.* accumulation, accumulating etc.
acumulator *s.n.* **1.** accumulator. **2.** *el.* storage battery.
acupla I. *vt.* **1.** *v.* c u p l a. **2.** *(a împerechea)* to couple, to mate, to pair. **II.** *vr.* **1.** v. a s e c u p l a. **2.** *(a se împerechea)* to mate, to pair; to copulate, to couple.
acuplaj *s.n. tehn.* (clutch) coupling.
acuplare *s.f.* **1.** v. cuplare. **2.** mating etc.
acupresură *s.f. med.* acupressure.
acupunctură *s.f. med.* acupuncture.
acuratețã, acuratețe *s.f.* accuracy.
acustic *adj.* acoustic.
acustică *s.f.* acoustics.
acustician *s.m.* acoustician.
acușa[1] *adv. reg.* v. a c u ș (i).
acușa[2] *vt.* to give birth to.
acuș(i) *adv.* presently.
acușica *adv. fam.* in no time, in a jiffy; v. a c u ș (i).
acușor *s.n.* little needle / pin.
acut *adj.* acute, sharp.
acuza *vt.* **1.** to charge; to accuse. **2.** *med.* și *fig.* to evince.
acuzabil *adj.* accusable, impeachable, indictable.
acuzare *s.f.* **1.** indictment. **2.** *(procuror)* prosecution. **3.** *(acuzație)* charge.
acuzat *s.m.* **1.** accused. **2.** prisoner.
acuzativ *s.n.*, *adj.* accusative.
acuzator I. *adj.* accusing; accusatory, incriminating. **II.** *s.m. jur.* accuser, indicter, impeacher.
acuzație *s.f.* charge.
acuză *s.f. rar* accusation, charge.
acvaforte *s.n. artă* etching, etched copper-plate.
acvamarin *s.n.* mineral. aquamarine.
acvaplan *s.n. sport* surf board.
acvariu *s.n.* aquarium.
acvatic *adj.* aquatic, water.
acvatintă *s.f. artă* aquatint.
acvatubular *adj. tehn.* watertube.
acvifer *adj.* aquiferous; waterbearing; watery.
acvilă *s.f. ornit.* eagle *(Aquila).*
acvilin *adj.* aquiline.
acvilon *s.n. rar* north wind; cutting blast.
acvitanian *subst.*, *adj. geol.* Aquitanian.
adactilie *s.f. med.* adactylia.
adagio *muz.* **I.** *adv.* adagio, slowly. **II.** *s.n.* adagio.
adagiu *s.n.* adage, saying, saw; proverb.
adamant *s.n.* diamond, *înv.* adamant.
adamantin *adj.* adamantine; diamond; diamond-like.
adamic *adj.* Adamic.
adaos *s.n.* **1.** addition. **2.** supplement. **3.** annex; addendum.
adaptabil *adj. (la)* adaptable (to).
adaptabilitate *s.f.* adaptableness, adaptability.
adapta I. 1. *vt.* to adjust. **2.** to adapt. **II.** *vr.* to adapt (oneself).
adaptare *s.f.* **1.** adap(ta)tion. **2.** adjustment.
adaptat *adj. (la)* adapted (to).
adaptor *s.n. tehn. etc.* adaptor, adapter.
adaus *s.n.* v. a d a o s.
adăoga v. a d ă u g a.
adăpa I. *vi.* **1.** to water. **2.** *vr.* to drink.
adăpare *s.f.* watering, wetting.
adăpat *s.n.* **1.** *v.* a d ă p a r e. **2.** v. a d ă p ă t o a r e.
adăpătoare *s.f.* **1.** watering place; drinking place. **2.** water through, run.
adăpost *s.n.* **1.** shelter. **2.** refuge. **3.** *fig.* home. **4.** protection; ~ *antiaerian* air-raid shelter; *fără* ~ shelterless; homeless; *la* ~ safe(ly).
adăposti I. *vt.* **1.** to shelter. **2.** *(a găzdui)* to house; to lodge. **3.** *(a ascunde)* to hide. **II.** *vr.* **1.** to take shelter. **2.** to take refuge. **3.** to hide.
adăpostire *s.f.* sheltering.
adăpostit *adj.* **1.** safe. **2.** sheltered.
adăsta pop. *înv. reg.* **I.** *vi.* **1.** *(a aștepta)* to wait. **2.** *(a poposi)* to (make a) halt. **II.** *vt.* *(a aștepta)* to wait for, to await.
adăuga I. *vt.* **1.** to add. **2.** to supplement. **II.** *vr.* to be added.
adăugare *s.f.* (la) addition, adding (to) etc.
adăugi v. a d ă u g a.
adăugit *adj.* added; completed. *ediție ~ă* enlarged edition.
adăugitor *adj.* additional.
adânc I. *s.n.* **1.** depth. **2.** *fig.* heart; bottom; *~ul inimii* heart strings; *din ~ul* sufletului from the bottom of one's heart. **II.** *adj.* **1.** deep; profound. **2.** *(temeinic)* thorough (going). **3.** *(tainic)* hidden; *~i bătrânețe* advanced years. **III.** *adv.* **1.** deeply; profoundly. **2.** *(temeinic)* thoroughly. **3.** wisely. **4.** *(foarte)* extremely.
adâncat *adj. rar* deep; profound.
adâncătură *s.f.* v. a d â n c i t u r ă.
adânci I. *vt.* **1.** to deepen. **2.** *fig.* to enhance; to widen. **3.** *(a înrăutăți)* to worsen. **II.** *vr.* **1.** to deepen. **2.** *(a se afunda)* to plunge; (*și fig.*) to sink.
adâncime *s.f.* **1.** depth. **2.** *(fund)* bottom. **3.** *(profunzime)* intensity. **4.** *(psihologică)* insight.
adâncire *s.f.* deepening etc.
adâncit *adj. (adânc)* deep; ~ *în gânduri* deep / absorbed / engrossed / plunged in thought.
adâncitură *s.f.* hollow; *tehn.* flute, dint, cup; recess.
addenda *s.f.* addenda, addendum.
Addison *med. boala lui* ~ Addison's disease.
adecvat *adj.* suitable; adequate.
ademeni *vt.* **1.** to allure. **2.** *(a ispiti)* to seduce; to tempt; *a ~ cu vorbe dulci* to cajole.
ademenire *s.f.* attracting, attraction; allurement; temptation.
ademenitor I. *adj.* attractive; alluring; tempting. **II.** *adv.* attractively; alluringly; temptingly.
ademptiune *s.f. jur.* ademption.

adenină *s.f.* biochim. adenine.
adenocarcinom *s.n. med.* adenocarcinoma.
adenohipofiză *s.f. anat., med.* adenohypophysis.
adenoid *adj. med.* adenoid.
adenoidită *s.f. med.* adenoiditis.
adenom *s.n. med.* adenoma.
adenopatie *s.f. med.* adenopathy.
adenotomie *s.f. med.* adenoidectomy.
adenozin-fosforic *adj. chim.* adenosinephosphoric *(acid).*
adenită *s.f. med.* adenitis.
adept *s.m.* advocate, champion.
adera *vt.* to adhere; *a ~ la* to join (a party etc.); to endorse (a policy etc.).
aderare *s.f.* **1.** adhesion, adhering. **2.** consent, assent; agreement.
aderent I. *adj.* adherent, adhering; adhesive. **II.** *s.m.* adherent; partisan, follower.
aderență *s.f.* **1.** *med.* adherence. **2.** *tehn.* adherence; adhesiveness; adhesive power. **3.** *met.* linkage. **4.** *mat.* closure. **5.** *fiz.* adhesion.
adermină *s.f. chim., farm.* adermin(e), vitamin B6.
ades(e) *adv. reg. v.* a d e s e a.
adesea, adeseori *adv.* often, frequently.
adet *s.n. înv. (impozit)* tax.
adevăr *s.n.* **1.** truth. **2.** (realitate) reality; facts; *~ul adevărat* gospel truth; *într-~* indeed.
adevărat I. *adj.* **1.** true; real; actual. **2.** *(veritabil)* genuine. **3.** *(sincer)* truthful. **4.** *(cum se cuvine)* regular; proper; *cu ~* indeed; *nu e ~?* isn't it so?; *în ~a sa lumină* in one's true colour. **II.** *adv.* **1.** *(sincer)* truly. **2.** *(efectiv)* really, actually.
adeveri I. *vt.* **1.** to certify. **2.** *(a confirma)* to prove; to confirm. **3.** *(a recunoaște)* to acknowledge. **II.** *vr.* to come sau prove true.
adeverință *s.f.* **1.** certificate. **2.** *(de primire)* receipt.
adeverire *s.f.* confirmation, confirming.
adeveritor *adj.* confirming.
adeziune *s.f.* adhesion.
adeziv *adj., s.m.* adhesive.
adezivitate *s.f.* adhesiveness, stickiness.
ad-hoc *adv.* ad hoc, for this purpose.
adia *vi. (d. vânt)* to blow / to breeze / to breathe gently.
adiabată *s.f. fiz.* adiabat, adiabatic curve.
adiabatic *adj. fiz.* adiabatic.
adiacent *adj.* adjacent, contiguous.
adiafor *adj. înv.* indifferent.
adică *adv.* **1.** that is; viz. **2.** *(și anume)* namely; *la o ~* after all; at a pinch.
adicăle(a), adicăte(lea) *adv.* v. a d i c ă.
adiere *s.f.* breath of wind.
adimoniție *s.f. v.* a d m o n e s t a r e.
adinamic *adj. med.* adynamic(al).
adinamie *s.f. med.* adynamia, asthenia.
adineauri *adv.* just now.
adins *s.n. înv. într-~* **1.** purposely, on purpose, deliberately. **2.** wilfully.
ad-interim *adj.* (ad) interim.
adio *interj.* good-bye! farewell!
adipic *adj. chim.* adipic.
adipos *adj.* adipose.
adipozitate *s.f.* adiposity; fatness.
aditiv *s.n. chim.* additive, dope.
aditivitate *s.f. chim.* additivity, additiveness.
adiție *s.f. chim.* addition.
adiționa *vt., vi. mat., chim.* to add.
adițional *adj.* additional; added; extra.
adiționare *s.f.* adding, addition.
adjectiv *s.n.* adjective.
adjectival *gram.* **I.** *adj.* adjectival, adjective... **II.** *adv.* adjectively.
adjudeca I. *vt. a ~ cuiva (la licitație)* to knock down to, *jur.* to adjudge to. **II.** *vr. pas. jur.* to be adjudged (to).
adjudecare *s.f.* **1.** *jur.* adjudg(e)ment. **2.** award(ing).
adjudecatar *s.m. (la licitație)* highest bider; purchaser.
adjunct *s.m. adj.* deputy; assistant.
adjutant *s.m.* **1.** *mil.* adjutant. **2.** *mil. înv.* sergeant major, warrant officer.
adjutantură *s.f. mil.* adjutancy, adjutantship.
adjuvant *s.n. adj.* adjuvant, auxiliary.
ad libitum *adv.* ad libitum.
ad litteram I. *adv.* ad-litteram, literal. **II.** *adv.* ad litteram, literally.
administra *vt.* **1.** to manage; to administer. **2.** *(o doctorie etc.)* to give.
administrabil *adj.* administrable.
administrare *s.f.* administration, administering.
administrativ *adj.* administrative.
administratoare *s.f. rar* administratrix; directress; v. *și* a d m i n i s t r a t o r.
administrator *s.m.* **1.** superintendent. **2.** *(vechil)* bailiff.
administrație *s.f.* **1.** administration. **2.** *ec.* management. **3.** *mil.* comissariat.
admira *vt.* to admire.
admirabil I. *adj.* admirable; fine. **II.** *adv.* admirably. **III.** *interj.* wonderful!
admirativ I. *adj.* admiring. **II.** *adv.* admiringly.
admiratoare *s.f.* admirer; votaress v. *și* a d m i r a t o r
admirator *s.m.* admirer, lover.
admirație *s.f.* admiration; veneration.
admis *adj.* accepted, admitted.
admisibil *adj.* admissible; permissible, allowable.
admisibilitate *s.f.* admissibility.
admisi(un)e *s.f.* **1.** *tehn.* admission; entrance; input; inlet; intake. **2.** induction, suction.
admitanță *s.f.* el., fiz. admittance.
admite *vt.* **1.** to admit (of); to allow. **2.** *(a primi)* to receive. **3.** *(a recunoaște)* to acknowledge; to own.
admitere *s.f.* **1.** admission. **2.** *(la facultate)* matriculation.
admonesta *vt.* to reprimand; to admonish.
admonestare *s.f.* reprimand.
adnota *vt.* to annotate; to comment upon.
adnotare *s.f.* annotation.
adnotat *adj.* annotated.
adnotator *s.m.* annotator; commentator.
adnotație *s.f.* v. a d n o t a r e.
adolescent *s.m.* **adolescentă** *s.f.* teen-ager; *(fată)* girl, flapper, rar adolescent.
adolescență *s.f.* adolescence; teens.
adonic *adj.* mitol. Adonic, Adonian.
Adonis *s.m.* Adonis, beau, prince charming, handsome man.
adopta *vt.* **1.** to adopt. **2.** *(a-și însuși)* to embrace; to endorse.
adoptare *s.f.* **1.** adoption. **2.** *(aprobare)* endorsement.
adoptat *s.m. jur.* adoptive child.
adoptator *s.m. jur.* adopter.
adoptiv *adj.* **1.** adoptive. **2.** *(d. un copil etc.)* foster... *fiu etc. ~* foster son etc.
adopți(un)e *s.f.* adoption.
adora *vt.* to adore; to worship.
adorabil *adj.* adorable; lovely.
adorare *s.f.* adoration, worship.
adorat *s.m. adj.* beloved.
adorator *s.m.* **1.** *rel.* worshipper. **2.** *(al unei femei)* beau, suitor.
adorație *s.f.* worship, veneration; love.
adormi I. *vt.* **1.** to put to sleep; to lull (to sleep). **2.** *(a alina)* to allay. **II.** *vi.* to go to sleep; to fall asleep.

adormire *s.f.* **1.** falling asleep. **2.** *rel.* dormition. **3.** *fig.* lulling to sleep (of doubts etc.).

adormit I. *s.m.* **1.** dullard. **2.** *pl.* the dead. **II.** *adj.* **1.** asleep; sleepy. **2.** *(toropit)* drowsy. **3.** *fig.* dull; dead; ~ *buștean* fast asleep.

adormitor *adj.* causing / producing sleep, sleep-compelling / producing, sleeping, somnific, soporific.

adormițele *s.f. pl. bot.* **1.** pasque flower *(Anemone pulsatilla)*. **2.** anemone, anemony, wind flower *(Anemone nemorosa)*.

adragant *s.m.* **1.** *bot.* milk vetch. **2.** *farm.* (gum) tragacanth.

adrenalină *s.f. chim., biol.* adrenalin.

adrenergic *adj. med.* adrenergic.

adrenocrom *s.m.* biochim. adrenochrome.

adresa I. *vt.* to address; to direct; to send. **II.** *vr. a se ~ la (cu dat.)* to address; to appeal to.

adresant *s.m.* addressee.

adresare *s.f.* address(ing).

adresă *s.f.* **1.** address. **2.** *(domiciliu)* residence. **3.** *(abilitate)* skill, skilfulness. la adresa cuiva *fig.* against / about smb.

adsorbant *s.m. fiz., chim.* adsorbent.

adsorbat *s.m. chim., biol.* adsorbate.

adsorbi *vt.* to adsorb.

adsorbție *s.f. fiz., chim.* adsorbtion

adstrat *s.n. lingv.* adstratum.

aducător I. *s.m.* bearer. **II.** *adj.* bringing.

aduce I. *vt.* **1.** to bring (in); to fetch. **2.** *(a produce)* to yield, to bring about. **3.** *(a duce)* to take; to carry; to accompany; *a(-i) ~ aminte cuiva (de ceva)* to remind smb. (of smth.); *a-și ~ aminte* to remember; *a ~ ceva la cunoștința cuiva* to let smb. know about smth; to intimate smth. to smb.; *a ~ la îndeplinire* to fulfil; *a ~ mulțumiri* to express thanks; *a ~ vorba despre* to turn the conversation upon; *ce vânt te ~?* what wind blows you here? **II.** *vi. a ~ a sau cu* to look like.

aducere *s.f.* bringing; fetching; *~-aminte* recollection; ~ *la îndeplinire* fulfilment.

aduct *s.n. chim.*, mineral. adduct.

aductor *adj.* aductor (muscle).

aducți(un)e *s.f.* **1.** *anat.* adduction. **2.** *tehn.* supply.

adula *vt.* **1.** to lionize; to worship. **2.** *(a linguși)* to flatter.

adulare *s.f.* adulation etc. v. a d u l a.

adulator I. *adj.* adulatory, adulating. **II.** *s.m.* adulator.

adulație *s.f. elev.* **1.** adulation, (gross) flattery. **2.** *fam.*, ironic excessive admiration.

adulmeca *vt.* **1.** to sniff; to smell. **2.** *fig.* to sense; to suspect.

adulmecare *s.f.* trailing etc. v. a d u l m e c a.

adulmecător *adj.* trailing etc. v. a d u l m e c a.

adult *s.m., adj.* grown-up.

adulter I. *s.n.* adultery. **II.** *s.m.* adulterer. **III.** *adj.* unfaithful.

adulteră *s.f.* adulteress.

adulterin *adj. jur.* adulterine, illegitimate.

adumbri *vt. fig.* to cast aspersions on.

adumbrire *s.f.* shading etc. v. a d u m b r i.

aduna I. *vt.* **1.** to add; to total. **2.** *(a strânge)* to gather (in). **3.** *(oameni)* to rally; to pick up. **4.** *mil.* to assemble. **5.** *(a stoca)* to (a)mass, to hoard (up). **6.** *fin.* to raise; to levy; *a-și ~ mințile* sau *gândurile* to collect oneself. **II.** *vi.* to add. **III.** *vr.* **1.** to assemble. **2.** *și fig.* to rally.

adunare *s.f.* **1.** addition. **2.** *pol.* assembly, rally. **3.** *(colectă)* collection. **4.** *mil.* assembly.

adunător *s.m.* gatherer, collector.

adunătură *s.f.* **1.** gathering. **2.** *(amestec)* heap, mass; mixture. **3.** *(gloată)* crowd; mob.

adus *adj.* **1.** brought; fetched. **2.** *(încovoiat)* stooping; ~ *de spate* bent(-backed); ~ *din condei* well put.

ad valorem *adv. ec., fin.* ad valorem.

adventice *s.f. anat.* tunica adventitia.

adventism *s.n. rel.* Adventism, Millerism.

adventist *adj., s.m. rel.* Adventist.

adventiv *adj. bot., zool.* adventitious, rar adventive.

adverb *s.n.* adverb.

adverbial *gram.* **I.** *adj.* adverbial; *locuțiune ~ă* adverbial phrase. **II.** *adv.* adverbially.

advers *adj.* contrary; adverse.

adversar *s.m.* **1.** opponent; adversary. **2.** *(dușman)* enemy.

adversativ *adj. gram.* adversative.

adversitate *s.f.* **1.** adversity. **2.** *(nenorocire)* misfortune.

advocat *s.m.* v. a v o c a t.

advocățesc *adj.* v. a v o c ă ț e s c.

aed *s.m.* bard, singer.

aer *s.n.* **1.** air. **2.** *(înfățișare)* aspect; look(s). **3.** *(manieră)* manner; ~ *condiționat* conditioned air, air conditioning; ~ *curat / înviorător* fresh / bracing air; ~ *închis* stale air; ~ *stricat* foul air; *în ~ liber* in the open (air).

aera I. *vt.* v. a e r i s i I. **II.** *vr. (a-și face vânt)* to fan oneself.

aeraj *s.n.* min. ventilation.

aerare *s.f.* aeration.

aerat *adj.* aired, aerated.

aerator *s.n. tehn.* ventilator, aerator, extractor fan.

aerian *adj.* **1.** air(y); aerial. **2.** *(eteric)* thin; ethereal.

aerifer *adj.* aeriferous.

aeriform *adj.* aeriform.

aeriseală *s.f.* v. a e r i s i r e.

aerisi I. *vt.* to air; to aerate. **II.** *vr.* to take an airing; to take the air.

aerisire *s.f.* airing, ventilation, aeration.

aerisit *adj.* **1.** fresh. **2.** *fig.* open (-minded).

aerlift *s.n. tehn.* air lift.

aero- *prefix* air-, aero-.

aerob *adj.* aerobian, aerobic.

aerobioză *s.f. biol.* aerobiosis.

aeroclub *s.n.* aero club, flying club.

aerocolie *s.f. med.* aerocolia, aerocoly.

aerodinam *s.n.* (aerodynamic) express train (with streamlined coachwork).

aerodinamic *adj.* aerodynamic.

aerodinamică *s.f.* aerodynamics.

aerodină *s.f.* aerodyne.

aerodrom *s.n.* airport.

aeroelasticitate *s.f. fiz.* aeroelasticity.

aerofagie *s.f. med.* aerophagia.

aerofob *adj.* aerophobe.

aerofobie *s.f.* aerophoby, aerophobia.

aerofon *s.n.* aerophone.

aerofor *s.n.* aerophore.

aerofotografie *s.f. av.* etc. aerial photographic mapping.

aerofotogrammetrie *s.f. geogr., geol.* aerial survey, air-photogrammetry.

aerogară *s.f. av.* air-station, airport building.

aerograf *s.n.* aerograph.

aerografie *s.f.* aerography.

aerogramă *s.f. meteo.* aerogram.

aerolit *s.m. astr.* aerolite, aerolith.

aerologie *s.f.* aerology.

aerometrie *s.f.* aerometry.

aerometru *s.n. fiz.* aerometer.

aeromobil *s.n. av.* flying body.

aeromodel *s.n.* plane model.

aeromodelism *s.n.* model plane flying.
aeromodelist *s.m. av.* flying-model constructor.
aeromotor *s.n. tehn.* **1.** aero-engine. **2.** wind-engine, windmill. **3.** hot-air engine.
aeronaut *s.m. av.* aeronaut, aero-navigator.
aeronautic *adj. av.* aeronautic.
aeronautică *s.f.* aeronautics.
aeronavă *s.f.* airship.
aeronavigație *s.f.* aeronavigation, aerial navigation.
aeroplan *s.n.* (air)plane.
aeroport *s.n.* airport.
aeropurtat *adj.* airborne; *trupe ~e* paratroopers.
aeroreactor *s.n. av.* jet engine using atmospheric oxigen as comburant.
aeros *adj.* airy.
aeroscop *s.n.* aeroscope.
aerosoli *s.m. pl.* aerosols.
aerosoloterapie *s.f. med.* aerosol therapy.
aerostat *s.n. av.* aerostat, air balloon.
aerostatic *adj. av.* aerostatic(al).
aerostatică *s.f. av.* aerostatics.
aerostație *s.f. av.* aerostation.
aerotaxi *s.n. av.* charter plane.
aerotehnică *s.f. av.* aerotechnics.
aeroterapie *s.f. med.* aerotherapeutics.
aerotopograf *s.m.* aerotopograph.
aerotopografie *s.f.* aerotopography.
aerovehicul *s.n. av.* air vehicle, aircraft, airship.
aevea *adv., adj.* v. a i e v e a.
afabil I. *adj.* affable; courteous. **II.** *adv.* affably.
afabilitate *s.f.* affability; amiability.
afabulație *s.f. livr.* **1.** plot (of a novel). **2.** moral (of a fable).
afacere *s.f.* **1.** affair; business. **2.** *ec.* bargain. **3.** *fin.* speculation. **4.** *jur.* affair, case. **5.** *(treabă)* job. **6.** *(chestiune)* matter, issue; afaceri externe foreign affairs; afaceri interne home / domestic affairs; *o ~ rentabilă* a paying concern; a good stroke of business; *frumoasă ~!* a pretty job indeed!; *nu e nici o ~* it's not much catch.
afacerism *s.n.* **1.** profiteering, shady affairs. **2.** mercantile spirit, businesslike manner.
afacerist *s.m.* **1.** businessman. **2.** *(speculant)* racketeer.
afară I. *adv.* out(side); out of doors; in the open (air); *~ de* except; besides; *~ de asta* moreover; *din cale-~ (de)* extremely; *ieși ~!* get out (of here)! **II.** *interj.* out (with him! etc.).
afazic *med.* **I.** *adj.* aphasic. **II.** *s.m.* aphasiac.
afazie *s.f. med.* aphasia, aphasy.
afâna *vt.* to break up.
afânare *s.f.* breaking up.
afânat *adj. agr.* loose, spongy.
afect *s.n.* **1.** feeling. **2.** emotion.
afecta I. *vt.* **1.** to affect. **2.** *(a privi)* to concern. **3.** *(a necăji)* to afflict. **4.** to simulate. **5.** *(fonduri etc.)* to earmark. **II.** *vi.* to pretend.
afectare *s.f.* **1.** affectation. **2.** *(de fonduri etc.)* earmarking. **3.** *(simulare și)* pretence.
afectat I. *adj.* **1.** affected. **2.** *(preocupat)* concerned. **3.** *(căutat)* recherché. **II.** *adv.* affectedly.
afectiv *adj.* emotional.
afectivitate *s.f.* emotionality, sensitiveness; affectivity.
afectuos I. *adj.* affectionate. **II.** *adv.* lovingly.
afecțiune *s.f.* **1.** affection. **2.** *med.* disease.
afeliu *s.n. astr.* aphelion.
afemeiat I. *s.m.* lecher, gay (old) dog. **II.** *adj.* lecherous.
afera *vr.* to fuss, to stall.
aferat *adj.* fussy.
aferent *adj.* **1.** *și jur.* due. **2.** *fiz.* afferent, adherent. **3.** *anat.* afferent.
aferentație *s.f. fiziol.* afference.
afereză *s.f. lingv.* aph(a)eresis.
aferim *interj. înv.* bravo! well done! that's well! *peior.* that's rather too much! that's (coming it) too strong! I wish you joy of it!
afet *s.n.* gun-carriage.
afgan *s.m. adj.* Afghan.
afidă *s.f. entom.* aphid, aphis; - *pl.* aphides.
afilia *vt., vr.* to affiliate.
afiliat *adj.* affiliated.
afiliație *s.f.* affiliation.
afiliere *s.f.* affiliation.
afin[1] *s.m.* in-law; relative, relation, kinsman.
afin[2] *adj. jur.* allied, related.
àfin *s.m. bot.* bilberry (bush) *(Vaccinium myrtillus).*
afina *vt.* **1.** met. to (re-)fine, to affine. **2.** *text.* to affine.
àfină *s.f.* bilberry.
afinaj *s.n.*, **afinare** *s.f.* met. refining, affinage.
afinant *s.m. tehn.* refining element / substance; finisher.
afinată *s.f.* bilberry brandy.
afiniș *s.n.* bilberry grove.
afinitate *s.f.* **1.** affinity; relationship. **2.** similitude.
afinor *s.m.* refining man.
afion *s.n.* **1.** opium. **2.** *fig.* torpor.
a-fir-a-păr *adv.* to a hair / nicely; in full detail.
afirma I. *vt.* **1.** to assert; to affirm. **2.** *(susține)* to declare. **II.** *vr.* to assert oneself.
afirmare *s.f.* affirmation etc. v. a f i r m a.
afirmativ I. *adj.* affirmative. **II.** *adv.* in the affirmative.
afirmație *s.f.* **1.** assertion; statement; affirmation. **2.** *(nefondată)* allegation.
afiș *s.n.* **1.** poster; (play) bill. **2.** *(reclamă)* advertisement; *a fi cap de ~* to head the bill.
afișa I. *vt.* **1.** to post. **2.** *fig.* to display. **II.** *vr.* to make oneself conspicuous; *a se ~ cu* to go out with.
afișaj *s.n.* **1.** bill sticking etc. v. afișa. **2.** *(publicitate)* publicity; *(etalare)* exhibition; *(zgomotos)* puffing; (proclamare) proclamation.
afișare *s.f.* bill sticking etc. v. a f i ș a.
afișier *s.n.* bill board; notice board.
afișor *s.m.* bill sticker / poster.
afix *s.n. lingv.* affix.
afixa *vt. lingv.* to affix.
afixare, afixație *s.f. lingv.* affixation.
afla I. *vt.* **1.** to learn (of), to hear. **2.** *(a descoperi)* to find (out). **3.** *(a da peste)* to meet (with); *a nu-și ~ locul* to be restless; *am ~t-o chiar de la el* I have it from him; *din câte am ~t* from what they say. **II.** *vi.* to hear; to learn; *a ~ de(spre) ceva* to learn about smth. **III.** *vr.* **1.** to be (present). **2.** *(a se găsi)* to be found; to lie. **3.** *(a se răspândi)* to get aboard; to leak; *pe masă se află un măr* there is an apple on the table; *se află ceva cărți pe acolo?* are there any books there? *nu s-a ~t nimic* nothing has oozed out; *a se ~ în treabă* to potter about.
aflare *s.f.* **1.** being etc. v. a f l a. **2.** presence.
aflător *adj.* to be found.
afloriment *s.n. agr.* outcrop.
afluent *s.m.* tributary.
afluență *s.f.* **1.** *(aglomerație)* throng. **2.** *(belșug)* affluence.
aflux *s.n.* rush.
afoca *adj. fiz.* afocal.
afon *adj.* having no ear for music.
afonie *s.f.* voicelessness, aphonia.

afonizare *s.f. lingv.* aphonization; silencing.
aforism *s.n.* aphorism.
aforistic *adj.* aphoristic(al).
a fortiori *adj., adv.* a fortiori.
afreta *vt. nav.* to freight; to charter.
african *s.m., adj.* African.
africand *s.m.* Africander.
africanologie *s.f. sociol.* Africanology.
africată *s.f. lingv.* affricate (consonant).
afrikaans *s.n. lingv.* Afrikaans.
afrikander *s.m. geogr., pol.* Afrikander; Africander.
afro-asiatic *adj.* Afro-Asian, Afro-Asiatic.
afrodiziac *s.n., adj. fiziol.* aphrodisiac.
afront *s.n.* outrage, insult.
afrontare *s.f. med. (chirurgie)* joining edge to edge; bringing into apposition.
aftă *s.f. med.* **1.** ulcer in the mouth. **2.** *pl.* thrush.
aftos *adj. med.* aphthous.
afuiere *s.f. geol., geogr.* underwashing, undermining; erosion.
afuma I. *vt.* **1.** to smoke. **2.** *(a conserva)* to smoke(-dry); *(peștele)* to cure. **3.** *(mâncarea)* to burn. **4.** *(țânțarii etc.)* to fumigate; to sulphur. **II.** *vi.* to smoke.
afumare *s.f.* smoking etc. v. a f u m a.
afumat *adj.* **1.** smoked; burnt. **2.** (beat) lit up, tipsy.
afumătoare *s.f.* **1.** perfumingpan, censer. **2.** v. a f u m ă t o r. **3.** *pl.* articles for fumigating; perfumes, scents, perfumery.
afumător *s.n.* **1.** (bee) smoker. **2.** smoke house.
afumătorie *s.f.* smoke house.
afumătură *s.f.* **1.** smoking. **2.** smoked meat.
afunda I. *vt.* to dip; to plunge; to sink. **II.** *vr.* **1.** to plunge. **2.** *(a se scufunda)* to sink.
afundare *s.f.* sinking etc. v. a f u n d a.
afundat *adj.* remote, very distant.
afundător *s.m.* diver.
afundătură *s.f.* v. a d â n c i t u r ă.
afund I. *adj.* deep; low. **II.** *adv.* deep(ly); low.
afundiș *s.n.* deep, depth.
afurca *vt. nav.* to moor by the head; to moor to all fours.
afurisenie *s.f.* **1.** *bis.* ban; curse of the church; anathema; excommunication. **2.** curse.
afurisi I. *vt.* **1.** *bis.* to excommunicate; to anathematize. **2.** to curse, to invoke / call down curses on, to damn. **II.** *vr.* to swear.
agar-agar *s.n.* agar-agar.
afurisit I. *s.m.* mischief-maker. **II.** *adj.* **1.** accursed. **2.** *(poznaș)* mischievous.
afuz-ali *s.m.* sort of large, golden-coloured dinner grapes.
agalactie *s.f. med., vet.* agalactia, agalaxy.
agale *adv.* leisurely; idly.
agapă *s.f.* (love) feast.
agaric *s.m. bot.* agaric *(Agaricus).*
agaricacee *s.f. pl. bot.* Agaricaceae.
agasa *vt.* to annoy.
agasant *adj.* provoking.
agat *s.n.*, **agată** *s.f.* agate.
agatârți *s.m. pl.* Agathyrsi.
agavă *s.f. bot.* American aloe *(Agave americana).*
agă *s.m. odin.* ag(h)a, police prefect.
agăța I. *vt.* **1.** to hang (up). **2.** *(pe cineva)* to accost. **3.** *(a prinde)* to catch. **II.** *vr. a se ~ de* to catch at; *fig.* to cavil at.
agățare *s.f.* hanging (up) etc. v. a g ă ț a.
agățătoare *s.f.* **1.** *(la haină)* hanger, tab. **2.** *bot.* climber, creeper.
agățător *adj.* climbing etc. v. a g ă ț a.
ageamiu *s.m.* greenhorn, colt.
agendă *s.f.* **1.** agenda. **2.** *(de buzunar)* pocket book.
agenezie *s.f. biol.* agenesis.
agent *s.m.* **1.** agent. **2.** *fig.* agency; factor. **3.** *ec.* middleman. **4.** *fin.* broker. **5.** *(de poliție)* policeman, plain clothes man; *~ plătit sau provocator* stooge, agent provocateur.
agentură *s.f.* agents; agency.
agenție *s.f.* agency, company.
ager *adj.* **1.** quick, keen. **2.** *(sprinten)* agile; *~ la minte* quick-minded; *(pătrunzător)* clear-sighted.
agerime *s.f.* **1.** keenness. **2.** *(mintală)* shrewdness.
agfacolor *adj. foto.* Agfacolor.
agheasmă *s.f. bis.* holy water.
aghesmatar *s.n.* **1.** *bis.* holywater-font. **2.** *bis.* book containing the prayers recited during holywater sprinkling.
aghesmui I. *vt. bis.* to sprinkle with holy water. **II.** *vr. (a se îmbăta) fam.* to get / grow fuddled.
aghesmuire *s.f.* sprinkling with holy water etc. v. a g h e s m u i.
aghesmuit I. *adj. (beat) fam.* fuddled, boozy, bosky, tipsy. **II.** *s.n.* v. a g h e s m u i r e.
aghios *s.n.* **1.** *fam.* to be in full song, to sing in a loud voice. **2.** *fam.* to drive one's pigs / hogs to market.
aghiotant *s.m.* aide *(de camp.).*
Aghiuță *s.m.* the dickens, the devil.
agie *s.f.* odin. police station.
agil *adj.* nimble, quick.
agilitate *s.f.* agility.
agio *s.n. ec.* odin. agio.
agiota *vi. ec. înv.* to job, to speculate in public securities, *fam.* to bull and bear.
agiotaj *s.n. ec. înv.* agiotage, stock jobbing.
agiotar *s.m. ec. înv.* agio / stock-jobber.
agita I. *vt.* **1.** to stir. **2.** *fig.* to agitate. **II.** *vr.* to fret.
agitare *s.f.* moving etc. v. a g i t a.
agitat *adj.* excited; restless.
agitator *s.m.* agitator.
agitatoric *adj.* agitational; propaganda.
agitație *s.f.* **1.** v. a g i t a r e. **2.** emotion, excitement; flurry; impatience; unrest, nervousness.
aglică *s.f. bot.* dropwort, queen of the meadow *(Spiraea filipendula).*
aglicon *s.n. chim.* aglycone, aglucon.
aglomera *vt., vr.* to agglomerate; to crowd.
aglomerant *s.m.* fixing / binding agent.
aglomerare *s.f.* agglomeration.
aglomerat I. *s.n.* mineral. agglomerate. **II.** *adj.* crowded, congested, thronged.
aglomerație *s.f.* **1.** throng. **2.** *tehn.* agglomeration.
aglutina *vt., vr. lingv.* to agglutinate.
aglutinant *adj.* agglutinant; *lingv.* agglutinative.
aglutinare *s.f. lingv.* etc. agglutination.
aglutinină *s.f. biol.* agglutinin.
aglutinogen *s.m. biol.* agglutinogen.
agneț *s.n. rel.* wafer, communion bread.
agnostic *adj., s.m. filoz.* agnostic.
agnosticism *s.n. filoz.* agnosticism.
agnozie *s.f. med., psih.* agnosia.
agogică *s.f. muz.* agogics.
agonă *s.f. fiz.* agone, agonic line.
agonic *adj.* **1.** agonizing. **2.** *mat., fiz.* agonic.
agonie *s.f.* agony.
agoniseală *s.f.* **1.** savings. **2.** *(câștig)* gain, profit. **3.** *(prin muncă)* earnings. **4.** *(avere)* wealth, riches.
agonisi *vt.* **1.** to earn. **2.** *(a câștiga)* to acquire. **3.** *(a aduna)* to gather; to save.

agonisire *s.f.* acquirement etc. v. a g o n i s i.
agoniza *vi.* și *fig.* to agonize, to be agonizing / dying.
agonizant *adj.* agonizing.
agonizare *s.f.* agonizing.
agora *s.f. ist.* agora.
agorafobie *s.f.* agoraphobia.
agrafă *s.f.* **1.** clip; clasp. **2.** *(de păr)* hairpin.
agrafie *s.f. med., psih.* agraphia.
agramat *s.m., adj.* illiterate.
agramatism *s.n. med., psih., lingv.* agrammatism.
agranulocitoză *s.f. med.* agranulocytosis.
agrar *adj.* agricultural; agrarian.
agrarian *adj. pol., ec.* agrarian.
agrarianism *s.n. pol., ec.* agrarianism.
agrava *vt., vr.* worsen, to aggravate.
agravant *adj.* aggravating.
agravare *s.f.* worsening.
agrea *vt.* **1.** to like. **2.** *(a aproba)* to approve (of).
agreabil *adj.* **1.** agreeable. **2.** *(încântător)* delightful.
agrega *vt., vr. geol.* to aggregate.
agregare *s.f.* v. a g r e g a ț i e.
agregat *s.n.* **1.** unit. **2.** *el.* (generating) set.
agregație *s.f. chim., geol.* aggregation.
agrement *s.n.* **1.** pleasure. **2.** *(încuviințare)* consent.
agrementa *vt.* **1.** to season. **2.** to render agreeable.
agresiune *s.f.* aggression.
agresiv *adj.* **1.** aggressive. **2.** *(bătăios)* truculent.
agresivitate *s.f.* aggressiveness.
agresor *s.m.* aggressor.
agricea *s.f. bot.* cowslip, lady key *(Primula veris).*
agricol *adj.* agricultural.
agricultor *s.m.* farmer.
agricultură *s.f.* agriculture; farming.
agrimensor *s.m.* (land) surveyor, geodesian.
agrimensură *s.f.* (land) surveying, survey, geodesy.
agrișă *s.f. bot.* **1.** gooseberry. **2.** barberry.
agro- *prefix* agro-, agrarian.
agrobiolog *s.m.* agrobiologist.
agrobiologic *adj.* agrobiological.
agrobiologie *s.f.* agrobiology.
agrochimic *adj.* agrochemical.
agrochimie *s.f.* agrochemistry, agricultural chemistry.
agrochimist *s.m.* agrochemist.
agrogeologie *s.f.* agrogeology.
agrologie *s.f.* agrology.
agrometeorolog *s.m.* agrometeorologist, agricultural meteorologist.
agrometeorologie *s.f. agr.* agricultural meteorology, agrometeorology.
agrominim *s.n.* agrominimum, essential agronomical rules.
agronom *s.m.* agronomist.
agronomic *adj.* agronomic(al).
agronomie *s.f.* agronomy.
agrosilvic *adj.* agrosylvicultural.
agrotehnic *adj.* agrotechnical.
agrotehnică *s.f.* agrotechnics.
agrotehnician *s.m.* agricultural technician.
agroterasă *s.f.* terrace for orchards or vineyards.
agrozootehnic *adj.* agricultural and zootechnic.
agrozootehnică *s.f.* agricultural zootechny.
agrozootehnician *s.m.* zootechny expert.
agrume *s.f. pl. bot.* citrus fruit.
agud *s.m.* mulberry tree *(Morus).*
agudă *s.f.* mulberry.
aguridar *s.m. bot.* ivy *(Hedera).*
aguridă *s.f.* unripe grapes / fruit.
agurijoară *s.f. bot.* rose moss *(Portulaca grandiforma).*
agurizar *s.m. bot.* v. a g u r i d a r.
aha *interj.* oh (I see)!
aheean *adj. ist., geogr.* Achaean, Achaians.
ahei *s.m. pl. ist.* Achaeans, Achaians.
ah I. *s.n.* sigh. **II.** *interj.* ah (me)! good(ness) gracious!
aho *interj.* enough! that will do! hoy! ho!
ahtia *vr. (după)* to be nuts / keen (on).
ahtiat *adj.* keen; crazy; *a fi ~ după* to be dead set on.
ai I. *art. pos.* of; *~ mei* my folk(s). **II.** *interj.* well! eh!
aia I. art. *dem. f.* that. **II.** *adj. f.* that. **III.** *pron. f.* that (one).
aialaltă I. *adj. f.* the other. **II.** *pron. f.* the other (one).
aiasta *adj. dem. f. reg.* v. a c e s t a.
aiastă *adj. dem. f. reg.* v. a c e a s t ă.
aice(a) *adv.* v. a i c i.
aici *adj.* here; *pe ~* this way; (în împrejurimi) here(abouts); *până ~* so far; (destul) enough; *de ~* hence; *de ~ înainte* from now on.
aida, aide *interj.* v. h a i d e .
aidoma *adj.* (quite) alike.
aievea I. *adj.* **1.** real. **2.** virtual. **II.** *adv.* **1.** actually. **2.** virtually.
ailaltă I. *adj. f.* the other. **II.** *pron. f.* the other (one).
ainfas *s.n. poligr.* border.
ainu I. *s.m. pl., geogr.* Ainu(s), Aino. **II.** *s.n. lingv.* Ainu, Aino.
aior *s.m. bot.* **1.** spurge, devil's milk, milk weed *(Euphorbia).* **2.** leafy spurge *(Euphorbia esula).*
aisberg *s.n.* iceberg.
aisfild *s.n. geogr.* icefield.
aișoară *s.f. bot.* garlic mustard, garlic wort, hedge garlic *(Alliaria officinalis).*
aișor *s.m. bot.* **1.** v. a i ș o a r ă. **2.** snow drop, fair maid of February *(Galanthus nivalis).* **3.** Turk's cap, martagon lily *(Lilium martagon).* **4.** wild / bear's garlic *(Allium ursinum).*
aiura *vi.* **1.** to rave; to rant. **2.** *(a divaga)* to ramble.
aiurare *s.f.* wandering, delirium; talking nonsense etc. v. a i u r a.
aiurea I. *adj.* crazy; foolish. **II.** *adv.* **1.** foolishly. **2.** *(în altă parte)* elsewhere. **III.** *interj.* not in the least; *(prostii!)* nonsense!
aiureală *s.f.* **1.** delirium; raving. **2.** *(prostii)* nonsense; tomfoolery. **3.** *(zăpăceală)* confusion.
aiuri *vt. fam.* to kid, to humbug, to hoodwink, to dupe, to wheedle.
aiurit I. *s.m.* fool; zany. **II.** *adj.* moony.
ajun *s.n.* eve; *~ul Anului nou* New Year's Eve; *~ul Bobotezei* Twelfth night; *în ~ul acelei zile* on the eve of that day; the day before.
ajuna *vi. rel.* to fast, to abstain from food.
ajunare *s.f.* fasting.
ajunge I. *vt.* **1.** to catch up with; to overtake. **2.** *(a apuca)* to touch, to seize. **3.** *(a atinge)* to reach, to attain; *m-a ajuns oboseala etc.* I am overcome by fatigue etc. **II.** *vi.* **1.** to arrive. **2.** *(a deveni)* to (be)come; to get. **3.** *(a fi suficient)* to be enough; *~!* that will do! enough! *a ~ bine / departe* to get on (in the world); *a ~ de batjocură* to become a laughing-stock; *a ~ în gura oamenilor* to become the talk of the town; *a ~ la* to arrive at; to come to to reach; to touch; *(a căpăta)* to gain; *a ~ rău* to go down (in the world); *a ~ să* to be sufficient to; *~ să pomenim de* suffice it to mention; *a nu ~* to fall short. **III.** *vr.* **1.** to be enough; to do. **2.** *(a parveni)* to get on (in the world); *a se ~ la* to come to
ajungere *s.f.* coming etc. v. a j u n g e.
ajuns I. *s.n. de ~* sufficient; *(în)de~ de* bun etc. good etc. enough. **II.**

adj. **1.** overcome. **2.** successful; *e un om ~* he's somebody now.

ajur *s.n.* openwork, lace.

ajura *vt.* to pierce, to perforate; to sew in openwork.

ajurat *adj.* **1.** perforated, pierced. **2.** openwork. **3.** *arh.* fretwork, openwork.

ajusta *vt.*, *vr.* to fit; to adjust.

ajustaj *s.n.* *tehn.* adjustage, fitting.

ajustare *s.f.* adjustment etc. v. a j u s t a.

ajustor *s.m.* fitter.

ajuta I. *vt.* **1.** to help. **2.** *(a sprijini)* to back (up), to support. **3.** *(materialicește)* to aid; to relieve. **4.** *(a sluji)* to serve; *nu-l ajută capul* he's weak-minded; *nu mă ajută puterile* my strength fails me. **II.** *vi.* to help; to contribute; *nu ajută* it doesn't help. **III.** *vr.* to help / support each other; *a se ~ cu* to make use of.

ajutaj *s.n.* *tehn.* spout, tip, mouthpiece; auto. etc. nipple.

ajutător *adj.* **1.** helping. **2.** *gram.* auxiliary.

ajutoare *s.f.* help(ing); assistance.

ajutora *vt.*, *vr.* v. a j u t a.

ajutor I. *s.m.* assistant, help(er). **II.** *s.n.* **1.** help; assistance. **2.** contribution; aid. **3.** *(caritabil)* relief. **4.** *(sprijin)* support. **5.** *(de boală etc.)* benefit; aid; *~ reciproc* mutual aid / assistance; *de ~* helpful, helping; *fără ~* helpless; *cu ~ul unui lucru* by means of smth.; *cu ~ul cuiva* with smb.'s help; thanks to smb.

akinakes *s.n.* *ist.* akinakes.

akkadian *s.m.*, *adj.* *lingv.* Akkadian, Accadian.

akmeism *s.n.* *ist.*, *lit. Rusiei* Acmeism, Akmeism.

al *art. pos.* of; *~ mamei* mother's; *~ meu* mine.

ala *s.f.* *ist.*, *mil.* ala, *pl.* alae.

ala-bala *interj.* *ce mai ~ ?* *fam.* **1.** what is the news? **2.** the long and the short of the matter (is...); to cut a long story short.

alabandină *s.f.* *mineral.*, *geol.* alabandite.

alabastru *s.n.* mineral. alabaster.

alac *s.n.* *bot.* spelt (wheat), bearded / German wheat *(Triticum spelta).*

alai *s.n.* **1.** procession; train. **2.** *(pompă)* pomp.

alaltăieri *adv.* the day before yesterday.

alaltăseară *adv.* the night before last.

alamani *s.m. pl.* *ist.* Alemanni, Alamanni.

alamă *s.f.* (și *pl.*) brass.

alambic *s.n.* still.

alambica *vt.* *chim.* to alembicate.

alambicare *s.f.* (over)elaborateness; sophistication.

alambicat *adj.* sophisticated; (over)elaborate.

alamină *s.f.* *chim.* lactanic acid.

alandala *adv.* **1.** pell-mell. **2.** *(pe dos)* upside down; topsy-turvy.

alani *s.m. pl.* *ist.* Alans, Al(l)ani.

alanină *s.f.* *chim.* alanine.

alantoidă *s.f.* *anat.*, *zool.* allantois.

alarma I. *vt.* **1.** to alarm. **2.** *(a tulbura)* to disturb. **II.** *vr.* to be alarmed.

alarmant *adj.* **1.** alarming. **2.** *(amenințător)* ominous.

alarmare *s.f.* alarming.

alarmat *adj.* dismayed, uneasy.

alarmă *s.f.* alarm, panic.

alarmism *s.n.* scare-mongering.

alarmist I. *adj.* alarmist. **II.** *s.m.* panic-monger, scaremonger, alarmist.

alaun *s.m.* *chim.* alum.

alămar *s.m.* brass maker, lattener; brass smith, brazier.

alămărie *s.f.* **1.** brassmongery, brass trade. **2.** brass forge; brass works. **3.** v. a l a m ă.

alămi *vt.* to (coat with) brass.

alămiu *adj.* brassy.

alapta *vt.* to suckle, to nurse.

alăptare *s.f.*, **alăptat** *s.n.* suckling; nursing.

alătura I. *vt.* **1.** to juxtapose. **2.** *(a atașa)* to enclose. **3.** to compare. **II.** *vr.* to come near; a se ~ la to join.

alăturare *s.f.* **1.** juxtaposition. **2.** comparison.

alăturat I. *adj.* **1.** adjoining. **2.** *(atașat)* enclosed. **II.** *adv.* (here) enclosed.

alături I. *adv.* **1.** (close) by, beside. **2.** *(umăr la umăr)* side by side. **3.** *(dincolo)* next door; *~ cu drumul* out of the way; *fig.* wide of the mark; *~ de* beside; *(împreună cu)* with, alongside (of); *de ~* next door.

alăută *s.f.* *muz.* v. l ă u t ă.

alb I. *s.m.* white (man). **II.** *s.n.* white; *în ~* blank. **III.** *adj.* **1.** white. **2.** *(curat)* clean. **3.** *(gol)* blank. **4.** *(d. ten)* fair; *~ ca varul* dead-white.

albanez *s.m.* *adj.* Albanian.

albaneză *s.f.* **1.** Albanian (woman *sau* girl). **2.** Albanian, the Albanian language.

albastru I. *s.n.* blue (sky). **II.** *adj.* **1.** blue. **2.** *fig.*, *argou* hard.

albatros *s.m.* *ornit.* albatross *(Diomedea).*

albă *s.f.* white woman. *Albă ca Zăpada* Snow-White.

albăstrea *s.f.* *bot.* cornflower *(Centaurea cyanus).*

albăstreală *s.f.* bluishness, blue (sky).

albăstri I. *vt.* to blue. **II.** *vr.* to turn blue.

albăstrime *s.f.* blue (colour), blueness, bluishness.

albăstrire *s.f.* **1.** bluing. **2.** *met.* anti-corosive protection (of steel).

albăstriță *s.f.* *bot.* v. a l b ă s t r e a.

albăstriu, albăstrui *adj.* bluish.

albeală *s.f.* *rar* v. a l b e a ț ă.

albeață *s.f.* **1.** white (spot). **2.** *(la ochi)* cataract.

albedo *s.n.* *fiz.*, *astr.* albedo.

albgardist *s.m.* *ist.* White Guard, anti-Bolshevik.

albi I. *vt.* **1.** to whiten; to bleach. **2.** *(a vărui)* to whitewash. **3.** *(a încărunți)* to turn (smb.'s hair) grey. **II.** *vi.*, *vr.* to turn white sau grey.

albian *s.n.*, *adj.* *geol.* gault.

albicios *adj.* whitish.

albie *s.f.* **1.** riverbed. **2.** *(copaie)* (wash) tub, trough.

albigenzi *s.m. pl.* *ist.* Albigenses, Albigensians.

albiliță *s.f.* *entom.* large cabbage white *(Pieris brassicae).*

albinar *s.m.* bee master / keeper, apiarist.

albină *s.f.* bee.

albinărel *s.m.* *omit.* v. a l b i n a r.

albinărie *s.f.* bee house, stand / shed for bees, apiary.

albinărit *s.n.* bee culture / keeping.

albinism *s.n.* albinism.

albinos *s.m.* albino.

albire *s.f.* **1.** whitening, blanching; bleaching. **2.** grizzling, greying.

albișoară *s.f.* **1.** *iht.* ablet, bleak, blay *(Alburnus lucidus).* **2.** *bot.* variety of grapes.

albișor I. *adj.* whitish. **II.** *s.m.* **1.** *iht.* v. a l b i ș o a r ă. **2.** *pl.* *fam.* silver coins; *fam.* dough, tin.

albit[1] *s.n.* **1.** mineral. albite. **2.** washing, laundering; bleaching. **3.** v. a l b i r e.

albit[2] *adj.* **1.** *(cărunt)* grey; *(cu părul cărunt)* grey-haired. **2.** *fig.* bright.

albitor *s.m.* **albitoare** *s.f.* **1.** launderer, laundress; laundryman. **2.** *înv.* text bleacher; *(tăbăcar)* whitener.

albitorie *s.f. text.* bleach works, bleaching house.
albitură *s.f.* **1.** *(legume)* parsley and parsnip. **2.** *pl.* (rufe) linen. **3.** *poligr.* spaces.
albiță *s.f.* **1.** *iht.* v. a l b i ș o a r ă. **2.** *bot.* shepherd's purse *(Alyssum incanum).*
alboradă *s.f. muz.* alborada.
album *s.n.* album.
albumeală *s.f. bot.* lion's foot, edelweiss *(Gnaphalium leontopodium).*
albumen *s.n. bot.* (vegetable) albumen.
albumină *s.f.* albumin(e).
albuminiza *vt.* to albuminize.
albuminoid *s.m., adj. chim.* albuminoid.
albuminometru *s.n. fiz., chim., med.* albuminimeter, albuminometer.
albuminos *adj.* albuminous, albuminose.
albuminurie *s.f. med.* albuminuria.
albumoză *s.f. chim., biol.* albumosis.
alburi *vi.* v. a l b i I., 3.
alburiu *adj.* v. a l b i c i o s.
alburn *s.n. bot.* alburn(um), sapwood.
albuș *s.n.* white (of egg).
alcaic *adj.* Alcaic.
alcalescent *adj. chim.* alkalescent.
alcalie *s.f.*, **alcaliu** *s.n. chim.* alkali.
alcalii *s.m. pl. chim.* alkali.
alcalimetrie *s.f. chim.* alkalimetry.
alcalimetru *s.n. chim.* alkalimeter.
alcalin *adj.* alkaline.
alcalinitate *s.f. chim.* alkalinity, lixivity.
alcaliniza *vt. chim.* to alkalize, to treat with alkali, to alkalify.
alcalino-pământoase *adj. mineral., chim.* alkaline-earth *(metal etc.).*
alcan *s.m. chim.* alkane, paraffin.
alcazar *s.n.* alcazar.
alcătui I. *vt.* **1.** to make (up), to form. **2.** *(a făuri)* to create. **3.** *(a elabora)* to draw up. **II.** *vr. a se ~ din* to consist of; to be made up of.
alcătuială *s.f.* v. a l c ă t u i r e.
alcătuire *s.f.* **1.** structure, composition; make-up. **2.** organization. **3.** elaboration.
alcătuitor *adj.* constitutive; composing.
alchenă *s.f. chim.* alkene.
alchidal *s.m. chim.* alkyd (resin).
alchil *s.m. chim.* alkyl.
alchilare *s.f. chim.* alkylation.
alchimie *s.f.* alchemy.
alchimist *s.m.* alchemist.
alchină *s.f. chim.* alkyne, alkine.
alcion *s.m.* **1.** *ornit.* halcyon *(Alcedo ispida).* **2.** *(polip)* alcyonium.
alcool *s.n.* alcohol; spirit(s); *~ metilic* methyl(ated) spirits.
alcoolat *s.m. chim.* alcoholate.
alcoolic I. *s.m.* alcohol addict. **II.** *adj.* alcoholic.
alcoolism *s.n.* alcoholism.
alcooliza I. *vt.* **1.** *chim.* to alcoholize. **2.** *(despre vin)* to fortify. **II.** *vr.* to drink excessively / to excess, to become addicted to alcohol.
alcoolizare *s.f.* alcoholization.
alcoolmetru *s.n. fiz.* alcohol(o)meter.
alcoolometric *adj. fiz.* alcoholmetrical.
alcoolometrie *s.f. fiz.* alcoholometry.
alcov *s.n.* alcove.
aldan *s.n. bot.* v. h ă l d a n.
aldămaș *s.n. a bea ~ul* to wet the bargain.
aldehidă *s.f. chim.* aldehyd(e); *~ formică* formaldehyde.
alde I. *art.* the. **II.** *prep.* like, such as; *de-~ astea* such things.
aldin *adj. poligr.* Aldine, fat (print), black (type).
aldosteron *s.m. fiziol.* aldosterone, electrocortin.
aldoză *s.f. chim.* aldose.
ale *art. pos.* of; *~ mele* mine; *~ lui George* George's.
alea I. *adj.* those. **II.** *pron.* those (ones).
alean *s.n.* **1.** longing, yearning; nostalgia; melancholy. **2.** suffering, grief, sorrow.
aleasă *s.f.* the girl of one's choice, sweetheart, *fam.* one's lady love.
aleatoriu *adj. și jur.* aleatory.
alebard v. h a l e b a r d.
alee *s.f.* **1.** alley. **2.** *(pt. trăsuri etc.)* drive. **3.** *(pt. pietoni)* walk. **4.** *(pt. cicliști)* cycleway.
alega *vt. jur.* to allege.
alegație *s.f.* allegation.
alegător *s.m.* **1.** *pol.* elector; voter. **2.** selector.
alege I. *vt.* **1.** to choose, to select. **2.** *pol.* to elect. **3.** *(a selecta)* to pick out. **4.** *(a se hotărî pentru)* to decide (upon). **5.** *(a separa)* to sift. **II.** *vi.* **1.** to choose. **2.** to make a sau one's choice; a nu avea de ales to have no choice. **III.** *vr.* **1.** to be chosen sau elected. **2.** to separate; *a se ~ cu* to get; to be left with; *s-a ales praf și pulbere din asta* nothing came out of it.
alegere *s.f.* **1.** choice; selection. **2.** *pol. (și pl.)* election. **3.** decision. **4.** separation; *la ~* at will.
alegoric I. *adj.* allegoric(al). **II.** *adv.* allegorically.
alegorie *s.f.* allegory.
alegorist *s.m.* allegorist.
alegru *adj.* cheerful; lively.
alei *interj.* v. a l e l e i.
alelalte I. *adj.* the other. **II.** *pron.* the others, the other ones.
alelă *s.f. biol.* allel(e); allelormorph.
alelei *interj.* **1.** *(ah!)* ah! oh! **2.** *(vai)* alas!
alelism *s.n. biol.* allelism.
alelopatie *s.f. biol.* allelopathy.
aleluia *interj.* **1.** (h)alleluiah!. **2.** *glum.* good-bye John!
alemandă *s.f. muz.* Allemande.
alemani *s.m. pl. ist.* Alemanni, Alamanni, Alamans.
alenă *s.f.* **1.** (foul) fetid / breath. **2.** *chim.* allene, propadiene.
alene *adv.* idly.
alerga I. *vt.* **1.** to run, to race. **2.** *(a mâna)* to drive. **II.** *vi.* **1.** to run, to race. **2.** *(a se grăbi)* to make haste; to rush; *a ~ după* to run after *sau* for; to hunt for; *a ~ într-un suflet sau cât te țin picioarele* to run as fast as your legs will carry you.
alergare *s.f.* **1.** race. **2.** *(gonire)* chase.
alergătoare *s.f.* **1.** *text.* revolving yard-winding frame. **2.** runner, upper millstone.
alergător I. *s.m.* runner. **II.** *adj.* running.
alergătură *s.f.* **1.** running (to and from). **2.** *(osteneală)* pains; trouble.
alergen *biol., med.* **I.** *s.n.* allergen(e). **II.** *adj.* allergenic.
alergic *adj. med.* allergical.
alergie *s.f. med.* allergy (to).
alergologie *s.f. med.* allergology.
alerta *vt.* to alert.
alertă *s.f.* alarm.
ales I. *s.m.* person of one's choice. **II.** *s.n.* choice; *pe ~e* at choice. **III.** *adj.* **1.** selected; choice. **2.** remarkable, distinguished. **3.** *(d. mâncăruri și fig.)* dainty.
aleurit *s.n. geol.* aleurite.
aleuritic *adj. geol.* aleuritic.
aleurolit *s.n. geol.* aleurolite.
aleurometru *s.n. ind.* aleurometer.
aleuronat *s.n. chim., gastr.* aleuronate.
aleuronă *s.f. chim. înv.* aleurone.
aleuronic *adj. chim. înv.* aleuronic.
alevin *s.m. iht.* alevin, fry, young fish.
Alexandrie *s.f.* Alexander book, legend / romance of Alexander.
alexandrin *s.m., adj.* Alexandrine.

alexandrinism *s.n. lit.* Alexandrinism.
alexină *s.f. biol., med.* alexin(e).
aleza *vt. tehn.* to bore (out); to ream out, to broach.
alezaj *s.n. tehn.* cylinder bore; boring, bore hole.
alezor *s.n. tehn.* reamer, broach.
alfabet *s.n.* alphabet.
alfabetic **I.** *adj.* alphabetic. **II.** *adv.* aphabetically.
alfabetism *s.n.* alphabetism.
alfabetiza *vt.* to teach (smb.) the three r's.
alfabetizare *s.f.* teaching smb. to read and write; liquidation of illiteracy.
alfa **I.** *s.m.* alpha. **II.** *s.f. bot.* alfa (grass).
alfavita *s.f. înv.* **1.** alphabet. **2.** ABC book, primer
alfenid *s.n.* mineral. alfenid(e).
algă *s.f.* alga.
algebră *s.f.* algebra.
algebric *adj.* algebraic(al).
algerian *adj., s.m.* Algerian, Algerine.
algid *adj. med.* algid.
algiditate *s.f. med.* algidity.
algie *s.f. med.* ache, pain; algia.
algină *s.f. bot., chim., ind.* algin.
algologie *s.f. bot.* algology.
algonkian *subst., adj. geogr.* Algonquin; *lingv.* Algonquian; *geol.* Algonkian.
algonkini *s.m. pl., geogr.* Algonquins.
algoritm *s.n. mat., log. etc.* algorithm, algorism.
algrafie *s.f. poligr.* algraphy.
alhim v. a l c h i m.
alia **I.** *vt.* **1.** to ally. **2.** *tehn.* to alloy. **II.** *vr.* to form an alliance.
aliaj *s.n.* alloy.
alianță *s.f.* **1.** alliance. **2.** marriage; match; *rudă prin ~* in-law.
alias *adv.* alias; otherwise (known as ...).
aliat **I.** *s.m.* ally. **II.** *adj.* allied.
alibi *s.n.* alibi.
alicante *s.n.* Alicante (wine).
alice *s.f. pl.* small shot.
alicotă *s.f. mat. parte ~* aliquot *part.*
alidadă *s.f. topogr.* alidad(e).
aliena *vt. jur., fig.* to alienate.
alienabil *adj. jur.* alienable.
alienare *s.f. jur., fig.* alienation.
alienat **I.** *s.m.* madman. **II.** *adj.* alienated.
alienație *s.f.* lunacy.
alienist *s.m.* alienist, psychiatrist, *fam.* mad doctor.
alifatic *adj. chim.* aliphatic.
alifie *s.f.* ointment, salve.
aligator *s.m.* alligator.
aligote *s.m.* Aligoté, white wine (of Burgundy).
alil *s.m. chim.* allyl.
alilic *adj. chim.* allylic.
aliment *s.n.* (și *pl.*) food.
alimenta **I.** *vt.* **1.** to feed. **2.** *(a aproviziona)* to supply. **II.** *vr.* to feed.
alimentar *adj.* food.
alimentară *s.f.* food shop.
alimentare *s.f.* **1.** feeding. **2.** *(mâncare)* food. **3.** *(furnizare)* supply.
alimentator *s.n.* feeder.
alimentație *s.f.* nourishment.
alina *vt.* **1.** to soothe; to allay. **2.** *(a liniști)* to appease.
alinare *s.f.* comfort, relief; *fără ~* unrelieved.
alinător *adj.* solacing etc. v. a l i n a.
alineat *s.n.* v. a l i n i a t I.
alinia **I.** *vt., vi.* **1.** to line (up). **2.** *(a aranja)* to range. **II.** *vr.* **1.** to line up. **2.** *mil.* to fall into line.
aliniament *s.n.* alignment, line; *mil.* și disposition.
aliniat **I.** *s.n.* indented line; paragraph. **II.** *adj.* aligned, (fallen) in line.
aliniere *s.f. mil.* alignment.
alint *s.n.* caress, endearment.
alinta **I.** *vt.* **1.** to spoil; to pamper. **2.** *(a mângâia)* to pet, to cocker. **II.** *vr.* **1.** to play the spoilt child. **2.** *fig.* to simper.
alintare *s.f.* **1.** caress(ing), endearment. **2.** *(răsfăț)* simpering; playing the spoilt child; pampered.
alintat *adj.* spoilt; pampered.
alintător *adj.* caressing etc. v. a l i n t a.
alintătură *s.f.* **1.** v. a l i n t a r e 1. spoilt child.
alior *s.m. bot.* **1.** v. l a p t e l e c u c u l u i. **2.** spurge, milk weed *(Euphorbia).*
aliotman *s.m. sg.* Turkish world, Turks, Othomans.
alipi **I.** *vt.* to join; to annex. **II.** *vr. a se ~ la* to join.
alipire *s.f.* **1.** joining etc. v. a l i p i.
alismatacee *s.f. pl. bot.* alismataceae.
alișveriș *s.n. fam.* sale; business.
alit *s.n.* mineral., *chim.* alite.
alitera *vt.* to alliterate.
aliterație *s.f.* alliteration.
alivancă *s.f. cul.* Moldavian cake made of maize flour, butter, milk and cheese; aprox. cream burn.
alivanta *adv.* head over heels. *a se da ~* to turn a somerset / somersault, to topple over.
alizarină *s.f. chim.* alizarine.
alizee *s.n. pl.* trade winds.
alla breve *muz.* alla breve.
allegretto *adv., s.n. muz.* allegretto.
allegro *adv., s.n. muz.* allegro, lively.
allobrogi *s.m. pl. ist., geogr.* Allobroges.
allosaurus *s.m. zool., geol.* Allosaurus
almanah *s.n.* almanac(k).
almandin *s.n.* mineral. almandine; almandite.
almucantarat *s.n. astr.* almucantar, almacantar.
alo *interj.* hullo!
aloca *vt.* to allot, to earmark.
alocare *s.f.* allocation etc. v. a l o c a.
alocație *s.f.* allocation.
alocromatic *adj.* mineral., *chim., fiz.* allochromatic.
alocuri *adv. pe ~* here and there.
alocuțiune *s.f.* address.
alodial *adj. ist.* allodial, freehold.
alodiu *s.n. ist.* allodium, freehold estate.
aloe *s.f. bot.* aloe, century plant *(Aloes).*
alogamie *s.f. bot.* allogamy, cross-fertilization.
alogen *adj. geol.* allogeneous.
alohton **I.** *s.n.* mineral. allochthon(e). **II.** *adj.* alloc(h)thonous.
alonim *lit.* **I.** *s.n.* allonym. **II.** *adj.* allonymous.
alonjă *s.f.* **1.** lengthening / eking piece, extension; *tehn.* adapter. **2.** reach.
alopat *s.m. med.* allopathic.
alopatic *adj. med.* allopathic.
alopatie *s.f. med.* allopathy.
alopecie *s.f. med.* alopecia (areata); baldness.
alosom *s.m. biol.* v. a l o z o m.
alotropic *adj. chim.* allotropic.
alotropie *s.f. chim.* allotropy.
aloxan *s.n. chim.* alloxan.
alozom *s.m. biol.* allosome, sex chromoastome.
alpaca *s.f.* **1.** *zool.* alpaca *(Lama pacos).* **2.** *(aliaj)* argentan.
al pari *ec., fin.* al pari.
alpenstock *s.n.* alpenstock.
alpestru *adj.* alpine.
alpin *adj.* Alpine; mountain(ous).
alpinism *s.n.* mountaineering.
alpinist *s.m.* mountaineer.
alsacian *adj. s.m.* Alsatian.
alt *adj.* (an)other; further.
alta *pron.* another (one); *~ nimic* nothing else.
altaic *adj.* Altaic, Altaian.
altar *s.n.* **1.** altar, shrine. **2.** *arh.* chancel; sanctuary.

altă *adj.* another.
altădată *adv.* **1.** another time; some (other) day. **2.** *(demult)* formerly; once; *de~* old, former.
altcareva *pron. nehot.* v. a l t c i n e v a.
altcândva *adv.* some other time.
altceva *pron.* **1.** something else sau different. **2.** *în prop. interog. sau neg.* anything else.
altcineva *pron.* **1.** another; somebody else. **2.** *în prop. interog. sau neg.* anybody else.
altcum *adv.* otherwise, or; else.
alte *adj.* other; ~ *alea* falling sickness; fits.
altele *pron.* others; între ~ among other things.
alteori *adv.* (at) other times.
altera I. *vt.* **1.** *(a strica)* to adulterate; to spoil. **2.** *(a denatura)* to distort. **II.** *vr.* to go bad, to be tainted.
alterabil *adj.* liable to deterioration.
alterare *s.f.* **1.** adulteration, deterioration. **2.** *(stricare)* tainting, pollution.
alterat *adj.* adulterated.
alterație *s.f. muz.* inflecting (of voice).
altercație *s.f.* altercation, wrangle.
altern *adj.* **1.** *geom., bot.* alternate. **2.** *agr.* rotating.
alterna *vt., vi.* to alternate.
alternant *adj.* **1.** alternating. **2.** *agr.* rotating.
alternanță, alternare *s.f.* alternation.
alternativ *adj.* **1.** alternative. **2.** *el.* alternating.
alternativă *s.f.* alternative.
alternator *s.n. el.* alternator, alternating-current machine.
alteță *s.f.* (His / Her) Highness; prince; princess.
altfel *adv.* **1.** otherwise; or (else). **2.** *(diferit)* differently; in a different way / manner; ~ *de* other; ~ *nici nu se poate* it is a matter of course.
altigraf *s.n. fiz., av.* altigraph.
altimetrie *s.f.* altimetry.
altimetru *s.n.* altimeter.
altist *s.m.*, **altistă** *s.f.* alto.
altitelemetru *s.n. fiz., av.* altitelemeter.
altitudine *s.f.* height.
altiță *s.f.* **1.** stream of ornaments on a peasant shirt / blouse. **2.** *(cămașă)* shirt.
altminteri *adv.* otherwise; or else.
alto *s.m.* alto.
altocumulus subst.; *adj.* meteo. altocumulus
altogravură *s.f. artă, poligr.* aquafortis (engraving).
altoí *vt.* **1.** to (en)graft. **2.** *fig.* to beat.
altói *s.n.* **1.** graft(ing). **2.** *(și port ~)* stock.
altoire *s.f.* grafting.
altoit I. *s.n.* grafting. **II.** *adj.* grafted.
altorelief *s.n. artă* altorelievo, altorilievo.
altostratus *subst., adj. meteo.* altostratus.
altruism *s.n.* selflessness.
altruist I. *s.m.* altruist. **II.** *adj.* selfless, unselfish.
altul *pron.* another (one).
altundeva *adv.* elsewhere.
alți *adj.* other.
alții *pron.* others; other ones.
aluat *s.n.* dough; *din același* ~ of a kind.
alumină *s.f. geol.* alumina, alumine.
aluminiu *s.n.* aluminium.
aluminizare *s.f. tehn.* aluminization.
aluminos *adj.* aluminous.
aluminotermie *s.f.* aluminothermics, aluminothermic process.
alumosilicat *s.m.* mineral., *chim.* aluminosilicate.
alun *s.m. bot.* (hazel)nut tree, filbert *(Corylus avellana).*
alunar *s.m.* **1.** hazel-nut seller. **2.** nut cracker. **3.** *zool.* (common) dormouse (Muscardinus avellanarius). **4.** *ornit.* nuthatch, nutjobber, nutpecker *(Sitta).*
alună *s.f.* (hazel)nut; ~ *arahidă sau americană* ground nut, peanut.
aluneca *vi.* **1.** to slide. **2.** *(a cădea)* to slip, to fall; își alunecă printre degete it is as slippery as an eel.
alunecare *s.f.* **1.** slide, gliding. **2.** *(cădere)* slip, fall.
alunecător *adj.* **1.** gliding; sliding. **2.** *(alunecos)* slippery.
alunecos *adj.* slippery.
alunecuș *s.n.* **1.** slipperiness. **2.** *(polei)* (glazed) ice.
alunel *s.m.* lively Romanian dance.
alunele *s.f. pl.* **1.** *bot.* yarrow, milfoil, tansy *(Achille millefolium).* **2.** *bot.* earth / hawk nut *(Garum bulbocastanum).* **3.** sun burns.
alunga *vt.* **1.** to drive (away). **2.** *(a surghiuni)* to banish.
alungare *s.f.* chasing etc. v. a l u n g a.
alungi I. *vt.* **1.** to elongate; to lenghten. **2.** to prolong. **II.** *vr.* to lengthen, to become oblong; to thin out.
alungire *s.f.* elongation; lengthening; thinning (out).
alunică *s.f.* v. a l u n i ț ă.
aluniș *s.n.* hazel wood.
alunit *s.m.* mineral., *chim.* alunite, alumite.
aluniță *s.f.* **1.** beauty spot. **2.** *(neg)* mole.
aluniu *adj.* hazel.
aluniza *vi. astr.* to land on the moon; v. a s e l e n i z a.
alunizare *s.f. astr.* moon landing, landing on the moon.
alură *s.f.* **1.** carriage. **2.** *(aer)* air; looks. **3.** speed. **4.** *nav.* point of sailing.
aluvial, aluvionar *adj. geol.* alluvial.
aluvionare *s.f. geol.* alluviation.
aluviu *s.n. geol.* alluvium.
aluviuni *s.f. pl.* alluvia.
aluzie *s.f.* allusion, hint; *(răutăcioasă)* innuendo; *o ~ transparentă* a broad hint.
aluziv *adj.* allusive.
alveolar *adj.* **1.** *anat.* alveolate, cell-like. **2.** *lingv.* alveolar.
alveolat *adj.* alveolate.
alveolă *s.f.* **1.** cell. **2.** *anat.* alveolus.
alveolită *s.f. med.* alveolitis.
alviță *s.f.* nougat.
amabil I. *adj.* **1.** kind(ly); good-natured. **2.** *(plăcut)* pleasing. **II.** *adv.* kindly.
amabilitate *s.f.* kind(li)ness.
amalgam *s.n.* **1.** amalgam. **2.** *(amestec)* mixture.
amalgama *vt., vr.* to amalgamate, to blend.
amalgamare *s.f.* amalgamation.
aman *s.n. la ~* at a pinch.
amanet *s.n.* pawn, pledge; *a lăsa ~* to pawn, to pledge.
amaneta *vt.* to pawn.
amanetare *s.f.* pawning etc. v. a m a n e t a.
amanetat *adj.* pawned, up the spout.
amant *s.n.* lover.
amantă *s.f.* mistress.
amar I. *s.n.* bitterness; gall; *de atâta ~ de vreme* for such a long time. **II.** *adj.* bitter. grievous. **III.** *adv.* bitterly.
amara *vt., vi., mar.* to moor, to make fast (a ship).
amarantacee *s.f. pl. bot.* amaranthaceae.
amară *s.f. mar.* (mooring) rope / line; warp.
amarilidacee *s.f. pl. bot.* ama-ryli-daceae.
amarnic I. *adj.* bitter; hard. **II.** *adv.* hard; bitterly.
amatol *s.n. chim.*, min. amatol.
amator I. *s.m.* **1.** lover; fan. **2.** *(diletant)* amateur, layman; *~ de teatru* theatregoer. **II.** *adj.* amateur, lay;

a fi foarte ~ de sport to be a (great) sports fan.
amatorism *s.n.* dilettantism; amateurism.
amauroză *s.f. med.* amaurosis.
amazoană *s.f.* **1.** Amazon. **2.** *fig.* horsewoman.
amazonit *s.n.* mineral. Amazonite.
amăgeală *s.f.* delusion, mystification.
amăgi I. *vt.* **1.** to delude, to mystify. **2.** *(a momi)* to lure. **II.** *vr.* to indulge in illusions.
amăgire *s.f.* deception, delusion.
amăgitor *adj.* specious.
amănunt *s.n.* detail; *cu ~ul* by detail.
amănunțime *s.f.* detail, particular; technicality; *în ~* in great detail, in all particulars.
amănunțit *vt.* to (relate in) detail.
amărăciune *s.f.* **1.** bitterness. **2.** *(supărare)* grief.
amărî I. *s.f.* **1.** to embitter. **2.** *(a supăra)* to (ag)grieve. **II.** *vr.* to become bitter *sau* embittered.
amărât I. *adj.* **1.** embittered, miserable, woeful. **2.** wretched, woebegone. **II.** *s.m.* wretched / miserable / poor man.
amăreală *s.f.* **1.** bitterness. **2.** *bot.* cross flower, milkwort *(Polygala vulgaris).*
amărui *adj.* bitterish.
amâna I. *vt.* **1.** to postpone, to put off. **2.** *(a păsui)* to reprieve. **3.** *jur., pol.* to adjourn. **II.** *vi.* to put off, to adjourn.
amânare *s.f.* **1.** postponement. **2.** *jur., pol.* adjournment.
amândoi *pron., adv.* both.
ambala I. *vt.* **1.** to pack, to wrap (up). **2.** *(motorul)* to race. **II.** *vr.* to warm up.
ambalaj *s.n.* packing, wrap.
ambalare *s.f.* **1.** packing, wrapping (up). **2.** *auto.* racing (the engine).
ambarasa *vt.* to embarrass, to perplex.
ambarasant *adj.* embarrassing; awkward.
ambarcader *s.n.* v. d e b a r c a d e r.
ambarcați(un)e *s.f.* craft, boat.
ambasadă *s.f.* embassy.
ambasadoare *s.f.* ambassadress.
ambasador *s.m.* **1.** ambassador. **2.** *fig.* messenger.
ambele I. *adj.* fem. both. **II.** *pron.* both (of them).
ambiant *adj.* ambient.
ambianță *s.f.* environment, milieu.
ambidextrie *s.f. psih., med.* ambidexterity, ambidexterousness.
ambidextru I. *adj.* ambidextrous. **II.** *s.m.* ambidexter.
ambielaj *s.n. tehn.* assembling, connecting rod assembly.
ambigen *adj.* epicene.
ambiguitate *s.f.* ambiguity.
ambiguu *adj.* **1.** ambiguous, equivocal. **2.** two-edged.
ambii I. *adj.* masc. both. **II.** *pron.* both (of them).
ambitus *s.n. muz.* ambitus, compass.
ambiție *s.f.* ambition.
ambiționa I. *vt.* to arouse the ambition of. **II.** *vr.* *(să)* to set one's ambition (on smth.).
ambițios *adj.* **1.** ambitious. **2.** *(perseverent)* tenacious.
ambliopie *s.f. med.* amblyopia.
amblipode *subst. pl. zool.* amblypoda.
amblistoma *s.f. zool.* amblystoma.
ambranșament *s.n.* **1.** branching (off); branch. **2.** junction. **3.** *ferov.* branch line.
ambrazură *s.f.* embrasure, aperture; battlement.
ambră *s.f.* v. c h i h l i m b a r.
ambreia I. *vt.* to connect, to couple, to engage, to clutch. **II.** *vr.* to come into gear. **III.** *vi.* to let in the clutch; *auto.* to release the clutch pedal.
ambreiaj *s.n.* clutch pedal.
ambreiare, ambreiere *s.f.* throwing into gear, coupling, connecting.
ambrozia *adj.* ambrozial.
ambrozie *s.f.* și *fig.* ambrosia.
ambulacru *s.n. zool.* ambulacrum, *pl.* ambulacra.
ambulant *adj.* strolling, itinerant.
ambulanță *s.f.* ambulance.
ambulatoriu I. *adj.* ambulatory. **II.** *s.n.* policlinic, out-patients clinic / department.
ambuscadă *s.f.* ambuscade, ambush.
ambuscat *s.m.* chirker, dodger.
ambutisa *vt., tehn.* to stamp, to swage, to press.
ameliora *vt., vr.* to improve.
ameliorare *s.f.* improvement.
ameliorații *s.f. pl. agr.* (land) improvement (work).
amenoree *s.f. med.* amenorrh(o)ea.
amenaja *vt.* **1.** to arrange. **2.** *(a utila)* to equip, to fit (out).
amenajament *s.n.* *~ silvic* forest planning.
amenajare *s.f.* **1.** arrangement. **2.** fitting out.
amenda *vt.* **1.** *(pe cineva)* to fine. **2.** *(o lege etc.)* to amend.
amendabil *adj.* amendable, improvable.
amendament *s.n.* amendment.
amendare *s.f.* amendment etc. v. a m e n d a.
amendă *s.f.* fine; *~ onorabilă* public apology.
amenința *vt., vi.* to threaten, to menace.
amenințare *s.f.* threat(ening).
amenințător I. *adj.* threatening; ominous. **II.** *adv.* menacingly.
amenitate *s.f.* amenity.
ament *s.m. bot.* ament(um).
amentacee *s.f. pl. bot.* amentaceae.
America *s.f.* America; the United States (of America); *ai descoperit ~ ! fam.* the Dutch have taken Holland.
american *s.m., adj.* American; Yankee.
americanism *s.n.* Americanism.
americaniza *vt.* to Americanize.
americă *s.f.* coarse(st) calico.
americănesc *adj.* American.
americănește *adv.* (in the) American fashion.
americiu *s.m. chim.* americium.
amerindian I. *s.m.* Amerind(ian). **II.** *adj.* Amerindian.
ameriza *vi. av.* to alight (on the sea).
amerizare *s.f. av.* alighting (on the sea).
amerizor *s.n. av.* alighting gear (of seaplane).
amestec *s.n.* **1.** mixture. **2.** *(ghiveci)* fumble, mess. **3.** *(intervenție)* interference. **4.** participation.
amesteca I. *vt.* **1.** to mix (up), to blend, to combine. **2.** *(a încurca)* to entangle, to confuse. **3.** *(a implica)* to involve. **4.** *(cărțile)* to shuffle. **II.** *vr.* **1.** to mix; to mingle. **2.** *(a interveni)* to interfere, to meddle; *(de) ce te amesteci?* why do you meddle? mind your own business!
amestecare *s.f.* mixing.
amestecat *adj.* **1.** mixed (up); combined. **2.** *(variat)* sundry.
amestecător *s.n. chim.* mixer.
amestecătură *s.f.* medley, hash.
ametabol(ă) *adj. biol.* ametabolic, ametabolous.
ametist *s.n.* amethyst.
ametropie *s.f. med.* ametropia.
amețeală *s.f.* **1.** dizziness, giddiness. **2.** *med.* vertigo.
ameți I. *vt.* **1.** to make dizzy sau giddy; to make (smb.'s) head turn. **2.** *(a ului)* to amaze. **3.** *(a îmbăta)* to intoxicate. **II.** *vi.* to be(come) dizzy, to feel one's head turn. **III.** *vr.* *(cu alcool)* to get tipsy.

amețit *adj.* **1.** dizzy; giddy. **2.** *(zăpăcit)* confused. **3.** *(de băutură)* fuddled.
amețitor *adj.* **1.** dizzy, giddy. **2.** *(uluitor)* astounding.
amfetamină *s.f. chim., med.* amphetamine.
amfiartroză *s.f. anat.* amphiarthrosis.
amfibian *s.m. zool.* amphibian.
amfibiu I. *adj.* amphibian, amphibious. **II.** *s.n. av., auto.* amphibian.
amfibol *s.m. mineral.* amphibole.
amfibolie *s.f. elev., lit.* amphibology; ambiguity, equivocity.
amfibolit *s.n. mineral.* amphibolite.
amfibologic *adj.* amphibological, ambiguous, equivocal.
amfibologie *s.f. lingv.* amphibology.
amfibrah *s.m. stil.* amphibrach.
amficționie *s.f. ist., pol. (Grecia antică)* amphictyony.
amfidromic *adj. geol., geogr.* amphidromic.
amfigonie *s.f. biol.* amphigony.
amfimixie *s.f. biol.* amphimixis, *pl.* amphimixes.
amfineurieni *s.m. pl. zool.* amphineura.
amfiox *s.m. pl. zool.* amphiox, cirrostom *(Branchiostoma lanceolatum).*
amfiprostil *s.n. arh.* amphiprostyle.
amfiteatru *s.n.* **1.** amphitheatre. **2.** *univ.* lecture room.
amfiteriu *s.n. zool.* amphitherion.
amfitrioană *s.f.* hostess.
amfitrion *s.m.* host, amphitryon.
amforă *s.f. ist.* amphora.
amfoter *adj. chim.* amphoteric.
amfotonie *s.f. fiziol.* amphotony.
amhară *s.f. lingv.* Amhara.
amiabil *adj.* friendly, amicable, conciliatory.
amiantă *s.f. chim., tehn.* asbestos, amiant(h)us.
amiază, amiazi *s.f.* noon, midday; *după-~* (in the) afternoon; *înainte de ~* before noon, in the morning; *la ~* at noon.
amibă *s.f. zool.* amoeba.
amic *s.m.* friend.
amical I. *adj.* friendly. **II.** *adv.* in a friendly way / tone.
amiciție *s.f.* friendship, friendliness.
amidază *s.f. biochim.* amidase.
amidă *s.f. chim.* amide.
amidină *s.f. chim.* amidin(e).
amidon *s.n.* starch.
amidopirină *s.f. chim., farm.* amidopyrine.
amielinic *adj. anat., biol.* amyelinic.
amiezită *s.f. tehn.* concrete asphalt road cover.
amigdală *s.f.* tonsil.
amigdalectomie *s.f. med.* tonsillectomy, amygdalectomy.
amigdalită *s.f.* tonsilitis.
amigdaloid I. *adj.* amygdalaceous. **II.** *s.m.* amygdaloid.
amil *s.m. chim.* amyl.
amilaceu *adj.* amylaceous, starchy.
amilază *s.f. chim., biol.* amylase.
amilic *adj. chim., biol.* amyl(ic).
amilodextrină *s.f. chim.* amylodextrin.
amilograf *s.n. tehn.* amylograph.
amiloidoză *s.f. med.* amyloidosis, *pl.* amyloidoses.
amiloliză *s.f. chim.* amylolysis, *pl.* amylolyses.
amilopectină *s.f. chim.* amylopectin.
amiloză *s.f. chim.* amylose.
amimie *s.f. med., psih.* amimia.
amin *interj.* **1.** *rel.* amen! **2.** *(glumeț)* napoo!
aminare *s.f. chim.* amin(iz)atim.
amină *s.f. chim.* amine.
amino *adj. chim.* amino(-).
aminoacid *s.m. chim., biol.* amino-acid.
aminobenzen *s.m. chim.* amino(azo)benzene, aniline.
aminobenzoic *adj. chim.* aminobenzoic; anthranilic.
aminofenazonă *s.f. chim.* aminophenazone; *farm.* antipyrine.
aminoplast *s.n.* aminoplast(ic).
aminte *adv. cu luare ~* attentively; *a-și aduce ~ (de)* to remember *(cu acuz.).*
aminti I. *vt.* to mention, to recall; *a-și ~* to remember; *a ~ cuiva ceva* to remind smb. of smth.; *după câte îmi amintesc* as far as I can remember. **II.** *vi. a-și ~ de* to remember; to recall; *a ~ cuiva de ceva* to remind smb. of smth.
amintire *s.f.* **1.** memory; remembrance, recollection. **2.** (suvenir) keepsake; *în ~a...* in memory of...
amiotrofie *s.f. med.* amyotrophy.
amiral *s.m.* admiral.
amiralitate *s.f.* admiralty.
amitoză *s.f. biol.* amitosis.
amixie *s.f. biol.* amixia.
amnar *s.n.* flint steel.
amnezie *s.f.* amnesia, loss of memory.
amnios *s.n. anat.* amnion, *fam.* water-bag.
amniotic *adj. anat.* amniotic.
amnistia *vt.* to amnesty.
amnistiat I. *adj.* amnestied, pardoned. **II.** *s.m.* amnestied person.
amnistie *s.f.* amnesty.
amoc *s.n. med.* amuck (frenzy).
amofos *s.n. chim., agr.* ammonium phosphate (fertilizer).
amoniac *s.n.* ammonia.
amoniacal *adj. chim.* ammoniac(al).
amonificare *s.f. chim.* ammonification.
amonit *s.n. geol.* ammonite.
amoniu *s.n. chim.* ammonium.
amoniurie *s.f. med.* ammoniuria.
amonoliză *s.f. chim.* ammonolysis.
amonte *adv. în ~* upstream.
amor *s.n.* **1.** love. **2.** *(legătură)* love affair. **3.** *(persoană)* sweetheart. **4.** *(zeu)* Cupid. *~ propriu* self-love, vanity.
amoral *adj.* amoral, non-moral; unprincipled
amoralism *s.n.* amorality; *filoz.* amoralism.
amoralitate *s.f.* amorality.
amoraș *s.m.* Amor, Cupid.
amorez *s.m.* beau, lover.
amoreza *vr. a se ~ de* to fall in love with.
amorezat *adj. (~ de)* infatuated (with); *~ lulea* nuts (on smb.).
amorf *adj.* amorphous.
amorfie *s.f.* amorphism.
amoros *adj.* amorous, loving; tender.
amorsa I. *vt.* **1.** *mil.* to prime. **2.** *(o undiță)* to bait. **3.** *tehn.* to set in; to kick off; to start; *el.* to induce. **II.** *vr. tehn.* to start.
amorsă *s.f.* **1.** *mil.* etc. primer, fuse, detonator. **2.** bait. **3.** *constr.* by-road. **4.** *cin.* leaders.
amortisment *s.n.* payment.
amortizabil *adj.* redeemable.
amortiza I. *vt.* **1.** to (re)pay. **2.** *(o datorie)* to liquidate. **3.** *tehn.* to deaden, to damp. **II.** *vr.* to be (re)paid, to be liquidated.
amortizare *s.f.* **1.** liquidation; (re)payment. **2.** *tehn.* damping.
amortizor *s.n.* damper.
amorțeală *s.f.* **1.** numbness. **2.** *fig.* torpor.
amorți I. *vt.* to (be)numb. **II.** *vi.* **1.** to be(come) benumbed sau stiff. **2.** to be torpid.
amorțire *s.f.* **1.** (be)numbing, numbness. **2.** *fig.* torpor.
amorțit *adj.* **1.** (be)numbed; dull. **2.** *fig.* torpid.
amovibil *adj.* removable, liable to dismissal.
amovibilitate *s.f.* removability.

ampatament *s.n. tehn.* wheelbase (of car, engine); width.
ampelografie *s.f.* ampelography.
ampenaj *s.n.* empennage.
amper *s.m. el.* ampere.
amperaj *s.n. el.* amperage.
ampermetru *s.n. fiz., el.* ampermeter, ammeter.
amperoră *s.f. fiz., el.* ampere-hour.
amperormetru *s.n. el., fiz.* ampere-hour-meter.
ampex *s.n. tehn.* ampex.
amplasa *vt.* to place.
amplasament *s.n.* **1.** *mil.* emplacement, gun pit. **2.** *constr.* location, site.
amplidină *s.f. el.* amplidyne.
amplifica *vt.* to amplify.
amplificare *s.f.* **1.** amplification. **2.** magnifying.
amplificator *s.n.* amplifier.
amplitudine *s.f.* **1.** amplitude. **2.** *astr.* diurnal arc.
amploare *s.f.* scope, proportion; *de (mare)* ~ vast in scope, ample.
amploiat *s.m.* employee, clerk.
amplu *adj.* **1.** ample. **2.** copious; abundant.
amprentă *s.f.* stamp; ~ *digitală* fingerprint.
ampriză *s.f. tehn.* (rail)road territory.
amputa *vt.* to amputate.
amputare, amputație *s.f.* amputation; surgical sacrifice.
amuleta *s.f.* amulet.
amurg *s.n.* **1.** dusk, twilight. **2.** *fig.* old age.
amurgi *vi.* **1.** *impers.* to get / grow dark. **2.** *fig.* to fade; to dim.
amurgit *s.n.* v. a m u r g.
amuți **I.** *vt.* to silence; to dumb(found). **II.** *vi.* to be(come) silent / dumb.
amuțire *s.f.* dumbing etc. v. a m u ț i.
amuțit *adj.* tongue-tied.
amuza **I.** *vt.* to amuse, to entertain. **II.** *vr.* to have a good time, to enjoy oneself.
amuzament *s.n.* amusement, entertainment.
amuzant *adj.* amusing, nice.
amuzat **I.** *adj.* amused, merry. **II.** *adv.* merrily, in amusement.
amuzie *s.f. psih.* amusia.
amvon *s.n.* bis. pulpit.
an *s.m.* year; ~ *bisect* leap year; ~ *calendaristic* calendar year; ~ *de* ~, *în fiecare* ~ every year; ~ *școlar* schoolyear; *~ul curent* this year; *Anul Nou* the New Year, New Year's Day; *~ul trecut* last year; ~ *universitar* academic year; *câți ~i ai?* how old are you?; *(de) ~i de zile* for many years; *din ~ în Paște* once in a blue moon; *la ~ul* next year; *La mulți ani!* Happy birthday!, Many happy returns of the day!, *(la Anul nou)* A Happy New Year!; *tot ~ul* throughout the year.
Ana *s.m. a duce de la ~ la Caiafa* to drive from post to pillar.
ana *s.f.* upper cord of a fishing net.
anabaptism *s.n. rel.* anabaptism.
anabaptist *s.m., adj. rel.* anabaptist.
anabioză *s.f. biol.* anabiosis, reanimation.
anabolism *s.n. biol.* anabolism.
anaclorhidrie *s.f. med.* anachlorhydria.
anacolut *adj. gram.* anacol(o)uthon.
anaconda *s.f. zool.* anaconda (snake) *(Eunectes murinus).*
anacreontic *adj. lit.* Anacreontic.
anacronic *adj.* out-dated, superannuated.
anacronism *s.n.* anachronism.
anacruză *s.f.* **1.** *stil.* anacrusis, *pl.* anacruses. **2.** *muz.* anacrusis, anakrousis.
anaerob *adj.* anaerobic.
anaerobiotic *adj. biol.* anaerobiotic.
anaerobioză *s.f. biol.* anaerobiosis.
anafilactic *adj. med.* anaphylactic.
anafilaxie *s.f. med.* anaphylaxis.
anafora *s.f. lingv.*, stil. anaphora.
anaforă *s.f. gram.* anaphora.
anaforeză *s.f. fiz., med.* anaphoresis.
anaforic *adj.* anaphoric.
anafornită *s.f. bis.* pyx, ciborium.
anafură *s.f.* Eucharist bread.
anaglifă *s.f.* anaglyph.
anagliptic *adj.* anaglyptic.
anagnost *s.m. bis.* anagnost(es).
anagogie *s.f. rel.* anagoge, anagogy.
anagramă *s.f.* anagram.
anahoret *s.m.* an(a)chorite, anchoret, hermit.
anal *adj. anat.* anal.
analactic *adj.* anal(l)actic, anallatic.
anale *s.f. pl.* annals.
analecte *s.f. pl. înv.* analecta, analects.
analeptic *s.n., adj. med.* analeptic.
analfabet *s.m., adj.* illiterate.
analfabetism *s.n.* illiteracy.
analgezic *s.n. med.* pain-killer.
analgezie *s.f. med.* analgesia.
analist *s.m. chim.* etc. analyst.
analitic *adj.* analytic.
analiza *vt.* **1.** to analyse. **2.** *gram.* *și* to parse.
analizabil *adj.* analysable.
analizare *s.f.* analysis etc. v. a n a l i z ă.
analizator *s.n.* analyser.
analiză *s.f.* **1.** analysis. **2.** *med.* test. **3.** *fig.* review, survey. **4.** *gram.* parsing; *analiza sângelui* blood test; *la o ~ atentă* upon close examination.
analizor *s.n.* analyser.
analog[1] *s.n. bis.* lectern.
analog[2] *adj.* analogous.
analogic *adj.* analogical.
analogie *s.f.* analogy.
anamneză *s.f. med.* anamnesis.
anamniote *s.f. pl. zool.* anamniota, anamnia(ta).
anamorfozare *s.f. fiz.*, cin. anamorphosis.
anamorfozat *adj. biol., fiz.* anamorphosed.
ananas *s.m.* pine-apple.
ananghie *s.f.* predicament; difficulty; *la* ~ up a tree.
anapest *s.m.* stil. anapaest.
anapestic *adj.* stil. anap(a)estic.
anaplastie *s.f. med.* anaplasty; plastic surgery.
anaplazie *s.f. biol., med.* anaplasia.
anapoda *adj., adv.* topsy-turvy.
anarhic **I.** *adj.* anarchical. **II.** *adv.* anarchically.
anarhie *s.f.* anarchy.
anarhism *s.n.* anarchism.
anarhist **I.** *s.m.* anarchist. **II.** *adj.* anarchistic.
anarho-individualism *s.n.* anarcho-individualism.
anarhosindicalism *s.n. sociol., pol.* anarcho-syndicalism.
anarhosindicalist *s.m.* anarcho-syndicalist.
anartrie *s.f. med., psih.* anarthria.
anarți *s.m. pl. ist.* Anarti.
anasarcă *s.f. med.* anasarca.
anasâna *s.f. cu* ~ forcibly, arbitrarily.
anason *s.m.* anise *(Pimpinella anisum)*; *sămânță de* ~ aniseed.
anastatic *adj. poligr.* anastatic.
anastigmat(ic) *adj. opt.* anastigmatic.
anastigmatism *s.n. opt.* anastigmatism.
anastomoză *s.f. anat., bot.* anastomosis.
anastrofă *s.f. gram.* anastrophe.
anatemă *s.f.* anathema.
anatemiza *vt.* to anathematize.
anatemizare *s.f.* anathematization.
anatexie *s.f. geol.* anatexis, *pl.* anatexes.
anatocism *s.n. fin.* anatocism, compound interest.
anatomic *adj.* anatomical.
anatomie *s.f.* anatomy.

anatomist *s.m.* anatomist.
anatomo-patologic *adj.* anatomico-pathologic(al).
anatoxină *s.f.* anatoxin.
ancablură *s.f. mar.* cable('s) length (185,2 m).
ancadrament *s.n. arh., cin.* etc. frame, framing.
ancastrament *s.n. constr.* embedding; fixing; housing; bed.
ancestral *adj.* ancestral.
ancherit *s.n. mineral.* ankerite.
ancheta *vt., vi.* to investigate.
anchetare *s.f.* investigation (of), inquiry (into), inquest.
anchetator *s.m.* investigator.
anchetă *s.f.* inquiry; inquest.
anchilostom *s.m. zool.* ancylostome, ankilostome, *pl.* ancylostoma.
anchilostomiază *s.f. med.* ancylostomiasis; ankylostomiasis.
anchiloza I. *vt.* to anchylose. **II.** *vr.* **1.** to become stiff sau anchylosed. **2.** *fig.* to become a stick-in-the-mud.
anchilozare *s.f.* stiffening etc. v. a n c h i l o z a.
anchilozat *adj.* **1.** anchylosed, stiff. **2.** *fig.* retrogressive.
anchiloză *s.f.* ankylosis.
ancie *s.f. muz.* reed of a bassoon etc.
anclanșare *s.f. tehn.* throwing into gear, interlocking.
anclavă *s.f.* **1.** *geol.* inclusion; xenolith. **2.** *bot.* etc. enclave.
ancolare *s.f. tehn.* gluing, pasting.
ancombrant *adj. elev.* cumbersome, encumbering.
ancora *vi., vr.* to (cast) anchor.
ancoraj *s.n. nav.* anchorage, berth.
ancorare *s.f.* anchorage.
ancorat *adj. nav.* anchored, (lying / riding) at anchor.
ancorator *s.n. mar.* anchoring gear.
ancoră *s.f.* anchor.
ancorot *s.n. nav.* kedge / mushroom anchor.
ancrasa I. *vt.* to dirty, to soil; *tehn.* to foul, to clog, to choke; to oil / soot up. **II.** *vr.* to (get) foul, to get dirty, to oil / soot / gum up.
ancrasare *s.f.* fouling etc. v. a n c r a s a.
ancrasat *adj.* foul, dirty, sooted / gummed up; clogged / choked with dirt.
andaluz *adj., s.m.* Andalusian.
andaluzit *s.n. mineral.* Andalusite.
andante *adv., s.n. muz.* andante.
andantino *adv., s.n. muz.* andantino.
andezit *s.n. mineral.* andesite.
andivă *s.f.* endive *(Cichorium endivia).*
androceu *s.n. bot.* androecium, *pl.* androecia.
andosa *vt. ec.* to endorse.
andosant *s.m. ec.* endorser.
andosat *adj. ec.* endorsee.
andrea *s.f.* (knitting) needle.
androcament *s.n. (drumuri)* enrockment.
androgen *adj. biol.* androgenous.
androgin *adj. biol., med.* androgynous.
androginie *s.f. biol., med.* androgyny.
andrologie *s.f. biol., med.* andrology.
andromedide *s.f. astr.* Andromedides.
androsteron *s.m. biol., med.* androsterone.
andruc *s.n. poligr.* probationary print.
anecdotă *s.f.* funny story, anecdote.
anecdotic *adj.* anecdotical.
anecoid *adj. fiz.* anechoic.
anelide *s.n. pl. zool.* annelida, annelides.
anemia I. *vt.* to weaken. **II.** *vr.* to pine.
anemiat *adj.* anaemic; etiolated.
anemic I. *adj.* **1.** feeble. **2.** *med.* anaemic. **II.** *adv.* languidly.
anemie *s.f.* anaemia, feebleness.
anemiere *s.f.* debilitation.
anemocor *s.f. bot.* anemochore.
anemofil *adj. bot.* anemophilous.
anemograf *s.n. meteo.* anemograph.
anemometric *s.f. meteo.* anemometry.
anemometru *s.n. meteo.* anemometer.
anemonă *s.f.* anemone *(Anemone nemorosa).*
anemoscop *s.n. meteo.* anemoscope; weathercock.
anemostat *s.n. tehn.* air conditioner, climatizer.
anemotrop I. *s.n.* wind motor / engine. **II.** *adj.* anemotropic.
anencefalie *s.f. med.* anencephaly.
anepigraf *adj. rar* without a title or inscription.
anergie *s.f. biol., med.* anergy.
aneroid *adj.* aneroid; *barometru ~* aneroid barometer.
anestezia *vt. med.* to anaesthetize.
anestezic *adj. med.* anaesthetic.
anestezie *s.f. med.* anaesthesis, anaesthesia.
anestezist *s.m. med.* an(a)esthetist, an(a)esthesiologist.
aneurină *s.f. med., farm.* aneurin(e), thiamine, vitamin B1.
anevoie *adv.* **1.** painstakingly. **2.** *(abia)* scarcely.
anevoios *adj.* hard, difficult.
anevrism *s.n. med.* aneurism.
anevrismal *adj. med.* aneurysmal, aneurismal.
anex *adj.* annexed; enclosed.
anexa *vt.* **1.** to annex. **2.** *(a alătura)* to enclose.
anexare *s.f.* **1.** annexation. **2.** *(alăturare)* enclosing.
anexat I. *adj.* annexed; enclosed. **II.** *adv.* enclosed.
anexă *s.f.* annex(e), appendage.
anexionism *s.n. pol.* annex(-at)ionism.
anexionist *s.m., adj.* annex(-at)ionist.
anexită *s.f. med.* salpingitis.
anexiune *s.f.* annexation.
anfiladă *s.f.* **1.** *mil.* enfilade. **2.** succession, series of doors etc.
angaja I. *vt.* **1.** to engage; to hire, to employ. **2.** *(o luptă etc.)* to begin. **II.** *vr.* **1.** to pledge (oneself); to commit oneself. **2.** *(în slujbă)* to take a job. **3.** *mil.* to enlist.
angajament *s.n.* pledge, commitment.
angajare *s.f.* **1.** hiring; engagement. **2.** *(a luptei)* beginning.
angajat I. *s.m.* employee; hireling. **II.** *adj.* **1.** pledged, engaged. **2.** *(în serviciu)* hired; employed. **3.** *pol.* committed, aligned.
angambament *s.n. stil.* enjambment, overflow; run-on line.
angarale *s.f. pl.* **1.** troubles. **2.** expenses.
angeită *s.f. med.* angitis, *pl.* angitides.
angelic *adj.* angelic(al); cherubic.
anghelică *s.f. bot.* angelica *(Archangelica officinalis).*
anghilă *s.f. iht.* eel *(Anguilla anguilla).*
anghinare *s.f.* artichoke *(Cynara scolymus).*
anghină *s.f.* angina, quinsy; *~ difterică* diphtheritis; *~ pectorală* angina pectoris.
angină *s.f. med.* v. a n g h i n ă.
angiocolită *s.f. med.* angiocholitis.
angiografie *s.f. med.* angiography.
angiologie *s.f. med.* angiology.
angiom *s.n. med.* angioma.
angiopatie *s.f. med.* angiopathy.
angiospasm *s.n. med.* angiospasm.
angiosperm *adj. bot.* angiospermous.
angiospermă *s.f. bot.* angiosperm.
angiotensină *s.f. med.* angiotensin.
angleză *s.f. muz.* anglaise (dance).
angli *s.m. pl. ist.* Angles.
anglican *s.m., adj.* Anglican.
anglicanism *s.n.* Anglicanism.
anglică *s.f. bot.* v. c i u b o ț i c a c u c u l u i.

anglicism *s.n.* Anglicism.
anglist *s.m.* Anglicist.
anglistică *s.f.* Anglistics.
anglofil *s.m.* anglophile.
anglofobie *s.f.* anglophobia.
anglomanie *s.f.* anglomania.
anglo-saxon *adj.*, *s.m.* AngloSaxon.
angoasă *s.f. psih.* anguish, anxiety; distress.
angobă *s.f. (ceramică)* slip, engobe.
angora *s.f.* Angora.
angrena I. *vt.* **1.** to (throw into) gear. **2.** *fig.* to rally, to draw. **II.** *vr.* to (get into) gear; *a se ~ în fig.* to join, to be drawn into.
angrenaj *s.n.* **1.** gearing. **2.** *fig.* wheels.
angrenare *s.f.* gearing etc. v. a n g r e n a.
angro *adj.* wholesale.
angrosist *s.m.* wholesale dealer.
angstrom *s.m.* Angstrom (unit).
angular *adj.* angular.
anhidridă *s.f. chim.* anhydride.
anhidrit *s.n.* mineral., *chim.* anhydrite.
anhidroză *s.f. med.* anhydrosis, *pl.* anhydroses.
anhidru *adj. chim.* anhydrous.
anihila *vt.* to annihilate.
anihilare *s.f.* annihilation.
anilină *s.f. chim.* aniline.
anima I. *vt.* to animate. **II.** *vr.* to be enlivened; to pick up life.
animal I. *s.n.* **1.** animal; beast. **2.** *fig.* brute. *~ de povară* beast of burden; *~ de pradă* predator; *~e de reproducție* pedigree stock; *~ de tracțiune* beast of draught; *~ sălbatic* wild beast. **II.** *adj.* animal.
animalic *adj.* **1.** animal. **2.** sensual, carnal. **3.** brutal.
animalicul *s.m. biol.* spermatozoid; spermatozoon.
animaliculist *s.m. biol.* animalculist.
animalier *adj.* animal; pictor ~ animalist.
animalitate *s.f.* animality, animal nature.
animalizare *s.f.* animalization.
animat *adj.* **1.** animated. **2.** *(vioi)* alive, lively; *~ de* inspired by.
animatoare *s.f.* entertainer, clipgirl.
animator *s.m.* animator.
animație *s.f.* (throbbing) life, liveliness.
animism *s.n.* animism.
animist I. *adj.* animistic. **II.** *s.m.* animist.
animozitate *s.f.* enmity, hatred.
anin *s.m. bot.* alder (tree) *(Alnus).*
anina I. *vt.* to hang (up); to hook; to catch. **II.** *vr.* to be hung; *a se ~ de* to catch sau to get caught in (a nail etc.).
aninare *s.f.* hanging (up) etc. v. a n i n a.
anionit *s.m. chim.*, *fiz.* anionic / anianotropic substance.
anisol *s.m. chim.* anisole.
anison *s.m.* v. a n a s o n.
aniversa *vt.* to celebrate.
aniversar *adj.* anniversary.
aniversare *s.f.* **1.** anniversary. **2.** birthday.
anizocitoză *s.f. med.* anisocytosis.
anizogamie *s.f. biol.*, *med.* anisogamy.
anizotrop *adj. fiz.*, *biol.* anisotropic.
anizotropie *s.f. fiz.*, *biol.* anisotropy.
anluminură *s.f. artă* illumination, illuminating (engraving).
annona *s.f. ist.* Romei annona.
annularia *s.f. geol.*, *bot.* annularia.
anod *s.m. el.* anode (plate), positive electrode.
anodic *adj. el.* anodic, anodal.
anodin *adj.* **1.** harmless. **2.** *(neinteresant)* dull.
anodontă *s.f. zool.* anodon, *pl.* anodonta.
anofel *s.m. entom. țânțar ~* anopheles.
anofelogen *adj. geogr.*, *zool.* anophelogenous.
anoftalmie *s.f. med.* anophthalmia.
anomal *adj.* anomalous.
anomalie *s.f.* anomaly, abnormality
anomie *s.f.* sociol., *psih.* anomie, anomia, anomy.
anonimat *s.n.* anonymity; *a ieși din ~* to emerge from obscurity.
anonimă *s.f.* unsigned sau anonymous letter.
anonim I. *s.m.* anonymous person. **II.** *adj.* anonymous, nameless.
anopistograf *adj.* anopisthographic.
anorganic *adj.* inorganic.
anorhidie *s.f. med.*, *anat.* anorch(id)ism.
anormal I. *adj.* abnormal, anomalous. **II.** *adv.* abnormally.
anormalitate *s.f.* anormality.
anortit *s.n. mineral.* anorthite.
anosmie *s.f. med.* anosmia.
anost *adj.* vapid, dull.
anotimp *s.n.* season.
anoxibioză *s.f. med.* anoxybiosis.
anoxie *s.f. med.* anoxia.
anrobare *s.f. tehn.* coating, covering, wrapping.
ansamblu *s.n.* **1.** ensemble. **2.** *arh.* pile; *de ~* general; *în ~* generally (speaking), on the whole.
ansă *s.f.* **1.** handle (of jug); ear (of bell, pitcher). **2.** *anat.* etc. loop.
anșoa *s.n.* anchovy.
antablament *s.n. arh.*, *constr.* entablature; coping, tablet (of wall).
antagonic *adj.* antagonistic.
antagonism *s.n.* antagonism.
antagonist *adj.* antagonistic, opposed.
antalgic *adj. med.* antalgic, an(t)algesic.
antantă *s.f. ist.* Entente.
antarctic *adj.* Antarctic.
antă *s.f. arh.*, *constr.* anta.
ante- *prefix* ante-, fore-.
antebelic *adj.* pre-war.
antebraț *s.n.* forearm.
antecalculație *s.f. ec.*, *fin.* previous / provisional estimate; precalculation.
antecedente *s.n. pl.* record, antecedents.
antecedență *s.f.* antecedence, precedence, antecedency.
antecesor *s.m.* predecessor, forerunner.
anteclizā *s.f. geol.* anticline.
antedata *vt.* to antedate.
antedeviz *s.n. ec.*, *fin.* pre-estimate.
antediluvian *adj.* antediluvian.
antefix *s.n. arh.* antefix.
antemăsurătoare *s.f.* provisional measurement / survey.
antemeridian *adj.* antemeridian, a.m.
antenă *s.f.* **1.** antenna. **2.** (de radio și) aerial.
antepenultim *adj.* antepenultimate, last but two.
anteport *s.n. mar.* outport, outer harbour.
anteproiect *s.n.* first draft.
anteră *s.f. bot.* anther.
anteridie *s.f. bot.* antheridium, *pl.* antheridia.
anterior I. *adj.* **1.** previous; prior. **2.** *(mai vechi)* former, earlier. **3.** *anat.* fore... **II.** *adv.* previously, formerly.
anterioritate *s.f.* previousness, anteriority; priority, precedence.
anteriu *s.n. bis.* surplice.
anterozoid *s.m. bot.* antherozoid.
antestepă *s.f. geogr.* sylvosteppe.
antet *s.n.* heading.
antetitlu *s.n.* pre-title, foretitle.
antetren *s.n.* fore carriage.
antetrupiță *s.f. agr.* co(u)lter, jointer.
antevorbitor *s.m.* previous speaker.
anthracotherium *s.n. paleont.* anthracotherium.
anti- *prefix* anti-, counter-, contra-.
antiaerian *adj.* anti-aircraft.
antialcoolic I. *s.m.* teetotaller. **II.** *adj.* antialcoholic.

antiastmatic *adj., s.n. med.* ant(i)asthmatic.
antiatom *s.m. fiz.* antiatom.
antiatomic *adj.* antiatomic, antinuclear.
antibiogramă *s.f. med.* antibiotic test.
antibiotic *s.n., adj.* antibiotic.
antibioză *s.f. biol., med.* antibiosis.
antic *adj.* ancient, antique.
anticameră *s.f.* waiting room.
anticar **I.** *s.m.* **1.** secondhand bookseller. **2.** *(și pt. obiecte)* antiquary. **II.** *adj. mil.* antitank.
anticariat *s.n.*, **anticărie** *s.f.* secondhand bookshop.
anticataliză *s.f. chim.* anticatalysis.
anticatod *s.m. el.* anti-cathode.
anticărbunos *adj. med.* anti-anthrax.
antichitate *s.f.* antiquity.
anticiclon *s.m.* anticyclone.
anticipa **I.** *vi. a ~ asupra* to anticipate. **II.** *vt.* to anticipate.
anticipabil *adj.* foreseeable, predictable.
anticipare *s.f.* anticipation.
anticipat **I.** *adj.* anticipated. **II.** *adv.* in advance.
anticipativ *adj.* anticipatory.
anticipație *s.f.* anticipation.
anticlerical *adj.* anticlerical.
anticlericalism *s.n.* anticlericalism.
anticlinal *s.n. geol.* anticline, saddle.
anticlinoriu *s.n. geol.* anticlinorium.
anticlor *s.n. chim.* antichlor.
anticoagulant *s.m. adj. med., fiziol.* anticoagulant.
anticolonial *adj.* anti-colonial.
anticolonialism *s.n.* anti-colonialism.
anticolonialist *adj.* anti-colonial(ist).
anticomunism *s.n. pol.* anticommunism.
anticoncepțional **I.** *adj.* contraceptive, birth control ... **II.** *s.n.* contraceptive, birth-control method.
anticongelant **I.** *s.m.* antifreeze agent. **II.** *adj.* antifreeze.
anticonstituțional *adj.* anticonstitutional.
anticorosiv *adj., s.m.* anticorrosive (agent).
anticorp *s.m. biol.* antibody.
anticriptogamic *adj. bot.* anticryptogamic.
anticva *s.f. poligr.* antique.
antidata *vt.* v. a n t e d a t a.
antidăunător *s.m.* pesticide.
antideflagrant *adj.* explosion-proof, flame-proof.
antidemocratic *adj.* anti-democratic.
antiderapant *adj. auto.* non-skid(ding), antiskid ...
antidetonant *s.n.* antiknock, antidetonant.
antidetonanță *s.f.* antidetonance, antiknock property.
antidifteric *adj. med.* antidiphtheritic.
antidinastic *adj. pol.* antidynastic.
antidot *s.n.* antidote.
antidrog *adj.* anti-dope.
antielectron *s.m. fiz.* antielectron.
antienzimă *s.f. biol., med.* antienzyme.
antiepidemic *adj.* anti-epidemic.
antifascist *s.m., adj.* antifascist.
antifebril *adj., s.n. med.* antipyretic, antifebrile.
antifeding *adj. tehn.* anti-fading.
antiferment *s.m. chim.* etc. antiferment.
antiferoelectric *adj. fiz.* antiferroelectric.
antiferomagnetic *adj. fiz.* antiferromagnetic.
antifon *s.n.* antiphon.
antifonic *adj. muz.* antiphonal, antiphonic.
antifonie *s.f. muz.* antiphony.
antifrază *s.f. lingv., lit.* antiphrasis.
antifricțiune *s.f. tehn.* antifriction.
antigel *s.n. auto.* antifreeze.
antigen *s.n. biol., med.* antigen.
antigravitație *s.f. fiz.* antigravitation.
antigripal *adj.* anti-flu.
antigrizutos *adj.* anti-firedamp.
antiguvernamental *adj.* anti-government.
antihalo *s.n. foto.* antihalo.
antihelmintic *s.n. med.* ant(i)helmintic.
antihemoragic *adj. s.n. med.* antih(a)emorrhagic.
antihiperon *s.m. fiz.* antihyperon.
antihistaminic *s.n. med., farm.* antihistaminic.
antiholeric *adj. farm., med.* anticholeric.
antiholerin *s.n. farm., med.* anticholerin.
antihormon *s.m. biol., med.* antihormone.
antihrist *s.m.* antichrist, archfiend, foe.
antiimperialism *s.n. pol.* anti-imperialism.
antiinfecțios *adj. med.* anti-infectious, anti-infective.
antilogaritm *s.n. mat.* antilogarithm.
antilogie *s.f.* log., *filoz.* antilogy.
antilopă *s.f.* **1.** antelope (Antilope). **2.** *(piele)* shammy.
antiluetic *adj., s.n. med.* antiluetic, antisyphilitic.
antimalaric *adj., s.n. med.* antimalarial.
antimarxist *adj.* anti-Marxian, anti-Marxist.
antimaterie *s.f. fiz.* antimatter.
antimăluric *s.n., adj. agr.* anti-brand / anti-smut (agent).
antimălurire *s.f. agr.* anti-brand / anti-smut action.
antimefitic *adj., s.n. med.* antimephitic.
antimezon *s.m. fiz.* antimeson.
antimitotic *adj. med.* antimitotic.
antimonarhic *adj.* antimonarchic.
antimonarhist *adj. pol.* antimonarchist(ic), antiroyalist(ic).
antimoniat *s.m. chim.* antimon(i)ate.
antimonic *adj.* antimonic, antimonial.
antimonit *s.n.* mineral. antimonite, stibnite.
antimoniu *s.n. chim.* antimony.
antiimperialist *adj.* anti-imperialist.
antimuncitoresc *adj.* anti-labour.
antinațional *adj.* antinational.
antineutrin *s.m. fiz.* antineutrino.
antineutron *s.m. fiz.* antineutron.
antinevralgic **I.** *s.n.* head pill. **II.** *adj.* antineuralgic.
antinomic *adj. filoz.* antinomic.
antinomie *s.f. filoz.* antinomy.
antinucleu *s.m. fiz., biol.* antinucleus.
antioxidant *s.m. chim.* antioxidant.
antioxigen *s.n. chim.* antioxygen.
antipaludic *adj., s.n. farm., med.* antimalarial, antipaludian.
antipapă *s.m. ist., rel.* antipope.
antiparalel *adj. geom.* antiparallel.
antiparazit *adj., s.m. med.* antiparasitic.
antiparticulă *s.f. fiz.* antiparticle.
antipartinic *adj.* anti-Party.
antipatic *adj.* **1.** unprepossessing, repugnant. **2.** *(ursuz)* ill-natured; *a-și fi ~ cineva* to dislike smb.
antipatie *s.f.* dislike; aversion.
antipatizat *adj.* unpopular.
antiperistaltism *s.n. med.* antiperistalsis.
antipiretic *adj., s.n. med., farm.* antipyretic.
antipirină *s.f. farm.* antipyrin(e).
antipod *s.m.* antipode.
antipoliomielitic *adj. med.* antipolio(myelitic).
antiproton *s.m. fiz.* antiproton.
antiputrid *adj. med.* anti-putrefactive.
antirabic *adj. med.* anti-rabic.
antirăzboinic *adj.* anti-war.
antirealist *adj.* antirealistic.
antiregalist **I.** *adj.* antimonarchic(al). **II.** *s.m.* antiroyalist.
antireligios *adj.* anti-religious.
antireumatismal *adj. s.n. med.* antirheumatic (medicine).

antirezonant *adj. el.* antiresonant.
antisclavagist *adj.* anti-slavery.
antiscorbutic *adj., s.n. med.* antiscorbutic.
antisemit I. *s.m.* Jew-baiter. **II.** *adj.* anti-Semitic.
antisemitism *s.n.* anti-Semitism.
antisepsie *s.f. med.* antisepsis.
antiseptic *s.n., adj.* antiseptic.
antiser *s.n. med.* antiserum.
antisifilitic *adj., s.n. med.* antiluetic, antisyphilitic.
antisimetric *adj.* antisymmetric.
antisocial *adj.* antisocial.
antispasmodic *adj., s.n. med.* antispasmodic.
antispast *s.n.* stil. *(prozodie)* antispast.
antispastic *adj., s.n. med.* antispastic, antispasmodic.
antispumant *s.m.* antifoam.
antistatal *adj.* anti-State.
antistrofă *s.f.* stil. antistrophe.
antișoc *adj.* shockproof.
antiștiințific I. *adj.* anti-scientific. **II.** *adv.* anti-scientifically.
antitanc *adj.* anti-tank.
antiteatru *s.n.* anti-theatre.
antitermic *adj., s.n. med.* antithermic, antipyretic.
antitetanic *adj. med.* antitetanic.
antitetanos *adj. med.* antitetanic.
antitetic *adj.* antithetic(al).
antiteză *s.f.* antithesis.
antitific *adj., s.n. med.* antityphoid (medicine).
antitiroidian *s.n. med.* antithyroid.
antitoxic I. *adj.* antitoxic. **II.** *s.n.* antitoxin.
antitoxină *s.f. med.* antitoxin.
antitrinitar *adj., s.m. rel.* anti-Trinitarian.
antitrinitarism *s.n. rel.* anti-Trinitarianism.
antiumanism *s.n. sociol., lit.* anti-humanism.
antivibrator *adj.* antivibratory.
antivitamină *s.f. biol., chim., farm.* antivitamin.
antivoal *s.n. foto.* antifoggout.
antivomitiv *adj., s.n. med.* antiemetic (medicine).
antocian *s.m. biol.* anthocyan(in).
antofilit *s.n. mineral.* anthophyllite.
antofite *s.f. pl. bot.* anthophyta.
antofitoză *s.f. bot., agr.* anthophytosis.
antologic *adj.* worthy of an anthology, anthological.
antologie *s.f.* anthology.
antonică *s.f. bot.* chervil, cow weed *(Chaerophyllum).*
antonim *s.n.* antonym.
antonimie *s.f.* antonymy.
antonomaj *s.n. biol., agr.* anthonomus clearing / killing.
antonomasie *s.f. lit. stil.* antonomasia.
antonomază *s.f. lit., stil.* antonomasia.
antozoare *s.n. pl. zool.* anthozoa.
antracen *s.n. chim.* anthracene.
antrachinonă *s.f. chim., foto.* anthraquinone.
antracit *s.n.* anthracite.
antracnoză *s.f. bot., agr.* anthracnose.
antracoză *s.f. med.* anthracosis.
antract *s.n.* interval.
antranilic *adj. chim.* anthranillic.
antranol *s.m. chim.* anthranol.
antrax *s.n. med.* anthrax.
antren *s.n.* pep, go, liveliness.
antrena I. *vt.* **1.** to rally. **2.** to stimulate. **3.** *sport* to coach, to train. **4.** *tehn.* to drive. **II.** *vr.* **1.** to warm (oneself) up (to the job). **2.** *sport* to train.
antrenament *s.n.* training, practice.
antrenant *adj.* entertaining.
antrenare *s.f.* training etc. v. a n t r e n a.
antrenor *s.m.* trainer, coach.
antrepozit *s.n.* warehouse.
antreprenor *s.m.* (builder and) contractor; ~ *de pompe funebre* undertaker.
antrepriză *s.f.* enterprise.
antresol *s.n. arh., constr.* entresol, mezzanine.
antretoază *s.f. constr.* (cross-)brace, cross-bearer / bar piece; spacer, strut.
antreu *s.n.* (entrance) hall, vestibule.
antricot *s.n.* rib roast.
antropic *adj. biol., geogr.* anthropic, anthropogenic.
antropo- *prefix* anthropo-.
antropocentric *adj. filoz.* anthropocentric.
antropocentrism *s.n. filoz.* anthropocentrism.
antropofag *s.m.* man-eater.
antropofagie *s.f.* anthropophagy, cannibalism.
antropogen *adj. biol.* anthropogenic.
antropogeneză *s.f.* anthropogeny.
antropogenie *s.f. biol.* anthropogenesis, anthropogeny.
antropogeografie *s.f.* anthropogeography.
antropoid *adj., s.m.* anthropoid.
antropolog *s.m.* anthropologist.
antropologic *adj.* anthropological.
antropologie *s.f.* anthropology.
antropologism *s.n. biol., sociol.* anthropologism.
antropometric *adj.* anthropometric(al).
antropometrie *s.f.* anthropometry.
antropomorf *adj.* anthropomorphic.
antropomorfism *s.n.* anthropomorphism.
antroponim(ic) *adj.* anthroponymical.
antroponimie *s.f.* anthroponymy, anthroponymics.
antroponomastic *adj. lingv.* anthroponymist.
antroponomastică *s.f. lingv.* anthroponymy.
antropopitec *s.m.* paleont. anthropopithecus.
antropozofie *s.f. sociol., rel.* anthroposophy.
antum *adj.* published during the author's life.
anturaj *s.n.* company.
anțărț *pop. adv.* two years ago; *mai* ~ about two years ago, two or three years ago.
anual *adj., adv.* yearly.
anuar *s.n.* year-book.
anuitate *s.f. fin.* annuity.
anula *vt.* **1.** to cancel; to revoke. **2.** *jur.* to repeal, to overrule.
anulabil *adj. jur.* etc. cancellable, annullable.
anular *adj. astr.* annular; ring-shaped.
anulare *s.f.* cancellation.
anume I. *adj.* **1.** special. **2.** certain. **II.** *adv.* deliberately; specially; *și* ~ that is; namely.
anumit *adj.* certain.
anunciator *s.n. tehn.* annunciator.
anunț *s.n.* **1.** announcement, notice. **2.** *(reclamă)* ad(vertisement).
anunța I. *vt.* **1.** to announce; to notify. **2.** *(a prevesti)* to forecast; ~ *pe cineva că* to inform smb. (of smth.). **II.** *vr.* to announce oneself; to promise.
anunțare *s.f.* announcing etc. v. a n u n ț a.
anure *s.f. pl. zool.* salientia, anura.
anurie *s.f. med.* anuria, anuresis.
anus *s.n.* anus.
anvelopă *s.f. auto.* tyre.
anvergură *s.f.* **1.** *av.* span. **2.** *fig.* proportions, scope; *de mare* ~ full-sized; far-reaching.
anxietate *s.f.* anxiety.
anxios *adj.* **1.** *med.* (over)anxious, abnormally nervous / anxious / excited. **2.** anguished.
aoleu *interj.* ah!, oh (my)!, goodness (gracious)!
aolică *interj. pop.* v. a o l e u.
aorist *s.n. gram.* aorist.
aortă *s.f.* aorta.
aortic *adj. med.* aortic.

aortită *s.f. med.* aortitis.
apagogic *adj. log.* apagogic.
apanaj *s.n.* privilege.
aparat *s.n.* **1.** apparatus, machine. **2.** *(dispozitiv)* device. **3.** *pol.* machine(ry). **4.** *(avion)* (air)plane. **5.** ~ *de filmat* cine-camera; ~ *de fotografiat* camera; ~ *de radio* radio(set); ~ *de ras* safety razor; *la* ~ *e* George this is George speaking. **6.** ~ *de uz* casnic labour-saving device.
aparataj *s.n.*, **aparatură** *s.f.* apparatus.
apare *v.i. v.* a p ă r e a.
apareiaj *s.n.* **1.** *constr.* drafting; bonding. **2.** matching (of colours). **3.** *zool.* pairing.
aparent I. *adj.* **1.** apparent; manifest. **2.** *(ireal)* seeming. **II.** *adv.* apparently, seemingly.
aparență *s.f.* appearance; după toate aparențele as it seems, in all likelihood; *în* ~ apparently, seemingly.
apariție *s.f.* **1.** appearance, publication. **2.** *(fantomă)* apparition.
apartament *s.n.* flat, AE apartment.
aparte I. *adj.* particular; unique; *ceva* ~ a case apart. **II.** *adv.* **1.** *apart.* **2.** *teatru* aside.
apartenență *s.f.* **1.** affiliation; allegiance. **2.** membership. **3.** *(proprietate)* ownership.
aparteu *s.n.* aside.
apartheid *s.n.* apartheid; colour bar.
aparține *vi.* a ~ *(cu dativ.)* to belong to.
apaș *s.m.* **1.** ruffian. **2.** *geogr.* Apache(s).
apașă *s.f. lingv.* Apache(s) (language).
apatic I. *adj.* apathetic; indifferent, listless. **II.** *adv.* passively.
apatie *s.f.* apathy, listlessness.
apatit *s.n. mineral.* apatite.
apatrid *s.m.* stateless / homeless person.
apă *s.f.* **1.** water. **2.** *(la pietrele prețioase)* lustre. **3.** *(curs de ~)* water-course; ~ *dulce sau de băut* fresh / drinking water; ~ *de colonie* (eau de) Cologne; ~ *de gură* mouthwash; ~ *gazoasă* soda water; ~ *minerală* table waters; ~ *oxigenată* peroxide; ~ *tare* aqua fortis; *ca apa, ca pe* ~ glibly; fluently; *pe* ~ by water; by sea; *tot o* ~ all in a sweat; *(la fel)* much of a muchness.
apăra I. *vt.* **1.** to defend. **2.** *(a ocroti)* to protect. **3.** *(a susține)* to maintain, to champion. **II.** *vr.* to defend oneself.
apăraie *s.f. v.* a p ă r i e.
apărare *s.f.* **1.** defence. **2.** *(ocrotire)* protection; *fără* ~ defenceless; în / *pentru ~a (păcii etc.)* in defence of (peace etc.); *legitimă* ~ (legitimate) self-defence.
apărătoare *s.f.* (mud)guard.
apărător *s.m.* **1.** defender. **2.** *jur.* counsel (for the defence).
apărea *vi.* **1.** to appear; to come out. **2.** *(a se ivi)* to arise, to heave in sight. **3.** *(a veni)* to turn / show up. **4.** *(a părea)* to seem.
apărie *s.f.* puddle; flood.
apăsa I. *vt.* **1.** to press; to push. **2.** *(greu)* to weigh on. **3.** *(a stoarce)* to squeeze. **4.** *(a accentua)* to lay stress on. **5.** *fig.* to oppress. **II.** *vi.* to weigh; to lie heavy; *a* ~ *pe* to press; *fig.* to stress.
apăsare *s.f.* **1.** pressing, weight. **2.** *fig.* pressure. **3.** *(împilare, chin)* oppression.
apăsat I. *adj.* **1.** (com)pressed. **2.** *fig.* forceful, emphatic. **II.** *adv.* **1.** thickly. **2.** *fig.* emphatically.
apăsător *adj.* **1.** oppressive, heavy. **2.** *(copleșitor)* overwhelming. **3.** *(chinuitor)* tormenting.
apătos *adj.* watery, aqueous.
apeduct *s.n.* aqueduct.
apel *s.n.* **1.** appeal. **2.** *mil.* roll call; *a face ~ul* to call the roll. **3.** *telec.* call. **4.** *fără drept de* ~ irrevocable.
apela *vi. a* ~ *la* to appeal to; to call on, to resort to.
apelant *s.m. jur.* appealing party.
apelativ *s.n.* appelative; name.
apelpisit *adj. înv.* desperate, despondent; exasperated; frenzied; mad, raving.
apendice *s.n.* **1.** appendix. **2.** *fig.* tag, tab.
apendicită *s.f.* appendicitis.
aperceptiv *adj. psih.* apperceptive.
apercepție *s.f. psih.* apperception.
aperitiv *s.n.* appetizer.
apertometru *s.n. tehn.* apertometer.
apertură *s.f. tehn., lingv.* aperture.
apetal *adj. bot.* apetalous.
apetale *s.f. pl. bot.* apetalae.
apetisant *adj.* appetizing.
apetit *s.n.* appetite.
apex *s.n. astr., anat.* apex, *pl.* apices sau apexes.
apical *adj.* apical.
apicol *adj.* bee(keeping)...
apicultor *s.m.* beekeeper, apiarist.
apicultură *s.f.* beekeeping.
apide *s.f. pl. zool.* apidae.
apiol *s.m. chim., bot.* apiol(e).
apiolină *s.f. chim., farm.* apiolin(e).
apirexie *s.f. med.* apyrexia, apyrexy.
aplana I. *vt.* to appease; *a* ~ *un conflict* to clarify a dispute. **II.** *vr.* to quiet.
aplanare *s.f.* settling.
aplanat *opt., foto.* **I.** *s.n.* aplanat. **II.** *adj.* aplanatic.
aplanetic *adj. opt., foto.* aplanatic.
aplanetism *s.n. opt., foto.* aplanatism.
aplatiza *vt.* **1.** *tehn.* to flat(ten), to hammer down. **2.** *fig. și* to blunt, to render dull.
aplatizare *s.f. tehn.* etc. flattening; pressing; crushing; hammering down.
aplauda *vt., vi.* to applaud, to cheer.
aplauze *s.f. pl.* applause, cheers.
aplazie *s.f. med., biol.* aplasia.
apleca I. *vt.* **1.** to bend; to tilt. **2.** *(a pleca)* to lower; *a* ~ *balanța* to tip the scales. **II.** *vr.* to bend; to lean, to stoop; *(ca salut)* to bow; *a i se* ~ to feel sick.
aplecare *s.f.* **1.** bending, lean(ing.). **2.** *și fig.* inclination.
aplecat *adj.* **1.** stooping, bent; inclined. **2.** *fig.* inclined.
aplicabil *adj.* applicable, feasible.
aplica I. *vt.* **1.** to apply; to use. **2.** *jur.* to enforce. **3.** *(a executa)* to carry out. **II.** *vr.* **1.** to be applied. **2.** *(cuiva)* to apply sau refer to smb.
aplicare *s.f.* application.
aplicat *adj.* **1.** applied. **2.** *text.* appliqué.
aplicativ *adj.* applied, applicative.
aplicație *s.f.* **1.** application, use. **2.** *(înclinație)* propensity; bent.
aplică *s.f.* bracket.
aplit *s.n. geol.* aplite.
aplomb *s.n.* self-assurance.
apnee *s.f. med.* apnoea.
apocalips *s.n.* apocalypse.
apocaliptic *adj.* apocalyptical.
apocinacee *s.f. pl. bot.* Apocynaceae.
apocopă *s.f. lingv.* apocope.
apocrif *adj.* apocryphal.
apocrin *adj. biol., med.* apocrine.
apocrină *s.f. biol., med.* apocrine.
apocromat I. *s.n.* apochromatic lens. **II.** *adj. opt., fiz.* apochromatic.
apod *adj. zool.* apodal, apodous.
apodictic *adj. log.* apod(e)ictic.
apodoză *s.f. gram.* apodosis, 'then' clause.
apoetic *adj. lit.* non-poetical, lacking poesy, prosaic, hackneyed, antipoetical.

apofantic *adj. log.* apophantic.
apofantică *s.f. log.* apophantic.
apofiză *s.f. anat.* apophysis.
apofonie *s.f. lingv.* vowel gradation, ablaut, apophony.
apoftegmatic *adj. lit., stil., log.* apophthegmatic.
apoftegmă *s.f.* apo(ph)thegm.
apogamie *s.f. bot.* apogamy.
apogeu *s.n.* **1.** apogee. **2.** *fig.* acme.
apogiatură *s.f. muz.* appoggiatura.
apoi *adv.* **1.** then, afterwards. **2.** *(în plus)* moreover, besides; ~ *de!* you see?!
apolinic *adj. lit., artă* Apollonian, Apollonic, Apollinian, Apollonistic.
apolitic I. *s.m.* non-politician. **II.** *adj.* apolitical.
apolitism *s.n.* indifferentism.
apolog *s.n.* apologue.
apologet *s.m.* extoller, idolater.
apologetic *adj.* eulogistic.
apologetică *s.f.* apologetics.
apologie *s.f.* eulogy, extolling.
apometru *s.n.* watermeter.
apomixie *s.f. biol.* apomixis.
apomorfină *s.f. chim., med.* apomorphine, apomorphia.
aponevrotic *adj. anat.* aponeurotic.
aponevroză *s.f. anat.* aponeurosis.
apoplectic *adj., s.m.* apoplectic.
apoplexie *s.f.* (fit of) apoplexy, stroke.
aporie *s.f. filoz., stil.* aporia.
aport *s.n.* contribution, share.
apos *adj.* watery.
apostat *s.m.* renegade.
apostazie *s.f.* apostasy.
a posteriori *adv., adj. filoz.* etc. a posteriori.
apostilă *s.f.* **1.** signature. **2.** recommendation.
apostol *s.m.* **1.** și *fig.* apostle. **2.** și *pl.* Acts / Books (of the Apostles).
apostolat *s.n.* missionarism.
apostolește *adv.* on foot.
apostolic *adj.* apostolic.
apostrof *s.n.* apostrophe.
apostrofa *vt.* to apostrophize.
apostrofare *s.f.* apostrophizing.
apostrofă *s.f.* apostrophe.
apotemă *s.f. geom.* apothem.
apoteoza *vt.* to apotheosize.
apoteoză *s.f.* apotheosis, coronation.
apoziție *s.f. gram.* apposition.
appassionato *adv., adj. muz.* appassionato; appassionata.
apraxie *s.f. psih., med.* apraxia.
aprecia *vt.* **1.** to estimate, to consider; to judge. **2.** *(favorabil)* to appreciate, to value. **3.** *(a măsura)* to measure, to assess.
apreciabil I. *adj.* considerable. **II.** *adv.* palpably, visibly.
apreciat *adj.* **1.** praised. **2.** successful.
apreciativ *adj.* favourable.
apreciere *s.f.* **1.** estimate, assessment. **2.** remark, opinion. **3.** *(favorabilă)* appreciation.
aprehensiune *s.f.* apprehension.
apret *s.n.* dressing.
apreta *vt.* to starch.
apretare *s.f.* dressing.
apretoare *s.f.* ind. trimmer (of hat).
apretor *s.m. tehn.* finisher; dresser.
apretură *s.f. v.* a p r e t a r e.
aprig I. *adj.* **1.** ardent, fiery. **2.** *(îndârjit)* bitter, grim. **3.** *(aspru)* harsh, hard(-hearted). **II.** *adv.* **1.** passionately. **2.** *(cu îndârjire)* bitterly, grimly. **3.** *(aspru)* harshly; hard.
april(ie) *s.n.* April.
aprinde I. *vt.* **1.** to light, to kindle. **2.** *(lampa etc.)* to put on; to switch on. **3.** *(un chibrit)* to strike. **4.** *fig.* to arouse. **II.** *vr.* to catch fire; *a se ~ la față* to redden, to blush.
aprindere *s.f.* **1.** kindling; firing. **2.** *fig.* passion, excitement; ~ *de plămâni* pneumonia; *cu ~* passionately.
aprins I. *adj.* **1.** alight; burning. **2.** *(strălucitor)* fiery, bright. **3.** *fig.* passionate, hot; violent; vehement; ~ *la față* red in the face. **II.** *adv.* heatedly, passionately.
aprinzător *s.n.* ignition device.
apriori *adv.* a priori.
aprioric *adj.* aprioristic, a priori, antecedent.
apriorism *s.n.* apriorism.
apriorist *s.m.* apriorist, a priori reasoner.
aproape I. *s.m.* neighbour. **II.** *adv.* **1.** near, nearby, close by. **2.** *(curând)* shortly. **3.** *(circa)* nearly, almost; ~ *de* near (to), close on; ~ *să* about to *(cu infinitiv)*, almost *(cu -ing)* *(în)de~* closely; *pe ~* close by, hereabouts; ~ *același lucru* practically / much the same thing.
aproba I. *vt.* **1.** to approve (of), to sanction. **2.** *(cu entuziasm)* to welcome. **II.** *vi.* **1.** to approve, to consent. **2.** *(din cap)* to nod (assent). **III.** *vr.* to be carried.
aprobare *s.f.* approval, approbation.
aprobativ, aprobator I. *adj.* approving. **II.** *adv.* approvingly.
aprod *s.m.* **1.** usher. **2.** *jur.* bailiff.
aprofunda *vt.* to study sau consider thoroughly.
aprofundare *s.f.* profound / thoroughgoing study.
aprofundat I. *adj.* thorough(going). **II.** *adv.* thoroughly.
apropia I. *vt.* **1.** to bring sau draw near(er). **2.** *fig.* to bring together; *a-și ~ pe cineva* to gain smb.'s affection. **II.** *vr.* to approach; to come *sau* draw near(er); *(fig.) a se ~ de* to make friends with; *a se ~ de sfârșit* to draw to a close.
apropiat *adj.* **1.** near, close. **2.** *fig.* intimate. **3.** *(viitor)* forthcoming.
apropiere *s.f.* **1.** *(vecinătate)* vicinity, proximity. **2.** *(venire)* approach(ing). **3.** *fig.* rapprochement. **4.** *(intimitate)* intimacy; *în / prin ~* close by; *(pe aici)* hereabouts.
apropo I. *s.n.* hint, innuendo. **II.** *adv.* by the way; ~ *de* in connection with. **III.** *interj.* incidentally, by the way.
apropria *vt. a-și ~* to appropriate.
apropriat *adj.* appropriate, adapted.
apropriere *s.f.* appropriation.
aproviziona I. *vt.* to supply (to); *a ~ cu* to provide with. **II.** *vr.* to make / buy one's stock.
aprovizionare *s.f.* provisioning, supplies; ~ *cu apă* water supply.
aproxima *vt.* to approximate.
aproximativ I. *adj.* approximate, rough. **II.** *adv.* approximately, roughly (speaking).
aproximație *s.f.* approximation; *cu ~* approximately.
apsidă *s.f. arh.* apse.
apt *adj.* **1.** able, capable. **2.** *mil.* able-bodied.
apter *adj. entom.* apterous, wingless.
aptere *s.f. pl. entom.* Aptera.
apterigote *s.f. pl. entom.* Apterygota.
aptitudine *s.f.* ability; bent.
apțian *adj., s.n. geol.* Aptian.
apuca I. *vt.* **1.** to catch, to grip. **2.** *(a lua)* to seize; to get, to take (hold of); to secure. **3.** *(a surprinde)* to overtake; to fall upon. **4.** *(a găsi)* to find. **5.** *(în timp)* to have known, to live to see; *a ~ (pe cineva) de* to seize (smb.) by; *a ~ să* to begin to; to (barely) manage to; *a nu ~ să* not to have the time to; *a ~ timpurile când* to have seen the day / times when; *n-am ~t filmele mute* silent films were (much / well) before my time; *a fi ~t de* to be seized with / by; *ce te apucă?; ce te-a ~t?* what's come over you? what (devil) possesses you? *a-l ~ amețeala* to feel giddy. **II.** *vi.* to

start; to go; *a ~ spre* to make for. **III.** *vr. a se ~ de* to set about.
apucare *s.f.* seizing etc. *v.* apuca.
apucat I. *s.m.* (mono)maniac; *ca un ~* like one possessed. **II.** *s.n.* snatch(ing); *pe ~e* at random, by fits and starts. **III.** *adj.* **1.** seized. **2.** *(nebun)* mad, possessed.
apucător I. *adj.* grasping; greedy. **II.** *s.n. tehn.* grab.
apucătură *s.f.* **1.** grasp. **2.** *(obicei)* habit; *pl.* manners.
apune *vi.* **1.** to set. **2.** *fig.* to decline.
apuntament *s.n. nav.* (wooden) staging (of wharf); landingstage; wharf, quay.
apuntare *s.f. av., nav.* landing (on aircraft carrier).
apus I. *s.n.* **1.** west. **2.** *(asfințit)* sunset. **3.** *fig.* death. **4.** *(decădere)* decline. **II.** *adj.* dead; faded.
apusean I. *s.m.* western(er). **II.** *adj.* west(ern).
ar *s.m. agr.* are.
ara *vt., vi.* to plough.
arab I. *s.m.* Arab(ian). **II.** *adj.* Arab(ian).
arabă *s.f.* **1.** Arab(ian woman). **2.** *lingv.* Arabic (language).
arabesc *s.n.* arabesque.
arabi I *adj. zool. (d. oaie)* black Karakul. II *s.m.* black Karakul sheepskin.
arabic *adj.* Arabic.
arabil *adj.* arable.
arac *s.m.* vine prop.
aragaz *s.n.* **1.** blaugas. **2.** *(plită)* gas stove, cooker.
aragonit *s.n.* aragonite.
arahidă *s.f.* ground nut.
arahnide *s.f. pl. zool.* arachnida.
arahnoidă *s.f. anat.* arachnoid (membrane).
aramaic *adj.* Aramaic.
aramaică *s.f.* Aramaic.
aramă *s.f.* copper, brass.
arameeni, aramei *s.m. pl., ist.* Aram(a)eans.
aranja I. *vt.* **1.** to (ar)range. **2.** *(a ordona)* to tidy (up). **3.** *(a găti)* to trim (up). **4.** *(a stabili)* to organize, to plan. **5.** *(a rezolva)* to settle; *(fig.) a ~ pe cineva* to cook smb.'s goose. **II.** *vr.* **1.** to be arranged. **2.** *(a se rezolva)* to be set to rights. **3.** *(a se stabili)* to settle (down). **4.** *(a se găti)* to get up, to dress up.
aranjament *s.n.* **1.** arrangement. **2.** *(ordine și)* order. **3.** *(înțelegere)* settlement. **4.** *muz.* și orchestration.
aranjare *s.f.* **1.** arrangement. **2.** tidying (up).
aranjat *adj.* **1.** well-arranged, ordered, tidy. **2.** trim, neat. **3.** *fig.* settled, solved. **4.** *fig.* (safely) ensconced, in a nice berth, snug.
arap *s.m.* **1.** blackamoor. **2.** v. arab II.
arar(eori) *adv.* seldom.
arat *s.n.* ploughing.
araucan *s.m., adj. geogr.* Araucan(ian), Araucano.
araucană *s.f. lingv.* Araucanian (language).
araucariacee *s.f. pl. bot.* Araucariaceae.
arăbesc *adj.* Arabian.
arăbește *adv.* **1.** like an Arabian, like Arabians. **2.** Arabian.
arăci *vt. agr.* to prop (vine).
arămar *s.m.* coppersmith.
arămărie *s.f.* **1.** copper foundry. **2.** copper goods.
arămi *vt.* to copper.
arămire *s.f.* coppering.
arămiu *adj.* copper(-coloured).
arăriel *s.m. bot.* borago *(Borago officinalis).*
arăta I. *vt.* **1.** to show, to indicate. **2.** *(a dovedi)* to prove, to evince, to manifest. **3.** *(a etala)* to display, to exhibit. **4.** *(a marca)* to mark, to read. **5.** *(a dezvălui)* to reveal, to betray. **6.** *(a selecta)* to point out, to point to; *a-și ~ colții* to snarl. **II.** *vi.* **1.** to point. **2.** *(a părea)* to look, to seem; *a ~ prost* to look weedy. **III.** *vr.* **1.** to appear; to put in an appearance. **2.** *(a se ivi)* to come in sight. **3.** *(a se dovedi)* to prove.
arătare *s.f.* **1.** showing. **2.** *(nălucă)* apparition.
arătător *s.n.* forefinger.
arător *adj.* arable.
arătos *adj.* good-looking.
arătură *s.f.* **1.** ploughing. **2.** *(ogor)* ploughland.
arbaletă *s.f.* crossbow.
arbaletrier *s.n. constr.* **1.** principal rafter. **2.** awning stretcher.
arbitra *vt., vi.* **1.** to arbitrate. **2.** *sport* to umpire, to referee.
arbitraj *s.n.* arbitration.
arbitral *adj. jur.* arbitral.
arbitrar I. *adj.* arbitrary. **II.** *adv.* arbitrarily.
arbitru *s.m.* **1.** arbitrator. **2.** *sport* umpire; *(de tușă)* linesman; *(la box)* ref(eree); *~ul eleganței* arbiter elegantiae; *liber ~* free will.
arbora *vt.* **1.** to hoist. **2.** *fig.* to put on.
arboradă *s.f. nav.* masting, masts (and spars).
arbore *s.m.* **1.** tree. **2.** *tehn.* shaft.
arborescent *adj. bot.* arborescent.
arborescență *s.f. bot.* arborescence.
arboret *s.n.* brush, stand.
arboricultor *s.m.* arboriculturist.
arboricultură *s.f.* arboriculture.
arbust *s.m.* bush, shrub.
arc *s.n.* **1.** bow. **2.** *arh. (boltă)* arch, vault. **3.** *tehn. (resort)* spring. **4.** *el., geom.* arc; *~ de triumf* triumphal arch.
arcaci *s.n.* **1.** *agr.* sheep fold / pen. **2.** fish trap.
arcadă *s.f.* **1.** *arh.* archway. **2.** *anat.* arch.
arcan *s.n.* lasso.
arcaș *s.m.* archer.
arcat *adj.* arched.
arcatură *s.f. arh.* arcature.
arcă *s.f.* ark.
archebuză *s.f.* odin. (h)arquebus.
archebuzier *s.m.* odin. (h)arquebusier.
arcosolium *s.n. arh., constr.* arcosolium.
arcoză *s.f. geol.* arkose, arcose.
arctic *adj.* arctic.
arcui *vt.* to bend; to arch.
arcuire *s.f.* arching.
arcuitură *s.f. arh.* arch, arc.
arcuș *s.n.* bow; fiddlestick.
arde I. *vt.* **1.** to burn; to (set on) fire. **2.** *(a distruge)* to burn (down). **3.** *(a frige)* to scorch, to scald. **4.** *fig. (a roade)* to gnaw at, to consume. **5.** *(a îmboldi)* to fire, to urge. **6.** *tehn.* to combust. **7.** *fam. (a face)* to make, to set. **8.** *(a pedepsi)* to punish. **9.** *(a păcăli)* to cheat, to diddle; *a-i ~ cuiva o pereche de palme* to box smb.'s ears. **II.** *vi.* **1.** to burn; *(mocnit)* to smoulder. **2.** *(d. casă și fig.)* to be on fire. **3.** *(a lumina)* to light. **4.** *(a frige)* to scorch; to be hot. **5.** *(a avea temperatură)* to be feverish; *a ~ de (nerăbdare etc.)* to die / burn with (desire etc.); *nu-mi ~ de glumă* I'm in no mood for jokes; *își ~ de fleacuri* your mind is set on trifles. **III.** *vr.* **1.** to be / get burnt. **2.** to be sunburnt. **3.** *fig.* to be a loser; *m-am ars îngrozitor* I was badly sunburnt; *fig.* I was badly deluded; *să nu te arzi! fig.* mind you are not out of pocket!
ardei *s.m.* **1.** *(gras)* (mild) pepper. **2.** *(iute)* hot pepper, chilli.
ardeia *vt.* to (season with) pepper.
ardeiat *adj.* highly seasoned, peppery.
ardelean *s.m., adj.*, **ardeleancă** *s.f.*, **ardelenesc** *adj.* Transylvanian.

ardelenește *adv. lingv.* in the Transylvanian dialect (of Romanian).
ardelenism *s.n.* Transylvanian word / idiom.
ardenez *s.m. zool.* Ardennes, *pl.* Ardennes.
ardent *adj.* **1.** livr. ardent, burning, hot; live, keen, eager, passionate. **2.** *nav.* griping.
ardere *s.f.* **1.** burning. **2.** *tehn.* combustion.
ardezie *s.f.* slate.
ardoare *s.f.* ardour; warmth; *cu ~* zealously, passionately.
areal *s.n. biol.* specific spreading area for a species.
areflexie *s.f. psih., med.* areflexia.
areic *adj. geogr.* dry, without a river system.
arenă *s.f.* arena, field; *în ~* in the arena.
arenda *vt.* to lease.
arendare *s.f.* lease, leasing.
arendaș *s.m.* **1.** land agent. **2.** *(dijmaș)* tenant.
arendă *s.f.* **1.** rent. **2.** *jur.* lease (hold).
arendășie *s.f. agr. înv.* tenancy system.
areolar *adj.* areolar.
areolă *s.f. anat., bot.* areola.
areometru *s.n. fiz.* hydrometer, areometer.
areopag *s.n. ist.* Areopagus.
areostil *s.m. arh.* ar(a)eostyle.
arest *s.n.* **1.** *(detenție)* custody. **2.** *(închisoare)* prison; *în (stare de) ~* under arrest.
aresta *vt.* to arrest.
arestare *s.f.* arrest; capture.
arestat *s.m.* prisoner.
argat *s.m.* **1.** (farm) hand. **2.** *(slugă)* servant.
argăseală *s.f.* **1.** tanning. **2.** tannin.
argăsi *vt.* to tan.
argăsire *s.f.* tanning.
argăsit I. *adj.* tanned. **II.** *s.n.* tanning.
argăți *vi. pop. odin.* to work as a farm labourer; to serve.
argățime *s.f. odin.* farm labourers / hands; servants.
argea *s.f. text.* loom.
argentan *s.n. chim., met.* German / nickel silver, argentan.
argentifer *adj.* argentiferous.
argentin *s.n. chim., mineral.* argentine, slate-spar.
argentinian *adj., s.m.* Argentine, Argentinean.
argentit *s.n. chim., mineral.* argentite, silver-glance.
argentometru *s.n. chim.* argentometer.
argentotipie *s.f. poligr.* argentotypy, silver printing.
arghirofil *rar* **I.** *adj.* grasping, greedy (for money); cupid, rapacious, moneygrubbing. **II.** *s.m.* lover of money / gold; miser, usurer, money-grub(ber).
arghirofilie *s.f. rar* moneygrubbing, love of money, usuriousness, cupidity.
argilă *s.f.* clay.
argilifer *adj. geol.* argiliferous, clay-bearing.
argilit *s.n. geol.* argillite.
argilizare *s.f. geol.* formation of clay (from rocks).
argilos *adj.* clayey.
arginază *s.f. biochim.* arginase.
arginină *s.f. biochim.* arginine.
argint I. *s.m.* **1.** (silver) coin, piece of silver. **2.** *fig.* lucre. **II.** *s.n.* silver; *~ viu* quicksilver.
arginta *vt.* to silver.
argintar *s.m.* silversmith.
argintare *s.f.* silvering.
argintat *adj.* **1.** silvered. **2.** *fig.* silvery, silver.
argintărie *s.f.* **1.** silver ware. **2.** *(de masă)* silver (plate).
argintiu *adj.* silver(y).
argintos *adj.* **1.** argentiferous. **2.** silver(y).
arginți *s.m. pl.* money.
argințică *s.f. bot.* dryas *(Dryas octopetala).*
argirism *s.n. med.* argyria, silver poisoning.
argiroză *s.f. med.* argyria, silver poisoning.
argon *s.n. chim.* argon.
argonaut *s.m.* argonaut.
argotic *adj.* argot; slangy, slang.
argou *s.n.* **1.** slang. **2.** *(interlop)* cant.
argument *s.n.* reason, argument.
argumenta *vt.* to motivate.
argumentare *s.f.* reasoning.
argumentație *s.f.* argumentation.
argutie *s.f.* quibble, sophistry, dodging; *fam.* gift of the gab.
arhaic *adj.* **1.** archaic. **2.** *(demodat)* obsolete.
arhaism *s.n.* archaism.
arhaiza *vt.* to archaize.
arhaizant *adj.* obsolete.
arhanghel *s.m.* archangel.
arhar *s.m. zool.* Asian wild sheep *(Ovis ammon).*
arhegon *s.n. bot.* archegonium.
arhegoniate *s.f. pl. bot.* Archegoniatae.
arheografie *s.f. ist.* arch(a)eography.
arheolog *s.m.* archaeologist.
arheologic *adj.* archaeological.
arheologie *s.f.* archaeology.
arheopterix *s.n. paleont.* arch(a)eopteryx.
arhetip *s.n.* archetype; prototype.
arhi- *prefix* archi-.
arhicunoscut *adj.* famous.
arhidiacon *s.m.* archdeacon.
arhidieceză *s.f. bis.* archidiocese; archbishopric.
arhiducat *s.n.* archduchy.
arhiduce *s.m.* archduke.
arhiducesă *s.f.* archduchess.
arhiepiscop *s.m.* archbishop.
arhiepiscopal *adj.* archiepiscopal.
arhiepiscopat *s.n.*, **arhiepiscopie** *s.f.* archiepiscopate.
arhierarh *s.m. bis.* archhierarch.
arhieresc *adj.* bishop's.
arhiereu *s.m.* bishop.
arhierie *s.f.* archiepiscopate.
arhiloc *adj. lit.* Archilochian.
arhimandrit *s.m.* archimandrite.
arhimicete *s.f. pl. bot.* Archimecetes.
arhimilionar *adj., s.m.* multimillionaire.
arhipăstor *s.m. bis.* archpriest; bishop.
arhipelag *s.n.* archipelago.
arhiplin *adj.* **1.** full (to capacity). **2.** *(aglomerat)* chock-full.
arhistrateg *s.m. ist.* Greciei supreme commander.
arhitect *s.m.* architect.
arhitectonică *s.f.* architectonics.
arhitectonic, arhitectural *adj.* architectural.
arhitectură *s.f.* architecture.
arhitravă *s.f. arh.* architrave.
arhivar *s.m.* town-clerk, archivist.
arhivă *s.f.* archive(s).
arhivist *s.m.* archivist.
arhivistic *adj.* archive.
arhivistică *s.f.* archive / record keeping.
arhivoltă *s.f. arh.* archivolt.
arhon *s.m. ist.* archon.
arhondar *s.m. bis.* monk in charge of xenodochium / guest-chamber.
arhondaric *s.n.* xenodochium, guest chamber.
arhondologie *s.f.* almanack of the nobility.
arhonte *s.m. ist.* archon.
arian *s.m., adj.* Gentile.
arianism *s.n. rel.* Arianism.
aricească *s.f. vet.* scratches, malanders.
arici *s.m.* hedgehog *(Erinaceus).*
arid *adj.* **1.** arid. **2.** unproductive.
ariditate *s.f.* dryness.
arie *s.f.* **1.** area, extent. **2.** *(de treier)* threshing floor. **3.** *muz.* aria.

arierat I. *s.m.* moron. **II.** *adj.* backward.
arierate *s.f. pl. fin.* arrears.
arierbec *s.n. constr.* downstream cutwater, starling; stem, after-peak.
ariergardă *s.f.* rearguard.
aril *s.n. chim.* aryl.
arimare *s.f. nav.* stowing, trimming, packing (of cargo).
arin *s.m.* alder(-tree) *(Alnus).*
arinis *s.n. bot.* alder(-tree) grove / thicket.
arioso *s.m. muz.* arioso.
aripat *adj.* wing; *și fig.* winged.
aripă *s.f.* **1.** wing. **2.** *iht. fin.* **3.** *(de bicicletă)* splash-board. **4.** auto. mudguard.
aripioară *s.f.* **1.** little wing. **2.** *iht.* fin.
aristă *s.f. bot.* arista, beard (of wheat); *pl.* aristae.
aristocrat *s.m.* aristocrat.
aristocratic *adj.* aristocratic.
aristocratism *s.n. sociol.* aristocratism.
aristocrație *s.f.* **1.** aristocracy. **2.** *(oligarhie)* the upper ten (thousand).
aristofanic *adj., s.n. lit.* Aristophanesque.
ariston *s.n. muz.* ariston (old French mechanical organ with music record on paper discs).
aritmetic *adj.* arithmetical.
aritmetică *s.f.* arithmetic.
aritmic *adj. muz., med.* ar(r)hythmic.
aritmie *s.f. med.* ar(r)hythmia, irregularity (of heart).
aritmograf *s.n.* arithmograph.
aritmogrif *s.n.* puzzle with figures.
aritmometru *s.n.* arithmometer.
arivism *s.n.* self-seeking.
arivist *s.m.* pusher, careerist.
arlechin *s.m.* harlequin.
arlechinadă *s.f. artă* harlequinade.
arma *vt.* **1.** *mil.* to cock. **2.** *min.* to prime. **3.** *constr.* to reinforce. **4.** *mar.* to fit out.
armament *s.n.* armament.
arman *s.n.* threshing floor.
armare *s.f.* cocking etc. v. a r m a.
armaș *s.m. ist. aprox.* provost marshal.
armat *adj.* **1.** armed. **2.** *mil.* cocked. **3.** *constr.* reinforced.
armatan *s.n. meteo.* Saharian hot wind.
armată *s.f.* **1.** army, forces. **2.** *fig.* legion, host; ~ *regulată* standing army.
armator *s.m.* shipowner.
armatură *s.f. muz.* key signature.
armă *s.f.* **1.** weapon *(și fig.)*; *pl.* și arms. **2.** *(pușcă)* rifle, gun. **3.** *(specialitate militară)* branch; *arme de exterminare în masă* mass destruction weapons; *arme de foc* fire arms; *arme rachetă* rocketry.
armăsar *s.m.* **1.** stallion. **2.** *(pt. paradă)* steed.
armătură *s.f.* **1.** *tehn.* armour; casing; fitting; fixture; plate; jacket. **2.** *constr.* reinforcement. **3.** *el.* armature.
armean *s.m., adj.,* **armeană** *s.f., adj.,* **armenească** *adj.,* **armenesc** *adj.* Armenian.
armenește *adv. lingv.* in Armenian.
arminden(i) *s.m.* **1.** May Day. **2.** *(pom)* May pole.
arminianism *s.n. rel.* Arminianism.
armistițiu *s.n.* **1.** armistice. **2.** *(și fig.)* truce.
armoarii *s.f. pl. înv.* (coat of) arms, armorial bearings.
armonic *adj.* **1.** harmonious. **2.** *muz.* harmonic.
armonică *s.f.* **1.** accordion, concertina. **2.** *(muzicuță)* mouth organ.
armonie *s.f.* harmony, concord.
armonios I. *adj.* harmonious. **II.** *adv.* harmoniously.
armonist *s.m.* **1.** harmonist. **2.** accordion / concertina player.
armoniu *s.n. muz.* harmonium, reed organ.
armoniza *vt., vr.* to harmonize.
armonizare *s.f.* harmonization.
armură *s.f.* armour.
armurărie *s.f.* **1.** gun / smith's shop; arms factory. **2.** *mil.* armoury.
armurier *s.m.* armourer.
arnăut *s.m.* **1.** Albanian. **2.** *ist.* mercenary.
arnăuțesc *adj.* **1.** Albanian. **2.** hireling's.
arnică *s.f. bot., farm.* arnica *(Arnica montana).*
arnici *s.n.* dyed cotton thread.
aroga *vt. a-și* ~ to assume (arbitrarily).
arogant *adj.* **1.** arrogant, domineering. **2.** *(disprețuitor)* supercilious, overbearing.
aroganță *s.f.* arrogance, haughtiness.
aromat *adj.* flavoured.
aromatic *adj.* aromatic.
aromatiza *vt.* to aromatize; to give aroma, flavour etc. to.
aromatizare *s.f. chim., cul.* aromatization.
aromă *s.f.* aroma, flavour.
aromân *s.m., adj.* Macedo-Romanian, A-Romanian.
aromâncă *s.f.* A-Romanian / Macedo-Romanian (woman).
aromânesc *adj. lingv.* A-Romanian, Macedo-Romanian.
aromânește *adv.* in the A-Romanian / Macedo-Romanian fashion or dialect.
aromeală *s.f.* doze, drowse, drowsiness.
aromi *vi.* to doze / drowse off, to fall into a light slumber.
aromit *adj.* v. a r o m i t o r.
aromitor *adj.* **1.** fragrant, scented, perfumed. **2.** drowsy, soporific.
arondare *s.f.* distribution / rounding off (of medical circuits, districts).
arpacaș *s.n.* pearl barley.
arpagic *s.n.* chive *(Allium schoenoprasum).*
arpegiu *s.n.* arpeggio.
arpentaj *s.n. agr., geogr.* land-measuring, (land-)surveying.
arpentor *s.m. agr.* (land) surveyor.
ars *adj.* **1.** burnt. **2.** *(ofilit)* withered. **3.** *(păcălit)* cheated; ~ *de soare* sunburnt.
arsătură *s.f.* burn.
arsen *s.n.* v. a r s e n i c.
arsenal *s.n.* arsenal.
arseniat *s.n., adj. chim.* arsen(i)ate.
arsenic *s.n.* arsenic.
arsenical *adj. chim.* arsenical.
arsenios *adj.* arsenious; *acid* ~ arsenious acid.
arsenit *s.m. chim.* arsenite.
arseniură *s.f. chim.* arsenide.
arsină *s.f. chim.* arsine.
arsură *s.f.* **1.** burn. **2.** *(la stomac)* heartburn.
arșic *s.n.* knucklebone.
arșin *s.m. ist.* arshin(e), archin(e) (0,711 m).
arșiță *s.f.* **1.** scorching heat; dogdays. **2.** *(febră)* fever.
artă *s.f.* **1.** art. **2.** *(măiestrie)* skill, craft(smanship), masterliness; ~ *pentru* ~ art for art's sake; ~ *scenică* stage craft; *arte frumoase* fine arts.
artefact *s.n.* artefact, artifact.
artel *s.n.* artel.
arteră *s.f.* **1.** *anat.* artery. **2.** *(drum)* thoroughfare.
arterial *adj. anat.* arterial.
arteriografie *s.f. med.* arteriography, sphygnography.
arteriolă *s.f. anat.* arteriole, small artery.
arterioscleroză *s.f. med.* arteriosclerosis.
arteriotomie *s.f. med.* arteriotomy.
artezian *adj.* artesian.
articol *s.n.* **1.** article. **2.** *(element)* item. **3.** *pl. ec.* goods; ~ *de fond*

leading article, leader; *~e de larg consum* consumer / staple goods.
articula I. *vt.* **1.** to articulate. **2.** *gram.* to use with the article. **II.** *vr. gram.* to take the article.
articular *adj. anat.* articular.
articulare *s.f.* articulation etc. v. articula.
articulat *adj.* **1.** articulate. **2.** *gram.* used with the article.
articulație *s.f.* joint.
artificial I. *adj.* **1.** artificial. **2.** *tehn.* man-made. **3.** *fig.* recherché, sophisticated. **4.** *(pretins)* sham. **II.** *adv.* artificially.
artificialitate *s.f.* artificiality.
artificier *s.m.* **1.** pyrotechnist. **2.** *mil.* artificer. **3.** *min.* shotsman, shotfirer.
artificios *adj. rar* v. artificial.
artificiu *s.n.* **1.** artifice; makeshift. **2.** *pl.* fire works.
artilerie *s.f.* artillery.
artilerist *s.m.* gunner.
artimon *s.n. nav.* mizzenmast.
artiodactil *adj. zool.* artyodactyl(e), even-toed, artyodactylous.
artiodactile *s.n. pl., zool.* artiodactyla.
artist *s.m.* **1.** artist. **2.** *(interpret)* artist, performer. **3.** *(dramatic)* actor.
artistic I. *adj.* art(istic). **II.** *adv.* artistically.
artizan *s.m.* artisan, handicraftsman, craftsman.
artizanat *s.n.* craftsmanship, handicraft.
art nouveau *subst.* art nouveau.
artralgie *s.f. med.* arthralgia, pain in the joints.
artrită *s.f. med.* arthritis.
artritic I. *adj.* arthritic; gouty. **II.** *s.m.* arthritic / gouty patient.
artritism *s.n. med.* arthritism, gout.
artropatie *s.f. med.* arthropathy.
artroplastie *s.f. med.* arthroplasty.
artropod *s.n. zool.* arthropod.
artroză *s.f. med.* arthrosis.
arțag *s.n.* cantankerousness, petulance.
arțar *s.m.* maple (tree) *(Acer)*.
arțăgos *adj.* quarrelsome; peevish, cantankerous, ill-tempered, petulant.
arunca I. *vt.* **1.** to throw, to cast. **2.** *(un proiectil etc.)* to hurl, to fling. **3.** *(jos)* to drop; *a ~ ancora* to cast anchor; *a ~ în aer* to blow up; *a ~ o privire* to (cast a) glance. **II.** *vi. a ~ cu ceva în cineva* to throw smth. at smb. **III.** *vr.* to throw oneself; *(în apă și fig.)* to plunge.
aruncare *s.f.* throw(ing); *~a discului* discus throwing; *~a greutății* putting the shot.
aruncător *s.m., s.n.* thrower; *~ de flăcări* flame thrower.
aruncătură *s.f.* throw; *dintr-o ~ (de ochi)* at a glance.
arvună *s.f.* earnest (money).
arvuni *vt.* to pay an instalment on.
arz *s.n. ist.* României complaint, memorandum.
arzător I. *s.n.* burner. **II.** *adj.* **1.** burning. **2.** *fig. și* topical, urgent. **III.** *adv.* ardently, intensely.
as *s.m.* ace.
asalt *s.n.* **1.** attack. **2.** *(la scrimă)* bout; *cu ~* by storm; *de ~* storm (ing); *în ~(uri)* by fits and starts.
asalta *vt.* **1.** to storm. **2.** *fig.* to assail.
asaltat *adj. fig.* beset.
asambla I. *vt. tehn.* to assemble. **II.** *vr. pas.* to be assembled.
asamblaj *s.n. tehn.* joining; joint; assemblage; assembling; assembly.
asamblare *s.f.* assembling, assemblage, assembly.
asana *vt.* **1.** to reclaim. **2.** *fig.* to improve, to edify.
asanare *s.f.* **1.** reclamation. **2.** *fig.* edification.
asanator *adj. tehn.* cleansing, health-giving.
asasin *s.m.* murderer, assassin.
asasina *vt.* **1.** to murder. **2.** *fig.* to annoy, to bother.
asasinare *s.f.*, **asasinat** *s.n.* assassination.
ascarid *s.m. zool.* ascaris, ascarid.
ascaridioză *s.f. biol.* ascaridiosis.
ască *s.f. biol.* ascus.
ascendent I. *s.m.* ancestor. **II.** *s.n.* influence (over smb.), hold, pull. **III.** *adj.* upward.
ascendență *s.f.* parentage, extraction.
ascensional *adj.* upward, ascensional; lifting, elevating.
ascensiune *s.f.* climb(ing); ascent; *în ~* rising, promising.
ascensor *s.n.* lift, AE elevator.
ascet *s.m.* austere person.
ascetic *adj.* ascetic.
ascetism *s.n.* asceticism.
asceză *s.f. rel.* etc. ascesis.
ascidie *s.f. bot.* ascidium, vasculum, pitcher.
ascidii, ascidiacee *s.f. pl. biol.* Ascidia(ceae).
ascită *s.f. med.* ascites.
asclepiadacee *s.f. pl. bot.* Asclepiadaceae; *adj.* asclepiadean.
ascochitoză *s.f. bot.* ascochytosis.
ascomicete *s.f. pl. bot.* Ascomycetes.
ascorbic *adj. chim.* ascorbic.
ascospor *s.m. biol.* ascospore.
asculta I. *vt.* **1.** to listen to; to hear. **2.** *(a se supune)* to obey. **3.** *(o rugăminte)* to lend an ear to. **4.** to examine; *a-l ~ lecțiile pe un copil* to hear a child his lessons. **II.** *vi.* to listen; *a ~ de* to obey, to heed.
ascultare *s.f.* **1.** listening, hearing. **2.** *(supunere)* submission.
ascultător I. *s.m.* listener. **II.** *adj.* submissive.
ascunde I. *vt.* to hide, to conceal. **II.** *vr.* **1.** to hide (oneself). **2.** *fig.* to lie (behind smth.).
ascuns *adj.* **1.** secret, hidden. **2.** *(secretos)* secretive. **3.** *(nemărturisit)* unspoken.
ascunselea *s.f. de-a v-ați ~* hide and seek.
ascunzătoare *s.f.* hiding-place, cache.
ascunziș *s.n.* **1.** cache. **2.** *fig.* secret.
ascuți I. *vt.* **1.** to sharpen. **2.** *(pe piatră)* to whet, to grind. **3.** *(pe o piele)* to strop. **4.** *fig.* to enhance; to intensify. **II.** *vr.* **1.** to sharpen, to be sharpened. **2.** *fig.* to be enhanced, to intensify.
ascuțime *s.f.* sharpness, keenness.
ascuțire *s.f.* **1.** sharpening, **2.** *fig.* și intensification. **3.** *tehn.* whetting.
ascuțiș *s.n.* edge; point.
ascuțit *adj.* **1.** sharp(ened). **2.** *(conic)* pointed, tapering. **3.** *fig.* keen, acute.
ascuțitoare *s.f.* (pencil) sharpener.
aseară *adv.* last night, yesterday evening.
asecare *s.f. tehn., min.* drying, draining, drainage.
asedia *vt.* to besiege.
asediator I. *s.m.* besieger. **II.** *adj.* besieging.
asediere *s.f.* **1.** besieging, beleaguering. **2.** siege.
asediu *s.n.* siege.
aseleniza *vi., astr.* landing on the moon, moonlanding.
asemăna I. *vt.* to compare, to liken. **II.** *vr.* to be alike; *a se ~ cu* to resemble, to be / to look like.
asemănare *s.f.* **1.** resemblance, similitude. **2.** *(asemuire)* comparison; *fără ~* peerless.
asemănător I. *adj.* alike, similar. **II.** *adv.* likewise.
asemenea, asemeni I. *adj.* **1.** such. **2.** *(asemănător)* alike. **3.** *geom.* congruent. **II.** *adv. de ~* also, too.

asemui *vt.*, v. a s e m ă n a.
asemuire *s.f.* likening.
asemuit *adj.* **1.** like. **2.** identical.
asentiment *s.n.* assent, approval.
asepsie *s.f. med.* asepsis.
aseptic *adj.* aseptic.
asertoric *adj.* assertory.
aserțiune *s.f.* assertion, affirmation, statement.
aservi *vt.* to enthral; to subdue.
aservire *s.f.* **1.** enslavement. **2.** subjugation.
aservit *adj.* subservient, menial.
asesor *s.m.* assessor.
asexuat *adj. biol.* asexual, sexless.
asezona *vt.* to season.
asfalt *s.n.* asphalt.
asfalta *vt.* to (lay with) asphalt.
asfaltaj *s.n. constr.* asphalting, covering / laying with asphalt.
asfaltare *s.f.* asphalting.
asfaltat *adj.* asphalt(ed).
asfaltene *s.f. pl. chim., constr.* asphaltenes.
asfaltic *adj. constr.* asphalt(ic).
asfaltizare *s.f. constr.* v. a s f a l t a j.
asfinți *vi.* to set, to go down.
asfințit *s.n.* **1.** sunset; AE sundown. **2.** *(crepuscul)* twilight.
asfixia I. *vt.* to asphyxiate. **II.** *vr.* to choke.
asfixiant *adj.* suffocating.
asfixiat *adj.* asphyxiated; stifled, choked.
asfixie *s.f.* asphyxia, suffocation.
asiatic *s.m. adj.* Asian, Asiatic.
asibila *vt. vr., lingv.* to (as)sibilate.
asibilare *s.f. lingv.* (as)sibilation.
asiduitate *s.f.* assiduousness.
asiduu I. *adj.* assiduous. **II.** *adv.* assiduously.
asietă *s.f. nav.* trim (of boat).
asignat *s.n. ist. fin.* assignat.
asignație *s.f. ist.* assignat, promissory note.
asigura I. *vt.* **1.** to ensure; to provide (for). **2.** *(prin vorbe)* to assure. **3.** *(pe viață etc.)* to insure. **4.** *(a procura)* to secure. **II.** *vr.* **1.** to ascertain, to make sure. **2.** *(contra incendiului etc.)* to open an insurance.
asigurare *s.f.* **1.** ensurance. **2.** *(garantare)* safeguard, guarantee. **3.** *(în vorbe)* assurance. **4.** *(poliță)* insurance.
asigurat I. *adj.* provided etc. v. a s i g u r a. I. **II.** *s.m.* insured person.
asigurător *jur.* **I.** *adj.* insuring. **II.** *s.m.* insurer; underwriter.
asimetric *adj.* lop-sided.
asimetrie *s.f.* asymmetry.
asimilabil *adj.* assimilable.
asimila I. *vt., vi.* to assimilate. **II.** *vr.* to be assimilated.
asimilare, asimilație *s.f.* **1.** assimilation. **2.** *fig.* uptake.
asimilator *biol., fiziol.* **I.** *adj.* assimilative, assimilatory, assimilating. **II.** *s.m.* assimilator.
asimptotă *s.f. geom.* asymptote.
asimptotic *adj. mat.* asymptotic(al).
asin *s.m.* ass (Equus asinus).
asincron *adj. tehn.* asynchronous; non-synchronous.
asindet(on) *s.n. lit., stil.* asyndeton.
asindetic *adj. gram.* asyndetic.
asinergie *s.f. med.* asynergy, asynergia.
asirian *s.m., adj.* Assyrian.
asiriolog *s.m.* Assyriologist.
asiriologie *s.f.* Assyriology.
asista I. *vt.* to help, to assist. **II.** *vi.* *a ~ la* to attend, to be present at; to watch.
asistent *s.m., adj.* assistant.
asistență *s.f.* **1.** *(ajutor)* assistance. **2.** *(spectatori)* audience, spectators; the people present.
asistolie *s.f. med.* asystolia, asystole, asystolism.
asiză *s.f. constr.* **1.** seating, laying (of foundation). **2.** course, row (of masonry); layer (of cement, concrete).
asmățui (hasmațuchi) *s.m. bot.* tine / garden chervil *(Anthriscus cerefolium).*
asmuți *vt.* a ~ împotriva to urge / set on (smb.).
asmuțire *s.f.* setting, incitation.
asocia I. *vt.* to associate. **II.** *vr.* **1.** to associate, to unite. **2.** *ec.* to enter into partnership; *a se ~ la* to join (in).
asocial *adj.* antisocial, asocial.
asociat *s.m.* associate, partner.
asociativ *adj.* associative.
asociativitate *s.f. mat.* associativeness.
asociație *s.f.* **1.** association; society. **2.** *ec.* partnership.
asociaționism *s.n. psih.* associationism.
asociaționist *psih.* **I.** *adj.* associationistic. **II.** *s.m.* associationist.
asociere *s.f.* association, joining.
asolament *s.n.* crop rotation.
asomare *s.f.* slaughtering, felling, pole-axing (of animals).
asonant *adj. lingv., stil.* assonant.
asonanță *s.f.* assonance.
asorta I. *vt.* to assort, to match. **II.** *vr.* to match, to fit together.
asortare *s.f.* assorting etc. v. a s o r t a.
asortat *adj.* **1.** assorted. **2.** combined; *bine ~* well-matched; *ec.* well provided sau stocked.
asortiment *s.n.* assortment, variety.
aspect *s.n.* **1.** appearance. **2.** *(și privință)* aspect; *sub toate ~ele* in all respects.
aspectual *adj. lingv.* aspect(ual).
aspectuos *adj.* engaging, prepossessing.
aspergiloză *s.f. med., med. vet.* aspergillosis.
asperitate *s.f.* roughness.
aspersiune *s.f. agr.* aspersion, sprinkling.
aspersor *s.n. agr.* sprinkler.
aspic *s.n.* aspic.
aspidă *s.f. zool.* asp *(Naja haje).*
aspira I. *vt.* **1.** to aspirate. **2.** *(d. oameni)* to inhale; to breathe (in). **II.** *vi.* *a ~ la* to aspire after / to.
aspirant *s.m. mar.* midshipman.
aspirantură *s.f.* post-graduate / research studentship, post-graduate course(s).
aspirare *s.f.* inhalation; inspiration.
aspirat *adj. lingv.* aspirate(d).
aspirator *s.n.* vacuum cleaner.
aspirație *s.f.* **1.** aspiration. **2.** *(năzuință și)* endeavour.
aspirină *s.f.* aspirin.
asprete *s.m. zool., iht.* freshwater species of fish in Romania *(Romanichthys valsanicola).*
aspri *vt., vr.* **1.** to harden. **2.** *fig.* to worsen, to aggravate.
asprime *s.f.* harshness, roughness.
aspru I. *adj.* **1.** rough. **2.** *fig.* harsh. **3.** *(tare)* hard. **4.** *(colțuros)* rugged. **5.** *fig. și* stern, rigid, severe. **II.** *adv.* **1.** harshly, roughly. **2.** *fig. și* sternly, harshly.
asta I. *adj. f.* this; that. **II.** *pron. f.* this (one); that (one); *~ e!* that's it!; *~ ne mai lipsea!* hoity-toity!
astatin *s.n. chim.* astatine.
astatizare *s.f. fiz.* astatization.
astă *adj. dem. f. poetic* v. a s t a I.; *de ~ dată* this time.
astălaltă I. *adj. f.* the other, the latter. **II.** *pron. f.* the other (one); the latter.
astăzi *adv.* **1.** today. **2.** *(acum)* now(adays), at present.
astâmpăr *s.n.* quiet(ness); *fără ~* restless(ly), tireless(ly).
astâmpăra I. *vt.* **1.** to quiet. **2.** *(setea)* to quench. **3.** *(foamea)* to stay. **II.** *vr.* to (become) quiet, to calm down.
astâmpărat *adj.* quiet.

astea I. *adj. f. pl.* these. **II.** *pron. f. pl.* **1.** these. **2.** such things; *toate* ~ all this; *cu toate* ~ nevertheless.
astelalte I. *adj. f.* the other; the latter. **II.** *pron. f.* the other (ones); the latter (ones).
astenic *adj. med.* asthenic.
astenie *s.f.* asthenia.
astereală *s.f. constr.* roof boarding, roofing.
astereognozie *s.f. med.* astereognosis.
asteridă *s.f. iht.* asterida.
asterie *s.f. zool.* v. s t e a d e m a r e.
asterisc *s.n.* asterisk.
asteroid *s.m. astr.* asteroid.
asteronim *s.n. poligr.* three asterisks in a row (to indicate missing letters).
astfel *adv.* thus; ~ de such.
astigmatic *adj. med.* astigmatic.
astigmatism *s.n. fiz., med.* astigmatism.
astmatic *med.* **I.** *adj.* asthmatic(al). **II.** *s.m.* asthmatic person.
astmă *s.f.* asthma.
astragal *s.n.* **1.** *anat.* astragalus, ankle bone. **2.** *arh.* astragal.
astrahan *s.n.* Astrak(h)an fur.
astral *adj.* astral.
astralon *subst., chim., foto.* astralon.
astringent *adj.* astringent, tart.
astringență *s.f.* astringency, tartness.
astrobiologie *s.f.* astrobiology.
astrofizică *s.f.* astrophysics.
astrograf *s.n. astr.* astrograph.
astroidă *s.f. mat.* astroid.
astrolab *s.n. astr.* astrolab.
astrolog *s.m.* stargazer.
astrologic *adj.* astrological.
astrologie *s.f.* astrology.
astrometrie *s.f. astr.* astrometry.
astronaut *s.m.* spaceman, astronaut.
astronautică *s.f.* astronautics.
astronavă *s.f. astr.* spaceship, spacecraft.
astronom *s.m.* astronomer.
astronomic *adj.* astronomical.
astronomie *s.f.* astronomy.
astru *s.m.* star, planet.
astupa I. *vt.* **1.** to stop (up), to close (up). **2.** *(cu un dop)* to plug, to cork (up). **3.** *(a umple)* to fill (up). **II.** *vr.* **1.** to be stopped (up). **2.** (cu mâl) to silt.
astupare *s.f.* stopping (up); filling (up).
astupătoare *s.f.* *(capac)* lid; cover; (dop) cork, stopper, choke.
astupuș *s.n.* v. a s t u p ă t o a r e.
asuda I. *vi.* **1.** to sweat. **2.** *fig.* *și* to slave, to drudge. **II.** *vr.* *(a se aburi)* to steam.
asudat *adj.* all in a sweat, hot.
asuma *vt.* to assume; to shoulder.
asupra *prep.* about, of, concerning, on; ~ *sa* with *sau* about oneself.
asupri *vt.* **1.** to oppress; to grind down. **2.** to tyrannize. **3.** to exploit.
asuprire *s.f.* **1.** oppresion. **2.** exploitation.
asuprit I. *adj.* oppressed. **II.** *s.m.* oppressed person.
asupritor I. *s.m.* **1.** oppressor, tyrant. **2.** exploiter. **II.** *adj.* oppressive, oppressing.
asurzi I. *vt.* to deafen. **II.** *vi.* to grow deaf.
asurzire *s.f.* deafening.
asurzitor *adj.* deafening.
aș I. v. *aux.* should; would. **II.** *interj.* why, no! not at all!
așa I. *adj.* such; ~ *și* ~ so so; ~ *ceva* something like that, such a thing; *în* ~ *fel încât să* so as to, so that. **II.** *adv.* so, thus, (just) like this; ~? really?; ~ *e?* isn't it?; ~ *și* ~ so-so, midling; not too well; ~ *că* so, therefore; ~ *stând lucrurile* under the circumstances; ~-*zis* so-called; would-be; *când* ~, *când* ~ now one way, now another; *cum* ~*?* how so? **III.** *interj.* there!; OK!; that's the ticket!
așadar *adv.* therefore, thus, so.
așanti *s.m. geogr.* Ashanti(s), Asante(s).
așchia *vt., vr.* to split, to splinter, to (be) cut.
așchie *s.f.* splinter, chip.
așchiere *s.f.* splinting, splintering.
așeza I. *vt.* **1.** to lay; to put, to set. **2.** *(a aranja)* to (ar)range, to order, to tidy (up). **3.** *(a depozita)* to pile, to stock. **4.** *(pe cineva)* to seat, to sit down. **5.** *fig.* to settle. **II.** *vr.* **1.** to sit down, to take a seat. **2.** *fig.* to set in. **3.** *fig.* *(d. oameni)* to settle (down); *așază-te!* please be seated!; *s-a* ~*t pe mâncare și băutură* he fell to / set about eating and drinking.
așezare *s.f.* **1.** laying, putting, setting. **2.** *(aranjare)* arrangement. **3.** *(poziție)* situation, lie (of affairs). **4.** *(omenească)* settlement.
așezat I. *adj.* **1.** seated, sitting. **2.** *fig.* settled. **3.** *(serios și)* earnest, quiet. **4.** *(aflător)* situated, lying. **II.** *adv.* sensibly, quietly.
așezământ *s.n.* establishment.
așijderea *adv.* likewise, as well.
așkenazi *s.m. geogr., rel.* Ashkenazi, *pl.* Ashkenazi(m).
aștepta I. *vt.* **1.** to wait for. **2.** *(a păsui)* to give time to; aștept *(cu nerăbdare), abia aștept* I am looking forward to; *era de* ~*t* it was to be expected. **II.** *vi.* to wait, to be waiting. **III.** *vr. a se* ~ *la* to expect.
așteptare *s.f.* **1.** waiting, expectation. **2.** *pl.* prospects, hopes; *în* ~*a* waiting for.
așteptat *s.n.* waiting.
așterne I. *vt.* to spread, to lay; *a* ~ *(pe hârtie)* to write. **II.** *vr.* **1.** to spread. **2.** *(d. zăpadă)* to fall; *a se* ~ *pe mâncare etc.* to set about / to fall to eating etc.
așternut *s.n.* bed clothes.
atac *s.n.* **1.** attack, onslaught. **2.** *med.* fit, stroke; ~ *banditesc* hold-up.
atacabil *adj.* contentious, contestable; assailable, open to attack.
ataca I. *vt.* **1.** to attack; to assail. **2.** *(a începe)* to begin, to tackle. **II.** *vi.* to (start an) attack.
atacare *s.f.* attacking etc. v. a t a c a.
atacat *adj.* **1.** attacked, assailed. **2.** consumptive, wasted.
atacator *s.m.* assailant, attacker.
ataman *s.m.* **1.** chief fisherman. **2.** *ist.* hetman.
ataraxie *s.f. med.* ataraxia, ataraxy.
atare *adj.* such; *ca* ~ *(așa cum e)* as such; in so many words; *(deci)* therefore.
ataș *s.n.* side car.
atașa I. *vt.* to attach, to join. **II.** *vr.* și *fig.* *a se* ~ *de* to be(come) attached to, to grow fond of.
atașabil *adj.* attachable.
atașament *s.n.* attachment, fondness.
atașare *s.f.* attaching.
atașat *s.m.* attaché.
atavic *adj.* atavistic.
atavism *s.n.* atavism.
ataxie *s.f. med.* ataxy, ataxia; tabes.
atârna I. *vt.* to hang (up). **II.** *vi.* **1.** to hang (down). **2.** *(a cântări)* to weigh. **3.** *fig.* to be worth. **4.** *(a depinde)* to depend (on).
atârnare *s.f.* **1.** hanging (position). **2.** dependence, dependency.
atârnătoare *s.f.* v. a g ă ț ă t o a r e[2].
atât I. *adj.* **1.** so much. **2.** *(d. timp)* so long. **II.** *adv.* **1.** so much. **2.** *(ca timp)* so long; ~ că only (that)...; ~ *el cât și* Ion both he and John; ~ *de drag* so dear; ~ *ți-a fost!* here you go! *cu* ~ *mai mult (cu cât)* all the more so (as); *cu* ~ *mai bine etc. (cu cât)* so much the better etc. (as); *încă o dată pe* ~ twice as much.
atâta I. *adj.* **1.** so much. **2.** *(ca timp)* so long; ~ *pagubă* good riddance

(to a bad bargain); ~ *vreme cât* so long as; *pentru ~ lucru* for such a trifle. **II.** *pron.* so much; *numai ~* just this, only that; ~ *tot* that's (about) all. **III.** *adv.* so much; *(ca timp)* so long; ~ *mai lipsea!* indeed!, hoity-toity!
atâtea I. *adj. f. pl.* so many. **II.** *pron. f. pl.* so many (things / women).
atâtica I. *adj.* a bit. **II.** *adv. o fetiță doar ~* a chit of a girl.
atâți *adj. m. pl.* so many.
atâția I. *adj. m. pl.* so many. **II.** *pron. m. pl.* so many (men / people).
atebrină *s.f. chim.* atabrine.
ateism *s.n.* atheism.
ateist *adj.* atheistic(al).
atelaj *s.n.* team; pair / of horses, oxen etc.
atelan *adj. ist., lit.* atellan(e).
atele *s.f. pl.* splints.
atelectazie *s.f. med.* atelectasis.
atelier *s.n.* **1.** (work)shop. **2.** *artă* studio.
atemporal *adj.* timeless.
atemporalitate *s.f.* absence of references to time, epoch etc.
atenanse *s.f. pl.* outhouses.
ateneu *s.n.* athenaeum.
atenian *s.m., adj.* Athenian.
atent I. *adj.* **1.** attentive, considerate, careful. **2.** *(politicos)* polite, courteous. **II.** *adv.* attentively, carefully.
atenta *vi. a ~ la* to violate; *a ~ la viața cuiva* to make an attempt on smb.'s life.
atentat *s.n.* **1.** attempt (on smb.'s life). **2.** *fig.* violation, infringement.
atentator *s.m.* (would-be) assassin.
atenție I. *s.f.* **1.** attention, heed. **2.** *(observație)* not(ic)e. **3.** *(grijă)* care(fulness). **4.** *(față de cineva)* kindness, respect. **5.** *(cadou)* present. **6.** (la semafor) caution; *cu ~* carefully; *în atenția (cu genitiv)* advertisement to; *plin de ~* kind; considerate. **II.** *interj.* mind!; careful! ~ *la tren!* watch the train!
atenua *vt.* **1.** to attenuate. **2.** *(a micșora)* to mitigate, to lessen. **3.** (a ușura) to alleviate.
atenuant *adj. circumstanțe ~e* extenuating / palliating circumstances.
atenuare *s.f.* **1.** attenuation, mitigation. **2.** *(ușurare)* alleviation.
atenuator *s.n. fiz. telec.* attenuator.
aterină *s.f. iht.* atherine *(Atherina hepsetus).*
ateriza *vi.* to land.
aterizaj *s.n.* v. a t e r i z a r e.
aterizare *s.f.* landing; ~ *forțată* crash landing.
aterizor *s.n. av.* landing-gear.
aterman *adj. fiz.* athermanous, impervious to radiant heat.
aterom *s.n. med.* atheroma.
ateromatoză *med.* atheromatosis.
ateroscleroză *s.f. med.* atherosclerosis.
atesta *vt.* to certify.
atestare *s.f.* attestation.
atestat *s.n.* certificate.
atetoză *s.f. med.* athetosis.
ateu *s.m.* atheist.
atex *s.n. tehn.* atex, insulating material made of wooden fibres.
atic *adj.* Attic.
atică *s.f. arh.* attic (storey).
aticism *s.n.* Atticism, atticism.
atingător *adj.* **1.** hurtful, vexatious, offensive. **2.** touching, moving, pathetic.
atinge I. *vt.* **1.** to touch (upon). **2.** *(a ciocni)* to knock (against). **3.** *(a lovi)* to strike. **4.** *(a ajunge la)* to reach. **5.** *(a afecta)* to affect, to disturb. **6.** *(un țel)* to achieve; to attain. **7.** *(a jigni)* to hurt, to wound. **8.** *(a interesa)* to concern. **II.** *vr.* to be in touch / contact; *a se ~ de* to touch; *fig.* to attack.
atingere *s.f.* **1.** touch(ing), contact. **2.** *(realizare)* attainment. **3.** *(jignire)* hurt, slight. **4.** *(încălcare)* encroachment.
atins *adj.* **1.** touched. **2.** *fig.* wounded, hurt. **3.** *(realizat)* attained, reached; ~ *la plămâni* consumptive.
atitudine *s.f.* **1.** attitude. **2.** *fig. și* stand.
atlant *s.m.* **1.** *ist., geogr.* Atlas. *pl.* Atlantes. **2.** *arh.* atlantes.
atlas *s.n.* atlas.
atlaz *s.n.* satin.
atlet *s.m.*, **atletă** *s.f.* athlete.
atletic *adj.* athletic.
atletică *s.f.* athletics; ~ *ușoară* track and field athletics / events.
atletism *s.n.* athletics.
atmosferă *s.f.* atmosphere, air.
atmosferic *adj.* atmospheric.
atmosferiza *vt.* **1.** to weather. **2.** *fig.* to air.
atmosferizat *adj. fig.* airy, breezy.
atoate v. a t o t.
atol *s.n.* atoll.
atom *s.n.* atom; ~ *marcat* labelled atom.
atomic *adj.* atomic, atom.
atomism *s.n.* **1.** *filoz.* atomism. **2.** *chim.* atomic theory.
atomist I. *s.m.* **1.** nuclear expert. **2.** *filoz.* atomist. **II.** *adj.* atomist.
atomistică *s.f.* atomistics, nucleonics.
atomiza *vt.* to atomize; to spray.
atomizare *s.f. fiz.* atomization; pulverization.
atomizator *s.n.* atomizer, spray(er).
atomizor *s.n. tehn.* atomizer, spray; pulverizer.
aton *adj. anat., lingv.* atonic.
atonal *adj. muz.* atonal.
atonalism *s.n. muz.* atonalism.
atonalist *s.m., adj.* atonalist.
atonalitate *s.f. muz.* atonality.
atonic *adj. med.* atonic; lacking tone.
atonie *s.f. anat.* atony.
atot- (atoate-) *prefix* all-.
atotbiruitor *adj.* all-conquering.
atotcuprinzător *adj.* all-embracing.
atotprevenitor *adj.* all-too-cautious.
atotputernic *adj.* almighty, all-powerful.
atotputernicie *s.f.* almightiness, omnipotence.
Atotputernicul *s.m.* the Almighty.
atotștiință *s.f.* omniscience.
atotștiutor I. *adj.* omniscient. **II.** *s.m. fam.* hepcat.
atotvăzător *adj.* all-seeing.
atractiv *adj.* **1.** attractive. **2.** alluring.
atractivitate *s.f.* attractiveness, appeal.
atracție *s.f.* **1.** attraction. **2.** *fig. și* appeal. **3.** *pl.* amusements; ~ *universală* gravitation; *forță de ~* appeal, attractiveness; *lipsit de ~* unprepossessing.
atracțios *adj.* gaudy, specious.
atrage *vt.* **1.** to attract, to draw. **2.** *(a ispiti)* to (al)lure; to seduce. **3.** *(după sine)* to bring about, to involve. **4.** *(a câștiga)* to win, to earn; *a ~ atenția cuiva (asupra unui lucru)* to call smb.'s attention (to smth.); *a-și ~ ura etc.* cuiva to arouse smb.'s hatred etc. (for oneself); to incur the hatred etc. of smb.
atragere *s.f.* **1.** drawing, attraction. **2.** *(ispitire)* luring, temptation.
atrăgător I. *adj.* **1.** attractive. **2.** *(frumos)* winsome; nice, pretty. **3.** *(ispititor)* alluring. **II.** *adv.* attractively, invitingly.
atrepsie *s.f. med.* athrepsia, marasmus.
atribui I. *vt.* **1.** to attribute, to ascribe. **2.** *(a repartiza)* to distribute, to assign. **3.** *(a aloca)* to allot. **4.** *(un premiu)* to bestow (on smb.); *a ~*

cuiva meritele pentru ceva to credit smb. with smth.; *a ~ cuiva* o vină to pin the guilt on smb. **II.** *vr.* to be distributed / attributed / assigned.
atribuire *s.f.* assignment.
atribut *s.n.* **1.** attribute. **2.** *pl. (însemne)* insignia.
atributiv *gram.* **I.** *adj.* attributive. **II.** *adv.* attributively.
atribuție *s.f.* **1.** duty, task, function. **2.** *(putere)* prerogative, competence.
atriţiune *s.f. tehn., geol.* attrition.
atriu *s.n. anat.* auricle.
atrium *s.n. ist.* atrium.
atroce *adj.* atrocious, savage.
atrocitate *s.f.* atrocity.
atrofia *vt., vr.* to atrophy.
atrofiat *adj. med.* atrophied.
atrofie *s.f. med.* atrophy.
atrofiere *s.f.* atrophying; atrophy.
atropină *s.f. chim.* atropin(e).
atropinizare *s.f. med.* atropinization.
atu *s.n.* trump (card).
atunci *adv.* then; *~ când* when(ever); *chiar ~* just then; *de ~* since (then); *pe ~* at the time; *până ~* till then; *tot ~* concomitantly, at the same time.
ață *s.f.* thread.
ațâța *vt.* **1.** to fan, to stir; to kindle. **2.** *fig. și* to rouse, to set.
ațâțare *s.f.* **1.** stirring. **2.** *fig. și* incitement.
ațâțat *adj.* stirred, fanned, set; incited, instigated.
ațâțător I. *s.m.* instigator; *~ la război* warmonger. **II.** *adj.* **1.** rousing. **2.** instigatory.
ațică *s.f.* kind of cheap cotton fabric.
aține I. *vt.* a ~ calea cuiva to waylay smb. **II.** *vr.* to lie in wait.
ațintì *vt.* **1.** *(ochii)* to fix, to rivet. **2.** *(a concentra)* to focus. **3.** *(a ochi)* to aim (a gun etc.); *a-și ~ privirile asupra cuiva* to stare (fixedly) at smb.
ațintire *s.f.* directing etc. v. a ț i n t i.
ațintit *adj.* **1.** fixed, focussed. **2.** *(concentrat)* intent.
ațipeală *s.f.* doze, drowse, forty winks, nap.
ațipi *vt.* to slumber / doze off; to get a nap.
ațos *adj.* fibrous.
au *interj.* ouch! ah!
aucuba *bot.* aucuba *(Aucuba).*
audia *vt.* **1.** to hear, to give a hearing to. **2.** *(cursuri etc.)* to attend. **3.** *jur.* to examine.
audibil *adj. fiziol.* audible.
audibilitate *s.f.* audibility, audibleness.
audient *s.m.* unattached student, *fam.* tosher.
audiență *s.f.* audience.
audiere *s.f.* **1.** hearing. **2.** *jur. și* examination.
audio- *prefix* audio-.
audiofrecvență *s.f. fiz.* audiofrequency.
audiogramă *s.f. med.* audiogram.
audiometrie *s.f. med.* audiometry.
audiometru *s.n.* audiometer.
audiovideo *adj. tehn.* audio-visual, audio-video.
audio-vizual *adj.* audio-visual.
auditiv *adj. anat.* auditory.
auditor *s.m.* listener.
auditoriu *s.n.* **1.** audience, public. **2.** *(sală)* auditorium.
audiție *s.f.* hearing, audition.
augment *s.n. lingv.* augment.
augmenta *vt. lingv. etc.* to augment; to emphasize.
augmentativ *adj. lingv.* augmentative.
augur *s.n.* augury; *de bun ~* favourable, auspicious; *de rău ~* portentous, ominous.
àugust *s.m.* August.
augùst *adj.* august, stately.
augustan *adj. ist.* Angliei Augustan.
augustinian *rel.* **I.** *adj.* Augustinian. **II.** *s.m.* Augustinian (monk).
augustiniană *s.f. rel.* **1.** Augustinian (doctrine). **2.** Augustinian (nun).
aui *vi.* v. h ă u i.
aulă *s.f.* lecture room / hall.
aulic *adj. ist.* Aulic.
aur *s.n.* **1.** gold. **2.** *(bani)* money. **3.** *fig.* Mammon; *de ~* gold(en).
auramină *s.f. chim.* auramine.
aurar *s.m.* goldsmith.
aură *s.f.* aura, halo.
aurărie *s.f.* golden ware.
aureociclină *s.f.* aureomycin.
aureolat *adj.* haloed.
aureolă *s.f. astr.* halo, nimbus, ring (round the moon).
aureomicină *s.f.* aureomycin.
auri *vt.* to gild.
auricul *s.n. anat.* auricle.
auricular *adj.* **1.** *anat.* auditory, acoustic. **2.** auricular.
auriculă *s.f. anat.* external ear.
aurifer *adj.* auriferous, goldbearing.
aurignacian *adj. ist.* aurignacian.
aurină *s.f. chim.* aurin.
auripigment *s.m. chim.* auropigment.
aurire *s.f.* gilding.
aurit *adj.* gilt, gilded.
auriu *adj.* golden.
auroră *s.f.* dawn; daybreak; *Aurora boreală* the northern lights.
auroterapie *s.f. med.* aurotherapy.
ausculta *vt. med.* to examine by auscultation, to sound.
auscultație *s.f. med.* auscultation.
auspicii *s.n. pl.* auspices.
austenită *s.f. chim., met.* austenite.
auster *adj.* **1.** austere, temperate. **2.** (sever) severe, stern.
austeritate *s.f.* austerity.
austral *adj.* southern.
australian *s.m., adj.*, **australiană** *s.f., adj.* Australian.
australoid *s.m., adj. geogr.* Australoid.
australopitec *s.m. paleont.* australopithecus.
austriac *s.m., adj.*, **austriacă** *s.f., adj.* Austrian.
austromarxism *s.n. filoz.* Austrian Marxism.
austru *s.n.* dry south wind.
aușel *s.m. ornit.* (gold-)crested wren, kinglet *(Regulus).*
aut *adv., s.n. sport.* out.
autarhie *s.f.* autarchy.
autentic *adj.* genuine, authentic.
autenticitate *s.f.* authenticity, truthfulness.
autentifica *vt.* to authenticate, to certify.
autentificare *s.f.* authentication.
autism *s.n. med., psih.* autism.
auto prefix. **1.** motor. **2.** self.
autoadministra *vr.* to be self-governed.
autoadmirație *s.f.* self-admiration.
autoaglomerare *s.f. chim.* auto-agglomeration, self-agglomeration.
autoamăgi *vt.* to delude oneself.
autoamăgire *s.f.* self-delusion, indulging in illusions; self-complacency.
autoanaliză *s.f.* self-examination.
autoapărare *s.f.* self-defence.
autoaprindere *s.f.* spontaneous combustion, self-ignition.
autoatelier *s.n. tehn.* auto repair vehicle.
autobascul(ant)ă *s.f.* dump truck, tip(ping) lorry.
autobază *s.f.* mechanical transport depot, motor depot.
autobetonieră *s.f. tehn.* concrete-mixer motor-truck.
autobiografic *adj.* autobiographical.
autobiografie *s.f.* autobiography.
autoblindat *s.n.* armoured car.
autobrec *s.n. tehn.* break car.
autobuz *s.n.* (motor)bus.
autocamion *s.n.* (motor)lorry.
autocamionetă *s.f.* pick-up (truck).
autocar *s.n.* (motor) coach, touring / sightseeing car.
autocataliză *s.f. chim.* autocatalysis.
autocefal *adj.* autocephalous.

autocefalie *s.f. bis.* autocephaly.
autocisternă *s.f.* tank waggon.
autoclavă *s.f.* sterilizer.
autocombină *s.f. tehn.* motor combine.
autoconservare *s.f.* self-preservation, self-maintenance.
autocontrol *s.n. psih.* etc. self-control.
autocoră *s.f. bot.* autochore.
autocrat *s.m.* tyrant, autocrat.
autocratic I. *adj.* autocratic. **II.** *adv.* autocratically.
autocratic *adj.* autocratic.
autocratism *s.n. ist.* autocratism.
autocrație *s.f. ist.* autocracy, tyranny.
autocritică *s.f.* self-criticism; a-și face autocritica to pass criticism upon oneself.
autocritic I. *adj.* self-critical. **II.** *adv.* self-critically.
autocromie *s.f. poligr.* autochromy.
autodafé *s.n.* auto-da-fe; (rel. și) pyre, bonfire.
autodefinire *s.f. și fig.* self-defining.
autodemasca *vr.* to cast off one's mask.
autodemascare *s.f.* self-exposure.
autodepanare *s.f. tehn.* auto repair (vehicle or shop).
autodescărcare *s.f.* tipping, self-unloading.
autodescărcător *adj.* dump (truck), tip / tipping (lorry etc.).
autodeservire *s.f.* v. a u t o s e r v i r e.
autodeterminare *s.f. pol.* self-determination, self-government.
autodezvălui *vt.* to reveal oneself.
autodezvoltare *s.f. filoz.* self-development.
autodidact *s.f.* self-educated man.
autodină *s.f. tehn.* autodyne.
autodistrugere *s.f.* self-destruction.
autodizolva *vr.* to dissolve oneself.
autodrezină *s.f. ferov.* auto track car, rail car, track motor car.
autodrom *s.n. auto.* motor-racing track; car-testing track.
autodrum *s.n. constr.* motor road.
autodubă *s.f.* commercial van.
autoepurație *s.f. chim.* self-epuration.
autoexcavator *s.n. tehn.* power shovel.
autoexcitație *s.f. el., psih.* self-excitation; self-excitement.
autoexigentă *s.f.* self-exigence.
autofecundare *s.f. biol.* self-fertilization.
autofinanța *vr. ec.* to plough back profits.
autofinanțare *s.f. ec.* ploughing back of profits; self-financing.
autoflagela *vr.* to whip oneself.
autoflagelare *s.f.* self-chastising, *fig.* self-ridicule.
autofurgonetă *s.f.* pick up truck, light (motor) van.
autogamă *adj. bot.* autogamous; self-fertilizing.
autogamie *s.f. bot.* autogamy, self-fertilization.
autogară *s.f.* motor coach station.
autogenă *adj. sudură* ~ autogenous welding.
autogir *s.n.* autogyro.
autograf *s.n., adj.* autograph.
autografie *s.f. poligr.* autolithography.
autoguverna *vr.* to be self-governed / governing.
autoguvernare *s.f.* self-administration, self-government.
autohemoterapie *s.f. med.* auto-hemotherapy.
autoheterodină *s.f. telec.* auto-heterodyne.
autohton I. *adj.* autochthonous, aboriginal. **II.** *s.m.* native.
autohtonism *s.n. geogr., geol.* autochthonism.
autoimpunere *s.f.* self-taxation.
autoinducție *s.f. fiz.* self-induction.
autoinfecție *s.f. med.* autoinfection.
autointitula *vr.* to call / style oneself.
autointoxicație *s.f. med.* auto-intoxication.
autoîncărcător *s.n. tehn.* loading truck.
autoîncântare *s.f.* self-admiration / complacency / flattery / deception / delusion / deceit.
autoînsămânțare *s.f. biol.* self-seeding.
autoliniștire *s.f.* complacency; indulgence in illusions.
autoliză *s.f. biol., fiziol.* autolysis.
automacara *s.f. tehn.* power crane truck.
automat I. *s.n.* **1.** automaton, machine. **2.** *(pt. dulciuri etc.)* slot-machine. **3.** *mil.* tommy-gun, automatic. **II.** *adj.* automatic.
automatic *adj.* automatic.
automatism *s.n.* automatism.
automatiza *vt., vr.* to autom(at)ize.
automatizare *s.f.* automa(tiza)tion.
automăturătoare *s.f.* scavenging machine.
autometamorfism *s.n. geol.* autometamorphism.
automobil I. *s.n. (motor)* car. **II.** *adj.* self-propelled.
automobilism *subst.* motoring.
automobilist *s.m.* motorist.
automobilistic *adj.* motor.
automodel *s.n. tehn.* model motor-car.
automodelism *subst. tehn.* model motor-car building.
automodelist *s.m. tehn.* model motor-car builder.
automotor *s.n.* motorailer.
automulțumire *s.f.* self-complacency.
automutila *vr.* to maim oneself, to inflict a wound upon oneself.
automutilare *s.f.* self-inflicted disability / wound.
automutilat *adj.* self-maimed.
autonom *adj.* autonomous, independent.
autonomie *s.f.* autonomy, independence.
autoobservare *s.f.* self-analysis, introspection; self-control.
autooscilație *s.f.* telec. self-oscillation.
autopersiflare *s.f.* self-ridicule.
autoplastie *s.f. med.* autoplasty, plastic surgery.
autopolenizare *s.f. biol.* selfpollination.
autopornire *s.f. tehn.* self-starting.
autoportret *s.n. artă* portrait of the artist, self-portrait.
autoportretizare *s.f.* description of oneself.
autopropulsat, autopropulsor *adj.* self-propelled / -propelling.
autopropulsie *s.f. tehn.* selfpropulsion.
autopsie *s.f.* postmortem (examination).
autor *s.m.* **1.** author. **2.** *(scriitor și)* writer. **3.** *(al unei crime)* perpetrator.
autorapid *s.n.* diesel train.
autorealizare *s.f.* self-achievement.
autoreclamă *s.f.* self-advertisement; *a-și face* ~ to ring one's own bell.
autoreferat *s.n.* author's report on his/her work.
autoreglaj *s.n.*, **autoreglare** *s.f.* self-adjustment; automatic regulation; self-regulation.
autoritar *adj.* authoritative.
autoritate *s.f.* **1.** authority. **2.** *pl. și* the law.
autoriza *vt.* to authorize, to permit; to license.
autorizare *s.f.* authorization etc. v. a u t o r i z a.
autorizat *adj.* authorized; authoritative; reliable.
autorizație *s.f.* permit, licence.
autosanitară *s.f. (motor)* ambulance, ambulance car.
autoselector *s.n. tehn.* self-selector.

autoservi *vr.* to serve oneself.
autoservire *s.f.* self-service; *cu ~* self-service.
autosifon *s.n. tehn.* mechanical (soda-water) siphon.
autosincronizare *s.f.* self-synchronization.
autosport *s.n. auto.* sports car.
autostop *s.n.* **1.** traffic lights. **2.** block signal. **3.** hitch-hiking, hitch hike.
autostradă *s.f.* motor road, AE highway.
autostropitoare *s.f.* motor flusher.
autosugestie *s.f.* self-suggestion.
autosugestiona *vr.* to convince oneself, to practise self-suggestion.
autoșenilă *s.f. auto., tehn.* **1.** *agr.* caterpillar tractor. **2.** *mil.* half-track vehicle.
autoșeniletă *s.f. tehn., mil.* light half-track vehicle.
autotipie *s.f. poligr.* autotypy.
autotomie *s.f. zool.* autotomy.
autotoxină *s.f. chim., fiziol., med.* autotoxin.
autotractor *s.n. motor* tractor; agrimotor.
autotracțiune *s.f. tehn., auto.* self-propulsion.
autotransformator *s.n. tehn.* autotransformer.
autotransport *s.n.* road / motor transport; trucking.
autotrof *adj. biol.* autotrophic.
autotrofie *s.f. biol.* autotrophy.
autotun *s.n. mil.* truck-borne cannon.
autoturism *s.n. (motor)* car.
autoutilitară *s.f. auto.* utility van.
autovaccin *s.n.* autogenous vaccine.
autovehicul *s.n.* motor vehicle.
autozom *s.m. biol.* autosome.
autumnal *adj. elev.*, poetic autumn(al).
autunian *s.n., adj. geol.* Autunian.
auversian *s.n., adj. geol.* Auversian.
auxiliar *s.n., adj.* auxiliary.
auxină *s.f. biochim.* auxine.
auxocrom *s.m. chim.* auxo-chrome.
auz *s.n.* hearing; *la ~ul acestei vești* (on) hearing the news.
auzi I. *vt.* **1.** to hear. **2.** *(a afla și)* to learn, to have; *am ~t că a plecat* I heard / gathered that he left; *a ~t vestea chiar de la el* she had it from his own mouth; *auzi vorbă!* really!; that's a good one! **II.** *vi.* **1.** to hear. **2.** *(a afla și)* to learn. *auzi!* indeed!; a fat lot it is!; *a ~ de(spre) ceva* to hear of smth., to get wind of smth.; *nu aude bine* he is hard of hearing. **III.** *vr.* **1.** to be heard. **2.** *fig.* to get abroad; *se aude că* the story goes that, it is said that.
auzit *s.n. din ~e* from hearsay.
ava *s.f. bis.* abba.
avaet (havaet) *s.n. ist.* exceptional or special tax.
aval[1] *s.n.* lower part of a stream; *în ~* downstream.
aval[2] *s.n. ec. fin.* endorsement on a bill.
avalanșă *s.f.* avalanche.
avan I. *adj.* hard(hearted), terrible. **II.** *adv.* fearfully, fiercely.
avanbec *s.n. constr.* (upstream) starling / cutwater; pierhead.
avancronică *s.f.* early theatrical etc. review (before first night etc.).
avangardă *s.f.* vanguard; *de ~* vanguard; *în ~* in the van.
avangardism *s.n.* vanguardism.
avangardist *s.m.* vanguardist.
avanport *s.n. nav.* outer harbour.
avanpost *s.n. mil.* outpost.
avanpremieră *s.f.* preview.
avans *s.n.* **1.** advance; lead. **2.** *fig.* advantage; the upper hand. **3.** *ec. fin.* advance (payment). **4.** *pl.* advances, encouragement.
avansa I. *vt.* **1.** to pay in advance. **2.** *(în serviciu)* to promote. **II.** *vi.* **1.** to advance, to make headway, to progress. **2.** to be promoted.
avansare *s.f.* promotion.
avansat I. *s.m.* advanced pupil. **II.** *adj.* advanced.
avanscenă *s.f.* proscenium.
avantaj *s.n.* advantage; benefit.
avantaja *vt.* **1.** to put / set to advantage. **2.** *(a proteja)* to favour.
avantajare *s.f.* favouring.
avantajat *adj.* **1.** *(față de)* enjoying an advantage (over); favoured. **2.** *sport.* who has been given odds.
avantajos I. *adj.* advantageous, favourable. **II.** *adv.* to great advantage, advantageously.
avantren *s.n.* fore-carriage.
avar I. *s.m.* **1.** miser, skinflint. **2.** *ist.* Avar. **II.** *adj.* stingy, niggardly.
avaria *vt.* to damage.
avarie *s.f.* damage, injury.
avariere *s.f.* damaging.
avariție *s.f.* avarice.
avat *s.m. iht.* rapacious carp (Aspius aspius).
avatar *s.n.* **1.** *rel.* avatar. **2.** transformation, change. **3.** *pl.* experiences.
avânt *s.n.* **1.** elan, upsurge; enthusiasm. **2.** *(impuls)* momentum, impetus. **3.** *(energie)* dash, swing. **4.** *(progres)* advance(ment); *cu (mare) ~* enthusiastically; în plin ~ soaring, in full swing.
avânta *vr.* to dash, to soar; to plunge.
avântat *adj.* **1.** enthusiastic, dashing, soaring. **2.** *(animat)* spirited, exalted.
avea I. *v. aux.* to have. **II.** *v. mod.* to have (got) to; *am de făcut două exerciții* I've got to do two exercises. **III.** *vt.* **1.** to have (got), to possess. **2.** *(a ~ în componență)* to be composed of, to consist of. **3.** *(a se bucura de)* to enjoy, to be possessed of; *a ~ acoperire* to be covered; *fig.* to be on the safe side; *a ~ afinități cu* to be akin to; *a ~ un avans asupra cuiva* to have a lead sau start on smb.; *a ~ barbă fig.* to be stale; to be untrue; *a ~ chef* to be in the mood (for); *a ~ o influență asupra* to impinge (up) on; *a ~ în vedere* to refer to; to keep an eye on; *a nu ~ astâmpăr* to fret, to fidget; *a nu ~ ce mânca* to starve, to be on short commons; *a nu ~ după ce bea apă* to starve; *a nu ~ nici un amestec* to have no axe to grind. **IV.** *vr.* to get on, to stand; *a se ~ bine cu cineva* to be on the best of terms with smb.; *a se ~ ca frații* to be close sau bosom friends; to get on like a house on fire.
aven *s.n. geol., geogr.* aven, swallow-hole.
aventura *vr.* to venture (recklessly).
aventură *s.f.* **1.** (ad)venture. **2.** *(sentimentală)* love affair; *~ militaristă* military gamble.
aventurier *s.m.* adventurer; happy-go-lucky fellow.
aventurin *s.n. geol.*, mineral. aventurine, sunstone.
aventurism *s.n.* recklessness, gamble / dare-devil spirit.
aventurist I. *s.m.* **1.** *pol.* adventurist. **2.** fortune-seeker, adventurer. **II.** *adj.* venturesome, risky, hazardous.
aventuros *adj.* adventurous.
avere *s.f.* **1.** fortune. **2.** *(proprietate)* estate.
averroism *s.n. filoz.* Averr(h)oism.
avers *s.n.* observe (of a coin).
aversă *s.f.* meteo. shower.
aversiune *s.f.* abhorrence.
avertisment *s.n.* warning.
avertiza *vt.* to warn; to notify (to).
avertizare *s.f.* warning, notifying.
avertizor *s.f. tehn.* alarm signal.
aviasan *s.n.* emergency air service, ambulance plane (service).
aviatic *adj.* air(craft).

aviator *s.m.* pilot, airman.
aviație *s.f.* aviation, aircraft; ~ *civilă* air lines; ~ *militară* air force; ~ *sanitară* ambulance aircraft.
avicol *adj. ornit.* **1.** poultry (farming). **2.** avicolous, parasitic on birds.
avicultor *s.m.* poultry farmer / breeder.
avicultură *s.f.* poultry breeding.
avid I. *adj.* **1.** greedy, grasping. **2.** *(curios)* eager. **II.** *adv.* greedily, eagerly.
aviditate *s.f.* **1.** avidity. **2.** *(curiozitate)* eagerness.
aviofon *s.n. av.* voice-pipe, speaking-tube.
avion *s.n.* (air)plane, aircraft; ~ *cu reacție* jet plane; ~ *de bombardament* bomber; ~ *de pasageri* passenger plane, liner; ~ *de recunoaștere* reconnaissance plane; ~ *de vânătoare* fighter (plane).
avional *s.n.* met. aluminium alloy used in aircraft building.
avionetă *s.f.* light aircraft; ~ *sanitară* ambulance plane.
aviostropitor *s.n. av.* aircraft used for sprinkling forests etc.
avirulent *adj. biol., med.* avirulent, non-virulent.
avitaminoză *s.f. med.* avitaminosis, vitamin deficiency.
aviva *vt. chim.* to quicken; to revive, to refresh; to stir.
aviz *s.n.* **1.** notice, notification. **2.** *(părere)* advice, approval; *(tehnic etc.)* recommendation.
aviza I. *vt.* **1.** to inform; to let know. **2.** *(a avertiza)* to warn; to give notice (to). **3.** *(a referi asupra)* to endorse, to approve. **II.** *vi.* to advise, to decide.
avizare *s.f.* **1.** notice. **2.** *(referat)* endorsement, sanction.
avizat *adj.* **1.** competent, well-advised. **2.** far-seeing; sagacious; intelligent. **3.** prudent, cautious.
avizier *s.n.* notice *sau* clip board.
avizo *s.n. nav.* aviso, sloop, despatch boat; *mil.* gunboat.
avocat *s.m.* **1.** *(pledant)* barrister. **2.** *(jurisconsult)* solicitor, lawyer. **3.** *(al statului)* attorney. **4.** *fig.* champion, defender; *~ul apărării* counsel for the defence.
avocatură *s.f.* the bar.
avocățesc *adj.* barrister's, lawyer's.
avocățește *s.f.* like a lawyer.
avocățime *s.f.* the (whole) body of barristers, the Bar.
avort *s.n.* **1.** *(spontan)* miscarriage. **2.** *(chirurgical)* abortion.
avorta *vi.* to miscarry, to abort.
avorton *s.m.* abortion, moron.
avrămească *s.f. bot.* v. v e n i n a r i ț ă.
avuabil *adj.* avowable.
avulsiune *s.f. geol., jur.* avulsion (of land).
avut I. *s.n.* wealth, riches; belongings, property. **II.** *adj.* wealthy, well-off.
avuție *s.f.* riches.
ax *s.n.* axle.
axa *vt., vr.* to centre.
axare *s.f.* centring.
axă *s.f.* **1.** axis. **2.** *tehn.* axle.
axial *adj. tehn.* axial.
axilar *adj. anat., bot.* axillary.
axilă *s.f. anat.* axilla, armpit.
axiologic *adj. filoz.* axiologic(al).
axiologie *s.f. filoz.* axiology.
axiomatic I. *adj.* axiomatic(al). **II.** *adv.* axiomatically.
axiomatiza *vt. log.* to axiomatize.
axiomă *s.f.* axiom.
axiometru *s.n. nav.* helm / steering indicator; telltale.
axion *s.n. rel.* axion, hymn.
axis *s.n. anat.* axis.
axolot(l) *s.m. biol.* axolotl.
axon *s.m. anat.* axon.
axonometric *adj. mat.* axonometric(al).
axonometrie *s.f. mat.* axonometry.
aymara *s.m. geogr.* Aymara, Aimara.
azalee *s.f. bot.* azalea *(Azalea).*
azbest *s.n.* asbestos.
azbestoză *s.f. med.* asbestosis.
azbuche *s.f. fig.* ABC, the three r's.
azeotrop(ic) *adj. chim.* azeotropic.
azeotropie *s.f. chim.* azeotropy.
azeotropism *s.n. chim.* azeotropism.
azerbaidjan *adj. s.m. geogr.* Azerbaidzani.
azi *s.n., adv.* today; *~-mâine* one of these days; *de ~ înainte* in the future, from now on; *de ~ într-o lună* today month; *de ~ pe mâine* from hand to mouth.
azidă *s.f. chim.* azide.
azil *s.n.* asylum, home; ~ *de noapte* doss house.
azimă *s.f.* unleavened bread.
azimut *s.n. astr.* azimuth.
azimutal *adj. geogr., astr.* azimuth(al).
azoospermie *s.f. biol., fiziol., med.* azoospermia, azoospermatism.
azot *s.n.* nitrogen.
azotat *chim.* **I.** *adj.* nitrogenous.**II.** *s.m.* nitrate.
azotemie *s.f. med.* azot(a)emia.
azothidric *adj. chim.* hydrazoic.
azotic *adj.* nitric.
azotit *s.m. chim.* nitrite, azotite.
azotobacter *s.m. chim.* azotobacter.
azotobacterin *s.m. chim.* nitrobacterine.
azotos *adj. chim.* nitrous; *acid ~* nitrous acid.
azotură *s.f. chim.* azide, hydrazoate.
azoturie *s.f. med.* azoturia.
aztec *s.m., s.f., adj. geogr.* Aztec.
azur *s.n.* azure.
azurare *s.f. chim.* blu(e)ing.
azurit *s.n. chim.*, mineral. azurite.
azuriu *adj.* azure (blue).
azvârli I. *vt.* to fling, to throw. **II.** *vi.* *a ~ cu ceva în cineva* to throw smth. at smb.
azvârlire *s.f.* flinging etc. v. a z v â r l i.
azvârlită *s.f.* *a da de-a azvârlita cu* to toss smth. up and down.
azvârlitură *s.f.* throw; *la o ~ de băț* at a stone's throw.

Ă, ă *s.m.* the second letter of the Romanian alphabet.

ăia I. *adj.* m. *pl.* those. **II.** *pron. m. pl.* those (ones).

ăilalți I. *adj. m. pl.* the other. **II.** *pron. m. pl.* the others, the other ones.

ăla I. *adj.* m. that. **II.** *pron. m.* that (one).

ălălalt I. *adj. m.* the other. **II.** *pron.* m. the other (one).

ăl I. *art.* the. **II.** *adj.* that. **III.** *pron.* that (one).

ăst, astă (ăsta, asta) *adj. dem.* v. a c e s t , a c e a s t a.

ăstălalt I. *adj. m.* the other; the latter. **II.** *pron. m.* the other (one); the latter (one).

ăștia I. *adj. m. pl.* these. **II.** *pron.* m. *pl.* these (ones).

ăștilalți I. *adj. m. pl.* the other; the latter. **II.** *pron. m. pl.* the others, the other ones; the latter (ones).

Â, â *s.m.* the third letter of the Romanian alphabet.

B

B, b *s.m.* B, b the fourth letter of the Romanian alphabet.
ba *adv.* (oh) no; ~ *aici,* ~ *acolo* now here, now there; ~ *așa,* ~ *așa* now this way, now that; ~ *bine că nu!* oh yes, to be sure!; oh yes, with a vengeance!; ~ *chiar* even, moreover; ~ *da!* oh yes! why yes! ~ *nu!* oh no!; not at all!; ~ *(cu) una,* ~ *(cu) alta* what with one thing and another.
baba *s.f. nav.* mooring, bitts, bollard.
babac(ă) *s.m. fam.* dad, pop; *pl.* the old folks.
babalâc *s.m.* old fog(e)y, gaffer.
baban *adj. fam.* king-size, whacking, thumping, sizable, considerable.
babă *s.f.* **1.** old woman, hag. **2.** *(rea)* harridan, crone. **3.** *(soție)* missus, old lady; *Baba Dochia* Mother Carey (plucking her geese); *de-a baba oarba* blindman's buff.
babetă *s.f.* **1.** crone, (fussy) old woman. **2.** v. b a v e t ă.
babete *s.f. iht.* v. z g l ă v o a c ă.
babețică *s.f.* v. b a v e t ă.
babeurre *s.n. cul.* buttermilk.
babic *s.n.* kind of flat-shaped highly-seasoned mutton salami.
babilonian *adj. ist.* Babylonian.
babilonie *s.f.* Babel, hullabaloo.
babism *s.n. rel.* Babism.
babit *s.n. met.* babbitt.
babiță *s.f. ornit.* pelican (Pelecanus).
baboi *s.m. iht.* **1.** (European) perch *(Perca fluviatilis).* **2.** (fish) fry.
babord *s.n. nav.* larboard, port.
babornița *s.f. fam.* old hag, harridan.
baboșe *s.f. ornit.* v. b a b i ț ă.
babuin *s.m. zool.* baboon *(Cynocephalus).*
babușcă *s.f. iht.* roach, red eye *(Leuciscus rutilus).*
babuvism *s.n. ec., pol.* babouvism.
bac *s.n.* ferry.
bacalaureat I. *s.m.* school graduate. **II.** *s.n.* school-leaving examination.
bacanale *s.f. pl. și fig.* Bacchanals, Bacchanalia, orgies.
bacantă *s.f.* bacchante.
bacara[1] *s.f. (joc)* baccara(t).
bacara[2] *s.f.* crystal made at Baccarat.
bacator *s.m. bot.* variety of reddish wine grapes.
bacă *s.f. bot.* berry, bacca.
bacău *s.m. a-și găsi ~l fam.* to get into hot water / into a scrape.
baccea *s.f. peior.* v. b a b a l â c.
bacceli *vr. fam.* to become an old dugout / crock.
bachelită *s.f.* bakelite.
baci *s.m.* (head) shepherd.
baciform *adj. bot.* bacciform, baccate, berry-shaped.
bacil *s.m. bot.* bacillus.
bacilar *adj. biol.* bacillar(y).
baciliform *adj. bot.* bacilliform.
baciloză *s.f. med.* bacillus infection.
baclava *s.f. cul.* nut and syrup pastry.
bacon *s.n. cul.* bacon.
bacșiș *s.n.* tip.
bacterian *adj. biol.* bacterial.
bactericid I. *s.n.* bactericide. **II.** *adj.* bactericidal.
bacterie *s.f. bot.* bacterium.
bacteriofag *s.m.* bacteriophage.
bacteriofagie *s.f.* bacteriophagy.
bacterioliză *s.f. chim., med.* bacteriolysis.
bacteriolizină *s.f. chim., med.* bacteriolysin.
bacteriolog *s.m.* bacteriologist.
bacteriologic *adj. bot.* bacteriological, germ.
bacteriologie *s.f.* bacteriology.
bacteriostatic *biol.* **I.** *s.n.* bacteriostat. **II.** *adj.* bacteriostatic.
bacterioză *s.f. bot.* bacteriosis.
baculit *s.m. geol.* baculite.
bade *s.m. pop.* **1.** elder brother; *(apelativ)* brother. **2.** my friend, *fam.* old man; Mister. **3.** *(iubitul țărăncii)* lover, sweetheart.
badian *s.m. bot.* Chinese / star / anise (tree) *(Illicium anisatum)*; its fruit (anise).
badijona *vt. med.* to paint.
badijonaj *s.n.*, badijonare *s.f. med.* painting.
badinerie *s.f.* **1.** jest, fun; banter(ing). **2.** *muz.* badinerie, badinage.
badlands *s.n. geol.* badland(s).
badminton *s.n. sport* badminton.
bae v. b a i e.
baedeker *s.n.* traveller's guide (-book).
baftă I. *s.f.* good luck; *fam.* luck. **II.** *interj.* good luck / chance!
baga *s.f.* tortoise shell.
bagaj *s.n.* luggage.
bagatelă *s.f.* **1.** trifle. **2.** *muz.* bagatelle.
bagateliza *vt.* to minimize.
bagatelizare *s.f.* slighting.
bagauzi *s.m. pl. ist.* Bagaudes, Bacaudes.
bagdadie *s.f. reg.* ceiling.
baghetă *s.f.* **1.** wand, rod. **2.** *muz.* baton; ~ *magică* magic wand.
bahic *adj.* **1.** Bacchic. **2.** *stil.* bacchiac.
bahnă *s.f.* marsh, fen.
baht *s.m. ec.* ba(h)t (monetary unit in Thailand).
bai *s.n. reg.* trouble; *nu-i (nici un)* ~ it doesn't matter, never mind.
baiaderă *s.f.* bayadère.
baie *s.f.* **1.** bath. **2.** *(cameră)* bathroom. **3.** *(cadă)* (bath) tub. **4.** *(scăldat)* dip, swim. **5.** *pl.* spa, watering place. **6.** *fig.* holidays; ~ *de aburi* steam bath; ~ *de șezut* hip bath; ~ *de soare* sun bath; ~ *turcească* Turkish bath.
baieră *s.f.* band, strap; (draw) string; thread; *băierile pungii* purse strings; *din (toate) băierile inimii* from one's heart-strings; at the top of one's voice.
baieu *s.n. tehn.* wheel band (for bicycle tyres).
bainită *s.f. chim., met.* bainite.
baionetă *s.f.* bayonet.
bairam *s.n.* **1.** feast, banquet. **2.** *rel.* Bairam.
bairamlâc *s.n. ist. României* tax levied with a view to sending presents for bairam to Istanbul.
baironian *adj.* Byronic.
baiț *s.n.* caustic, stain.
baiu *interj.* not at all, by no means.
bajoaier *s.n. constr.* chamber / side / lateral wall (of lock); quay / river / wing wall (of abutment).
bajocian *s.n. geol.* Bajocian.
B.A.L. *chim. farm.* BAL, British Anti-Lewisite.
bal *s.n.* ball, party; ~ *costumat* fancy-dress ball; ~ *mascat* masked ball; *de* ~ ball; *regina ~ului* the

reine / belle of the ball; *dacă-i ~, ~să fie* let's go the whole hog.
baladă *s.f.* ballad.
baladesc *adj.* ballad(-like).
balador *s.n. tehn.* sliding collar, clutch.
balafon *s.n. muz.* balaphon, balato.
balafră *s.f.* scar (on the face).
balalaică *s.f.* balalaika.
balama *s.f.* **1.** hinge, hasp. **2.** *(îmbinare)* joint.
balamuc *s.n.* **1.** madhouse, booby hatch. **2.** *fig.* confusion, jumble.
balangă *s.f.* cow('s) / horse('s) bell.
balang(a) *interj.* ding-dong!
balans *s.n.* **1.** balancing, rocking. **2.** *(echilibru)* poise.
balansa I. *vt.* **1.** to rock, to swing. **2.** *(a ține în echilibru)* to poise, to balance. **II.** *vr.* to rock, to swing.
balansare *s.f.* **1.** rocking, swinging. **2.** *(ținere în echilibru)* poising.
balansier *s.n.* **1.** *tehn.* working beam; *(la un ceas)* balance wheel. **2.** *min.* walking beam. **3.** *constr.* swing support.
balansină *s.f. nav.* lift.
balansoar *s.n.* rocking chair; *fam.* rocker.
balansor *s.n.* v. b a l a n s i e r 1.
balanță *s.f.* **1.** balance. **2.** *(cântar și)* scales; *~ romană* steel yard; *a apleca / înclina balanța* to tip the scales.
balanus *s.m. zool.* balanus barnacle, acorn-shell *(Balanus improvisus).*
balaoacheș *adj. glumeț* brown (-faced), swarthy.
balast *s.n.* **1.** ballast. **2.** *fig.* lumber.
balasta *vt. ferov.* to ballast (the track).
balastieră *s.f. constr.* ballast-pit.
balastor *s.n. constr.* ballast-truck / dumpcart.
balaur *s.m.* dragon.
bală *s.f.* **1.** monster; dragon. **2.** wild beast.
balâc *s.n. cul.* Turkish dish of salted sturgeon.
balboa *s.m. ec., fin.* balboa (monetary unit in Panama).
balcaniadă *s.f. sport* Balkan Games.
balcanic *adj.* Balkan.
balcanism *s.n.* Balkanism.
balcon *s.n.* balcony; *~ul întâi* the dress circle; *~ul doi* the upper circle.
baldachin *s.n.* canopy, baldachin, baldaquin.
bale *s.f. pl.* slobber.
balegă *s.f.* v. b a l i g ă.
baleia *vt.* **1.** *tehn.* to scavenge. **2.** *tel. ec.* to scan.
baleiaj *s.n.* **1.** *tehn.* scavenging. **2.** *tel. ec.* scanning.
balenar *s.m.* whaler, whaleman.
balenă *s.f.* **1.** *zool.* whale. **2.** *(de guler etc.)* whalebone.
balenieră *s.f. nav.* whale boat / ship, whaler.
balercă *s.f.* keg.
balerin *s.m.*, **balerină** *s.f.* (balet) dancer.
balet *s.n.* ballet.
baletist *s.m.*, **baletistă** *s.f.* ballet dancer.
baligă *s.f.* **1.** cow dung / flop. **2.** *(băligar)* manure.
balimez *s.n. ist.* siege cannon / gun.
balistă *s.f.* ballista.
balistic *adj.* ballistic.
balistică *s.f.* ballistics.
balistician *s.m.* ballistician.
baliverne *s.f. pl.* tall tale(s), humbug.
balizaj *s.n. nav.* beaconing, buoying, buoyage.
baliză *s.f.* **1.** buoy. **2.** *(luminoasă)* beacon.
balmoș *s.n. cul.* dish of ewecheese, milk and maize.
balnear *adj.* watering, bathing.
balneo- *prefix* balneo-.
balneoclimateric *adj.* watering and climatic.
balneoclimatic *adj. med.* balneoclimatic.
balneolog *s.m.* balneologist.
balneologie *s.f.* balneology.
balneoterapie *s.f.* balneotherapy.
balon *s.n.* **1.** balloon. **2.** *(minge)* ball; *~ captiv* kite balloon; *~ de săpun* soap bubble. **3.** *(fulgarin)* mack(intosh), raincoat.
balona *vt., vr.* to distend.
balonare *s.f. med.* distension.
balonat *adj.* swollen.
balonet *s.n.* **1.** small balloon. **2.** gas-bag / cell (of a dirigible). **3.** wing-float (of hydroplane).
balonseide, balonzaid *s.m.* v. b a - l o n 3.
balot *s.n.* bale, pack.
balotaj *s.n.* ballotage.
balsam *s.n.* **1.** balsam. **2.** *(mai ales fig.)* balm.
balsamic *adj.* balsamic, balmy.
balt *s.m.* Balt.
baltag *s.n.* hatchet.
baltă I. *s.f.* **1.** swamp, pool. **2.** *(băltoacă)* puddle, plash. **3.** *(lac)* lake, pond. **4.** *(mlaștină)* marsh, bog. **II.** *adv.* unfinished; at that; *a lăsa ~* to drop; to leave(smb.) in the lurch; to leave it at that.
baltic *adj.* Baltic.
baluba *s.m. geogr.* Baluba.
balustradă *s.f.* **1.** railing; parapet. **2.** *(la scară)* banister.
balustru *s.m.* **1.** *arh.* baluster, rail column, rail(ing) post. **2.** *tehn.* bow compass.
balzacian *adj. s.m.* Balzacian.
bamă *s.f. bot.* okra (pod) *(Hibiscus esculentus).*
bambus *s.m. bot.* bamboo *(Bambusa arundinacea).*
ban *s.m.* **1.** *ist.* ban. **2.** *fin.* ban, coin *(1/100* of a leu*).* **3.** *pl.* currency. **4.** *pl.* money. **5.** *pl. (mită)* bribe, soap; *~i de buzunar* pocket money; *~i de hârtie* paper money; *~i falși* counterfeit money; *~i gheață* hard cash; *~ i mărunți* (small) change; *~i peșin* ready money; *cu ~i* well-to-do, well-off; *cu ~i gheață* cash down; *a da cu ~ul* to spin / toss a coin; *fără ~i* short of money; *(gratuit)* free(ly), free of charge.
banal *adj.* commonplace, trite.
banalitate *s.f.* **1.** cliché, truism. **2.** *fig.* triviality, banality. **3.** *pl.* trivial things.
banalități *s.f. pl. ist., jur., ec.* (right of) banality.
banaliza I. *vt.* to hackney. **II.** *vr.* to become commonplace.
banalizare *s.f.* trivialization.
banan *s.m. bot.* banana tree *(Musa sapientium).*
banană *s.f.* **I.** *bot.* banana. **II.** *el.* banana plug / jack.
bananier *s.m.* banana tree.
banat *s.n. ist.* banat(e).
banatit *s.n. geol.* banatite.
bană *s.f. mar.* cork or wood piece used by anglers to mark places.
banc *s.n.* **1.** sand bar. **2.** *(glumă)* joke, anecdote. **3.** *tehn.* bed; *un ~ bun* a side-splitter; *~ de probă* test stand; *~ prost* flat joke; *~ vechi* stale joke, chestnut; *de ~* for the fun of it, for fun.
bancar *adj.* bank(ing).
bancă *s.f.* **1.** *(în parc etc.)* bench. **2.** *(de școală)* form; *(pupitru)* desk. **3.** *ec. fin.* bank.
bancher *s.m.* banker.
banchet *s.n.* banquet.
banchetă *s.f.* bench, settee.
banchiză *s.f. geogr.* ice pack.
bancnotă *s.f.* (bank)note.
banco *s.n. a face ~* to go banco (against the bank).
bancrut *adj., s.m.* v. f a l i t.
bancruta *vi. ec. rar* to fail, to become bankrupt.
bancrută *s.f.* bankruptcy.

bandaj *s.n.* bandage.
bandaja *vt.* to dress (a wound), to bandage.
bandajare *s.f.* dressing (of a wound).
bandajat *adj.* bandaged.
bandare *s.f. mar.* bend(ing).
bandă *s.f.* **1.** *(ceată)* gang, band. **2.** *fig.* clique, set. **3.** *(fâșie)* band, strip. **4.** *tehn.* belt; strap. **5.** *(de magnetofon)* (recording) tape; ~ *de circulație* traffic lane; ~ *rulantă* running belt; ~ *transportoare* conveyor belt.
banderilă *s.f.* banderilla.
banderolare *s.f.* tying / bundling with a banderole / strip.
banderolă *s.f.* banderole.
bandieră *s.f.* flag; banner.
bandit *s.m.* **1.** bandit, gangster. **2.** *fig.* villain, brigand.
banditesc *adj.* criminal.
banditește *adv.* like a bandit.
banditism *s.n.* ruffianism.
bandolă *s.f. muz.* bandola.
bandotecă *s.f.* collection of recorded tapes.
bandou *s.n.* **1.** head band, bandeau; *mil.* cap-band. **2.** bandage (over the eyes). **3.** *arh.* string-course.
bandulă *s.f. nav.* reeving line.
bandulieră *s.f.* sling, shoulder strap.
bandură *s.f. muz.* bandore.
bandurist *s.m. muz.* bandore-player.
bang *interj.* slap!; clash!
baniță *s.f.* (half) bushel.
banjo *s.n. muz.* banjo.
bantă *s.f.* **1.** v. b a n d ă **2.** cuff; collar.
bantu *s.m. adj.* Bantu.
baobab *s.m. bot.* baobab *(Adansonia digitata).*
baptism *s.n.* religion of the Baptists.
baptist *s.m., adj.* Baptist.
baptisteriu *s.n.* baptistery.
bar *s.n.* **1.** bar. **2.** night club.
bara *vt.* **1.** to bar; to block. **2.** *fig.* to curb. **3.** *(a șterge)* to delete.
baraboi *s.m. bot.* parsnip / wild chervil, cow parsley *(Chaerophyllum bulbosum).*
barabulă *s.f. reg.* potato.
baracament *s.n.* compound(s).
baracă *s.f.* **1.** hut(ment). **2.** *(dugheană)* booth.
baraj *s.n.* **1.** dam. **2.** *mil. fig.* barrage.
barat *adj.* barred.
bară *s.f.* **1.** bar. **2.** (drug) crowbar. **3.** *(tijă)* rod. **4.** *(pârghie)* lever; ~ *de direcție* steering rod; ~ *transversală* cross bar.
barbacană *s.f. constr.* weeper.
barbar **I.** *s.m.* barbarian. **II.** *adj.* **1.** barbarian. **2.** *(sălbatic)* savage, barbarous. **III.** *adv.* cruelly, barbarously.
barbaresc *adj.* Barbaresque, Berber.
barbarie *s.f.* **1.** barbarousness; wildness. **2.** *(sălbăticie)* savagery, cruelty.
barbarism *s.n. lingv.* barbarism.
barbă *s.f.* **1.** beard. **2.** *(bărbie)* chin. **3.** *(minciună)* lie, tell tale; ~ *albastră* blue beard.
Barbăcot *s.m.* cheeper, cheese, nudge(t).
barbet *s.m. zool.* French poodle.
barbetă *s.f.* **1.** *pl.* (pair of) whiskers. **2.** *nav.* boat rope. **3.** *mil.* barbette.
barbișon *s.n.* goatee.
barbiton *s.n. muz., ist.* barbiton.
barbituric **I.** *adj.* barbituric. **II.** *s.n.* barbiturate.
barbiturism *s.m. med.* barbiturism, barbiturate habit.
barbotaj *s.n. tehn.* splash-lubrication, splashing.
barbotare *s.f. ind., chim.* bubbling (of gas through liquid); stirring, mixing (of liquids).
barboteză *s.f.* romper.
barbotină *s.f.* **1.** *nav.* chain grab. **2.** *constr.* slip(s).
barbugiu *s.m. fam.* crap-shooter.
barbun *s.m. iht.* red mullet *(Mullus barbatus).*
barbut *s.n.* dice, craps; *a juca* ~ to shoot craps, to play dice.
barc *s.n. nav.* bark; barque.
barcagiu *s.m.* boatman.
barcană *s.f. geol.* sand drift, crescentic dune.
barcarolă *s.f. muz.* barcarole.
barcaz *s.n.* surf-boat.
barcă *s.f.* **1.** boat; *(lată)* punt. **2.** *pl.* *(la bâlci)* swing-boats / chairs; ~ *cu motor* motor boat; ~ *cu pânze* sailing boat; ~ *de salvare* life boat.
barchetină *s.f. nav.* little boat, barchetta.
bardor *s.n. constr.* crane-truck, travelling crane.
bard *s.m. ist. lit.* bard.
bardacă *s.f.* v. b ă r d a c ă.
bardă *s.f.* axe, hatchet.
bardou *s.m. zool.* hinny; pack mule *(Equus hinnus).*
barem[1] *adv.* at least.
barem[2] *s.n.* standard, quota.
baretă *s.f.* **1.** *(la îmbrăcăminte, încălțăminte)* strip. **2.** *(de decorație)* bar of medal. **3.** strap. **4.** *(la cască etc.)* chin strap.
baretor *s.n. telec.* resistor, voltage regulator.
barhet *s.n.* fustian.
baricada **I.** *vt.* to barricade. **II.** *vr.* to lock oneself in.
baricadă *s.f.* barricade.
baric *adj. meteo.* barometric.
baricentru *s.n. mat., fiz.* barycentre.
barie *s.f. fiz.* barye.
barieră *s.f.* **1.** barrier. **2.** *fig.* obstacle, hindrance. **3.** *(a orașului)* turnpike; ~ *de culoare* colour bar.
baril *s.n.* barrel.
barion *s.m. fiz.* barion, baryon.
barionic *adj. fiz.* barionic, baryonic.
barisferă *s.f.* barysphere.
bariș *s.n.* **1.** v. m a r a m ă. **2.** *text.* barege.
barită *s.f. chim.* barium / baric oxide; baryta hydrate.
baritină *s.f. mineral.* barytine, barite; cauk, cawk.
bariton *s.m.* barytone.
bariu *s.n. chim.* barium.
barman *s.m.* bartender, barman.
barn *s.n. fiz.* barn.
baro- *prefix* baro-.
baroană *s.f.* baroness.
baroc *s.n., adj. artă* baroque.
barocameră *s.f. sport., biol.* pressure chamber.
baroforeză *s.f. fiz.* barophoresis.
barograf *s.n. av.* barograph.
barogramă *s.f. av.* barogram.
barometric *adj.* barometric(al).
barometru *s.n.* barometer.
baron *s.m.* baron.
baronarcoză *s.f. med.* baronarcosis.
baroneasă *s.f.* baroness.
baronet *s.m.* baronet.
baronie *s.f.* baronage.
baroreceptor *s.m. fiziol.* baroreceptor.
baros *s.n.* sledge(hammer), maul.
barosan *adj.* big, sizable, whacking.
baroscop *s.n.* baroscope.
barotermograf *s.n. fiz.* barothermograph.
barotermometru *s.n. fiz.* barothermometer.
barou *s.n.* bar (association).
barrancos *s.n. geol.* barranco.
barremian *adj., s.n. geol.* Barremian.
barren grounds *s.n. pl. geogr.* barren grounds.
bartonian *adj., s.n. geol.* Bartonian.
barză *s.f. ornit.* stork *(Ciconia).*
bas *s.m.* **1.** bass (singer). **2.** bass sound / voice.
basamac *s.n.* raw spirits containing much water.
basarabean *s.m., adj.,* **basarabeancă** *s.f.* Bessarabian.
basc **I.** *s.m. adj.* Basque. **II.** *s.n.* beret.
bască *s.f.* peakless cap.

baschet *s.n.* **I.** basket-ball. **II.** *s.m. pl. fam.* bumpers.
baschetbalist *s.m.* basket-baller, cager.
bascula *vi. tehn.* to swing, to rock.
basculant *adj. tehn.* tip-up.
basculare *s.f.* tipping.
basculator *s.n.* tipper.
basculă *s.f.* weighing machine.
baset *s.m.* badger dog.
base-ball *s.n. sport* baseball.
basfond *s.n. nav.* shallow (water).
basic-english *s.n. lingv.* basic English.
basileu *s.m. ist. Greciei* basileus, *pl.* basileis.
basist *s.m.* **1.** bass singer. **2.** euphonium player.
basm *s.n.* **1.** (fairy) tale, story. **2.** *fig.* yarn. **3.** *pl. (minciuni)* concoctions, fabrications; *~ul cu cocoșul roșu* a cock-and-bull story.
basma *s.f.* **1.** (head)kerchief, AE bandana. **2.** *(batistă)* handkerchief.
basorelief *s.f.* bas-relief.
basreflex *adj. radio., muz.* bassreflex (for reducing distorsions).
basta *adv.* no more, enough; *și cu asta ~* and that is that.
bastard *s.m., adj.* bastard.
bastarni *s.m. pl. ist.* Ba(e)starnae.
bastiment *s.n.* (war) ship.
bastingaj *s.n. nav.* bulwarks, top sides.
bastion *s.n.* bulwark.
baston *s.n.* (walking-)stick.
bastonadă *s.f.* beating, flopping; *odin.* bastinado.
basuto *subst. geogr.* Basuto.
baș- *prefix* great-, grand-.
baș *s.n.* mixture of wheat, water and yeast.
bașbuzuc *s.m. odin.* Bashibazouk; bashibazouk.
bașca **I.** *adv.* besides, into the bargain; *una vorbim și ~ ne înțelegem* we talk at cross purposes. **II.** *prep.* besides, apart from.
bașcă *s.f.* cellar.
bașchie *s.f. tehn.* cooper's hammer.
bașchir *s.m., adj. geogr.* Bashkir.
bașchiră *s.f. lingv.* Bashkir.
bașoldină *s.f. fam.* dowdy, fat woman.
baștină *s.f. de ~* aboriginal, native.
batal *s.m.* **1.** *zool.* wether. **2.** *tehn.* catch pit.
batalion *s.n.* battalion.
batant **I.** *adj.* swinging. **II.** *s.m. constr.* leaf, wing.
batard *adj. scriere ~ă* slanting / inclined writing; *literă ~ă* slanting character.
batardou *s.n. tehn.* coffer dam.
batată *s.f. bot.* sweet potato *(Ipomoea batatum).*
batavi *s.m. pl. lingv., ist.* Batavi(ans).
bată *s.f.* **1.** waistband of trousers; seam; hem. **2.** *pl.* belt, girdle.
batcă *s.f.* **1.** hand / bench anvil (for sharpening scythe). **2.** *iht.* Romanian freshwater fish *(Blicca björkna).*
bate **I.** *vt.* **1.** to beat. **2.** *(rău)* to thrash. **3.** *(a învinge și)* to defeat, to overcome. **4.** *(a pedepsi și)* to punish, to chastise. **5.** *(cu bățul și)* to cane, to thwack. **6.** *(cu biciul)* to whip, to lash. **7.** *(cu mâna)* to cuff, to buffet. **8.** *(a pălmui)* to box, to slap. **9.** *(pe umăr)* to clap (on the shoulder). **10.** *(ușor)* to pat. **11.** *(a lovi)* to strike, to hit. **12.** *(ouăle)* to whisk. **13.** *(un record)* to break; *a ~ apa-n piuă* to beat the air; to saw wood; *a ~ mingea* to play (with the) ball; *a-și ~ joc de* to mock, to flout; *a ~ laptele sau untul* to churn the milk / butter; *a ~ măr* to pound (to a jelly); *a ~ monedă* to coin money; *fig.* to raise a dust; *a ~ orele* to strike the hours; *a ~ palma* to shake hands (over a bargain); *a ~ toba* to beat the drum; to drum one's fingers; *fig.* to make a great fuss, to boast; *(ei) bată-te (Dumnezeu) să te bată!* (God) bless you! goodness gracious!; *mă ~ gândul să mă duc* I have (half) a mind to go; *mă ~ soarele în cap* I feel the sun too much. **II.** *vi.* **1.** to knock. **2.** *(ritmic)* to beat, to throb, to pulsate. **3.** *(ușor)* to rap. **4.** *(d. ceas)* to strike (the hours etc.). **5.** *(d. clopot)* to ring, to toll. **6.** *(d. ploaie, grindină)* to patter. **7.** *(a sufla)* to blow. **8.** *(a lătra)* to bark. **9.** *(a înclina)* to incline; *a ~ cu pumnul în masă* to pound the table; *a ~ din palme* to applaud, to clap (one's) hands; *a ~ în cineva* to mock smb., to aim (a dart) at smb.; *a ~ în (altă culoare)* to have a shade of (another colour); *a ~ în lemn* to touch wood; *a ~ în retragere* to beat a retreat; *a ~ la cap* to pester; *a ~ la ochi* to strike the eye; *a ~ la ușă* to knock at the door; *fig. și to be forthcoming; încotro bați?* what do you mean? what are you hinting / driving at?; *a bătut piatra* it hailed. **III.** *vr.* **1.** to fight. **2.** *fig. și* to contend. **3.** *(în duel)* to (fight a) duel; *a se ~ cap în cap* to collide; to clash; *a se ~ cu pumnii în piept* to beat one's breast.
batere *s.f.* beating; knocking; thrashing etc. v. b a t e.
baterie *s.f.* **1.** battery. **2.** *(frapieră)* cooler. **3.** *(de vin)* a wine bottle and a siphon.
bathonian *s.n., adj. geol.* Bathonian.
bati- *prefix fiz.* bathy-.
batial *adj. geogr.* bathyal.
batic *s.n.* (head)kerchief, AE bandana.
batigraf *s.n. fiz.* bathygraph.
batimetrie *s.f. fiz.* bathymetry.
batir *s.n. text.* thick cotton thread.
batiscaf *s.n.* bathyscaphe.
batisferă *s.f.* bathysphere.
batist *s.n. text.* batiste.
batistă *s.f.* handkerchief.
batiu *s.n. tehn.* **1.** body, frame. **2.** stand, cheek.
batjocori *vt.* **1.** to mock (at). **2.** *(a ridiculiza și)* to poke fun at, to ridicule. **3.** *fig.* to violate, to insult. **4.** *(a călca în picioare)* to flout, to trample (underfoot).
batjocorire *s.f.* **1.** flouting, mockery. **2.** *(parodie)* travesty.
batjocoritor **I.** *adj.* derisive, flouting. **II.** *adv.* derisively.
batjocură *s.f.* **1.** ridicule. **2.** *(farsă)* travesty. **3.** *(rasoleală)* bungling; *în ~* mockingly; negligently.
batocrom *s.n. fiz.* bathochrome, bathychrome.
batog *s.n. cul.* haddock.
batolit *s.m. geol.* batholite.
batometru *s.n. fiz., chim.* bathymeter.
baton *s.n.* stick, bar.
batozar *s.m. agr.* thresher.
batoză *s.f.* **1.** threshing machine. **2.** *fig.* stout woman.
batracieni *s.m. pl. zool.* batrachia(ns).
batură *s.f. nav.* rabbet.
bau *interj.* wow!
baud *s.m. telec.* baud.
bauxită *s.f. min.* bauxite.
bavă *s.f. text.* grey part of silkworm cocoon.
bavetă, bavețică *s.f.* bib, feeder.
bavură *s.f. tehn.* burr.
baza **I.** *vt.* to base, to ground. **II.** *vr. a se ~ pe* to rely on; *(pe o idee etc.)* to proceed from (an idea etc.).
bazaconie *s.f.* **1.** fancy; maggot. **2.** *pl.* (stuff and) nonsense.
bazalt *s.n. geol.* basalt.
bazaltic *adj.* basaltic.
bazar *s.n.* bazaar.
bază *s.f.* **1.** base, ground(work). **2.** *fig.* basis. **3.** *pl.* fundamentals; ~

aeriană air base; ~ *sportivă* sports grounds; *baza craniană / craniului* cranial base; *de* ~ fundamental, essential; *în / pe baza* under, on the basis of.
bazedov *s.n. med.* Basedow's disease, exophthalmic goitre.
bazedovian *adj. med.* Basedowian, affected by exophthalmic goitre.
bazic *adj. chim.* basic.
bazicitate *s.f. chim.* basicity.
bazidie *s.f. bot.* basidium.
bazidiomicete *s.f. pl. bot.* Basidiomycetes.
bazidiospor *s.m. bot.* basidiospore.
bazilică *s.f.* basilica.
bazilisc *s.m.* **1.** *mitol.* cockatrice, basilisk. **2.** *zool.* basilisk *(Basiliscus americanus).*
bazin *s.n.* **1.** piscine, (swimming) pool. **2.** *geogr., geol.* basin, area. **3.** *anat.* pelvis; ~ *carbonifer* coal field.
bazinet *s.n. anat.* renal pelvis.
bazna *s.f. zool.* breed of swine in the Romanian Banat.
bazon *s.n.* double seat.
bazofil *adj. chim., med.* basophilic, basophile.
bă *interj.* (hey) you!; old man!
băbătie *s.f.* **1.** v. b a b ă. **2.** *peior.* harridan, hellcat, old crow.
băbesc *adj.* old woman's.
băbește *adv.* empirically, practically.
băcan *s.m.* grocer.
băcănie *s.f.* **1.** grocer's (shop). **2.** grocery (trade).
băcit *s.n.* **1.** shepherd's trade. **2.** shepherd's share of products (received as fee).
băcită *s.f.* shepherd's wife.
bădăran *s.m.* churl, boor.
bădărănie *s.f.* boorishness, rudeness.
bădie, bădiță *s.m. reg.* v. b a d e.
băftos *adj. argou* (happy-go-)lucky.
băga I. *vt.* **1.** to thrust, to shove, to stick (in). **2.** *(a bate)* to strike, to drive. **3.** *și fig.* to introduce; to get. **4.** *(în serviciu)* to have (smb.) appointed; *a ~ așa în ac* to thread a needle; *a ~ de seamă* to notice; *a ~ în buzunar* to pocket; *a-și ~ banii în* to invest in; *a ~ o idee în capul cuiva* to get an idea into smb.'s head; *a ~ în mormânt / pământ fig.* to be the death of; *a ~ pe cineva în toate boalele* to frighten smb. to death; *a ~ (pe cineva) la apă* to get (smb.) into trouble; *a-și ~ nasul (unde nu-i fierbe oala)* to poke / stick one's nose (where it's not wanted); *a ~ pile* to intrigue. **II.** *vr.* **1.** to come / pop in, to enter. **2.** *(nepoftit)* to intrude. **3.** *(a se amesteca)* to meddle, to interfere. **4.** *(în vorbă)* to chime in. **5.** *(pe nesimțite)* to slink in; to insinuate oneself; *a se ~ în sufletul cuiva* to intrude upon smb.'s privacy; *a se ~ pe sub pielea cuiva* to ingratiate oneself with smb.; *a nu se ~* to stand aloof, to keep off; *nu te ~*! mind your own affairs! *a se ~ singur în gura lupului* to put a halter round one's neck.
băgare *s.f.* shoving; thrusting; ~ *de seamă* carefulness; *cu ~ de seamă* carefully, attentively.
băgăreț I. *s.m.* interloper, busybody. **II.** *adj.* **1.** pushing; intruding. **2.** *(curios)* inquisitive.
băgător *adj.* ~ *de seamă* attentive; *fam. peior.* loader.
băiaș *s.m.* **1.** bath-house attendant. **2.** *(aurar)* gold washer.
băiat *s.m.* **1.** boy. **2.** *(fiu)* son. **3.** *(flăcău)* youth, lad. **4.** *(om)* chap, fellow; ~ *bun* decent chap; ~ *de ispravă* reliable / resourceful fellow; ~ *de prăvălie* shopboy; ~ *de serviciu* office-boy; ~ *de viață* good sport; jolly joker; ~ *de zahăr* brick, sport.
băieș *s.m.* gold washer.
băieșiță *s.f.* bathhouse (woman) attendant.
băiețandru *s.m.* youngster, stripling.
băiețaș *s.m.*, **băiețel** *s.m.* urchin, a slip of a boy.
băiețesc *adj.* boyish.
băiețește *adv.* like a boy.
băiețism *s.n. fam.* hoydenism, tomboyish behaviour.
băiețoi *s.m.* **1.** hobbledhoy. **2.** *(fată băiețoasă)* romp, tomboy.
băiețos *adj.* hoydenish, tomboyish.
băițui *vt. tehn.* to drench, to bate, to treat with a mordant.
băjenar *s.m.* refugee, fugitive; exiled.
băjen(ăr)i *vi.* v. a p r i b e g i.
băjenie *s.f.* exile, refuge; exodus.
bălai *adj.* v. b ă l a n 1.
bălan *adj.* **1.** fair, light(-complexioned). **2.** *(d. boi etc.)* white.
bălăbăneală *s.f.* dangling etc. v. b ă l ă b ă n i.
bălăbăni I. *vt.* to dangle, to swing. **II.** *vr.* **1.** to swing, to dangle. **2.** *(a se împletici)* to totter.
bălăbănit *adj. (d. mers)* shambling.
bălăcări *vr.* v. b ă l ă c i .
bălăceală *s.f.* (s)plashing, wading.
bălăci *vr.* **1.** to wallow *(și fig.).* **2.** *(a stropi)* to splash. **3.** *fig. și* to roll.
bălăcire *s.f.* (s)plashing etc. v. b ă l ă c i.
bălălăi *vi.* v. b ă l ă b ă n i II.
bălălău I. *adj. fam.* flippety-floppety. **II.** *s.m.* lubberly fellow.
bălăngăni I. *vi.* to ring, to toll. **II.** *vr.* to dangle.
bălării *s.f. pl.* **1.** weeds. **2.** *(ciulini)* thistles. **3.** *(teren)* moor, heath.
bălbisă *s.f. bot.* hedge woundwort / nettle *(Stachys silvatica).*
bălboare *s.f. bot.* globe flower *(Trollius Europaeus).*
bălegar, băligar *s.n.* **1.** manure, dung. **2.** *(fermentat)* compost; *(ca grămadă)* dunghill, dung-heap.
băliga *vr.* to dung; *(d. cai)* to drop.
bălmăjeală *s.f.* jumble, muddle.
bălmăjit *adj.* confuse(d).
bălos *adj.* slavering.
băltăreț I. *s.n.* warm (marsh) wind. **II.** *adj.* marsh(y).
bălti *vi.* to bog.
băltire *s.f.* water bogging.
băltiș *s.n.* marsh, marshy country.
băltoacă *s.f.* **1.** puddle. **2.** *(mare)* plash, mudhole.
băltoi *s.n.* v. b ă l t o a c ă 2.
băltos *adj.* marshy, swampy, miry, boggy.
bălța *vt.* to variegate.
bălțat *adj.* **1.** motley, particoloured. **2.** *(în dungi)* striped. **3.** *(pătat)* spotted. **4.** *(amestecat)* mixed, miscellaneous.
bălțătură *s.f. bot.* horehound, hoarhound *(Marrubium).*
bălușcă *s.f. bot.* Bath asparagus; star-of-Bethlehem *(Ornithogalum).*
bănat *s.n.* **1.** annoyance, vexation. **2.** trouble.
bănățean I. *s.m.* inhabitant of Banat. **II.** *adj.* from / of Banat.
bănățeancă *s.f.* woman of / from Banat.
bănățenesc *adj. geogr.* of / from the Romanian Banat.
băncuță *s.f. ist.* small coin; half a leu.
bănesc *adj.* currency, in cash.
bănește *adv.* in point of money, in cash.
bănet *s.n.* oof.
bănică *s.f. bot.* rampion *(Pytheuma orbiculare).*
bănie *s.f. ist.* banat(e), a ban's office or residence.
bănișor *s.m. ist. României* county chieftain / headsman.

bănos *adj.* lucrative.
bănui *vt.* **1.** to suppose; to presume. **2.** *(a spera)* to hope, to think. **3.** *(a-și închipui)* to fancy, to guess. **4.** *(a suspecta)* to suspect, to doubt; *nu bănuia nimic* he was unsuspicious.
bănuială *s.f.* **1.** *(presupunere)* supposition. **2.** *(închipuire)* fancy, notion. **3.** *(gând)* hunch, inkling. **4.** *(suspiciune)* doubt, suspicion.
bănuire *s.f.* supposition, supposing etc. v. b ă n u i.
bănuit *s.m.* *a da de ~* to arouse suspicion.
bănuitor *adj.* suspicious.
bănuț *s.m.* **1.** small coin. **2.** *(al oului)* cock's treadle.
bănuțel *s.m.* *bot.* daisy *(Bellis perennis).*
bărăgan *s.n.* **1.** moor(land), heath. **2.** *(câmpie)* plain.
bărăție *s.f.* *bis.* Catholic church.
bărbat **I.** *s.n.* **1.** man; *(mascul)* male. **2.** *(soț)* husband. **II.** *adj.* manly, brave.
bărbătesc *adj.* manly, man's; masculine.
bărbătește *adv.* like a man, in a manly way.
bărbăție *s.f.* **1.** manliness, manhood. **2.** *(bravură)* bravery, gallantry.
bărbățoi *s.m.* virago, masculine woman.
bărbie *s.f.* chin.
bărbier *s.m.* **1.** barber. **2.** *fig.* liar; fibber.
bărbiereală *s.f.* **1.** shave. **2.** *fig. fam.* fibs, fables.
bărbieri **I.** *vt.* to shave. **II.** *vr.* **1.** to shave. **2.** *(la bărbier)* to get a shave. **3.** *fig.* to fib; *(a se lăuda)* to brag, to draw the long bow.
bărbierit **I.** *s.n.* shave, shaving. **II.** *adj.* shaved; *proaspăt ~* close shaven.
bărbiță *s.f.* **1.** goatee; imperial. **2.** wattle. **3.** bib, feeder.
bărboasă *s.f.* *bot.* beard grass *(Andropogon ischaemon).*
bărbos *adj.* **1.** bearded. **2.** *(neras)* unshaven.
bărbuncul *s.m.* *muz.* young men's dance in Transylvania.
bărbușoară *s.f.* *bot.* winter cress, rocket gentle *(Barbarea vulgaris).*
bărdacă *s.f.* mug, jug.
bărdaș *s.m.* carpenter.
bărdui *vi.* to hew.
bărz(ă)un *s.m.* *entom.* v. b o n d a r.
băsmăluță *s.f.* (head)kerchief, sash.
băsni *vi.* *rar* to tell tales.
bășcălie *s.f.* mockery, derision.
bășica *vt.* **I.** to blister. **II.** *vr. fig. argou* to get annoyed.
bășicat *adj.* blistered; *fig. argou* annoyed.
bășică *s.f.* **1.** *anat., zool.* bladder. **2.** *(rană)* blister. **3.** *(de săpun etc.)* bubble. **4.** *auto.* vial, breathalizer; *~ înotătoare iht.* air-bladder; *bășica fierii* gall bladder; *bășica udului* bladder; *ploaie cu bășici* downpour.
bășicător *adj.* blistering.
băștinaș **I.** *s.m.* aboriginal. **II.** *adj.* native.
bătaie *s.f.* **1.** beating, thrashing; *(ciomăgeală)* cudgelling; *(biciuire)* whipping. **2.** *(ciocănitură)* knock; *(ușoară)* tap(ping), rap(ping). **3.** *(pe umăr)* pat(ting). **4.** *(din picior)* stamping. **5.** *(ticăit)* tick(ing). **6.** *(puls)* throb(bing). **7.** *(a ploii etc.)* pattering. **8.** *(luptă)* fight, brawl. **9.** *muz.* beat, time. **10.** *(a puștii etc.)* range, shot; *~de cap* (care and) trouble; *~ de joc* mockery, ridicule; *(parodie)* travesty; *(lucrare proastă)* botchery; *bătaia puștii* rifle range; *în bătaia puștii* within (gun) shot; *în bătaia soarelui* in the (heat of the) sun; *în bătaia vântului* at the mercy of the wind; *fig.* shelterless.
bătăiaș *s.m.* *vânătoare* beater.
bătăios *adj.* **1.** pugnacious, game, bellicose. **2.** *(agresiv)* truculent. **3.** *(certăreț)* quarrelsome, contentious.
bătălie *s.f.* battle; fight.
bătătarnică *s.f.* *bot.* groundsel *(Senecio).*
bătătoare *s.f.* **1.** batler, batlet. **2.** *poligr.* planer.
bătător **I.** *s.n.* *(de covoare)* carpet beater. **II.** *adj.* **1.** dazzling; glaring, gaudy; glowing, flaming. **2.** prominent, striking; evident, obvious.
bătători **I.** *vt.* to tread; to batter. **II.** *vr.* **1.** to be trodden / beaten. **2.** *(d. mâini)* to get callous.
bătătorire *s.f.* treading etc. v. b ă - t ă t o r i.
bătătorit *adj.* **1.** beaten; trodden. **2.** *(d. mâini)* callous.
bătătură *s.f.* **1.** *(la picior)* corn. **2.** *(la mână)* horny skin. **3.** *(curte)* trodden patch, forecourt. **4.** *text.* filling, weft.
bătăuș **I.** *s.m.* rowdy, brawler. **II.** *adj.* contentious, pugnacious.
băteală *s.f.* *text.* v. b ă t ă t u r ă 4.
bătrâior *adj.* elderly.
bătrân **I.** *s.m.* old man; *peior.* gaffer; *pl.* old folk; *din ~i* of yore; *(adverbial)* traditionally. **II.** *adj.* old(-aged), advanced in years.
bătrână *s.f.* old woman.
bătrânel *s.m.* nice old man.
bătrânesc *adj.* **1.** old, ageing. **2.** *(demodat)* old(-fashioned). **3.** *(d. datină)* traditional, popular.
bătrânește *adv.* **1.** in the old (people's) way. **2.** *(înțelept)* sedately.
bătrânet *s.n.* *(colectiv)* old people.
bătrânețe *s.f.* old age; *adânci bătrânețí* hoary old age.
bătrânicios *adj.* oldish, aged; behaving like old people.
bătrânime *s.f.* *rar* old people.
bătrâniș *s.n.* *bot.* horse-weed; erigeron, flea-bane *(Erigeron canadensis).*
bătuci **I.** *vt.* to stamp / ram / beat down. **II.** *vr.* to grow hard *sau* callous.
bătucit *adj.* **1.** battered, beaten. **2.** *(d. mâini)* hardened.
bătut *adj.* **1.** beaten, thrashed. **2.** *(învins și)* defeated, overcome. **3.** *(zdrobit)* battered; pounded (to a mummy); *~ de brumă* frostbitten; *~ de gânduri* careworn, thoughtridden; *~ de soare* sun-scorched; *~ de vânturi* wind-swept, exposed; *(d. față etc.)* weatherbeaten; *~ în cap* dense, narrow-minded; *~ în pietre scumpe* set in jewels; *a se da ~* to holler *sau* hollow uncle; *fig.* to give in.
bătută *s.f.* name of a Romanian folk dance.
băț *s.n.* **1.** stick, rod. **2.** *(baston)* (walking) stick, cane. **3.** *(pt. arătat pe hartă etc.)* pointer; *~ de chibrit* match.
bățos **I.** *adj.* **1.** rigid; stiff. **2.** *(ceremonios)* formal, affected. **3.** *(înțepat)* touchy, testy. **II.** *adv.* **1.** stiffly. **2.** formally. **3.** *(înțepat)* testily.
băut **I.** *s.n.* drinking; **II.** *adj.* drunk(en).
băutor *s.m.* **1.** (heavy) drinker. **2.** *(bețiv)* drunkard.
băutură *s.f.* **1.** drink. **2.** *(fermentată)* beverage. **3.** *(alcoolică)* liquor. **4.** *(beție)* drinking; *băuturi spirtoase* spirits, liquor; *la ~* in one's cups.
băuturică *s.f.* drink, draught, *fam.* booze.
bâcsai *s.m.* *fam.* chunk.
bâigui **I.** *vt.* to stammer; to mumble. **II.** *vi.* **1.** to mumble (one's words). **2.** *(a aiura)* to rave.
bâiguială *s.f.* mumbling, jabbering.

bâiguit *adj.* mumbled.
bâjbâi *vi.* to grope (about).
bâjbâială *s.f.*, **bâjbâit** *s.n.* groping; *pe bâjbâite* groping.
bâlbâi *vt., vr.* to stutter, to stammer.
bâlbâială *s.f.* stutter(ing); hitch in one's speech.
bâlbâilă *s.f.* v. b â l b â i t II.
bâlbâit I. *s.m.* stammering person. **II.** *s.n.* stutter. **III.** *adj.* stuttering.
bâlci *s.n.* **1.** fair. **2.** *fig.* jumble, hubbub; *de ~* low (down), shameful.
bâldâbâc *interj.* plump! thump!
bâlină *s.f. lit.* bylina, Russian folk epic or ballad.
bântui I. *vt.* **1.** to haunt. **2.** *(a pustii)* to lay waste. **II.** *vi.* to rage, to be rife.
bântuit *adj.* **1.** overrun, infested. **2.** *(de stafii)* haunted.
bârâi *vt. fam.* to pester, to bother, to bore, to annoy.
bârcoace *s.f. bot.* variety of rose-tree *(Cotoneaster integerrima).*
bârfă *s.f.* **1.** gossip, small talk. **2.** *(bârfitor)* scandalmonger, gossip.
bârfeală *s.f.* **1.** gossip, talk (of the town). **2.** *(calomnie)* slander, scandal.
bârfi I. *vt.* **1.** to gossip about. **2.** *(calomnios)* to slander, to revile. **II.** *vi.* **1.** to gossip, to chat. **2.** *(malițios)* to talk scandal.
bârfire *s.f.* slandering etc. v. b â r f i.
bârfit *adj.* maligned; slandered, calumniated.
bârfitor I. *s.m.* **1.** gossip, scandalmonger. **2.** *(calomniator)* slanderer. **II.** *adj.* slanderous.
bârliga *vt., vr.* to curl, to turn up.
bârlog *s.n.* **1.** den, lair. **2.** *(casă)* home. **3.** *(cotlon)* corner, nook.
bârnă *s.f.* beam.
bârsan *adj.* *(d. oi)* with long rough wool.
bârsă *s.f. agr.* standard, stilt (of the plough).
bârzoi *s.n.* *cu coada ~* with one's tail up; *a-și face coada ~ fam.* to pack off, to skulk away.
bâtă *s.f.* club.
bâtlan *s.m. ornit.* heron *(Ardea cinerea).*
bâțâi *vi., vr.* **1.** to jitter. **2.** *(de frig)* to shiver. **3.** *(a se agita)* to fidget.
bâțâială *s.f.* **1.** jitters. **2.** *(agitație)* fidget(ing). **3.** *(tremur)* shiver.
bâz *interj.* buzz!
bâză *s.f.* hot cockles.
bâzălău *s.m.reg.* v. g ă r g ă u n.
bâzâi *vi.* **1.** to buzz, to hum. **2.** *(a se miorlăi)* to whimper, to cry.
bâzâială *s.n.* **1.** buzzing. **2.** *fig.* whimpering.
bâzâilă *s.m.* *(copil plângăreț)* cry baby.
bâzâit *s.n.* **1.** hum, buzz; drone. **2.** whining, whimpering, boo-hoo.
bâzâitoare *s.f.* rattle.
bâzâitor *adj.* buzzing etc. v. b â z â i.
bâzâitură *s.f.* buzz.
bâzdâc *s.n.* *a-i sări ~ul fam.* to fly off the handle, to get the breeze up; *când îi vine ~ul fam.* when the fly stings, when the humour takes him.
bâzdâganie *s.f.* monster.
bea I. *vt.* **1.** to drink. **2.** *(a consuma)* to take. **3.** *(până la fund)* to drink up. **4.** *(a sorbi)* to sip. **5.** *(mult)* to swill. **6.** *(dintr-o dușcă)* to drink down, to drink at a draught. **7.** *(a fuma)* to smoke; *a-și ~ mințile* to drink oneself unconscious. **II.** *vi.* **1.** to drink. **2.** *(mult)* to drink hard *sau* heavily, to booze; *a ~ în sănătatea cuiva* to drink smb.'s health; *a ~ la botul calului* to drink a stirrup cup; *a-i plăcea să ~* to take to drinking, to be fond of one's glass.
bearcă *adj.* v. b e r c.
beat *adj.* drunk; intoxicated; *~ mort / ca un porc* as drunk as a lord, fuddled.
beatifica *vt. rel.* to beatify.
beatitudinee *s.f.* beatitude, bliss.
beatnic *s.m.* beatnik; *generația ~ilor* the beat generation.
bebeluș *s.m.* baby, chickabiddy.
bec *s.n.* **1.** *(electric)* bulb. **2.** *(de gaz)* gas burner.
becar *s.m. muz.* natural.
becață *s.f. ornit.* snipe *(Scolopax rusticola).*
becațină *s.f. ornit.* small / jack / half snipe *(Gallinago gallinaria).*
becher I. *adj.* single, celibate; wifeless, spouseless. **II.** *s.m.* bachelor, *peior.* agamist.
becherie *s.f.* bachelor's life, bachelorhood, *fam.* single blessedness.
bechie *s.f. av.* tail-skid.
beci *s.n.* **1.** cellar. **2.** *(închisoare)* quod.
becisnic I. *s.m.* weakling. **II.** *adj.* **1.** impotent. **2.** sickly.
becisnicie *s.f.* lack of power, impotency, sickliness; weakly state.
becivani *s.m. pl. geogr., lingv.* Bechuana(s).
beduin *s.m.* Bedouin.
beethovenian, beethovian *adj.* Beethovenian, Beethovian.
begonie *s.f. bot.* begonia *(Begonia).*
behaism *s.n. rel.* bahaism, Babism.
behaviorism *s.n. psih.* behaviorism.
behăi *vi.* to baa, to bleat.
behăit *s.n.* bleating.
behehe *interj.* baa!
behliță *s.f.* fish fry.
bei *s.m.* bey.
beilic *s.n. ist. Turciei* beylic, beylik; province or rule of a Turkish bey.
beizadea *s.f. ist.* young prince; son of a sultan; son of a hospodar / prince.
bej *s.n. adj.* beige.
bejenie *s.f.* trek; exodus.
bel *s.m. fiz.* bel.
beladonă *s.f. bot.* deadly nightshade, belladonna, banewort *(Belladonna).*
belaliu *adj.* sensitive; touchy.
belcanto *s.n. muz.* belcanto.
belciug *s.n.* hook.
belciugat *adj.* ring-shaped; annular.
beldie *s.f. reg.* **1.** *bot.* stem; stalk; trunk. **2.** pole, perch.
beldiță *s.f. iht.* small fresh water fish *(Alburnoides bipunctatus)* similar to the bleack.
belea *s.f.* **1.** nuisance, trouble. **2.** *(bucluc)* mess, scrape. **3.** *(nenorocire)* misfortune, mishap. **4.** *(povară)* burden, encumbrance.
bele-arte *s.f. pl.* fine arts.
belemnit *s.m. mineral.* belemnite, *fam.* finger stone.
beletrist *s.m.* person cultivating polite letters; literary man.
beletristic *adj.* fiction..., literary.
beletristică *s.f.* fiction; belles lettres.
belfer *s.m. fam.* pedant, dry nurse.
belgi *s.m. pl. ist.* Belgae.
belgian *s.m. adj.*, **belgiană** *s.f. adj.* Belgian.
beli *vt.* to skin, to flay.
belicos *adj.* warlike.
beligerant *s.m. adj.* belligerent.
beligeranță *s.f.* warfare.
belinograf *s.n.* Belin's picture telegraph, phototelegraph.
belinogramă *s.f.* Belin's picture telegram, phototelegram.
belită *s.f. chim.* bellite.
belșiță *s.f. bot.* Indian cane, canna *(Canna indica).*
belșug *s.n.* **1.** plenty, copiousness. **2.** *(surplus)* redundance; *din ~* copiously, abundantly.
beltea *s.f.* v. p e l t e a.
belvedere *s.n.* belvedere.
Belzebut *s.m.* Beelzebub.

bemberg *s.n. text.* artificial silk (thread or fabric), bemberg.
bemol *s.m., adj. muz.* flat.
benă *s.f.* bin, bucket.
benchet *s.n.* carousal, *fam.* fine spread, good tuck-in.
benchetui *vi.* to banquet.
benchetuială, benchetuire *s.f.* feasting etc. v. b e n c h e t u i.
bendix *s.n. auto.* bendix (starter).
benedictin *s.m.* Benedictine (monk).
benedictină *s.f.* Benedictine.
benefic *adj.* benefic(ient); beneficial; favourable.
beneficia *vi. a ~ de* to profit *sau* benefit by, to enjoy.
beneficiar *s.m.* beneficiary.
beneficiere *s.f.* enjoying, possession; benefit(ting).
beneficiu *s.n.* **1.** benefit, advantage. **2.** *(câștig)* gain, profit; *în ~l cuiva* for smb.'s benefit, to smb.'s advantage.
benetite *s.f. pl. paleont.* Bennettitales, Bennettitaceae.
benevol I. *adj.* voluntary. **II.** *adv.* at will.
bengal *adj.* Bengal; *foc ~* Bengal firelight.
bengalez *s.m., adj. geogr.* Bengalese, Bengali.
benghi *s.n.* (beauty) spot.
benign *adj.* benign.
benoar *s.n.*, **benoară** *s.f. teatru* baignoire, ground-floor box.
benocla *vr. fam.* to stare, to gaze (at smb.).
bentiță *s.f.* ribbon, band.
bentonic *adj. biol.* benthic, benthonic.
bentonită *s.f. tehn.* bentonite.
bentos *s.n. biol.* benthos, benthic flora and fauna.
benzaldehidă *s.f. chim.* benzaldehyde.
benzedrină *s.f. chim., farm.* Benzedrine, amphetamine.
benzen *s.m. chim.* benzene.
benzenic *adj. chim.* benzene...
benzidină *s.f. chim.* benzidine.
benzil *s.n. chim.* benzyl.
benziliden *s.m. chim.* benzilidene.
benzină *s.f.* **1.** *auto.* petrol; AE gas(oline). **2.** *(neofalină)* benzine.
benzinărie *s.f.* filling / petrol station.
benzoat *s.m. chim.* benzoate.
benzoe *s.f. chim., farm.* benzoin gum, gum benzoin.
benzoic *adj. chim.* benzoic.
benzoil *s.m. chim.* benzoyl.
benzoilare *s.f. chim.* benzoylation.
benzol *s.m. chim.* benzol(e).
benzolism *s.m. med.* benzolism.
benzonaftol *s.m. chim.* benzonaphthol.
benzopiridină *s.f. chim.* quinoline.
benzopurpurină *s.f. chim., text.* benzopurpurine.
benzpiren *s.n. chim., med.* benzpyrene.
berar *s.m.* brewer.
berat *s.n. ist. Turciei* patent; warrant.
berărie *s.f.* beer *sau* ale house.
berbant *s.m. fam.* rake, loose fellow, philanderer, charmer.
berbantlâc *s.n. fam.* rakishness, dissoluteness, debauchery, dissipation.
berbec *s.m.* **1.** ram. **2.** *(batal)* wether. **3.** *ist., mil.* battering ram.
berbecel *s.m.* **1.** *zool.* young ram. **2.** *ornit.* butcher bird *(Lanius).*
berbecuț *s.m.* **1.** *zool.* v. b e r b e c. **2.** *ornit.* common snipe *(Scolopax gallinago).*
berbeleacul *s.n. de-a ~* head over heels.
berber *s.m. adj., geogr.* Berber.
berberă *s.f. lingv.* Berber.
berberidacee *s.f. pl. bot.* Berberidaceae.
berc *adj.* bob-tailed.
berceuse *s.f. muz.* berceuse, lullaby, cradle-song.
bere *s.f.* beer; *(blondă și)* ale; *~ de la butoi* draught beer; *~ neagră* brown beer.
berechet *adj., adv.* plentifully, galore.
beregată *s.f.* wind-pipe; throat.
beretă *s.f.* beret, cap.
bergamotă *s.f. bot.* bergamot (pear).
bergeretă *s.f. muz.* bergerette, pastoral song.
beri-beri *s.n. med.* beriberi.
beril *s.n. mineral.* beryl.
beriliu *s.n. chim.* berylium.
berjeră *s.f. (mobilă)* bergère.
berkeliu *s.n. chim.* berkelium.
berladnici *s.m. pl. ist.* early south Moldavians (around the town of Bârlad).
berlină *s.f.* berline.
berlinez I. *s.m.* Berliner. **II.** *adj.* Berlin.
bermă *s.f. constr.* berm(e), terrace.
bernardin *s.m.* Bernardine.
bernă *s.f. în ~* (at) half-mast.
bernevici *s.m. pl. reg.* loose trousers.
besactea *s.f. înv.* casket, box.
beschie *s.f.* two-handled saw.
bessi *s.m. pl. ist.* Bessi.
bestial I. *adj.* savage. **II.** *adv.* bestially.
bestialitate *s.f.* brutishness.
bestiarii *s.m. lit.* bestiaries, books of beasts.
bestie *s.f.* brute, beast.
best-seller *s.n. lit.* best-seller.
beșicoasă *s.f. bot.* commonbladder senna *(Colutea arborescens).*
beșliu *s.m. ist. Turciei* **1.** Turkish horseman. **2.** Turkish (mounted) courier.
beșniță *s.f. pop.* lazy / blowsy woman, lazy-bones; slut, slattern.
beșteleală *s.f.* scolding, abuse, taking to task, censure, *fam.* a good dressing-down.
beșteli *vt.* to take to task, to scold, to abuse, to haul over the coals.
beta *s.m.* **1.** *lingv.* beta. **2.** *fiz.* beta (particle).
betatron *s.n.* betatron.
bete *s.f. pl.* v. b a t ă 2.
beteag *adj.* **1.** sickly. **2.** *(invalid)* crippled.
beteală *s.f.* tinsel.
betegi I. *vt.* to cripple, to maim. **II.** *vr.* **1.** to be crippled. **2.** *(a se îmbolnăvi)* to be taken ill.
beteji v. b e t e g i.
betel *s.m. bot.* betel *(Piper betle).*
betelie *s.f.* waistband.
beteșug *s.n.* infirmity.
beton *s.n.* concrete; *~ armat* ferro-concrete.
betona *vt.* to reinforce with concrete.
betonier *s.m.* v. b e t o n i s t.
betonieră *s.f.* concrete mixer.
betonist *s.m.* concreter.
betonit *s.n. constr.* betonite (bricks).
betulacee *s.f. pl. bot.* Betulaceae.
beție *s.f.* **1.** *(amețeală)* intoxication. **2.** *fig.* *și* inebration. **3.** *(chef)* drinking bout. **4.** *(obicei)* drink(ing), boozing; *~ de cuvinte* verbosity.
bețigaș, bețișor *s.n.* **1.** small stick, rod. **2.** *pl.* chopsticks.
bețiv I. *s.m.* drunkard, toper. **II.** *adj.* fond of the bottle.
bețivan *s.m.* tippler, bibber.
beut *s.n., adj.* v. b ă u t.
bevatron *s.n. fiz.* bevatron.
bezea *s.f.* **1.** *(prăjitură)* meringue. **2.** *pl. fig.* kisses; *a face bezele cuiva* to blow smb. a kiss *sau* kisses.
bezmetic I. *s.m.* madcap. **II.** *adj.* crazy.
beznă *s.f.* (pitch) dark, obscurity.
bezoar *s.n. zool.* bezoar *(Capra aegagrus).*
bhakti *s.n. filoz., rel.* bhakti.
bi- *prefix* bi-.
biacid *s.m. chim.* diacid, biacid.
bianual *adj.* biannual, semi-annual.
biarticulat *adj.* biarticulate.

biatlon *s.n. sport* biathlon.
biatlonist *s.m. sport* biathlon athlete.
biatomic *adj.* biatomic.
biban *s.m. iht.* perch *(Perca).*
bibazic *adj. chim.* bibasic.
bibelou *s.n.* bibelot, curio.
biber *s.m. zool.* beaver *(Castor fiber).*
biberet *s.m.* small lambskin.
bibernil *s.m. bot.* garden / salad burnet *(Sanguisorba minor).*
biberon *s.n.* (feeding) bottle, bib; *a hrăni cu ~ul* to feed at the bottle.
bibic *s.m. ornit.* v. n a g â ț.
bibic *s.m. ~ule fam.* darling.
bibilică *s.f. ornit.* guinea hen *(Numida meleagris).*
bibiluri *s.n. pl.* frills, (lace) ornaments.
biblic I. *adj.* biblical. **II.** *adv.* biblically.
biblie *s.f.* Bible, the Book.
bibliobuz *s.n.* mobile library, library van, AE bookmobile.
bibliofag *adj. entom.* bibliophagous.
bibliofil *s.m.* bibliophile.
bibliofilie *s.f.* love of books; bibliophily.
bibliofilm *s.n.* bibliofilm.
bibliograf *s.m.* bibliographer.
bibliografic *adj.* bibliographical.
bibliografie *s.f.* bibliography.
bibliolog *s.m.* bibliologist.
bibliologic *adj.* bibliological.
bibliologie *s.f.* bibliology.
biblioman *s.m.* bibliomaniac.
bibliomanie *s.f.* bibliomania.
biblioraft *s.n.* ring-book.
bibliotecar *s.m.* librarian.
bibliotecă *s.f.* **1.** library; **2.** *(ca mobilă)* bookshelves; bookcase; *~ de împrumut* lending library; *~ volantă* bookmobile.
biblioteconomie *s.f.* librarianship.
bibliotehnică *s.f. ind.* book production (technique).
biblioterapie *s.f. med.* bibliotherapy, reading therapy.
bicameral *adj. pol.* bicameral.
bicapsular *adj.* bicapsular.
bicarbonat *s.n.* bicarbonate; *(de sodiu și)* baking soda.
bicarbură *s.f. chim.* bicarbide.
bicarpelar *adj. bot.* bicarpellar.
bicefal *adj.* two-headed, bicephalous.
bicentenar *s.n., adj.* bicentenary, AE bicentennial.
biceps *s.m. anat.* biceps.
bici *s.n.* **1.** (horse) whip. **2.** *fig.* scourge.
bicicletă *s.f.* bicycle, *fam.* bike; *~ cu motor* moped.
biciclist *s.m.* (bi)cyclist, bicycler.
biciclu *s.n. rar, înv.* velocipede.
bicisnic *s.m., adj.* v. b e c i s n i c.
biciui *vt.* **1.** to flog, to whip. **2.** *și fig.* to lash. **3.** *(a pedepsi)* to castigate.
biciuire *s.f.* lashing, flogging.
biciuitor *adj.* lashing, stinging.
biciușcă *s.f.* riding whip.
bicolor *adj.* bicoloured; particoloured.
biconcav *adj.* concavo-concave, biconcave.
biconjugat *adj.* biconjugate.
biconvex *adj.* biconvex.
bicord *adj.* bicordate.
bicorn *adj.* bicornous, *fam.* two-horned.
bicromat *adj.* bichromate.
bics *s.n.* cigarette butt / stamp, fag end.
bicuspid *adj. anat.* bicuspid(ate).
bideu *s.n.* bidet.
bidimensional *adj.* bidimensional, two-dimensional.
bidinea *s.f.* whitewashing brush.
bidiviu *s.m.* racer, steed.
bidon *s.n.* can(teen).
bidonville *s.n.* shanty town.
bief *s.n. tehn.* **1.** reach, level. **2.** water race, mill-race.
bielă *s.f.* piston rod.
bieletă *s.f. tehn.* auxiliary connecting rod.
bielorus *s.m., adj.* Byelorussian.
bienal *adj.* biennial.
bienală *s.f.* biennial exhibition.
biet *adj.* **1.** poor, miserable. **2.** *(sărac)* needy; *~ul de mine!* poor me!; *~ul om* poor devil.
bif *s.n., interj. fam.* beaver (!)
bifa *vt.* to check.
bifazat *adj. el.* two-phase, biphase.
bifă *s.f. (bifare)* check.
bifid *adj.* bifide, bifidate.
bifilar *adj. el.* bifilar, two-wire.
biflor *adj. bot.* biflorous, *fam.* two-flowered.
biforă *adj. arh.* biforion.
biftec *s.n.* (beef)steak.
bifurca *vr.* to fork.
bifurcare *s.f.* crossroad.
big *s.n. poligr.* score.
bigam I. *s.m.* bigamist. **II.** *adj.* bigamous.
bigamie *s.f.* bigamy.
bigă *s.f. nav.* sheers; derrick, loading boom.
bigeminism *s.n. med.* bigeminy.
bigi-bigi *s.n. invar.* cici bici, Turkish delight with walnuts.
bigot I. *s.m.* bigot. **II.** *adj.* religiose.
bigotism *s.n.* bigotry.
bigrilă *s.f. el.* double-grid valve.
bigudiu *s.n.* (hair) curler.
bigui *vt. poligr.* to bend, to wrap.
biguire *s.f.*, **biguit** *s.n. poligr.* (cover) bending.
bihuncă *s.f.* light bench-like horse-chawn trap.
bijuterie *s.f.* **1.** jewel. **2.** *pl.* jewel(le)ry. **3.** *fig.* gem. **4.** *fig. (om)* a (perfect) scream.
bijutier *s.m.* jeweller.
bikini *s.n.* bikini.
bilabial *adj. lingv.* bilabial.
bilabiat *adj. bot.* bilabiate.
bilanț *s.n.* **1.** *fin.* balance sheet. **2.** *fig.* survey. **3.** *(rezultat)* sum, total; *a face ~ul* to draw the balance-sheet; *fig.* to make a survey.
bilateral *adj.* bilateral.
bilă *s.f.* **1.** ball. **2.** *pl. (pietricele)* marbles. **3.** *med.* bile, gall.
bilbochet *s.n. (joc)* cup and ball.
bildungsroman *s.n.* bildungs roman.
bilet *s.n.* **1.** ticket. **2.** *(scrisoare)* note; *~ cu preț redus* cheap ticket; *ferov.* half fare; *~ de bancă* treasury note, bancknote; *~ de favoare* guest ticket;*~ de peron* platform ticket; *~ dus și întors* return ticket; *~ în circuit* round-trip ticket.
biletă *s.f. met.* billet.
bilețel *s.n.* **1.** note. **2.** *(de amor)* billet doux. **3.** *(pt. tragere la sorți)* cut.
biliar *adj. anat.* biliary.
biliard *s.n.* billiards.
biliargiu *s.m.* billiards player / addict.
bilingv *adj.* bilingual.
bilingvism *s.n.* bilingualism.
bilion *s.n.* billion, AE trillion.
bilios *adj.* bilious.
bilirubină *s.f. chim., med.* bilirubin.
biliverdină *s.f. chim., fiziol.* biliverdin.
bilobat *adj.* bilobate(d), two-lobed.
bilunar *adj.* bimonthly.
biman *adj.* bimanous, two-handed.
bimbașă *s.m. ist.* binbashi, major, squadron-leader.
bimensual, bimestrial *adj.* v. b i l u n a r.
bimetal *s.n. met.* bimetal.
bimetalic *adj.* bimetallic.
bimetalism *s.n.* bimetallism.
bimilenar *adj.* bi-millenary.
bimolecular *adj. chim.* bimolecular.
bimotor I. *s.n.* bimotor aircraft. **II.** *adj.* twin-engined.
bimzuire *s.f. tehn.* pumicing, fluffing.
bina *s.f.* scaffolding.
binar *adj.* binary; *sistem ~* binary scale.
binder *s.n. constr.* binder.

bine I. *s.n.* 1. good. 2. *(avantaj)* advantage, benefit. 3. *(profit)* gain, profit. 4. *(noroc)* fortune, blessing; *cu* ~ safely; all right; *(cu succes)* successfully; *(ca interjecție)* goodbye!; so long!; *de ~ de rău* after all, in a way; *spre ~le cuiva* to smb.'s advantage; *și la ~ (și) la rău* for better, for worse. II. *adj.* 1. goodlooking; nice. 2. respectable. III. *adv.* 1. well, (all) right; O.K. 2. correctly, properly; ~ *că*... it's a good thing that...; ~ *clădit / făcut* clean-built *sau* limbed; ~ *dispus* cherful; ~ *intenționat* wellmeaning; ~ *legat* well-built, clean made; ~ *mersi* quite fine; *ce ~!* how nice! how fine!; *cel mai* ~ best; *ei~ (?)* well(?); *mai* ~ better; rather; *mai ~ de* upwards of, over; ~ *i-a făcut!* serve him right! IV. *interj.* good! all right! fine! O.K.!
binecrescut *adj.* well-bred.
binecuvânta *vt.* to bless.
binecuvântare *s.f.* 1. blessing. 2. *fig. și* boon.
binecuvântat *adj.* blessed.
binefacere *s.f.* 1. advantage. 2. *(fericire)* boon, blessing. 3. *(filantropie)* charity.
binefăcătoare *s.f.* benefactress.
binefăcător I. *s.m.* benefactor. II. *adj.* beneficial.
bineînțeles *adv.* (as a matter) of course, naturally.
binemerita *vi. a ~ de la...* to deserve well of...
binemirositor *adj.* sweet-smelling, of a pleasant odour.
binețe *s.f. pl.* greetings.
binevenit *adj.* 1. welcome. 2. *(util)* useful.
binevoi *vi.* to condescend, to be willing; *dacă ~ți* if you are kind enough.
binevoitor I. *s.m.* well-wisher. II. *adj.* benevolent, kind, agreeable.
binigiu *s.m.* horse breaker / trainer / master.
binișor I. *s.n. cu ~ul* gingerly, gently; slowly. II. *adv.* 1. pretty well, passably. 2. *(ușurel)* gingerly. III. *interj.* not so fast!; take it easy!.
binoclu *s.n.* 1. binoculars. 2. *(de teatru)* opera glasses.
binocular *adj. anat., opt.* binocular; two-eyed.
binom *s.n.* binominal.
binominal *adj.* binominal.
binormală *s.f. geom.* binormal.
bintă *s.f. nav.* bitt.
bio- *prefix* bio-.
biobibliografic *adj.* biobibliographical.
biocatalizator *s.m. chim.* biocatalyst.
biocenologie *s.f. biol.* bioc(o)enology.
biocenoză *s.f. biol.* biocoenosis.
biochimic *adj.* biochemical.
biochimie *s.f.* biochemistry.
biochimist *s.m.* biochemist.
biochorie *s.f. biol.* biochore.
bioclimatolog *s.m. biol., meteo.* bioclimatologist.
bioclimatologie *s.f.* bioclimatology.
biocurent *s.m. fiziol.* biocurrent.
biodermă *s.f. biol.* bioderm.
biodinamică *s.f.* biodynamics.
biofiltru *s.n., tehn.* bacteria bed, trickling filter.
biofizică *s.f.* biophysics.
biogaz *s.n. chim., ind.* farm gas, biogas.
biogen *s.n. biol.* biogen.
biogeneză *s.f. biol.* biogenesis.
biogeocenoză *s.f. geogr.* biogeoc(o)enosis.
biogeochimie *s.f. geogr., chim.* biogeochemistry.
biogeograf *s.m. biol., geogr.* biogeographer.
biogeografic *adj. biol., geogr.* biogeographical.
biogeografie *s.f. biol., geogr.* biogeography.
biograf *s.m.* biographer.
biografic *s.f.* biography.
biografie *adj.* biographical.
biolog *s.m.* biologist.
biologic *adj.* biological.
biologie *s.f.* biology.
biologism *s.n. biol., psih.* biologism.
bioluminiscență *s.f. biol.* bioluminescence.
biomasă *s.f. biol.* biomass.
biomecanică *s.f. biol.* biomechanics.
biometrie *s.f. biol.* biometry.
biomicroscopie *s.f. biol.* biomicroscopy.
bionică *s.f.* bionics.
bionomie *s.f. biol.* bionomics, bionomy.
biopolitică *s.f. sociol.* biopolitics.
biopsie *s.f. med.* biopsy.
biopsihic *adj.* biopsychical.
bioseston *s.n. biol.* bioseston.
biosferă *s.f.* biosphere.
biosinteză *s.f. biol.* biosynthesis.
biosociologie *s.f.* biosociology.
biospeologie *s.f. geol., biol.* biospe(le)ology.
biostatistică *s.f. biol., med.* biostatistics.
biostratigrafie *s.f. geol.* biostratigraphy.
biot *s.m. el.* Biot, bi.
bioterapie *s.f. med.* biotherapy.
biotic *adj. biol.* biotic.
biotină *s.f. biol.* biotin.
biotit *s.n. mineral.* biotite.
biotop *s.n. biol.* biotope; habitat.
bioxid *s.m.* dioxide; ~ *de carbon* carbon dioxide.
bipartid *adj. pol.* bi-party, bipartisan.
bipartit *adj.* bipartite, bipartisan.
bipartiție *s.f.* bipartition.
bipătrat *adj. mat.* biquadratic.
biped I. *s.m.* biped. II. *adj.* two-footed.
bipenat *adj.* bipennated.
biplacă *s.f. el.* twin plate.
biplan I. *s.n.* biplane. II. *adj.* two-planed.
bipolar *adj.* bipolar.
bipolaritate *s.f.* bipolarity.
bir *s.n.* tax, tribute.
biraport *s.n. mat.* cross ratio.
birefringent *adj. fiz.* double-refracting.
birefringență *s.f. fiz.* birefringence, double refraction.
biremă *s.f. ist., nav.* bireme.
birjar *s.m.* cabman, cab driver.
birjă *s.f.* (hansom) cab, hackney coach.
birjăresc *adj.* cabman('s)...; cabman like.
birjărește *adv. fig.* coarsely, like a trooper.
birlic *s.m.* ace.
birman *s.m., adj. geogr.* Burmese.
birmană *s.f. lingv.* Burmese.
birnă *s.f. min.* swage, swedge.
birnic *s.m. ist.* tax-payer.
birocrat *s.m.* red-tapist.
birocratic *adj.* bureaucratic, *fam.* red-tape...
birocrație *s.f.* red-tape, bureaucracy.
birou *s.n.* 1. *(consiliu)* bureau. 2. *(cameră)* study. 3. *(public)* office. 4. *(mobilă)* desk, writing table.
birt *s.n.* eating house.
birtaș *s.m.* publican.
birtășiță *s.f.* landlady.
birui I. *vt.* 1. to conquer, to defeat. 2. *fig. și* to overcome. II. *vi.* to triumph.
biruință *s.f.* victory.
biruitor I. *s.m.* victor, conqueror. II. *adj.* victorious. III. *adv.* triumphantly.
bis I. *s.n.* encore. II. *adj. (d. numerele de la casă)* and a half, *numărul 11* ~ 11 and a half, 11 A. III. *adv.* encore. IV. *interj.* encore!
bisa *vt., vi.* to encore.

bisăptămânal *adj.* biweekly, twice weekly.
biscuit *s.m.* biscuit.
bisect *adj. an* ~ leap year.
bisectoare *s.f. geom.* bisectrix, bisector, bisecting line.
bisector *adj. geom.* bisecting.
bisel *s.n.* pony-truck (of engine).
biserică *s.f.* church.
bisericesc *adj.* church; clerical.
bisericos *adj.* church-going, God-fearing.
bisericuță *s.f.* **1.** chapel. **2.** *fig.* coterie, clique.
bisextil *adj.* v. b i s e c t.
bisexual *adj.* **1.** hermaphrodite. **2.** *bot.* bisexual, bisexed.
bisexualitate *s.f. biol.* bisexuality.
bisexuat *adj.* bisexed, bisexual.
bisilabic *adj.* bisyllabic, two-syllabled, dissyllabic.
bismut *s.n. chim.* bismuth.
bismutat *s.m. chim.* bismuthate.
bismutină *s.f. mineral.* bismuthin(it)e.
bisturiu *s.n.* lancet.
bisulfat *s.m. chim.* bisulphate.
bisulfit *s.m. chim.* bisulphite, acid sulphite.
bisulfură *s.f. chim.* bisulphide, bisulphuret.
biștari *s.m. pl. fam.* spondulicks, brass, rhino, horsenail.
bit *s.n. cib.* bit.
biter *s.n.* bitters, appetizer (drink).
bitum *s.n.* bitumen.
bituma *vt. constr.* to bituminize; to asphalt.
bitumaj *s.n. constr.* bituminizing, asphalting.
bitumen *s.n. mineral.* bitumen.
bituminit *s.n. min.* boghead.
bituminiza *vt.* to bituminize.
bituminizare *s.f. geol.* bituminization.
bituminos *adj.* bituminous.
biunivoc *adj. log., mat.* biunivocal.
biuretă *s.f.* **1.** *chim.* burette. **2.** *tehn.* oiler, oil can.
biurou *s.n.* v. b i r o u.
biută *s.f.* butte, stop-butt; knoll, mound.
bivalent *adj.* bivalent.
bivalv *adj.* bivalve, bivalvous, two-valved.
bivol *s.m. zool.* buffalo *(Bos bubalus).*
bivolar *s.m.* buffalo boy.
bivoliță *s.f.* buffalo (cow).
bivuac *s.n.* bivouac, camp.
bizam *s.m. zool.* muskrat, musquash *(Ondrata / Fiber zibethica).*
bizant(in)olog *s.m.* student of Byzantine lore.
bizant(in)ologie *s.f.* Byzantinism.
bizantin *s.m., adj.* Byzantine.
bizantinism *s.n.* **1.** Byzantinism. **2.** double-dealing, duplicity.
bizantinist *s.m.* Byzantinist.
bizar *adj.* quaint, bizarre.
bizarerie *s.f.* **1.** bizarrerie, fantasticalness, queerness. **2.** *(ca act)* oddness, oddity, extravagance.
bizeț *s.n.* **1.** toe cap (seam). **2.** *text.* trimmings.
bizon *s.m. zool.* bison *(Bison bison).*
bizotare *s.f. ind.* bevelling, chamfering.
bizui *vr. a se ~ pe* to rely *sau* depend on.
blacheu *s.n.* steel tip.
blagoslovenie *s.f.* **1.** blessing. **2.** *(aprobare)* approval.
blagoslovi *vt.* **1.** to bless. **2.** *fig. (a aproba)* to sanction; *a ~ cu... glum.* to give.
blagoslovire *s.f.* blessing.
blagoslovit *adj.* blessed; happy, lucky.
blagoveștenie *s.f. rel.* the Annunciation.
blajin I. *adj.* **1.** kind, mild. **2.** *(la vorbă)* soft-tongued, softmouthed. **II.** *adv.* kindly, mildly.
blam *s.n.* blame; ~ *public* public censure.
blama *vt.* to reprove; to criticize.
blamabil *adj.* blameworthy.
blamare *s.f.* blaming etc. v. b l a m a.
blană *s.f.* **1.** fur; skin. **2.** *(haină)* fur (coat).
blanc *s.n.* **1.** *telec.* blank (tape). **2.** *(pielărie)* harness leather.
blanchetă *s.f.* form, blank.
blanșare *s.f. ind.* trimming, cleaning up.
blanșir *s.n. ind.* leather waste / offals.
blanșiruire *s.f. ind.* whitening.
blasfemator *adj.* blasphemous.
blasfemie *s.f.* blasphemy.
blastoderm *s.n. biol.* blastoderm.
blastomicoză *s.f. biol., med.* blastomycosis.
blastomogeneză *s.f. med.* blastomogenesis.
blastopor *s.m. biol.* blastopore.
blastulă *s.f. biol.* blastula, blastule.
blat *s.n. fam.* shift, trick, dodge, wile, (flim)flam; *pe* ~ welshing, shirking, without paying.
blaugaz *s.n. ind. chim.* blau gas.
blaz *s.n. ind. chim.* lower reservoir (of a distillation column).
blaza *vr.* **1.** to be(come) blasé. **2.** *(a fi sătul)* to be cloyed.
blazare *s.f.* surfeit; indifference.
blazat *adj.* blasé, weary of life; surfeited.
blazon *s.n.* coat of arms, escutcheon.
blănar *s.m.* furrier.
blănăreasă *s.f.* woman furrier.
blănărie *s.f.* furrier's shop *sau* trade.
blănos *adj.* furry.
blând I. *adj.* **1.** mild. **2.** *(bun)* kind, soft-hearted. **3.** *(domesticit)* tame, harmless. **3.** *(supus)* meek. **4.** *(dulce)* sweet; gentle. **5.** *(liniștit)* quiet, peaceable. **II.** *adv.* **1.** mildly. **2.** *(cu delicatețe)* gingerly, gently.
blândețe *s.f.* **1.** mildness, sweetness, gentleness. **2.** *(bunătate)* kind(li)ness; *cu* ~ gingerly, gently.
blefarită *s.f. med.* blepharitis.
blefaroptoză *s.f. med.* blepharoptosis.
bleg I. *s.m.* **1.** milksop. **2.** *(prost)* dolt. **II.** *adj.* **1.** soft-minded. **2.** *(prost)* dull. **3.** *(pasiv)* sluggish. **4.** *(care atârnă)* drooping, flabby.
blegi *vr.* **1.** to droop. **2.** *fig.* to grow soft *sau* weak-minded.
blegit *adj.* hanging down, loose, floppy.
blendă *s.f. mineral.* blende.
blenoragie *s.f. med.* gonorrhoea.
bleojdi I. *vt. a ~ ochii* to stare, to open one's eyes (wide) with astonishment. **II.** *vr.* to stare, to gape.
bleojdit *adj.* staring, gaping.
bleotocări *vi.* **1.** to gabble, to chatter, *fam.* to jabber; to talk nonsense, *fam.*, to wish-wash, to fiddle-faddle. **2.** to (s)plash through (the mud).
blestem *s.n.* **1.** curse. **2.** *fig. și* scourge.
blestema *vt., vi.* to curse.
blestemare *s.f.* (ac)cursing.
blestemat *adj.* damned, (ac)cursed.
blestemăție *s.f.* **1.** villainy. **2.** *(trăsnaie)* foul trick.
bleu *s.n., adj.* (light) blue.
bleumarin *s.n., adj.* navy blue.
blid *s.n.* **1.** dish, plate. **2.** *pl.* dishes; ~ *de linte* mess of pottage; *pentru un ~ de linte* for a mere trifle / song.
blidar *s.n.* dish shelf.
blinda *vt.* to armour(plate).
blindaj *s.n.* armour.
blindat *adj.* armoured, iron-clad.
bliț *s.n.* flash gun.
bloc *s.n.* **1.** block. **2.** *(clădire)* block of flats, apartment house. **3.** *pol.*

bloc, group; ~ *de desen* drawing tablet(s); ~ *notes* jotter; *în* ~ wholesale, in the lump.
bloca I. *vt.* **1.** to block. **2.** *(a bara)* to bar, obstruct. **II.** *vr.* to stop, to be blocked.
blocadă *s.f.* blockade.
blocaj *s.n.* **1.** *constr.* bottoming. **2.** *sport* blocking, stopping; *(la baschet)* screening.
blocare *s.f.* shutting off etc. v. b l o c a.
blocat *adj.* blocked etc. v. b l o c a I.
blocdiagramă *s.n. geogr., geol.* block diagram.
blochaus *s.n.* block of flats, apartment-house, building.
blocnotes *s.n.* notebook, jotter.
blocus *s.n.* v. b l o c a d ă.
blond I. *s.m.* fair-haired man. **II.** *adj.* blond(e), fair(-haired).
blondă *s.f.* blonde; ~ *oxigenată* peroxide blonde.
blues *s.n. muz.* blues.
bluf *s.n.* bluff.
blugi *s.m. pl. fam.* blue jeans.
blum *s.n. met.* bloom.
bluming *s.n. met.* blooming (mill).
blutstein *s.n. mineral.* blood-stone, h(a)ematite.
bluză *s.f.* blouse.
boa *s.m. zool.* boa *(Boa).*
boabă I. *s.f.* **1.** berry. **2.** *(bob)* grain, seed. **3.** *(de strugure)* grape; *(de sudoare etc.)* bead. **4.** *fig.* whit, bit. **II.** *adv.* (not) at all, not a word.
boacă *s.f. adverbial* v. b o a b ă 4.
boacănă I. *s.f.* blunder, howler. **II.** *adj.* howling; *a făcut una* ~ he put his foot in it.
boaită *s.f.* **1.** jade, *fam.* crock, tit, *argou* screw. **2.** *fig. peior.* parson.
boală *s.f.* **1.** sickness. **2.** *(grea)* illness. **3.** *(mai ales infecțioasă)* disease. **4.** *(organică)* complaint. **5.** *(tulburare)* disorder, trouble; ~ *diplomatică* diplomatic cold; ~ *infecțioasă / molipsitoare* infectious / catching disease.
boar *s.m.* ox herd, cattle herd.
boarcă v. b o a r ț ă.
boare *s.f.* breath, breeze.
boarfă *s.f.* **1.** old coat, rag. **2.** *pl.* old clothes. **3.** *argou* slut.
boarță *s.f. iht.* rhodeus *(Rhodeus sericeus).*
Boarul *s.m. astr.* Boötes, the Bear Driver.
boarze *s.f. pl. bot.* fennel flower *(Nigella damascena).*
bob I. *s.m.* **1.** bean. **2.** *(plantă)* horse bean *(Vicia faba).* **II.** *s.n.* **1.** grain, seed. **2.** *(de strugure)* grape. **3.** *sport* bobsleigh.
bobârnac *s.n.* **1.** flick, fillip. **2.** *fig.* snub; *a da un* ~ to give a fillip.
bober, bobeur *s.m. sport* bob-rider / sleigher.
bobinaj *s.n.* reeling, winding.
bobinare *s.f.* reeling, winding.
bobinatoare *s.f. text.* spooler.
bobinator *s.m.* reeler, winder.
bobină *s.f.* **1.** *text.* bobbin, spool; reel. **2.** *el.* coil. **3.** (film) reel / spool; *bobină Ruhmkorff el.* sparking coil; ~ *de inducție el.* induction field coil.
bobiță *s.f.* **1.** berry. **2.** *(de strugure)* grape.
bobițel *s.m. bot.* cytisus *(Cytisus nigricans).*
boboc *s.m.* **1.** *bot.* bud. **2.** *(de rață)* duckling. **3.** *(de gâscă)* gosling. **4.** *(student)* fresher, freshman, colt; *un* ~ *de fată* a peach of a girl.
bobocel *s.m. fig. fam.* love, darling, sweet one, ducky.
bobornic *s.m. bot.* brooklime *(Veronica beccabunga).*
boboșa *vr.* to swell up.
bobot *s.n.* **1.** blaze, blazing fire, *fam.* flare. **2.** fury; *în* ~*(e)* blindly, at random, haphazard; *a vorbi* în ~*(e) fam.* to talk through one's hat / neck, to talk at random; *argou* to talk wet.
Bobotează *s.f.* Epiphany.
boboti I. *vi.* to blaze / flare up. **II.** *vr.* to fire up.
bobslei *s.n.* bobsleigh, bobsled.
bobușor *s.m. bot.* **1.** v. o r e ș n i ț ă. **2.** v. m ă z ă r i c h e.
boc *interj.* knock!
bocanc *s.m.* (hob-nailed) boot; ~*i cu ținte* spiked boots.
bocaport *s.n. nav.* hatch (way); *(de buncăr)* coal hatch / hole.
bocăneală *s.f.* knocking etc. v. b o c ă n i.
bocăni *vi.* **1.** to knock, to hammer. **2.** *(în mers)* to clamp.
bocănit *s.n.* knocking etc. v. b o c ă n i.
bocănitoare *s.f. ornit.* woodpecker *(Picus).*
bocănitură *s.f.* **1.** knock, thump. **2.** v. b o c ă n e a l ă.
boccea *s.f.* bundle.
boccegiu *s.m.* chapman, (John) pedlar, huckster, hawker, *fam.* cheap jack.
bocciu I. *adj.* ugly. **II.** *s.m.* **1.** boor. **2.** blockhead.
boceală *s.f.* weeping, crying; whimpering.
bocet *s.n.* **1.** lament. **2.** *(plânset)* moaning, wailing.
boci I. *vt.* to keen for. **II.** *vi., vr.* to wail.
bocitoare *s.f.* (hired) mourner.
bocnă *adv.* frozen (stiff).
bocșă *s.f.* **1.** charcoal kiln. **2.** *min.* heap.
bodegă *s.f.* pub, tavern.
bodicec *s.n. sport* body check.
bodogăneală *s.f.* murmur(ing) etc. v. b o d o g ă n i.
bodogăni *vi.* to grumble, to mutter.
bodoni *s.n. poligr.* Bodoni.
boehmit *s.n. mineral.* boehmite, Böhmite.
boem *s.m., adj.* Bohemian.
boemă *s.f.* Bohemia; Bohemianism.
bogat I. *s.m.* **1.** rich / wealthy man. **2.** *pl.* the rich. **II.** *adj.* **1.** rich, wealth. **2.** *(abundent)* abundant, ample. **3.** *(scump)* splendid. **4.** *(d. masă)* sumptuous. **5.** *(d. vegetație)* luxurious; ~ *în semnificații* meaningful. **III.** *adv.* **1.** richly, amply. **2.** generously.
bogatâr *s.m. lit.* bogatyr.
bogătan *s.m. peior. fam.* oof-bird, gold bug; money bug.
bogătaș *s.m.* money bag; *fam.* oof-bird.
bogăție *s.f.* **1.** wealth. **2.** *(abundență)* abundance, profusion. **3.** *(splendoare)* splendour.
bogdaproste I. *interj.* God bless you for it! ~ *că...* Heaven be praised that... **II.** *s.n.* (grateful) thanks; *pui de* ~ *fam.* cadger.
boghead *s.n. mineral., biol.* boghead coal.
boghiu *s.n. ferov.* bogie, AE truck.
boglari *s.m. bot.* crowfoot *(Ranunculus sceleratus).*
bogomil *s.m. rel.* Bogomil.
bogomilic *adj. rel.* Bogomilic.
bogomilism *s.n. rel.* Bogomilism.
bohoci *s.m. entom.* cabbage moth *(Plutella maculipennis).*
boi I. *vt.* **1.** to dye. **2.** *(cu pensula, ruj etc.)* to paint. **3.** *(a vărui)* to whitewash. **4.** *(a înșela)* to cheat. **II.** *vr.* to paint one's face.
boia *s.f.* **1.** dye. **2.** *(de ardei)* paprika.
boiangerie *s.f.* dye-house.
boiangiu *s.m.* dyer.
boicot *s.n.* boycott.
boicota *vt.* to boycott.
boicotare *s.f.* boycotting.
boier *s.m.* **1.** *ist.* boyar; nobleman. **2.** *(dregător)* court official. **3.** *(moșier)* landowner. **4.** *fig.* lord, master.
boieresc I. *s.n. ist.* corvée. **II.** *adj.* boyar's...; aristocratic.

boierește *adv.* leisurely, grandly.
boieri I. *vt.* to ennoble. **II.** *vr.* to do the grand.
boierie *s.f.* **1.** dignity / title of a boyar; nobility. **2.** *fig.* lordliness, grandness.
boierime *s.f.* (landed) gentry, squirearchy.
boiernaș *s.m.* country squire.
boieroaică *s.f.* **1.** a boyar's wife. **2.** gentlewoman.
boieros *adj.* *(mofturos)* fastidious, pretentious; *(mândru)* haughty; proud; *(arogant)* high-handed, overbearing, arrogant.
boii *s.m. pl. ist.* Boii.
boiler *s.n.* boiler.
boire *s.f.* colouring etc. v. b o i l.
boiște *s.f. iht.* spawning-time.
boiștean *s.m. iht.* minnow *(Phoxinus).*
boit *s.n.* colouring etc. v. b o i.
bojdeucă *s.f.* hovel.
bojoci *s.m. pl.* **1.** lights. **2.** *(la om)* lungs.
bol *s.n.* **1.** *med.* bolus. **2.** *mineral.* bole. **3.** *(strachină)* bowl.
bolard *s.m. nav.* bollard, bitt.
bolboroseală *s.f.* mumbling, babbling.
bolborosi I. *vt.* to mumble. **II.** *vi.* **1.** to babble. **2.** *(d. apă)* to bubble. **3.** *(d. curcan)* to gobble.
bolborosire *s.f.* stammering etc. v. b o l b o r o s i.
bolboșa *vt.* *a ~ ochii* to stare (one's eyes out), to open one's eyes wide.
bold *s.n.* pin.
boldei *s.m. zool.* badger dog, terrier.
boldeică *s.f. zool.* badger / terrier bitch.
boldi *reg.* I. *vt.* **1.** v. î m b o l d i. **2.** v. î n ț e p a. **3.** *(ochii)* to open wide. **II.** *vr.* to open wide one's eyes; to stare.
boldit *adj.* gaping, wide-open.
boldo *s.n. bot.* boldo *(Boldeia fragrans).*
bolero *s.n.* bolero.
bolešniță *s.f. fam.* epidemic (disease), contagious / infectious malady.
bolfă *s.f.* wen, swelling.
boli *vi.* to be ill / ailing.
bolid *s.m.* meteor.
bolivar *s.m. ec., fin.* bolivar.
bolivian *adj., s.m.* Bolivian.
bollandist *s.m. bis.* Bollandist.
bolnav I. *s.m.* **1.** invalid; sick man. **2.** *med.* patient; *a face pe ~ul* to malinger, to feign illness. **II.** *adj.* ill, unwell; *~ de...* suffering from / with...
bolnăvicios I. *s.m.* valetudinarian. **II.** *adj.* **1.** sickly, weedy. **2.** *(plăpând)* delicate, seedy.
bolnăvior *adj.* sickly, *fam.* poorly.
bolniță *s.f.* infirmary; *(spital) înv.* hospital.
boloboc *s.n.* **1.** v. p o l o b o c. **2.** *(nivelă)* carpenter's / water level.
bolohoveni *s.m. ist.* medieval population in the North-East Carpathians.
bolometru *s.n. fiz.* bolometer.
bolovan *s.m.* boulder, heavy stone.
bolovăniș *s.n.* blocks.
bolovănos *adj.* stony, rugged.
boloza *s.f. înv.* v. c a i c.
bolson *s.m. geogr., geol.* bolson.
bolșevic *s.m. adj.* Bolshevik.
bolșevism *s.n.* Bolshevism.
bolșeviza *vt.* to render Bolshevik.
bolșevizare *s.f.* turning / rendering Bolshevik.
boltă *s.f.* **1.** vault; arch(way). **2.** *(de verdeață)* bower, arbour. **3.** *(de pomi)* colonnade. **4.** *(a cerului)* the canopy of heaven.
bolti *vt., vr.* to arch.
boltire *s.f.* vaulting, arching.
boltit *adj.* **1.** vaulted, arched. **2.** *(d. fructe)* domed.
boltitură *s.f. arh.* vaulting.
bolț *s.n. tehn.* bolt, pin.
bolțar *s.m. arh.* voussoir (brick).
bolundariță *s.f. bot.* **1.** thorn apple *(Datura stramonium).* **2.** *(fructul)* stramony.
bolus *s.n. geol., ind.* bole.
bomba I. *vt.* to render convex. **II.** *vr.* to bulge, to swell out.
bombagiu *s.m. fam.* **1.** newsmonger, tell-tale. **2.** reveller, carouser.
bombaj *s.n. ind.* bulging; bending; dishing.
bombament *s.n. tehn.* convexity; camber.
bombarda *vt.* **1.** *(din avion)* to bomb. **2.** *(cu artileria)* to shell, to strafe. **3.** *fig.* to pester, to bother.
bombardament *s.n.* **1.** *(de aviație)* air raid. **2.** *(de artilerie)* shelling, strafe.
bombardare *s.f.* **1.** bombing. **2.** *(cu artileria)* shelling.
bombardă *s.f. mil. înv.* bombard, mortar.
bombardier *s.n.* bomber.
bombardon *s.n. muz.* bombardon.
bombastic I. *adj.* high-flown, fustian. **II.** *adj.* bombastically.
bombasticism *s.n.* bombast, fustian, *fam.*gas.
bombat *adj.* bulging.
bombă I. *s.f.* **1.** bomb. **2.** *(obuz)* shell. **3.** *fig. și* bolt (out of the blue). **4.** *sport* smash; *~ atomică* atom bomb, A-bomb; *~ cu hidrogen* hydrogen / fusion bomb, H-bomb; *~ cu întârziere* time bomb; *ca o ~* explosively, suddenly.
bombăneală *s.f.* grumbling.
bombăni I. *vt.* to nag. **II.** *vi.* to grumble, to sulk.
bombănit I. *adj.* grumbling, grumpy. **II.** *s.n.* grumbling etc. v. b o m - b ă n i.
bombănitor *adj.* grumbling, grumpy; *(ursuz)* morose, crusty.
bombetă *s.f. mar.* globe lamp / lantern.
bombeu *s.n.* toe cap.
bombiță *s.f.* small globe / sphere.
bomboană *s.f.* **1.** sweetmeat, bonbon. **2.** AE candy; *(de ciocolată)* chocolate; *o ~ de fată* a sweet girl; *~ de tuse* cough drop.
bombonerie *s.f.* sweet / candy shop.
bombonieră *s.f.* bowl of sweets.
bomfaier *s.f. tehn.* hack saw.
bompres *s.n. nav.* bowsprit.
bon *s.n.* **1.** ticket. **2.** bill, note. **3.** *(pentru predarea unui obiect)* claim check; *~ de casă* sales slip.
bonapartism *s.n. ist.* Bonapartism.
bonapartist *s.m., adj. ist.* Bonapartist.
bonă *s.f.* governess.
boncăi, boncălui *vi.* to low, to bellow; *(d. cerbi)* to bell.
boncănit *s.n. zool.* bell(ow)ing of stags (during mating period).
bond *s.n. av.* bound, leap, spring.
bondar *s.m. entom.* bumble bee *(Bombus).*
bondăresc *adj. viespe bondărească entom.* horner *(Vespa crabro).*
bondoc I. *s.m.* stumpy man. **II.** *adj.* thickset, stumpy.
bondocel *s.m., adj.* fatty.
bonetă *s.f.* bonnet; cap.
bongos *s.n. muz.* bongo.
bonier *s.n. ec., fin.* order-book; voucher-book; receipt-book, bill book.
bonifica *vt.* to make up / good.
bonificație *s.f.* allowance, bonus.
bonitare *s.f. ec.* evaluation, estimation.
bonitate *s.f. ec.* reliability (of a company).
bonjur *interj.* hello!
bonjurism *s.n. ist.* movement and manners of the Frenchified young Romanians.
bonjurist *s.m. ist.* Frenchified young man, *aprox.* macaroni.

bonom I. *s.m.* wag. **II.** *adj.* bland. **III.** *adv.* genially.
bonomie *s.f.* geniality, blandness.
bont *adj.* blunt, stumpy.
bontire *s.f. tehn.* blunting.
bonton *s.n.* refinement; fashion; *de ~* in good taste; fashionable.
bonz *s.m.* **1.** bonze. **2.** *fig.* high official; leader; boss; magnate, tycoon.
bonzar *s.m. entom.* cleg(g) *(Tabanus bovinus).*
boogie-woogie *s.m. muz.* boogie-woogie.
boom *s.n. ec.* boom.
booster *s.n. tehn.* booster.
bor *s.n.* **1.** *chim.*boron. **2.** brim (of the hat).
bora *s.n. meteo.* bora.
boraci *s.m. tehn.* ratchet drill.
boracit *s.n. mineral.* boracite.
boraginacee *s.f. bot.* Bor(r)aginaceae.
boran *s.m. chim.* boron hydride.
borangic *s.n.* floss silk.
borat *s.m. chim.* borate.
borax *s.n. chim.* borax.
borâtură *s.f. pop.* vomit.
borcan *s.n.* **1.** (glass) jar, bottle. **2.** *(vas)* pot, vessel.
borcănaș *s.n.* small jar; *(pt. doctorii)* gallipot.
borcănat *adj.* bellied, inflated, padded; *nas ~* bottle nose.
borceag *s.n. bot.* **1.** Hungarian vetch *(Vicia).* **2.** winter fodder.
bord *s.n.* **1.** board. **2.** *(margine)* edge, border; *la / pe ~ul vasului* on board the ship; *peste ~* overboard.
bordaj *s.n. nav.* planking, side plating.
bordei *s.n.* (mud)hut, hovel.
bordel *s.n.* brothel, bawdy house.
borderou *s.n.* **1.** bordereau, list. **2.** *(de plată)* docket.
bordo I. *s.n.* Bordeaux (wine); claret. **II.** *adj.* dark red.
bordura *vt. tehn.* to crimp, to flange.
bordurare *s.f. ind.* bordering, edging.
bordură *s.f.* kerb(stone), street curb.
boreal *adj.* northern.
borfaș *s.m.* thief, pickpocket.
borghis *s.n. poligr.* bourgeois, long primer.
borhot *s.n.* marc, husks.
boric *adj.* boric.
boricat *adj.* boracic.
borium *s.n. met.* tungstene carbide alloy.
borî *vt. fam.* to belch out, to heave.
bormașină *s.f.* drill.
bornă *s.f.* **1.** landmark. **2.** *el.* terminal, jack.
bornit *s.n. mineral.* bornite, erubescite.
boroană *s.f.* (spike-toothed) harrow; brake.
boroboață *s.f.* **1.** blunder, foolish trick. **2.** *(poznă)* prank.
borod *s.n. met.* stellite.
boroni *vt.* to harrow.
boronit *s.n.* harrowing.
borș *s.n.* bortsch; sour soup.
borși *vr.* **1.** to turn sour. **2.** *fig. fam.* to boil over.
borșișor *s.m. bot.* houseleek *(Sempervivum tectorum).*
bort *s.n. mineral.* bort, diamond fragments.
bortă *s.f. reg.* v. g a u r ă.
borteli *vt. reg.* v. a g ă u r i.
borti *vt. reg.* v. a g ă u r i.
borțoasă *adj.* far gone with child.
borțos *adj.* pot-bellied.
borură *s.f. chim.* boride.
borviz *s.n.* mineral water, table waters.
bosaj *s.n.* **1.** *constr.* embossing. **2.** *arh.* boss(age).
bosă *s.f.* **1.** bump. **2.** *fig.* boss.
boscar, boscărie v. s c a m a t o r, s c a m a t o r i e.
boschet *s.n.* **1.** bower, arbour. **2.** *(tufiș)* bush.
boscorodeală *s.f.* muttering etc. v. b o s c o r o d i.
boscorodi *vt., vi.* v. b o m b ă n i.
bosniac *adj. s.m.* Bosnian.
boson *s.m. fiz.* boson.
bostan *s.m.* **1.** *bot.* pumpkin *(Curcubia).* **2.** *(cap)* pate, nut.
bostană *s.f.* v. b o s t ă n ă r i e.
bostangiu, bostănar *s.m.* kitchen gardener (one who sells melons, pumpkins, etc.); melon grower.
bostănărie *s.f.* pumpkin field.
bostănel *s.m. bot. reg.* **1.** v. d o v l e a c. **2.** v. d o v l e c e l.
boston *s.n.* **1.** *(vals)* boston. **2.** *(joc de cărți)* solo whist. **3.** *poligr.* jobbing-hand press, lever press.
bosumfla *vr.* to be in the sulks, to pout.
bosumflare *s.f.* pouting; sulking.
bosumflat *adj.* pouting, sulky.
boș *s.n. ind., chim.* suet from scrotum of oxen.
boșar *s.m. bot.* water melon with yellow pulp.
boșiman *s.m. geogr.* Bushman.
boșorog I. *s.m.* **1.** ruptured old man. **2.** *fig.* old fogey. **II.** *adj.* ruptured,
boșorogeală *s.f. med. pop.* **1.** rupture, *fam.* burst, hernia. **2.** *(din cauza vârstei)* decrepitude, senility, helplessness, softening of the brain; *(impotență)* impotence.
boșorogi *vr.* to be ruptured.
boșorogit *adj.* **1.** ruptured, *fam.* broken. **2.** *(impotent)* impotent. **3.** *(slăbit de bătrânețe)* decrepit, *fam.* tottering.
boștină *s.f.* **1.** *(tescovină)* pomace / husks / skins of pressed grapes. **2.** *(din faguri)* (unrefined) beeswax.
bot *s.n.* **1.** muzzle. **2.** *(rât)* snout. **3.** *fam. (gură)* mouth. **4.** *(strâmbătură)* pout. **5.** *(de corabie)* bow(s); *~ de deal* brow (of a hill); *~ în~* cheek by jowl.
botanic *adj.* botanic(al).
botanică *s.f.* botany.
botanist *s.m.* botanist.
botă *s.f. reg.* cask, bult.
botcă *s.f. (apicultură)* alveolus for development of queen bee.
botez *s.n.* christening.
boteza I. *vt.* **1.** *rel.* to christen, to baptize. **2.** *(a nași)* to act as godfather / godmother to. **3.** *(a numi)* to name, to call. **4.** *(a porecli)* to nickname. **5.** *(a uda)* to souse. **6.** *fig. (băuturile)* to dilute. **II.** *vr.* to be baptized.
botezare *s.f.* christening etc. v. b o t e z a.
botezat *adj.* **1.** christened, baptized, christianized. **2.** *fig.* (nick)named. **3.** *(d. vin)* doctored, diluted.
botfori *s.m. pl.* top boots.
botgros *s.m. ornit.* grosbeak *(Coccothraustes coccothraustes).*
botniță *s.f.* muzzle; *a pune ~ cuiva fam.* to stop smb's gab.
botos *adj.* pouting.
botoței *s.m. pl.* bootees.
botridie *s.f. zool.* bothridium.
botriocefal *s.m. zool.* bothriocephalus.
botriocefaloză *s.f. med.* bothriocephaliasis.
botroș *s.m. ornit.* bullfinch *(Pyrrhula vulgaris).*
botulinic *adj. biol., med.* botulinal, botulinic.
botulism *s.n. med.* botulism.
boț *s.n.* ball; *(mic)* pellet.
boța *vt. nav.* to stopper.
boți *vt., vr.* to crumple.
boțitură *s.f.* crease, crumple.
boțman *s.m. mar.* boatswain, bo'sun.
bou *s.m.* **1.** *zool.* ox *(Bos taurus).* **2.** *fig.* dolt, idiot.
boulean *s.m.* bullock.
bour *s.m. zool.* aurocchs *(Bos primigenius).*

bourel I. *adj.* *(cu coarne)* horned; *(țeapăn)* stiff. **II.** *s.m.* **1.** *(melc)* snail. **2.** *ornit.* wren *(Troglodytes parvulus).* **3.** *entom.* v. r ă d a ș c ă.
bourrée *s.n.* *muz.* bourrée, old French dance in 3/4 time.
bou-vagon *s.n.* *fam.* cattle box.
bovarism *s.n.* Bovarysm, Bovarism.
bovide *s.f.* *pl.* *zool.* Bovidae.
bovin *adj.* ox; bovine.
bovindou *s.n.* bow window.
bovine *s.f.* *pl.* horned cattle.
box *s.n.* **1.** boxing. **2.** *(antrenament)* sparring. **3.** *(piele)* box calf. **4.** *(pumnar)* knuckle-duster.
boxa *vt.*, *vi.*, *vr.* **1.** to box. **2.** *(la antrenament)* to spar.
boxă *s.f.* dock; *boxa martorilor* witness box.
boxer *s.m.* boxer, prize fighter.
boxeri *s.m.* *pl.* *ist.* Boxers.
boz *s.m.* *bot.* dwarf elder *(Sambucus ebulus).*
bozie *s.f.* *bot.* v. b o z.
brac[1] *s.n.* refuse, trash; sweepings; *(de lemne)* brack, wrack; *de ~* good for nothing; *cal de ~* jade, crock; discharged horse.
brac[2] *s.m.* *zool.* brach (hound), harrier.
braca *vt.* to deflect, to change the direction of.
bracare *s.f.* *tehn.* aiming, levelling, pointing (of telescope, gun etc.).
brachial *adj.* v. b r a h i a l.
bracona *vi.* to poach.
braconaj *s.n.* poaching; *a face ~* to poach.
braconier *s.m.* poacher.
bractee *s.f.* *bot.* bract(e).
bracteolă *s.f.* *bot.* bracteole.
brad *s.m.* fir (tree); pine (tree) *(Abies).*
bradford *subst.* *text.* bradford system.
bradiartrie *s.f.* *med.* bradyarthry.
bradicardie *s.f.* *med.* bradycardia.
bradilalie *s.f.* *med.* bradylalia.
bradipsihie *s.f.* *med.*, *psih.* bradypsychia.
bradt *s.n.* *ind.*, *chim.* minced meat paste (for salami).
bragagerie *s.f.* booth where millet beer is sold.
bragagiu *s.m.* millet beer vendor.
bragă *s.f.* millet beer.
braghină *s.f.* **1.** variety of grapes. **2.** wine made of „braghină".
brahă *s.f.* **1.** brew (for beer). **2.** marc of grapes (for brandy).
brahi- *prefix* brachy-.
brahial *adj.* *anat.* brachial.
brahianticlinal *s.n.* *geol.* brachyanticlinal.
brahicefal *adj.* brachycephalic, short-headed.
brahicefalie *s.f.* brachycephalism.
brahilogie *s.f.* *lit.* brachylogy.
brahiopode *s.n.* *pl.* *zool.* Brachyopoda.
brahisinclinal *s.n.* *geol.* brachysinclinal.
brahistocronă *s.f.* *fiz.* brachystochrone.
brahma *s.f.* *ornit.* brahma(pootra) fowl.
brahman *s.m.* Brahmin.
brahmanic *adj.* Brahmanic(al).
brahmanism *s.n.* Brahminism, Brahmanism.
bramă *s.f.* *met.* slab.
brambura *adv.* at random, aimlessly.
brancardă *s.f.* stretcher.
brancardier *s.m.* stretcher bearer.
branchipus *s.m.* *zool.* branchipus.
branciog *s.n.* *geol.*, *agr.* low fertility limy soil.
brand *s.n.* *mil.* mine-thrower.
brandenburg *s.n.* braid.
branhii *s.f.* *pl.* gills.
branhiopod *s.n.* *zool.* branchiopod.
branhiozaur *s.n.* *paleont.* branchiosaurus.
braniște *s.f.* fenced-in district; *(pădure)* wood; forest.
branșa *vt.* **1.** to detach, to set apart. **2.** *el.* to plug in.
branșament *s.n.* branching, connection.
branșă *s.f.* **1.** branch, line. **2.** *(domeniu)* field, domain.
branț *s.n.* insole, inner sole.
bras *s.n.* breast stroke.
brasaj *s.n.* *ind.* *alim.* brewing, mashing.
brasardă *s.f.* armlet.
braserie *s.f.* beer saloon, brasserie.
brasieră *s.f.* *(de femei)* brassière, bust bodice; *(de copii)* (child's) sleeved vest.
brasist *s.m.* *sport* breast stroke swimmer.
brasse *s.n.* v. b r a s.
brașoavă *s.f.* thumping lie, crammer; *pl.* *și hot air.*
brașovean I. *s.m.* Brașov man, inhabitant of Brașov (city). **II.** *adj.* (typical) of Brașov, made in Brașov.
brașoveancă *s.f.* Brașov woman, inhabitant of Brașov.
braț *s.n.* **1.** arm. **2.** *(de râu și)* branch. **3.** *(de lemne etc.)* armful; *~ e de muncă* labour, manpower, hands; *~ ele de muncă* labour exchange; *~ de picup* tone arm; *~ la ~* arm in arm; *cu ~ ele* by hands; *cu ~ ele încrucișate* with folded arms.
brața *vt.* *nav.* to brace.
braunit *s.n.* *mineral.* brachytypous manganese ore, braunite.
brav I. *s.m.* hero, brave man. **II.** *adj.* brave, valiant.
brava *vt.* to defy, to face.
bravadă *s.f.* swashbuckling.
bravissimo *interj.* *fam.* bravissimo! bravo!
bravo *s.n.* *interj.* bravo!, hear! hear!, well done!
bravură *s.f.* bravery, heroism.
brazare *s.f.* *met.* brazing, hard-soldering.
brazdă *s.f.* **1.** *(șanț)* furrow. **2.** *(de iarbă)* windrow, swath. **3.** *(de pământ)* clod. **4.** *(urmă)* trace; trail. **5.** *(strat)* bed. *a se da pe ~* to turn steady;*(a se obișnui)* to get the hang of things.
brazilian *s.m.* *adj.*, braziliană *s.f.* *adj.* Brazilian.
brazură *s.f.* *met.* (brazed) seam.
brăcinar *s.n.* waistband.
brăcui *vt.* **1.** to reject as defective, to cast off, to discard; *(cai etc.)* to cast. **2.** *silv.* to clear of timber.
brădet *s.n.*, **brădiș** *s.n.* *bot.* **1.** fir wood. **2.** *(buruieni)* water milfoil. **3.** (în apă) hornwort *(Ceratophyllum).*
brădișor *s.m.* **1.** *bot.* a species of clubmoss *(Lycopodium selago).* **2.** *bot.* shave / pewter grass, toadpipe *(Equisetum).*
brăileancă *s.f.* *muz.* hora (dance) of Brăila area (town on the Danube).
brățară *s.f.* bracelet.
brăzda *vt.* **1.** to furrow. **2.** *(a traversa)* to cross.
brăzdar *s.n.* *agr.* co(u)lter, furrow opener, (plough) share.
brăzdat *adj.* **1.** furrowed. **2.** *(d. față și)* wrinkled.
brăzdătură *s.f.* furrow.
brâglă *s.f.* *text.* v. v a t a l ă.
brână *s.f.* **1.** belt, girdle. **2.** mountain path.
brâncă *s.f.* **1.** *reg.* hand; arm. **2.** *pe brânci* on all fours; *fig.* hammer and tengs.
brâncovenesc *adj.* *ist.*, *artă*, *arh.* Brancovan (style typical of Wallachian prince Constantin Brâncoveanu; ruled 1688-1714).
brâncuță *s.f.* *bot.* hedge mustard *(Sisymbrium officinale).*
brândușă *s.f.* *bot.* crocus, saffron *(Colchicum).*

brânzar *s.m.* cheese maker / vendor.

brânză *s.f.* cheese; ~ *albă* cottage cheese; ~ *bună în burduf de câine* a rough diamond; ~ *de oi* ewe's cheese; ~ *de Olanda* Dutch cheese; ~ *de vaci* cream cheese; ~ *telemea* (spiced) cottage cheese; *mare ~; nici o ~* nothing to write home about; *n-a făcut nici o ~ ~* it cuts no ice.

brânzărie *s.f.* **1.** cheese dairy. **2.** *(ca negoț)* cheese trade.

brânzeturi *s.f. pl.* (various kinds of) cheese.

brânzi *vr.* to curdle.

brânzoaică *s.f.* cheese cake.

brânzos *adj.* cheese-like.

brâu *s.n.* **1.** belt, girdle. **2.** *(talie)* waist.

brâuleț (brâușor) *s.n. muz.* v. b r â u.

bre *interj.* **1.** (hey) you!, I say! **2.** *(vai)* man (alive)!

breabăn *s.m. bot.* v. b r e b e n e l.

break *s.n. sport* break.

breaslă *s.f.* guild, trade.

breaz *adj.* piebald; *mai ~* (any) better.

breaza *s.f. art., muz.* Wallachian folk dance.

brebenel *s.m. pl. bot.* hollowwort *(Corydalis).*

brec *s.n.* **1.** *(trăsură)* shooting brake. **2.** *auto.* break, station wagon.

brecie *s.f. geol.* breccia.

bref *adv.* well, to cut a long story short.

bregmă *s.f. anat.* bregma.

brei *s.m. bot.* periwinkle *(Vinca).*

brelan *s.n. (joc de cărți)* brelan; *(3 cărți)* pair royal, *(la pocher)* three of a kind.

breloc *s.n.* trinket.

breslaș *s.m.* member of a guild / corporation.

breșă *s.f.* breach, gap.

bretea *s.f.* **1.** (shoulder) strap. **2.** *pl.* braces, suspenders.

bretelă *s.f. constr.* transversal / oblique road.

breton I. *s.m.* Breton. **II.** *s.n.* bang, fringe (of hair). **III.** *adj.* Breton.

brevet *s.n.* licence; patent; ~ *de invenție* (letters) patent; ~ *de medalie* citation for a medal.

breveta *vt.* to patent.

brevetat *adj.* patented, appointed by letters patent; *invenție ~ă* patented invention; *ofițer ~ de stat major mil.* officer holding a staff college certificate.

breviar *s.m.* **1.** vademecum. **2.** *rel.* breviary.

brevilin *s.m. (antropologie)* squat / thick-set person.

brezaie *s.f.* **1.** man wearing a motley costume and masked as an animal or bird; during Christmas tide he dances in front of the peasants' houses and plays the buffoon. **2.** *(la bâlciuri)* Merry Andrew, *rar* Jack Pudding; *(pe scenă)* harlequin. **3.** *fig.* weathercock.

bria *vi.* to sparkle, to shine; to make oneself conspicuous.

briant *adj.* brilliant, clinquant.

briantină *s.f.* brillantine.

briboi *s.m. bot.* wood geranium *(Geranium silvaticum).*

bric *s.n.* brig.

briceag *s.n.* (pen)knife.

brichetă *s.f.* **1.** (cigarette) lighter. **2.** *(de cărbuni)* briquette.

brici *s.n.* razor.

bridă *s.f.* (shoulder) strap.

bridge *s.n.* bridge.

brie *s.f. bot.* **1.** spignel *(Meum athamanticum).* **2.** balsam(ine) *(Impatiens Balsamina).* **3.** v. t r e p ă d ă t o a r e.

brigadă *s.f.* **1.** brigade. **2.** *(de lucru și)* crew, group.

brigadier *s.m.* **1.** brigade member. **2.** *(șef)* team leader. **3.** *(silvic)* forest keeper.

brigand *s.m.* highwayman, brigand.

brigandaj *s.n.* highway robbery, brigandage.

brigantină *s.f. nav.* brigantine.

briliant *s.n.* brilliant.

brio *s.n. muz.* brio, vigour, spirit.

briofite *s.f. pl. bot.* Bryophyta.

briolă *s.f. bot.* meum, baldmoney *(Meum muttelina).*

brioșă *s.f.* brioche.

briozoar *s.n. zool.* bryozoa, polyzoa, sea-mosses.

bristol *s.n.* **1.** Bristol cardboard. **2.** visiting card.

brișcar *s.m.* britzka driver; *(birjar)* coachman.

brișcă *s.f.* gig.

britani *s.m. pl. ist.* Britanni; Briti(on)s.

britanic I. *s.m.* Englishman, Briton. **II.** *adj.* British.

brizant I. *adj.* shattering, disruptive, high-explosive; *proiectil ~* high-explosive shell. **II.** *s.m. nav.* breaker, comber.

brizanță *s.f.* brisance, shattering properties.

briză *s.f.* breeze.

brizbiz *s.n.* brise-bise, short window curtain.

broască *s.f.* **1.** *zool.* frog; **2.** *(râioasă)* toad. **3.** *(de ușă)* lock. **4.** *(joc)* leap frog; ~ *iale* safety lock; ~ *(țestoasă)* turtle, tortoise.

broatec *s.m. zool.* green / tree frog *(Hyla arborea).*

brobință *s.f. bot.* dyer's weed, weld wold *(Reseda luteola).*

broboadă *s.f.* headkerchief.

broboană *s.f.* bead.

broboni *vr.* to perspire profusely.

brobonit *adj.* sweaty.

brocart *s.n.* brocade.

broda I. *vt.* **1.** to embroider. **2.** *fig.* to invent. **II.** *vi.* to embroider.

brodeală *s.f. pop., fam.* v. n i m e - r e a l ă.

brodechin *s.m. teatru* sock.

broderie *s.f.* embroidery.

brodeză *s.f.* embroideress.

brodi I. *vt.* **1.** to hit (right). **2.** *(a ghici)* to guess. **II.** *vr.* to chance.

brodire *s.f.* coincidence, concurrence.

brodit *s.n. pe ~e* by hazard, *fam.* by a fluke.

brodnici *s.m. pl. ist.* medieval Romanian population (in South Moldavia).

brojbă *s.f. bot.* v. n a p *(Brassica napus).*

brom *s.n. chim.* bromine.

broma *vt. chim.* to bromize.

bromat *s.m. chim.* bromate.

bromhidric *adj. chim.* hydrobromic.

bromhidroză *s.f. med.* bromhidrosis.

bromic *adj. chim.* bromic.

bromism *s.n. med.* bromism, brominism, bromidism.

bromoform *s.n. chim.* bromoform.

bromurare *s.f. chim.* bromination.

bromură *s.f. chim.* bromide.

bronhial *adj.* bronchial; *catar ~* bronchitis, bronchial catarrh.

bronhic *adj. anat., med.* bronchial.

bronhii *s.f. pl.* bronchi.

bronhiolă *s.f. anat.* bronchiole, bronchiolus, *pl.* bronchioli.

bronhofonie *s.f. med.* bronchophonia.

bronhografie *s.f. med.* bronchography.

bronhopneumonie *s.f. med.* broncho-pneumonia.

bronhoree *s.f. med.* bronchorrhea.

bronhoscop *s.n. med.* bronchoscope.

bronhoscopie *s.n. med.* bronchoscopy.

bronhospasm *s.n. med.* bronchospasm.

bronhotomie *s.f. med.* bronchotomy.

bronșectazie *s.f. med.* bronchiectasis, bronchiectasia.

bronșită *s.f. med.* bronchitis; ~ *tabagică* smoker's cough.
brontograf *s.n.* brontograph.
brontozaur *s.m. paleont.* brontosaurus.
bronz *s.n.* bronze.
bronza I. *vt.* to tan. **II.** *vr.* to get a (sun)tan.
bronzare *s.f.* bronzing etc. v. b r o n z a.
bronzat *adj.* suntanned, sunburnt.
bronzărie *s.f.* bronze ware / articles; bronze manufacture.
bronzit *s.n. mineral.* bronzite.
broscan *s.m. zool.* (male) frog.
broscar *s.m. peior.* wop, macaroni, spaghetti, dago.
broscariță *s.f. bot.* pond-weed, water spike *(Potamogeton natans).*
broscărie *s.f.* frog's pond; place full of frogs.
broscăriță *s.f. bot.* arrow-grass *(Triglochin palustris).*
broscoi *s.m.* **1.** big frog. **2.** *fig.* urchin.
broșa *vt.* to stitch.
broșare *s.f.* v. b r o ș a t I.
broșat I. *s.n.* stitching. **II.** *adj.* paper(-covered).
broșă *s.f.* brooch.
broșiruire *s.f. ind.* bathing and washing (of hides).
broștesc *adj.* frog-like, ranoid.
broșură *s.f.* pamphlet, booklet.
brotac, brotăcel *s.m. zool.* green / tree frog *(Hyla arborea).*
browniană *adj. fiz.* Brownian.
brr *interj.* phew! exclamation of one shivering with cold, aversion, etc.
bruceloză *s.f. med.* brucellosis, brucelliasis.
brucină *s.f. chim., farm.* brucine.
brudină *s.f. ist.* ferry passage fee.
bruft *s.n.* rough-plastering.
bruftui *vt.* to treat harshly.
bruftuială *s.f.* harsh treatment.
bruia *vt.* to jam.
bruiaj *s.n.* jamming.
bruion *s.n.* draft.
brum *s.n. telec.* network hum.
bruma *vt.* to rime.
Brumar *s.m. pop.* November.
brumat *adj.* frosted.
brumă *s.f.* **1.** hoarfrost, rime. **2.** *fig. (spoială)* smattering; *bruma lui de avere* the little he had.
Brumărel *s.m. pop.* wine month; October.
brumărele *s.f. bot.* fireweed phlox *(Phlox).*
brumăriță *s.f. ornit.* hedge sparrow, dunnock *(Prunella).*
brumăriu *adj.* grey.
brumos *adj.* foggy, misty.
brun *adj.* **1.** brown. **2.** *(d. oameni)* dark(-haired).
bruna *vt. tehn.* to brown, to blue.
brunaj *s.n. met.* black oxide browning; burnishing.
brunet I. *s.m.* dark-haired / swarthy man. **II.** *adj.* dark(-haired).
brunetă *s.f.* brunette, dark(-haired) girl / woman.
brusc I. *adj.* abrupt. **II.** *adv.* suddenly, unexpectedly.
brusca *vt.* **1.** *(pe cineva)* to speak harshly to. **2.** *(lucrurile)* to press.
bruschețe *s.f.* **1.** abruptness; harshness. **2.** *(sinceritate)* bluffness. **3.** *(pripă)* haste.
brusture *s.m. bot.* bur *(Arctium lappa).*
brut *adj.* **1.** raw, rough. **2.** *ec.* gross. **3.** *chim., geol.* crude.
brutal I. *adj.* rude. **II.** *adv.* brutally.
brutalitate *s.f.* brutality.
brutaliza *vt.* to handle roughly.
brutar *s.m.* baker.
brută *s.f.* beast, brute.
brutăreasă *s.f.* baker woman.
brutărie *s.f.* bakery, baker's.
bruto *adv.* in the gross.
bubaline *s.f. pl. zool.* Bubalinae.
bubă *s.f.* **1.** boil. **2.** *(umflătură)* swelling. **3.** *fig.* trouble, sore spot; *bube dulci* scald head.
buberic *s.m. bot.* figwort, pilewort *(Scrophularia nodosa).*
buboi *s.n.* ulcer, furuncle.
bubon *s.n. med.* swelling in the groin, bubo.
bubonic *adj. ciumă / pestă ~ă med.* bubo pest.
bubos *adj.* scabby.
bubui *vi.* **1.** to thunder. **2.** *(d. tun și)* to roar.
bubuit *s.n.*, **bubuitură** *s.f.* **1.** thunder clap, peal (of thunder). **2.** roar (of cannon).
bubuitor *adj.* thundering, etc. v. b u b u i.
bubuitură *s.f.* v. b u b u i t 2.
bubulițe *s.f. pl.* heat pimples, pustules.
buburos *adj. reg.* v. b u b o s.
buburuz *s.m.* **1.** *entom.* lady bird *(Coccinella).* **2.** *med.* heat pimple. **3.** *(cocoloș)* small ball / bullet.
buburuză *s.f.* v. b u b u r u z 1.
buc *s.n.* **1.** *pl. (resturi)* waste, rubbish; *(de fructe etc.)* refuse, garbage; *(după tăierea animalelor)* offal; *(la bucătărie)* slops, leavings. **2.** *bot.* beech *(Fagus)*; *~i de lână* combings; *~i de mătase* waste / sleave / floss silk.
bucal *adj.* oral.
bucată *s.f.* **1.** piece; bit. **2.** *(fragment)* portion, fragment. **3.** *(îmbucătură)* morsel. **4.** *(felie)* slice. **5.** *(de zahăr etc.)* lump. **6.** *(de drum)* distance; *~ aleasă (de mâncare)* tidbit; *(literatură)* choicepassage; *~ cu ~* bit by bit; *o ~ de săpun* a cake of soap; *o (bună) ~ de vreme* for a (long) time; *cu bucata* (by)retail; *dintr-o ~* straightforward; *(incoruptibil)* incorruptible.
bucate *s.f. pl.* **1.** food, fare. **2.** *(merinde)* victuals.
bucă *s.f.* **1.** buttock. **2.** *(a obrazului)* (chubby) cheek.
bucălaie *s.f.* black-muzzled sheep.
bucălat *adj.* chubby.
bucătar *s.m.* chef, (male) cook.
bucătăreasă *s.f.* cook.
bucătărie *s.f.* **1.** kitchen. **2.** *fig. (artă culinară)* cuisine, cookery.
bucătărioară *s.f.* scullery; kitchenette.
bucățea *s.f. reg.* v. b u c ă ț i c ă.
bucățel *s.m. bot.* agrostis, bent (-grass) *(Agrostis canina).*
bucăți *vt.* to take apart, to take to pieces, to disjoin(t); to undo; *(prin tăiere)* to cup up; *(mărunt)* to chop up, to mince; *(a împărți)* to divide, to parcel out; *(bunuri)* to partition.
bucățică *s.f.* **1.** bit. **2.** *(de mâncare și)* morsel. **3.** *(capăt)* end; *e o ~ bună fig.* she is a fine bit of fluff; *~ ruptă din* the very spit of.
buccinator *s.m. anat.* buccinator (muscle).
bucea *s.f.* collar; *(de roată)* box of a carriage wheel, wheel box; *(de sfeșnic)* socket.
bucela *vt. tehn.* to bush a bearing.
bucentaur *s.m. mitol.* bucentaur.
buche *s.f.* **1.** letter. **2.** *pl.* alphabet, ABC.
bucher *s.m.* **1.** swot. **2.** *pol.* dogmatics.
buchereală *s.f.* mechanical reading / study.
bucherie *s.f. (toceală)* hard study / reading, *fam.* cramming.
buchet *s.n.* bouquet.
buchetare *s.f. agr.* blocking, thinning.
buchetieră *s.f.* nosegay woman, flower girl / woman.
buchiseală *s.f.* **1.** swotting. **2.** *(bătaie)* drubbing.
buchisi *vt.* **1.** to swot. **2.** *(a bate)* to drub.
buchisire *s.f.* grinding, etc. v. b u - c h i s i.
buciarda *vt. constr.* to bush-hammer, to roughen.

buciardă *s.f.* bush / granulating hammer.
bucipal *s.m.* proud horse.
bucium *s.n. aprox.* alphorn.
buciuma I. *vi.* to blow the „bucium". **II.** *vt. fig.* to trumpet forth, *fam.*to blaze about.
buciumaș *s.m.* „bucium" blower.
bucla *vt., vr.* to curl.
buclaj *s.n. ind.* buckling; looping.
buclat *adj.* curly.
buclă *s.f.* **1.** curl, lock. **2.** *fig.* loop.
bucleu *s.n. text.* bouclé; teny.
bucluc *s.n.* **1.** *(necaz)* bother, pest. **2.** *(situație grea)* trouble, tight spot. **3.** *(nenorocire)* adversity.
buclucaș *adj* **1.** troublesome. **2.** *(certăreț)* cavillous, captious.
bucoavă *s.f.* **1.** ABC book. **2.** old book.
bucolic *adj.* bucolic, pastoral.
bucolice *s.f. pl.* bucolics.
bucovinean I. *s.m.* inhabitant of the Bucovina. **II.** *adj.* from / of the Bucovina.
bucovineancă *s.f.* woman of Bucovina.
bucșan *s.m., adj. zoot.* (breed of) small-sized sturdy Moldavian ox.
bucșă *s.f. el.* jack.
bucșău *s.m. bot.* rush-leaved broom (Spartium junceum).
bucși I. *vt.* to cram; to crowd. **II.** *vr.* to crowd.
bucura I. *vt.* to fill with joy, to gladden. **II.** *vr.* **1.** to rejoice. **2.** *(de drepturi etc.)* to enjoy, to possess; *a se ~ la* to covet meanly.
bucureștean I. *s.m.* Bucharester. **II.** *adj.* Bucharest...
bucurie *s.f.* **1.** joy; *(mare)* raptures; transport. **2.** *(veselie)* mirth. **3.** *(plăcere)* pleasure; *~ nebună* wild joy; *bucuriile vieții* life's pleasures; *cu (multă) ~* gladly.
bucuros I. *adj.* **1.** glad, happy. **2.** *(vesel)* merry. **3.** *(mulțumit)* thankful, content. **II.** *adv.* gladly; willingly.
bucvariu *s.n. înv.* ABC, primer.
budană *s.f.* wine-cask.
budincă *s.f.* pudding.
budism *s.n. rel.* Buddhism.
budist *s.m., adj.* Buddhist.
budoar *s.n.* lady's closet.
buf I. *adj.* slapstick, farcical. **II.** *interj.* bang!
bufant *adj.* baggy.
bufet *s.n.* **1.** buffet. **2.** *(mobilă și)* sideboard. **3.** *(la teatru etc. și)* refreshment room; *(în școală)* tuck-shop; *(în fabrică)* tommy shop; *~ expres* snack bar, AE cafeteria, drugstore.
bufetier *s.m.* barkeeper, AE bartender.
bufneală *s.f. fam.* sulks, moping.
bufni I. *vt.* to bang; *a-l ~ râsul* to break into laughter. **II.** *vi.* to sulk, to pout.
bufnit *s.n.* v. b u f n i t u r ă.
bufnitură *s.f.* bang, thud.
bufniță *s.f. ornit.* owl *(Bubo bubo).*
bufon *s.m.* **1.** fool. **2.** *ist. și* jeŢster, buffoon.
bufonerie *s.f.* buffoonery.
buftan *s.m. fam.* pot(-bellied man), belly, AE chunk.
buftea *s.m.* fatty, pudge.
bugeac *s.n.* **1.** *geogr.* steppe with dry valleys. **2.** *fam. auto.* earlier Romanian motor truck.
buged *adj.* swollen.
buget *s.n.* budget.
bugetar *adj.* budgetary.
bugle *s.m. muz.* bugle.
buglovian *s.n. adj. geol.* Buglowian.
buh *s.n. a-i merge / a i se duce ~ul* **1.** to become famous, to be in the news / limelight, to make headlines. **2.** *peior.* to get / acquire / have a bad name, to stain one's reputation, to be (come) notorious; to become the talk of the town, to become a laughing-stock.
buhai I. *s.m.* bull; *~ de baltă (pasăre)* bittern *(Botaurus stellarus)*; *(broască)* toad. **II.** *s.n.* drum caused to boom by pulling a tuft of hair attached to it.
buhă *s.f.* v. b u f n i ț ă.
buhăi *vr.* to swell up / out.
buhăit *adj.* swollen, bloated, swelled; puffy, puffed.
buhnă *s.f. ornit.* v. b u h ă.
buhos *adj.* dishevelled, tousled; unkempt, hirsute.
buiandrug *s.n. constr.* lintel.
bulestraș *s.m.* ambling horse.
buiestru *s.m.* amble.
buimac *adj.* **1.** heavy with sleep. **2.** *(zăpăcit)* flummoxed.
buimăceală *s.f.* **1.** dizziness. **2.** *(uluială)* bewilderment.
buimăci I. *vt.* **1.** to stupefy. **2.** *(a ului)* to flabbergast. **II.** *vr.* to be bewildered.
buimăcit *adj.* v. b u i m a c.
buiotă *s.f.* hot-water bottle / bag.
bujie *s.f.* spark(ing) plug.
bujor *s.m. bot.* peony *(Paeonia)*; *un ~ de fată* a flower of a girl.
bujorel *s.m. bot.* v. g e m ă n a r i ț ă.
bulă *s.f.* *(pecete)* bulla; *(scrisoare)* bull; *~ de aer* air bubble.
bulb *s.m.* bulb.
bulbil *s.m. bot.* bulbil, bulblet.
bulboană *s.f.* whirlpool.
bulbos *adj.* bulbous.
bulbotuber *s.m. bot.* bulbotuber.
bulbuc *s.m.* **1.** water bubble; *(de săpun)* soap bubble. **2.** v. b u l b o a n ă. **3.** *bot.* marsh marigold, caltha *(Caltha palustris)*. **4.** *bot.* glober-flower *(Trollius europaeus)*; *plouă cu ~i fam.* it's raining cats and dogs.
bulbuca I. *vt. a ~ ochii* to stare wide-eyed. **II.** *vi.* to bulge. **III.** *vr.* **1.** to bulge. **2.** *(d. ochi)* to start (from their sockets).
bulbucat *adj.* **1.** bulging, swollen. **2.** *(d. ochi)* starting (from their sockets), bulging.
bulbucătură *s.f.* swelling; vault, bulge, bulging out.
bulbuci *vi.* to bubble up; *(a da în clocot)* to boil up.
buldog *s.m.* bulldog.
buldozer *s.n.* bull-dozer.
buleandră *s.f.* **1.** rag. **2.** *pl. și old togs.*
bulet *s.m. zool.* fetlock / pastern-joint (of horse).
buletin *s.n.* bulletin; *~ de analiză* report; *~ de identitate* sau *populație* identity card / paper; *~ de știri* news (bulletin); *~ de vot* ballot; *~ meteorologic* weather forecast; *~ oficial* official gazette.
bulevard *s.n.* avenue, boulevard.
bulevardier *adj.* frivolous, trivial.
bulevardist *s.m. fam.* man about town; idler, loafer.
bulfins *s.n. sport (la curse)* bullfinch.
bulgar, -ă *s.m., s.f., adj.* Bulgarian.
bulgăre *s.m.* **1.** ball. **2.** *(de pământ)* clod; *~ de zăpadă* snowball.
bulgăresc *adj.* Bulgarian.
bulgărește *adv.* **1.** like a Bulgarian; Bulgarian-like. **2.** Bulgarian.
bulgări *vt. pop.* to throw with snowballs.
bulgăroaică *s.f.* Bulgarian (woman).
bulgăros *adj.* lumpy, consisting of lumps / clods; *(d. drumuri)* rough.
bulibașă *s.m.* gipsy baron.
bulimie *s.f. med.* bulimia, bulimy, voracious appetite.
bulin *s.n.* **1.** pill, tabloid. **2.** *pl. (picățele)* (polka) dots.
bulion *s.n.* **1.** tomato sauce. **2.** *(supă)* broth, stock. **3.** *(în bacteriologie)* colony.
bulmea *s.f. nav.* v. b u l u m e a.

bulon *s.n.* bolt.
bulonare *s.f. constr.* bolting.
buluc I. *s.n.* **1.** throng. **2.** *(morman)* heap. **II.** *adv.* **1.** pell-mell. **2.** *(d. oameni)* in a jumble.
bulucbașă *s.m. ist. Turciei* squadron or company commander.
buluceală *s.f.* crowding, thronging, jostling.
buluci *vr.* to push / jostle one another; *(a da năvală)* to flock; *(a se îngrămădi)* to crowd.
bulumac *s.m.* post, pole, stake.
bulumea *s.f. nav.* bulkhead.
bulvan *s.m. ind. lemn.* sawn timber.
bulversa *vi. elev.* to upset, to unsettle, to bowl (smb.) over.
bulz *s.n.* **1.** chunk, lump. **2.** *(de lemne)* sawn log.
bum *interj.* bang!
bumb *s.m.* button.
bumbac *s.m.* **1.** *bot.* cotton (plant) *(Gossypium).* **2.** *text.* cotton; *de ~* cotton.
bumbăcar *s.m.* *(crescător)* cotton grower; *(negustor)* cotton merchant / dealer.
bumbăcărie *s.f.* **1.** cotton trade. **2.** cotton manufacture.
bumbăcăriță *s.f. bot.* moor grass *(Eriophorum angustifolium).*
bumbăceală *s.f.* thrashing, beating, pommelling.
bumbăcel *s.n.* cotton yarn / twine, twist.
bumbăci *vt.* **1.** *(cu vată)* to wad, to line / stuff with wadding. **2.** *fig.* *(a bate) fam.* to sandbag, to pommel, to comb, to beat black and blue, to beat to a mummy.
bumbăcos *adj.* (made of) cotton, cottony, containing cotton; soft as cotton.
bumerang *s.n.* boomerang.
bun I. *s.n.* grandfather; grandparent. **II.** *s.n.* **1.** property. **2.** *și fig.* asset. **3.** *pl.* goods, belongings; *~ de cules* ready for composition; *~ de tipar* imprimatur; *~uri de larg consum* staple / consumer goods; *~uri funciare* landed property; *~uri imobiliare* real estate; *~uri mobile* personal estate, chattels; *~uri publice* public assets. **III.** *adj.* **1.** good. **2.** *(de treabă și)* kind(ly). **3.** *(capabil și)* efficient. **4.** *(potrivit și)* fine; suitable, fit. **5.** *(sănătos)* sound, reasonable. **6.** *(veritabil)* genuine. **7.** *(nestricat)* in good repair. **8.** *(norocos)* lucky, auspicious; *~ă ziua!* hello!; *(vă salut)* how do you do!; *~ băiat* a fine chap indeed; *~de gură* glib; with a slick tongue; *~ de plată*; honest; ready with the money; *~ simț* common sense; *la ce ~ ?* just why?; *mai ~* better, finer etc.; *toate ~e* all right.
buna *s.f. chim.* buna.
Bunavestire *s.f.* Annunciation.
bună *s.f.* *(bunică)* grandmother.
bună-credință *s.f.* good faith.
bună-cuviință *s.f.* **1.** decorum. **2.** *(politețe)* politeness.
bună-dimineața *s.f. bot.* v. z o r e l e.
bunăoară *adv.* for example / instance.
bunăseamă *s.f. de ~* naturally, (as a matter) of course.
bunăstare *s.f.* welfare, wellbeing.
bunătate *s.f.* **1.** goodness. **2.** *(suflet bun)* kind(li)ness. **3.** *pl.* *(de mâncare)* dainties, delicatessen; *o ~!* a wonder!; *~ de...* such a fine...
bunăvoie *s.f. de ~* of one's own accord, voluntarily.
bunăvoință *s.f.* goodwill.
buncăr *s.n.* **1.** *mil.* blockhouse. **2.** *tehn.* bunker.
bundă *s.f. reg.* sort of long furred coat worn by men.
bungalou *s.n. arh.* bungalow.
bunget *s.n.* *(pădure)* (thick) old forest; *(desiș)* thicket; covert.
bunghi *vr. fam.* to gape, to stare; to peep, to peer.
bun-gust *s.n.* fine taste; refinement; *de ~* in good taste, smart.
bunic *s.m.* grandfather, *fam.* grandpa.
bunică *s.f.* grandmother, *fam.* grandma.
bunicel *adj.* passable.
bunicuță *s.f.* **1.** grannie. **2.** kind old woman.
bunișor *adj.* acceptable, pretty good.
bun-simț *s.n.* **1.** good-breeding, manners; fine character. **2.** wisdom, common sense, commonsensicalness; *o chestiune de ~* a matter of common / of good breeding; *fără ~* wanting manners, ill-bred.
bur *s.m. geogr.* Boer; Afrikaander.
bura *vi.* to drizzle.
buraj *s.n. constr. min.* tamping, stemming (blast-hole, mine).
burare *s.f. constr.* bulling, stuffing.
burat *s.n. ind. alim.* sifting cylinder.
buratic *s.m.* tree frog.
bură *s.f.* drizzle.
burbă *s.f. ind. alim.* marc of grapes.
burdigalian *s.n. adj. geol.* Burdigalian.
burduf I. *s.n.* **1.** *(bășică)* bladder. **2.** *(sac)* skin. **3.** *(foale)* bellows. **II.** *adv.* fast, hand and foot.
burduhan *s.n.* paunch.
burduh(ăn)os *adj.* pot-bellied.
burdușeală *s.f.* **1.** swelling, inflammation, bloatedness. **2.** *med., vet.* flatulence. **3.** *fig. fam.* sound flogging / thrashing.
burduși *vt.* **1.** *(a umple)* to cram. **2.** *(a bate)* to sandbag.
burdușire *s.f.* stuffing etc. v. b u r d u ș i.
burelet *s.m. zool.* coronary cushion / ring (round horse's foot).
buret *s.n.* bourette.
burete *s.m.* **1.** sponge. **2.** *(ciupercă)* mushroom.
buretos *adj.* spongy, fungous.
bureză *s.f. tehn.* bulling / stuffing machine.
burg *s.n. ist.* burgh.
burghez *s.m. adj.* bourgeois; *mic ~* petty bourgeois.
burghezie *s.f.* the middle classes, the bourgeoisie; *marea ~* the upper bourgeoisie; *mica ~* the petty bourgeoisie.
burghezo-moșieresc *adj.* bourgeois-landlord...
burghezo-moșierime *s.f.* the bourgeois(ie) and landowners.
burghiu *s.n.* auger.
burgrav *s.m. ist.* burgrave.
buric *s.n.* **1.** navel. **2.** *(al degetului)* tip; *~ul pământului* the hub of the universe.
burica *vr.* *(a se ridica) fam.* to rise.
buriu *s.n. reg.* v. b u t o i.
burjui *s.m. pop.* oof bird; toff; bourgeois, Philistine.
burlac *s.m.* bachelor.
burlan *s.n.* **1.** (rain-)pipe. **2.** *(coș)* flue, stove pipe.
burlăci *vi.* to lead a bachelor's life, to live single.
burlăcie *s.f.* bachelor life.
burlesc *s.n., adj.* burlesque.
burlet *s.n. text.* padding, wadding, cushion string.
burnița *vi.* to drizzle.
burniță *s.f.* drizzle.
burnițos *adj.* drizzly wet, rainy.
burnuz *s.n.* burnous; *(alb și)* cabaan.
bursă *s.f.* **1.** *(întreținere)* scholarship; *(ajutor)* stipend, grant. **2.** *fin.* (stock) exchange; *~ neagră* black market.
bursier *s.m.* stipended student / pupil.
bursuc *s.m. zool.* badger *(Meles taxus).*
bursucar *s.m. zool.* badger dog, terrier.

bursucă *s.f. bot.* alpine bartsia *(Bartsia alpina).*
bursuflură *s.f. ind.* blistering; swelling.
burtă *s.f.* **1.** belly, stomach; *(mare)* paunch. **2.** *(ca mâncare)* tripe; *cu ~* fat; *fig.* lengthy, draw-out; *cu burta mare / la gură* far gone with child; *din ~ fig.* off hand, invented.
burtăverde *s.m.* Philistine.
burtieră *s.f. înv.* stays, corset (girdle), foundation garment.
burtos *adj.* big-bellied.
buruiană *s.f.* **1.** weed. **2.** *(de leac)* simple.
buruieniș *s.n.* weeds.
buruienos *adj.* weedy.
burzului *vr.* **1.** to bristle up. **2.** *(d. vreme)* to break.
burzuluială *s.f.* **1.** bristling up. **2.** *(supărare)* anger; *(mânie)* fury, wrath.
burzuluit *adj.* **1.** *(d. păr)* dishevelled. **2.** angry, in high dudgeon.
busc *s.n. (hidrotehnică)* lock sill.
busculadă *s.f.* scuffle, bustle; scrimmage; jostling
busolă *s.f.* **1.** compass. **2.** *fig.* guide.
bust *s.n.* bust.
busuioc *s.n. bot.* sweet basil *(Ocimum basilicum).*
bușeală *s.f.* blow / stroke with the fist, cuff, *fam.* punch; *(ghiont)* nudge, *fam.* dig / poke in the ribs; *a lua pe cineva la bușeli fam.* to bang smb. about.
bușel *s.m.* bushel.
bușeu *s.n.* patty.
buși **I.** *vt.* *(a înghionti)* to push, to elbow; *(cu o armă etc.)* to thrust; *(cu piciorul)* to kick; *(a da lovituri)* to cuff, to thump, *fam.* to bang / knock about. **II.** *vr. reciproc* to jostle each other; *a se ~ de* to knock / run against.
bușido *s.n.* bushido.
bușitură *s.f.* blow / stroke with the fist.
bușon *s.n.* stopper.
buștean **I.** *s.m.* **1.** log. **2.** *(ciot)* (tree-)stump. **II.** *adv. a dormi ~* to sleep like a top; *a se lămuri ~* to be (still) in the dark.
bușuma *vt.* to wisp / rub down (a horse).
but *s.n.* **1.** *(de vacă etc.)* leg. **2.** *sport* goal area.
butac *adj. zool. (d. unele animale)* with short and bulk horns.
butadă *s.f.* quip.
butadienă *s.f. chim.* butadiene.
butaforie *s.f. teatru, cin.* papier-mâché settings / scenery.
butalcă *s.f. tehn.* shepherd's tool for milk processing.
butan *s.n. chim.* (normal) butane.
butanol *s.m. chim.* butanol.
butaș *s.m.* cutting, slip.
butăși *vt. agr.* to propagate by cuttings, to layer, to slip.
bute *s.f.* hogshead, barrel.
butelcă *s.f.* bottle.
butelie *s.f.* bottle; *~ de aragaz* gas cylinder; *~ de Leyda* Leyden jar.
butelnic *s.n. tehn.* drill, bit. v. s p i ț e l n i c.
butenă *s.f. chim.* butylene.
buterolă *s.f. tehn.* rivet(ing) set, swap.
buteur *s.m. sport (la rugbi)* full back.
butie *s.f.* v. b u t e.
butil *s.n. chim.* butyl.
butilcauciuc *s.n. chim.* butyl rubber.
butilenă *s.f. chim.* butene, butylene.
butilic *adj. chim.* butylic.
butirat *s.m. chim.* butyrate.
butiric *adj. chim. acid ~* butyric acid.
butirină *s.f. chim.* butyrin(e).
butirometru *s.n. ind. alim.* butyrometer.
butistă *s.f. constr.* header.
butoi *s.n.* cask; *(mic)* keg.
butoiaș *s.n.* **1.** small barrel, keg. **2.** *(de revolver)* cylinder.
buton **I.** *s.m.* **1.** cuff link. **2.** *(de guler)* collar stud. **II.** *s.n.* **1.** push (button). **2.** *(la radio etc.)* knob. **3.** *(șaltăr)* switch.
butonare *s.f. text.* dressing, finishing.
butonieră *s.f.* buttonhole.
butuc **I.** *s.m.* **1.** log. **2.** *(ciot)* (tree)stump. **3.** *(de viță)* vine. **4.** *(de roată)* hub. **5.** *(pt. tăiat)* (chopping) block. **6.** *pl. (obezi)* stocks; *pe ~i* under repair. **II.** *adv.: a dormi ~* to sleep like a log.
butucănos *adj.* thick, stumpy.
butură *s.f.* v. b u t u r u g ă.
buture *s.m.* v. b u ș t e a n și b u t u c.
buturugă *s.f.* tree-stump, chump.
buzat *adj.* thick-lipped.
buză *s.f.* lip.
buzdugan *s.n.* mace.
buzer *s.n. telec.* buzzer.
buzna *adv.* **1.** abruptly, unawares. **2.** *(direct)* plumb, pop.
buzunar *s.n.* **1.** pocket. **2.** *zool.* pouch; *de ~* pocket...
buzunăraș *s.n.* change pocket.
buzunări *vt.: a ~ pe cineva* to pick smb.'s pockets; to search smb.
by-pass *s.n. tehn., med.* by-pass.
byronian *adj.* Byronic.

C

C, c *s.m.* C, c, the fifth letter of the Romanian alphabet.
ca I. *prep.* **1.** like. **2.** *(în chip de)* for. **3.** *(în privința)* as to; ~ *atare* as such. **II.** *conj.* **1.** as, so... as. **2.** *(decât)* than; ~ *de pildă* for instance, such as; ~ *la vreo...* about...; ~ *nu cumva să* lest; ~ *să* in order to *(cu inf.)*, with a view to *(cu subst. sau forme în -ing)*; ~ *și* as well as; ~ *și cum* as if.
caatinga *s.f. bot., geogr.* caatinga.
cabală *s.f.* cabal.
cabaline *s.f. pl.* horses.
cabalistic I. *adj.* cab(b)alistic(al). **II.** *adv.* cab(b)alistically.
cabană *s.f.* hut; *(în munți și)* chalet.
cabanier *s.m.* chalet keeper.
cabaniță *s.f. ist.* stately mantle of noblemen worn on solemn occasions.
cabanos *s.m.* dry, highly seasoned sausage.
cabaret *s.n.* cabaret.
cabernet Sauvignon *s.n.* (French) Cabarnet wine.
cabestan *s.n. nav.* capstan.
cabină *s.f.* **1.** cabin; booth. **2.** *(cușetă)* berth. **3.** *(de camion)* cab. **4.** *(de lift)* cage; ~ *de proiecție* projection booth; ~ *telefonică* call box.
cabinet *s.n.***1.** office. **2.** *(guvern)* cabinet, government; ~ *medical* consulting room, surgery.
cabla *vt.* to twist, to lay (strands into cable).
cablaj *s.n. tehn., el.* connecting up; cabling, wiring, twisting (of wire).
cablogramă *s.f.* cablegram.
cablu *s.n.* cable.
caboșon *s.n.* cabochon.
cabotaj *s.n. nav.* cabotage, coasting.
cabotier *s.n. nav.* coaster.
cabotin *s.m.* ham (actor).
cabotinaj *s.n.*, **cabotinism** *s.n.* histrionics.
cabra *vr.* **1.** to prance. **2.** *fig.* to get up on one's hind legs.
cabraj *s.n.* **1.** *(al calului)* rearing. **2.** *av.* nose-lift; elevating (of plane).
cabrioletă *s.f.* gig.
cacao *s.f.* **1.** cocoa. **2.** *(arbustul)* cocoa tree *(Theobroma cacao)*.
cacialma *s.f.* bluff.
caciur *s.m. zool.* reddish sheep with ringed eyes.
cacodilat *s.m. chim., farm.* cacodylate.
cacodilic *adj. chim.* cacodylic.
cacofonie *s.f.* cacophony.
cacom *s.m.* **1.** *zool.* stoat, ermine. **2.** ermine (fur) (*Mustela erminea)*.
cacosmie *s.f. med.* cacosmia.
cactacee *s.f. pl. bot.* Cactaceae.
cactus *s.m.* cactus.
cadastra *vt.* to survey and value.
cadastral *adj.* cadastral.
cadastru *s.n.* survey.
cadaveric *adj.* cadaverous.
cadavru *s.n.* corpse, (dead) body.
cadă *s.f.* tub, vat.
cadână *s.f.* odalisque.
cadențat I. *adj.* cadenced. **II.** *adv.* rhythmically.
cadență *s.f.* **1.** cadence. **2.** *(pas)* pace.
cadențmetru *s.n. fiz.* cadence meter; Geiger counter.
cadet *s.m.* cadet.
cadiu *s.m. odin.* cadi, Moslem judge.
cadmia *vt. tehn.* to coat with cadmium.
cadmie *s.f. met.* sublimated oxide of zinc, tutty, cadmia.
cadmiu *s.n. chim.* cadmium.
cadou *s.n.* gift, present.
cadra *vi.* to be meet and proper; *a ~ cu* to fit, to become.
cadraj *s.n. cin.* centring (of film image).
cadran *s.n.* dial; ~ *solar* sun dial.
cadră *s.f.* picture.
cadril *s.n.* quadrille.
cadrilat *adj.* chequered.
cadru *s.n.* **1.** frame. **2.** *fig.* framework. **3.** *(social)* milieu. **4.** *(persoană)* worker, specialist. **5.** *pl.* staff, personnel. **6.** *pl. fig.* record. **7.** *pl. (serviciu de cadre)* personnel office; *cadre cu studii superioare* university graduated specialists; *cadre didactice* teaching staff; *(cadru didactic)* teacher; *un ~ de nădejde* a promising worker; *~l ușii* door-frame, doorway; *în ~l...* within the framework of..., as part of...; *în acest ~* in this environment.
caduc *adj.* shaky, flimsy.
caduceu *s.n.* caduceus.
caducitate *s.f.* caducity.
C.A.F. *ec.* v. C. I. F.
cafas *s.n. nav.* trellis-work mast, steel-lattice mast.
cafea *s.f.* coffee; ~ *boabe* coffee beans; ~ *cu lapte* milk and coffee; ~ *filtru* filter (coffee); ~ *turcească* Turkish coffee.
cafegiu *sm* **1.** coffee addict. **2.** *(negustor)* coffee seller.
cafeină *s.f.* caffeine.
cafeism *s.n. med.* caffe(in)ism.
cafeluță *s.f. bot.* white lupine *(Lupinus albus)*.
cafenea *s.f.* café, coffee house.
cafeniu *adj.* brown.
caftan *s.n.* caftan, mantle.
cafuzo *s.m.* cafuso, zambo; half-caste.
cagulard *s.m. ist., pol.* cagoulard (member of the Cagoule, an extreme right organization in the 1930's in France).
cagulă *s.f.* **1.** *bis.* cowl; penitent's hood. **2.** *mil.* part of gas mask.
cahlă *s.f.* (Dutch / glazed) store tile.
caia *s.f.* horseshoe nail.
caiac *s.n.* kayak.
caiacist *s.m. sport* kayak paddler, kayaker.
caiafă *s.m.* hypocrite, dissembler, double dealer; *a trimite / purta / duce de la Ana la Caiafa* to send from pillar to post (and from post to pillar).
caic *s.n. nav.* caïc, caïque.
caid *s.m. ist.* kaid (Arab chief, magistrate).
caier *s.n.* bundle.
caiet *s.n.* (copy) book; *(de exerciții)* exercise book; *(de note)* (rough) note book; ~ *de aritmetică* summing book; ~ *de caligrafie* copperplate book; ~ *de sarcini* conditions (of contract).
caimac *s.n.* **1.** skin (of milk). **2.** *(smântână și fig.)* cream.
caimacam *s.m. odin.* caimacan.
caiman *s.m. zool.* cayman, alligator *(Alligator)*.
cainozoic *s.n., adj. geol.* Neozoic (age).
cais *s.m.* apricot tree.
caisă *s.f. bot.* apricot.
caisiu *adj.* apricot-coloured.

cajă *s.f. met.* stand; housing (of a rolling-mill).
cal *s.m.* **1.** horse. **2.** *(armăsar)* steed. **3.** *(la șah)* knight; ~ *de bătaie (țintă a ironiei)* butt of people's jokes, *(obsesie)* hobby horse; ~ *de călărie* riding horse; ~ *de curse* race horse; ~ *de paradă* palfrey; ~ *nărăvaș* balky *sau* restive horse; *cai verzi (pe pereți)* a mare's nest; *(prostii)* tommyrot.
cala *vt.* **1.** *tehn.* to chock, to wedge (up), to pack; to scotch (wheel). **2.** *auto.* to stall (the engine).
calabalâc *s.n.* caboodle; *cu tot ~ul* bag and baggage.
calabrez *adj., s.m.* Calabrian.
calafat *s.n.* tow; *(din funii despletite)* oakum.
calaican *s.n. chim.* copperas, green vitriol.
calaj *s.n.* **1.** *tehn.* chocking (up), wedging (up); scothing. **2.** *auto.* stalling.
calambur *s.n.* play on words, pun.
calamină *s.f. tehn., auto.* carbon (deposit).
calamitat *adj.* calamity-stricken.
calamitate *s.f.* **1.** calamity. **2.** *fig.* nuisance.
calamites *subst. paleont.* calamites.
calandra *vt. tehn.* to calender, to roll, to press; to surface.
calandru *s.n. tehn.* calender (roll).
calapăr *s.m. bot.* v. c a l o m f i r.
calapod *s.n.* **1.** last. **2.** *(pt. pălării)* hat block. **3.** *fig.* pattern, type; *făcuți pe același* ~ birds of a feather.
cală *s.f.* **1.** hold. **2.** *(de lansare)* slip(way). **3.** *bot.* calla *(Zantedeschia aethiopica).*
calc *s.n.* tracing paper; ~ *lingvistic* loan translation.
calcan I. *s.m. iht.* turbot, ray *(Scophthalmus maloticus).* **II.** *s.n.* blank *sau* blind wall.
calcaneu *s.n. anat.* calcaneus, calcaneum.
calcantit *s.n. chim., geol.* blue vitriol.
calcar *s.n. mineral.* limestone, chalky / calcareous stone.
calcaron *s.n. ind.* open oven for sulphur ore.
calcaros *adj.* limestone...
calcavură *s.f.* **1.** *(a cizmarului)* knee strap. **2.** *(bătaie) fam.* drubbing, thrashing, hiding, jacketing; *a trage cuiva o* ~ *fam.* to give smb. a (good) drubbing etc.
calcedonie *s.f. mineral.* chalcedony.
calce *s.f.* **1.** *bot.* marsh marigold, caltha *(Caltha palustris).* **2.** *constr.* free line. **3.** *chim.* calcium oxide.
calchia *vt.* **1.** to trace. **2.** *fig.* to copy.
calchiat *s.n. hârtie de* ~ tracing paper.
calchiere *s.f.* decal(comania).
calcicolă *adj. bot.* v. c a l c i f i l ă.
calcidide *s.n. pl. entom.* chalcidae, chalcidids.
calciferol *s.n. chim., farm.* calciferol, vitamin D2.
calcifia, calcifica *vt., vr.* to calcify.
calcificare, calcifiere *s.f.* calcification.
calcifilă *adj. bot.* calcicolous, calciphile.
calcifugă *adj. bot.* calcifuge, calcifugous.
calcina I. *vt.* to calcine; *(var)* to burn; *(minereu)* to roast. **II.** *vr.* to calcine, to become calcined.
calcinare *s.f.* calcination.
calcinator *s.n. ind.* calciner.
calcinație *s.f.* v. c a l c i n a r e.
calcină *s.f. ind.* calcine.
calcinoză *s.f. med.* calcinosis.
calcio-vecchio *s.n. constr.* (type of) rough-rendering (for outside walls).
calcit *s.n. geol.* lune spar.
calciu *s.n.* calcium.
calcofil *adj. chim.* chalcophile.
calcograf *s.m. poligr.* chalcographer, engravrer on copper.
calcografie *s.f. poligr.* chalcography, engraving on copper.
calcopirită *s.f. mineral.* chalcopyrite.
calcozină *s.f. mineral.* chalcocite, chalcosine, glance-copper.
calcul I. *s.m.* calculus, gravel. **II.** *s.n.* **1.** calculation, reckoning. **2.** *(apreciere)* estimate. **3.** *pl. fig.* speculations; *~ul probabilităților* calculus of probability; *după ~ele mele* according to my reckonings.
calcula *vt.* to calculate, to reckon.
calculabil *adj.* calculable, computable.
calculare *s.f.* calculation, reckoning etc. v. c a l c u l a.
calculat *adj.* **1.** cautious; considerate. **2.** *(ec.)* thrifty. **3.** *(viclean)* designing.
calculat I. *adj. fig. (prudent)* prudent, calculating, well-balanced; *(ec.)* economical. **II.** *s.n.* v. c a l c u l a r e; *mașină de* ~ arithmometer, calculating machine.
calculator I. *s.m.* calculator, computer, reckoner. **II.** *s.n. (personal)* computer. **III.** *adj.* calculating, computing, reckoning.
calculație *s.f.* v. c a l c u l a r e.
calculoză *s.f. med.* calculosis.
cald I. *s.n.* warmth, heat. **II.** *adj.* **1.** warm. **2.** *(fierbinte)* hot. **3.** *(călduț)* lukewarm. **4.** *(d. pâine etc.)* newly baked. **5.** *fig. și kindly, affectionate.* **III.** *adv.* warmly, hotly.
caldarâm *s.n.* pavement.
caldeiră *s.f. geol.* caldera.
cale *s.f.* **1.** road, way. **2.** *(stradă)* street, road. **3.** *(distanță)* distance. **4.** *fig. și pathway;* ~ *bătută* beaten road; ~ *ferată* railway, railroad; ~ *navigabilă* waterway; *~a binelui și a răului* the narrow and the wide path; *~a de mijloc* the golden mean; *calea laptelui* the Milky Way; *~a pierzaniei* the way to perdition; *căi de comunicație* lines of communication; *căi maritime* waterways; *căi și mijloace* ways and means; *din ~afară (de)* extremely; too much; *în* ~ in one's way;*pe ~a aerului* by air; *pe ~a armelor* by war; *pe* ~ *diplomatică* through diplomatic channels; *pe* ~ *legală* legally; *pe* ~ *pașnică* peacefully,peaceably; *pe căi ocolite* in a devious way; *pe căi obișnuite* through the usual channels.
caleașcă *s.f.* carriage.
caledonian *adj. geol.* Caledonian.
calefacție *s.f. fiz.* calefaction, heating, warming.
caleidoscop *s.n.* kaleidoscope.
caleidoscopic *adj.* kaleidoscopic.
calemgiu *s.m. ist.* secretary, clerk, scribe.
calendar *s.n.* calendar.
calendaristic *adj.* calendar..., according to the calendar; *plan* ~ schedule.
calende *s.f. pl.* calends.
calfă *s.f.* journeyman.
calibra *vt. tehn.* to calibrate.
calibraj *s.n.* v. c a l i b r a r e.
calibrare *s.f. tehn.* gauging, callipering, sizing; calibration.
calibror, -oare *s.n. tehn.* calibrator; tube-gauge, tube-caliper.
calibru *s.n.* **1.** calibre, bore. **2.** *fig.* stature; *de același* ~ of much the same brand.
calic I. *s.m.* **1.** pauper. **2.** *(cerșetor)* cadger; *fam.* schnorrer. **3.** *(avar)* miser, curmudgeon. **II.** *adj.* **1.** poor, beggarly. **2.** *(avar)* stingy, niggardly.
calicenie *s.f.* niggardliness, meanness.
calicesc *adj.* **1.** v. c a l i c. **2.** *(jalnic)* miserable, wretched.

calicește *adv.* like a beggar etc. v. c a l i c II.
calici I. *vt.* to bring to poverty. **II.** *vr.* to be stingy; *a se ~ la* to stint, to scrounge.
calicie *s.f.* **1.** poverty. **2.** *(zgârcenie)* stinginess.
caliciform *adj. bot., med.* calciform, cup-shaped.
calicime *s.f.* paupers.
caliciu *s.n. bot.* calix, cup.
calico *s.n.* calico.
calif *s.m.* caliph.
califat *s.n. ist.* caliphate.
califica I. *vt.* **1.** to qualify. **2.** *(a numi)* to call, to style. **II.** *vr.* **1.** to acquire skill. **2.** *(la un concurs etc.)* to qualify.
calificare *s.f.* **1.** skill; training. **2.** *sport etc.* qualification; *~ la locul de muncă* training on the job; *înaltă ~* proficiency.
calificat *adj.* **1.** skilled. **2.** *sport etc.* qualified. **3.** *(specialist)* expert.
calificativ I. *s.n.* **1.** name, epithet. **2.** *(notă)* mark, rating. **II.** *adj.* qualifying.
californiu *s.n. chim.* californium.
caligraf *s.m.* calligrapher, calligraphist, fine penman.
caligrafia *vt.* to write calligraphically.
caligrafic I. *adj.* calligraphic, clerkly. **II.** *adv.* calligraphically.
caligrafie *s.f.* penmanship.
calimera *s.f. înv.* **1.** circumstances, situation. **2.** attitude.
calin *adj.* coaxing, winning; tender.
calistenie *s.f.* callisthenics.
calitate *s.f.* **1.** quality, attribute. **2.** *(însușire)* feature. **3.** *(situație)* capacity, position; *de ~, de ~ bună / superioară* fine; of (good) quality; top quality; *în ~ de* in one's capacity of, as a.
calitativ *adj.* qualitative.
calitipie *s.f. polig.* kallitype (process).
calm *s.n.* **1.** calm, quiet(ness). **2.** *(stăpânire)* composure. **II.** *adj.* **1.** calm, quiet. **2.** *(d. viață etc.)* uneventful. **3.** *(stăpânit)* equable, even-tempered. **III.** *adv.* quietly, calmly.
calma I. *vt.* **1.** to calm. **2.** *(a alina și)* to soothe. **II.** *vi.* to have a soothing effect. **III.** *vr.* to calm down, to quiet, to take it easy.
calmant I. *s.n.* sedative. **II.** *adj.* soothing.
calmar *s.m. zool.* calamary, calamar, sleeve-fish *(Loligo).*
calmare *s.f. med.* tranquillization; *fam.* cooling / calming down, soothing.
calmuc *adj. s.m.* Kalmu(c)k.
calofil *adj.* hyperaesthetic, hyperstylistic; keen on the beauty of style.
calofilie *s.f.* polite literature; aestheticism.
caloian *s.m. înv. pop.* clay figure used in Romanian village rites; rainmaker.
calomel *s.n. med.* calomel.
calomfir *s.m. bot.* costmary *(Tanacetum balsamita).*
calomnia *vt.* to slander, to backbite.
calomniator *s.n.* scandalmonger.
calomnie *s.f.* **1.** slander, calumny. **2.** *(publică)* libel, defamation.
calomniere *s.f.* **1.** slandering; defamation; backbiting. **2.** v. c a l o m n i e.
calomnios *adj.* **1.** slanderous, defamatory. **2.** *jur.* libellous.
caloric I *s.n. înv.* heat, caloric. **II.** *adj. fiz.* heat, heating; caloric.
caloricitate *s.f. fiz.* caloricity.
calorie *s.f.* calorie.
calorifer *s.n.* **1.** central heating. **2.** *(radiator)* central heating radiator.
calorific *adj. fiz.* calorific.
calorifug *tehn.* **I.** *adj.* non-conducting, heat-insulating; heat-proof. **II.** *s.m.* heat-insulator.
calorigen *adj. tehn.* which produces heat.
calorimetrie *adj.* calorimetric(al).
calorimetrie *s.f. fiz.* calorimetry.
calorimetru *s.n. fiz.* calorimeter.
calorizator *s.n. tehn.* calorizer.
calos *adj. anat.* callous.
calosoma *s.f. entom.* calosoma (beetle) *(Calosoma).*
calotă *s.f.* calotte.
calotipie *s.f. înv., foto.* calotype.
calovian, -ă *subst., adj. geol.* Callovian.
calozitate *s.f.* callosity.
calp *adj.* spurious, false.
calpac *s.n. ist.* calpac(k), kalpak, (Napoleonic) busby.
calpuzan *s.m. înv.* forger, counterfeiter, coiner of spurious money.
caltaboș *s.m.* blood pudding.
calup *s.n.* **1.** *(de săpun etc.)* cake. **2.** *(pentru cizmărie)* last.
calus *s.n.* **1.** *med.* callus. **2.** *bot.* callose.
calvar *s.* ordeal, calvary.
calvin *s.m. adj.* Calvinist.
calvinism *s.n.* Calvinism.
calvinist *s.m. rel.* Calvinist.
calviție *s.f.* baldness.
cam *adv.* **1.** about, approximately. **2.** *(aproape)* nearly, almost. **3.** *(oarecum)* rather, somewhat; *~ așa* approximately; like this; *~ o oră* an hour or so; *~ tîrziu* rather late (in the day).
camaieu *s.f. artă* camaieu, monochrome painting; tint-drawing.
camambert *s.n. cul.* Camembert (cheese).
camarad *s.m.* **1.** comrade. **2.** *(coleg)* schoolmate. **3.** *(de arme)* brother at arms.
camaraderește *adv.* in a comradely way, like a friend / comrade.
camaraderie *s.f.* comradeship; *mil. și* ésprit de corps; good fellowship, companionship.
camarilă *s.f.* court clique, camarilla.
camă *s.f. tehn.* cam.
camătă *s.f.* usury, usurious interest.
cambial *adj. fin.* bill...; *drept ~* law of exchange.
cambie *s.f.* promissory note, (of exchange) bill.
cambiu *s.n. bot.* cambium.
cambra *vt., vr.* to bend; to arch; to throw up; to camber, to curve.
cambrian *subst., adj. geol.* Cambrian.
cambuzier *s.m. nav.* **1.** steward, purser. **2.** store / canteen-keeper.
cambulă *s.f. iht.* flounder, fluke *(Pleuronectes flesus).*
cambuză *s.f. nav.* caboose, larder.
camee *s.f.* cameo.
camefite *s.f. pl. bot.* chamephyte.
cameleon *s.m. zool.* chameleon *(Chamaeleon).*
cameleonism *s.n.* **1.** *zool.* faculty of changing colour **2.** *fig.* inconstancy, shiftiness.
camelie *s.f. bot.* camellia *(Camellia).*
camelină *s.f. bot.* camelina, goldofpleasure *(Camelina sativa).*
cameră *s.f.* **1.** room; *(mobilată)* chamber; apartment. **2.** *pol.* house, chamber. **3.** *(de bicicletă etc.)* tube; *(de minge)* bladder; *Camera Comunelor* the House of Commons; *Camera Lorzilor* the House of Lords; *Camera Reprezentanților* the House of Representatives; *Cameră de Comerț* Chamber of Commerce; *~ de baie* bathroom; *~ de culcare* bedroom; *~ de gardă* emergency room; *~ mobilată* furnished room.
camerier *s.m. înv.* valet.
cameristă *s.f.* chamber maid.
cameristă *s.f. înv.* (lady's) maid, chambermaid.
camerton *s.n. muz.* *(pt. coruri)* pitch pipe; *(pt. coarde)* tuning pipe.

camfor *s.n.* camphor.
camfor *s.n.* camphor.
camforat *adj.* camphorated.
camforcă *s.f. tehn.* field forge, portable soldering furnace.
camgar(n) *s.n.* worsted (yarn), combed wool yarn.
camilafcă *s.f.* kamelavkion.
camion *s.n.* **1.** (motor) lorry. **2.** *(cu cai)* dray. **3.** *(pt. mobilă)* van; *~basculant* tip(ping) lorry.
camionagiu *s.m.* carter, drayman.
camionaj *s.n.* carting.
camionar *s.m.* v. c a m i o n a g i u.
camionetă *s.f.* pick-up (truck).
campa *vi.* to camp.
campadă *s.f. tehn.* air lock.
campament *s.n. mil.* **1.** *(campare)* (en)camping. **2.** *(loc)* site of a camp, place of campment.
campanian *subst., adj. geol.* Campanian.
campanie *s.f.* **1.** campaign. **2.** *fig. și drive; ~ electorală* electoral campaign.
campanilă *s.f. arh.* campanile, bell-tower.
campanulacee *s.f. pl. bot.* Campanulaceae.
campanulă *s.f.* bluebells *(Campanula).*
campare *s.f. mil.* (en)camping, encampment.
camping *s.n.* camping ground, site; (holiday) camp.
campion *s.m.* champion.
campionat *s.n.* **1.** *(supremație)* championship. **2.** *(concurs)* championship(s).
campodeoidee *s.f. entom.* campodeidae.
campos *s.m. geogr., bot.* campo, savanna, pampa.
camufla I. *vt.* **1.** to black out. **2.** *(a masca)* to camouflage. **II.** *vr.* **1.** *mil.* to camouflage. **2.** *fig. și to disguise oneself.*
camuflaj *s.n.* **1.** blackout. **2.** *(mascare)* camouflage.
camuflat *adj. mil.* camouflaged; *(noaptea)* black-outed; *fig.* hidden, disguised.
camuflet *s.n. mil.* camouflet, stifler.
cana *s.f.* top, spigot.
canadian *s.m. adj.* Canadian.
canadiană *s.f.* **1.** Canadian (woman). **2.** *(jachetă)* parka jacket.
canaf *s.n.* tassel.
canafas *s.n. text.* canvas.
canal *s.n.* **1.** *(de canalizare)* sewer. **2.** *(pentru apa de ploaie)* drain. **3.** *(navigabil)* channel. **4.** *(artificial)* canal. **5.** *anat.* duct, tube. **6.** *el.* channel; *Canalul Mânecii* the (English) Channel.
canale *s.f. pl. bot.* impatiens, balsamine, garden balsam *(Impatiens balsamina).*
canalicul *s.n. biol., constr.* canaliculus, small channel / pipe.
canalie *s.f.* rascal, scoundrel.
canaliza *vt.* **1.** to sewer. **2.** *fig.* to channel, to guide.
canalizare *s.f.* sewerage.
canalizator *adj.* canalizing.
canapea *s.f.* couch, sofa.
canapeluță *s.f.* settee, davenport.
canar *s.m. omit.* canary (bird) *(Serinus canaria).*
canarisi *vt. nav.* to heel.
canat *s.n.* **1.** leaf. **2.** *(al ferestrei)* wing.
canava *s.f.* **1.** canvas. **2.** *fig.* sketch, essentials.
cană *s.f.* decanter, pitcher; *(cu capac)* tankard.
cancan *s.n.* scandal, gossip.
cancelar *s.m.* chancellor.
cancelariat *s.n. înv.* **1.** *(funcție)* chancellorship; **2.** *(birou)* chancellor's office.
cancelarie *s.f.* **1.** office. **2.** *(la școală)* common *sau* teacher's room.
cancelling *s.n. nav.* cancelling clause.
cancer *s.n.* cancer.
cancerație *s.f. med.* canceration.
cancerigen *med.* **I.** *adj.* cancerigenic, cancerogenic, carcinogenic. **II.** *s.n.* carcinogen.
cancerologie *s.f. med.* cancerology.
canceros I. *s.m.* cancer patient. **II.** *adj.* cancroid.
canceu *s.f.* tall narrow-necked tankard.
canci *adv. fam.* nothing (at all); *fam.* not a scrap / a ghost of it; not a jot / a bit, not the least bit.
canciog *s.n.* mason's ladle, dipper, scoop.
cancioneiro *s.n.* cancione(i)ro.
candel *s.n.* candy.
candelabru *s.n.* chandelier, candelabrum.
candelă *s.f.* votive light.
candid I. *adj.* candid, pure (-minded). **II.** *adv.* candidly.
candida *vi.* **1.** to stand, to run (for). **2.** *fig.* to aspire (to).
candida *s.f. med.* candida.
candidat *s.m.* **1.** candidate. **2.** *pol. și* nominee.
candidatură *s.f.* candidateship.
candoare *s.f.* **1.** candour. **2.** purity.
candriu *adj.* potty, cranky.
canea *s.f.* tap, spigot.
canela *vt. tehn.* to flute, channel; to groove.
canelat *adj.* **1.** *tehn.* grooved. **2.** *arh.* channelled, fluted.
canelură *s.f.* **1.** *tehn.* groove. **2.** *arh.* fluting (of a column).
canetf *s.f. text.* cop, spool.
canevas *s.n. arte etc.* canvas, groundwork, sketch, outline.
canforcă *s.f. tehn.* v. c a m f o r c ă.
cange *s.f.* hook, harpoon.
cangrena *vr.* to gangrene.
cangrenat *adj. med.* gangrened.
cangrenă *s.f.* **1.** gangrene. **2.** *fig.* blight.
cangrenos *adj. med.* gangrenous.
cangur *s.m.* kangaroo.
canibal *s.m.* **1.** cannibal. **2.** *fig.* savage.
canibalic *adj.* man-eating.
canibalism *s.n.* cannibalism.
canicular *adj.* sultry.
caniculă *s.f.* dog days.
canicultură *s.f. zool.* dogbreeding.
canide *s.n. pl. zool.* Canidae.
canin I. *s.m.* eye-tooth. **II.** *adj.* canine.
canion *s.n. geogr., geol.* canion; canyon.
canisă *s.f.* nursery.
canistră *s.f.* can; canister.
canistrelă *s.f. nav.* hank.
caniție *s.f. med.* canities, greyness or whiteness of the hair.
canoe *s.f.* canoe.
canoist *s.m. sport.* canoeist, canoe paddler.
canon *s.n.* **1.** *(chin)* torment. **2.** *(pedeapsă)* penance. **3.** *(regulă)* canon.
canonadă *s.f.* gun fire.
canoneală *s.f.* pains, toil (and moil).
canoni I. *vt.* to torture. **II.** *vr.* **1.** to exert oneself. **2.** to torment (oneself).
canonic I. *s.m.* canon. **II.** *adj.* canonical.
canonier *s.m. mil. odin.* cannoneer, bombardier.
canonieră *s.f.* gunboat.
canoniza *vt. rel.* to canonize.
canonizare *s.f. rel.* canonization.
canotaj *s.n.* boating; *~ academic* rowing.
canotieră *s.f.* sailor hat, boater, straw hat.
canotor *s.m.* rower.
cant *s.n.* edge.
cantabil *adj. muz.* singing, in the manner of a song, cantabile, lyrical.
cantabile *adv. muz.* cantabile.

cantabilitate *s.f. muz.* (flowing) melodiousness, cantabile nature.
cantabri *s.m. pl. ist.* Cantabri.
cantalup *s.m.* melon.
cantaragiu *s.m.* (check) weigher.
cantaridă *s.f. entom.* Spanish fly, cantharis *(Lytta vesicatoria).*
cantaridină *s.f. chim., farm.* cantharidin(e).
cantată *s.f.* cantata.
cantilenă *s.f. muz.* cantilena.
cantină *s.f.* workers' restaurant; *(studențească etc.)* refectory.
cantinier *s.m.* canteen keeper / attendant.
cantitate *s.f.* **1.** quantity, amount. **2.** *mat. și* number.
cantitativ I. *adj.* quantitative. **II.** *adv.* quantitatively.
canto *s.n.* singing.
canton *s.n.* **1.** *geogr.* canton. **2.** *ferov.* block station. **3.** *(de șosea)* gatekeeper's cabin.
cantona I. *vt.* to billet. **II.** *vr.* to take refuge.
cantonal *adj.* cantonal.
cantonament *s.n.* **1.** cantonment. **2.** *(sportiv)* training camp.
cantonier *s.m.* **1.** road surveyor. **2.** *ferov.* line inspector.
cantor *s.m. reg.* **1.** *(dascăl)* (psalm) reader. **2.** *(corist)* chorister. **3.** *(dirijor de cor)* precentor, leader of a choir.
cantus firmus *muz. bis.* cantus firmus.
canțonă *s.f. muz., lit. ital.* canzone.
canțonetă *s.f.* canzonet.
canțonier *s.n. lit. ital.* canzoniero.
canulă *s.f. med.* can(n)ula, tubule; nozzle (of a syringe).
canură *s.f.* combings.
caolin *s.n. mineral.* kaolin, porcelain earth.
caolinit *s.n. mineral.* kaolinite.
cap I. *s.m.* chief, head; *peior.* ringleader. **II.** *s.n.* **1.** *geogr.* cape. **2.** *anat.* head. **3.** *(minte)* mind, brains. **4.** *(persoană)* person, head. **5.** *(început)* start, beginning. **6.** *(capăt)* end. **7.** *(vârf)* top; ~ *de acuzare* count of indictment; ~ *de pod* bridge-head; ~ *luminat* bright mind; ~ *prost / sec* blockhead, cabbage-head;~ *sau pajură?*, *~ul sau coroana* heads or tails; *~ul răutăților* ringleader; *~ul scărilor* stairhead; *cu ~ul gol* bare-headed; *de la ~ la coadă* from title-page to colophon; *din ~ până în picioare* from top to toe; *din ~ul locului* from the outstart; *din ~ul lui fam.* off his own bat; *în ~* exactly; *în ~ul mesei* at the head of the table; *în ~ul oaselor* sitting up; *peste ~ul cuiva* in spite of smb.'s will; *până peste ~* up to the teeth; *a sta în capul oaselor* to sit up.
capabil *adj.* (cap)able, efficient; ~ *de orice* up to anything.
capac *s.n.* lid.
capacimetru *s.n. fiz.* faradmeter.
capacitate *s.f.* **1.** capacity. **2.** *fig. și* ability. **3.** *(resurse)* re-sources. **4.** *(somitate)* authority, outstanding man. **5.** *(putință)* power; ~ *de luptă* combatant value; ~ *de muncă* working ability; *capacități de producție* production capacity.
capacitiv *adj. el.* capacitive.
capăt *s.f.* **1.** end; extremity. **2.** terminus. **3.** *(limită)* limit; bottom. **4.** *(început)* beginning. **5.** *(bucățică)* bit, end; *de la un ~ la altul* throughout; from first to last; *până la ~* through; to the (bitter) end.
capcană *s.f.* trap, snare.
capela *vt. nav.* to rig (mast, spar).
capelan *s.m.* chaplain.
capelă *s.f.* **1.** chapel. **2.** *mil.* (peaked) cap.
capelmaistru *s.m. muz. înv.* band master, conductor of a band / an orchestra.
caperă *s.f. bot.* caper *(Capparis spinosa).*
capie *s.f. vet.* sturdy, turn-sick.
capilar *adj.* capillary.
capilaritate *s.f. fiz.* capillarity, capillary attraction.
capișon *s.n.* hood.
capiște *s.f. înv.* (pagan) temple.
capital I. *s.n.* **1.** capital. **2.** *(bani)* cash, money. **II.** *adj.* **1.** cardinal, capital. **2.** *(principal)* main, essential.
capitală *s.f.* capital; ~ *de județ aprox.* county town.
capitalband *s.n. poligr.* head band.
capitalism *s.n.* capitalism; ~ *monopolist* monopoly capitalism; ~ *de stat* State capitalism.
capitalist I. *s.m.* capitalist, employer. **II.** *adj.* capitalist(ic).
capitaliza *vt.* to capitalize, to accumulate.
capitaluță *s.f. poligr.* small capital (letter).
capitație *s.f. ist. fin.* capitation, poll-tax, head-money.
capitel *s.n. arh.* capital, cap.
capitol *s.n.* chapter.
capitolin *adj.* Capitol(ine).
capitona *vt.* to upholster.
capitonat *adj.* upholstered, quilted.
capitul *s.n. bot.* capitulum, flower-head.
capitula *vi.* to surrender.
capitulant, capitulard 1. *adj.* capitulating, surrendering. **II.** *s.m.* capitulator.
capitulare *s.f.* surrender.
capitulație *s.f.* capitulation.
capiu *adj.* giddy, dizzy.
capîntortură *s.f. ornit.* wryneck *(Jynx torquilla).*
caplama *s.f. nav.* (hard) patch, tingle.
capoc *s.n. text.* kapok.
capodoperă *s.f.* masterpiece.
capon *s.n. nav.* cat(-purchase / tackle).
capona *vt. nav.* to cat (anchor).
caporal *s.m.* corporal.
capot *s.n.* dressing *sau* morning gown; wrapper.
capota *vi.* to capsize.
capotaj *s.n.* **1.** *auto.* hooding. **2.** *av.* cowling.
capotă *s.f.* hood, top.
capră *s.f. zool.* **1.** (she-)goat, nanny-goat *(Capra).* **2.** *(de trăsură)* dicky, box. **3.** *(de lemn)* trestle. **4.** *(pt. gimnastică)* vaulting horse. **5.** *(joc)* leap frog; ~ *neagră* chamois; ~ *râioasă* stuck-up; *de-a capra* v. 5.
capriccioso *adv. muz.* capriccioso.
capricios I. *adj.* whimsical, freakish. **II.** *adv.* whimsically.
capriciu *s.n.* **1.** freak, whim. **2.** *muz.* capriccio, caprice; *capriciile soartei* the ups and downs of life.
capricorn *s.n.* Capricorn.
caprifoi *s.m. bot.* honeysuckle *(Lonicera caprifolium).*
caprine *s.f. zool.* Caprinae.
caprolactamă *s.f. chim.* caprolactam.
capron *subst. text.* plastic capron.
capsa *vt.* to staple.
capsator *s.n.* stapler, stapling machine.
capsă *s.f.* **1.** *mil.* percussion cap. **2.** *(detonator)* primer. **3.** *(pt. hârtii)* staple; *cu capsa pusă* primed; *fig.* with one's monkey up.
capsoman *s.m. fam.* **1.** mule, mulish person. **2.** blockhead, dolt.
capsular *adj. bot. etc.* capsular, capsuliform.
capsulă *s.f.* **1.** capsule. **2.** *(dop)* cap.
capsulă *s.f.* **1.** *anat., zool., bot.* capsule. **2.** *tehn.* capsule, cap, crown-cork; seal (of bottle); diaphragm case.

capta *vt.* **1.** to capture. **2.** *(apă etc.)* to collect.
captabil *adj.* that can be picked up / caught / scanned.
captalan *s.m. bot.* black / dark mullein *(Verascum nigrum).*
captare *s.f. tehn. hidr.* collecting, piping; water-catchment.
captator *s.n. tehn.* pick-up; pick-off.
captiv *s.m. adj.* captive.
captiva *vt.* **1.** to captivate. **2.** *(d. cărți etc.)* to thrill.
captivant *adj.* thrilling.
captivitate *s.f.* captivity.
captor *s.n.* **1.** *tehn.* pickup, trap. **2.** *cib.* sensing device; transducer. **3.** *fiz.* detecting element; contact pick-off.
captura *vt.* to seize.
captură *s.f.* capture.
capuchehaie *s.f. ist.* representative of Romanian rulers at the Sublime Porte, kapikahyas.
capucin, -ă (capuțin) *s.m., s.f. ist., rel.* Capuchin / mendicant friar.
capudan *s.m. ist.* captain / skipper of Turkish warship.
capugiu *s.m. ist.* sultan's special envoy, kapici.
caput *adj. fam.* kaput, smashed, up a tree.
car I. *s.m. entom.* death watch *(Anobium pertinax).* **II.** *s.n.* **1.** cart, chariot. **2.** *(încărcătură)* cartful; ~ *alegoric* pageant; ~ *blindat* / ~ *de asalt* / *luptă* armoured car; ~ *funebru* hearse; *Carul Mare* the Greater Bear; *Carul Mic* the Lesser Bear; *cu ~ul* in plenty; *nici în ~ nici în căruță* sitting on a fence.
caraban *s.m. entom.* rhinoceros beetle *(Oryctes nasicornis).*
carabăț *s.m. entom.* larva of waters insects.
carabide *s.f. pl. entom.* Carabidae; carabids.
carabină *s.f.* rifle.
carabinier *s.m. odin.* carabineer, rifleman.
caracatiță *s.f. zool.* octopus.
caracter *s.n.* **1.** character. **2.** *(natură și)* nature.
caracteristic *adj. (pentru)* characteristic (of), typical (of).
caracteristică *s.f.* specific feature.
caracteriza I. *vt.* to characterize. **II.** *vr.* to be characterized.
caracterizare *s.f.* character(ization).
caracterizator *adj.* defining, characteristic, characterizing; typifying, typical.
caracterologic *adj.* (referring to a man's) character, of character; moral, ethical.
caracterologie *s.f.* characterology.
caracudă *s.f.* **1.** *iht.* crucian *(Carassius vulgaris).* **2.** *fig.* philistine.
caracul *s.m. zool. etc.* caracul / karakul (fur).
carafă *s.f.* carafe.
caragana *s.f. bot.* Caragana *(Caragana arborescens).*
caragață *s.f.* **1.** *ornit.* v. c o ț o f a n ă. **2.** *fig.* v. g a i ț ă 2.
caraghios I. *s.m.* fool. **II.** *adj.* funny, comical. **III.** *adv.* comically, ridiculously.
caraghioslâc *s.n.* **1.** comic. **2.** *(ridicol)* ridicule.
caraghioz *s.m. ist.* **1.** Karagöz, the Turkish Punch / clown. **2.** prince's jester / fool / buffoon.
caraib (carib) *s.m. geogr.* Carib, Caribbee.
carambol *s.n.* collision.
carambola *vi.* to (make a) cannon.
carambolaj *s.n.* v. c a r a m b o l.
caramea, caramelă *s.f.* caramel, toffee.
caramel *s.n.* caramel, burnt sugar.
caramelă *s.f.* caramel.
carameliza *vt., vr.* to caramel(ize) (sugar).
carantină *s.f.* quarantine.
carapace *s.f.* shell.
caras *s.m. iht.* crucian carp *(Carassius vulgaris).*
carat *s.n.* carat.
caraulă *s.f. rar* guard, watch; *mil.* sentinel, sentry.
caravană *s.f.* caravan; ~ *cinematografică* mobile cinema.
caravanserai *s.n.* (caravan)serai, inn.
caravă *s.f. (pescuit)* kind of fish-trap.
caravelă *s.f. nav. odin.* car(a)vel.
carâmb *s.m.* top of the boot.
carbamat *s.n. chim.* carbamate.
carbamic *adj. chim.* carbamic (acid).
carbene *s.f. pl. chim.* carbenes.
carbid *s.n.* calcium carbide.
carbinol *s.m. chim.* carbinol.
carboavă *s.f. fin.* **1.** *ist.* karbovetz, silver rouble. **2.** karbovetz, monetary unit in Ukraine.
carbodiamidă *s.f. biochim.* carbodiimide, urea.
carbogen *s.n. chim., med.* seltzogene powder; carbogen.
carbohidrază *s.f. biochim.* carbohydrase.
carbolic *adj. chim. acid* ~ carbolic acid.
carbolineum *s.n. chim.* carbolineum.
carboloy *s.n. met.* carboloy.
carbometru *s.n. fiz., chim.* carbometer.
carbon *s.n.* carbon (paper).
carbonado *subst. mineral.* carbonado.
carbonar *s.m. ist.* carbonaro.
carbonar *s.m. ist. Italiei* carbonaro.
carbonat *s.m. chim.* carbonate.
carbonatare *s.f. chim., tehn.* carbonatation, carbonation.
carbonic *adj.* carbonic.
carbonier *adj.* **1.** coal(-mining). **2.** charcoal (trading).
carbonifer *adj.* coal-bearing.
carbonil *s.m. chim.* carbonyl.
carbonitrurare *s.f. met.* carbonitriding.
carboniza *vt., vr.* to burn.
carbonizare *s.f.* charring, carbonization.
carborund(um) *s.n. chim., tehn.* carborundum, silicon carbide.
carboxihemoglobină *s.f. biochim.* carboxyhaemoglobin.
carboxil *s.m. chim.* carboxyl (group).
carboxilază *s.f. biochim.* carboxylase.
carboximetilceluloză *s.f. chim.* carboxymethyl cellulose.
carbura *vt.* **1.** *chim.* to carburet. **2.** *met.* to carburize. **3.** *auto.* to vaporize (fuel).
carburant *s.m.* fuel.
carburator *s.n.* carburettor.
carburație *s.f. auto.* carburation, carburating, carburetting.
carbură *s.f. chim.* carbide.
carcalete *s.m.* sweetened wine; cocktail of wine, syrup and water.
carcasă *s.f.* carcasse.
carceră *s.f.* lock-up.
carcinom *s.n. med.* carcinoma.
carda *vt. text.* to card, to comb.
cardamă *s.f. bot.* dyer's wood *(Isatis tinctoria)*; ~ *de izvoare* water cress *(Nasturtium officinale).*
cardan *s.n. tehn.* cardan (joint).
cardanic *adj. tehn.* cardanic, cardan...
cardare *s.f. text.* carding.
cardator *s.m. text.* carder.
cardă *s.f. text.* card, carding engine.
cardiac I. *s.m.* cardiac patient. **II.** *adj.* cardiac, heart...
cardialgie *s.f. med.* cardialgia, gastralgia.
cardie *s.f. anat.* cardia.
cardinal *s.m. adj.* cardinal.
cardioaccelerator *adj. anat.* cardio-accelerator.
cardiograf *s.n. med.* cardiograph.

cardiografic *adj. med.* cardiographic.
cardiografie *s.f. med.* cardiography.
cardiogramă *s.f. med.* cardiogram.
cardioidă *s.f. mat.* cardioid (curve).
cardioinhibitor *adj. anat.* cardioinhibitory.
cardiolog *s.m.* cardiologist.
cardiologic *adj. med.* cardiologic(al), heart...
cardiologie *s.f. med.* cardiology.
cardioscleroză *s.f. med.* cardiosclerosis.
cardiotonic *adj. s.n. med.* cardiotonic.
cardiotoxic *adj.* cardiotoxis.
cardiovascular *adj.* cardiovascular.
cardium *subst. zool.* cardium.
cardon *s.m. bot.* cardoon, edible thistle *(Cynara cardunculus)*.
care I. *adj.* what; *(selectiv)* which. **II.** *pron.* **1.** *(interog. și relativ, pt. persoane)* who (?), *(selectiv)* which? **2.** *(interog. și relativ, pt. lucruri)* which (?) **3.** *(relativ, pt. lucruri sau persoane)* that. **4.** *(nehotărât, unii)* some; ~ *dintre ei?* which of them?; ~ *încotro* everywhere; ~ *mai de* ~ vying with each other; ~ *va să zică* therefore.
carena *vt.* **1.** *nav.* to careen (ship). **2.** *av.* to streamline, to fair the lines of (fuselage etc.).
carenaj *s.n.* **1.** *nav.* careening, carenage (of ship). **2.** *av., auto.* stream-lining; fairing (of the lines).
carenate *s.f. pl., adj. ornit.* carinate, keeled.
carenă *s.f. nav.* bottom hull.
carență *s.f. rar* default, deficiency.
caret *s.m. zool.* loggerhead (turtle); hawkbill (turtle), caretta *(Eretmochelys imbricata)*.
caretaș *s.m.* coachmaker, cartwright, wheelwright.
caretă *s.f.* coach.
carete *s.m. zool.* cheesemite.
careu *s.n.* **1.** square. **2.** *(la pocher)* four of a kind.
careva *pron.* somebody.
cargan *s.n. text.* protein fibre (from cheese).
cargobot *s.n.* cargoboat, freighter.
caria *vt., vr.* to rot, to decay.
cariat *adj.* decayed.
cariatidă *s.f. arh.* caryatid.
caric *s.n. nav.* cargo, load(ing), freight(-charging).
caricatural *adj.* caricatural.
caricatură *s.f.* **1.** cartoon. **2.** *fig.* caricature.
caricaturist *s.m.* cartoonist.
caricaturiza *vt.* to caricature.
caricaturizare *s.f.* caricature, skit.
caridă *s.f. zool.* shrimp, prawn *(Palaemon squilla)*.
carie *s.f.* (dental) decay.
carieră *s.f.* **1.** career. **2.** *(de piatră etc.)* quarry; *de* ~ professional; *a face* ~ to make one's mark; *a-și face o* ~ to carve out a career for oneself.
carierism *s.n.* self-seeking, careerism.
carierist I. *s.m.* self-seeker, careerist. **II.** *adj.* self-seeking.
carioca *s.f.* **1.** popular dance from Brazil. **2.** felt tip pen.
carioc(h)ineză *s.f. biol.* karyo mitosis.
cariofilacee *s.f. pl. bot.* caryophylaceae.
cariolă *s.f.* car(r)iole.
cariometrie *s.f. biol.* caryometry.
cariopsă *s.f. bot.* caryopsis.
caritabil *adj.* charitable.
caritate *s.f.* charity.
cariu *s.m. entom.* v. c a r i.
carlingă *s.f.* cock-pit.
carmac *s.n.* trawl / bottom line.
carmagnole *s.f. ist.* carmagnole: a) jacket (worn by Revolutionaries in 1793); b) revolutionary dance and song.
carmelită *s.f. rel.* Carmelite (nun).
carmin *s.n. adj.* carmine.
carminativ *adj., s.n. med.* carminative.
carnabat *s.m. zool.* sheep breed originally from Bulgaria.
carnaj *s.n.* massacre, slaughter, carnage.
carnal *adj.* carnal, bodily, sensual, sensuous, of the flesh; worldly.
carnalit *s.n. mineral.* carnallite.
carnasier *adj. zool.* carnivorous, flesh-eating.
carnație *s.f.* carnation.
carnaval *s.n.* carnival.
carne *s.f.* **1.** *(vie)* flesh. **2.** *(tăiată)* meat. **3.** *fig.* flesh, body; ~ *de berbec* mutton; ~ *de miel* lamb; ~ *de oaie* mutton; ~ *de pasăre* fowl; ~ *de porc* pork; ~ *de tun* cannon fodder; ~ *de vacă* beef; ~ *de vițel* veal; ~ *friptă* roast; *fără* ~ fleshless; *în* ~ *și oase* in person.
carnet *s.n.* **1.** *(legitimație)* card. **2.** *(de note)* notebook; ~ *de cecuri* cheque book; ~ *de cuvinte* word book; ~ *de membru* membership card; ~ *de șofer* driving licence.
carnețel *s.n.* notebook, jotter; pocketbook.
carnian, -ă *subst., adj. geol.* Carnian.
carnivor I. *s.n.* carnivore. **II.** *adj.* carnivorous.
carnivore *s.n. pl. zool.* carnivorous animals, carnivora.
caro *s.n.* diamonds.
caroiaj *s.n.* squares (on the map).
carolă *s.f. arh.* ambulatory.
carosabil *adj.: partea ~ă* the carriage road.
caroserie *s.f.* body (of a car).
carotaj *s.n. tehn.* logging, sampling.
carotă *s.f. bot.* (French) carrot.
caroten *s.m. biochim.* carotene.
carotidă *s.f. anat.* carotid (artery).
carotieră *s.f. tehn.* core barrel.
carou *s.n.* square; *în ~ri* check (-ered).
carp *s.n. anat.* carpus, wrist.
carpatic, carpatin *adj.* Carpathian.
carpelă *s.f. bot.* carpel.
carpen *s.m. bot.* hornbeam *(Carpinus betulus)*.
carpetă *s.f.* rug.
carpi *s.m. pl. ist.* Carpae, Thracians.
carpicultură *s.f. zool.* carpkeeping.
carren (karren) *s.n. geol.* lapies, lapiaz.
carst *s.n. geol.* karst.
carstic *adj. geol.* karst.
cart *s.n.* watch; *de* ~ on watch.
carta *vt.* to sort (out).
cartaginez *adj., s.m.* Carthaginian.
cartare *s.f.* **1.** *(poștă)* sorting (of mail). **2.** *geol., geogr.* plotting, mapping, map-drawing.
cartă *s.f.* charter.
carte *s.f.* **1.** book. **2.** *(de joc)* playing card. **3.** *(scrisoare)* letter. **4.** *(cunoștințe, învățătură)* schooling. **5.** *(legitimație)* card. **6.** *pol.* paper; ~ *albă* white paper; ~ *cu poze* picture book; ~ *de aur* guest book; ~ *de bucate* cook(ery) book; ~ *de căpătâi* set book; ~ *de citire* reader; ~ *de școală* class book; ~ *de impresii* guest book; ~ *de vizită* visiting card; ~ *funciară* sau *funduară* cadastral register; ~ *poștală* postcard; *(ilustrată)* picture postcard; *ca la* ~ regular(ly).
cartel *s.n.* cartel, combine.
cartela *vr. pol.* to form a coalition / *ec.* cartel.
cartelă *s.f.* **1.** ration book. **2.** *ist. (de îmbrăcăminte)* clothing coupons.
carter *s.n. tehn.* case, casing box.
cartezian *adj., s.m. filoz.* Cartesian.
cartezianism *s.n. filoz.* Cartesianism.
cartier *s.n.* district, quarter; ~ *general* headquarters; ~ *de locuințe* residential district; ~ *mărginaș* outlying district; ~ *sărac* slum; *în* ~ in the neighbourhood.
cartilaginos *adj. anat.* cartilaginous, *fam.* gristly.

cartilaj *s.n. anat.* cartilage, *fam.* gristle.
cartirui *vt.* to quarter.
cartiruire *s.f. mil.* billeting, quartering.
cartism *s.n. ist. Angliei* chartism.
cartist, -ă *s.m., s.f. ist. Angliei* chartist.
cartnic *s.m. nav.* petty officer.
cartodiagramă *s.f. geogr.* cartogram which includes diagrams.
cartof *s.n.* **1.** potato. **2.** *(plantă)* potato plant; ~ *dulce* sweet potato; *~i prăjiți* chips, crisps.
cartofor *s.m.* gambler.
cartograf *s.m.* cartographer, map maker, designer of maps.
cartografia *vt.* to make maps.
cartografic *adj.* map-drawing.
cartografie *s.f.* map drawing.
cartogramă *s.f. geogr. etc.* cartogram.
carton *s.n.* **1.** cardboard. **2.** *(de prăjituri)* carton.
cartona *vt.* to bind in boards; to paste.
cartonaj *s.n.* **1.** *(cartonare)* pasteboard work. **2.** *(obiecte de carton)* pasteboard goods / wares.
cartonat *adj.* in boards.
cartotecă *s.f.* card index (drawers); casebook.
cartuș *s.n.* **1.** cartridge. **2.** *(de țigări)* carton; ~ *de manevră,* ~ *orb* blank cartridge.
cartușieră *s.f.* cartridge box.
carusel *s.n.* merry-go-round.
casa *vt.* to quash; AE to repeal.
casabil *adj.* **1.** v. c a s a n t. **2.** *jur.* annullable.
casant *adj.* breakable; frail.
casap *s.m.* butcher.
casare *s.f.* cassation.
casată *s.f.* combined icecream.
casație **I.** *s.f.* cassation. **II.** *adj.* capital.
casă *s.f.* **1.** house. **2.** *(locuință)* dwelling. **3.** *(cămin)* home. **4.** *(familie)* family, house. **5.** *(gospodărie)* household. **6.** *(clădire)* building. **7.** *(pt. plată)* pay desk; ~ *bătrânească* parental house; ~ *de bagaje* cloakroom; ~ *de bani* strongbox; ~ *de bilete* booking office; *teatru și box office;* ~ *de comerț* firm, house; ~ *de corecție* reformatory; ~ *de economii* savings bank; ~ *de nașteri* maternity home; ~ *de odihnă* rest home; ~ *de raport* tenement (house); weekly; ~ *de sănătate* institution; ~ *părintească* the scene of one's childhood; *ai casei* inmates, one's folk; *în* ~ indoors.
cascadă *s.f.* cascade, waterfall.
cascador *s.m.* **1.** *cin.* stunt man; stand-in. **2.** clown specializing in pratfalls.
cască *s.f.* **1.** helmet. **2.** *(de radio)* headphones; ~ *colonială* sun helmet; ~ *de baie* bathing cap; ~ *de protecție* crash helmet.
cască-gură *s.m.* v. g u r ă-c a s c ă.
caschetă *s.f.* (visored) cap.
caseină *s.f.* casein.
caserolă *s.f.* casserole.
casetă *s.f.* **1.** casket. **2.** *(pt. bani)* money box. **3.** *poligr.* font. **4.** *tehn.* column.
casier, ă *s.m., s.f.* cashier.
casierie *s.f.* pay office.
casieriță *s.f.* (woman) cashier; *ferov. etc.* booking clerk.
casiterită *s.f. mineral.* cassiterite.
casiu *s.n. constr.* cross-drain, open gutter (across road).
casnic *adj.* household, domestic; family.
casnică *s.f.* housewife.
casoletă *s.f.* cassolette, perfume pan.
cast *adj.* chaste.
castan *s.m. bot.* chestnut tree *(Castanea sativa).*
castană *s.f.* **1.** *(sălbatică)* (horse) chestnut. **2.** *(dulce)* sweet chestnut.
castaniete *s.f. pl.* castanets.
castaniu *adj.* chestnut.
castă *s.f.* caste.
castel *s.m.* castle.
castelan *s.m.* owner of a castle.
castelană *s.f.* lady owner of a castle.
castitate *s.f.* chastity; virtue.
castor *s.m. zool.* beaver *(Castor fiber).*
castra *vt.* to castrate.
castrare *s.f.* gelding.
castravecior *s.m.* gherkin.
castravete *s.m.* cucumber *(Cucumis satirus).*
castron *s.n.* tureen, bowl.
castronaș *s.n.* **1.** porringer. **2.** *(pt. bărbierit)* shaving-cup.
castru *s.n.* Roman camp.
caș *s.n.* **1.** green ewe cheese. **2.** *(la gură)* cere. **3.** *fig.* greenness; *cu* ~ *la gură* callow, unfledged.
cașa *s.f. text.* Kasha.
cașalot *s.m. zool.* sperm whale, cachalot *(Physetes).*
cașcaval *s.n.* cacciocavallo.
cașetă *s.f. med.* cachet.
cașexie *s.f.* **1.** *med.* cachexy, general debility. **2.** *vet.* rot.
cașmir *s.n.* cashmere.
cat *s.n.* storey; *(pe dinăuntru)* floor, *cu mai multe ~uri* many storeyed.
catabolism *s.n.* catabolism.
cataclastic *adj. geol.* cataclastic.
cataclază *s.f. geol.* cataclasis, *pl.* cataclases.
cataclism *s.n.* disaster, calamity.
catacombă *s.f.* catacomb.
catacreză *s.f. lingv.* catachresis.
catadicsi *vt.* to deign.
catafalc *s.n.* catafalque; *pe* ~ in state.
cataforeză *s.f. chim.* cataphoresis.
catagrafia *vt. înv.* to catalogue, to list.
catagrafie *s.f. înv.* **1.** inventory; cataloguing. **2.** census.
catahreză *s.f. lingv., stil.* v. c a t a c r e z ă.
cataif *s.n.* whipped cream cake.
catalan *adj., s.m.* Catalan, Catalonian.
catalază *s.f. biochim.* catalase.
catalectic *adj. lit.* catalectic.
catalepsie *s.f.* catalepsy.
cataleptic *adj., s.m.* cataleptic.
catalige *s.f. pl.* stilts.
catalitic *adj. chim.* catalytic.
cataliza *vt. chim.* to catalyse.
catalizator *chim.* **I.** *adj.* catalytic. **II.** *s.m.* catalyst, catalyser; accelerant, accelerator.
catalizǎ *s.f. chim.* catalysis.
catalog *s.n.* **1.** catalogue, list. **2.** *(la școală)* roll.
cataloga *vt.* to catalogue, to put / enter in a catalogue.
catalogare *s.f.* cataloguing.
catalpă *s.f. bot.* catalpa *(Catalpa bignonioides).*
catamneză *s.f. med.* catamnesis.
catapeteasmă *s.f.* iconostasis, rood screen.
cataplasmă *s.f.* cataplasm.
catapulta *vt. av. etc.* to catapult.
catapultă *s.f.* catapult.
catar *s.n. med.* catarrh.
cataractă *s.f.* cataract
cataral *adj. med.* catarrhal.
cataramă *s.f.* buckle; *a fi prieteni la* ~ to hobnob; to be as thick as thieves.
catarg *s.n.* mast.
catargel *s.n. nav.* topgallant mast.
catari *s.m. pl. rel., ist.* Cathar, Catharist, Catharian.
catariniane *s.n. pl. zool.* Catarrhina.
catarsis *s.n.* catharsis.
catastif *s.n.* list.
catastrofal *adj.* catastrophic.
catastrofă *s.f.* catastrophe.
catastrofism *s.n. geol., biol.* catastrophism.
catatermometru *s.n. fiz., med.* catathermometer.

catavasie *s.f. bis.* first hymn of catabasis service.
catavasier *s.n. rel.* book of hymns.
catazonă *s.f. geol.* katazone.
catâr *s.m. zool.* mule.
catârcă *s.f. zool.* female mule.
catecolamine *s.f. pl. biochim.* catecholamines.
catedrală *s.f.* cathedral.
catedră *s.f.* **1.** (master's) desk. **2.** chair; *(secție și)* department; ~ *de chimie etc.* a chair in chemistry etc.
categorial *adj.* categorial.
categoric I. *adj.* categorical, flat. **II.** *adv.* categorically, point-blank.
categorie *s.f.* category.
categorisi *vt.* **1.** to categorize, to classify. **2.** to qualify, to style.
catehism *s.n. rel.* catechism.
catehumen *s.m. rel.* catechumen.
catenar *adj. tehn.* overhead contact wire; trolley wire (with catenary suspension).
catenă *s.f.* **1.** chain of mountains, mountain range. **2.** *chim.* chain.
caterincă *s.f. muz. rar* barrel / street organ.
caterisi *vt. bis.* to unfrock, to defrock (a priest).
caterpilar *s.n. agr. etc.* caterpillar (tractor).
catetă *s.f.* cathetus.
cateter *s.n. med.* catheter.
cateterism *s.n. med.* sounding with a catheter.
catetometru *s.n. fiz.* cathetometer.
catgut *s.n.* catgut.
catifea *s.f.* velvet.
catifelat *adj.* velvety.
catihet *s.m. rel.* catechist, catechizer; religious teacher.
catihetic *adj. rel.* catechetic(al).
catilinară *s.f.* **1.** Catilinic oration / speech. **2.** *fig.* diatribe, outburst.
cation *s.m. fiz.* cation.
cationit *s.m. chim.* cationite.
catiușă *s.f. mil.* jet mortar.
catod *s.m. el.* cathode.
catodic *adj. el.* cathodic.
catodoluminescență *s.f. fiz.* cathodo-luminescence.
catolic *s.m. adj.* Catholic.
catolicism *s.n.* Catholicism.
catometru *s.n. fiz., tehn.* tube checker / tester, free-point tester.
catoptrică *s.f. opt.* catoptrics.
catrafuse *s.f. pl.* kit, caboodle.
catran *s.n.* **1.** tar. **2.** *fig.* great anger.
catren *s.n.* quatrain.
catrință *s.f.* peasant skirt.
cațaveică *s.f.* **1.** long (often fur-trimmed) jacket worn by Romanian countrywomen. **2.** small mortar board.
cață *s.f.* **1.** scold, nag. **2.** *(cârjă)* hook.
caua *s.f.* bugbear, bugaboo.
cauc *s.n.* v. c o n c i.
caucazian *s.m., adj.* Caucasian.
cauciuc *s.n.* **1.** rubber. **2.** *(de automobil)* tyre.
cauciuca *vt.* to rubberize.
cauciucat *adj.* rubberized.
caudal *adj.* caudal.
caudat *s.n. zool.* caudate, tailed batrachian; *pl.* Urodela.
caudillo *s.m.* caudillo, leader; autocrat.
cauliflorie *s.f. bot.* cauliflory.
caudin *adj. furcile* ~ *e* Caudine Forks.
cauper *s.n. met.* cowper store, air heater.
caustic *adj.* **1.** caustic. **2.** *fig. și* lashing.
causticitate *s.f.* **1.** causticity. **2.** *fig.* sting.
cauter *s.n. med.* cautery.
cauteriza *vt. med.* to cauterize, to sear.
cauterizare *s.f. med.* cauterization, cautery.
cauțiune *s.f.* bail, security.
cauza I. *vt.* to bring about, to cause, to determine. **II.** *vi. fam.* to harm.
cauzal *adj.* causative.
cauzalgie *s.f. med.* causalgia.
cauzalism *s.n. filoz.* causalism.
cauzalitate *s.f.* determination.
cauzativ *adj.* causative.
cauză *s.f.* **1.** cause. **2.** *(motiv și)* reason; ~ *dreaptă* a right (ful) cause; *din această* ~ on that account; *din cauza (cu gen.)* because of; *din / pentru* ~ *de boală* for one's health.
cav *adj.* **1.** hollow. **2.** *anat. vena ~ă* vena cava.
cavaf *s.m. înv.* bootmaker, shoemaker; *peior.* cobbler.
caval *s.n.* long pipe.
cavalcadă *s.f.* cavalcade.
cavaler I. *s.m.* **1.** *ist.* knight. **2.** *(însoțitor)* companion. **3.** *(admirator)* beau. **4.** *fig.* gallant; sport; ~ *de onoare* best man; ~ *rătăcitor* knight-errant. *fii* ~ be a sport. **II.** *adj.* gallant.
cavaleresc *adj.* chivalrous.
cavalerește *adv.* gallantly; courteously.
cavalerie *s.f.* cavalry; *(trupe și)* horse(men).
cavalerism *s.n.* chivalry.
cavalerist *s.m.* cavalry man; *pl.* cavalry, horse.
cavalet *s.n. nav.* boat chock, crutch.
cavalin *adj.* equine, horse...
cavatină *s.f. muz.* cavatina.
cavernă *s.f.* **1.** cave(rn). **2.** *med.* cavity.
cavernicol *adj. geol., biol.* cavernicolous, cave-dwelling, cave-loving.
cavernogramă *s.f. geol., tehn.* cal(l)iper log.
cavernometrie *s.f. geol.* cal(l)iper log(g)ing.
cavernometru *s.n. geol.* open-hole / well cal(l)iper.
cavernos *adj.* **1.** cavernous. **2.** *(d. glas)* hollow.
cavetă *s.f. arh.* cavetto.
caviar *s.n.* caviar.
cavilă *s.f. nav.* belaying / jack pin.
cavilieră *s.f. nav.* belaying rack, file / pin rail.
cavitate *s.f.* cavity.
cavitație *s.f. fiz., tehn.* cavitation.
cavou *s.n.* tomb, vault.
caz *s.n.* **1.** case. **2.** *(întâmplare și)* event, occasion. **3.** *(exemplu și)* instance. **4.** *(zarvă)* fuss. **5.** *(problemă)* issue; ~ *de conștiință* a matter of conscience; ~ *de forță majoră* case of emergency; ~ *patologic* psychopath; *în* ~ *de...* in the event of...; *în cel mai bun* ~ at the best; *în cel mai rău* ~ at the worst; if the worst comes to the worst; *în nici un* ~ on no account; *în orice* ~ at any rate, by all means; *dacă este ~ul* if need be.
caza *vt.* to accomodate.
cazac *s.m., adj.* Cossack.
cazacă *s.f.* **1.** cassock. **2.** jockey's coat / jacket.
cazacioc *s.n.* v. c ă z ă c e a s c ă.
cazan *s.n.* **1.** boiler. **2.** *(de rufe)* copper. **3.** *(de țuică etc.)* still, alembic.
cazangerie *s.f.* boiler room / house.
cazangiu *s.m.* boiler maker.
cazanie *s.f.* homily.
cazare *s.f.* **1.** accomodation. **2.** *mil.* quartering.
cazarmament *s.n. mil.* barrack equipage.
cazarmă *s.f.* barrack(s).
cazeificare *s.f. med.* caseation, caseous degeneration.
cazeină *s.f. chim.* casein(e).
cazeinogen *s.n. chim.* casein.
cazemată *s.f.* pill box.
cazic *s.m. nav.* picket, steel picker / stake.
cazier *s.n.* (criminal *sau* identification) record.
cazinou *s.n.* casino.

cazma *s.f.* spade.
cazn *s.f.* **1.** torture; ordeal. **2.** *(strădanie)* effort.
cazon *adj.* soldierly.
cazual *adj.* **1.** casual, fortuitous, accidental. **2.** *gram.* case...
cazualitate *s.f.* fortuitousness.
cazuar *s.m. ornit.* cassowary *(Casuarius).*
cazuist I. *s.m.* casuist. **II.** *adj.* self-righteous.
cazuistic *adj.* casuistic.
cazuistică *s.f.* **1.** *filoz.* casuistry. **2.** *med. etc.* case-book record.
cazulcă *s.f.* tool for fishing under ice.
că *conj.* **1.** that. **2.** *(întrucât)* for; ~ *altfel* or else; *cum* ~ to the effect that; allegedly; ~ *bine zici* right you are.
căci *conj.* for, because, as.
căciular *s.m.* cap maker, capper; hatter.
căciulă *s.f.* fur cap; *(mare)* busby; *de* ~ per head, each.
căciuli *vr.* to cringe, to kowtow.
căciuliță *s.f.* bonnet, cap.
cădea I. *vi.* **1.** to fall (down), to drop. **2.** *(la examen etc.)* to fail (in an examination etc.). **3.** *(d. evenimente etc.)* to be, to happen; *a* ~ *(în) baltă* to go to pot; *a* ~ *bine* to fit well, to suit the occasion; to come in handy; *a-i* ~ *cineva cu tronc / drag* to grow fond of smb.; *fam.* to fall for smb.; *a* ~ *de acord* to reach an agreement; *a* ~ *de somn, a* ~ *din picioare* to be dog-tired, to be fagged out; *a* ~ *cuiva de gât* to set one's cap at smb.; *a* ~ *din pod* to fall from the moon; *a* ~ *în bot* to drop with fatigue; *a* ~ *în greșeală* to err; *a* ~ *în uitare* to be forgotten; *a* ~ *la învoială* to agree; *a* ~ *la pat* to fall ill; *a* ~ *pe bec* to be stupefied; to be infatuated; to be cheated; *a* ~ *pe gânduri* to grow thoughtful; *a-i* ~ *greu la stomac* to sicken. **II.** *vr.* to be fit *sau* becoming; *a i se* ~ to be one's due.
cădelnița I. *vt.* to extol. **II.** *vi.* to cense.
cădelniță *s.f.* censer.
cădere *s.f.* **1.** fall. **2.** *fig.* collapse, ruin. **3.** *(insucces)* failure. **4.** *(pricepere)* competence, authority; ~ *de apă* waterfall; *la* ~ *a nopții* at nightfall.
căi *vr.* to repent, to be contrite.
căimăcămie *s.f. ist. pol.* regency; provisional governament.
căina I. *vt.* **1.** to commiserate. **2.** *(a deplânge)* to deplore. **II.** *vr.* to lament.
căință *s.f.* repentance; *cu* ~ contritely.
căiță *s.f. reg.* bonnet; *a se naște cu căița-n cap* to born with a caul on one's head.
călare I. *adj.* on horseback, mounted. **II.** *adv.* on horseback; ~ *pe* astride of; *fig.* master of.
călăfătui *vt. nav.* to caulk.
călăraș *s.m. înv. mil.* cavalry man; *(călăreț)* horseman.
călăreț *s.m.* horseman, rider.
călări *vi.* to ride.
călărie *s.f.* riding.
călărime *s.f. mil. ist.* cavalry, horse cavalry.
călător I. *s.m.* **1.** traveller. **2.** *(pasager)* passenger. **II.** *adj.* **1.** travelling, itinerant. **2.** *(migrator)* migratory, of passage.
călători *vi.* **1.** to travel. **2.** *(pe uscat și)* to journey. **3.** *(a naviga și)* to voyage.
călătorie *s.f.* **1.** travel, journey. **2.** *(mai ales rapidă)* trip. **3.** *(pe mare)* voyage. **4.** *(cu mașina)* drive. **5.** *(cu un vehicul de transport public)* ride; ~ *de nuntă* honeymoon trip.
călătorit *adj.* travelled.
călău *s.m.* **1.** executioner. **2.** *fig. și* butcher.
călăuză *s.f.* **1.** guide. **2.** *(carte și)* guide(-book).
călăuzi I. *vt.* to guide, to lead. **II.** *vr.: a se* ~ *după* to take as a guide.
călăuzire *s.f.* guidance.
călăuzitor *adj.* guiding, inspiring.
călca I. *vt.* **1.** to tread, to trample (on). **2.** *(a vizita)* to visit. **3.** *(d. hoți)* to rob. **4.** *(cu fierul)* to iron; *a* ~ *în picioare* to trample (underfoot); *a* ~ *legea* to break the law; *a* ~ *porunca cuiva* to interfere with smb.'s orders; *a* ~ *pragul cuiva* to cross smb.'s threshold. **II.** *vi.* **1.** to tread, to step. **2.** *(cu fierul)* to iron (clothes), to press (linen); *a-și* ~ *pe inimă* to pocket *sau* swallow one's pride; *a* ~ *pe urmele cuiva* to take after smb.; *a* ~ *strâmb* to take a false step.
călcare *s.f.* **1.** treading, trampling. **2.** *fig.* infringement. **3.** *(atac)* robbery; burglary.
călcat *s.n.* ironing.
călcător *s.m. text.* ironer.
călcătorie *s.f.* laundry.
călcătură *s.f.* step.
călcâi *s.n.* heel.
căldare *s.f.* pail, bucket.
căldărar *s.m.* boiler maker, copper-smith.
căldăraș *s.m. met.* auxiliary metal worker.
căldărușă *s.f. bot.* columbine *(Aquilegia vulgaris).*
căldură *s.f.* **1.** heat, warmth. **2.** *fig.* și ardour. **3.** *(febră)* fever(ishness). **4.** *pl.* dogdays. **5.** *pl. zool.* heat; *cu* ~ heartily, heatedly; *a fi în călduri* to be in a heat.
călduros I. *adj.* **1.** warm. **2.** *fig. și* ardent. **II.** *adv.* warmly, passionately.
călduț *adj.* lukewarm.
căli I. *vt.* **1.** to temper. **2.** *fig. și* to steel. **II.** *vr.* **1.** to be tempered. **2.** *fig. și* to be steeled.
călibilitate *s.f. met.* capacity of steel to harden.
călifar *s.m. ornit.* tadorna / winter wild duck, sheld-duck *(Tadorna).*
călimară *s.f.* ink-pot, inkwell.
călin *s.m. bot.* snowball tree *(Viburnum opulus).*
călină *s.f. bot.* snowball tree's fruit.
călire *s.f.* tempering, hardening.
călit *adj.* steeled, tempered.
călțun *s.m.* ~*ul doamnei bot.* (herb) bennet *(Geum).*
călțunaș *s.m. bot.* **1.** nasturtium *(Tropaeolum maius).* **2.** bennet *(Geum urbanum).* **3.** violet *(Viola).*
călugăr *s.m.* monk, friar.
călugăresc *adj.* monastic.
călugări *vr.* **1.** *(d. bărbați)* to take the habit. **2.** *(d. femei)* to take the veil.
călugărie *s.f.* monasticism.
călugăriță *s.f.* **1.** nun. **2.** *pl.* school run by a religious order.
căluș *s.n.* gag.
călușari *s.n. pl.* Romanian men's folk dance (similar to the morris dance).
călușei *s.m. pl.* merry-go-round.
căluț *s.m.* **1.** poney. **2.** little horse.
cămară *s.f.* pantry, larder.
cămașă *s.f.* **1.** *(pt. bărbați)* shirt. **2.** *(pt. femei)* chemise. **3.** *(învelitoare)* casing; ~ *de forță* strait jacket; ~ *de noapte* night shirt; *(de damă)* nightie, nightgown; ~ *fără guler* T(ee) shirt; ~ *sport* V-neck shirt; *în* ~ in one's shirt sleeves.
cămăraș *s.m. ist.* **1.** chamberlain. **2.** monastery administrator.
cămășuială *s.f. constr.* coating.
cămășuică, cămășuță *s.f.* little shirt; *(camizol)* chemisette.
cămătar *s.m.* usurer, money lender.
cămătăresc *adj.* usurious.
cămătărie *s.f.* usury.
cămilar *s.m.* camel driver.

cămilă *s.f.* camel.
cămin *s.n.* **1.** heart, fireplace. **2.** *(casă)* home; ~ *cultural* house of culture; ~ *de studenți* student hostel; ~ *de zi* day nursery; *fără* ~ homeless.
căminar *s.m. ist.* collector of duties on spirits.
cănăriță *s.f. ornit.* canary('s) female.
căneală *s.f.* dye (for the hair etc.)
căni *vt.* to dye.
cănire *s.f.* dyeing.
căniță *s.f.* jug.
căpăstru *s.n.* bridle.
căpăta *vt.* **1.** to get, to obtain. **2.** *(a câștiga)* to acquire. **3.** *(a se îmbolnăvi de)* to catch; *a ~ curaj* to take heart.
căpătat *s.n. (cerșit)* begging.
căpătâi *s.n.* **1.** head of the bed. **2.** *(suport)* trestle. **3.** *(capăt)* end. **4.** *fig.* shelter; home; *de* ~ basic; essential; *fără* ~ vagrant; nomadic; homeless; *(adverbial)* idly.
căpătui I. *vt.* **1.** to appoint (to a good job). **2.** to marry (away). **II.** *vr.* **1.** to settle (as a married man). **2.** to get rich.
căpătuială *s.f.* money (making); alms.
căpătuit *adj.* that has found a situation etc. v. c ă p ă t u i II.
căpățână *s.f.* **1.** head. **2.** *fam. (de om)* pate. **3.** *(țeastă)* skull. **4.** *bot.* bulb; *o ~ de ceapă* an onion; *o ~ de usturoi* a garlic; *o ~ de varză* a head of cabbage; *o ~ de zahăr* a sugar loaf.
căpățânos *adj.* **1.** thick-headed. **2.** *(încăpățânat)* stubborn, pigheaded.
căpcăun *s.m.* ogre.
căpetenie *s.f.* chief(tain); *de* ~ cardinal, essential.
căpetea *s.f.* part of rein.
căpețel *s.n.* end, bit.
căpia *vi.* to lose one's wits.
căpială *s.f. med. vet. pop.* coenurosis, coenuriasis.
căpiat *adj.* **1.** sturdied. **2.** *fam.* cracked, dotty.
căpistere *s.f. reg.* kneading trough.
căpitan *s.m.* **1.** captain. **2.** *av., mar., sport și* skipper. **3.** *fig.* master, chief.
căpităneasă *s.f.* captain's wife.
căpitănie *s.f. căpitănia portului* harbour master's office.
căpiță *s.f.* hayrick, (hay)cock.
căprar *s.m.* corporal.
căprărie *s.f.* **1.** *mil.* group (under a corporal's command). **2.** *mil.* (routine) drill. **3.** *fig.* group, herd.
căpresc *adj.* goat's...
căprioară *s.f. zool.* roe, deer *(Capraeolus capraea).*
căprior *s.m.* **1.** *zool.* roebuck. **2.** *arh.* rafter.
căprișor *s.n. bot.* cypress grass, cyperus *(Cyperus).*
căpriță *s.f.* kid.
căprui *adj.* hazel.
căpșun *s.m. bot.* strawberry plant *(Fragaria).*
căpșună *s.f.* strawberry.
căptușeală *s.f.* **1.** lining. **2.** *(la pălărie)* hat tip.
căptuși I. *vt.* **1.** to line. **2.** *(a umple)* to stuff. **3.** *(a păcăli)* to cheat. **II.** *vr.: a se ~ cu* to catch.
căptușire *s.f.* lining etc. v. c ă p t u ș i.
căpuire *s.f. tehn.* formation of rivet's head.
căpuitor *s.n.* riveting set.
căpușă *s.f. entom.* tick *(Melophagus ovinus).*
căputa *vt. (încălțăminte)* to new-foot, to new-front, to refoot, to put new feet to; *(ciorapi)* to (new-)foot.
căpută *s.f.* upper.
căra I. *vt.* **1.** to carry. **2.** *(cu sine)* to take; *a ~ la mâncare* to eat heartily; *a ~ la pumni cuiva* to pound smb. **II.** *vr.* to skedaddle, to skip.
cărare *s.f.* **1.** path. **2.** *(în păr)* parting; *cu ~ la mijloc* with middle parting; *cu ~ într-o parte* with side parting.
cărat *s.n.* carrying etc. v. c ă r a; t r a n s p o r t.
cărăbăni I. *vt.* to deal (blows). **II.** *vr.* to make oneself scarce.
cărăbuș *s.m. entom.* cockchafer *(Melolontha melolontha).*
cărăbușel *s.m.* species of beetle *(Rhizotrogus solstialis).*
cărămidar *s.m.* brickmaker.
cărămidă *s.f.* brick; ~ *aparentă* face brick.
cărămidărie *s.f.* brickyard.
cărămiziu *adj.* brick-coloured.
cărătură *s.f. pop.* transport, carriage, conveyance.
cărăuș *s.m.* carter.
cărăuși *vi.* to be a carter / waggoner; to earn one's living as a carter / waggoner.
cărăușie *s.f.* carting.
cărbunar *s.m.* **1.** coal miner. **2.** *(negustor)* coal vendor. **3.** *ist.* carbonaro.
cărbunărie *s.f.* **1.** *(cuptor)* charcoal kiln. **2.** *(magazie)* coal depot.
cărbune *s.m.* **1.** coal. **2.** *(mangal)* charcoal. **3.** *(tăciune)* ember. **4.** *bot.* smut. **5.** *el.* carbon. **6.** *artă* crayon, charcoal; ~ *animal / de oase* animal black; ~ *mărunt* duff.
cărbunos *adj. geol. (d. roci)* that contain powder of coal.
cărdășie v. c â r d ă ș i e.
cărnos *adj.* fleshy.
cărnosire *s.f.* stripping the flesh (off).
cărpănos *adj.* stingy.
cărpănoșie *s.f.* niggardliness, stinginess.
cărpiniș *s.n.* hornbeam grove.
cărticică *s.f.* booklet.
cărturar *s.m.* scholar.
cărturăreasă *s.f.* fortune-teller.
cărturăresc *adj.* **1.** scholarly, clerkly. **2.** *peior.* bookish.
cărturărește *adv.* in a scholarly manner, like a scholar.
cărăulie *s.f.* **1.** booklet. **2.** *(legitimație)* card.
cărucior *s.n.* **1.** push-cart. **2.** truck, tub; ~ *de copil* pram, perambulator.
cărunt *adj.* grey, grizzled.
căruț *s.n.* v. c ă r u c i o r.
căruțaș *s.m.* carter, waggoner.
căruță *s.f.* **1.** waggon, cart. **2.** *(încărcătură)* cartful, cartload.
cărvunari *s.m. ist., pol.* carbonari.
căsăpi *vt.* **1.** to butcher. **2.** *fig. și* to mangle.
căsăpie *s.f.* **1.** butcher's (shop). **2.** slaughter-house.
căsători I. *vt.* **1.** to marry (away). **2.** to join in marriage. **II.** *vr. a se ~ (cu cineva)* to marry (smb.), to get married (to smb.).
căsătorie *s.f.* **1.** marriage, match. **2.** *(religioasă)* wedding, church marriage. **3.** *(căsnicie)* wedlock.
căsătorit *adj.* married; *tineri căsătoriți* newly-weds.
căsca I. *vt.* to open (wide); *a ~ gura* to open one's mouth (wide); *fig.* to gape; *a ~ gura la ceva* to gaze at something. **II.** *vi.* to yawn. **III.** *vr.* **1.** to open. **2.** *fig.* to gape, to yawn.
căscat I. *s.n.* yawn(ing). **II.** *adj.* **1.** (wide) open. **2.** *fig.* gaping, hare-brained; *cu gura ~ă* open-mouthed.
căscătură *s.f.* **1.** v. c ă s c a t. **2.** *fig.* opening, gap, crevice.
căscăun(d) *s.m. fam.* gaper, simpleton, booby.
căscioară *s.f.* little house, *rar* houselet.
căsnicie *s.f.* wedlock.
căsoaie *s.f.* **1.** *(cămară)* larder, pantry; *(pt. unelte)* lumber room. **2.** big house.

căsuță *s.f.* **1.** little house. **2.** *(casetă)* pigeon hole; ~ *poștală* P.O.B., post office box.
cășărie *s.f.* cheese dairy.
cășuna I. *vt.* to cause, to bring about. **II.** *vi.* *a-i ~ să* to occur to; *a-i ~ pe cineva* to persecute smb.
căta *vi.* to look; *a ~ să* should, ought to.
cătană *s.f.* **1.** soldier. **2.** *(recrut)* rookie.
cătare *s.f.* **1.** look. **2.** *mil.* sight; part of the gun aiming system placed on the barrel extremity.
cătănie *s.f.* conscription.
cătină *s.f.* *bot.* underbrush.
cătinel *adv.* gently, softly.
cătrăneală *s.f.* **1.** tarring. **2.** *fig.* bitterness.
cătrăni I. *vt.* to afflict. **II.** *vr.* to grow sad *sau* angry.
cătrănit *adj.* **1.** embittered. **2.** *(furios)* angry. **3.** *(posomorât)* sulky.
către *prep.* **1.** towards, to. **2.** *(ca timp și)* against.
cătun *s.n.* hamlet.
cătușe *s.f. pl.* **1.** hand-cuffs. **2.** *fig.* fetters.
cățăra *vr.* **1.** to climb; to clamber. **2.** *(d. plante)* to creep.
cățărare *s.f.* climbing up etc. v. c ă ț ă r a.
cățărătoare *s.f.* **1.** *ornit.* common creeper *(Certhia familiaris).* **2.** *ornit.* wood-pecker *(Picus).* **3.** *pl. ornit.* climbers, scansores. **4.** *pl. bot.* creepers, climbing plants.
cățărător *adj.* climbing.
cățea *s.f.* bitch.
cățel *s.m.* **1.** little dog. **2.** *(pui)* puppy; ~ *de usturoi* clove of garlic; *cu ~ și purcel* bag and baggage.
cățelandru *s.m.* bigger puppy *sau* cub v. c ă ț e l 1.
cățeli I. *vt.* *(d. cățea)* to pup; *(d. fiare sălbatice)* to cub. **II.** *vr.* to pair, to couple.
cățeluș *s.m.* little dog, doggie, lap dog.
cățuie *s.f.* perfume burner, censer, thurible.
căuș *s.n.* **1.** dipper. **2.** *(pt. barcă)* bailer.
căuta I. *vt.* **1.** to seek (for), to look for. **2.** *(în dicționar etc.)* to look up. **3.** *(a scotoci)* to search for. **4.** *(a dori)* to want. **5.** *(a îngriji)* to look after; to nurse; *a ~ să* to try to; *a avea ce ~* to have smth. to do; *a ~ peste tot* to hunt everywhere for (smth). **II.** *vi.* to seek; *a ~ la, a-și ~ de* to look after, to mind. **III.** *vr.* **1.** to be in demand. **2.** *(a se îngriji)* to look after one's health; *se caută muncitori* hands are wanted.
căutare *s.f.* **1.** search, hunt. **2.** *pl.* seekings, experiments; *(tentative)* gropings. **3.** *fig.* demand; *în ~ de* on the look-out for.
căutat *adj.* **1.** in great demand, much sought for. **2.** *(artificial)* recherché.
căutător *s.m.* seeker; *~ de aur* gold-digger.
căutătură *s.f.* glance; *(urâtă)* glare, glower.
căuzaș *s.m. ist.* revolutionist; conspirator.
căzăcească *s.f.* kasatchok, a lively Ukrainian dance.
căzăcesc *adj.* Cossack...
căzăcește *adv.* like a Cossack.
căzăcime *s.f.* Cossacks.
căzător *adj.* falling.
căzătură *s.f.* **1.** fall, tumble. **2.** *(persoană)* wreck.
căzni *vr.* to take much trouble, to take pains.
căzut *adj.* fallen.
câine *s.m.* **1.** dog; *(de vânătoare)* hound; retriever. **2.** *fig.* cur; *~ ciobănesc* sheep / shepherd dog; *~le grădinarului* a dog in the manger; *~ lup* wolf hound; *~ polițist* blood hound; *~ turbat* mad dog.
câinesc *adj.* doggish.
câinește *adj.* **1.** like a dog. **2.** *fig.* relentlessly.
câinie *s.f.* hard-heartedness, callousness; wickedness.
câinișor *s.m.* little / puppy dog, *fam.* doggie.
câinos *adj.* callous.
câlți *s.m. pl.* tow, oakum.
câlțos *adj.* towlike.
câmp I. *s.m.: a bate ~ii* to rant, to saw wood; *a-și lua ~ii* to run away. **II.** *s.n.* **1.** field. **2.** *(câmpie)* plain. **3.** *fig.* și domain, sphere; *~ de bătaie* battle field; *în ~ul muncii* employed.
câmpean I. *adj.* v. c â m p e n e s c. II. *s.m.* lowlander.
câmpeancă *s.f.* countrywoman v. c â m p e a n II.
câmpenesc *adj.* **1.** field. **2.** *(țărănesc)* rustic.
câmpie *s.f.* plain, field.
când *adv.* when(ever); *~ aici, ~ acolo* now here, now there; here today and gone tomorrow; *~ așa, ~ așa* changing; *~ și ~* occasionally; *din ~ în ~* now and then; *de ~?* since when?, how long?; *de ~ cu* since; *pe ~* while; *până ~* until (when).
cândva *adv.* **1.** some day. **2.** *(în trecut)* one day.
cânepar *s.m. ornit.* linnet *(Carduelis cannabina).*
cânepă *s.f.* hemp; *de ~* hemp(en).
cânepiște *s.f.* hemp field / plot.
cânepiu *adj.* hempseed-coloured.
cânt *s.n.* **1.** song. **2.** *(canto)* singing, canto.
cânta I. *vt.* **1.** *(din gură)* to sing. **2.** *(la un instrument)* to play. **3.** *(la un instrument de suflat)* to blow. **4.** *fig.* to extol, to praise; to celebrate. **II.** *vi.* **1.** *(din gură)* to sing. **2.** *(la un instrument)* to play.
cântar *s.n.* scales; *(mare)* weighing machine; *~ roman* steel yard.
cântare *s.f.* singing, song.
cântat I. *s.n.* singing. **II.** *adj.* **1.** sung. **2.** singsong.
cântăreață *s.f.* singer, chanteuse.
cântăreț *s.m.* **1.** singer, vocalist. **2.** *rel.* psalm-reader. **3.** *fig.* poet.
cântări I. *vt.* to weigh; *a ~ pe cineva din ochi* to get *sau* to take smb.'s number; to have smb. taped; *a ~ o situație* to take stock of a situation. **II.** *vi.* to weigh. **III.** *vr.* to weigh oneself.
cântărire *s.f.* weighing.
cântărit *adj.* well-considered / measured. v. c u m p ă t a t, c h i b z u i t.
cântător I. *s.m.* **1.** singer. **2.** *(cocoș)* cock; *pe la ~i* at cockcrow. **II.** *adj.* singing.
cântec *s.n.* **1.** song, tune. **2.** *rel.* hymn; *~ bătrânesc* traditional; *~ de inimă albastră* sad song; *~ de leagăn* lullaby; *~ul lebedei* swan song; *cu ~* intricate, involved; *veșnic același ~* the same old story.
câr *interj.* **1.** *(pt. a alunga păsările)* shoo! **2.** *(d. ciori)* caw! *(d. corbi)* croak!; *că-i ~ că-i mâr fam.* shilly shally(ing), humming and hawing.
câră *s.f.* *a se ține de câra cuiva fam.* to importune smb., *(cu cereri) fam.* to ply smb. with requests; *(a bate la cap) fam.* to pester smb.; *(a cicăli) fam.* to nag smb.
cârâi I. *vt.* to bicker. **II.** *vi.* to croak. **III.** *vr.* to bicker.
cârâială *s.f.* **1.** croaking. **2.** *fig.* bickering.
cârâit *s.n.* croak(ing).
cârâitor 1. *adj.* croaking; ratling. **2.** *s.f.* rattle.
cârc *interj.* *a nu zice nici ~ fam.* to keep mum; *cât ai zice ~ fam.* before you could say 'Jack Robinson', in no time.

cârcă *s.f.: în ~* on one's back.
cârcăiac *s.m. zool.* centipede, scolopendra; millipede *(Scolopendra).*
cârcel *s.m.* **1.** *bot.* tendril. **2.** *med.* cramp.
cârciumar *s.m.* publican.
cârciumă *s.f.* **1.** pub(lic house). **2.** *(la țară)* inn.
cârciumăreasă *s.f.* **1.** innkeeper. **2.** *bot.* zinnia *(Zinnia elegans).*
cârciumărit *s.n.* publican's trade.
cârcotaș I. *s.m.* caviller. **II.** *adj.* pettifogging.
cârcotă *s.f. (neînțelegere)* discord, strife, ill-blood; *(ceartă)* squabble, dispute, wrangle. *a se pune în ~ cu cineva* to quarrel / wrangle with smb.
cârcoti *vi.* to quarrel, to wrangle.
cârd *s.n.* **1.** flock. **2.** *(de păsări și)* bevy. **3.** *(de gâște)* gaggle. **4.** *(de pești)* shoal. **5.** *fig.* group.
cârdășie *s.f.* collusion; clique.
cârjaliu *s.m. înv.* robber, thief; outlaw.
cârjă *s.f.* **1.** crutch. **2.** *(de păstor)* staff. **3.** *rel.* crozier.
cârlan *s.m.* **1.** *(miel)* one-year-old lamb, yearling. **2.** *(cal)* horse (up to three years old).
cârlig *s.n.* **1.** hook. **2.** *(pt. rufe)* peg. **3.** *fig.* lure. **4.** *(teatru fig.)* hokum, prop; *~ de undiță* fish hook.
cârligaș *s.m.* small hook, hooklet.
cârligat *adj.* hooked.
cârligătură *s.f.* bend, curvature.
cârligel *s.n.* small hook, hooklet.
cârlionț *s.m.* **1.** ringlet. **2.** *(pe frunte)* kiss-me-quick.
cârlionța *vt., vi., vr.* to curl.
cârlionțat *adj.* curled.
cârmaci *s.m.* **1.** helmsman. **2.** *sport.* cox(swain); *fără ~* coxless.
cârmă *s.f.* **1.** rudder. **2.** *(roata și fig.)* helm.
cârmâz *s.m.* **1.** garget. **2.** *(vopsea)* cochineal.
cârmâziu *adj.* carmine, crimson (-hued).
cârmeală *s.f.* **1.** *(întorsătură)* turn. **2.** *fig. (ezitare)* hesitation, wavering, dawdling; *(eschivare)* shuffling, prevarication.
cârmi *vt., vi.* to steer.
cârmire *s.f.* veering etc. v. c â r m i.
cârmui *vt., vi.* to govern.
cârmuire *s.f.* rule.
cârmuitor I. *s.m.* ruler. **II.** *adj.* ruling.
cârn *adj.* snub(-nosed).
cârnat *s.m.* sausage.
cârnățar *s.m.* **1.** sausage maker. **2.** sausage dealer.
cârnățărie *s.f.* **1.** *aprox.* ham-and-beef shop, pork butcher's shop. **2.** sausages.
cârneleagă *s.f.* last but one week of Advent fast.
cârni *vt., vi.* v. c â r m i; *a ~ din nas fam.* to cut faces, to mump, to make a mug.
cârpaci *s.m.* **1.** cobbler. **2.** *fig.* bungler.
cârpă *s.f.* **1.** rag, cloth. **2.** *(de praf)* duster. **3.** *pl. (scutece)* swaddling clothes. **4.** *fig.* milksop; *~ de vase* dish-cloth.
cârpăceală *s.f.* bungling (work), botching, *fam.* scamped work; *(construire proastă)* jerrybuilding.
cârpăci *vt., vi.* to botch.
cârpător *s.n.* wooden trencher / platter.
cârpeală *s.f.* mending etc. v. c â r p i.
cârpi *vt.* **1.** to mend, to repair. **2.** *(prost)* to bungle. **3.** *(a petici)* to patch (up). **4.** *(ciorapi și)* to darn; *a ~ o minciună* to fib; *a ~ cuiva două palme* to box smb.'s ears.
cârpit *s.n.* mending; *~ul ciorapilor* darning.
cârpitură *s.f.* bungling, patching.
cârstei *s.m. ornit.* corncrake, landrail *(Crax pratensis).*
cârteală *s.f.* grumbling, murmur.
cârti *vi.* to grumble.
cârtire *s.f.* murmuring, grumbling.
cârtitor I. *adj.* grumbling, murmuring. **II.** *s.m.* grumbler, growler.
cârtiță *s.f. zool.* mole *(Talpa).*
câș *interj.* shoo!
câșiță *s.f. entom.* cheese mite *(Acarus siro).*
câșlegi *s.f. pl. rel.* carnival.
câștig *s.n.* **1.** gain. **2.** *(prin muncă)* earnings. **3.** *(venit)* income. **4.** *(profit)* profit; use. **5.** *(la loterie)* prize.
câștiga I. *vt.* **1.** to win. **2.** *(bani, experiență)* to gain. **3.** *(prin muncă)* to earn. **4.** *(a căpăta)* to get; *a ~ pe cineva (de partea ta)* to win smb. over; *a-și ~ existența* to earn one's living *sau* livelihood; *a ~ bătălia* to carry the day. **II.** *vi.* **1.** to win. **2.** *(muncind)* to earn. **3.** *fig.* to profit.
câștigare *s.f.* winning etc. v. c â ș t i g a.
câștigat *adj.* **1.** won. **2.** *fig.* profited.
câștigător I. *s.m.* winner. **II.** *adj.* winning.
cât I. *s.n.* quotient. **II.** *adj.* how much; what; *(de) ~ timp?* how long? **III.** *pron.* what; how much. **IV.** *num. al ~lea?* which? **V.** *adv.* how (much); *~ timp* how long; *~ colo / colea* over there; *~ de ~* at all; just a little; *~ mai bine* as well as possible; *~ pe ce* almost; nearly; *~ ai bate din palme* in a jiffy; *~ e ceasul?* what is the time? *~ vezi cu ochii* as far as the eye can reach; *cu ~ mai repede etc., cu atât mai bine* the sooner etc., the better. **VI.** *prep.* as (much as), like. *muncește ~ toți ceilalți la un loc* he works more than all the others. **VII.** *conj.* **1.** as long as. **2.** *(concesiv)* (al)though; *~ de bun fusese, și totuși...* however good he had been, and yet; *~ despre* as to, as for; *atât... ~ și...* both... and...
câtă I. *adj. pron.* what; how much. **II.** *num. (a câta?)* which?
câtțva *adj.* a little.
câte I. *adj.* how many; as many. **II.** *pron.* **1.** those, they; all. **2.** *interog.* how many? *~ și mai ~* and what not. **III.** *prep.: ~ doi* by twos; two in a row.
câtelea, câta (câtea) *num. nehot. al ~* the n-th; *interog.* which (number)?.
câteodată *adv.* sometimes, occasionally.
câteși *adv.* all.
câteva *adj., pron.* some, a few.
câtime *s.f.* amount, quantity.
câtuși *adv. ~ de puțin* not at all.
câtva I. *adj., pron.* some, a little. **II.** *adv.* a little.
cât *interj.* scat!
câți I. *adj.* how many; as many. **II.** *pron.* **1.** those, they; all. **2.** *interog.* how many?
câțiva *adj., pron.* some, a few.
ce I. *s.m.* something. **II.** *adj.* **1.** what. **2.** *(care)* which; *~ fel de?* what sort of?; *~ prostie!* nonsense!; *din ~ cauză?* why? **III.** *pron.* what; *~spui?!* you don't say so!; *~ să spun...* well... as for that...; *după ~* after; *în ~ mă privește* as for me. **IV.** *adv.* how (much); *~ de oameni!* how many people! *~ n-aș da să* I'd give my shirt to; *~ bine!* how fine!
cea I. *art.* the; *~ care* she who; *(d. lucruri)* that which. **II.** *interj.* ho!
ceac *s.n.* implement for guiding the logs down the river.
ceacâr *adj.* (with eyes) of different colour.
ceac-pac *adv. fam.* so so.
ceacșiri *s.m. pl.* Turkish large trousers.

ceafă *s.f.* nape (of the neck); *de ~* by the scruff of one's neck.
ceai *s.n.* **1.** tea. **2.** *bot.* tea shrub. **3.** *(petrecere)* tea-party; *~ dansant* dance, *fam.* hop.
ceainărie *s.f.* tea house.
ceainic *s.n.* tea-pot.
cealaltă I. *adj.* the other. **II.** *pron.* the other (one).
ceam *s.n. nav.* barge.
ceamur *s.n. ist. constr.* cob, daub.
ceangău *s.m.* Csango.
ceapă *s.f.* onion *(Allium cepa)*; *nici cât o ~ degerată* not worth a straw.
ceapraz *s.n.* **1.** braid; lace. **2.** *pl.* passementerie.
ceaprazar *s.m.* **1.** maker of passementerie; lace maker. **2.** *(negustor)* dealer in passementerie; haberdasher.
ceaprăzărie *s.f.* passementerie (work).
ceapsă *s.f.* richly embroidered bonnet of peasant women.
ceară *s.f.* **1.** (bees)wax. **2.** *(din urechi)* cerumen; *~ de albine* (bees)wax; *~ de parchet* floor polish; *~ roșie* sealing wax; *ca ceara* waxlike; *fig.* as pale as death; *de ~* wax(en).
cearcăn *s.n.* dark ring.
ceardaș *s.n.* czardas.
cearșaf *s.n.* **1.** bed-sheet. **2.** *(de plapumă)* turn-down sheet; *~uri ude* wet pack.
ceartă *s.f.* **1.** quarrel. **2.** *(bătaie)* brawl. **3.** *(dihonie)* feud.
ceas *s.n.* **1.** hour. **2.** *fig.* moment, time. **3.** *(de mână, buzunar etc.)* watch. **4.** *(de perete etc.)* clock; *~ bun* propitious hour; *~ cu cuc* cuckoo clock; *~ de buzunar* pocketwatch; *~ de ~* every hour; *~ de mână* wrist watch; *~ de nisip* sand *sau* hour glass; *~ de soare* sun-dial; *~deșteptător* alarm clock; *~ rău* evil hour; *~ul morții* death hour; *~uri întregi* for hours on end; *peste un ~* (with)in an hour.
ceasla *s.f.* chasselas grapes / vine.
ceaslov *s.n.* **1.** breviary. **2.** *(carte groasă)* tome.
ceasornic *s.n.* **1.** clock; time piece. **2.** *bot.* passion flower.
ceasornicar *s.m.* watchmaker.
ceasornicărie *s.f.* **1.** watchmaker's (shop). **2.** *(ca meserie)* watchmaking.
ceașcă *s.f.* **1.** cup. **2.** *(conținut)* cupful.
ceașnic *s.m. ist. Moldovei* v. p a h a r n i c.
ceatal *s.n. geogr.* islet, dry land in the delta.
ceată *s.f.* **1.** band, group. **2.** *(bandă)* gang.
ceață *s.f.* mist; *(deasă)* fog; *(ușoară)* haze.
ceaun *s.n.* cast-iron kettle.
ceauș *s.m. ist.* **1.** courier, messenger; deputy. **2.** usher. **3.** captain, chieftain, commander.
cec *s.n.* cheque; *~ la purtător* bearer cheque.
cecen *adj., s.m. geogr.* chechen.
cecidie *s.f. bot.* cecidium, gall.
cecitate *s.f.* cecity, blindness.
cecum *s.n. anat.* caecum.
ceda I. *vt.* **1.** to yield, to give up. **2.** *(a abandona)* to surrender. **II.** *vi.* **1.** to yield, to give way. **2.** *(a se supune)* to submit. **3.** *(unei ispite etc. și)* to succumb.
cedare *s.f.* yielding, giving up.
cedent *s.m. jur.* grantor, assignor, transferer.
cedru *s.m.* cedar *(Pinus cedrus).*
ceea *pron. ~ ce* what; which.
cefalee *s.f. med.* cephalalgia, headache.
cefalic *adj. anat.* cephalic.
cefalină *s.f. biochim.* cephalin.
cefalograf *s.n.* cephalograph.
cefalografie *s.f.* cephalography.
cefalopode *s.n. pl. zool.* cephalopoda.
cefalorachidian *adj. lichid ~ fiziol.* cerebrospinal fluid.
cefalotorace *s.n. entom.* cephalothorax.
cefar *s.n.* **1.** *agr.* upper part of yoke. **2.** cloth for protecting the nape of the neck.
cefeidă *s.f. astr.* cepheid (star).
ceferist *s.m.* Romanian railwayman.
cegă *s.f. iht.* sterlet *(Acipenser ruthenus).*
ceh *s.m., adj.* Czech.
cehă *s.f.* **1.** Czech (woman). **2.** the Czech language, Czech.
cehoslovac *s.m., adj.* Czechoslovak.
cei I. *art.* the. **II.** *pron.* those; *~ ce* those who.
ceilalți I. *adj.* the other. **II.** *pron.* the others, the other ones.
ceilonez *adj., s.m.* Ceylonese, Sinhalese.
cel I. *art.* the; *~ mai bun* the best. **II.** *pron.* that; *~ ce* he who; *(pt. lucruri)* that which; *~ de sus* God; *~ mult* at (the) most; *~ puțin* at least; *~ mai târziu* at the latest.
celafibră *s.f. text.* rayon / viscose fibre.
celaperm *s.n. text.* cotton and rayon fibre.
celar *s.n.* pantry, larder; *(pt. unelte)* lumber room.
celălalt I. *adj.* the other. **II.** *pron.* the other (one).
cele I. *art.* the. **II.** *pron.* those; *~ ce* those who; *(pt. lucruri)* those which.
celebra *vt.* **1.** to celebrate. **2.** *(o căsătorie)* to solemnize.
celebrare *s.f.* celebration.
celebritate *s.f.* celebrity.
celebru *adj.* famous.
celelalte I. *adj.* the other. **II.** *pron.* the others, the other ones.
celenterate *s.n. pl. zool.* coelentera.
celest *adj.* **1.** celestial, heavenly. **2.** *poetic* heavenly, divine.
celesta *s.f. muz.* celesta.
celestină *s.f. mineral.* celestine.
celibat *s.n.* celibacy, celibate, *fam.* single blessedness.
celibatar I. *s.m.* bachelor. **II.** *adj.* single.
celibatară *s.f.* spinster.
celioscopie *s.f. med.* coelioscopy; laparoscopy, peritoneoscopy.
cella *s.f. arh.* cella.
cello *s.m. muz.* (violon)cello.
celochit *s.n. constr.* bituminous insulating material.
celofan *s.n.* cellophane.
celofibră *s.f.* staple fibre.
celoidină *s.f. chim.* celloidin.
celolână *s.f. text.* man-made viscose wool.
celom *s.n. anat.* coelom.
celomate *s.n. pl. zool.* Coelomata.
celostat *s.n. astr.* coelostat.
celt *s.m.* Celt.
celtă *s.f.* **1.** *(limba)* Celtic. **2.** *(femeie)* Celt (woman).
celtic *adj.* Celtic.
celular *adj.* cell(ular).
celulă *s.f.* **1.** cell. **2.** *anat.* și (blood) corpuscle.
celulită *s.f. med.* cellulitis.
celuloid *s.m.* celluloid.
celuloză *s.f.* cellulose.
celulozic *adj. chim., biol.* cellulose.
cembalo *s.n. muz.* harpsichord, cemballo.
cement *s.n. met.* cement, cementation powder, powdered carbo.
cementa *vt. met.* to case-harden, to face-harden (steel).
cementită *s.f. met.* cementite.
cenaclu *s.n.* literary circle.
cenestezie *s.f. fiziol., psih.* coen(a)esthesis.
cenobit *s.m. rel.* c(o)enobite (monk).
cenomanian, -ă *s.n., adj. geol.* Cenomanian.
cenotaf *s.n.* cenotaph.
cens *s.n. (electoral)* qualification.

cent *s.m.* cent.
centaur *s.m.* centaur.
centenar I. *s.m.* centenarian. **II.** *s.n.* centenary (celebration). **III.** *adj.* centennial.
centezimal *adj.* centesimal.
centi- *prefix* centi-.
centiar *s.m.* centiare, one square metre.
centigrad *s.n.* centigrade.
centigram *s.n.* centigramme.
centilitru *s.m.* centilitre.
centimă *s.f.* penny, farthing.
centimetru *s.m.* **1.** centimetre. **2.** *(de croitor)* tape measure.
centiron *s.n.* belt.
centra *vt., vi.* to centre.
central I. *adj.* central. **II.** *adv.* in the centre.
centrală *s.f.* head office; ~ *electrică* power station; ~ *telefonică* telephone exchange.
centralism *s.n.* centralism.
centralist *adj. pol.* centralist.
centraliza *vt.* to centralize.
centralizare *s.f.* centralization.
centralizator I. *s.n.* synoptic table. **II.** *adj.* centralizing.
centrifug *adj.* centrifugal.
centrifuga *vt. ind.* to centrifuge (liquid); to separate (cream).
centrifugal *adj. fiz. etc.* centrifugal.
centrifugare *s.f. fiz., bot.* centrifugation, centrifuging.
centripet *adj.* centripetal.
centripetal *adj. fiz.* centripetal.
centrism *s.n. pol.* centrism.
centrist *s.m. pol.* centrist, member of the Centre.
centrosferă *s.f. geol.* centrosphere.
centrosperme *s.f. pl. bot.* centrospermae.
centrozom *s.m. biol.* centrosome.
centru *s.m., s.n.* **1.** centre; middle. **2.** *fig.* focus. *centre populate* populous centres; ~ *de recrutare* recruiting station; ~ *înaintaș* centre forward; *half* ~ centre half; *în ~ul atenției* in the highlights *sau* swim.
centruire *s.f. tehn.* centring.
centură *s.f.* belt, girdle; ~ *de salvare* life belt; ~ *de siguranță* seat-belt.
centurie *s.f. ist. Romei* century, centuria.
centurion *s.m. ist.* centurion.
cenuroză *s.f. med. vet.* coenurosis, coenuriasis.
cenușar I. *s.n.* **1.** *(la sobă etc.)* ash pan. **2.** *(de tăbăcărie)* tanner's lime pit. **3.** *(scrumieră) înv.* ash pot / tray. **4.** *(urnă cinerară)* cinerary urn. **II.** *s.m. fam.* ink spiller, AE ink slinger.
cenușă *s.f.* ash(es), cinders.
Cenușăreasă *s.f.* Cinderella.
cenușărit *s.n. tehn.* lime bathing.
cenușerniță *s.f. pop.* ash pot / tray.
cenușiu *s.n. adj.* grey.
cenzitar *adj. odin.* qualification..., based on qualification.
cenzor *s.m.* **1.** censor. **2.** *fin.* auditor; *de ~i* auditing.
cenzura *vt.* **1.** to censor. **2.** *fig.* to expurgate.
cenzurare *s.f.* censoring; censorship.
cenzurat *adj.* censored.
cenzură *s.f.* censorship.
cep *s.n.* spigot; *(canea)* tap.
cepchen *s.n. ist.* boyar's short mantle (with slit sleeves).
cepeleag *adj., adv. reg.* lisping.
cepăoară *s.f. bot.* shallot *(Allium ascalonicum).*
cepuit *s.n. agr.* trimming of fir-trees.
cer I. *s.m.* Turkey oak. **II.** *s.n.* **1.** sky. **2.** *fig.* heaven; paradise. **3.** *(soartă)* providence; *O ~uri!* Good Heavens!; *~ul gurii* the palate.
cerambicide *s.n. pl. entom.* Cerambycids, Cerambycidae.
ceramică *s.f.* pottery, ceramics; ~ *smălțuită* stoneware.
ceramist *s.m.* ceramist.
cerat *adj.* waxed.
ceratiți *s.m. pl. paleont.* ceratites.
cerb *s.m. zool.* stag, buck.
cerbărie *s.f.* reservation or breeding ground for deer.
cerber *s.m.* Cerberus.
cerbice *s.f.* **1.** nape of the neck. **2.** *fig.* pride; *cu ~a groasă* obstinate.
cerbicie *s.f.* obstinacy.
cerboaică *s.f. zool.* hind, female hart.
cerc *s.n.* **1.** circle. **2.** *(de butoi, pt. copii)* hoop. **3.** *(de plită)* ring. **4.** *fig.* sphere, province. **5.** *(grup)* group, set. **6.** *pol.* circle, quarter; ~ *științific (studențesc)* (students') debating society; *~uri conducătoare* ruling circles.
cercar *s.m. zool.* cercaria.
cerca v. încerca
cercănat *adj.* **1.** with rings under the eyes. **2.** *(d. animale)* spectacled.
cercel *s.m.* ear rig.
cercelat *adj.* ear-ringed; *cu păr* ~ curly (-haired).
cerceluș *s.m.* **1.** *bot.* lily-of-thevalley *(Convallaria majalis).* **2.** *bot.* fuchsia *(Fuchsia).* **3.** *bot.* v. coada cocoșului. **4.** small ear-ring.
cerceta *vt.* **1.** to examine. **2.** to study. **3.** to inspect. **4.** *(a explora)* to scour, to explore. **5.** *(a sonda)* to fathom, to sound. **6.** *(o carte)* to peruse.
cercetare *s.f.* **1.** investigation, research. **2.** *(studiu)* study. **3.** *(anchetă)* inquest. **4.** *mil.* reconnaissance; ~ *aplicativă* applied research; ~ *fundamentală* basic research.
cercetaș *s.m.* (boy) scout.
cercetășie *s.f.* boy scouting.
cercetător I. *s.m.* researcher, (scientific) investigator. **II.** *adj.* **1.** investigating. **2.** *(curios)* inquisitive. **3.** *(scrutător)* scrutinizing. **III.** *adv.* inquisitively.
cercevea *s.f.* **1.** frame. **2.** *(la fereastră)* transom.
cerchez *adj., s.m.* Circassian.
cercheză *s.f.* **1.** Circassian (woman *sau* girl). **2.** Circassian, the Circassian language.
cerci *s.m. pl. zool.* cerci, *sg.* cercus.
cercosporioză *s.f. bot.* cercosporiosis.
cercui I. *vt.* **1.** *(un butoi)* to hoop. **2.** *(a înconjura)* to encircle, to encompass, to surround. **3.** *(a limita)* to limit, to circumscribe. **II.** *vi.* to sit *sau* to stand in a circle.
cerculeț *s.n.* little circle, circlet.
cerdac *s.n.* verandah, balcony.
cere I. *vt.* **1.** to demand, to ask (for). **2.** *(imperios)* to claim. **3.** *(a necesita)* to require. **4.** *(a dori)* to want, to desire. **5.** *(a îndemna)* to urge. **6.** *(a cerși)* to beg. *a-și ~ iertare* to apologize; *a ~ înapoi* to claim back; *a ~ pe cineva în căsătorie* to ask for smb.'s hand; to propose to smb.; *cât ceri?* how much do you charge? **II.** *vr.* **1.** to be in (great) demand. **2.** to be necessary.
cereală *s.f.* cereal, grain.
cerealier *adj.* cereal, grain; *culturi ~e* food / bread grains, cereals; *economie ~ă* grain farming.
cerealist *s.m.* corn dealer.
cerebel *s.n. anat.* cerebellum.
cerebral *adj.* cerebral.
cerebral *s.f.* rationality; intellectual / rational / speculative / cerebral nature.
cerebralitate *s.f.* cerebralism.
cerebrospinal *adj. anat.* cerebrospinal.
cerebrozid *s.f. biochim.* cerebroside.
ceremonial *s.n. adj.* ceremonial.
ceremonie *s.f.* **1.** ceremony. **2.** *(politețe)* solemnity; *fără* ~ informally.

ceremonios I. *adj.* standing on ceremony, formal. **II.** *adv.* punctiliously.
cerențel *s.f. bot.* herb / common bennet *(Geum urbarum).*
cerere *s.f.* **1.** demand. **2.** *(petiție)* petition. **3.** *(de numire, admitere)* application. **4.** *(revendicare)* claim. **5.** *(rugăminte)* entreaty; ~ *în căsătorie* marriage proposal; *la* ~ on demand; *la ~a cuiva* following smb.'s request.
ceresc *adj.* heavenly.
cerezină *s.f.* ceresin wax.
cergă *s.f.* **1.** *(de pat)* counterpane; *(covor)* rug, carpet. **2.** *(de cal)* horse rug / cloth. **3.** *(la o trăsură)* tilt.
cerință *s.f.* **1.** *(nevoie)* want, need; *(necesitate)* necessity, requirement. **2.** *(cerere)* demand.
cerithium *s.n. zool.* cerithium.
ceriu *s.n. chim.* cerium.
cerne I. *vt.* to sift. **II.** *vi.* to drizzle. **III.** *vr.* to sift.
cerneală *s.f.* ink; ~ *simpatică* invisible ink.
cerni I. *vt.* **1.** *(a înnegri)* to blacken, to make black; *(a vopsi în negru)* to dye black. **2.** *(a întuneca)* și *fig.* to darken, to spread a gloom over. **II.** *vr.* **1.** *(a se înnegri)* to blacken. **2.** *(a se îmbrăca în negru)* to dress in black / mourning. **3.** *(a se întuneca)* to darken, to grow dark / dim / dusky. **4.** *fig.* *(a se posomorî)* to darken, to become gloomy; *(a se întrista)* to grow sad.
cernire *s.f.* blackening etc. v. c e r n i .
cernit *adj.* **1.** black. **2.** *(îndoliat)* mourning...
cernoziom *s.n.* black earth, chernozem.
cernușcă *s.f. bot.* **1.** v. n e g r i l i c ă. **2.** v. n e g r u ș c ă.
cernut *adj.* sifted etc. v. c e r n e.
cerografie *s.f. poligr.* cerography.
ceroplastică *s.f. artă* ceroplastic, wax modl(l)ing.
ceros *adj.* waxy.
cerșetor *s.m.* beggar (man), mendicant, almsman, *fam.* cadger; *pl.* *și beggary.*
cerșetorie *s.f.* beggary.
cerșetorime *s.f.* beggars, beggary.
cerși *vt., vi.* to beg.
cert I. *adj.* sure, doubtless. **II.** *adv.* surely.
certa I. *vt.* to remonstrate with. **II.** *vr.* **1.** to quarrel. **2.** *fig.* to fall out.
certat *adj.* **1.** reprimanded. **2.** *pl.* at sixes and sevens; ~ *cu* at loggerheads with.
certăreț I. *s.m.* caviller. **II.** *adj.* captious, quarrelsome.
certifica *vt.* to certify.
certificare *s.f.* certification, authentication.
certificat *s.n.* certificate; ~ *de căsătorie* marriage lines.
certitudine *s.f.* certainty; *cu* ~ for certain.
cerui *vt.* to wax.
ceruire *s.f.* waxing; polishing.
cerumen *s.n.* cerumen, ear wax.
ceruză *s.f. chim.* ceruse, white lead.
ceruzit *s.n. mineral.* cerus(s)ite.
cervană *s.f. bot.* gipsy-wort, gipsy weed *(Lycopus europaeus / exaltatus).*
cervical *adj. anat.* cervical.
cervicită *s.f. med.* cervicitis.
cervix *s.n. anat.* cervix, *pl.* cervices, cervixes.
cesiona *vt. jur.* *(cuiva)* to cede (to smb.), to assign (to smb.), to transfer, to make over (to smb.).
cesiu *s.n. chim.* caesium.
cesiune *s.f.* cession; yielding.
cestălalt I. *adj.* **1.** this (other). **2.** *(al doilea)* the latter. **II.** *pron.* **1.** this (other) one. **2.** *(al doilea)* the latter.
cestode *s.n. pl. zool.* Cestoda, tape-worms.
cestor *s.m.* monitor.
cetaceu *s.n. zool.* cetacean.
cetaceum *s.n. farm.* cetaceum, spermaceti.
cetate *s.f.* **1.** fortress. **2.** *înv.* *(oraș)* citadel.
cetățean *s.m.* citizen.
cetățeancă *s.f.* **1.** citizen, *rar* citizeness. **2.** *(în evul mediu)* burgess, burgher.
cetățenesc *adj.* civic, civil.
cetățenește *adv.* like a (good) citizen.
cetățenie *s.f.* citizenship.
cetățuie *s.f.* citadel.
cetenă *s.f. chim.* cetene, ketene.
ceteraș *s.m. reg.* violin player, *fam.* fiddler.
ceteră *s.f. reg.* violin, *fam.* fiddle.
cetină *s.f.* **1.** fir-tree needles. **2.** fir-tree branch.
cetiniș *s.f. bot.* young forest of coniferae; thicket of coniferae.
cetlui *vt.* to fasten / bind with rope *sau* string.
cetnic *s.m. ist.* chetnik.
cetoacidoză *s.f. med.* keto-acidosis.
cetonă *s.f. chim.* cetone, ketone.
cetonurie *s.f. med.* ketonuria.
cetosteroid *s.m. biochim.* keto-steroid.
cetoză *s.f. biochim.* ketose.
cețos *adj.* misty.
ceva I. *s.n.* (some)thing. **II.** *adj.* a little, some. **III.** *pron.* **1.** something. **2.** *în prop. interog.* anything; ~ - ~; *mai* ~ capital; *așa* ~ such a thing; *un ceas și* ~ (about) an hour or so.
ceviană *s.f. geom.* Cevian.
cezar *s.m.* Caesar.
cezariană *s.f.* Caesarian section.
cezură *s.f.* caesure.
chalon (șalon) *s.n. biochim., fiziol.* chalone.
chamefite *s.f. pl. bot.* v. c a m e f i t e.
chamois *subst.* wash-leather, chamois leather, shammy (leather).
champlevé *subst. artă* champlevé enamel; chasing (of enamel).
chanson *muz.* chanson, lyric, ditty, ballad.
chappe *subst. text.* chappe, schappe.
chardonnay *subst.* chardonnay (vine and wine).
charleston *s.n. muz.* Charleston.
charmeuse *subst. text.* charmeuse.
chartreuse *subst.* Chartreuse (liqueur).
chasselas *subst.* chasselas (grapes).
cheag *s.n.* **1.** rennet. **2.** *(de sânge)* clot. **3.** *fig.* funds, money.
chebab, chebap *s.n. cul.* kebab, kebob.
chec *s.n. cul.* (sort of) dry cake.
checiua *subst. geogr.* chechua.
chef *s.n.* **1.** carousal. **2.** *(dispoziție)* desire. **3.** *(trăsnaie)* fancy; *cu* ~ lit up; *fără* ~ spiritless, unwilling.
chefal *s.m. iht.* grey mullet *(Mugil cephalus).*
chefir *s.n.* kefir.
chefliu I. *s.m.* boozer. **II.** *adj.* sociable, gay.
chefui *vi.* to go on the spree.
chei *s.n.* **1.** quay. **2.** *(de mărfuri)* wharf.
cheiaj *s.n. nav.* wharfage.
cheie I. *s.f.* **1.** key. **2.** *muz.* *și clef.* **3.** *fig.* *și clue, solution.* **4.** *(problemă)* crux (of the matter). **5.** *pl. geogr.* gorge(s); ~ *de boltă* keystone; ~ *falsă* sau *potrivită* master key, passepartout; ~ *franceză / universală* monkey wrench; *sub* ~ under lock and key. **II.** *adj.* key, staple.
cheilită *s.f. med.* ch(e)ilitis.
cheiță *s.f.* diminutive for key.
chel I. *s.m.* bald-headed man. **II.** *adj.* bald(-headed).
chelar *s.m.* cellarer, cellarman.

chelălăi *vi.* to yelp.
chelălăit *s.n.* yelp(ing).
chelăreasă, chelăriță *s.f. înv.* housekeeper.
chelbe *s.f. med.* scald head, porrigo.
chelbos *adj.* **1.** scald-headed. **2.** *(chel)* bald.
chelboși *vi.* **1.** *med.* to become scald-/scall-headed. **2.** *(a cheli)* to become bald(-headed).
chelen *s.n. chim., med.* anaesthetic.
chelfăneală *s.f.* thrashing.
chelfăni *vt.* to drub.
cheli *vi.* to grow bald.
chelicer *s.n. zool.* chelicera, chelicerae; chelicer(e), *pl.* chelicer(e)s.
chelie *s.f.* baldness, bald head.
chelifer *s.m. zool.* chelifer, false scorpion, common book scorpion *(Pseudoscorpiones).*
chelner *s.m.* waiter.
chelneriță *s.f.* waitress.
cheloid *s.n. med., anat.* cheloid, keloid, cheloma.
chelonian *s.m. zool.* chelone *(Chelonia).*
cheltui I. *vt.* **1.** to spend. **2.** *fig. și* to consume. **3.** *(a risipi)* to waste. **II.** *vi.* to spend (much). **III.** *vr.* **1.** to be spent. **2.** *fig.* to work one's head off.
cheltuială *s.f.* **1.** expense. **2.** *fin.* expenditure; outlay; expenses; *cheltuieli de deplasare* conduct money; *cheltuieli de întreținere* upkeep; *cheltuieli de judecată* costs.
cheltuire *s.f.* spending etc. v. c h e l - t u i.
cheltuitor I. *s.m.* squanderer. **II.** *adj.* extravagant.
chema I. *vt.* **1.** to call (for). **2.** *(la telefon)* to ring up. **3.** *(a ruga)* to entreat. **4.** *(a convoca)* to convene, to summon; *mă cheamă Nicolae* my name is Nicholas; *cum te cheamă?* what is you name?; *a ~ în ajutor* to appeal to; *a ~ sub arme* to call to the colours; *a ~ în judecată* to sue at law; to summon before the judge. **II.** *vi.* to call out, to cry. **III.** *vr.* **1.** to be called *sau* named. **2.** *(a însemna)* to mean.
chemare *s.f.* **1.** call(ing), appeal. **2.** *(strigăt și)* cry. **3.** *(lozincă și)* slogan. **4.** *(invitație)* invitation. **5.** *(provocare)* challenge; *~ la rampă* curtain call.
chemat *adj.* endowed, gifted with a vocation (for something).
chemătoare *s.f.* hunter's musical instrument for luring game (v. f l u - i e r i c e).
chemător I. *adj.* calling. **2.** *fig.* attractive, appealing, alluring, fascinating. **II.** *s.m. pop.* **1.** one who invites the wedding guests. **2.** bride's best man.
chem(i)oterapie *s.f. med.* chemotherapy.
chembrică *s.f. text.* cambric.
chemigrafie *s.f. poligr.* chemigraphy.
chemitipie *s.f.* v. c h e m i g r a f i e.
chemoluminescență *s.f. chim.* chemiluminescence.
chemoreceptor *s.m. anat.* chemoreceptor.
chemosinteză *s.f. bot.* chemosynthesis.
chemosorbție *s.f. chim.* chemisorption, chemosorption.
chemotactism (chimiotactism) *s.n. bot.* chemotaxis, chemotaxy.
chemotropism (chimiotropism) *s.n. bot.* chemotropism.
chenaf *s.f. bot.* Kenaf, Bombay hemp *(Hibiscus cannabinus).*
chenar *s.n.* **1.** border. **2.** *text.* festoon, list.
chenopodiacee *s.f. bot.* Chenopodiaceae.
chenzinal *adj.* fortnightly.
chenzină *s.f.* fortnight(ly wages).
cheotoare *s.f.* **1.** button-hole. **2.** *(la copcă)* eye. **3.** *(copcă)* clasp.
chepeng *s.n.* trap door.
cheratină *s.f.* keratin, ceratin.
cheratinizare *s.f. fiziol.* keratinization.
cheratită *s.f. med.* keratitis, inflammation of the cornea.
cheratoconjunctivită *s.f. med.* keratoconjunctivitis, ceratoconjunctivitis.
cheratoplastie *s.f. med.* keratoplasty, corneal grafting.
cheratoză *s.f. med. vet.* keratosis.
chercheli *vr.* to get fuddled.
cherchelit *adj. fam.* lit up, fuddled, boozy.
cherci *s.m.* kipper, cured herring.
cherem *s.n. la ~ul cuiva* at smb.'s beck and call.
cherestea *s.f.* **1.** timber. **2.** *fig.* build, frame.
cherestegiu *s.m.* timber merchant.
cherhana *s.f.* fishery.
chermesă *s.f.* kermis.
cherry-brandy *s.n.* cherry brandy.
chervan *s.n.* **1.** *(caravană)* caravan. **2.** *(car mare)* waggon; *(acoperit)* van; *(țărănesc)* wain.
cheson *s.n.* **1.** *mil.* ammunition waggon / cart. **2.** *nav. (ladă)* bin, locker; *(încăpere)* caisson. **3.** *constr.* caisson.
chesonier *s.m. tehn.* caisson assembler / fitter.
chestie *s.f.* affair, matter.
chestiona *vt.* to question.
chestionar *s.m.* questionnaire.
chestiune *s.f.* **1.** question. **2.** *(problemă și)* issue, problem. **3.** *(lucru)* matter, thing; *~ delicată* tickler; *~ de onoare* point of honour; *~ litigioasă* outstanding question; *în ~* at issue.
chestor *s.m.* **1.** *odin.* police officer. **2.** *ist., pol. etc.* quaestor.
chestură *s.f. odin.* police station.
chetă *s.f.* collection.
chezaș *s.m.* guarantor.
chezășie *s.f.* guarantee, surety.
chezășui *vt. fig.* to warrant, to guarantee, to answer / vouch for.
chezășuire *s.f.* warranting etc. v. c h e z ă ș u i.
chiabur I. *s.m.* kulak. **II.** *adj.* wealthy.
chiaburesc *adj.* kulak.
chiaburi *vr.* to become a kulak.
chiaburime *s.f.* kulaks.
chiaburoaică *s.f.* kulak woman, kulak's wife.
chiar *adv.* **1.** even. **2.** *(însuși etc.)* oneself etc. **3.** *(tocmai)* precisely; just; *~ acum* right now; *~ așa* just like that; *~ el* he himself; the very man.
chiasm *s.n. stil.* chiasmus.
chiasmă *s.f. anat. ~ optică,* chiasm(a), optic commissure.
chibiț *s.m.* kibitzer.
chibița *vi.* to kibitz.
chibrit *s.n.* (lucifer) match; *~uri de fumător (plic)* match book.
chibritelniță *s.f.* match pot.
chibzui I. *vt.* to consider (thoroughly). **II.** *vi.* to ponder.
chibzuială *s.f.* consideration; *cu ~* considerate(ly).
chibzuință *s.f.* **1.** wisdom; thinking. **2.** *(economie)* thrift.
chibzuit *adj.* **1.** wise, considerate. **2.** *(econom)* thrifty, chary.
chică *s.f.* long hair.
chicheriță *s.f. entom.* sheep tick *(Melophagus ovinnus).*
chichineață *s.f.* small room.
chichiță *s.f.* **1.** creep hole. **2.** *fig.* dodge.
chicinetă *s.f.* kitchenette.
chiciură *s.f.* hoar frost.
chicle *subst. chim. etc.* chicle gum.
chicot *s.n.* snigger, giggle.
chicoti *vi.* to giggle, to snigger.

chicotit *s.n.* **1.** sniggering etc. v. c h i c o t i. **2.** v. c h i c o t.
chiflă *s.f.* (French) roll.
chiftea *s.f.* minced-meat ball.
chihăi *vt.* to tease, to pester.
chihli(m)bar *s.n.* amber.
chihlimbariu *adj.* amber-coloured.
chil[1] *s.n. fiziol.* chyle.
chil[2] *s.n. fam.* kilo.
chilă *s.f. odin.* former dry measure *(= 500 kg).*
chilian *adj., s.m.* Chilean, Chilian.
chiliasm *s.n. rel.* chiliasm.
chilie *s.f.* **1.** cell. **2.** *(cămăruță)* small room.
chilifer *adj. fiziol.* chyliferous.
chilim *s.n.* **1.** Turkish two-faced carpet. **2.** sort of embroidery.
chilipir *s.n.* **1.** good bargain. **2.** *(noroc)* godsend, windfall.
chilipirgiu *s.m.* hunter for bargains.
chiloți *s.m. pl.* **1.** drawers, *fam.* pants. **2.** *(de baie)* (bathing) trunks, swimbrief.
chilug *s.m.* v. p i l u g.
chim *s.n. fiziol.* chyme.
chimen *s.n.* caraway *(Carum carvi).*
chimic I. *adj.* chemical. **II.** *adv.* chemically.
chimicale *s.f. pl.* chemicals.
chimie *s.f.* chemistry.
chimiluminiscență *s.f. chim.* chemiluminiscence.
chimion *s.n. bot.* cumin *(Cuminum).*
chimioterapie *s.f. med.* chemotherapy.
chimir *s.n.* (money) belt.
chimism *s.n. biol.* chemism.
chimist *s.m.* chemist.
chimiza *vt.* to chemicalize.
chimizare *s.f.* chemification.
chimograf *s.n. med.* kymograph.
chimono *s.n.* kimono.
chimozină *s.f. biochim.* rennet.
chimval *s.n. muz. odin.* cymbal.
chin *s.n.* **1.** torture, torment. **2.** *fig. și* agony. **3.** *(trudă)* labour(s); *~urile facerii* throes (of childbirth).
chinaldină *s.f. med.* quinaldine.
chinchină *s.f. bot.* c(h)inchona, bark tree *(Cinchona).*
chincil(l)a *s.f. zool.* v. c i n c i l a.
chindie *s.f.* **1.** *(după amiază)* afternoon (between two and five o'clock); *(asfințit)* sunset. **2.** Romanian folk dance.
chinestezic *adj. med.* kinesthetic, kinaesthetic.
chinestezie *s.f. med.* kinesthesia, kinesthesis.
chinez I. *s.m.* Chinaman, Chinese. **II.** *adj.* Chinese.
chineză I. *s.f.* **1.** Chinese (woman). **2.** Chinese, the Chinese language. **II.** *adj.* Chinese.
chinezesc *adj.* Chinese.
chinezește *adv.* (like a) Chinese.
chinezoaică *s.f.* Chinawoman, Chinese.
chingă *s.f.* girth, band.
chinidină *s.f. biochim.* chinidine, quinidine.
chinină *s.f.* quinine.
chinolină *s.f. chim.* chinoline, quinoline.
chinonă *s.f. chim.* chinone, quinone.
chinoroz *s.n.* smoke flaw.
chinotehnie *s.f. zoot.* cynology, cynotechnology.
chino-tibetan *adj. lingv.* Sino-Tibetan.
chinovar *s.n. mineral.* cinnabar, native red, mercuric sulphide.
chinovial *adj. rel.* monastic, c(o)enobitic, of / about monastic community.
chinovie *s.f. rel.* c(o)enobitic community, monastic community; c(o)enobates.
chintal *s.n.* quintal.
chintă *s.f.* **1.** *(de tuse)* coughing fit. **2.** *(la pocher)* flush.
chintesență *s.f.* quintessence.
chinui I. *vt.* to torture, to torment. **II.** *vr.* **1.** to torment (oneself). **2.** *(a se strădui)* to try hard.
chinuire *s.f.* tormenting etc. v. c h i n u i.
chinuit *adj.* **1.** tormented. **2.** *fig.* (over)elaborate.
chinuitor *adj.* tormenting, tantalizing.
chioara *s.f. de-a ~ (orbește)* blindly; *(bâjbâind)* gropingly.
chiolhan *s.n. fam.* spree, booze, blow-out.
chiolhănos I. *adj.* vile, loathsome, abject. **II.** *s.m.* villain, scoundrel.
chiomp *adj. reg.* **1.** dim-eyed, purblind. **2.** dull, stupid.
chiondorâș *adv.* v. c h i o r â ș.
chior I. *s.m.* boss-eyed person. **II.** *adj.* **1.** one-eyed. **2.** *fig.* blind. **3.** *(d. lumină)* dim.
chiorăi *vi.* to rumble.
chiorăială *s.f.* collywobble(s).
chiorâș *adv.* askance.
chiorî I. *vt.* **1.** to blind. **2.** *fig. și to dazzle.* **3.** *(a păcăli)* to deceive. **II.** *vi.* to grow blind. **III.** *vr.* to stare one's eyes out.
chioșc *s.n.* **1.** kiosk. **2.** *(de ziare)* news stand. **3.** *(gheretă)* booth, stall. **4.** *(de răcoritoare)* sodafountain.
chioșcar *s.m.* news agent.
chiot *s.n.* shout.
chioti *vi.* to shout; *(ascuțit)* to yell, to shriek, v. *și* c h i u i.
chip *s.n.* **1.** face, countenance. **2.** *(imagine)* image. **3.** *(fel)* manner. **4.** *(mijloc)* means, way; *~ cioplit* graven image; *cu orice ~* at all costs.
chiparoasă *s.f. bot.* tuberose *(Polianthes tuberosa).*
chiparos *s.m.* cypress *(Cupressus sempervirens.*
chipcel *s.n. (pescuit)* scoop for small fry.
chiproviceni *s.m. pl. ist.* Bulgarian merchants / artisans settled down in Wallachia in the 17th century.
chipeș *adj.* good-looking, handsome.
chipiu *s.n.* peaked cap.
chipurile *adv.* as it were, allegedly.
chirăi *vi.* **1.** *(a țârâi)* to chirp; *(a ciripi)* to twitter; *(a cârâi)* to crow. **2.** *(a țipa)* to shout; *(ascuțit)* to yell, to shriek.
chirci *vr.* to cower.
chircit *adj.* crouched, crouching.
chircitură *s.f.* **1.** dwarf, stunted person. **2.** dwarfed / stunted tree etc. **3.** *peior.* starveling.
chiriaș, ă *s.m., s.f.* lodger, tenant.
chirie *s.f.* **1.** rent. **2.** *(pt. obiecte)* hire.
chirighiță *s.f. ornit.* tern *(Chlidonias sp.).*
chirilic *adj.* Cyrillic, Cyrilline.
chiromant *s.m.* palmist, chiromancer.
chiromanție *s.f.* palmistry.
chiroptere *s.n. pl. zool.* Chiroptera, bats.
chirovnic *s.m.* tool pusher.
chirpici *s.n.* adobe.
chirurg *s.m.* surgeon.
chirurgical *adj.* surgical.
chirurgie *s.f.* surgery.
chisea *s.f.* jam jar.
chiseliță *s.f.* **1.** stewed plums. **2.** *fig.* jumble, helter-skelter; *a face pe cineva ~* to beat / pound smb. into a jelly.
chist *s.n. med.* cyst.
chistic *adj. med.* cystic.
chișai *s.n.* quicksand.
chișcar *s.m. iht.* loach *(Misgurnus fossilis).*
chișcă *s.f.* pudding, sausage.
chișiță *s.f. (la cai)* fetlock.
chișleag *s.n. reg.* curds, curdled milk.
chiștoc *s.n.* cigarette end *sau* stub.
chit I. *s.n.* putty. **II.** *adj.* quits.
chitanță *s.f.* **1.** receipt. **2.** *(de predare a unui obiect)* claim check.
chitanțier *s.n.* receipt book.
chitară *s.f.* guitar.

chitarist *s.m. muz.* guitar player.
chiti *reg.* **I.** *vt.* **1.** *(a ochi)* to aim at, *mil.* to take aim / sight at; *(a nimeri)* to hit. **2.** *(a pune ochii pe)* to set one's eyes on. **3.** *(a căuta)* to look (out) for. **4.** *(a socoti)* to consider, to think; *(a intenționa)* to intend, to mean. **II.** *vr.* **1.** to think. **2.** *(a se întâmpla)* to happen, to turn out.
chitic *s.m.* small fry; *a tăcea ~* to keep mum.
chitină *s.f.* chitin.
chitinos *adj.* chitinous.
chitră *s.f.* citron.
chitru *s.m.* citron *(Citrus medica).*
chitui *vt.* to putty.
chiț *interj.* eek!
chițăi *vi.* to squeak.
chițăit *s.n.* squeak(ing).
chițcan *s.m. zool.* shrew, woodshrew *(Sorex sp.).*
chițibuș *s.n.* cavil; detail.
chițibușar **I.** *s.m.* pettifogger. **II.** *adj.* cavillous.
chițibușării *s.f. pl.* cavilling; pettifoggery.
chițimie *s.f.* roomlet, cubicle.
chiu *s.n. cu ~ cu vai* at great pains.
chiui *vi.* to shout.
chiuit *s.n.* shout.
chiuitură *s.f.* **1.** shout; yell, shriek. **2.** *(la joc)* extempore (alternate) song.
chiul *s.n.* **1.** *(absență)* truancy. **2.** *(lene)* slackness, evasion.
chiulangiu *s.m.* **1.** *(la școală)* truant. **2.** *fig.* slacker.
chiulasă *s.f.* **1.** *mil.* breech (of a gun). **2.** *tehn.* combustion head.
chiuli *vi.* to play truant.
chiup *s.n.* ewer, jug.
chiureta *vt. med.* to curette, to curet.
chiuretaj *s.n.* curettage.
chiuvetă *s.f.* *(de bucătărie)* sink; *(de baie)* wash-hand basin; AE wash bowl.
chivără *s.f. mil. odin.* shako.
chiverniseală *s.f.* profit.
chivernisi **I.** *vt.* to manage (to advantage). **II.** *vr.* to feather one's nest.
chivernisire *s.f.* **1.** v. c h i v e r n i s e a l ă. **2.** settling etc. v. c h i v e r n i s i.
chivernisit *adj.* well-in / off, well-to-do.
chivot *s.n.* **1.** *bibl.* ark. **2.** *(din altar)* shrine; *~ul lui Noe* Noah's ark.
chivuță *s.f. reg.* whitewasher, house painter.
chix *s.n.* flop.
chow-chow *s.m. zool.* chow-chow (dog), *pl.* chow-chows.

ci *conj.* but.
ciaconă *s.f. muz.* chacon(ne), chaconna.
cian *subst. chim.* cyan; cyanogen.
cianamidă *s.f. chim.* cyanamide.
ciancobalamină *s.f. biochim.* cyanocobalamin, vitamin B12.
cianhidric *adj. chim. acid ~* hydrocyanic / prussic acid.
cianhidrină *s.f. chim.* cyanhydrin, cyanohydrin.
cianit *s.n. miner.* cyanite.
cianizare *s.n. met.* cyanization.
cianoficee *s.f. pl. bot.* Cyanophyceae.
cianogen *s.n. chim.* cyan(ogen).
cianotipie *s.f. foto.* blue printing.
cianoză *s.f. med.* cyanosis, blue disease.
cianurare *s.f. chim., ind.* cyanide process, cyanidation, cyaniding.
cianură *s.f. chim.* cyanide; *~de potasiu* potassium cyanide.
cibernetic *adj.* cybernetic.
cibernetică *s.f.* cybernetics.
cibernetician *s.m.* cyberneticist.
cicadă *s.f. entom.* cicada, cicad *(Cicada, Cicadidae).*
cicadeoidea *subst. paleont.* cycadeoidea.
cicar *s.m. iht.* cyclostome; lamprey *(Eudontomyzon danfordi).*
cicatrice *s.f.* scar.
cicatriza *vr.* to heal.
cicatrizare *s.f.* cicatrization, healing, closing (up) (of a wound).
cică *adv.* as the story goes, as it were; allegedly.
cicăleală *s.f.* nagging.
cicăli *vt.* to nag, to bicker.
cicălitor **I.** *adj.* nagging, faultfinding; *(sâcâitor)* annoying; *femeie cicălitoare* shrew. **II.** *s.m.* nagger, grumbler.
cicero *s.m. invar. poligr.* pica, twelve point type.
cicerone *s.m.* guide, cicerone.
ciclamă *s.f. bot.* cyclamen *(Cyclamen europaeum).*
ciclamen *s.n., adj.* cyclamen.
ciclan *s.m. chim.* cyclane.
ciclic **I.** *adj.* cyclic(al); *criză ~ă ec. pol.* recurring crisis; *organizarea ~ă a producției ec.* synchronization of production. **II.** *adv.* cyclically.
ciclism *s.n.* cycling.
ciclist *s.m.* cyclist.
ciclizare *s.f. chim.* cyclization.
ciclo- *prefix. chim.* cyclo-.
cicloalcan *s.m. chim.* cyclo-alkane, cycloparaffin.

ciclohexan *subst. chim.* cyclo-hexane.
ciclohexanol *subst. chim.* cyclo-hexanol.
ciclohexanonă *s.f. chim.* cyclo-hexanone.
cicloidă *s.f. mat.* cycloid (curve).
ciclon *s.n.* cyclone.
ciclop *s.m. mitol.* Cyclops.
ciclopic *adj.* Cycoplean, gigantic.
ciclotron *adj. fiz.* cyclotron.
ciclu *s.n.* **1.** cycle. **2.** *fam.* menses.
cicoare *s.f. bot.* chicory *(Cichorium).*
cidru *s.n.* cider.
C.I.F. *ec.* CIF
cifra **I.** *vt.* to cipher. **II.** *vr. a se ~ la (milioane etc)* to amount to (millions etc.), to run into (the millions etc.).
cifrat *adj.* in cipher / code, coded; *cuvânt ~* code word; *scriere ~ă* cipher, writing in cipher.
cifră *s.f.* figure, number.
cifric **I.** *adj.* numerical, (expressed) by figures. **II.** *adv.* in figures.
cifru *s.n.* cipher, code.
cil *s.m. biol.* cilium, hair; *~i vibratili* cilia.
ciliar *adj. anat.* ciliary.
cilindric *adj.* cylindrical.
cilindru **I.** *s.m.* cylinder; *cu patru cilindri* four-cylindered. **II.** *s.n.* opera hat.
cimbrișor *s.m. bot.* shepherd's thyme *(Thymus serpyllum).*
cimbru *s.m.* savory *(Satureia hortensis.*
ciment *s.n.* cement.
cimenta **I.** *vt.* **1.** to cement. **2.** *fig. și* to strengthen. **II.** *vr.* **1.** to be cemented. **2.** *fig. și* to consolidate.
cimentare *s.f.* cementation etc. v. c i m e n t a.
cimentometru *s.n. ind.* cement meter.
cimerieni *s.m. pl. ist.* Cimmerians.
cimilitură *s.f.* riddle.
cimișir *s.m. bot.* box (tree) *(Buxus sempervirens).*
cimitir *s.n.* **1.** graveyard. **2.** *(mic)* churchyard.
cimotie *s.f. reg.* (blood) relative, kith and kin; family.
cimpanzeu *s.m.* chimpanzee.
cimpoi *s.n.* bagpipe.
cimpoier *s.m.* bag(piper).
cin *s.n. înv.* **1.** (social) position / condition; rank. **2.** monastic order.
cina *vi.* to have supper.
cinabru *s.n. mineral.* cinnabar, vermillion, native red, mercuric sulphide.

cinamic *adj. chim.* cinnamic.
cină *s.f.* supper; *Cina cea de taină* The Last Supper.
cincantin *s.n. bot.* fine variety of maize / Indian corn.
cinci *s.m., adj. pron., num.* five.
cincila *s.f. zool.* chinchilla *(Chinchilla laniger).*
cincilea *adj., num.* fifth.
cincime *s.f.* fifth.
cincinal I. *s.n.* five-year plan. **II.** *adj.* five-year.
cincisprezece *s.m., adj., pron., num.* fifteen.
cincisprezecelea *adj., num.* fifteenth.
cincizeci *s.m., adj., pron., num.* fifty.
cincizecilea *num. ord., adj.* the fiftieth.
cine *pron.* who; ~ *din voi?* which of you?; *cu ~?* with whom?, who with? *pe ~?* whom?; ~ *știe câștigă* radio quiz.
cineast *s.m.* film maker.
cineclub *s.n.* film club, cine-club.
cinefil *s.m.* film fan.
cinegetic *adj.* hunting.
cinegetică *s.f.* cynegetics.
cinel-cinel *interj.* riddle-me-ree!
cinema *s.n.* cinema, pictures; *la ~* at the films; AE in the movies.
cinemascop *s.n.* cinemascope.
cinematecă *s.f.* classics (cinema).
cinematică *s.f.* kinematics.
cinematograf *s.n.* cinema (house), pictures.
cinematografia *vt.* to film.
cinematografic *adj.* film, cinema.
cinematografie *s.f.* cinema(tography).
cinematografiere *s.f.* filming.
cinerama *s.f.* cinerama.
cinerar *adj.* cinerary, funeral; *urnă ~ă* cinerary / funeral urn.
cineraria *s.f. bot.* cineraria *(Cineraria hybrida).*
cinerit *s.n. geol., ind.* ash / vitric tuff.
cine-roman *s.n.* cinematographic novel.
cinescop *s.n. tehn.* kinescope.
cinetic *adj. fiz.* kinetic, motive.
cinetică *s.f.* kinetics.
cineva *pron.* **1.** somebody. **2.** *(în prop. interog.)* anybody.
cingătoare *s.f.* girdle.
cinic I. *s.m.* cynic. **II.** *adj.* cynical.
cinism *s.n.* cynicism.
cinocefal *s.m. zool.* cynocephalus *(Cynocephalus).*
cinquecento *subst. artă* cinquecento.
cinste *s.f.* **1.** honour. **2.** *(onestitate și)* honesty. **3.** *(virtute și)* chastity, virtue. **4.** *(glorie și)* glory. **5.** *(prețuire și)* esteem; *cu ~* creditably; *în~a cuiva (d. toast)* for smb.'s health; *pe ~* greatly, capital(ly); *pe ~a mea* upon my word of honour.
cinsteț *s.m. bot.* sage *(Salvia).*
cinsti I. *vt.* **1.** to honour. **2.** *(a trata)* to treat. **II.** *vi.* to booze.
cinstire *s.f.* veneration.
cinstit I. *adj.* **1.** honest. **2.** *(credincios)* true, faithful. **3.** *(virtuos)* chaste. **4.** *(onorat)* venerated, honoured. **II.** *adv.* honestly.
cinteză *s.f.*, **cintezoi** *s.m.* chaffinch *(Fringilla coelebs).*
cintru *s.n. constr.* centre, centring, truss, template (for arch).
cinzeacă *s.f.* liqueur glass.
cioacă *s.f.* **1.** *text.* horizontal console of weaving loom. **2.** *fam.* palaver, chat; gossip; *pl.* (empty) words.
cioară *s.f. ornit.* crow *(Corvus).*
cioareci *s.m. pl.* tight peasant trousers.
cioarsă *s.f.* jagged / dull knife *sau* scythe etc.
ciob *s.n.* postherd, shard.
ciobacă *s.f.* (trough-shaped) boat.
cioban *s.m.* shepherd.
ciobănaș *s.m. (băiat)* shepherd boy; *(poetic)* swain, Corydon.
ciobănesc *adj.* **1.** shepherd's. **2.** *fig. (necioplit)* rustic.
ciobănește *adv.* like a shepherd.
ciobăni I. *vi.* to be a shepherd. **II.** *vr.* to become a shepherd.
ciobănie *s.f.*, **ciobănit** *s.n.* shepherd's / pastoral life.
ciobăniță *s.f.* **1.** shepherdess. **2.** shepherd's wife.
cioc I. *s.n.* **1.** beak, bill. **2.** *(barbă)* goatee. **3.** *(minciună)* shave. **II.** *interj.* knock!
ciocan *s.n.* **1.** hammer. **2.** *(de lemn)* gavel. **3.** *anat.* maleus; ~ *de lipit* soldering gun; ~ *pneumatic* air hammer.
ciocănar *s.m.* **1.** worker who uses hammer (for riveting, forging etc.). **2.** *fam., fig., peior.,* labourer (uneducated worker).
ciocănaș *s.n., s.m.* **1.** small hammer. **2.** *ist.* convict doing forced labour in a salt-mine.
ciocănel *s.n. muz.* hammer, mallet.
ciocăni I. *vt.* **1.** to hammer. **2.** *(cu ciocul)* to peck. **II.** *vi.* **1.** to hammer (away). **2.** *fig.* to work. **3.** *(la ușă)* to knock. **4.** *(d. păsări)* to peck.
ciocănit *s.n.* **1.** hammering; knocking. **2.** *(al păsărilor)* pecking.
ciocănitoare *s.f.* wood-pecker.
ciocănitură *s.f.* knock.
ciocârlan *s.m. ornit.* crested / tufted lark *(Galerida cristata); a prinde ~ul de coadă fam.* to be half seas over.
ciocârlie *s.f. ornit.* skylark *(Alauda).*
ciochie *s.f. ind.* v. b e s c h i e.
ciochinar *s.n.* hunter's saddle for hunted fowls.
ciochinară *s.f.* harness, belt
ciochină *s.f.* pommel (of the saddle).
cioclu *s.m.* **1.** undertaker. **2.** *(gropar)* grave-digger.
ciocnet *s.n.* knock, clashing together.
ciocni I. *vt.* **1.** to clink, to touch. **2.** *(a sparge)* to break; *a ~ paharele* v. **II.** *vi.* to clink *sau* clang glasses. **III.** *vr.* to collide, to clash.
ciocnire *s.f.* **1.** concussion, knocking etc. v. c i o c n i. **2.** collision (of trains), *fam.* smash(-up). **3.** *mil.* encounter; armed conflict, clash (of arms); **4.** *fig.* collision, clash, conflict; contradiction.
ciocnit *adj.* broken.
ciocnitură *s.f.* chink (of glasses).
ciocoaică *s.f.* **1.** wife of a boyar etc. v. c i o c o i. **2.** exploiter; extortioner, *peior.* fleecer.
ciocoi *s.m.* **1.** *(parvenit)* upstart, pusher. **2.** boyar.
ciocoiesc *adj.* **1.** *(de parvenit)* upstart. **2.** boyar's.
ciocoime *s.f.* boyars etc. v. c i o c o i.
ciocoism *s.n.* **1.** state / condition of a boyar etc. v. c i o c o i. **2.** *(servilism)* flunkeyism, servility.
ciocolată *s.f.* chocolate; ~ *cu lapte* milk chocolate; ~ *cu lapte și alune* nut milk chocolate; ~ *simplă* plain chocolate.
cioflingar *s.m.* tramp, vagabond, straggler; good-for-nothing (fellow), ne'er-do-well, scamp, black sheep.
ciolan *s.n.* bone.
ciolănos *adj.* bony.
ciolpan *s.m. agr.* **1.** tree trunk (without branches but with its roots still in the soil). **2.** old tree.
cioltar *s.n.* adorned saddle blanket.
ciomag *s.n.* club, cudgel.
ciomăgar, ciomăgaș *s.m.* swash buckler, bully, brawler.
ciomăgeală *s.f.* sound cudgelling / thrashing / beating; *fam.* good hiding.
ciomăgi *vt.* to cudgel.
ciomp *s.n.* v. c i o l p a n.
ciompi *s.m. pl. ist.* ciompi.
ciondăneală *s.f.* scolding, chiding, *fam.* blowing up; *(cicălire)* bickering,

fam. nagging; *(ceartă)* jangle, *fam.* row, blow-up; high / hot / hard words.
ciondăni I. *vt.* to bicker. **II.** *vr.* to squabble.
ciopârțeală *s.f.* v. c i o p â r ț i r e.
ciopârți *vt.* **1.** to hack. **2.** *fig.* to maim.
ciopârțilă *s.m.* the Mangler.
ciopârțire *s.f.* **1.** hacking. **2.** *fig.* mangling.
ciopli I. *vt.* to carve, to hew. **II.** *vr.* to improve one's manners.
cioplire *s.f.*, cioplit *s.n.* carving in wood etc. v. c i o p l i.
cioplitor *s.m.* carver, hewer.
cioplitură *s.f.* **1.** v. c i o p l i r e. **2.** shavings, chippings.
ciopor *s.n.* **1.** *(cireadă)* herd; *(turmă, stol)* flock. **2.** *(mulțime)* crowd, multitude; *(ceată)* troop, group.
ciorap *s.m.* **1.** *(lung)* stocking. **2.** *(scurt)* sock. **3.** *pl. com.* hose; *~i de mătase* silk stockings; *~i nailon* nylons; *~i trei sferturi* knee *sau* sports socks.
ciorăpar *s.m.* hosier, haberdasher.
ciorăpărie *s.f.* **1.** *(ca marfă)* hosiery. **2.** *(fabricare)* manufacture / making of stockings. **3.** *(magazin)* smallware shop; *(ca raion)* hosiery counter.
ciorbă *s.f.* **1.** (sour) soup. **2.** *(borș)* bortsch; *~ de burtă* tripe soup.
ciorchine *s.m.* bunch, cluster.
ciordeală *s.f. fam.* pinching, scrounging, boning.
ciordi *vt. fam.* to scrounge, to nick, to sneak, to pinch, *argou* to make.
cioresc *adj.* crow('s)..., corvine.
ciormoiag *s.m. bot.* melampyrum, cow-wheat *(Melampyrum).*
ciornă *s.f.* rough copy, draft.
cioroi *s.m.* 1. crow.
ciorovăi *vr.* to squabble.
ciorovăială *s.f. fam..* v. c i o n d ă - n e a l ă.
ciorpac *s.n.* dip / spoon / landing-net.
ciortan *s.m. iht.* (scale) carp (weighing 1-2 kg) *(Cyprinus carpio).*
ciot *s.n.* **1.** knot, gnarl. **2.** *(buturugă)* stump.
cioturos *adj.* gnarled, knotty.
ciovică I. *s.f. ornit.* spparow owl *(Glaucidium passerinum).* **II.** v. n a g â ț.
ciozvârtă *s.f.* hunk.
ciperacee *s.f. pl. bot.* Cyperaceae, the sedge family.
cipici *s.m. pl.* slippers.
cipilică *s.f.* kiss-me-quick.
cipolin *s.n.* cipolin (marble), onion marble.
ciprinicultură *s.f.* carp breeding / husbandry.
ciprinide *s.n. pl. zool.* cyprinides, Cyprinidae.
cipriot, -ă *s.m., s.f., adj. geogr.* Cypriot.
cirac *s.m.* **1.** disciple. **2.** *peior.* lick-spittle.
circ *s.m.* **1.** circus. **2.** *fig.* mockery.
circa *adv.* about.
circari *s.m. pl.* circus people.
circă *s.f.* **1.** police station. **2.** *(medicală)* medical centre.
circorama *s.f. cin.* panoramic film (show).
circuit *s.n.* circuit.
circula *vi.* **1.** to circulate, to run. **2.** *(a face naveta)* to ply. **3.** *(d. zvonuri)* to be about; *~și!* move on!
circulant *adj.* circulating.
circular *adj.* circular.
circulară *s.f.* circular (letter), form letter.
circulator *adj. anat. aparatul / sistemul ~* the circulatory system.
circulație *s.f.* **1.** circulation. **2.** *(trafic)* traffic; *de mare ~* widespread; *circulația interzisă* no passing.
circumcide *vt. med., rel.* circumcise.
circumcis *adj.* circumcised.
circumcizi(un)e *s.f. med., rel.* circumcision.
circumferențiar *s.n.* v. c o m p a s.
circumferință *s.f.* circumference.
circumflex *adj.* circumflex.
circumlocuțiune *s.f.* circumlocution.
circumlunar *adj.* circumlunar.
circumnaviga *vt.* to circumnavigate, to sail round.
circumnavigație *s.f.* circumnavigation.
circumpolar *adj.* circumpolar.
circumscrie *vt.* **1.** *geom.* to circumscribe, to describe a circle round. **2.** to circumscribe, to limit, to bound.
circumscriere *s.f.* circumscription, circumscribing.
circumscripție *s.f.* **1.** circumscription. **2.** *(medicală)* circuit. **3.** *pol.* constituency.
circumscris *adj.* circumscribed; limited, restricted.
circumspect *adj.* wary, cautious.
circumspecție *s.f.* wariness.
circumstanță *s.f.* circumstance; *de ~* for the nonce, circumstantial.
circumstanțial *adj.* **1.** circumstantial. **2.** *gram.* adverbial.
circumterestru *adj.* circumterrestrial.
circumvoluțiune *s.f.* convolution.
cireadă *s.f.* herd.
cireașă *s.f.* (sweet) cherry; *~ amară* bitter cherry.
cirenaicii *s.m. pl. ist., filoz.* cyrenaices.
cireș *s.m. bot.* (sweet) cherry (tree) *(Prunus cerasus).*
cireșar *s.m. pop.* June.
cireșiu *adj.* cherry-coloured, cerise.
cir[1] *s.m.* **1.** *bot.* cirrus, tendrie. **2.** *iht.* barbel. **3.** *zool.* tentacle.
cir[2] *s.n. reg. (de mămăligă)* thin maize guel / porridge; soft polenta.
cirip-cirip *interj.* twit!, chirp!
ciripi *vt., vi.* to twitter, to chirp.
ciripit *s.n.* chirping, twittering.
ciripitor *adj.* twittering, chirping, warbling.
ciroză *s.f. med.* cirrhosis.
cirrocumulus *subst. invar. meteo.* cirrocumulus.
cirrostratus *subst. meteo.* cirrostratus.
cirrus *subst. invar. meteo.* cirrus.
cis- *prefix* cis-.
cisalpin *adj.* Cisalpine.
cislă *s.f. ist. Rom.* **1.** tax on counties or villages. **2.** proportional distribution of taxes.
cisoidă *s.f. mat.* cissoid (curve).
cisteină *s.f. biochim.* cysteine.
cistercian *s.m. rel.* Cistercian.
cisternă *s.f.* tank.
cistic *adj. anat.* cystic.
cisticerc *s.m. zool.* cysticercus, *fam.* bladder worm *(Capillaria plica).*
cisticercoză *s.f. med.* cysticercosis.
cistină *s.f. biochim.* cystin(e).
cistită *s.f. med.* cystitis.
cistoide *s.n. pl. paleont.* Cystoidea.
cistoscop *s.n. med.* cystoscope.
cistoscopie *s.f. med.* cystoscopy.
cistron *s.m. biol.* cistron.
cistronic *adj. biol.* cistronic.
cișmea *s.f.* **1.** (water) pump. **2.** *(robinet)* tap.
cișmegiu, cișmigiu *s.m. ist.* manager of public fountains (in Bucharest).
cita *vt.* **1.** to quote. **2.** *(un exemplu)* to cite. **3.** *jur.* to subpoena, to summon.
citabil *adj.* worth quoting.
citadelă *s.f.* citadel.
citadin I. *s.m.* townsman; *pl.* townsfolk, townspeople. **II.** *adj.* town, city.
citadină *s.f.* townswoman.
citanie *s.f.* **1.** reading. **2.** *bis.* reading of prayers etc.
citare *s.f.* quoting, citing.
citat *s.n.* quotation, quote.
citatomanie *s.f.* the mania of obsessive quotations.
citație *s.f.* subpoena, summons.

citeț I. *adj.* legible. **II.** *adv.* legibly.
citi I. *vt.* **1.** to read. **2.** *(atent)* to peruse. **3.** *(neatent)* to skim over. **II.** *vi.* to read. **III.** *vr.* to read, to be read.
citire *s.f.* reading.
citit I. *s.n.* reading. **II.** *adj.* (well-)read.
cititor *s.m.* reader; ~ *în stele* star gazer.
cito- *prefix* cyto-.
citocineză *s.f. biol.* cytokinesis.
citocrom *s.m. biochim.* cytochrome.
citodiagnostic *s.n. med.* cytodiagnosis.
citofiziologie *s.f. biol.* cytophysiology.
citogenă *s.f. biol.* cytogene.
citogenetică *s.f. biol.* cytogenetics.
citoliză *s.f. biol.* cytolysis.
citologie *s.f. biol.* cytology.
citoplasmă *s.f. biol.* cytoplasm.
citostatic *s.n., adj. med.* cytostatic.
citozină *s.f. biochim.* cytosine.
citrat *s.m. chim.* citrate.
citric I. *s.n.* citric fruit. **II.** *adj.* citric.
citrice *s.n. pl. bot.* citric / cedrate fruits.
citrin *s.n. mineral.* false topaz; citrine.
citrină *s.f. chim., farm.* vitamin C.
citronadă *s.f.* lemon squash.
ciubăr *s.n.* tub.
ciubotar *s.m.* shoemaker.
ciubotă *s.f.* boot.
ciubotăresc *adj.* shoemaker's...
ciubotărie *s.f.* shoemaker's (trade).
ciuboțică *s.f.* bootee; *ciuboțica-cucului* cowslip *(Primula officinalis)*.
ciubuc *s.n.* **1.** hookah. **2.** *fig.* tip, bribe.
ciubucar *s.m.* bribe taker.
ciubucărie *s.f. arh.* moulding.
ciuciulete *adv.* wet through.
ciucuraș *s.m.* **1.** small tassel. **2.** *pl. bot.* adenostyle *(Adenostyles)*.
ciucure *s.m.* tassel.
ciucușoară *s.f. bot.* alyssum, madwort *(Alyssum)*.
ciudat I. *adj.* **1.** odd, strange. **2.** exotic. **3.** *(original)* peculiar. **II.** *adv.* oddly, strangely.
ciudă *s.f.* **1.** anger. **2.** *(pică)* spite; *cu / în* ~ out of spite; in anger; *în ciuda (cu gen.)* in spite of..., despite...
ciudățenie *s.f.* oddity, queerness.
ciudos *adj.* spiteful.
ciuf *s.n.* tuft.
ciufuli I. *vt.* ruffle. **II.** *vr.* to get dishevelled.
ciufulit *adj.* **1.** ruffled. **2.** *(d. o persoană)* dishevelled.
ciufut I. *s.m.* hedgehog. **II.** *adj.* **1.** peevish. **2.** *(zgârcit)* miserly.
ciuguleală *s.f.* pecking.
ciuguli *vt.* to peck.
ciugulire *s.f.*, **ciugulit** *s.n.* pecking etc. v. c i u g u l i.
ciuhurez *s.m. ornit.* v. h u h u r e z.
ciuin *s.m. bot.* soapwort; soapberry *(Saponaria officinalis)*.
ciul[1] *adj. zool. (d. animale)* without one ear; earless; small-eared.
ciul[2] *s.n.* wrapping cloth (for tobacco bales).
ciulama *s.f.* white sauce stew.
ciuleandră *s.f.* kind of Romanian dance.
ciuli *vt.* to prick up.
ciulin *s.m. bot.* thistle *(Carduus)*.
ciumat I. *s.m.* plague-stricken man. **II.** *adj.* plague-stricken.
ciumă *s.f.* **1.** plague. **2.** *fig.* fright, fury.
ciumăfaie *s.f. bot.* Jimson weed, stramony *(Datura stramonium)*.
ciumărea *s.f. bot.* goat's rue, galega *(Galega officinalis)*.
ciumiză *s.f. bot.* Italian millet. v. d u g h i e. (Setaria italica maxima).
ciumpei *s.n. tehn.* cooper's knife.
ciung I. *s.m.* one-armed person. **II.** *adj.* one-armed.
ciungi *vt.* to deprive of an arm, to cut smb.'s arm; to cripple, to maim.
ciunt *adj.* crippled.
ciunti *vt.* **1.** to maim. **2.** *fig.* to curtail. **3.** *(a mutila)* to cripple. **4.** *(a trunchia)* to distort.
ciuntire *s.f.* cutting short etc. v. c i u n t i.
ciuntitură *s.f.* stump (of cut / maimed object).
ciupeală *s.f.* **1.** pinching. **2.** *fam. (ciubuc)* small profits.
ciupercă *s.f.* **1.** mushroom; *(mică)* fungus. **2.** *(de țesut ciorapi)* darning egg; ~ *otrăvitoare* toadstool; poisonons mushroom.
ciupi *vt.* **1.** to pinch. **2.** *(a înțepa)* to sting. **3.** *(a fura)* to filch.
ciupire *s.f.* pinching etc. v. c i u p i.
ciupit *adj.* pinched; ~ *de vărsat* pockmarked.
ciupitor *s.n. ind.* (bottom hole) sampler, sampling tube; core breaker.
ciur *s.n.* **1.** sieve. **2.** *(mare)* screen, riddle.
ciurar *s.m.* sieve maker.
ciurdă *s.f.* cattle flock.
ciurlan *s.m. bot.* salsola, saltwort. *(Salsola kali / soda)*.
ciuruc *s.n.* **1.** ne'er-do-well. **2.** *pl.* candle ends; *fig.* offal.
ciurui *vt.* to riddle.
ciuruit *adj.* **1.** ~ *de gloanțe* riddled with bullets. **2.** *(ciupit de vărsat)* pockmarked.
ciușcă *s.f. bot.* chilly, hot pepper, chil(l)i *(Capsicum frutescens)*.
ciut *adj.* **1.** *(fără coarne)* hornless, poll. **2.** *(cu un corn)* singlehorned.
ciută *s.f.* hind.
ciutură *s.f.* well bucket.
ciuvaș *s.m. adj.* Chuvash.
civic *adj.* civic, civil.
civil I. *s.m.* civilian; *în* ~ in civvies. **II.** *adj.* **1.** civilian. **2.** *jur.* civil. **3.** *(d. haine)* plain. **III.** *adv.* in plain clothes.
civilie *s.f. pop.* v. v i a ț ă c i v i l ă.
civiliza I. *vt.* to civilize. **II.** *vr.* to become civilized *sau* refined.
civilizat I. *adj.* civilized; refined. **II.** *adv.* in a civilized way.
civilizator *vb.* civilizing.
civilizație *s.f.* civilization.
civism *s.n.* civicism, civic-mindedness.
cizela I. *vt.* to chisel. **II.** *vr.* to polish oneself.
cizelare *s.f.* chasing etc. v. c i z e l a.
cizelat *adj.* chiselled, chased; polished.
cizelator *s.m.* chaser, engraver.
cizelură *s.f.* chisel(l)ing.
cizmar *s.m.* **1.** shoemaker. **2.** *(cârpaci)* cobbler.
cizmă *s.f.* **1.** (top)boot. **2.** *fig.* blockhead.
cizmăresc *adj.* shoemaker's...
cizmărie *s.f.* **1.** *(meserie)* bootmaking. **2.** *(atelier)* shoemaker's (shop).
cizmuliță *s.f. (de damă)* lady's boot, bootee.
clac *s.n.* gibus, crush / opera hat.
claca *vi.* **1.** *sport* to strain a tendon, to rupture / tear a ligament. **2.** *fig.* to fail; to peg out, to go phut.
clacaj *s.n. med.* straining (of a muscle).
clacă *s.f.* **1.** *ist.* statute labour. **2.** *(adunare)* group work. **3.** husking (bee), social (evening). **4.** *teatru* chirrupers.
clachetă *s.f. cin.* clapper-board.
cladocere *s.n. pl. zool.* Cladocera.
claie *s.f.* **1.** hayrick. **2.** *(de grâu)* corn stack; *o* ~ *de păr* a shock of hair; ~ *peste grămadă* pell-mell.
clamă *s.f.* paper clip.
clan *s.n.* clan.
clandestin I. *adj.* surreptitious. **II.** *adv.* surreptitiously.
clanț I. *s.n.* beak. **II.** *interj.* click!

clanță *s.f.* **1.** door handle. **2.** *fig.* potato trap.
clap *interj.* bang! crash! flop!
clapă *s.f.* **1.** *muz.* key. **2.** *(la buzunar)* flap.
clapetă *s.f.* **1.** little clack / flap. **2.** *tehn.* clack(-valve); clapper (-valve).
clapon *s.m.* capon.
claponi *vt.* to capon, to castrate.
clar I. *s.n.* ~ *de lună* moonlight night. **II.** *adj.* **1.** clear. **2.** *(evident)* obvious. **3.** *(distinct)* plain. **4.** *(transparent și)* transparent. **III.** *adv.* **1.** clearly. **2.** evidently.
claren *s.n. mineral.* clarain.
clarifica I. *vt.* **1.** to elucidate, to explain (away). **2.** *(a rezolva)* to solve. **II.** *vr.* to become clear.
clarificare *s.f.* **1.** elucidation. **2.** *(rezolvare)* solution.
clarificator *adj.* enlightening.
clarinet *s.n.* clarinet.
clarinetist *s.m. muz.* clari(o)net player.
clarit *s.n. mineral.* v. c l a r e n.
claritate *s.f.* **1.** clarity. **2.** *(limpezime)* transparency.
clarobscur *s.n. artă.* chiaroscuro, light and shade.
clarvăzător *adj.* clear-sighted, wise.
clarviziune *s.f.* clear-sightedness.
clasa I. *vt.* **1.** to classify. **2.** *(a sorta și)* to sort (out). **3.** *jur.* to stop. **II.** *vr.* **1.** to be classified. **2.** *sport* to place.
clasament *s.n.* classification.
clasare *s.f.* classification etc. v. c l a s a.
clasat *adj.* classified etc. v. c l a s a; afacere *~ă jur.* case definitely filed and disposed of.
clasă *s.f.* **1.** class. **2.** *(sală)* classroom. **3.** *(de școală)* form; grade. **4.** *(categorie)* category, division. **5.** *bot.* order; ~ *dominantă / conducătoare* ruling class; *clasa muncitoare* the working class; *clasele avute* the possessing classes; *clasele de mijloc* the middle classes.
clasic I. *s.m.* classic (author). **II.** *adj.* **1.** classic. **2.** *(tradițional)* classical. **3.** *(cunoscut)* wellknown. **4.** *(d. lupte)* GraecoRoman.
clasicism *s.n.* classicism.
clasicist *s.m.* classicist.
clasiciza *vt., vi.* to classicize.
clasicizant *adj.* classic-like, favouring / imitating classicism or the classics; academic.
clasifica[1] *vt.* **1.** to classify. **2.** *(a sorta)* to sort (out). **3.** *(la școală și)* to rate.
clasifica[2] *vt.* to classify, to arrange in classes, v. și c l a s a.
clasificare *s.f.*, **clasificație** *s.f.* **1.** classification. **2.** *(la școală)* ratings.
clasificator I. *adj.* classifying. **II.** *s.m.* classifier; systematizer.
clasificație *s.f.* v. c l a s i f i c a r e.
clasor *s.n.* stamp book.
clastic *adj. geol.* clastic; fragmentary; detritic.
clastocarst *s.n. geol.* clastokarst.
claubaj *s.n. ind., min.* bucking, cobbing, sorting.
claudicație *s.f. med.* limp(ing) claudication.
claustra *vr.* **1.** to enter a convent / a monastery. **2.** *fig.* to live a life of a recluse, to seclude oneself.
clauză *s.f.* rider.
clauzulă *s.f. stil.* clausula, *pl.* clausulae.
clavecin *s.n.* clavichord.
clavecinist *s.m. muz.* clavecinist, harpsichord player, harpsichordist.
claviatură *s.f.* keyboard, clavier.
clavicembal *s.n. muz. rar* harpsichord.
clavicord *s.n. muz.* clavicembalo, clavichord, *pl.* clavicembali.
clavicular *adj. anat.* clavicular.
claviculă *s.f.* collarbone.
clavir *s.n.* clavier.
clavir *s.n. muz. înv. rar.* piano.
claxon *s.n.* horn.
claxona *vi.* to toot one's horn.
claxonare *s.f.*, **claxonat** *s.n.* hooting; *~a interzisă* use of horn prohibited.
clăbuc *s.m.* **1.** foam. **2.** *(de săpun)* soap sud.
clăbuci I. *vt.* to lather. **II.** *vi.* **1.** *(a face clăbuci)* to lather. **2.** *(a face spumă)* to foam, to froth. **III.** *vr.* to lather.
clăcaș *s.m.* **1.** *ist.* socman, soc(c)ager, adscript, bond(s)man. **2.** *pop.* participant in a „clacă" 2.
clăcăși *vi. ist.* to do compulsory / statute labour, to do corvée.
clăcășiță *s.f.* v. c l ă c a ș.
clădi *vt.* **1.** to build, to construct. **2.** *fig.* to found, to erect.
clădire *s.f.* **1.** building. **2.** *(publică și)* edifice.
clădit *adj.* built etc. v. c l ă d i; *bine ~* well-shaped / proportioned / built.
clămpăneală *s.f.* v. c l ă m p ă n i t.
clămpăni *vi.* **1.** to clatter. **2.** *fam.* to eat.
clămpănit *s.n.* clattering etc. v. c l ă m p ă n i.
clănțăneală *s.f.* v. c l ă n ț ă n i t.
clănțăni *vi.* to chatter, to tremble.
clănțănit *s.n.* chattering, trembling.
clănțău *s.m.* **1.** *(flecar) fam.* rattle (box). **2.** *(om rău de gură) fam.* nagger; *(scandalagiu) fam.* rowdy. **3.** *(avocat) odin.* pettifogger. **4.** *odin.* demagogue.
clăpăug *adj.* **1.** flap-eared. **2.** *(d. ureche)* flapping.
clăti I. *vt.* **1.** to rinse. **2.** *(a spăla)* to wash / to rinse. **II.** *vr.* to rinse (one's mouth etc.).
clătina I. *vt.* **1.** to shake, to toss. **2.** *(a zdruncina)* to shatter. **II.** *vi.* a ~ *din cap* to shake one's head; *(a încuviința)* to nod, to assent. **III.** *vr.* **1.** to shake. **2.** *(pe picioare)* to stagger, to totter.
clătinare *s.f.* shaking etc. v. c l ă - t i n a.
clătinător *adj.* shaking.
clătinătură *s.f.* shake, shaking etc. v. c l ă t i n a.
clătire *s.f.* rinsing etc. v. c l ă t i.
clătită *s.f.* pancake.
clean *s.m. iht.* chub, dace *(Leuciscus squalius).*
clefăi *vi.* to champ; to smack one's lips.
clefăit *s.n.* smacking sound.
clei I. *s.n.* glue; ~ *de pește* fish gelatin, isinglass. **II.** *adj.* **1.** dumb. **2.** *(beat)* fuddled.
cleionaj *s.n. constr.* mat, mattress (of canal bank etc.).
cleios *adj.* **1.** sticky, gluey. **2.** *școl. sl.* dumb.
cleire *s.f. ind. alim.* gluing; *fam.* pasting.
cleistogamie *s.f. bot.* cl(e)istogamy.
clematită *s.f. bot.* lady's bower, clematis *(Clematis).*
clemă *s.f.* **1.** *tehn., chim.* clamp. **2.** *el.* terminal, connector.
clement *adj.* clement, merciful.
clemență *s.f.* clemency.
clempuș *s.n.* staple (of a latch).
clenci *s.n.* **1.** *(cârlig)* hook; *(ghimpe)* thorn; *(bold)* pin; *(de cataramă)* belt hook. **2.** *fig. (motiv de ceartă)* bone of contention; *(ceartă)* quarrel, dispute. **3.** *fig. (tertip)* dodge, artifice, double, *fam.* crook. **4.** *fig. (tâlc) fam.* hidden meaning.
clepsidră *s.f.* hourglass.
cleptoman *s.m. adj.* kleptomaniac.
cleptomanie *s.f.* kleptomania.

cler *s.n.* clergy.
cleric *s.m.* clerk (in holy orders), clergyman.
clerical *adj.* clerical.
clericalism *s.n.* clericalism.
clersă *s.f.* clear / fine liquor.
cleștar *s.n.* crystal; *ca ~ul* crystal clear.
clește *s.m.* **1.** tongs, pliers. **2.** *(mic)* pincers. **3.** *(de perforat)* punch, clippers. **4.** *zool.* claw; *~ patent* electrician's pliers.
cleveteală *s.f.* v. c l e v e t i r e.
cleveti *vi.* to gossip.
clevetire *s.f.* slander(ing); defamation; abuse etc. v. c l e v e t i.
clevetitor I. *s.m.* calumniator. **II.** *adj.* slanderous, gossiping.
clică *s.f.* clique, coterie.
clichet *s.n.* *tehn.* catch, pawl, ratchet, catch-wheel.
clidonograf *s.n.* *fiz.* klydonograph.
client *s.m.* **1.** *com.* customer. **2.** *jur.* client **3.** patient.
clientelar *adj.* **1.** *ist. Romei* of / or refering to clientele. **2.** clientae, refering to clients.
clientelă *s.f.* **1.** *com.* custom(ers). **2.** *jur., med.* practice.
climacteriu *s.n.* *med.* menopause; *de ~* menopause, climacteric.
climat *s.n.* climate.
climateric *adj.* climatic.
climatic *adj.* climatic.
climatizare *s.f.* *tehn.* air-conditioning.
climatolog *s.m.* climatologist.
climatologie *adj.* climatological.
climatologie *s.f.* climatology.
climatoterapie *s.f.* *med.* climatotherapy.
climax *s.n.* *bot., lit., stil.* climax.
climă *s.f.* climate.
climostat *s.n.* *(electric)* climatometer.
clin *s.m.* gusset; *a nu avea nici în ~ nici în mânecă cu* to be as like as chalk and cheese.
clină *s.f.* *(povârniș)* slope.
clincher *s.n.* clinker.
clincherizare *s.f.* *ind.* clinker production.
clinchet *s.n.* **1.** tinkling (of bells). **2.** clinking (of glasses).
clingherit *s.f.* *mineral., geol.* klinkerite.
clinic *adj.* clinical.
clinică *s.f.* clinic.
clinician *s.m.* *med.* clinician.
clinograf *s.n.* *med.* clinograph.
clinometru *s.n.* *tehn.* clinometer; gradient indicator; inclinometer.
clinorombic *adj.* clinorhombic.
clinoterapie *s.f.* *med.* clinotherapy.
clinti I. *vt.* to move. **II.** *vr.* to budge, to flinch, to move.
clipă *s.f.* moment, instant; *o ~ !* just a minute!; *din clipa aceasta* from now on; *într-o ~* before you say Jack Robinson; *dintr-o ~ într-alta* every minute (now).
clipeală *s.f.* twinkle.
cliper *s.n.* *nav.* clipper; small (fast) sailing-boat.
clipi *vi.* **1.** to blink. **2.** *(cu semn)* to wink. **3.** *(a sclipi)* to twinkle; *cât ai ~ din ochi* in a twinkling; *fără să clipească* without turning a hair.
clipire *s.f.* blinking etc. v. c l i p i.
clipit *s.n.* **1.** v. c l i p i r e. **2.** *(sclipire)* glitter, sheen.
clipită *s.f.* moment.
clipoceală *s.f.* **1.** v. c l i p o c i r e. **2.** v. c l i p i r e. **3.** v. c l i p o c i t.
clipoci *vi.* to ripple, to plash.
clipocire *s.f.* nodding, dozing.
clipocit *s.n.* purl(ing), murmur (ing), rippling.
clipping *s.n.* *sport.* clipping.
clips *s.n.* *tehn. etc.* clip.
clipsuri *s.n.* *pl.* clip ear-rings.
cliring *s.n.* clearing.
clisă *s.f.* clay.
clismă *s.f.* enema.
clisos *adj.* **1.** *(argilos)* clayey, argillaceous; *(noroios)* slimey. **2.** *(cleios)* sticky, gluey.
clistir *s.n.* *med.* **1.** v. c l i s m ă. **2.** *(instrument)* syringe, enema.
clistron *s.n.* *tele.* klistron.
clișeu *s.n.* **1.** *foto.* negative. **2.** *fig.* tag, cliché.
clitoris *s.n.* *anat.* clitoris.
cliva *vi.* to cleave, to split.
clivaj *s.n.* cleavage.
cloacă *s.f.* **1.** cloaca. **2.** *fig. și* sink.
cloanță *s.f.* **1.** harridan. **2.** *(gură)* jaw.
cloasmă *s.f.* *med.* chloasma.
cloci I. *vt.* to hatch. **II.** *vi.* to brood.
clocit I. *s.n.* hatching, brooding. **II.** *adj.* **1.** rotten, bad. **2.** *(d. apă)* foul.
clocitoare *s.f.* incubator.
clocot *s.n.* **1.** bubbling. **2.** *fig. și* excitement.
clocoti *vi.* **1.** to seethe. **2.** *fig. și* to rage.
clocotici *s.m.* *bot.* **1.** bladder nut (tree) *(Staphylea)*. **2.** yellow rattle *(Rhinanthus crista galli)*.
clocotire *s.f.* boiling etc. v. c l o c o t i.
clocotiș *s.n.* *bot.* bead tree, St. Anthony's nut *(Staphylea pinnata)*.
clocotit *adj.* boiling (hot).
clocotitor *adj.* **1.** seething, bubbling. **2.** *fig. și* tumultuous.
clocoțel *s.m.* *bot.* clematis *(Clematis integrifolia)*.
cloisonné *s.n.* *artă* cloisonné (enamel).
clonă *s.f.* *biol.* clone.
clonc *interj.* cluck!
cloncan *s.m.* *ornit.* *(corb)* raven *(Corvus corax)*.
cloncăni *vi.* to cluck.
cloncănit *s.n.* clucking etc. v. c l o n - c ă n i.
clondir *s.n.* bottle.
clonic *adj.* *med.* clonic (spasm).
clonț *s.n.* **1.** beak. **2.** *fig.* mouth.
clonțan *s.m.* **1.** *(stâncă ascuțită)* crag. **2.** *zool.* *(șobolan)* rat.
clonțat *adj.* *(cu dinți mari)* large-toothed; *(cu dinți prost crescuți)* straggle-toothed.
clonțos *adj.* snappish.
clonus *s.n.* *med.* clonus, clonic spasm.
clop *s.n.* *reg.* cloche (hat).
clopot *s.n.* bell; *~ de alarmă* alarm bell; *sub ~ de sticlă* in a glass case.
clopotar *s.m.* bell ringer.
clopotărie *s.f.* bell foundry.
clopoti *vi.* to ring, to peal.
clopotit *s.n.* ringing, pealing.
clopotniță *s.f.* **1.** *(turlă)* steeple. **2.** *(separată)* belfry.
clopoțel *s.n.* **1.** bell. **2.** *bot.* bellflower *(Campanula)*. **3.** *pl.* *(ghiocei)* snowdrops.
clor *s.n.* chlorine.
cloral *s.n.* *chim.* chloral.
cloralhidrat *s.m.* *chim.* hydrochlorate, chlorhydrate.
cloramfenicol *s.m.* *farm.* chloramphenicol.
cloramină *s.f.* *chim., farm.* chloramine.
clorat *s.m.* *chim.* chlorate.
clorbenzen *s.n.* *chim.* chlor(o) benzene.
clordelazin *s.n.* *farm.* v. c l o r - p r o m a z i n ă.
cloretan *s.n.* *chim.* ethyl chloride.
cloretonă *s.f.* *chim., farm.* chloretone.
clorhidrat *s.m.* *chim.* hydrochlorate.
clorhidric *adj.* *chim.* *acid ~* hydrochloric acid.
clorhidrină *s.f.* *chim.* chlor(o)hydrin.
cloric *adj.* *chim.* *acid ~* chloric acid.
clorinare *s.f.* *med.* chlorination, chlorinating.
clorit *s.m.* *chim., mineral.* chlorite.
clorizare *s.f.* v. c l o r i n a r e.
clormetan *s.n.* *chim.* methyl chloride, chloromethane.
clornaftaline *s.f.* *pl.* *chim.* chloronaphthalene.

cloro- *prefix.* chloro-.
clorocid *s.m. farm.* v. c l o r o m i c e t i n ă.
cloroficee *s.f. pl. bot.* Chlorophyceae.
clorofilă *s.f. bot.* chlorophyl(l).
clorofilian *adj. bot., chim.* chlorophyllian.
cloroform *s.n.* chlorophorm.
cloroform(iz)a *vt. med.* to (put under) chloroform.
cloroformizare *s.f. med.* chloroforming.
cloromicetină *s.f. chim., farm.* chloromycetin, chloramphenicol.
cloropenie *s.f. med.* chloropenia.
cloropicrină *s.f. chim.* chloropicrin.
cloroplast *s.n. bot.* chloroplast.
cloropren *s.n. chim.* chloroprene.
cloros *adj. chim.* chlorous.
clorotic *adj. med.* chlorotic.
cloroză *s.f. med.* chlorosis, green sickness.
clorpromazină *s.f. chim.* chlorpromazine.
clorsulfonic *adj. chim.* chlorosulfonic (acid).
clorurare *s.f. chim.* chlorination, chlorinating.
clorură *s.f.* chloride; ~ *de sodiu* sodic chloride.
closet *s.n.* **1.** lavatory, *fam.* loo **2.** *(eufemistic)* boys' / ladies' room, bathroom. **3.** *(latrină)* privy; ~ *public* public convenience, chalet.
cloș *adj.* bell-shaped; loose; *pălărie* ~ cloche (hat).
cloșcar *s.m.* homebird, (regular) stay-at-home.
cloșcă *s.f.* hatching hen.
clotoidă *s.f. mat.* klothoid.
cloț *s.n.* fragment of a broken brick.
clovn *s.m.* **1.** clown. **2.** *fig.* buffoon.
clovnerie *s.f.* clownery.
club *s.n.* club (house).
clucer *s.m. ist. aprox.* High Lord Steward.
clupă *s.f.* **1.** *met.* screw stock. **2.** *silv.* slide gauge.
clypeaster *subst. zool.* clypeaster, shield-urchin.
cneaz *s.m. ist.* prince, knez.
cnezat *s.n. ist.* principality.
cnocaut (knock-out) *s.n. sport* knock-out.
cnocdaun (knock-down) *s.n. sport* knock-down.
cnut *s.n.* knout, whip.
coabita *vi.* to cohabit, to live together.
coacăz *s.m. bot.* gooseberry bush *(Ribes).*
coacăză *s.f.* gooseberry
coace I. *vt.* **1.** to bake. **2.** *(d. soare)* to ripen. **3.** *fig.* to hatch; *a i-o ~ cuiva* to cook somebody's goose. **II.** *vi. med.* to gather (to a head). **III.** *vr.* **1.** to ripen. **2.** *(la cuptor)* to be baking. **3.** *med.* to gather. **4.** *fig.* to (grow) mature. **5.** *(la soare)* to bask.
coacere *s.f.* baking etc. v. c o a c e.
coacervație *s.f. chim.* coacervation.
co-acuzat *s.m. jur.* co-defendant.
coadă *s.f.* **1.** tail. **2.** *(pieptănătură)* pigtail; plait. **3.** *bot.* stalk. **4.** *(de unealtă)* handle, helve. **5.** *(de rochie)* train. **6.** *(de cometă)* coma. **7.** *(capăt)* end. **8.** *(șir)* queue, file; ~ *de cal* horse tail; *(coafură)* pony tail; ~ *de topor fig.* stoolie; decoy; *coada calului bot.* horse tail *(Equisetum)*; *coada ochiului* the corner / tail of the eye; *coada șoricelului bot.* milfoil *(Achillea millefolium).*; *cu coada între picioare* humbly.
coafa I. *vt.* to dress (smb.'s hair). **II.** *vr.* to have a hairdo.
coafat I. *adj. (d. persoane)* having one's hair done; *(d. păr)* dressed, done. **II.** *s.n.* hair-dressing.
coafă *s.f. mil.* **1.** breech cover. **2.** fuse cap.
coafeză *s.f.* hairdresser.
coafor *s.m.* hairdresser, coiffeur.
coafură *s.f.* hairdo; *a purta / avea ~ montantă* to do up one's hair.
coagul *s.m.* **1.** coagulum. **2.** *med.* clot.
coagula *vt., vr.* to coagulate, to curdle.
coagulant *adj.* coagulant.
coagulare *s.f.* coagulation, curdling, clotting.
coagulat *adj.* coagulated, curdled, clotted.
coajă *s.f.* **1.** *(de copac)* bark. **2.** *(crustă)* crust. **3.** *(de fruct)* skin, peel. **4.** *(de ou etc.)* shell. **5.** *med.* scab, scar; ~ *de nucă* nutshell.
coală *s.f.* sheet.
coalescență *s.f. chim.* coalescence; coalescing; blending.
coaliție *s.f.* coalition.
coaliza *vt., vr.* to confederate.
coalizare *s.f.* coalition, union.
coamă *s.f.* **1.** *zool.* mane. **2.** *(de zid)* coping.
coană *s.f.* v. c u c o a n ă.
coapsă *s.f.* thigh.
coarbă *s.f.* crank, (winch) handle.
coardă *s.f.* **1.** cord. **2.** *muz.* *și* string. **3.** *(pt. copii)* skipping rope; *coarda simțitoare* weakest point.
coarnă *s.f.* cornel.
coarticulație *s.f. lingv.* coarticulation.
coasă *s.f.* **1.** scythe. **2.** *(cosit)* haymaking.
coase *vt., vi.* **1.** to sew. **2.** *rar* to stitch.
coasociat *s.m.* copartner, joint partner.
coastă *s.f.* **1.** *anat.* rib. **2.** *(de deal)* slope. **3.** *(latură)* side; flank. **4.** *(țărm)* coast.
coate-goale *s.m.* tatterdemalion.
coautor *s.m.* **1.** joint author. **2.** *jur.* accomplice.
cobai *s.m.* guinea pig.
cobalamină *s.f. biochim.* cobalamin.
cobalt *s.n.* cobalt.
cobaltare *s.f. tehn.* cobalt plating.
cobaltină *s.f. mineral.* cobaltine.
cobe *s.f.* **1.** calamity prophet. **2.** *(la găină)* pip.
cobeală *s.f.* v. c o b e 2.
cobi *vi.* to croak.
cobiliță *s.f.* yoke.
cobitor *adj.* evil-boding, *fam.* croaking.
coborâre *s.f.* **1.** descent; lowering. **2.** *(dintr-un vehicul)* getting off. **3.** *(ieșire)* exit. **4.** *fig.* degradation, decline. **5.** *(la schi)* downhill run.
coborâș *s.n.* **1.** descendent. **2.** *(pantă)* slope.
coborâtor I. *s.m.* descendant. **II.** *adj.* descending, downward.
coborî I. *vt.* **1.** to lower, to bring / take down. **2.** *(a scădea)* to reduce. **3.** *(a înjosi)* to debase. **4.** *(a modera)* to moderate. **II.** *vi., vr.* **1.** to descend. **2.** *(dintr-un vehicul)* to get off. **3.** *(în fugă)* to run down. **4.** *(a descăleca)* to dismount.
cobră *s.f. zool.* cobra.
cobur *s.m.* holster, pistol case.
cobzar *s.m. muz.* kobsa player.
cobză I. *s.f.* kobsa. **II.** *adv.* tightly, hand and foot.
coc *s.n.* loop (of hair).
coca *s.f. bot.* coca *(Erythroxylon coca).*
coca-cola *s.f.* coca-cola.
cocaină *s.f.* cocaine.
cocainoman *s.m.* cocaine addict.
cocainomanie *s.f. med.* cocainism, addiction to cocaine.
cocardă *s.f.* rosette.
cocă *s.f.* dough, paste.
cocăzar *s.m. bot.* alpine / mountain rose, rhododendron *(Rhododendron).*
cocârja *vr.* to crook, to bend.
cocârjat *adj.* bent, stooping.
cocârlă *s.f. bot.* marasmius *(Marasmius scorodonius).*
coccide *s.f. pl. entom.* Coccidae.

coccidie *s.f. zool.* Coccidia.
coccidioză *s.f. med. vet.* coccidiosis.
coccigian *adj. anat.* coccygeal.
coccis *s.n. anat.* coccyx.
cocean *s.m.* **1.** stalk. **2.** *(știulete)* (corn) cob. **3.** *(de varză)* cabbage head.
cochet I. *adj.* **1.** *(în îmbrăcăminte)* smart. **2.** coquettish; arch, prim. **II.** *adv.* **1.** smartly. **2.** archly, primly, demurely.
cocheta *vi.* **1.** *(cu)* to coquet(te) / flirt with; to play, to coquet(te); to put on affected airs, to put on fine graces. **2.** *fig. (cu)* to coquet(te) / toy / dally / trifle (with).
cochetă *s.f.* coquetry.
cochilă *s.f. met.* iron chill / mo(u)ld.
cochilie *s.f.* shell.
cochinchina *s.f. ornit.* Cochin-China fowl.
coci *s.m. pl. biol.* cocci.
cocină *s.f.* pigsty.
cocioabă *s.f.* shanty.
cocioc *s.n. geogr.* marshy valley.
cociorvă *s.f.* fire hook, (furnance) rake.
cockpit *s.n. av. etc.* cockpit.
coclauri *s.n. pl.* remote places.
cocleală *s.f.* **1.** verdigris. **2.** *(gust rău)* foul taste, dry mouth. **3.** *(după băutură)* hot coppers.
cocleț *s.n. text.* heald, heddle.
cocli *vr.* to rust, to cover with verdigris.
coclire *s.f.* verdigrising etc. v. c o c l i.
coclit I. *adj.* **1.** *(acoperit de cocleală)* verdigrised. **2.** *fam.* ~ *de bătrân* decrepit, weak-minded. **II.** *s.n.* v. c o c l i r e.
cocoară *s.f. reg.* v. c o c o r; *pliscul cocoarei bot.* stork's bill, cranesbill *(Geranium).* stork's bill *(Erodium cicutarium).*
cocoașă *s.f.* **1.** hump, hunch. **2.** *fig.* clog.
cocoli *vt.* to mollycoddle, to pamper.
cocolire *s.f.* muffling etc. v. c o c o l i.
cocolit *s.m.* molly-coddle.
cocoloș *s.n.* **1.** ball. **2.** *(mic)* pellet.
cocoloșeală *s.f.* spoiling; molly-coddling, pampering.
cocoloși *vt.* **1.** to crumple. **2.** *fig.* to hush up.
cocoloșire *s.f.* balling etc. v. c o - c o l o ș i.
cocon *s.m. entom.* cocoon.
coconar *s.m. bot.* **1.** nut / stone pine *(Pinus Pinea).* **2.** *(ca fruct)* pine kernel.
coconei *s.m. pl. bot.* snowdrop *(Galanthus nivalis).*
coconet *s.n.* ladies.
coconieră *s.f.* cocoonery; store for cocoons.
cocor *s.m. ornit.* crane.
cocos *s.m.: lapte de* ~ coconut milk.
cocostârc *s.m.* stork *(Ciconia).*
cocoș *s.m.* cock; ~ *de munte,* ~ *sălbatic* capercaillie.
cocoșa I. *vt.* to drab. **II.** *vr.* to bend one's back.
cocoșar *s.m. ornit.* **1.** fieldfare *(Turdus pilaris).* **2.** mistle thrush *(Turdus viscivorus).*
cocoșat I. *s.m.* hunchback. **II.** *adj.* hunchbacked.
cocoșel I. *s.m.* **1.** cockalorum. **2.** *(ban)* gold coin.
cocoșesc *adj.* cock..., cock's..., of a cock.
cocoșește *adv.* like a cock.
cocoșneață *s.f. peior.* country miss, Blowzalinda.
cocoșnic *s.n.* **1.** crest ornament for (Russian) woman's bonnet. **2.** *arh.* crest (of wall).
cocotă *s.f.* cocotte.
cocotier *s.m.* coconut tree.
cocoța *vt., vr.* to perch.
cocpit v. c o c k p i t.
cocs *s.n.* coke.
cocsagâz *s.m. bot.* Russian dandelion, Koksag(h)yz *(Taraxacum Koksag(h)yz).*
cocserie *s.f.* coking works.
cocsifica *vt.* to coke.
cocsificabil *adj.* coking.
cocsificare *s.f. tehn.* coking; *baterie de* ~ coking plant / oven.
cocsochimie *s.f. ind. chim.* coking industry; chemistry of coking.
cocteil *s.n.* **1.** *(băutură)* cocktail. **2.** *(petrecere)* cocktail party, cocktails.
cod I. *s.m.* cod (fish). **II.** *s.n.* code; ~ *penal* criminal code.
coda *vt.* to code.
coda *s.f. muz.* coda.
coda *vt.* to code (a message).
codaj *s.n.* coding (of a message).
codalb *adj. (cu coada albă)* white-tailed.
codan *adj.* long-tailed.
codană *s.f.* flapper.
codaș I. *s.m.* lagger. **II.** *adj.* backward.
codat *adj. (d. ochi)* almond (-shaped).
codârlă *s.f.* **1.** *(de căruță)* boot, basket. **2.** *(parte din spate)* rear; *(capăt)* end; *(coadă)* tail.
codeală *s.f.* wavering.
codebitor *s.m. jur.* co-debtor, joint debtor.
codeină *s.f. chim.* codein(e).
codetentor *s.f. jur.* joint holder.
codex *s.n.* **1.** code. **2.** v. c o d i c e.
codi *vr.* to blow hot and cold; *a se* ~ *să* to shrink from.
codice *s.n.* manuscript containing old texts.
codicil *s.n.* codicil.
codifica *vt.* to codify.
codificare *s.f. jur.* codification.
codină *s.f. text., bot.* low-quality wool.
codinit *s.n. vet., zool.* hygienic cutting of ewe's wool before lambing.
codire *s.f.* v. c o d e a l ă.
codirector *s.m.* **1.** co-manager. **2.** *(de ziar)* associate editor.
codiriscă, codiriște *s.f.* whip handle.
codism *s.n. pol.* caudism, following in the tail of events, khvostism.
codist *s.m. pol.* person who follows in the tail of events, khvostist.
codiță *s.f.* **1.** (short) tail. **2.** *(la fruct)* stalk. **3.** *fig.* admirer.
codoașă *s.f.* procuress.
codobatură *s.f. ornit.* wagtail *(Motacilla).*
codobelc *s.m.* snail.
codon *s.m. biol.* codon.
codoș *s.m.* pander.
codoși *vi.* to pimp, to pander, to procure; to be a whore monger.
codroș *s.m. ornit.* redstart, fire tail *(Rubicilla phoenicura).*
codru *s.m.* forest; *un* ~ *de pâine* a hunk of bread; *ca în* ~ shamelessly.
coechipier *s.m. sport* fellow member (of a team).
coeficient *s.m.* coefficient; value.
coenzimă *s.f. biochim.* coenzyme.
coercibil *adj. fiz.* coercible, compressible.
coercitiv *adj. jur.* coercive.
coerciție *s.f. jur.* coercion.
coerede *s.m. jur.* co-heir, joint heir.
coerent I. *adj.* **1.** coherent. **2.** *fig.* integrated. **II.** *adv.* coherently.
coerență *s.f.* coherence.
coeror *s.n. radio* coherer.
coexista *vi.* coexist.
coexistent *adj.* coexistent, coexisting.
coexistență *s.f.* coexistence.
coeziune *s.f.* cohesion.
cofă *s.f.* wooden pail.
cofeină *s.f.* v. c a f e i n ă.
coferdam *s.n.* cofferdam.
coferment *s.n. biochim.* coferment, coenzyme.
cofetar *s.m.* confectioner.
cofetărie *s.f.* confectioner's, confectionery.
cofeturi *s.n. pl.* confectionery, sweetmeats, *fam.* sweets.

cofra *vt. constr.* to shutter, to case.
cofraj *s.n.* shuttering; ~ *glisant* slip form.
cofrare *s.f.* shuttering, casing.
cofret *s.n. el.* electric switch box.
cogeamite *adj.* huge.
cognitiv *adj. filoz.* cognitive.
cognoscibil *adj.* cognoscible, cognizable, knowable.
cognoscibilitate *s.f.* cognoscibility.
cohortă *s.f.* **1.** *ist. Romei* cohort. **2.** *fig.* crew, band, legion, host.
coif *s.n.* helmet.
coincide *vi.* **1.** to coincide. **2.** *(a se potrivi și)* to dovetail, to agree.
coincident *adj.* **1.** coincident(al), coinciding. **2.** *(simultan)* simultaneous.
coincidență *s.f.* coincidence.
cointeresa *vt.* to offer an incentive to.
cointeresare *s.f.* (providing) material incentives.
cointeresat *adj.* jointly interested.
coiot *s.m. zool.* coyote, prairie wolf.
cojeală *s.f. tehn.* paring, barking.
coji **I.** *vt.* **1.** to skin, to peel. **2.** *(copaci)* to bark. **3.** *(fructe și)* to husk. **II.** *vr.* to peel (off).
cojire *s.f.* peeling, shelling.
cojit **I.** *adj.* **1.** barked etc. v. c o j i. **2.** v. c o ș c o v i t. **II.** *s.n.* v. c o j i r e.
cojitoare *s.f. tehn.* barking machine, bark-stripping machine; barker.
cojitor *s.n. tehn.* debarker.
cojoaică *s.f. ornit.* tree creeper *(Certhia sp.).*
cojoc *s.n.* sheepskin coat.
cojocar *s.m.* furrier.
cojocăresc *adj.* furrier's...
cojocărie *s.f.* **1.** furrier's trade. **2.** furrier's shop / establishment.
cojocel *s.n. (cojoc fără mâneci)* sleeveless sheepskin (waist)coat.
col *s.n.* **1.** *geogr.* col. **2.** *anat.* cervix.
cola *vr.* to live tally (with smb.).
cola *s.m. bot.* cola, kola *(Cola nitida).*
colabare *s.f. med.* collapse (of the lung etc.).
colabora *vi.* **1.** to co-operate. **2.** *(la o publicație)* to contribute (to a magazine etc.).
colaborare *s.f.* **1.** collaboration. **2.** *(la o publicație)* contribution.
colaborator *s.m.* **1.** co-worker. **2.** *(la o publicație)* contributor.
colaboraționism *s.n.* collaborationism.
colaboraționist *s.m.* collaborationist.
colaboraționist *s.n. pol.* collabo(rationist); quisling.
colac *s.m.* **1.** twist, knot-shaped bread. **2.** *(cerc)* ring, circle. **3.** *(de closet)* closet seat; ~ *de salvare* life-buoy, lifebelt; ~ *peste pupăză* to crown it all.
colagen *s.n. biochim.* collagen.
colagenoză *s.f. med.* collagenosis, *pl.* collagenoses.
colagog *s.n. med.* cholagogue.
colaj *s.n.* **1.** liaison. **2.** *artă* collage.
colamină *s.f. biochim.* colamine.
colan *s.n.* **1.** necklace. **2.** *(pt. decorație)* sash.
colant *adj.* clinging.
colaps *s.n. med.* collapse.
colapsoterapie *s.f. med.* collapse therapy.
colargol *s.n. farm., chim.* collargol.
colastră *s.f.* beest(ings), biestings.
colateral **I.** *s.m.* collateral relative. **II.** *adj.* collateral.
colaționa *vt.* to compare.
colaționare *s.f.* collating, comparing of copies.
colațiune *s.f.* (cold) collation, light meal / repast.
colăcar, colăcer *s.m.* best man.
colăcărie *s.f. muz.* folk ritual orison for weddings.
colb *s.n.* dust.
colbăi **I.** *vt.* to cover with dust, to make dusty. **II.** *vr.* to be covered with dust, to become dusty.
colbăit *adj.* dusty, dusted, covered with dust.
colbăr(a)ie *s.f.* dust.
colcăi *vi.: a* ~ *de* to be alive with, to teem with.
colcesă *s.f. text.* man-made / viscose fiber.
colchicină *s.f. farm.* colchicine.
colea *adv.* (over) there.
colecist *s.n. anat.* cholecyst(is).
colecistită *s.f. med.* cholecystis, *pl.* cholecystitides.
colecistografie *s.f. med.* cholecystography.
colecta *vt., vi.* to gather.
colectant *s.m.* collector.
colectare *s.f.* gathering.
colectă *s.f.* collection.
colectiv **I.** *s.n.* **1.** community. **2.** *(de muncă)* staff. **II.** *adj.* collective, joint.
colectivism *s.n.* collectivism.
colectivist *s.m.* collectivist.
colectivitate *s.f.* collectivity, community.
colectiviza *vi.* to collectivize.
colectivizare *s.f.* collectivization.
colector **I.** *s.m.* purveyor. **II.** *s.n.* collector. **III.** *adj.* collecting.
colectură *s.f.* **1.** purchase / supply office. **2.** lottery and betting agency.
colecție *s.f.* **1.** collection. **2.** *(de cărți)* series. **3.** *(antologie)* selection. **4.** *(de ziare)* newspaper file.
colecționa *vt.* to gather.
colecționar *s.m.* **1.** collector. **2.** *(de antichități)* antiquary.
colecționare *s.f.* collecting.
coledoc **I.** *adj. canal* ~ *anat.* v. ~ **II.** **II.** *s.m.* c h o l e d o c h.
coledocită *s.f. med.* inflamation of the choledoch duct.
coleg *s.m.* **1.** fellow; mate. **2.** *(de clasă)* classmate, class fellow. **3.** *(de școală)* schoolmate; ~ *de cameră* room-mate.
colegatar *s.m. jur.* coheir, fellow / joint heir.
colegial *adj.* **1.** fellow-like. **2.** *(ca sistem)* collegiate.
colegialitate *s.f.* good / true fellowship.
colegiu *s.n.* **1.** college. **2.** *(colectiv)* collegium; ~ *de avocați* bar association; ~ *electoral* constituency.
coleire *s.f. tehn.* daubing, flooding, painting.
colembolă *s.f. entom.* Collembola *(Collembola).*
colemie *s.f. med.* chol(a)emia.
colenchim *s.n.* collenchyme; collenchyma, *pl.* collenchymata.
coleoptere *s.n. pl. entom.* coleopter(an)s, coleoptera.
coleoptil *s.n. bot.* coleoptile, coleoptilum.
coleoriză *s.f. bot.* coleorhiza, *pl.* coleorhizae.
coleretă *s.f.* collarette, collar, ruff.
coleretic *adj. s.n. farm., med.* choleretic.
colereză *s.f. fiziol., med.* choleresis.
coleric *adj.* choleric.
colesterină *s.f.* cholesterin.
colesterol *s.m. med.* cholesterol.
colet *s.n.* parcel.
coletărie *s.f.* parcel post / delivery.
colhoz *s.n.* kolkhoz, collective *farm.*
colhoznic **I.** *adj.* kolkhoz... **II.** *s.m.* kolkhoznik, collective farmer.
colibacil *s.m.* colon bacillus *(Escherichia, Aerobacter).*
colibaciloză *s.f. med.* colibacillosis.
colibaș *s.m. ist. României* tenant; mud-hut dweller.
colibă *s.f.* hut, hovel.
colibri *s.m.* humming bird.
colic *adj. anat.* colic (artery etc.).
colică *s.f.* colic.
colier *s.n.* necklace.
coligativ *adj. fiz., chim.* colligative.
colilie *s.f. bot.* feather grass *(Stipa pennata).*

coliliu *adj.* hoary.
colima *vt. fiz. etc.* to collimate; to collineate.
colimator *s.n. fiz.* collimator.
colimație *s.f. fiz. etc.* collimation.
colină *s.f.* hill(ock).
colind *s.n.* **1.** (Chrismtas) carol. **2.** *(umblet și fig.)* wassailing.
colinda I. *vt.* to scour. **II.** *vi.* to go carol-singing.
colindat *s.n.* **1.** going from house to house to sing Christmas carols. **2.** wandering, roving.
colindă *s.f.* (Christmas) carol.
colindător *s.m.* **1.** wait. **2.** *fig.* evening.
colindeț *s.n. pop.* bun or round shaped loaf given to card-singers.
colinergic *adj. chim.* cholinergic.
colinesterază *s.f. biochim.* cholinesterase, choline esterase.
coliniar *adj. geom.* co(l)linear.
colir *s.n. med.* eye wash.
colită *s.f.* colitis.
coliță *s.f.* strip.
colivă *s.f.* funeral wheat porridge.
colivie *s.f.* cage.
colizi(un)e *s.f.* collision.
colligatum *s.n. lat.* colligatum, duplex volume.
colmatare *s.f. geol.* clogging, silting, warping.
colnic *s.n.* hill(ock).
colo *adv.* (over) there; *de ~ până ~* up and down.
coloană *s.f.* column; *~ sonoră* sound track.
colocatar *s.m.* inmate.
colocație *s.f.* collocation.
colocvial *adj.* colloquial.
colocviu *s.n.* viva voce (examination).
colodiu *s.n. chim.* collodion.
colofoniu *s.n.* colophony, rosin.
cologaritm *s.m. mat.* antilogarithm.
colografie *s.f. poligr.* phototype.
coloid *s.m. chim.* colloid, gel.
coloidal *adj. chim.* colloidal.
colon I. *s.m.* colonist. **II.** *s.n. anat.* colon.
colonadă *s.f. arh.* colonade; *(a unui templu)* peridrome.
colonat *s.n. ist. Romei* colonate.
coloncifru *s.f. poligr.* folio.
colonel *s.m.* colonel.
colonetă *s.f. arh.* colonnette.
colonial *adj.* colonial.
coloniale *s.f. pl.* colonial products.
colonialism *s.n.* colonialism.
colonialist *s.m. adj.* colonialist.
colonie *s.f.* **1.** colony. **2.** *(de copii etc.)* holiday camp.
colonie *s.f.* (eau de)Cologne.
colonist *s.m.* colonist.
coloniza *vt.* to colonize.
colonizare *s.f.* colonization.
colonizator I. *s.m.* colonist. **II.** *adj.* colonizing.
colontitlu *s.n.* running title.
color *adj.* colour.
colora I. *vt.* **1.** to colour, *(și fig.)* to stain. **2.** *(a vopsi)* to dye. **II.** *vr.* to colour.
colorant I. *s.m.* dye (stuff). **II.** *adj.* colouring.
colorare *s.f.* colouring, dyeing.
colorat *adj.* **1.** coloured. **2.** *fig.* vivid.
coloratură *s.f. muz.* coloratura.
colorație *s.f. biol.* colo(u)ring, colo(u)ration.
colorimetric *adj.* colorimetric.
colorimetrie *s.f.* colorimetry.
colorimetru *s.n.* colorimeter.
colorist *s.m.* colourist.
coloristic *adj.* colour...
coloristică *s.f.* colour(s), colouring.
colorit *s.n.* colouring.
colos *s.m.* colossus.
colosal I. *adj.* **1.** colossal, tremendous. **2.** *(strașnic)* capital. **II.** *adv.* **1.** enormously. **2.** *(strașnic)* capitally.
colostru *s.n. med., fiziol.* colostrum.
colpită *s.f. med.* colpitis, vaginitis.
colporta *vt.* **1.** to circulate. **2.** *(a vinde)* to peddle.
colportaj *s.n.* **1.** spreading. **2.** *(negoț)* peddling.
colportare *s.f.* hawking etc. v. c o l p o r t a.
colportor *s.m.* **1.** newsmonger. **2.** *peior.* scandalmonger. **3.** *(negustor)* hawker. **4.** *(de cărți)* colporteur.
colposcop *s.n. med.* colposcope.
colposcopie *s.f. med.* colposcopy.
coltuc *s.n.* crust of bread.
colț I. *s.m.* **1.** (eye)tooth. **2.** *zool.* fang. **3.** *(de stâncă)* carg. **4.** *(de măsea, de dinte)* cusp. **II.** *s.n.* **1.** corner. **2.** *(cotlon)* nook. **3.** *(unghi)* angle; *cu ~urile îndoite* dog-eared; *din toate ~urile lumii* from the four winds.
colțar *s.n.* **1.** *(dulăpior)* corner cupboard. **2.** *(al zidarului)* square, triangle. **3.** *arh.* corner pillar, quoin. **4.** *(cui)* hobnail.
colțat *adj.* **1.** *(cu colțuri)* cornered, v. și colțuros. **2.** *(cu dinți mari)* large-toothed. **3.** *(crestat)* indented. **4.** *fig.* *(cu limba ascuțită)* sharp-tongued, quick-tongued.
colțișor *s.m. bot.* toothwort *(Dentaria bulbifera).*
colțos *adj.* sharp-tongued; cantankerous.
colțun *s.m. reg.* *(ciorap bărbătesc)* sock; *(de damă)* stocking; *~ii popii bot.* hedge / wood violet *(Viola silvestris).*
colțunaș *s.m.* triangular dumpling.
colțuros *adj.* **1.** angular. **2.** *(d. stânci)* craggy.
columbacă *adj. muscă ~* columbatz fly *(Simulia columbacsensis).*
columbar *s.n.* columbarium.
columbă *s.f. înv.* dove's female.
columbian *s.m. adj. geogr.* Columbian.
columbit *s.n. mineral.* columbite.
columbiu *s.n. chim.* niobium, columbium.
columbofil *s.m.* pigeon-fancier / breeder.
columelă *s.f. zool.* columella.
columnă *s.f.* column.
coluziune *s.f.* collusion.
coma *s.f. fiz.* coma.
comanda *vt.* **1.** to command. **2.** to order.
comanda(n)tură *s.f.* high command.
comandament *s.n.* **1.** headquarters. **2.** *(comandă)* command. **3.** *fig.* command(ment).
comandant *s.m.* commander, commandant; *~ suprem* commander-in-chief.
comandare *s.f.* commanding etc.
comandă *s.f.* **1.** command. **2.** order. **3.** *tehn.* control; *de ~* made to order / to measure; AE custom; *la ~ fig.* ostentatiously.
comandita *vt. ec.* to support a bank etc. as sleeping partner.
comanditar *s.m. ec.* sleeping partner.
comanditat *s.m. ec.* active partner.
comandită *s.f. ec.* **1.** *(asociație)* sleeping / limited partnership. **2.** *(bani)* capital invested by a sleeping partner; *societate în ~* company (of shareholders) with limited liability, limited (liability) company.
comando *s.n. mil.* commando, *pl.* commandos.
comandor *s.m.* **1.** colonel. **2.** *(decorat)* commander.
comanși *s.m. pl. geogr.* Comanche(s).
comarnic *s.n.* **1.** *(de uscat brânza)* cheese crate / rack. **2.** *(colibă de păstor)* shepherd's hut.
comasa *vt.* to amalgamate.
comasare *s.f.* merging.
comati *s.m. pl. ist.* comati, common Dacians.
comă *s.f.* coma.
comănac *s.n.* kamelaukion.

combaină *s.f.* combine.
combainer *s.f.* combine driver.
combatant I. *s.m.* fighter; *fost ~* ex-service man. **II.** *adj.* fighting.
combate *vt.* **1.** to combat. **2.** *(un incendiu, o boală)* to control. **3.** *fig.* to discourage.
combatere *s.f.* control, fighting; *~a dăunătorilor* pest control; *~a inundațiilor* flood control.
combativ *adj.* militant.
combativitate *s.f.* combativeness.
combina *vt., vr.* to combine; to blend.
combinare *s.f.* combination etc. v. c o m b i n a.
combinat I. *s.n.* combine(d works). **II.** *adj.* combined; blended.
combinator *s.n.* combinator.
combinatorie *adj. mat. etc.* combinative.
combinație *s.f.* **1.** combination. **2.** *fig.* contrivance.
combină *s.f.* combine.
combiner *s.m.* combine operator.
combinezon *s.n.* **1.** chemise; AE slip. **2.** *(de aviator)* overalls.
combinor *s.n. telec.* receiver.
comburant I. *adj.* combustive. **II.** *s.m.* comburent.
combustibil I. *s.m.* fuel. **II.** *adj.* combustible.
combustibilitate *s.f.* combustibility, inflammability.
combustie *s.f.* combustion, burning.
comedian, -ă *s.m. s.f.* **1.** comedian; comic / comedy actor. **2.** *fig.* quack.
comediant *s.m.* **1.** comedian. **2.** *fig.* quack.
comedie *s.f.* **1.** comedy. **2.** *fig.* farce; *~ de moravuri* comedy of manners; *~ ieftină* slapstick.
comédie *s.f.* **1.** farce. **2.** *fig.* trick, joke. **3.** *(mașinărie)* contraption; *ce ~!* the idea of it! what a story!
comedioară *s.f.* farce.
comediograf *s.m.* comedist, comedian, comedy writer / author.
comedon *s.n. med.* comedo, *fam.* black head.
comemora *vt.* to commemorate.
comemorabil *adj.* memorable.
comemorare *s.f.* commemoration.
comemorativ *adj.* memorial.
comenduire *s.f.* commandment.
comensualism (comensalism) *s.n. biol.* commensalism, metabiosis; symbiosis.
comensurabil *adj.* measurable, *mat.* commensurable.
comensurabilitate *s.f. mat. etc.* commensurabilily, commensurableness.
comenta *vt.* to comment upon, to discuss.
comentare *s.f.* commenting etc. v. c o m e n t a.
comentariu *s.n.* comment(ary).
comentator *s.m.* **1.** commentator. **2.** *(la ziar și)* columnist.
comercial *adj.* **1.** trade, commercial. **2.** *peior.* mercenary. **3.** *(de afaceri)* business.
comercializa *vt.* to market.
comercializabil *adj.* merchantable.
comercializare *s.f.* commercialization, marketing.
comerciant *s.m.* **1.** merchant. **2.** *(mic)* shopkeeper.
comerță *s.n.* trade; *~ angro / cu ridicata* wholesale trade; *~ cu amănuntul* retail trade; *~ exterior* foreign trade / commerce.
comesean *s.m.* **1.** companion at table. **2.** *pl.* guests.
comestibil *adj.* edible.
cometă *s.f.* comet.
comic I. *s.m.* comic actor. **II.** *s.n.* comicality. **III.** *adj.* **1.** comical. **2.** *(ridicol)* funny. **3.** *(spiritual)* droll, homorous. **IV.** *adv.* humourously.
comicărie *s.f.* buffoonery.
comics *s.n. pl.* strip cartoons, comic strips; AE funnies; comics.
cominatoriu *adj. jur.* comminatory.
comis *s.m. ~ voiajor* commercial traveller, AE salesman.
comisar *s.m.* **1.** comissar. **2.** *mil.* commisary. **3.** *(polițist)* police inspector.
comisariat *s.n.* **1.** commissariat. **2.** *(de poliție)* police station.
comisie *s.f.* committee, commission, board; *~ de cenzori* auditing committee; *~ de examen* board of examiners; *~ de litigii* dispute committee; *~ de mandate* credentials committee; *~ de redactare* editing panel; *~ de revizie* auditing committee; *~ de împăciuire* reconciliation committee; *~ medicală* medical board.
comision *s.n.* **1.** commission. **2.** *(serviciu)* errand, service.
comisionar *s.m.* errand boy.
comisiune *s.f. jur.* commiting of an illegal action / deed.
comisoriu *adj. jur. pact ~* commissoria lex.
comisură *s.f. anat.* commisure.
comitagiu *s.m. ist. Bulgariei* komitadgi, comitadgi.
comitat *s.n.* county.
comite I. *vt.* to commit. **II.** *vr.* to be done.
comitent *s.m. jur. com.* principal instigator, moral author (of crime).
comitere *s.f.* perpetration.
comitet *s.n.* committee, commission, board; *~ de conducere* managing board; *~ de inițiativă* steering *sau* executive committee; *~ de sprijin* sponsoring committee; *~ financiar* committee of ways and means;
comițial, -ă *med.* **I.** *adj.* epileptic, related to epilepsy. **II.** *s.m.* epileptic (patient).
comiții *s.f. pl. ist. Romei* comitia.
commedia dell'arte *loc. it. teatru* Commedia dell'Arte.
comoară *s.f.* treasure.
comod I. *adj.* **1.** comfortable; convenient. **2.** *(d. casă și)* roomy. **3.** *(la îndemână)* handy. **4.** *(indolent)* lazy. **II.** *adv.* **1.** comfortably. **2.** *(la îndemână)* handly.
comodat *s.n. jur.* commodatum, free loan (of object, chattels).
comodă *s.f.* chest of drawers.
comoditate *s.f.* **1.** comform, snugness. **2.** *(lene)* indolence.
comor *subst. zool.* breed of caracul sheep.
comoștenitor *s.m. jur.* co-heir.
comoți(un)e *s.f.* commotion, disturbance; *(șoc) med.* commotion, shell-shock, concussion; *~ cerebrală med.* mental shock.
compacitate *s.f. fiz.* compactness, closeness (of mortar etc.).
compact I. *adj.* compact. **II.** *adv.* densely.
compactare *s.f. constr.* compaction.
compactor *s.n. tehn.* compactor, compacter.
companie[1] *s.f.* **1.** company. **2.** *(grup și)* party; *~ teatrală (ambulantă)* rep (company / troupe).
companie[2] *s.f. mil.* company.
companion *s.m. (însoțitor)* companion; *(tovarăș)* mate, companion, fellow; *(asociat)* associate.
compara *vt., vr.* to compare.
comparabil *adj.* comparable.
comparare *s.f.* comparing etc. v. c o m p a r a.
comparat *adj.* comparative.
comparativ I. *s.n.* comparative (mood). **II.** *adj.* comparative. **III.** *adv.* comparatively.
comparator *s.n. tehn.* comparator.
comparație *s.f.* **1.** comparison. **2.** *(literară)* simile. **3.** *(analogie)* analogy, likeness.
compartiment *s.n.* **1.** compartment. **2.** *(casetă)* pigeon hole *(și fig.)*.

compartimenta *vt.* to divide, to partition.
compartimentare *s.f.* partition(ing), division, breaking up.
compas *s.n.* **1.** compasses. **2.** *(pt. măsurat distanțe)* divider. **3.** *mar., av.* compass.
compasiune *s.f.* sympathy.
compatibil *adj.* compatible.
compatibilitate *s.f.* compatibility, consistence.
compatriot *s.m.* fellow country-man.
compatriotă *s.f.* fellow country-woman.
compărea *vi.* to appear (before the judge).
compătimi *vt.* to pity, to commiserate.
compătimire *s.f.* sympathy, pity; *lipsit de* ~ unsympathetic.
compătimitor I. *adj.* sympathetic. **II.** *adv.* pitifully.
compendiu *s.n.* compendium.
compensa I. *vt.* **1.** to set off. **2.** *(a despăgubi)* to make up for. **II.** *vr.* to be compensated.
compensare *s.f.* compensation.
compensator I. *adj.* compensatory. **II.** *s.m.* compensator.
compensație *s.f.* **1.** compensation. **2.** *(despăgubire)* reparation.
comper *s.m.* master of ceremonies.
competent *adj.* competent, qualified.
competență *s.f.* competence, ability.
competitiv *adj.* competitive.
competitivitate *s.f.* competitiveness.
competitor *s.m.* competitor.
competiție *s.f.* contest.
compila *vt.* to plagiarize.
compilare *s.f.* compiling etc. v. c o m p i l a.
compilator *s.m.* compiler.
compilație *s.f.* plagiarism; ~ *ordinară* scissors and paste production; *de* ~ scissors and paper.
complăcea *vr.: a se ~ în* to indulge in.
complect *adj.* etc. v. c o m p l e t 1.
complectamente *adv.* absolutely, thoroughly, completely.
complement *s.n.* **1.** complement. **2.** *gram.* object; ~ *circumstanțial* adverbial (modifier); ~ *direct* direct object; ~ *indirect* indirect object.
complementar *adj.* complementary.
complementaritate *s.f.* complementarity.
complet I. *s.n.* panel (of judges), bench. **II.** *adj.* **1.** complete, whole. **2.** *(profund)* thorough. **3.** *(plin)* full (up). **III.** *adv.* entirely; thoroughly.
completa I. *vt.* **1.** to complete. **2.** *(un formular)* to fill in. **3.** *(a întregi)* to round, to make up; to supplement. **II.** *vr.* to complete (each other).
completamente *adv.* completely, wholly, totally, fully; utterly.
completare *s.f.* completion.
completiv *adj.* object.
complex I. *s.n.* complex; ~ *de clădiri* pile (of buildings); ~ *de împrejurări* concurse of circumstances; ~ *balnear* balneary hospital; ~ *sportiv* sports grounds; *plin de ~e* self-conscious. **II.** *adj.* **1.** complex. **2.** *(complicat)* intricate.
complexat *adj.* self-conscious.
complexitate *s.f.* complexity, intricacy.
complezent *adj.* kind, obliging, amiable.
complezență *s.f.* complaisance; *de* ~ perfunctory; perfunctorily.
complianță *s.f. tehn.* compliance.
complica I. *vt.* to complicate. **II.** *vr.* to become involved.
complicare *s.f.* complication.
complicat *adj.* complicated, intricate.
complicație *s.f.* **1.** complication. **2.** *fig.* intricacy.
complice I. *s.m.* accomplice. **II.** *adv.* meaningfully.
complicitate *s.f.* complicity.
compliment *s.n.* **1.** compliment. **2.** *pl.* respects.
complimenta *vt.* to congratulate.
complimentar *adj.* complementary.
complini *vt.* to complete.
complinire *s.f.* completion.
complinitor *adj.* completing.
complot *s.n.* plot.
complota *vt.* to conspire.
complotare *s.f.* conspiring etc. v. c o m p l o t a.
complotist *s.m.* plotter.
component I. *s.n.* component *part.* **II.** *adj.* constitutive.
componență *s.f.* make-up, composition.
componistic *adj. muz.* composition...
comporta I. *vt.* to necessitate; to involve. **II.** *vr.* to behave.
comportament *s.n.*, comportare *s.f.* demeanour, behaviour.
compost *s.n. agr.* compost.
composta *vt.* to date, to obliterate.
compostare *s.f.* dating, obliteration.
compostor *s.n.* numbering machine.
compot *s.n.* stewed fruit, compote.
compotieră *s.f.* compote dish, compotier.
compound *s.n. tehn.* compound.
compoundare *s.f. tehn., el.* compounding (of motor).
compoundat *adj. tehn.* compound(ed).
compozee *s.f. pl. bot.* compositae.
compozit *arh.* **I.** *adj.* composite. **II.** *s.n.* composite order.
compozitor *s.m.* composer.
compoziție *s.f.* **1.** composition. **2.** *(structură și)* make-up. **3.** *(tablou)* genre / subject painting; *actor de* ~ character actor; *rol de* ~ character *part.*
compozițional *adj.* composition...; lay-out..., make-up...
comprehensibil *adj.* comprehensible.
comprehensiune *s.f.* (power of) comprehension, mental capacity; *(înțelegere)* understanding.
comprehensiv *adj.* comprehensive.
compres *s.n. poligr.* compact text / print.
compresă *s.f.* compress.
compresibil *adj. fiz.* compressible, squeezable.
compresibilitate *s.f. fiz.* compressibility, squeezability.
compresiune *s.f. fiz.* compression.
compresor *s.n.* **1.** steam roller. **2.** *auto.* compressor.
comprima *vt.* **1.** to (com)press. **2.** *(a concedia)* to dismiss.
comprimabil *adj.* compressible, squeezable.
comprimare *s.f.* compression.
comprimat I. *s.n.* tablet. **II.** *adj.* compressed.
compromis I. *s.n.* compromise. **II.** *adj.* discredited.
compromite I. *vt.* **1.** to compromise. **2.** *fig.* to menace; to harm. **II.** *vr.* to be compromised.
compromitere *s.f.* compromising etc. v. c o m p r o m i t e.
compromițător *adj.* compromising, disreputable.
compulsa *vt. înv.* to examine / check / compare / inspect (documents etc.).
compune I. *vt.* **1.** to compose; to make (up). **2.** *(a forma)* to form. **3.** *(a redacta)* to draft, to write. **II.** *vi.* to compose. **III.** *vr. a se ~ din* to consist of, to be composed of.
compunere *s.f.* composition.
compus *s.m., adj.* compound.
computare *s.f. jur.* computation.
computer *s.n.* v. c a l c u l a t o r I.
comun I. *s.n. în ~ cu* in common with; *a ieși din* ~ to be distinguished. **II.** *adj.* **1.** common, joint. **2.** *(obișnuit)* ordinary. **3.** *(vulgar)* gross, coarse.

comunal *adj.* communal.
comunard *s.m. ist. Franței* Communard (of 1871).
comună *s.f.* commune; *comuna primitivă* the primitive communal system.
comunica I. *vt.* **1.** to communicate. **2.** to inform of. **II.** *vi.* to be connected. **III.** *vr.* to be transmitted.
comunicabil *adj.* communicable.
comunicabilitate *s.f.* communicability.
comunicant *adj. (d. vase, camere etc.)* communicating; *(d. artere etc.)* communicant.
comunicare *s.f.* **1.** communication. **2.** *(științifică)* paper, essay.
comunicat *s.n.* communiqué.
comunicativ *adj.* communicative.
comunicativitate *s.f.* communicative character.
comunicație *s.f.* communication.
comunism *s.n.* communism.
comunist *s.m. adj.* communist.
comunitate *s.f.* **1.** community. **2.** *(proprietate)* commonwealth.
comuniune *s.f.* communion.
comuta *vt. jur. (în)* to commute (into).
comutabil *adj.* commutable.
comutabilitate *s.f.* commutability.
comutare *s.f. jur.* commutation.
comutativ *adj. mat.* comutative.
comutativitate *s.f. mat.* commutativeness.
comutatoare *s.f. tehn.* rotary converter / transformer, inverter.
comutator *s.n.* switch.
comutație *s.f. tehn.* switching, switch-over, change-over.
con *s.n.* cone.
con- *prefix* con-, co-.
conabiu *adj.* dark / deep red.
conac *s.n.* manor, mansion.
conațional *s.m.* fellow countryman.
conăcar *s.m. reg.* v. c o l ă c a r.
con brio *loc. adv. muz.* con brio.
concasa *vt.* to crush, to break.
concasor *s.n. tehn.* crushing mill, crusher, breaker, grinder; *(de piatră)* stone breaker; ~ *cu valțuri* roll(er) crusher.
concav *adj.* concave.
concavitate *s.f.* concavity.
concă *s.f. arh.* concha.
concede *vt.* to concede, to grant, to yield, to allow.
concedia *vt.* to dismiss.
concediere *s.f.* dismissal.
concediu *s.n.* leave, holidays; ~ *de boală* sick leave; ~ *de naștere* maternity leave; ~ *plătit* paid leave; ~ *fără plată* leave of absence.
concentra I. *vt.* **1.** to concentrate, to focus. **2.** *mil.* to call up. **II.** *vr.* to concentrate.
concentrare *s.f.* **1.** concentration. **2.** *mil.* call-up.
concentrat I. *s.n.* concentrate. **II.** *adj.* **1.** concentrated. **2.** *fig.* și intent. **3.** *(concis)* concise, terse. **4.** *mil.* drafted.
concentrație *s.f.* concentration.
concepe *vt., vi.* to conceive.
concepere *s.f.* conception, conceiving etc. v. c o n c e p e.
concept *s.n.* **1.** draft. **2.** *(concepție)* notion. **3.** *(hârtie)* scribbling paper.
conceptacul *s.n. bot.* conceptacle, conceptaculum.
conceptism *s.n. ist., lit.* conceptism, concettism.
conceptual *adj.* conceptual.
conceptualism *s.n. filoz.* conceptualism.
concepție *s.f.* **1.** conception. **2.** *(generală)* outlook; ~ *despre lume* world outlook; *o nouă* ~ a fresh look (at smth.).
concern *s.n. com.* concern.
concert *s.n.* **1.** concert, performance. **2.** *(bucată muzicală)* concerto.
concerta I. *vt.* to concertize. **II.** *vi.* to perform in public.
concertantă *adj. f. muz.* concertante.
concertină *s.f. muz.* concertina.
concertino *s.n. muz.* concertino.
concertist *s.m. muz.* concert performer.
concertmaistru *s.m. muz.* leader (of the orchestra), concert master, concert meister.
concerto grosso *s.n. muz.* concerto grosso, *pl.* concerti grossi.
concesie *s.f.* concession, granting.
concesiona *vt.* to lease, to grant.
concesionar *s.m.* concession(n)aire, patentee, licensee, grantee.
concesionare *s.f.* granting etc. v. c o n c e s i o n a.
concesiune *s.f.* concession.
concesiv *adj. gram.* concessive; *propoziție* ~*ă* concessive clause.
concetățean *s.m.* (fellow) townsman / countryman.
concetric *adj.* concentric.
conchide *vt. a* ~ *că...* to draw the conclusion that..., to conclude that..., to infer that...; *(a deduce)* to deduce that...; *(din ceva spus)* to gather that...
conchistador *s.m. ist.* conquistador.
conci *s.n.* loop (of hair).
conciclic *adj. geom. (d. puncte)* concyclic.
concilia I. *vt.* to reconcile. **II.** *vr.* to be reconcilied.
conciliabil *adj.* reconcilable.
conciliabul *s.n.* secret meeting / assembly.
conciliant *adj.* conciliatory.
conciliator I. *adj.* conciliatory; compromising. **II.** *s.m.* conciliator; peace-maker.
conciliatorism *s.n.* conciliatoriness, conciliationism, compounding / conciliatory policy.
conciliere *s.f.* (re)conciliation; *misiune de* ~ good-will mission.
conciliu *s.n. bis.* concilium, council.
concină *s.f.* card-game (*aprox.* beggar-my-neighbour).
concis *adj.* concise, lapidary.
concizie *s.f.* concision.
conclav *s.n.* conclave.
concludent *adj.* **1.** conclusive. **2.** *(logic)* cogent.
conclusiv I. *adj.* conclusive. **II.** *adv.* in conclusion.
conclusiv *adj.* v. c o n c l u z i v.
concluzie *s.f.* conclusion.
concluziv *adj.* conclusive.
concoidă *s.f. geom.* conchoid (curve).
concomitent I. *adj.* simultaneous. **II.** *adv.* concomitantly.
concomitență *s.f.* concomitance.
concorda *vi.* to harmonize.
concordant *adj.* concordant, harmonious.
concordanță *s.f.* **1.** concordance. **2.** *gram.* sequence.
concordat *s.n.* **1.** *rel., ist.* concordate. **2.** *com.* arrangement, composition.
concordie *s.f.* agreement.
concrescență *s.f.* concrescence.
concrescut *adj. biol.* concrescent; coalescent, concrete.
concret I. *adj.* concrete. **II.** *adv.* definitely.
concretiza I. *vt.* to materialize. **II.** *vr.* to come true.
concretizare *s.f.* concretization, materialization.
concreție *s.f.* concretion.
concreționare *s.f. met.* sintering.
concubinaj *s.n.* concubinage.
concubină *s.f.* concubine.
concupiscent *adj.* concupiscent, lecherous.
concupiscență *s.f.* lechery, concupiscence; (carnal) lust; sexual desire.

concura I. *vt.* to rival. II. *vi.* to compete; to vie.
concurent I. *s.m.* 1. rival. 2. *sport* competitor. II. *adj.* rival.
concurență *s.f.* competition; rivalry; *până la concurența sumei de* up to the amount of.
concurs *s.n.* 1. competition. 2. *sport și* contest. 3. *(examen)* examination. 4. *(ajutor)* help, support; ~ *de împrejurări* set of circumstances.
condac *s.n. bis.* (short) hymn.
condamna *vt.* 1. to sentence. 2. *și fig.* to condemn. 3. *(a găsi vinovat)* to convict. 4. *fig.* to blame, to censure. 5. *(a astupa)* to block.
condamnabil *adj.* blamable, objectionable.
condamnare *s.f.* 1. sentencing, sentence. 2. *fig. și* condemnation, blame.
condamnat *s.m.* convict.
condei *s.n.* 1. pen(holder). 2. *fig.* pen(manship); *dintr-un* ~ at one stroke of the pen.
condeier *s.m.* 1. *rar lit.* author, writer, penman. 2. *peior.* scribbler.
condensa *vt., vr.* to condense.
condensabil *adj.* condensable.
condensare *s.f.* condensation; *(prin presiune)* compression; *(concentrare)* concentration.
condensat *adj.* condensed etc. v. c o n d e n s a.
condensator *s.n.* 1. *fiz.* condenser. 2. *el. și* capacitor.
condescendent *adj.* condescending.
condescendență *s.f.* condescension.
condescinde *vi.* to condescend.
condesor *s.m. opt.* condenser, condensing lens.
condică *s.f.* register, book; ~ *de prezență* attendance book; ~ *de sugestii și reclamații* book of (suggestions and) complaints.
condil *s.m. anat.* condyle.
condiment *s.n.* spice.
condimenta *vt.* to season.
condiție *s.f.* 1. condition. 2. *(împrejurare)* circumstance. 3. *(clauză)* provision. 4. *(rang și)* station; ~ *esențială* prerequisite; *condiții de locuit* housing conditions; *condiții de muncă* working conditions; *condiții de trai* living conditions; *cu condiția ca* provided that; *fără condiții* unconditional(ly); *în ce condiții?* on what terms?
condiționa I. *vt.* to condition. II. *vt.* to be conditioned.
condițional I. *s.n. gram.* conditional (mood). II. *adj.* 1. conditional. 2. *(parolist)* reliable.
condiționare *s.f.* conditioning etc. v. c o n d i ț i o n a.
condiționat *adj.* conditioned.
condoleanțe *s.f. pl.* condolences.
condominiu *s.n.* condominium.
condor *s.m. ornit.* condor *(Sarcorhamphus gryphus).*
condotier *s.m. ist., mil.* condottiere.
condriom *s.m. biol.* chondriome, chondrioma.
condriozom *s.m. biol.* chondriosome, mitochondrion.
condrită *s.f. med.* chondritis.
condrocraniu *s.n. zool.* chondrocranium.
condroide *adj., s.n. biochim.* chondroid.
condrom *s.n. med.* chondroma.
condroniu *s.n. bot.* field cow-wheat, melampyrum *(Melampyrum arvense).*
conducător I. *s.m.* 1. leader. 2. *(șef)* chief, ruler. 3. *(călăuză)* guide. II. *adj.* 1. leading, ruling. 2. *(călăuzitor)* guiding; *rău ~ de căldură* adiabatic.
conduce I. *vt.* 1. to lead. 2. *(a călăuzi)* to guide; to direct. 3. *(mașina etc.)* to drive. 4. *(a dirija)* to manage; to direct. 5. *(a stăpâni)* to rule. 6. *(a însoți)* to see, to accompany. 7. *(la plecare)* to see off. 8. *muz.* to conduct. 9. *mil.* to command; *a ~ dezbaterile etc.* to chair the debates etc. II. *vi. sport etc.* 1. to be in the van, to lead. 2. *auto.* to drive. III. *vr. a se ~ după* to take as a guide.
conducere *s.f.* 1. leadership; management. 2. *(persoane și)* leaders. 3. *(călăuzire)* guidance.
conduct *s.n. anat.* duct.
conductanță *s.f. fiz., el.* conductance, conductivity.
conductă *s.f.* pipe.
conductibil *adj. fiz.* conductive.
conductibilitate *s.f. fiz.* coductibility, conductivity.
conductiv *adj. el.* conductive.
conductivitate *s.f. el.* conductivity.
conductometrie *s.f. el.* conductimetry.
conductometru *s.n. el.* conductimeter, conductometer.
conductor *s.m. s.n.* conductor.
conducție *s.f. el.* conduction.
conduită *s.f.* conduct, demeanour.
condur *s.m.* pointed shoe; *~ul doamnei* nasturtium.
conecta *vt.* to connect.
conectare *s.f. el.* connecting.
conector *fiz.* I. *adj.* connecting. II. *s.n.* connector.
conetabil *s.n. ist.* High Constable; first official of the French king's household; commander-in-chief of the French armies (abolished in 1627).
conex *adj.* connected.
conexa *vt.* to colligate.
conexare *s.f.* connecting.
conexitate *s.f.* connexity, relatedness (of ideas etc.); connection.
conexiune *s.f.* connection, connexion.
confabulație *s.f. med., psih.* confabulation, conversation; talk, chat; discussion, conference.
confecție *s.f.* 1. manufacture. 2. *pl.* ready-made clothes.
confecționa I. *vt.* to make, to manufacture. II. *vr.* to be manufactured.
confecționare *s.f.* manufacture, make.
confecționat *adj.* 1. (ready) made. 2. (factice) artificial, made-up.
confederativ *adj.* confederal, confederative.
confederație *s.f.* (con)federation, union.
confer *vt.* cf, compare, collate; see...
conferenția *vi.* to lecture.
conferențiar *s.m.* lecturer.
conferi I. *vt.* to award, to grant. II. *vi.* *a ~ asupra* to confer upon.
conferință *s.f.* 1. lecture. 2. *(consfătuire)* conference; ~ *de presă* press conference; ~ *geografică (cu proiecții)* travelogue.
conferire *s.f.* award(ing).
confesa *vt.* to confess, to own, to avow, to acknowledge.
confesional *adj.* confessional.
confesiune *s.f.* 1. confession. 2. *(sectă)* denomination.
confesor *s.m. rel.* (father) confessor.
confeti *s.f. pl.* confetti.
confia *vt.* to confide, to impart, to disclose.
confident *s.m.* confidant.
confidentă *s.f.* confidante.
confidență *s.f.* confidence; secret.
confidențial I. *adj.* confidential; secret. II. *adv.* in private.
configura *vt.* to configure, to fashion, to shape.
configurație *s.f.* lie (of things), configuration.
confin *adj.* 1. neighbourly. 2. *(înrudit)* related.
confirma I. *vt.* to confirm; *a ~* (primirea etc.) to acknowledge (the

receipt etc.). **II.** *vr.* to be confirmed.
confirmare *s.f.* **I.** confirmation. **II.** *(de primire)* acknowledgement.
confisca *vt.* to confiscate.
confiscabil *adj.* confiscable, seizable, forfeitable.
confiscare *s.f.* seizure, confiscation.
conflagrant *adj.* (co-)belligerent (in a war among many states).
conflagrație *pol.* generalized conflict; world war.
conflict *s.n.* conflict, strife; ~ *armat* war; ~ *industrial* labour conflict; *în ~ cu* at variance with; *a veni în ~ cu* to conflict with.
confluent *adj.* confluent.
confluență *s.f.* confluence.
conform **I.** *adj.* concordant; ~ *cu originalul* accurately copied. **II.** *prep.:* ~ *cu* in accordance with; *(pe baza)* proceeding from.
conforma *vr.* to conform oneself; *a se ~ unei cereri etc.* to comply with a request etc.
conformare *s.f.* conformation; compliance.
conformat *adj.* built, formed, made; *bine ~* well-developed, well-formed.
conformație *s.f.* conformation.
conformism *s.n.* conformism.
conformist **I.** *s.m.* conformist. **II.** *adj.* time serving.
conformitate *s.f.* concord(ance).
confort *s.n.* convenience(s), comfort; *cu tot ~ul* with all the comforts.
confortabil **I.** *adj.* comfortable, snug. **II.** *adv.* comfortably.
confrate *s.m.* colleague; brother.
confrerie *s.f.* (religious) brotherhood / sisterhood; confraternity.
confrunta *vt.* **1.** to confront. **2.** *(a compara)* to compare. **3.** *(o traducere)* to collate.
confruntare *s.f.* **1.** confrontation. **2.** *(a unei traduceri)* comparison.
confucianism *s.n. filoz. rel.* Confucianism.
confucianist **I.** *adj.* Confucian(ist). **II.** *s.m.* Confucian.
confunda **I.** *vt.* to mix up; to mistake. **II.** *vr.* **1.** to be indistinct. **2.** *fig.* to merge.
confundare *s.f.* merging etc. v. c o n f u n d a.
con fuoco *adv. muz.* con fuoco.
confuz **I.** *adj.* **1.** confused; hazy, muddled. **2.** *(d. stil)* prolix, verbose. **II.** *adv.* confusedly.
confuzie *s.f.* confusion.
confuziune *s.f. jur.* extinguishment of a debt through one debtor or creditor succeeding to the estate of the other.
congela *vt., vr.* to freeze.
congelabil *adj.* congealable, freezable.
congelare *s.f.* congelation, congealment, freezing.
congelat *adj.* congealed frozen; *carne ~ă* chilled / frozen meat.
congelator *s.n.* freezing apparatus, freezer.
congenital *adj.* congenital.
congestie *s.f.* **1.** congestion. **2.** *(cerebrală)* stroke.
congestiona **I.** *vt.* **1.** to congest. **2.** *(circulația)* to jam. **II.** *vr.* **1.** to be congested. **2.** *(la față)* to flush.
congestionare *s.f.* congestion.
congestionat *adj.* **1.** flushed. **2.** *(d. ochi)* bloodshot. **3.** *(d. circulație)* jammed.
conglomerare *s.f.* conglomeration.
conglomerat *s.n.* **1.** conglomerate. **2.** *fig.* mixture.
congolez **I.** *adj. geogr.* Congolese. **II.** *s.m.* (native, inhabitant) of the Congo; Congolese.
congregație *s.f. bis.* **1.** congregation, brotherhood, community. **2.** *ist.* the Congregation (under the French Restauration).
congregaționalist *s.m.* Congregationalist.
congres *s.n.* **1.** congress. **2.** AE *pol.* convention; ~ *de constituire* constitutive congress; *~ul partidului republican etc. (în S.U.A.)* the GOP etc., Convention.
congresist *s.m.* **1.** participant in a congress. **2.** *(în S.U.A.)* congressman.
congruent *adj. mat.* congruent.
congruență *s.f.* **1.** agreement, concord. **2.** *mat.* congruence.
coniac *s.n.* cognac, brandy.
conic *adj.* conic(al).
conicitate *s.f. tehn. etc.* conicity, conicality; tapering / conical shape.
conidian *adj. bot.* conidial, conidian.
conidie *s.f. bot.* conidium, *pl.* conidia.
conifer **I.** *s.m.* coniferous tree. **II.** *adj.* coniferous.
conimetrie *s.f. tehn.* konimetry, conimetry.
conimetru *s.n. tehn.* konimeter, coniometer.
coniță *s.f.* **1.** lady. **2.** *(stăpână)* mistress; *(ca apelativ)* madam.
conivență *s.f. a fi de ~ cu* to abet.
conjectură *s.f.* conjecture, guess (work), surmise; *de ~* conjectural, suppositional.
conjuga **I.** *vt.* to conjugate. **II.** *vr.* to be conjugated.
conjugal *adj.* married.
conjugare *s.f.* conjugation.
conjugat *adj.* **1.** *gram.* conjugated. **2.** *bot. etc.* conjugate.
conjunct *adj. lingv.* conjunct.
conjunctiv **I.** *s.n.* subjunctive. **II.** *adj.* **1.** conjunctive. **2.** *gram.* subjunctive. **3.** *anat.* connective.
conjunctivă *s.f. anat.* conjunctiva.
conjunctivită *s.f.* conjunctivitis.
conjunctor-disjunctor *s.n. el.* make-and-break.
conjunctural *adj.* haphazard, random.
conjunctură *s.f.* concourse of events, juncture.
conjuncție *s.f.* conjunction.
conjuncțional *adj. lingv.* conjunctional.
conjura *vt.* to conjure.
conjurat *s.m.* plotter.
conjurație *s.f.* conspiracy.
conlocuire *s.f.* co(in)habitation, living together.
conlocuitor *adj.* co-inhabiting.
conlucra *vi.* to work together; *a ~ la* to contribute to.
conlucrare *s.f.* co-operation.
conoid *s.n. geom.* conoid.
conopidă *s.f.* cauliflower.
conosament *s.n. com.* bill of lading.
conotație *s.f. lingv.* connotation.
conovăț *s.n.* horse lines.
conrup... v. c o r u p...
consacra **I.** *vt.* **1.** to devote, to dedicate. **2.** *(a consfinți)* to sanction. **II.** *vr. a se ~ (unei lucrări etc.)* to devote one's time / abilities (to a work etc.).
consacrare *s.f.* **1.** devotation. **2.** *(a renumelui)* recognition, acknowledgment.
consacrat *adj.* **1.** established, acknowledged. **2.** *(d. un lucru)* (universally) accepted.
consanguin *adj.* v. c o n s a n g v i n.
consanguinizare, consangvinizare *s.f. biol.* consanguinity.
consangvin *adj.* consanguine(an), consanguineous.
consangvinitate, consanguinitate *s.f. jur.* consanguinity.
consătean *s.m.* countryman.
consăteană *s.f.* woman living in the same village.
consecință *s.f.* result; *în ~* consequently, therefore.
consecutiv **I.** *adj.* **1.** consecutive; running. **2.** *gram.* of result. **II.** *adv.* in succession.

consecuție *s.f. consecuția timpurilor gram.* sequence of tenses.
consecvent I. *adj.* consistent; unlaterable. **II.** *adv.* consistently.
consecvență *s.f.* consistency.
consemn *s.n.* **1.** order. **2.** *(parolă)* password.
consemna *vt.* **1.** to register. **2.** *mil.* to confine. **3.** *(un elev)* to keep after hours.
consemnare *s.f.* registering etc. v. c o n s e m n a.
consemnațiune *s.f. casă de depuneri și consemnațiuni* loan bank.
consens *s.n.* concord.
consensual *adj. jur.* consensual, based on mutual consent.
conserva I. *vt.* to preserve. **II.** *vr.* to be preserved.
conservant *adj., s.n. ind. chim.* preservative, conservant.
conservare *s.f.* conservation; *~a speciei* race maintenance.
conservat *adj.* **1.** preserved. **2.** *(în cutii)* tinned.
conservatism *s.n. pol.* conservatism.
conservativ *adj.* preserving.
conservativ *adj. fiz.* conservative, preservative.
conservator I. *s.m.* **1.** conservative; con. **2.** *(în Anglia)* Tory. **II.** *s.n. (de muzică)* music academy. **III.** *adj.* **1.** conservative; *(în Anglia)* Tory. **2.** *fig.* diehard, true-blue.
conservatorism *s.n. rar.* v. c o n s e r v a t i s m.
conservă *s.f.* **1.** tin(ned food). **2.** *pl. și canned goods.*
consfătui *vr.* to confer, to take counsel with others.
consfătuire *s.f.* **1.** conference. **2.** *(dezbatere)* discussion.
consfinți *vt.* to sanction, to confirm.
consfințire *s.f.* sanctioning, legalization etc. v. c o n s f i n ț i.
considera I. *vt.* **1.** to consider. **2.** *(a opina)* to think, to deem. **3.** *(a examina)* to examine. **II.** *vr.* to consider oneself; *se consideră că* it is thought that.
considerabil I. *adj.* considerable. **II.** *adv.* appreciably.
considerare *s.f.* consideration.
considerație *s.f.* **1.** respect. **2.** *(atenție)* consideration. **3.** appreciation.
considerent *s.n.* reason.
consignație *s.f.* junk shop.
consilia *vt.* to advise, to counsel, to give advice to.
consilier *s.m.* counsellor, advisor.
consiliu *s.n.* board, council; *~ de administrație* board of directors; *~ de coroană* privy council; *~ de securitate* security council; *~ municipal* town council.
consimțământ *s.n.* agreement, consent.
consimți I. *vt.* to accept. **II.** *vi.* to consent, to assent.
consimțire *s.f.* **1.** consenting etc. v. c o n s i m ț i. **2.** v. c o n s i m ț ă m â n t.
consista *vi. a ~ din...* to consist of..., to be composed of...
consistent *adj.* substantial.
consistență *s.f.* firmness.
consistometru *s.n. fiz. tehn.* consistometer; viscosimeter.
consistoriu *s.n. bis.* **1.** consistory; consistory court. **2.** church session (in the Calvinist Church).
consoană *s.f.* consonant.
consoartă *s.f.* wife, *fam.* the missus.
consola I. *vt.* to comfort. **II.** *vr. a se ~ cu* to find comfort in.
consolant *adj.* solacing, comforting.
consolare *s.f.* solace, consolation.
consolator I. *s.m.* comforter. **II.** *adj.* solacing.
consolă *s.f.* **1.** console. **2.** *(la cămin)* mantelpiece.
consolida *vt., vr.* to strenghten.
consolidare *s.f.* consolidation.
consommé *s.n.* meat / vegetable stock.
consonant *adj. muz.* consonant.
consonantic *adj.* consonantal.
consonantism *s.n. lingv.* consonantism, consonantal system.
consonanță *s.f.* consonance.
consort *adj.* consort.
consorțiu *s.n.* syndicate.
conspect *s.n.* **1.** epitome, outline. **2.** notes (from a book etc).
conspecta *vt.* to summarize.
conspira *vt.* to plot.
conspirativ *adj.* **1.** underground. **2.** conspirational.
conspirator *s.m.* conspirator, plotter.
conspirație *s.f.* conspiracy.
consta *vi.: a ~ din (mai multe elemente)* to consist of, to be made up of; *a ~ în (ceva)* to consist in (smth.).
constant *adj.* **1.** constant, steadfast. **2.** unalterable.
constantan *s.n. met. el.* German silver, constantan.
constantă *s.f. mat.* constant (value).
constanță *s.f.* constancy, steadfastness.
constata I. *vt.* **1.** to establish, to ascertain. **2.** *(a afla)* to see, to find. **II.** *vr.* to be found; *se constată că* it comes out that.
constatare *s.f.* finding.
constelație *s.f.* constellation.
consterna *vt.* to perplex.
consternare *s.f.* consternation, perplexity; dismay.
consternat *adj.* horrified, dismayed; amazed, astounded, dumbfounded, *fam.* flummoxed, flabbergasted; perplexed.
constipa I. *vt.* to constipate. **II.** *vr.* to become costive.
constipant *adj.* constipating, binding.
constipat I. *s.m.* square-toes. **II.** *adj.* **1.** costive. **2.** *fig.* narrow-minded.
constipație *s.f.* constipation.
constituant *adj.* constituent; *Adunare ~ă* Constituent Assembly.
constituent *s.m.* constituent.
constituent I. *s.n.* component, constituent (part), formative element. **II.** *adj.* constituent, formative, component.
constitui *vt.* **1.** to constitute, to make up. **2.** *(a înființa)* to set up.
constituire *s.f.* constitution etc. v. c o n s t i t u i.
constituit *adj.* constituted; *a fi bine ~* to be well-built.
constitutiv *adj.* **1.** *(component)* constituent, integral. **2.** *jur.* constitutive.
constituție *s.f.* **1.** constitution. **2.** *(fizică)* build.
constituțional *adj.* constitutional.
constituționalism *s.n.* constitutionalism.
constituționalist *s.m.* constitutionalist.
constituționalitate *s.f.* constitutionality.
constrânge *vt.* to force.
constrângere *s.f.* **1.** compulsion. **2.** *jur.* coercion.
constrictiv *adj. lingv.* constrictive.
constrictor *adj. boa ~ zool.* v. b o a; *mușchi ~ anat.* sphincter (muscle), contractor.
constricți(un)e *s.f. fiziol.* constriction.
constricțiune *s.f. lingv.* constriction.
constructiv *adj.* constructive.
constructivism *s.n. filoz., artă* constructivism.
constructivist *adj., s.m. filoz., artă* constructivist.
constructor *s.m.* builder; building-worker.
construcție *s.f.* **1.** building, construction. **2.** *fig.* structure. **3.** *(de locuințe)* housing. **4.** *(de mașini*

etc.) engineering; *construcții civile* civilian buildings, civil engineering.
construi I. *vt.* **1.** to build. **2.** to construct. **3.** *(a înălța și)* to erect, to raise. **4.** *(drumuri)* to lay (out). **II.** *vi.* to build. **III.** *vr.* to be built.
construire *s.f.* building;
consul *s.m.* consul.
consular *adj.* consular.
consulat *s.n.* consulate.
consult *s.n.* consultation.
consulta I. *vt.* **1.** to consult. **2.** *(un doctor și)* to see. **II.** *vr.* to confer, to put heads together.
consultant I. *s.m.* counsellor. **II.** *adj.* consulting.
consultanță *s.f.* consultancy, (expert / specialized) advice.
consultare *s.f.* consultation.
consultativ *adj.* consultative, advisory. *a avea vot ~* to be present in an advisory capacity, to have advisory vote, to have voice but not vote.
consultație *s.f.* **1.** consultation. **2.** *(sfat)* advice.
consum *s.n.* **1.** consumption. **2.** *(cheltuială)* expenditure; *de larg ~* mass consumption.
consuma I. *vt.* **1.** to consume. **2.** *(a mânca)* to eat. **3.** *(a roade)* to eat away. **4.** *(a epuiza)* to exhaust. **II.** *vr.* **1.** to be consumed / wasted. **2.** *fig.* to fret.
consumabil I. *adj.* consumable, apt to be consumed. **II.** *s.n.* consumptible articles.
consumare *s.f.* cosumption etc. v. c o n s u m a.
consumator *s.m.* consumer.
consumație *s.f.* **1.** consumption. **2.** *(plată)* reckoning.
consumptibil *adj. jur.* consumable.
consumptiv *adj. med.* consumptive.
consumpție *s.f. med.* consumption.
conștient I. *adj.* aware. **II.** *adv.* consciously.
conștientă *s.f.* consciousness.
conștiincios I. *adj.* conscientious, thorough (going). **II.** *adv.* conscientiously.
conștiinciozitate *s.f.* conscientiousness; scrupulousness.
conștiință *s.f.* **1.** consciousness. **2.** *(trezie)* awareness. **3.** *(etică)* conscience; *~ de clasă* class consciousness; *~ de sine* self-awareness; *~ revoluționară* revolutionary consciousness; *~ a datoriei* sense of duty.
cont *s.n.* account; *în ~ul cuiva* on smb.'s account.
conta *vi.* to count; *a ~ pe* to count / rely (on); *ce contează?* what does it matter?
contabil I. *s.m.* book-keeper. **II.** *adj.* book-keeping.
contabilitate *s.f.* book-keeping.
contabiliza *vt. ec., fin.* to account for (smth), to enter in the accounts.
contact *s.n.* **1.** contact, touch. **2.** *(legătură)* connection. **3.** *auto.* ignition; a *veni / intra în ~ cu* to come in(to) contact with.
contactor *s.n. el.* relay switch.
contagia I. *vt.* to infect. **II.** *vr.* to be infected; to take / get the infection.
contagios *adj.* catching, infectious.
contagiune *s.f.* **1.** *med.* contagion, infection. **2.** *fig.* contagiousness.
container *s.n.* container.
contamina I. *vt.* to contaminate. **II.** *vr.* to become contaminated.
contaminabil *adj.* contaminable.
contaminare *s.f.* **1.** contamination, pollution; contagion. **2.** *lingv.* contamination.
contare *s.f. ec., fin.* **1.** enummeration, numbering, counting, reckoning. **2.** metering, registration.
contăș *s.n. înv.* **1.** long fur-lined mantle (of boyars). **2.** short (fox) fur-lined coat worn by peasants.
conte *s.m.* **1.** count. **2.** *(în Anglia)* earl.
contempla *vt.* to watch, to contemplate.
contemplare *s.f.* contemplation.
contemplativ *adj.* contemplative.
contemplator, -oare *s.m.* contemplator.
contemplație *s.f.* v. contemplare.
contemporan I. *s.m.* contemporary. **II.** *adj.* contemporary.
contemporaneitate *s.f.* the present day / times.
contencios *s.n.* **1.** solicitor's office. **2.** solicitor's job.
conteni *vt., vi.* to cease.
contenire *s.f.* end; *fără ~* incessantly.
contesă *s.f.* countess.
contesta *vt.* to dispute.
contestabil *adj.* contestable, questionable, disputable.
contestație *s.f.* appeal.
context *s.n., adj.* context.
contextură *s.f.* **1.** *text.* (con)texture. **2.** structure, framework.
contiguitate *s.f.* contiguity.
contiguu *adj.* contiguous.
continent *s.n. adj.* continent.
continental *adj.* continental.
continență *s.f. med. etc.* continence, continency; temperance.
contingent *s.n.* contingent.
contingență *s.f.* affinity.
continua I. *vt.* to continue, to carry, to keep on; *a ~ să vorbească, să scrie etc.* to speak on, to write on etc. **II.** *vi.* to continue, to go on. **III.** *vr.* to be continued.
continuare *s.f.* **1.** continuation. **2.** *(a unui roman etc.)* sequel; *în ~* further on.
continuator *s.m.* continuer.
continuitate *s.f.* continuity.
continuu I. *adj.* permanent. **II.** *adv.* continuously.
contondent *adj.* **1.** hurtful. **2.** *fig.* decisive.
contopi I. *vt.* to blend, to amalgamate. **II.** *vr.* to merge.
contopire *s.f.* fusion etc. v. c o n t o p i; (de societăți etc.) merger.
contor *s.n.* meter, counter.
contorsiona *vt.* to contort (one's body, face etc.).
contorsionist *s.m.* contorsionist, circus artist.
contorsiune *s.f.* contortion.
contra I. *adj.* counter; negative. **II.** *adv.* counter. **III.** *prep.* **1.** against. **2.** *jur., sport și* versus. **3.** *(în schimbul a)* in exchange for.
contraalizee *s.n. pl. meteo.* counter-trades.
contraamiral *s.m.* rear-admiral.
contraatac *s.n.* counter-attack.
contraataca *vt.* to counter-attack.
contrabalansa *vt.* **1.** to counter-balance, to compensate, to set off. **2.** *(a contracara)* to counteract.
contrabandă *s.f.* **1.** smuggling. **2.** smuggled goods; *de ~* smuggled.
contrabandist *s.m.* **1.** smuggler. **2.** *(de alcool și)* bootlegger.
contrabaraj *s.n.* counter dike.
contrabas *s.n.* double bass.
contrabasist *s.m. muz.* double bass (player), contrabassist.
contrabaterie *s.f. mil.* counter-battery.
contracandidat *s.m.* contestant; *(fără sorți de succes)* runner up.
contracara *vt.* to counteract.
contracarlingă *s.f. nav.* rider keelson.
contrachilă *s.f. nav.* rising wood.
contract *s.n.* agreement, contract; *~ colectiv* collective (bargaining) agreement.
contracta I. *vt.* **1.** to contract. **2.** *(o boală)* to catch. **II.** *vr.* to contract.
contractant I. *s.m.* contracting party. **II.** *adj.* contracting.
contractare *s.f.* contraction etc. v. c o n t r a c t a.
contracti(bi)litate *s.f. fiziol.* contractility.

contractil *adj. fiziol.* contractile, contractible.
contractual *adj.* stipulated by contract.
contractură *s.f.med.* contracture.
contracție *s.f.* contraction; distortion.
contracurbă *s.f. arh.* counter-curve.
contracurent *s.m. tehn. etc.* counter-current.
contradans *s.n. muz.* country dance, quadrille.
contradictoriu *adj.* contradictory, conflicting.
contradicție *s.f.* contradiction; *în ~ cu* in collision with.
contraescarpă *s.f. mil.* counter-scarp.
contraexpertiză *s.f.* re-survey, counter-valuation.
contraface *vt.* to counterfeit, to forge; *(a imita)* to imitate; *a ~ semnătura cuiva* to forge smb.'s signature.
contrafacere *s.f.* counterfeit; imitation.
contrafagot *s.n. muz.* contrabassoon.
contrafăcut *adj.* counterfeit.
contrafișă *s.f. constr. etc.* brace, strut, stay; angle-brace (of truss); racking shore (of wall).
contrafort *s.n. arh.* (close) buttress, abutment.
contrage *lingv.* **I.** *vt.* to contract. **II.** *vr. pas.* to be contracted.
contragreutate *s.f.* counterweight.
contraindicat *adj.* unadvisable.
contraindicație *s.f. med.* contra / counter-indication.
contralovitură *s.f.* counter-blow.
contralto *s.n. muz.* contralto.
contramaistru *s.m.* foreman.
contramanda *vt.* to call off.
contramandare *s.f.* countermand(ing).
contramarcă *s.f.* check, tab.
contramară *s.n. mil.* countermarch.
contraofensivă *s.f. mil.* counter-offensive.
contraordin *s.n.* counter-order, countermand, countermandate.
contrapagină *s.f.* opposite page; left-hand page; backpage.
contrapantă *s.f.* reverse slope / gradient, counter-slope.
contrapartidă *s.f. ec. fin.* **1.** other party, other side (in transaction). **2.** *com.* reciprocal arrangement, quid pro quo; compensation.
contrapiuliță *s.f. tehn.* lock-nut, check-nut, jam-nut, keeper.
contraplacaj *s.n. constr.* plywood construction.
contraplonj *s.f. cin.* ground / land angle shot.
contraplonjă *s.f. cin.* low angle.
contrapondere *s.f.* counter-weight.
contrapoziție *s.f.* **1.** counter position. **2.** *ec., fin.* misentry (in ledger).
contrapregătire *s.f. mil.* counter preparation.
contraprobă *s.f.* check determination / test, counter test, control experiment.
contraproiect *s.n.* counter-project.
contrapropunere *s.f.* counter-proposal.
contrapunct *s.n.* counterpoint.
contrar I. *s.n.* contrary (element), opposite. **II.** *adj.* contrary, opposite. **III.** *prep.* contrary to.
contrareformă *s.f. ist.* counter-reformation.
contrarevoluție *s.f.* counter-revolution.
contrarevoluționar *s.m. adj.* counter-revolutionary.
contraria *vt.* to vex, to irritate.
contrariat *adj.* upset, vexed, annoyed.
contrarietate *s.f.* vexation, annoyance.
contrariu *s.n. adj.* opposite.
contras *adj.* contracted.
contrasemna *vt., vi.* to countersign.
contrasemnătură *s.f.* counter-signature.
contrasens *s.n.* distorted meaning.
contraspionaj *s.n.* counter-espionage.
contrast *s.n.* contrast; *în ~ cu* unlike, in contrast with.
contrasta I. *vt.* to contrast. **II.** *vi.* to collide.
contrastant *adj.* contrasting.
contrașină *s.f.* **1.** *c.f.* check / guard rail. **2.** *constr.* safeguard. **3.** *min.* conductor / side rail.
contratimp *s.m. în ~* out of time.
contratip *s.n. cin.* counter part (of negative), duplicate.
contratipie *s.f. foto.* reproduction, retouching, duplicating.
contratorpilor *s.n. nav.* (torpedo boat) destroyer.
contravaloare *s.f.* equivalent.
contravântuire *s.f.* **1.** *constr.* (wind) bracing, diagonal member; strut, prop. **2.** *tehn.* cross-bar. **3.** *av.* bracing.
contraveni *vi. a ~ (la)* to run counter (to).
contravenient *s.m.* offender, trespasser.
contravenție *s.f.* minor offence.
contravizită *s.f.* evening visit / round.
contrazice I. *vt.* **1.** to contradict. **2.** *fig.* to run counter to. **II.** *vr.* **1.** to contradict (oneself). **2.** to contradict each other; to collide.
contrazicere *s.f.* contradiction, gainsaying.
contră *s.f. sport* counter; *(la jocuri de cărăi)* double.
contre-jour *s.n. artă, foto.* back-light(ing).
contribuabil *s.m.* tax payer.
contribui *vi. (la)* to contribute (to).
contribuție *s.f.* **1.** contribution, role. **2.** *(cotă)* share; *contribuții (in)directe fin.* (in)direct taxation.
control *s.n.* **1.** control; check-(ing). **2.** *fin.* auditing.
controla *vt.* **1.** to check; to control. **2.** *fin.* to audit.
controlabil *adj.* verifiable, that may be checked; *(manevrabil)* controlable.
controlateral *adj. med.* contralateral.
controler *s.n. el.* controller.
controlor *s.m.* **1.** controller. **2.** *(de bilete)* ticket collector / inspector. **3.** *fin.* auditor.
controversat *adj.* disputed.
controversă *s.f.* controversy.
contumancie *s.f.* absence.
contur *s.n.* outline.
contura I. *vt.* to outline. **II.** *vr.* to appear.
conturat *adj.* (well) outlined.
conturba *vt. (a tulbura)* to disturb.
conturnare *s.f. el.* arc-over (of spark); flash over, spark over.
contuzie *s.f.* bruise.
contuziona *vt.* to contuse, to bruise.
conté *s.n. arte pl.* Conté crayon.
conține *vt.* to include, to contain.
conținut *s.n.* **1.** content(s). **2.** *(tablă de materii)* (table of) contents. **3.** *fig.* essence.
conțopist *s.m.* **1.** clerk. **2.** *peior.* quill-driver.
conul ***(Vasile etc.)*** prefix to man's name Mr...., the Hon.
conurbație *s.f. geogr.* conurbation.
convalescent *s.m., adj.* convalescent.
convalescență *s.f.* convalescence.
convector *s.m. constr.* convector.
convecție *s.f. fiz.* convection.
conveier (conveior) *s.n. tehn.* conveyer, conveyor.
convenabil I. *adj.* **1.** convenient. **2.** *(d. prețuri etc.)* cheap, reasonable. **II.** *adv.* **1.** conveniently. **2.** *(ieftin)* cheaply.
conveni *vi.* **1.** to agree. **2.** *(a fi convenabil)* to be convenient; *îi convine* it suits him; he can (well) afford it.

convenienţă *s.f.* **1.** convenience. **2.** *pl.* conventions.
convent *s.n.* **1.** *bis.* assembly, meeting (of clergy, of believers). **2.** *bis.* church council, convent. **3.** general assembly of Free-masons, convent.
convenţie *s.f.* convention.
convenţional I. *adj.* conventional. **II.** *adv.* conventionally.
convenţionalism *s.n.* conventionality.
converge *vi.* to converge.
convergent *adj.* convergent, converging; *(d. tir)* concentrated.
convergenţă *s.f.* convergence, convergency.
conversa *vi.* to talk.
conversaţie *s.f.* conversation; table-talk.
conversiune *s.f.* conversion.
converti I. *vt.* to convert. **II.** *vr.* to become converted.
convertibil *adj. (în)* convertible (into).
convertibilitate *s.f. fin.* convertibility.
convertire *s.f. rel., com.* conversion.
convertizare *s.f. met.* converting.
convertizor *s.n.* **1.** *el.* (electric) converter. **2.** *met.* converter. **3.** *industria alimentară* roller mill.
convertoplan *s.n. av.* convertiplane, convertaplane.
convertor *s.n. el.* convertor, converter.
convex *adj.* convex; bulging.
convexitate *s.f.* convexity; bulge.
convexo-concav *adj.* convexo-concave.
convicţiune *s.f.* conviction, belief.
convieţui *vt.* to live together.
convieţuire *s.f.* life together.
convieţuitor *adj.* co-inhabiting.
convingător *adj.* convincing.
convingător *adj.* **1.** cogent, convincing. **2.** persuasive.
convinge I. *vt.* to convince; *a ~ pe cineva să facă ceva* to persuade smb. to do smth. **II.** *vr.* to see for oneself.
convingere *s.f.* **1.** conviction, belief. **2.** *(persuasiune)* persuasion; *cu ~* warmly; *fără ~* half-hearted(ly).
convins *adj.* **1.** convinced. **2.** *(înrăit)* inveterate.
conviv *s.m.* **1.** table companion. **2.** guest at table.
convoca *vt.* **1.** to convene. **2.** *(oameni)* to convoke.
convocare *s.f.* **1.** convening, convocation. **2.** *(hârtie)* summons.
convocator *s.n.* summons.
convocator *s.n.* convening list / letter.
convoi *s.n.* **1.** convoy. **2.** *(alai)* procession; *~ de maşini* autocade.
convorbi I. *vt. rar* to have a talk, to converse; *reg.* to deal. **II.** *vi. reg.* to chat.
convorbire *s.f.* **1.** talk, conversation. **2.** *(telefonică)* (telephone) call; *~ interurbană* trunk call; *~ cu taxa inversă* collect call; *~ locală* local call, city conversation.
convulsi(un)e *s.f.* convulsion.
convulsiv *adj.* convulsive, spasmodic.
coopera *vi.* to co-operate.
cooperare *s.f.* co-operation.
cooperatist *adj.* co-operative.
cooperativă *s.f.* co-op(erative society); *~meşteşugărească* craftsmen's cooperative.
cooperativizare *s.f.* co-operativization.
cooperator I. *s.m.* **1.** co-operator. **2.** co-operative farmer. **II.** *adj.* co-operative.
cooperaţie *s.f.* co-operation; *~ meşteşugărească* artisan / handicraft co-operatives.
cooperaţie *s.f.* **1.** *(cooperare)* co-operation. **2.** co-operative societies; co-operative system.
coopta *vt.* to co-opt.
cooptare *s.f.* co-optation.
coordona *vt.* to coordinate.
coordonare *s.f.* coordination.
coordonat I. *adj.* coordinated; *gram.* coordinate. **II.** *adv.* coordinately.
coordonată *s.f.* **1.** coordinate. **2.** *pl. fig.* background, frame-work.
coordonator I. *s.m.* coordinator. **II.** *adj.* coordinating, coordinative.
copac *s.m.* tree.
copaie *s.f.* trough.
copaier *s.m. bot.* copaiba *(Copaifera officinalis).*
copal *s.n.* copal.
copastie *s.f. nav.* gunwale, gunnel.
copăcei *s.m. pl. bot.* balsam(ine) *(Impatiens balsamina).*
copăcel I. *s.m.* small tree, shrub. **II.** *interj.* **1.** pick up the pieces! **2.** *(uşurel)* take it easy! **III.** *adv.* on one's feet.
copărtaş *s.m.* sharer, participator, party.
copcă *s.f.* **1.** clasp, hook. **2.** *med.* wound clip. **3.** *(gaură)* (ice-) hole.
copeică *s.f.* copeck, kopeck.
coperta *vt. tipogr.* to bind, to put covers to (a book).
copertare *s.f. tipogr.* binding, putting covers to (a book).
copertă *s.f.* cover.
copia I. *vt.* **1.** to copy (out). **2.** *fig.* to ape. **3.** *(a plagia)* to plagiarize. **4.** *(la şcoală)* to crib. **II.** *vi.* to crib.
copiat *s.n.* ready-made.
copie *s.f.* **1.** copy. **2.** *fig.* imitation. **3.** *(a unei statui etc.)* replica.
copier *s.n. com.* copying book.
copiere *s.f.* **1.** *tipogr., foto.* copying, printing down. **2.** *cib.* duplicating. **3.** *tehn.* duplicate work.
copil *s.m.* **1.** child; kid; little one; *(mic)* infant, baby; *pl.* *şi family.* **2.** *(fiu)* boy, son. **3.** *(fiică)* girl, daughter; *~ al străzii* street arab; *~ de suflet* foster child; *~ de trupă* child accompanying the regiment; *~ de ţâţă* suckling; *~ dificil* problem child; *~ din flori* love child; *~ găsit* foundling; *~ teribil* enfant terrible; de ~ child('s), children('s); *(din copilărie)* from / since a child.
copilandră *s.f.* young girl *fam.* flapper.
copilandru *s.m.* boy, youth.
copilaş *s.m.* baby, babe, *fam.* kiddy, v. şi c o p i l; chit.
copilă *s.f.* (little) girl.
copilăresc *adj.* childlike, childish.
copilăreşte *adv.* childishly.
copilări *vi.* to spend one's childhood.
copilărie *s.f.* **1.** childhood. **2.** *(prostie)* childishness; *din ~* since a child.
copilăros *adj.* **1.** childish. **2.** *fig.* foolish.
copileţ *s.m. bot.* maize runner / tiller.
copili *vt. agr.* to thin out, to disbud, to nip the buds off; to trim.
copiliţă *s.f. dim.* little girl, a chit of a girl.
copios I. *adj.* **1.** abundant. **2.** *(d. mâncare)* sumptuous. **II.** *adv.* plentifully.
copist *s.m.* clerk.
copitate *s.n.* hoofed, hooved animals; ungulate animals.
copită *s.f.* **1.** hoof. **2.** *(lovitură)* kick. **3.** *(urmă)* hoof mark.
coplanar *adj. mat.* coplanar.
copleşi *vt.* to overwhelm.
copleşire *s.f.* overwhelming etc. *v.* c o p l e ş i.
copleşit *adj.* overwhelmed, overcome; *~ de griji* careworn.
copleşitor *adj.* overwhelming.
copoi *s.m.* **1.** greyhound. **2.** *şi fig.* sleuthhound.
copolimerizare *s.f. chim.* copolymerization.
copra *s.f.* copra(h).
coprină *s.f.* daffodil.
coprocultură *s.f.* coproculture.
co-producţie *s.f.* co-production.
coproducţie *s.f.* coproduction; joint production.
coprofag I. *adj. zool.* coprophagous, coprophagic. **II.** *s.m.* **1.** *entom.*

coprophagan, dung beetle. **2.** coprophagist.
coprolit *s.m. geol.* coprolite.
coprologie *s.f. biol., med.* coprology; scatology.
coproprietar *s.m.* co-proprietor, joint proprietor / owner.
coprosterol *s.m. biochim.* coprostanol, coprosterol.
cops *s.m. text.* **1.** cop. **2.** (spinning) bobbin, pirn, ring package.
copt[1] **I.** *s.n.* **1.** maturation. **2.** *(la cuptor)* baking. **II.** *adj.* **1.** ripe, mature. **2.** *(pârguit)* mellow. **3.** *(în cuptor)* baked.
copt[2] **1.** *s.m. ist.* Copt. **2.** *adj.* Coptic.
coptură *s.f.* abcess.
copulativ *adj. gram., log.* copulative.
copulație *s.f.* copulation.
copulă *s.f.* link verb.
copyright *s.n.* copyright.
cor *s.n.* **1.** chorus. **2.** *rel.* choir; quire.
corabie *s.f.* ship; *(cu pânze)* sailing boat / ship.
coral I. *s.m.* coral. **II.** *s.n.* choral song. **III.** *adj.* choral.
coralian *adj. zool.* coralline.
coralier *s.m. zool.* coralloid, corallium.
coralifer *adj. zool.* coralliferous.
coralină *s.f. bot.* coral moss *(Corallina).*
coran *s.n.* Koran.
coraport *s.n.* co-report; *(conferință)* co-lecture.
coraportor *s.m.* co-reporter; *(conferențiar)* co-lecturer.
corasan *s.n. sământă de* ~ wormseed, semencine, santonica *(Semen cinae).*
corаslă *s.f. v.* c o l a s t r ă.
coraziune *s.f. geogr., geol.* corrasion.
corăbiasca *s.f. muz.* slow binary folk dance in Moldavia (literaly "boatsmen's").
corăbier *s.m. nav.* **1.** seaman, sailor. **2.** *(proprietar de corabie)* ship owner.
corăsli *vr. v.* b r â n z i.
corb *s.m.* **1.** raven. **2.** *fig.* vulture.
corbiu *adj.* raven-black.
corci *vr.* to cross.
corcire *s.f.* crossing, interbreeding.
corcit *adj.* crossbred.
corcitură *s.f.* **1.** crossbreed. **2.** *(javră)* mongrel.
corcodel *s.m.* **1.** *ornit.* diver *(Podiceps).* **2.** *bot.* fumitory *(Fumaria).*
corcoduș *s.m.* wax cherry tree.
corcodușă *s.f.* wax cherry.
cord *s.n.* heart.
cordaites *subst. paleont.* Cordaitaceae.
cordaj *s.n. nav.* gear.
cordar *s.n.* **1.** *(de fierăstrău)* tongue, gag. **2.** *muz.* tailpiece.
cordate *s.n. pl. zool.* chordate *(Chordata).*
cordea *s.f.* **1.** *(panglică)* ribbon. **2.** *zool.* tapeworm, taenia *(Taenia solium).*
cordelieri *s.m. pl. ist. Franței* revolutionary club (during the French revolution).
cordial I. *adj.* **1.** cordial, wholehearted. **2.** *(amabil)* kind(ly). **II.** *adv.* cordially, kindly.
cordialitate *s.f.* cordiality.
cordoba *s.m. ec., fin.* cordoba (monetary unit in Nicaragua).
cordon *s.n.* **1.** girdle, belt. **2.** *(șnur)* flex(ible cord), cord, string; ~ *sanitar med.* (sanitary) cordon; *pol. fig.* cordon sanitaire.
cordovan *s.n.* cordoban, cordovan (leather).
corect I. *adj.* **1.** correct, accurate. **2.** impeccable. **3.** *(cinstit)* fair. **4.** punctilious. **II.** *adv.* **1.** correctly, accurately. **2.** *(cinstit)* fairly.
corecta I. *vt.* **1.** to correct. **2.** *(a îndrepta)* to rectify. **3.** *(șpalturi etc.)* to revise. **II.** *vr.* **1.** to mend. **2.** *(a reveni)* to correct oneself.
corectare *s.f.* correction; improvement.
corectitudine *s.f.* **1.** correctness. **2.** *(cinste)* uprightness.
corectiv *s.n.* corrective, reserve, qualification.
corector *s.m.* proof reader.
corectură *s.f.* proof (reading).
corecție *s.f.* **1.** correction. **2.** *fig.* thrashing.
corecțional *adj. închisoare ~ă* rigorous imprisonment.
coree *s.f. med.* chorea, *fam.* St. Vitus's dance.
coreean, -ă *s.m., adj., s.f. adj.* Korean.
coregon *s.m. iht.* white fish, coregonus *(Coregonus).*
coregraf *s.m.* choreographer, ballet-master.
coregrafic *adj.* dancing.
coregrafie *s.f.* choregraphy, ballet.
corela I. *vt.* to correlate, to link. **II.** *vi.* to be linked / correlated.
corelat *adv.* correspondingly.
corelativ *adj.* correlative.
corelație *s.f.* correlation.
coreligionar *s.m.* coreligionist.
corepetitor *s.m.* assistant (music) master; chorus master.
coresponda *vi.* to write (to each other).
corespondent I. *s.m.* **1.** correspondent. **2.** *(la ziar și)* reporter. **II.** *adj.* corresponding.
corespondență *s.f.* **1.** correspondence. **2.** *(poștă)* mail, courier. **3.** *(la ziar și)* report. **4.** *(potrivire)* agreement, conformity; *bilet de* ~ transfer ticket.
corespunde *vi.* to correspond; *a ~ unei situații etc.* to suit / meet a situation etc.; to make good.
corespunzător I. *adj.* adequate, suitable; ~ *unei situații etc.* corresponding to a situation etc. **II.** *adv.* accordingly.
coreut *s.m. teatru antic* chorist, choir-singer, member of the chorus in the ancient Greek drama.
corhănire *s.f. v.* c o r h ă n i t.
corhănit *s.n. (silvicultură)* hanlage, hanling, skidding.
coriamb *s.m. stil.* choriamb(us).
coriandru *s.m. bot.* coriander *(Coriandrum nativum).*
coribant *s.m. ist. Greciei* corybant.
coridă *s.f.* corrida, bullfight.
coridor *s.n.* corridor.
corifeu *s.m.* **1.** *lit.* coryphaeus, leader of the chorus. **2.** *fig.* leader, master mind.
corigent *s.m.* pupil / student ploughed in an examination.
corigență *s.f.* second examination.
corigibil *adj.* corrigible; *(d. o greșeală)* redressable, amendable.
corija I. *vt.* to correct, to improve. **II.** *vr.* to mend (one's ways).
corimb *s.n. bot.* chorymb(us).
corindon *s.n. mineral.* corundum.
corintic *adj. arh.* Corinthian; *ordin / stil* ~ Corinthian order (of columns).
corioepiteliom *s.n. med.* choriopithelioma, choriocarcinoma.
corion *s.m. anat.* chorion.
corist *s.m.* chorus singer.
coristă *s.f.* chorus girl / lady, chorine.
corium *s.n. anat.* corium.
coriză *s.f. med.* coryza.
corlă *s.f. ornit.* **1.** gallinula *(Gallinula chloropus).* **2.** *v.* c u f u n d a r.
corm *s.n. bot.* corm.
corman *s.n.* **cormană** *s.f. agr.* mould / earth board.
cormoran *s.m. ornit.* cormorant *(Phalacrocorax).*
corn I. *s.m.* **1.** *bot.* cornel tree. **2.** *muz.* horn. **II.** *s.n.* **1.** horn. **2.** *(de cerb)* antler. **3.** *(de vânătoare și)* bugle. **4.** *(pâiniță)* croissant; ~ *cu mac* poppy roll; *~ul abundenței* cornu copia.
cornac *s.m.* cornac.
cornacee *s.f. pl. bot.* Cornaceae.
cornaci I. *adj.* long-horned. **II.** *s.m. pl. bot.* water caltrop / nut *(Trapa natans).*

cornaj *s.n. med. vet.* pathological wheezing / whistling / roaring.
cornalină *s.f. mineral.* cornelian, carnelian.
corneană *s.f. mineral.* hornfels.
cornee *s.f. anat.* cornea, horny coat (of the eye), corneous tunic.
corner *s.n. sport* corner (kick).
cornet *s.n.* cornet; ~ *acustic* ear trumpet.
cornieră *s.f. tehn.* angle(-iron / bar).
cornist *s.m.* corn player, bugler; *(gornist)* trumpeter.
cornișă *s.f.* cornice.
cornișor *s.n. bot.* **1.** clubmoss *(Lycopodium).* **2.** v. r o ș c o v ă.
corniță *s.f. bot.* variety of grapes.
cornițe *s.f. pl.* hornlets.
corniză *s.f. reg.* curtain rod.
cornos *adj.* horn-like, horny.
cornuleț *s.n. (prăjitură)* hornshaped cookie.
cornut *adj.* horned.
cornuț *s.m. bot.* mouse ear *(Cerastium arvense).*
cornwall *s.m. zool.* swine breed from Cornwall (England).
coroană *s.f.* **1.** crown. **2.** *(de flori etc.)* wreath.
corobora *vt.* to corroborate, to colligate.
coroda *vt. tehn. chim.* to corrode; to erode, to eat / wear away (metal, stone etc.).
coroi *s.m. ornit., reg.* falcon, kestrel *(Falco).*
coroia *vr. (d. nas)* to become hooked.
coroiaj *s.n. met.* welding (of metal); rolling (of iron).
coroiat *adj.* hooked.
coroidă *s.f. anat.* chor(i)oid.
coroidită *s.f. med.* chor(i)oiditis.
corolar *s.n. mat., log.* corollary.
corolă *s.f. bot.* corolla.
corona *subst. el.* corona.
coronament *s.n. arh.* crowning.
coronar *adj. anat.* v. c o r o n a r i a n.
coronară *s.f. med., anat.* coronary (artery).
coronarian *adj. anat.* coronary.
coronarită *s.f. med.* coronaritis, coronitis.
coroniște *s.f. bot.* crown vetch *(Coronila varia).*
coroniță *s.f.* coronet.
coroniu *s.n. chim.* coronium.
coronograf *s.n. astr.* coronagraph, coronograph.
coronulă *s.f. bot.* coronule.
coropișniță *s.f. entom.* mole cricket *(Gryllotalpa vulgaris).*
corosbină *s.f. iht.* (European) blenny *(Blennius sanguinolentus).*
coroziune *s.f.* corrosion.
coroziv *adj.* corrosive.
corp *s.n.* **1.** body. **2.** *(mort)* corpse. **3.** *mil. pol.* corps. **4.** *(literă)* size of type. **5.** *(grup și)* group; ~ *de balet* corps de ballet; ~ *de casă* house; ~ *de gardă* guard house / room; ~ *delict* exhibit, material evidence; ~ *didactic* teaching staff; *(universitar)* professoriate; ~ *diplomatic* diplomatic corps; ~ *la* ~ hand-to-hand.
corpolent *adj.* corpulent, stout.
corpolență *s.f.* stoutness, burliness, portliness, corpulence, corpulency, fleshiness.
corporal *adj.* bodily.
corporatism *s.n.* corporatism.
corporatist I. *adj.* **1.** corporatist, corporational. **2.** v. c o r p o r a t i v. **II.** *s.m.* corporationer.
corporativ *adj.* corporate, corporative.
corporație *s.f.* corporation.
corpus *s.n. lit., jur.* corpus.
corpuscul *s.m.* corpuscle, small body, particle.
corpuscular *adj.* corpuscular.
corsaj *s.n.* bodice.
corsar *s.m.* corsair.
corset *s.n.* stays.
corsican *adj. s.m.* Corsican.
cort *s.n.* tent.
cortegiu *s.n.* convoy.
cortes *s.n. pl. ist. pol. Spaniei / Portugaliei* cortes (of Spain / Portugal).
cortex *s.n. anat., bot.* cortex.
cortical *adj.* bark-like, cortical.
corticopleurită *s.f. med.* corticopleuritis.
corticosteron *s.m. biochim.* corticosterone.
corticosuprarenală *adj. anat.* corticoadrenal.
corticotrop *s.m. biochim.* adrenocorticotropic hormone.
cortină *s.f.* **1.** curtain. **2.** *(laterală)* tab.
cortizon *s.m. med.* cortisone.
coruncă *s.f. ind. extr.* die nipple, friction socket, overshot (pipe) grab, pulling yoke.
corupător I. *s.m.* **1.** seducer. **2.** *(mituitor)* briber. **II.** *adj.* corrupting.
corupe *vt.* **1.** to corrupt. **2.** *(a seduce)* to seduce. **3.** *(a mitui)* to bribe. **4.** *(martori)* to suborn.
corupere *s.f.* corruption, bribery; ~ *de minori* debauchery of youth.
corupt *adj.* corrupt.
coruptibil *adj.* corruptible; *(care poate fi mituit)* bribable.
coruptibilitate *s.f.* corruptibility.
corupție *s.f.* corruption.
corvadă *s.f.* **1.** *ist.* corvée, forced / statute labour. **2.** *mil.* fatigue. *nav.* duty. **3.** *fig.* irksome task, thankless job, drudgery.
corvetă *s.f.* corvette.
corvide *s.n. pl. ornit.* Corvidae.
corvoadă *s.f.* v. c o r v a d ă.
cosac *s.m. iht.* bream *(Abramis ballerus).*
cosaș *s.m.* **1.** mower. **2.** *(insectă)* grasshopper *(Locusta).*
cosă *s.f. ind. el.* eye, lug, tag, terminal(-connector) (of cable).
cosciug *s.n.* coffin.
cosecantă *s.f. geom.* cosecant.
cosi *vt.* to mow.
cosinus *s.n. mat.* cosine.
cosit I. *s.n.* haymaking. **II.** *adj.* mown.
cositoare *s.f.* mower, mowing / haymaking machine.
cositor *s.n.* tin.
cositori *vt.* to tin.
cositorie *s.f.*, **cositorit** *s.n.* tinning (over), tin coating / casing / lining.
cositură *s.f.* **1.** *(cosit)* mowing. **2.** *(iarbă cosită)* mown grass; *(nutreț)* fodder. **3.** *(câmp cosit)* mown field. **4.** *(rană)* sore place on a horse's leg.
cosiță *s.f.* tress.
cosițel *s.m. bot.* water parsnip *(Sium latifolium).*
cosmetic *s.n. adj.* cosmetic.
cosmetică *s.f.* cosmetics.
cosmeticiană *s.f.* beautician.
cosmic *adj.* space, cosmic.
cosmodrom *s.n. tehn.* cosmodrome, launching base (for spacecraft).
cosmogonic *adj.* cosmogonic(al).
cosmogonie *s.f.* cosmogony.
cosmograf *s.m.* cosmographer.
cosmografic *adj.* cosmographical.
cosmografie *s.f.* cosmography.
cosmologic *adj.* cosmological.
cosmologie *s.f.* cosmology.
cosmonaut *s.m.* spaceman, cosmonaut.
cosmonautică *s.f.* astronautics, cosmonautics, *fam.* space travel.
cosmopolit I. *s.m.* cosmopolite. **II.** *adj.* cosmopolitan.
cosmopolitism *s.n.* cosmopolitism.
cosmos *s.n.* (outer) space.
cosoi *s.n. ind.* untanned leather for strips, bands etc.
cosor *s.n.* pruning knife / hook.
cost *s.n.* cost, price.
costa I. *vt.* to cost; *ce te costă?* what is that to you? it's a trifle for you.

II. *vi.* **1.** to cost. **2.** *(a valora)* to be worth; *cât costă?* how much is it?
costarican, -ă *s.m., s.f., adj. geogr.* Costa-Rican.
costeliv *adj.* skinny.
costisitor *adj.* expensive.
costișă *s.f.* slope, declivity; *(versant)* side.
costiță *s.f.* chop.
costoboci *s.m. pl. ist.* Caestobogi, Caestoboci (Germanic population in North-Eastern part of Dacia in the second century).
costrei *s.m. bot.* millet, sorghum *(Sorghum halepense, Echinochoa crusgalli).*
costum *s.n.* **1.** suit (of clothes). **2.** *(îmbrăcăminte)* costume; ~ *de baie* swimsuit; ~ *de golf* tweeds; *în ~ul lui Adam* in one's birthday suit.
costuma I. *vt.* to dress up. **II.** *vr.* to dress oneself up; to put on a fancy dress.
costumat *adj.* **1.** disguised. **2.** *(d. bal)* fancy-dress.
costumație *s.f.* clothes for a special occasion.
costumier *s.m. teatru* wardrobe keeper.
coș *s.n.* **1.** *(pe față)* pimple. **2.** *(paner)* basket. **3.** *(horn)* stovepipe, chimney; *(de fabrică, vapor etc.)* stack; ~ *de hârtii* wastepaper basket; *~ul pieptului* chest.
coșar *s.m.* chimney sweep.
coșava *subst. meteo.* cold wind that blows from the South-West in Romania in springtime.
coșciug *s.n.* coffin; shell.
coșcogeamite *adj.* hugeous.
coșcovi *vr.* *(d. tencuială)* to come off; *(a se scoroji)* to shrink; *(a se umfla)* to swell (out); *(a se coji)* to peel off.
coșcovit *adj.* *(cojit)* peeled off; *(scorojit)* shrunk; *(umflat)* swollen (out).
coșenilă *s.f. entom.* cochineal, shield louse *(Coccus).*
coșmar *s.n.* nightmare.
coșniță *s.f.* **1.** basket. **2.** *fig.* (money for) food.
coșuleț *s.n.* **1.** little basket. **2.** *(pt. lucru de mână)* housewife, work-basket.
cot I. *s.m.* ell. **II.** *s.n.* **1.** elbow. **2.** *(ghiont)* nudge. **3.** *(cotitură)* bend; ~ *la* ~ *cu* shoulder to shoulder with.
cota *vt.* to quote; *a fi ~t (drept / ca)* to pass (for).
cotangentă *s.f. mat.* cotangent, cot.
cotare *s.f.* quotation etc. v. c o t a.
cotarlă *s.f.* cur, *fam.* brute of a dog.
cotație *s.f. fin. etc.* (market, stock-exchange) quotation, quoting.
cotă *s.f.* **1.** share, quota. **2.** *fin.* quotation. **3.** *geogr.* height, elevation. **4.** *mil.* hill. **5.** *(la curse)* odds. **6.** *(a unei cărți)* pressmark.
cotcodac *interj.* cluck!
cotcodăci *vt.* to cackle.
cotcodăcit *s.n.* cackling; chattering.
cotei *s.m. aprox.* dachshund; whelp; *departe ~ul de iepure fam.* as like as chalk and cheese.
coterie *s.f.* coterie; clique.
coteț *s.n.* **1.** hen / chicken coop. **2.** *(cocină)* pigsty.
coti *vi* to turn (right / left).
cotidian *s.n., adj., adv.* daily.
cotigă *s.f.* **1.** *(cărucior)* (tipping) cart, dumping cart. **2.** *(de plug)* forepart of a plough.
cotiledon *s.n. bot., anat.* cotyledon.
cotiledonat *adj. bot.* cotyledonous.
cotilion *s.n.* cotillion.
cotiș *adv.* in zigzag, tortuously.
cotit *adj.* devious.
cotitate *s.f. ec., fin., jur.* share, quota.
cotitură *s.f.* **1.** bent. **2.** și *fig.* turn(ing). **3.** *fig.* *(istorică etc.)* turning point.
cotiza *vi.* to pay one's dues.
cotizație *s.f.* due.
cotlet *s.n.* chop, cutlet.
cotlon *s.n.* nook, recess.
cotnar *s.n.* Cotnar wine.
cotoi *s.m.* tom-cat.
cotonizare *s.f. ind. text.* cottonizing.
cotonog *adj.* *(șchiop)* lame, limping, *fam.* hobbling; *(paralitic)* paralized, palsied; *(infirm)* crippled (in the arm etc.).
cotonogeală *s.f.* *(bătaie) fam.* thrashing, cudgelling.
cotonogi *vt.* to drub, to beat, to pulp.
cotor *s.n.* **1.** stub; tab. **2.** *(de varză)* cabbage stalk / stump. **3.** *(de bilet etc.)* counterfoil.
cotoroanță *s.f.* hag.
cotoșman *s.m.* *(cotoi)* grimalkin.
cotrobăi *vi.* to fumble, to rummage.
cotropi *vt.* to invade; to over-run.
cotropire *s.f.* invasion.
cotropitor *s.m.* invader.
coturn *s.m. teatru* buskin, cothurnus.
coțcar *s.m.* knave, cheat.
coțcărie *s.f.* swindle, imposture, cheating.
coțofană *s.f. omit.* magpie *(Pica pica).*
coulomb *s.m. el.* coulomb.
coulombmetru *s.n. fiz., el.* coulombmeter.
coupé *s.n.* **1.** *auto.* coupé. **2.** *teatru* double-bill.
covalență *s.f. chim.* covalence, covalency.
covariant *s.m. mat.* covariant.
covariantă *mat., cib.* covariance.
covată *s.f.* trough.
covăseală *s.f. pop.* **1.** *(lapte covăsit)* curdled milk. **2.** *(drojdie)* leaven.
covăsi *vr.* to curdle.
covăsit *adj.* *lapte* ~ curdled milk, curds.
covârși *vt.* to overwhelm, to overcome.
covârșitor *adj.* overwhelming.
covelină *s.f. mineral.* covelline, covellite.
covercot *s.n. text.* covercoat.
covergă *s.f. reg.* **1.** *v.* c o v i l t i r. **2.** *(frunzar)* arbour; *(acoperământ)* shed.
covertă *s.f. nav.* upper deck.
coviltir *s.n.* tilt.
covolum *s.n. fiz.* covolume.
covor *s.n.* **1.** carpet. **2.** *(carpetă)* rug.
covrig *s.m.* **1.** pretzel. **2.** *fig.* coil.
covrigar *s.m.* pretzel seller.
cow-boy *s.m.* cow-boy.
coxal *adj. anat.* coxal.
coxalgie *s.f. med.* coxalgia, hip disease / trouble.
cozerie *s.f. livr.* causerie, talk, chat, conversation.
cozeur *s.m. livr.* conversationalist, talker; *fam.* blabber.
cozonac *s.m.* sponge cake.
cozoroc *s.n.* peak.
crab *s.m. zool.* crab.
crabare *s.f. text.* crabbing.
crabot *s.m. tehn.* direct-drive dog clutch.
crac I. *s.m.* leg. **II.** *interj.* crack!
cracaj *s.n.*, **cracare** *s.f. tehn.* cracking.
cracauer *s.n. cul.* krackauer, Polish pungend, pork salami (with bits of bacon).
cracă *s.f.* branch, limb.
cracoviac *s.f. muz.* *(poloneză)* Krakowiak.
cracoviană *s.f.* *(dans)* Cracovienne.
crah *s.n.* crash.
crai *s.m.* **1.** king. **2.** *(don juan)* philanderer; yob; ~ *nou* new moon.
craidon *s.m.* masher.
crailâc *s.n.* gallivanting; *în* ~ on the gad.
crainic *s.m.* **1.** announcer. **2.** *ist.* town crier.
craițui *vt.* to stamp, to punch out.
cramă *s.f.* wine cellar.
crampă *s.f.* cramp.

crampon *s.n.* **1.** cramp (iron). **2.** *(la bocanc)* cleat; *(pt. fotbal)* stud. **3.** *fig.* cling.
crampona *vr.: a se ~ de* to cling to.
cranial *adj. anat.* cranial.
cranian *adj. anat.* cranial; *cutie ~ă* skull, brain pan.
craniologie *s.f.* craniology, phrenology.
craniometrie *s.f. anat.* craniometry.
craniu *s.n.* skull.
crap *s.m. iht.* carp *(Cyprinus carpio).*
crapodină *s.f. tehn.* pivot / thrust-bearing (of vertical shaft).
cras *adj.* crass, gross.
crater *s.n.* crater.
cratimă *s.f. poligr.* hyphen.
cratiță *s.f.* (frying) pan.
cratogen *s.n. geol.* craton.
crațăr *s.n. min.* conveyor belt.
craul *s.n.* crawl.
craun *adv. a umbla ~* to idle about.
cravașa *vt.* to horsewhip.
cravașă *s.f.* **1.** horse whip.
cravată *s.f.* **1.** (neck)tie. **2.** *(de pionier etc.)* red scarf. **3.** *(la lupte)* headlock.
crăcană *s.f.* **1.** crotch, fork. **2.** *(sport)* tripod.
crăcăna *vt., vr.* to straddle (one's legs).
crăcănat *adj.* bandy-legged.
crăci *vb.* v. c r ă c ă n a.
Crăciun *s.n.* Christmas.
crăiasă *s.f.* queen.
crăie *s.f. poetic, pop.* kingdom, empire.
crăiesc *adj.* royal, princely.
crăiește *adv.* royally.
crăișor *s.m.* **1.** prince. **2.** *ornit.* wren *(Troglodytes).* **3.** *iht.* salmon *(Salmus salar).*
crăiță *s.f. bot.* marigold *(Tagetes erecta).*
crănțăni *vi.* to crunch.
crăpa **I.** *vt.* **1.** to split; to crack. **2.** *(ușa etc.)* to half open. **3.** *(a mânca)* to wolf. **II.** *vi.* **1.** to split, to cleave. **2.** *(a se sparge)* to burst; to break. **3.** *(a muri)* to hook it. **4.** *(a mânca)* to gorge; *a ~ de ciudă* to die with spite / envy; *a ~ de rușine* to die with shame. **III.** *vr.* **1.** to crack. **2.** *(d. piele)* to be chapped; *se crapă de ziuă* it dawns.
crăpat *adj.* **1.** split, cracked. **2.** *(d. piele)* chapped.
crăpătură *s.f.* **1.** crack, split. **2.** *(scurgere)* leak. **3.** *(tăietură)* slit.
crâcni *vi.* to protest, to grumble; *a nu ~* not to say but.
crâmpei *s.n.* fragment.
crâmpoșie *s.f. (viticultură)* Romanian common dinner and wine grapes.
crâmpoși *vt.* to piece, to break up.
crâncen **I.** *adj.* grim. **II.** *adv.* terribly.
crâng *s.n.* grove, spinney.
crâsnic *s.n.* fishing implement.
crea **I.** *vt.* **1.** to create, to make. **2.** *(a întemeia)* to set up, to found. **3.** *(a stârni)* to arouse, to bring about. **II.** *vi.* to create. **III.** *vr.* to be created, to be set up.
creangă *s.f.* branch.
creanță *s.f. fin.* debt, claim.
creanțier *s.n. fin., ec.* ledger / register for credit evidence.
creare *s.f.* **1.** creation. **2.** *(întemeiere)* setting up.
creastă *s.f.* **1.** crest. **2.** *(de val, deal, cocoș)* comb. **3.** *anat., geogr.* ridge.
creatină *s.f. biochim.* creatine.
creatinfosforic *adj. biochim.* creatine phosphoric (acid).
creatinină *s.f. biochim.* creatinine.
creativitate *s.n. filoz., psih.* creativity.
creator **I.** *s.m.* creator; *~i de bunuri materiale* wealth producers. **II.** *adj.* creative.
creatură *s.f.* creature.
creație *s.f.* creation.
creaționism *s.n. rel.* creationism.
crede **I.** *vt.* **1.** to think, to consider. **2.** *(a socoti adevărat)* to believe. **3.** *(a-și închipui)* o imagine. **II.** *vi.* to believe; *a ~ în ceva* to believe in something; *a ~ cuiva* to sympathize with smb.; *a-și ~ ochilor* to believe one's eyes. **III.** *vr.* **1.** to think oneself *(important etc.).* **2.** *(a fi îngâmfat)* to be conceited, to think too much of oneself. **3.** *(impresional)* to be believed; *se ~ că nu e în oraș* he is thought *sau* believed to be out of town.
credincios **I.** *s.m.* believer; *pl.* faithful. **II.** *adj.* **1.** faithful. **2.** *(cuiva și)* loyal; devoted.
credință *s.f.* **1.** faith. **2.** *(față de cineva și)* loyalty, fidelity. **3.** *(părere)* belief, convinction. **4.** *(încredere)* trust; *de altă dată ~* of a different persuasion; *de bună-~* of good will; *de rea-~* false, ill-intentioned; *rea-~* dishonesty.
credit *s.n.* **1.** credit. **2.** *(împrumut și)* loan. **3.** *pe ~* on tick.
credita *vt.* to credit.
creditare *s.f. fin.* crediting.
creditor **I.** *s.m.* creditor. **II.** *adj.* credit.
credo *s.n.* credo, creed.
credul *adj.* credulous.
credulitate *s.f.* credulity, credulousness, gullibility.
creek *subst. geogr.* creek.
creier *s.m.* **1.** brain(s). **2.** *fam.* the upper storey. **3.** *(minte)* brains, mind; *în ~ii munților* in the heart of the mountains.
creieraș *s.m. anat.* little / hinder brain, cerebellum.
creion *s.n.* pencil; *~ chimic* indelible pencil; *~ automat* propelling pencil.
creiona *vt.* **1.** to pencil. **2.** *(și fig.)* to sketch.
creițar *s.m. odin.* kreu(t)zer; *înv. (ban, gologan)* penny, farthing.
creițui *vt.* v. c r a i ț u i.
crem *adj.* cream-coloured.
cremalieră *s.f.* **1.** *tehn.* pot-hanger / hook; trammel(-hook); toothed rack, arc; rack-bar. **2.** *c.f.* cog-rail, rack(-rail).
crematoriu *s.n.* crematory.
cremațiune *s.f.* cremation.
cremă *s.f.* **1.** cream. **2.** *(fig. și)* flower. **3.** *(de ghete)* shoe polish; *~ de legume* thick soup.
cremene *s.f.* flint.
cremonă *s.f. constr.* casement bolt; espagnolette.
crenel *s.n.* crenel.
crenelat *adj.* embattled, crenel(l)ated, castellated.
crenoterapie *s.f. med.* creno-therapy.
crenvurșt *s.m.* frankfurter.
creodonte *s.f. pl. paleont.* Creodonta.
creol *s.m. adj.* creole.
creolină *s.f.* creolin.
creozot *s.n. chim.* creosote.
creozotare *s.f. tehn., chim.* creosoting.
crep *s.n.* creape (rubber).
crepidă *s.f.* ancient Greek sandal.
crepitant *adj.* crackling, sizzling (sound); *med.* crepitant.
crepitație *s.f. med.* crepitation.
crepon *s.n. text.* crepon.
creponat *adj.* corrugated.
crepuscul *s.n.* twilight.
crepuscular *adj.* crepuscular, twilight.
crescător *s.m.* breeder; *~ de albine* bee-keeper; *~ de animale* cattle breeder.
crescătorie *s.f.* nursery; farm; *~ de albine* apiary; *~ de pești* nursery pond.
crescând *adj.* growing.
crescendo *adv., s.n.* crescendo.

crescut *adj.* grown, bred.
creson *s.n. bot.* garden / town cress(es) *(Lepidium sativum).*
cresta *vt.* **1.** to indent. **2.** *(a tăia)* to cut.
crestătură *s.f.* notch.
crestomație *s.f.* reader, chrestomathy.
creșă *s.f.* crèche.
crește I. *vt.* **1.** to bring up. **2.** *(animale)* to breed; *(porumbei etc.)* fo fancy. **3.** *(plante)* to grow. **II.** *vi.* **1.** to grow (up). **2.** *(a spori și)* to increase. **3.** *(a se dezvolta și)* to develop. **4.** *(a se înălța și)* to rise. **5.** *(de apă și fig.)* to swell.
creștere *s.f.* **1.** growth. **2.** *(sporire)* increase. **3.** *(dezvoltare)* rise; development. **4.** *(a animalelor)* breeding. **5.** *(educație)* upbringing. **6.** *(a apelor)* rising tide; *~a albinelor* bee-keeping; *~a nivelului de trai* the rise in living standards; *bună ~* good breeding.
creștet *s.n.* top; *din ~ până în tălpi* from top to toe.
creștin *s.m., adj.* Christian; Gentile.
creștina I. *vt.* to christianize. **II.** *vr.* to become Christian.
creștinare *s.f.* christianization.
creștinătate *s.f.* christendom.
creștinesc *adj.* Christian.
creștinește *adj.* **1.** like Christian. **2.** like a human being.
creștinism *s.n.* Christianity.
cretaceu *adj. geol.* chalky, cretaceous.
cretacic *s.n. geol.* cretaceous system.
cretă *s.f.* chalk.
cretin *s.m.* moron.
cretinism *s.n.* imbecility.
creton *s.n.* cretonne.
cretos *adj. geol.* that contains chalk, that has chalk's appearance.
creț I. *s.n.* **1.** crease. **2.** *(rid)* wrinkle. **II.** *adj.* **1.** curly. **2.** *(plisat)* pleated.
crețesc *adj. măr ~* rennet (apple).
crețișoară *s.f. bot.* lion's foot *(Alchemilla vulgaris).*
crețușcă *s.f. bot.* meadowsweet *(Filipendula ulmaria).*
creuzet *s.n.* crucible; *met.* melting pot.
crevasă *s.f.* crevasse, crevice.
crevetă *s.f.* shrimp.
crez *s.n.* creed, credo.
crezare *s.f.* credit.
crezământ *s.n. înv.* v. c r e z a r e.
crezol *s.m. chim.* cresol.
cri *interj.* chirp!
crib *s.n. tehn.* crib.
criblură *s.f. constr.* broken stone, small-sized scrap; chipping(s).
cric *s.n.* jack(screw).
crichet *s.n.* cricket.
crilă *s.f.* side of fishing-net.
crimă *s.f.* **1.** crime. **2.** *jur.* felony, criminal offence.
criminal I. *s.m.* criminal, felon. **II.** *adj.* **1.** criminal. **2.** murderous. **III.** *adv.* criminally.
criminalist *s.m.* **1.** criminal jurist. **2.** criminologist.
criminalistică *s.f.* criminalogy.
criminalitate *s.f.* deliquency.
criminologie *s.f.* criminology.
crin *s.m. bot.* lily *(Lilium).*
crinoide *s.n. pl. zool.* Crinoidea.
crinolină *s.f.* hoop skirt.
crintă *s.f.* **1.** wooden tub for preparing cheese. **2.** table for cheese-making.
criocauter *s.n. med.* carbon dioxide snow pencil.
criofil *adj. biol.* cryophilic.
criogenie *s.f. tehn.* cryogenics.
criolit *s.n. mineral.* cryolite, Greenland spar.
criologie *s.f. fiz.* cryology.
crioscop *s.n. tehn.* cryoscope.
crioscopic *adj. tehn.* cryoscopic.
crioscopie *s.f. fiz.* cryoscopy.
criostat *s.n. tehn.* cryostat.
crioterapie *s.f. med.* crymotherapy, cryotherapy.
criotron *s.n. el.* cryotron.
criptă *s.f.* vault, tomb.
criptic[1] *adj.* criptic; abstruse.
criptic[2] *adj.* cryptic; *anat.* cryptal.
criptocristalin *adj. geol.* cryptocrystalline.
criptofite *s.f. pl. bot.* cryptophyte.
criptogamă *s.f. bot.* cryptogam.
criptogenetic *adj. med.* cryptogenetic, cryptogenic (disease).
criptografic *adj.* cryptographic.
criptografie *s.f.* cryptography.
criptogramă *s.f.* cryptogram.
criptonim *s.n.* **1.** *lingv.* cryptonym. **2.** *lit.* crytonymic work.
crisalidă *s.f. entom.* chrysalis, pupa.
criselefantină *adj.* chryselephantine.
crisofenină *s.f. chim. text.* chrysophenine.
crisoidină *s.f. chim.* chrysoidine.
crisoterapie *s.f. med.* chrysotherapy.
crispa *vt., vr.* to contract.
crispare *s.f.* contraction etc. v. c r i s p a.
crispat *adj.* **1.** contracted, rigid. **2.** *fig.* cramped.
cristal *s.n.* crystal.
cristalin I. *s.n.* crystalline lens. **II.** *adj.* crystal clear.
cristalit *s.n. mineral.* crystalide.
cristaliza *vt., vr.* to crystallize.
cristalizare *s.f.* crystallization.
cristalizor *s.n.* crystallizing apparatus.
cristalografie *s.f.* crystallography.
cristaloid *adj. s.m.* crystalloid.
cristei *s.m. ornit.* corn crake *(Crex).*
cristelniță *s.f.* font.
cristiană *s.f. sport.* Christiania, christy, christie *(la ski).*
criteriu *s.n.* criterion.
critic I. *s.m.* critic. **II.** *adj.* **1.** critical. **2.** *(de criză și)* crucial.
critica *vt.* to criticize.
criticabil *adj.* criticizable, open / liable to criticism.
criticastru *s.m. peior.* faultfinder, criticaster.
critică *s.f.* **1.** criticism. **2.** *(literară și)* critique; *~ apologetică* puffing; *(cu gen.)* to pass criticism on.
criticism *s.n. filoz.* criticism.
criticist *adj. s.m.* criticist.
criță *adv. pop.* extremely, very; *a fi beat ~* to be dead drunk, *fam.* to be as tight as a drum.
crivac *s.n. tehn.* **1.** crane for salt blocks. **2.** mining-trolley. **3.** skeleton for boat-making.
crivăț *s.n.* north wind, crivetz.
crizantemă *s.f. bot.* chrysanthemum.
criză *s.f.* **1.** crisis. **2.** *(economică și)* slump, depression. **3.** *med.* attack, fit. **4.** *(lipsă)* shortage; *~ de guvern* cabinet crisis.
croat I. *s.m.* Croat. **II.** *adj.* Croatian.
croazieră *s.f.* cruise, trip.
crobizi *s.m. pl. ist.* Crobyzi.
crocant *adj.* crisp.
crochet *s.n.* croquet.
crochetă *s.f.* croquette.
crochete *s.n. pl. cul.* croquette.
crochiu *s.n.* sketch.
crocodil *s.m.* **1.** crocodile. **2.** *el.* alligator clip.
crocodilieni *s.m. pl. zool.* crocodilian, Crocodylidae.
croi *vt.* **1.** to cut (to measure) **2.** *(a deschide)* to open, to lay. **3.** *(a bate)* to strike.
croială *s.f.* **1.** cut. **2.** *fig.* structure.
croit *s.n.* cutting (out).
croitor *s.m.* tailor.
croitoreasă *s.f.* dressmaker.
croitorie *s.f.* **1.** tailoring. **2.** tailor's (shop).
crom *s.n. chim.* chromium.
croma *vt.* to chrome.
cromafin *adj.* chromaffin, chromaffine.
cromaj *s.n.* chromium plate.
cromare *s.f.* chroming.
cromat *s.n. chim.* chromate.

cromatare *s.f. tehn.* chromate.
cromatic *adj.* chromatic.
cromatică *s.f. artă* chromatics.
cromatină *s.f. biol.* chromatin.
cromatism *s.n. opt.* chromatism.
cromatofor *s.m. biol.* chromatophore, pigment-bearing cell.
cromatogen *adj.* chromatogenous.
cromatografic *adj.* chromatographical.
cromatografie *s.f. chim.* chromatography.
cromatopsie *s.f. med.* chromatopsia.
cromic *adj. chim.* chromic.
cromit *s.n. miner.* chromite, chrome iron.
cromizare *s.f. tehn.* chromizing.
cromleh *s.n. ist.* cromlech.
cromnichel *s.n. tehn.* nickelchrome / chromium, chromenickel.
cromo- *prefix.* chromo-.
cromocistoscopie *s.f. med.* chromocystoscopy.
cromofor *s.n. chim.* chromophor(e).
cromofotografie *s.f.* chromophotography.
cromolitografic *adj.* chromolithographic.
cromolitografie *s.f.* chromolithography.
cromoplast *s.n. chim.* chromoplast.
cromoproteidă *s.f. biochim.* chromoprotein.
cromoscop *s.n. foto.* chromoscope.
cromosferă *s.f. astr.* chrom(at)osphere.
cromosferic *adj. astr.* chromospheric.
cromotipie *s.f. poligr.* chromotype.
cromotipografie *s.f. poligr.* chromotypography.
cromozom *s.m. biol.* chromosome.
cronaxie *s.f. med.* chronaxia, chronaxy.
croncăni *vt., vi.* to croak.
croncănit *s.n.* croak(ing).
croncănitor *adj.* croaking.
croncănitură *s.f.* croak.
cronic **I.** *adj.* chronic. **II.** *adv.* chronically.
cronicar *s.m.* **1.** chronicler. **2.** *(ziarist)* columnist.
cronică *s.f.* **1.** chronicle. **2.** *(recenzie)* book review; ~ *dramatică etc.* notice, critique; ~ *muzicală* musical chronicle.
cronicitate *s.f.* chronicity.
crono- *prefix.* chrono-.
cronofotografic *adj.* chronophotographic.
cronofotografie *s.f. foto.* chronophotography.
cronograf *s.n.* chronograph.
cronologic **I.** *adj.* chronological. **II.** *adv.* chronologically.
cronometra *vt.* to time.
cronometraj *s.n.* time-keeping, timing.
cronometric *adj.* chronometric(al).
cronometrie *s.f.* chronometry.
cronometror *s.m.* **1.** *(în industrie etc.)* time clerk. **2.** *sport* time keeper.
cronometru *s.n.* chronometer.
cros *s.n.* cross-county race.
crosă *s.f.* stick.
crosing *s.n. min.* crossing.
crosopterigieni *subst. pl. iht.* crossopterygians, the Crossopterygii.
crossbar *s.n. tehn., el.* crossbar.
crossing-over *s.n. biol.* crossing-over.
croșet *s.n.* **1.** *arh.* crocket. **2.** *(dentar)* clasp. **3.** *(la box)* hook.
croșeta *vt., vi.* to crochet.
croșetă *s.f.* crochet.
croșeu *s.n. sport* hook.
crotal *s.m. zool.* rattlesnake, crotalus *(Crotalus adamantus).*
crotalie *s.f. (zootehnic)* brand (on sheep's ear etc.).
crown *adj. opt. sticlă* ~ crown glass.
cruce *s.f.* **1.** cross. **2.** *(încrucișare)* crossroads; *în* ~ crossways.
crucetă *s.f. mar.* top-crosstree.
cruci *vr.* **1.** to cross oneself. **2.** *fig.* to be dumbfouned.
cruciadă *s.f.* crusade.
crucial *adj.* crucial.
cruciat *s.m.* crusader.
crucieră *s.f. nav.* cruise, cruising.
crucifere *s.f. pl. bot.* crucifers, cruciferae.
crucifica *vt.* to crucify.
crucifix *s.n.* crucifix.
cruciform *adj.* cruciform.
cruciș **I.** *adj.* squint(ing). **II.** *adv.* crossways, crossing (each other); *în* ~ *și-n curmeziș* everywhere; *a se pune în* ~ *și-n curmeziș* to leave no stone unturned.
crucișător *s.n.* battleship, cruiser.
crucit *adj. fam.* astonished, amazed, flabbergasted.
cruciuliță *s.f.* **1.** little cross. **2.** groundsel *(Senecio).*
crucnă *s.f. tehn.* rake; crutch.
crud *adj.* **1.** raw; *(nefiert etc.)* uncooked. **2.** *(necopt)* green. **3.** *fig.* callow. **4.** *(sălbatic)* cruel, savage.
cruditate *s.f.* **1.** rawness. **2.** *pl.* raw vegetable / fruit.
crunt **I.** *adj.* **1.** savage, grim. **2.** *(aspru)* bitter. **II.** *adv.* terribly, cruelly.
crup *s.n. med.* croup.
crupă *s.f. (a calului)* croup.
crupe *s.f. pl.* groats, grits.
crupier *s.m.* **1.** *(la bursă)* broker('s backer). **2.** *(la cazino)* croupier.
crupon *s.n.* butt.
cruponare *s.f. ind. pielăriei* cropping.
crural *adj. anat.* crural.
crustaceu *s.n. zool.* crustacean, shell fish.
crustă *s.f.* **1.** crust. **2.** *(de rac)* mail.
crușățean *s.f. bot.* winter cress *(Barbarea vulgaris).*
crușin *s.m. bot.* waythorn *(Rhamnus frangula).*
crușon *s.n.* wine mixed with syrup (and other drinks).
cruța **I.** *to spare; a* ~ *viața cuiva* to pardon smb. **II.** *vr.* to spare oneself, to stint one's efforts.
cruțare *s.f.* **1.** sparing, saving. **2.** *(milă)* ruth; *fără* ~ relentlessly.
cruzeiro *s.m. ec., fin.* cruzeiro (monetary unit of Brasil).
cruzime *s.f.* cruelty.
ctitor *s.m.* founder.
ctitori *vt.* to found.
ctitorie *s.f.* foundation.
cu *prep.* **1.** with; by. **2.** *(și)* and; ~ *anii etc.* for years etc. (on end); ~ *încetul*; ~ *timpul* little by little; ~ *toată (opoziția etc.)* in spite of (the opposition etc.); ~ *miile* by the thousands.
cuadrant *s.f. astr.* quadrant.
cuadratură *s.f. mat., astr.* quadrature.
cuadrică *s.f. mat.* quadric.
cuantă *s.f.* quantum.
cuantic *adj.* quantum.
cuantifica *vt. log.* to quantify; *fiz.* to quantize.
cuantum *s.n. ec., fin.* amount, proportion, ratio.
cuarț *s.n. mineral.* quartz.
cuarțit *subst., adj. geol.* quartzite.
cuaternar *adj. geol.* Quaternary.
cub **I.** *s.n.* **1.** cube. **2.** *(pl. jucării)* (toy) bricks. **II.** *adj.* cubic.
cubaj *s.n.* cubing.
cubanez, -ă *s.m., s.f., adj. geogr.* Cuban.
cubatură *s.f. mat.* cubature.
cubic *adj.* cubic; *zahăr* ~ lump sugar.
cubiculum *s.n. arh.* cubiculum.
cubilou *s.n. met.* cupola (furnace).
cubism *s.n. artă* cubism.
cubist **I.** *s.m.* cubist artist. **II.** *adj.* cubist.
cubital *adj. anat.* cubital.
cubitus *s.n. anat.* cubitus, ulna.
cuc *s.m. ornit.* cuckoo *(Cuculus canorus).*

cucă *s.f. ist. României* boyar's tall furcap (with ostrich feathers).
cuceri *vt.* **1.** to conquer. **2.** *fig. și to entrance, to subjugate.* **3.** *(câștiga)* to win (over).
cucerire *s.f.* **1.** conquest. **2.** *fig.* gain, achievement.
cuceritor I. *s.m.* **1.** conqueror. **2.** *(de inimi)* lady-killer. **I.** *adj.* triumphant. **III.** *adv.* victoriously.
cucernic I. *adj.* devout. **II.** *adv.* piously.
cucernicie *s.f.* devotion, piety.
cucoană *s.f.* **1.** lady. **2.** *(vocativ)* madam, ma'am. **3.** *(consoartă)* spouse.
cucon(ul) *s.m. (prefix la nume de bărbat)* the gentle man..., the Hon(orable).
cuconet *s.n. col. peior.* ladies.
cucovă *s.f. ornit.* domestic / summer swan *(Cygnus olor).*
cucu *interj.* cuckoo!
cucu-bau *interj.* bo-peep!
cucui *s.n.* bump.
cucuiat *adj.* **1.** *(d. păsări)* crested. **2.** *v.* c o c o ș a.
cucură *s.f. înv.* quiver.
cucurbitacee *s.f. pl. bot.* cucurbitaceae.
cucurigu I. *s.n.* **1.** *aprox.* attic. **2.** *teatru* gods. **II.** *interj.* cock-a-doodle-doo!
cucuruz *s.m. bot. reg.* **1.** maize. **2.** maize field. **3.** fir-tree cone *(Petasites albus).*
cucută *s.f. bot.* hemlock *(Conium maculatum).*
cucuvaie *s.f. ornit.* (little) owl *(Athene noctua).*
cuestă *s.f. geogr., geol.* cuesta.
cufăr *s.n.* chest.
cufunda I. *vt.* to plunge. **II.** *vr.* to sink, to duck.
cufundac *s.m. omit.* grebe *(Podiceps).*
cufundar *s.m. ornit.* **1.** ember goose, ice loon *(Colymbus arcticus).* **2.** diver *(Podiceps).*
cufundat *adj.* **1.** plunged. **2.** *fig. și* wrapped up (in thought etc.).
cuget *s.n.* **1.** thinking, mind. **2.** *(conștiință)* conscience, soul.
cugeta *vi.* to ponder.
cugetare *s.f.* reflection.
cugetător *s.m.* thinker.
cuguar *s.m. zool.* couguar, puma, American panther.
cui *s.n.* nail.
cuib *s.n.* **1.** nest. **2.** *fig.* home, house. **3.** *(de vipere etc.)* den. **4.** *agr.* hole; ~ *de cuvinte* word cluster; *a-și face ~ul* to nest.
cuibar *s.n.* nest.
cuibări *vr.* to nestle.
cuier *s.n.* peg.; *(mare)* hallstand.
cuirasat *s.n.* man-of-war.
cuirasă *s.f.* armour.
cuișoare *s.n. pl. bot.* clove.
cuișoriță *s.f. bot.* holosteum *(Holosteum umbellatum).*
cujbă *s.f.* pot hanger.
culant *adj.* large handed.
culată *s.f. mil.* breech; butt; brinder *part.*
culă *s.f. arh. ist. României* **1.** fortified tower, fortress. **2.** fortified boyar's manor. **3.** vault; dungeon.
culbutor *s.n. tehn.* rocker arm.
culca I. *vt.* **1.** to put to bed. **2.** *(a așeza)* to lay (down). **3.** *(a doborî)* to fell. **II.** *vr.* **1.** to go to bed, to turn in. **2.** *(a se întinde)* to lie down.
culcare *s.f.* **1.** turning in. **2.** *(tolănire)* lying down.
culcat *adj.* recumbent.
culcuș *s.n.* bed.
culee *s.f. constr.* abutment.
culegar *s.n. poligr.* composing stick.
culegător *s.m.* **1.** collector. **2.** *tipogr.* type-setter.
culegătorie *s.f. tipogr.* compositers' room / workshop.
culege *vt.* **1.** to gather. **2.** *(flori, texte etc.)* to cull, to pick up.
culegere *s.f.* **1.** gathering. **2.** *(de texte etc.)* collection.
cules *s.n.* harvest; *~ul viilor* vintage.
culi *s.m.* coolie.
culic *s.m. ornit.* curlew *(Numenius).*
culinar *adj.* culinary.
culion *s.n. înv., bis.* small kamelavkion.
culisa *vt. tehn.* to slide.
culisă *s.f.* side-scenes, flies; *în culise* behind the scenes.
culisor *s.n. tehn.* slide (of piece of machinery); block (sliding in guides).
culm *geol.* **I.** *adj.* culm. **II.** *subst.* culm.
culme *s.f.* **1.** summit. **2.** *fig. și* climax. **3.** *(pt. rufe)* clothes line.
culmina *vi.* to climax.
culminant *adj.* culminating.
culminare *s.f.* culmination.
culminație *s.f. astr.* culmination.
culoar *s.n.* **1.** passage. **2.** *sport* lane.
culoare *s.f.* **1.** colour. **2.** *(vopsea)* dye. **3.** *(la poker)* straight; *de ~* coloured; *la ~* to match; *culorile spectrului / curcubeului* spectral colour.
culot *s.n. tehn.* **1.** bottom, base. **2.** *el.* base, cap (of lamp, valve).
culpabil *adj.* guilty.
culpabilitate *s.f.* guilt(iness), culpability.
culpă *s.f.* guilt.
cult I. *s.n.* **1.** worship. **2.** *rel.* creed; *~ul personalității pol.* the cult of the individual. **II.** *adj.* cultured; well-read.
culteranism *s.n. lit.* Gongorism, euphuism; cultism.
cultism *s.m.* **1.** v. c u l t e r a n i s m. **2.** *lingv.* (hyper) elevated word, euphuism.
cultiva I. *vt.* **1.** to cultivate. **2.** *(pământul și)* to till. **3.** *fig. și* to favour. **II.** *vr.* to improve one's mind.
cultivabil *adj.* cultivable; *(d. pământ)* arable.
cultivare *s.f.* **1.** cultivation. **2.** *(a pământului și)* tillage.
cultivat *adj.* **1.** cultivated. **2.** *agr. și* under crop.
cultivator I. *s.m.* farmer. **II.** *s.n.* cultivator.
cultural *adj.* cultural.
culturaliza *vt.* to enlighten.
culturalizare *s.f.* dissemination of culture.
cultură *s.f.* **1.** culture. **2.** *agr. și crop.* **3.** *(de microbi)* colony; *~ generală* all-round education; general information; *~ a bumbacului* cotton growing.
cum I. *adv.* **1.** how? **2.** *(poftim?)* (I) beg your pardon? **3.** how much; *~ așa?* how is it possible? *~ de nu!* oh, yes indeed!; *~ e noul profesor?* what is the new teacher like?; *~ te cheamă? / ~ își zice?* what is your name? *~ o mai duci? cum își (mai) merge?*, how are you? *~ se face că...?* how is it that...?; *~ se spune pe englezește „munte"?* what is the English for „munte"?, și încă *~!* and how! **II.** *conj.* **1.** how. **2.** *(așa cum)* very much as. **3.** *(întrucât)* as, because. **4.** *(în timp ce)* as, while; *~ a sosit s-a și așezat la televizor* no sooner had he entered that he sat down to watch the T.V. **III.** *interj.* **1.** why! **2.** what!
cuman *s.m., adj.* Cuman(ian).
cumarină *s.f. chim.* c(o)umarin.
cumătră *s.f.* **1.** godmother, sponsor. **2.** *(țață)* gossip.
cumătru *s.m.* godfather, sponsor.
cumen *s.n. chim.* cumene.
cumetri *vr.* to become smb.'s godparent / sponsor.
cumetrie *s.f.* **1.** sponsorship; godfathership; godmothership. **2.**

baptism feast, christening dinner / party.
cumineca I. *vt.* to give smb. the eucharist. **II.** *vr.* to receive the eucharist.
cuminecare *s.f.* communion.
cuminecătură *s.f.* eucharist, the sacrament.
cuminte I. *adj.* **1.** quiet. **2.** *(ascultător)* good, obedient. **3.** *(înțelept)* wise; *(precaut)* provident. **4.** chaste. **II.** *adv.* **1.** obediently, quietly. **2.** wisely.
cuminţenie *s.f.* **1.** obedience. **2.** *(înțelepciune)* wisdom.
cuminți *vr.* to become quiet / good; to settle down.
cumis *s.n.* koumiss.
cumnat *s.m.* brother-in-law.
cumnată *s.f.* sister-in-law.
cumpănă *s.f.* **1.** balance, poise. **2.** *(de fântână)* sweep. **3.** *fig.* moderation, discretion. **4.** *(șovăială)* vacillation.
cumpăneală *s.f.* v. c u m p ă n i r e.
cumpăni *vt.* **1.** to weigh. **2.** *fig. și* to balance, to consider.
cumpănire *s.f.* **1.** balancing etc. v. c u m p ă n i. **2.** *(echilibru)* balance, equilibrium, (equi)poise.
cumpănit *adj.* well-balanced.
cumpăra I. *vt.* **1.** to buy. **2.** *(a mitui)* to bribe. **3.** *(martori)* to suborn; *a ~ în rate* to buy on the hire and purchase system. **II.** *vr.* to be bought (and sold).
cumpărare *s.f.* **1.** buying, purchasing. **2.** *(mituire)* bribing. **3.** *(a martorilor)* subornation.
cumpărător *s.m.* buyer, customer.
cumpărătură *s.f.* **1.** purchase. **2.** *pl.* *(târguieli)* shopping.
cumpăt *s.n.* balance.
cumpătare *s.f.* temperance.
cumpătat *adj.* moderate.
cumplit I. *adj.* grim, terrible. **II.** *adv.* terribly.
cumsecade I. *adj.* **1.** decent. **2.** *(d. lucruri și)* proper. **II.** *adv.* decently; properly.
cumsecădenie *s.f.* kind-heartedness.
cumul *s.n.* pluralism.
cumula *vt.* to (ac)cumulate.
cumulard *s.m.* pluralist.
cumulare *s.f.* holding more than one office etc. *v.* c u m u l a.
cumulativ *adj.* cumulative.
cumulonimbus *subst. meteo.* cumulonimbus.
cumulus *s.m.* cumulus, cloud rack.
cumva *adv.* **1.** somehow. **2.** *(poate)* perhaps, accidentally.
cuneiform *adj.* cuneiform.
cunetă *s.f.* **1.** drain (of sewer). **2.** *arh.* waterway.
cuniculicultură *s.f. zoot.* rabbit-breeding.
cunoaște I. *vt.* **1.** to know, to be acquainted with. **2.** *(bine)* to be familiar conversant with. **3.** *(a recunoaște)* to recognize. **II.** *vr.* **1.** to be acquainted. **2.** *(a se observa)* to be perceptible. **3.** *(a se bucura de)* to see; *a ~ o mare înflorire* to see great prosperity etc.; *vă cunoașteți?* have you met? *ne-am cunoscut mai demult* we've met before.
cunoaștere *s.f.* knowledge; cognition.
cunoscător I. *s.m.* connoisseur. **II.** *adj.* expert.
cunoscut I. *s.m.* acquaintance. **II.** *adj.* (well-)known; *a se face ~* to come to the fore.
cunoștință *s.f.* **1.** *(persoană)* acquaintance. **2.** *(cunoaștere)* knowledge. **3.** *fig. și* information. **4.** *(trezire)* consciousness.
cununa *vt., vr.* to wed, to marry.
cunună *s.f.* coronet, wreath.
cununie *s.f.* wedding.
cununiță *s.f.* **1.** little wreath. **2.** *bot.* haw hack meadows weet, spiraea *(Spiraea ulmifolio).*
cupajare *s.f.* blending, mixing (of wines).
cupar *s.m. ist. Moldovei* cup-bearer's assistant.
cupă *s.f.* **1.** cup. **2.** *tehn.* bucket. **3.** *(la cărți)* hearts.
cupelație *s.f. met.* cupellation, assaign (of gold etc.).
cupelă *s.f. met.* cupel.
cupeu *s.n.* **1.** *auto.* coupé. **2.** *(trăsură)* brougham.
cupid *adj.* covetous, greedy, grasping.
cupiditate *s.f.* cupidity, covertousness, greed(iness).
cupiu *s.n. fin.* banknote.
cupla *vt.* to couple.
cuplaj *s.n. tehn. etc.* coupling.
cuplare *s.f.* coupling.
cuplă *s.f. tehn.* coupling.
cuplet *s.n.* couplet.
cupletist *s.m.* lyricist, song writer.
cuplu *s.n.* couple, pair.
cupolă *s.f.* cupola.
cupon *s.n.* cupon.
cuprare *s.f.* v. a r ă m i r e.
cupresacee *s.f. pl. bot.* Cupressaceae.
cuprifer *adj. met.* copper-bearing, cupriferous.
cuprinde I. *vt.* **1.** to include. **2.** to involve. **3.** *(a conține)* to contain. **4.** *(a covârși etc.)* to overcome. **5.** *(a cuceri)* to overrun. **II.** *vr. a se ~ în* to be included in.
cuprins I. *s.n.* **1.** content(s). **2.** *(tablă de materii)* (table of) contents. **3.** *(întindere)* expanse, extent; *pe tot ~ul țării* throughout the country. **II.** *adj.* **1.** comprised, included. **2.** *fig.* seized (with remorse etc.).
cuprinzător *adj.* comprehensive.
cuprit *s.n. miner.* cuprite, red copper.
cupronichel *s.n. chim.* cupronickel.
cupru *s.n.* copper.
cuptor *s.n.* **1.** oven. **2.** *tehn.* furnace. **3.** *(de var etc.)* kiln. **4.** *fig.* heat.
cuptorar *s.m.* **1.** furnace maker. **2.** kilnman; oven(s)man; furnace feeder.
cupulă *s.f. bot.* cupule, cupula, cup.
cupulifere *s.f. pl. bot.* Cupuliferae.
curabil *adj. rar* curable (disease etc.).
curaj I. *s.n.* **1.** courage. **2.** *(tupeu)* nerve, pluck. **II.** *interj.* chin up!
curajos I. *adj.* brave. **II.** *adv.* courageously.
curant *adj. (d. doctor)* family, general practitioner, GP.
curara *s.f. chim.* curare.
curarizare *s.f. med.* curarization.
curat I. *adj.* **1.** clean. **2.** *(pur)* pure. **3.** *(îngrijit)* tidy, neat. **4.** *(d. aer)* fresh. **5.** *(cinstit)* honest. **6.** *(cast)* chaste. **II.** *adv.* **1.** neatly. **2.** *(cinstit)* honestly. **3.** *(de-a dreptul)* really.
curatelă *s.f. jur.* trusteeship, guardianship.
curativ *adj.* curative.
curator *s.m. jur.* guardian (of minor etc.), trustee (of property), curator, staff administrator.
cură *s.f.* **1.** cure. **2.** *(de slăbire)* banting, reducing.
curăța I. *vt.* **1.** to (wash) clean. **2.** *(a freca)* to scrub. **3.** *(a jupui)* to peel. **4.** *(a aranja)* to trim. **5.** *(peștele)* to gip. **6.** *(mazăre, fasole)* to shell, to pod. **7.** *fam. (a omorî)* to put the kibosh on. **8.** *(de bani)* to fleece. **II.** *vr.* **1.** to clean, to wash, to brush oneself; to trim up. **2.** *(de bani)* to be ruined.
curățat *s.n.* cleaning etc. *v.* c u r ă ț a; *trebuie să-mi dau haina la ~* I must have my coat cleaned.
curățătorie *s.f.* (dry-cleaning) laundry.
curățel *adj.* cleanish.
curățenie *s.f.* **1.** cleanliness. **2.** *(puritate)* purity. **3.** *(acțiune)* cleaning.

4. *(purgativ)* purge; ~ *generală / radicală* clean down.
curăți v. c u r ă ț a.
curățitor *adj.* cleaning; purifying.
curând *adv.* soon (afterwards); before long; *de* ~ recent(ly); *în* ~ soon.
curb *adj.* curved.
curba *vt.* to curve, to bend.
curbatură, curbătură *s.f. med.* stiffness, muscular fatigue.
curbă *s.f.* **1.** curve. **2.** *(viraj)* bend.
curbiliniu *adj.* curviliniar.
curbimetru *s.n. geogr.* curvometer.
curbură *s.f.* curvature.
curcan *s.m.* **1.** turkey (cock). **2.** *argou (polițist)* cop. **3.** *ist.* footslogger.
curcă *s.f.* turkey hen.
curcubeu *s.n.* rainbow.
curea *s.f.* **1.** belt. **2.** *(de atârnat)* strap, sling; ~ *de transmisie* driving belt.
curechi *s.n. bot. reg.* v. v a r z ă.
curelar *s.m.* strap / harness maker, leather cutter; belt maker.
curelărie *s.f.* **1.** strap maker's trade. **2.** *(ca atelier)* saddler's.
curelușă *s.f.* **1.** strap. **2.** *(lesă)* leash.
curent I. *s.m.* **1.** stream, current. **2.** *fig. și* trend. **3.** *(între ferestre etc.)* draught; ~ *continuu* direct / continuous current; ~ *electric* (electric) power; *contra ~ului* against the stream. **II.** *s.n.* **1.** current. **2.** *fig. și tendency; la* ~ posted; abreast (of the events etc.); *a fi la* ~ to be hep to smth. **III.** *adj.* **1.** current, obtaining. **2.** *(fluent)* fluent, glib. **3.** *(d. cheltuieli, apă etc.)* running. **4.** *(obișnuit și)* customary, obtaining. **5.** *(d. lună etc.)* instant. **IV.** *adv.* **1.** currently, usually. **2.** *(fluent)* fluently.
curenta I. *vt.* to shock, to produce an electrical shock in. **II.** *vr.* to get a shock.
curgător I. *adj.* **1.** running. **2.** *(fluent)* fluent, glib. **II.** *adv.* fluently.
curge *vi.* **1.** to flow, to run. **2.** *(d. un vas etc.)* to leak.
curgere *s.f.* running etc. v. c u r g e.
curie *s.f. ist., bis.* curia.
curie *s.m. chim., fiz.* curie.
curier *s.m.* **1.** messenger, courier. **2.** *(corespondență)* mail; *(la radio)* listener's letterbox.
curieterapie *s.f. med.* radiumtherapy, curietherapy.
curios I. *s.m.* busybody, Paul Pry. **II.** *adj.* **1.** curious. **2.** *(ciudat și)* odd, strange. **3.** *(băgăreț)* inquisitive. **III.** *adv.* **1.** oddly. **2.** *(băgăreț)* curiously, inquisitively.
curiozitate *s.f.* **1.** curiosity, *(exagerată)* inquisitiveness. **2.** *(obiect)* curio. **3.** *(ciudățenie și)* oddity; *de* ~ / *din* ~ out of curiosity.
curiu *s.n. chim.* curium.
curma I. *vt.* **1.** to cease, to stop. **2.** *(a întrerupe)* to break (off). **II.** *vr.* to stop, to cease.
curmal *s.m.* date tree / palm.
curmală *s.f.* date.
curmare *s.f.* interruption etc. v. c u r m a.
curmătură *s.f.* gorge, ravine.
curmei *s.n.* (piece of) rope; *(de tei)* bast / bark rope; *a lega* ~ to bind fast.
curmeziș *s.n.: în* ~ crossways; *de-a ~ul* across.
curpen *s.m.* tendril; *(lujer)* stem; *(nuia)* switch.
curs *s.n.* **1.** *univ.* course (of lectures); *(tipărit și)* textbook. **2.** *(oră)* lecture. **3.** *(de apă)* course, stream. **4.** *fig.* course, trend. **5.** *fin.* rate of exchange; ~ *de apă* water(way); *~ul pieții* market prices; ~ *seral* night school, evening classes; *~uri de partid* political training classes; *~uri postuniversitare* post-graduate courses; *în* ~ under way; *în ~ul (cu gen.)* during; *în ~ de fabricație etc.* now being manufactured etc.
cursant *s.m.* student.
cursă *s.f.* **1.** *(întrecere)* race, drive. **2.** *(drum)* run. **3.** *tehn.* run, stroke. **4.** *(tren)* local; AE way train. **5.** *(capcană)* trap; snare. **6.** *fig.* pitfall. *cursa înarmărilor* the arms drive; ~ *contra cronometru* timetrial; ~ *cu obstacole* steeple chase.
cursiv I. *s.n.* column. **II.** *adj.* **1.** fluent. **2.** *tipogr.* italic. **III.** *adv.* fluently.
cursive *s.f. pl.* italics.
cursivitate *s.f.* cursive character; fluency.
cursor *s.n.* slider; cursor.
curta *vt.* to court, to pay court to.
curtaj *s.n. ec.* broking, brokerage.
curte *s.f.* **1.** court. **2.** *(a casei și)* courtyard; *(pătrată)* quad (range). **3.** *(făcută unei femei)* court(ship); ~ *de conturi* audit office; ~ *supremă* supreme court.
curtean *s.m.* courtier.
curtenie *s.f.* v. c u r t o a z i e.
curtenitor *adj.* courteous.
curtezan *s.m.* suitor, beau.
curtezană *s.f.* courtesan.
curtier *s.m. ec.* broker.
curtină *s.f. mil.* curtain; line of trenches between two strong points.
curtoazie *s.f.* courtesy.
curuți *s.m. pl. ist.* kurutzy, (peasant) anti-Habsburg rebels.
cusătoreasă *s.f.* seamstress.
cusătură *s.f.* seam.
cuscră *s.f.* mother of a son-in-law / daughter-in-law.
cuscrie *s.f.* relationship between in-laws (the parents of the married couple).
cuscru *s.m.* in-law.
cuscută *s.f. bot.* dodder *(Cuscuta).*
custode *s.m.* custodian.
custodie *s.f.* custody.
custură *s.f.* **1.** knife blade; knife. **2.** *geogr.* indented, stony ridge; peak.
cusur *s.n.* flaw; *fără* ~ faultless.
cusurgiu I. *s.m.* fault-finder. **II.** *adj.* find-faulting; choos(e)y; fastidious.
cusut I. *s.n.* sewing. **II.** *adj.* sewn; ~ *cu ață albă fig.* clumsy, glaring.
cușac *s.n. constr.* cornerpiece.
cușcaie *s.f.* transportable slide.
cușcă *s.f.* **1.** cage. **2.** *(de câine)* kennel. **3.** *(de găini etc.)* coop. **4.** *pt. sufler etc.* (prompter's) box.
cușcuș *s.n.* kouskous.
cușer *adj. inv.* **1.** kosher. **2.** *fig.* decent, right(ful), all right, OK.
cușetă *s.f.* **1.** *c.f.* couchette, berth. **2.** *nav.* berth, bunk.
cușmă *s.f.* fur cap.
cușniță *s.f.* forge; ironsmith's ovenforge / forgeron.
cuta I. *vt.* to fold, to pleat (fabric). **II.** *vr. geogr.* to fold.
cutanat *adj. anat.* cutaneous.
cutaneu *adj. med.* cutaneous.
cutare I. *pron.* so and so. **II.** *adj.* (this or) that; such and such (a).
cutat *adj.* pleated.
cută *s.f.* **1.** fold. **2.** *(rid)* wrinkle.
cute *s.f.* hone, whet stone.
cuter *s.n. nav.* cutter.
cuteza *vt., vi.* to dare.
cutezanță *s.f.* cockiness.
cutezător *adj.* audacious, daring.
cuticulă *s.f.* cuticule, epidermis.
cutie *s.f.* box; ~ *de pălării* bandbox; ~ *de scrisori* letter box; ~ *pt. lucru de mână* housewife; ~ *poștală* postbox; *ca (scos) din* ~ out of the handbox.
cutireacție *s.f. med.* cutireaction.
cutră *s.f.* double-dealer.
cutreiera *vt.* to scour.
cutremur *s.n.* earthquake.
cutremura *vt., vr.* to shake (with fear etc.).

cutremurător *adj.* breath-taking.
cutumă *s.f.* common law.
cutumiar *adj. jur.* common / customary / unwritten law.
cuțit *s.n.* knife; *la ~e* at loggerheads.
cuțitar *s.m. fam.* throat cutter.
cuțitaș *s.n.* penknife.
cuțitărie *s.f.* **1.** cutler's (work)shop. **2.** cutlery (ware).
cuțitoaie *s.f.* drawing knife; *(a dulgherilor)* planisher.
cuțovlah *adj. s.m.* Kutso-Vlach.
cuțu *interj.* come on!
cuvă *s.f.* tub, vat.
cuvânt *s.n.* **1.** word. **2.** *(cuvântare)* speech. **3.** *(motiv)* reason, pretext. **4.** *(la ședință etc., folosit în expresii)* floor. **5.** word of honour; *cuvinte încrucișate* crossword (puzzle); *~ compus* combination, compound (word); *~ cu ~* word for word; *~ de ordine* password, watchword; *~ înainte* foreword; *~ urât* four-letter word, taboo word; *cu alte cuvinte (altfel)* to put it differently; *(deci)* therefore; *cu drept ~* for good reason (too); *în două cuvinte (concis)* in a nutshell; *pe ~(ul tău?)* honest I jun? honestly? *sub ~ că* under colour pretence of; *a cere ~ul* to ask for the floor; *a da ~ul cuiva* to give the floor to smb.; *îmi dau ~ul meu de onoare* I give you my word of honour, you have my word for it; *a se înscrie la ~* to ask for the floor; *a lua ~ul* to take the floor; *a urma la ~* to have the floor, to be the next speaker.
cuvânta *vt., vi.* to speak.
cuvântare *s.f.* speech; *(scurtă)* address.
cuvântător *adj.* speaking.
cuvelaj *s.n. min.* lining, timbering, tubbing (of mine-shaft etc.).
cuveni *vr. a se ~ să* to be fit(ting); *așa cum se cuvine* properly; as is but natural; *mi se cuvine o treime* my share is one third; *nu se cuvenea să vorbească astfel* he oughtn't to have spoken like that.
cuvenit *adj.* due, proper.
cuvertă *s.f. artă* glaze; engobe.
cuvertură *s.f.* counterpane.
cuvetă *s.f. geogr.* basin; depression; punchbowl.
cuviincios I. *adj.* **1.** civil. **2.** *(decent)* decorous. **II.** *adv.* decently.
cuviință *s.f.* decency, decorum; *după ~* as is befitting.
cuvios *adj.* pious.
cuvioșie *s.f.* piety; *cuvioșia sa* His Reverence.
cuzinet *s.m. tehn.* bush(ing).
cuzism *s.n. ist. pol.* inter-war ideologically and politically fascist trend (from its initiator A. C. Cuza, 1857-1947).
cvadragenar *s.m.* quadra-genarian.
cvadrant *s.m. mat.* quadrant.
cvadrant v. c u a d r a n t .
cvadrat *s.m. poligr.* quadrat.
cvadratură *s.f. geom.* quadrature; *cvadratura cercului* squaring of the circle.
cvadratură v. c u a d r a t u r ă .
cvadr, cvadri, cvadru- *prefix* quadr(i)-.
cvadrică v. c u a d r i c ă .
cvadrienal *adj.* quadrennial.
cvadrigă *s.f. ist. Romei* quadrigua.
cvadrimotor *s.n. av.* four-engined aircraft.
cvadripol *s.n. el.* quadripole.
cvadriremă *s.f. nav.* quadrireme.
cvadruman *adj.* quadrumanous, four-handed.
cvadruplu *adj.* quadruple, fourfold.
cvantum v. c u a n t u m .
cvartă *s.f.* **1.** *muz.* fourth. **2.** *(la scrimă)* quart.
cvartet *s.n.* quartet.
cvas *s.n.* kvass.
cvasi *adv.* quasi...
cver *s.n. poligr.* horizontal lines.
cvietism *s.n. rel.* quietism.
cvintă *s.f. muz.* fifth, quint.
cvintet *s.n.* quintet.
cvorum *s.n. jur.* quorum.

D

D, d *s.m.* D, d the sixth letter of the Romanian alphabet.

da I. *vt.* **1.** to give. **2.** to offer. **3.** *(a acorda)* to grant, to bestow (upon smb.). **4.** *(a furniza)* to supply, to afford. **5.** *(a înmâna)* to hand. **6.** *(a produce)* to yield, to produce; *a-și ~ aere* to put on airs (and graces); *a ~ afară* to drive *sau* kick out; *(a concedia)* to dismiss; to cashier; *(a vărsa)* to vomit; *a-și ~ arama pe față* to show the cloven hoof; *a ~ atenție (la)* to pay attention (to); *a-i ~ bătaie, a ~ bice cailor* to whip horses; *fig.* to step on the gas; *a ~ bir cu fugiții* to give leg bail; *a-i ~ brânci cuiva* to push, to jostle; *a ~ bună ziua (cuiva)* to say hello (to smb.); *a ~ cu arendă* to lease; *a ~ cuiva cu împrumut* to lend to smb.; *a ~ cuiva de cheltuială fam.* to thrash smb.; *a ~ de gol* to give away, to betray; *a ~ de rușine* to shame; *a ~ dreptate cuiva* to acknowledge smb.'s right; *a ~ un exemplu* to set an example; *(a cita)* to give an instance *sau* example; *a ~ formă definitivă la* to finalize; *a ~ înapoi* to restore; *fam.* to put one's foot in it; *a ~ la gunoi* to dispose of; to throw away; *a ~ la o parte* to remove; *a ~ lipsă la cântar* to give short weight; *a ~ o lovitură* to deal *sau* deliver a blow (at smb. etc.); *fig.* to hit the nail on the head; *a ~ mâna cu* to shake hands with; *îmi dă mâna* I can (well) afford it; *a ~ pace cuiva* to let smb. alone; *a ~ pinteni calului* to spur the horse; *a ~ rasol* to botch (things); *a ~ cuiva să înțeleagă* to drop a hint for smb. to understand; *dă-o dracului!* sau *naibii!* hang it!; to hell with it!; *dă-mi-l la telefon* put him on, put me through to him. **II.** *vi.* to strike, to hit; *a ~ cu banul* to spin a coin; *fig.* to pick at random; *a ~ cu ciocanul* to hammer at smth.; *a ~ cu mătura* to sweep; *a ~ cu piciorul (la)* to kick (away); *fig.* to reject; *a ~ de belea* sau *bucluc* to get into trouble; *a ~ de bine* to find a good place etc.; *a ~ de cineva* to run into smb.; *a ~ din coadă* to wag one's tail; *a-i ~ înainte* to carry on; *a ~ înapoi* to withdraw; *a ~ în bobi* to tell fortunes; *a-i ~ lacrimile* to burst into tears; *a ~ pe la cineva* to drop at smb.'s place; *a ~ cuiva peste nas* to take smb. down a peg or two; *a ~ să* to start (doing smth.); to try to; *și dă-i și dă-i* and so on and so forth. **III.** *vr.* to yield; to give in; *a se ~ cu cineva* to enter into collusion with smb.; *a se ~ de-a berbeleacul* sau *tumba* to turn somersaults; *a se ~ drept...* to pretend to be...; *a se ~ după deget* to hedge; *a se ~ în leagăn etc.* to swing; *a se ~ jos* to get off; to climb down; *a se ~ la cineva* to have at smb.; *a se ~ pe brazdă* to cast one's colt teeth; to set (to work etc.). **IV.** *adv.* **1.** yes. **2.** *interog.* really? *ba ~* oh, yes. **V.** *conj.* but.

dac *s.m., adj.* Dacian.

da capo *adv.* da capo.

dacă I. *s.f.* Dacian. **II.** *conj.* **1.** *(condițional)* if; supposing; provided (that). **2.** *(în alte propoziții și)* whether. **3.** *(când)* when; *~ cumva* should..., if by chance; *~ nu* unless; *~ s-ar întâmpla să vină* should he chance to come.

dacian *s.n. geol.* Dacian.

dacic *adj.* Dacian.

dacit *s.n. mineral.* dacite.

dacită *s.f.min.* dacite.

daco-roman *adj., s.m.* Daco-Roman.

daco-român *adj., s.m.* Daco-Romanian.

dacriocistită *s.f. med.* dacryocystitis.

dactil *s.m. stil.* dactyl.

dactilic *adj. stil.* dactylic.

dactilo- *prefix* dactylo-.

dactilografă *s.f.* typist.

dactilografia *vt.* to type.

dactilografie *s.f.* typewriting.

dactilografiere *s.f.* typing.

dactilologie *s.f.* dactylology.

dactilopter *s.n. iht.* dactylopterus, flying fish.

dactiloscopie *s.f.* fingerprint identification, dactyloscopy.

dadaism *s.n. lit.* dadaism.

dadaist *s.m. lit.* dadaist.

dadă *s.f. reg.* elder sister or woman.

dafin *s.m. bot.* daphne, laurel *(Laurel nobilis).*

dafnie *s.f. zool.* daphnia *(Daphnia, genus Cladocera).*

daghe(o)reotip *s.n. foto.* daguerreotype.

dagher(e)otipie *s.f. odin. foto.* daguerreotypy.

daiaci *s.m. pl.* D(a)yaks.

daiboji *s.n. pl. pe ~ fam., argou* at peppercorn rent.

daimyo *s.m. ist. Japoniei* daimyo, daimio.

dairea *s.f. muz.* tamburine.

dajdie *s.f. înv.* tax, fee, contribution, charge.

dakotas *subst. ist., geogr.* Dakotas.

dalac *s.n.* **1.** *med., vet.* anthrax. **2.** *bot.* herb-paris, true love *(Paris quadrifolia).*

dalai-lama *s.m.* Dalai Lama.

dalaj *s.n.* **1.** paving (with flags, slabs etc.); flagging, slabbing. **2.** flag pavement.

dală *s.f.* flagstone, slab.

dalb *adj. poetic (alb)* (lily-)white.

dalie *s.f. bot.* dahlia *(Dahlia).*

dalmat(in) *adj., s.m.* Dalmatian.

dalmatic *adj. geogr.* Dalmatian.

dalmatică *s.f. bis.* dalmatic(a).

daltă *s.f.* chisel.

daltonism *s.n.* colour blindness, daltonism.

daltonist *s.m.* colour-blind person, daltonist, daltonian.

damasc *s.n.* damask; *de ~* (of) damask.

damaschinaj *s.n. artă, tehn.* damascening.

damaschinat *adj.* damascened; inlaid.

damă *s.f.* **1.** tart; streetwalker; AE dame. **2.** *(doamnă)* lady. **3.** *(la șah și cărți)* queen. **4.** *(pl. jocul)* draughts; *~ de companie* lady companion; *~ de consumație* gaiety girl.

dambla *s.f.* **1.** palsy. **2.** *(obsesie)* fad. **3.** *(nebunie)* fit.

damblagi *vr., vi.* to palsy.

damblagiu *s.m.* **1.** *med.* apoplectic. **2.** *fig. fam.* crank.

damf *s.n. fam.* reek, smell of liquor.
damigeană *s.f.* demijohn.
damna *vt. elev. lit.* to damn, to condemn, to sentence.
damnat *s.m., adj.* damned.
damnațiune *s.f.* damnation, (everlasting) perdition / doom.
danaidă *s.f. mitol.* danaide.
dană *s.f.* berth.
danci *s.m.* gypsy child.
dancing *s.n.* dancing hall.
dandana *s.f.* **1.** hubbub. **2.** *(belea)* mess.
dandaratele *adv.* back(wards).
dandoaselea *adv. a începe ceva ~* to start smth. at the wrong end; *a îmbrăca ~* to put on awry.
dandy *s.m.* dandy, *fam.* (dressed up) swell, masher.
danez I. *s.m.* Dane. **II.** adj. Danish.
daneză *s.f.* Danish (woman).
dang *interj.* ding (dong).
danga *s.f.* brand; ear mark.
dangăt *s.n.* toll.
danian, -ă *subst., adj. geol.* Danian.
danie *s.f.* **1.** present, gift. **2.** legacy, bequest. **3.** donation.
dans *s.n.* dance.
dansa *vt., vi.* to dance.
dansant *adj.* dancing.
dansatoare *s.f.* **1.** dancer; figurante. **2.** *(de varieteu)* chorus *sau* pepsy girl.
dansator *s.m.* **1.** dancer. **2.** *(balerin)* (ballet) dancer, figurant.
dantela *vt.* to lace.
dantelare *s.f.* lacing.
dantelat *adj.* indented.
dantelă *s.f.* **1.** lace. **2.** *(lucrătură)* fancy work. **3.** *fig.* tracery.
dantelărie *s.f.* lace.
dantesc *adj.* Dantesque.
dantură *s.f.* teeth; *~ falsă* store teeth.
danubian *adj.* Danubian.
danufil *s.n. text.* cellulose fiber used in the manufacture of paper, textiles and explosives.
daoism *s.n. rel.* Taoism.
dar I. *s.n.* **1.** gift; *(cadou și)* present. **2.** *(obicei)* habit. **II.** *adv.* therefore, then. **III.** *conj.* **1.** but. **2.** *(pe când)* while. **3.** *(și totuși)* (and) yet; *~ mi-te* let alone.
dara *s.f.* tare.
darabană *s.f.* drum; *a bate darabana cu degetele pe masă* to drum one's fingers on the table.
darac *s.n.* carding comb.
daraveră *s.f.* **1.** business. **2.** affair, matter. **3.** *fam.* mess, scrape.
dară *conj., adv.* v. d a r II., III.
darămite *adv.* more than that, besides, in addition; to say nothing of..., let alone...
dardă *s.f. mil.* dart.
dare *s.f.* tax; *~ de mână* wealth; easy circumstances; *~ de seamă* report, account; *(financiară)* statement .
darie *s.f. bot.* lousewort (*Pedicularis campestris).*
darnic *adj.* liberal, generous.
darvinism *s.n.* Darwinism.
darvinist I. *adj.* Darwinian. **II.** *s.m.* Darwinist.
dascăl *s.m.* **1.** teacher; schoolmaster. **2.** *rel.* psalm reader.
dat I. *s.n.* **1.** custom, habit. **2.** destiny. **3.** *(element)* donnée, datum. **II.** *adj.* given; *~ fiind că* as; considering; *~ uitării* forgotten.
data *vt., vi.* to date.
datare *s.f.* dating.
datat *adj.* **1.** dated. **2.** *fig. și* superannuated, mouldy.
dată *s.f.* **1.** date; day. **2.** *(oară)* time. **3.** *(în știință)* datum, donnée. **4.** *pl.* data; *pe ~* immediately; *o (singură) ~* (just) once; *o ~ cu capul* not for the life of me.
datină *s.f.* custom, tradition.
dativ *s.n.* dative.
dator *adj.* in debt.
datora, datori I. *vt.* to owe. **II.** *vr. a se ~* to be due (to smb. etc.).
datorat *adj.* **1.** owed. **2.** due.
datori *vb.* v. d a t o r a.
datorie *s.f.* **1.** debt. **2.** *fig.* duty. **3.** *(credit)* credit, tie; *la ~* on duty.
datorită *prep.* **1.** *(din cauza)* because of, owing to. **2.** *(mulțumită)* thanks to.
datornic *s.m.* debtor.
daună *s.f.* **1.** damage. **2.** *fig.* detriment. **3.** *(plată)* damages, compensation.
dava *s.f. ist.* Dacian toponymic for citadel, fortress.
dădacă *s.f.* (dry) nurse.
dădăceală *s.f. peior.* lecturing, pestering, nagging.
dădăci *vt.* **1.** to nurse. **2.** *fig.* to nag.
dăinui *vi.* to last.
dăinuitor *adj.* enduring, (ever)lasting.
dălțiță *s.f.* (small) joiner's chisel.
dălțui *vt.* to chisel.
dălțuire *s.f.* chiselling etc. v. d ă l t u i.
dălțuitor *s.m.* engraver; carver.
dălțuitură *s.f. înv.* chisel trace; carving.
dăngăni *vi.* to ring, to chime, to knell.
dănțui *vi. pop.* to dance about; to move in a lively way (up and down).
dănțuitor *s.m. înv. rar* dancer.
dărăci *vt.* to card.
dărăcire *s.f.*, **dărăcit** *s.n. text.* carding, combing.
dărăcitor *s.m. text.* comber, carder.
dărăpăna *vr.* to deteriorate, to dilapidate, to get shattered.
dărăpănare *s.f.* deterioration, dilapidation, decay, ruin.
dărăpănat *adj.* ramshackle, dilapidated.
dărăpănătură *s.f.* ramshackle / tumble-down / ruinous old house.
dărâma *vt.* **1.** to demolish. **2.** *fig.* to crush. **3.** *(a distruge)* to destroy.
dărâmare *s.f.* demolition.
dărâmat *adj.* **1.** demolished. **2.** *(dărăpănat)* dilapidated. **3.** *fig.* in a frazzle; off-colour.
dărâmătură *s.f.* **1.** ruin. **2.** *pl.* débris.
dărnicie *s.f.* generosity.
dărui *vt.* to give (smth. as a present), to present (smb. with smth.).
dăruire *s.f.* offering; *~ de sine* abnegation.
dăruit *adj.* gifted.
dăscăleală *s.f.* teasing, nagging; lecturing.
dăscălesc *adj.* school..., teacher's...; *peior.* narrow-minded, humdrum..., pedantic.
dăscălește *adv. pop.* **1.** like a teacher, didactically. **2.** like a psalm-reader / church-singer.
dăscăli *vt.* **1.** to teach. **2.** *fig.* to lecture.
dăscălie *s.f. pop. rar* **1.** teaching, (school-)teacher's profession. **2.** (piece of) advice; remonstration, reproof.
dăscălime *s.f.* **1.** *(corp profesoral)* teaching staff; *univ.* professorate. **2.** *(profesorii în genere)* teachers. **3.** *(dascăli)* (psalm) readers.
dăscălire *s.f.* teaching etc. v. d ă s - c ă l i.
dăscăliță *s.f.* **1.** (woman) teacher, *fam.* schoolmarm. **2.** (psalm) reader's wife.
dătător I. *s.m.* giver. **II.** *adj.* giving.
dăuna *vi. a ~ cuiva* to harm, to be injurious (to smb.).
dăunător I. *s.m.* pest. **II.** *adj.* injurious (to smb.'s health etc.), deleterious; *caracter ~* harmfulness; (ob)noxiousness.
dâmb *s.n.* hillock.
dânsa *pron.* she.
dânsele *pron.* they.
dânsul *pron.* he.
dânșii *pron.* they.
dâră *s.f.* **1.** trail, wake. **2.** *(urmă)* trace.
dârdâi *vi.* to shiver.
dârdâială *s.f.* trembling.

dârdoră *s.f.* **1.** *(zel)* eagerness, ardour, fervour. **2.** *(toi)* heat; *(al luptei)* brunt.
dârloagă *s.f.* worn-out / broken down hack, jade, old crock, knacker; *a ajunge slugă la ~* to be ordered about by a worthless fellow.
dârlog *s.m.* (bridle) rein.
dârmon *s.n.* riddle, screen; *a trece prin ciur / sită și ~* to have been through the mill; to know a thing or two, to be up to a thing or two.
dârmotin *s.m. bot.* thorny rest harrow *(Ononis spinosa).*
dârmoz *s.m. bot.* wayfaring tree *(Viburnum lantana).*
dârstă *s.f.* fulling mill.
dârvală *s.f.* toil; *de ~* rough and tumble.
dârz *adj.* **1.** firm, stiff. **2.** *(încăpățânat)* obdurate. **3.** *(îndrăzneț)* bold.
dârzenie *s.f.* **1.** staunchness. **2.** *(fermitate)* firmness. **3.** *(încăpățânare)* obstinacy. **4.** *(îndrăzneală)* daring.
de I. *adv.* *~ prost ce sunt (i l-am dat)* foolish as I am (I gave it to him). **II.** *prep.* **1.** of. **2.** *(despre)* about, of, on. **3.** *(de la)* from. **4.** *(în timp)* for. **5.** *(lipit ~)* against. **6.** *(din pricina)* out of, for, from; *~ aceea* that is why; *~ acum* / sau *~ azi înainte* from now on; *~-al dracului* out of sheer spite; *~ atunci* since (then); *~ azi într-o lună* today month; *~ ce?* why?; *~ când?* how long?, since when?; *~ curând* recently; *~ față* present; *~ formă* perfunctorily; *~ închiriat* to let; *~ la* from; *(static)* of; at; in; *(dinamic)* from; *(temporal)* since; *~ la o vreme* after a time; *(de curând)* for some time past; *~ loc* not at all; *~ milă* out of pity; *~ mult* long ago; *~ pe (arătând desprinderea)* off; *(static)* on; *~ vină* guilty, to blame. **III.** *conj.* if. **IV.** *interj.* well!
de-a binelea *adv.* thoroughly, clean; indeed.
de-a bușilea *adv.* on all fours.
de-a curmezișul *adv., prep.* across.
de-a dreptul *adv.* directly.
deadweight *s.n. nav.* deadweight.
deal *s.n.* hill; *la ~* up hill.
de-a lungul *adv.* lengthways.
deambulatoriu *s.n. arh., bis.* ambulatory.
de-a pururea *adv.* for ever.
de asemenea, de asemeni *adv.* also; *(în poziție finală)* as well, too.
deasupra I. *adv.* **1.** above. **2.** *(peste)* over; *pe ~* moreover. **II.** *prep.* **1.** above. **2.** *(peste)* over.
de-a surda *adv.* in vain, to no end.
de-a valma *adv.* pell-mell.
debandadă *s.f.* disorder.
debara *s.f.* lumber box / room.
debarasa I. *vt.* to relieve. **II.** *vr.* *(de)* to get rid (of).
debarca I. *vt.* **1.** to disembark. **2.** *fig.* to overthrow. **II.** *vi.* to land.
debarcader *s.n.* **1.** landing place. **2.** *(chei)* pier, jetty.
debarcare *s.f.* landing, disembarkment.
debavura *vt. met.* to (clean of) burr; to trim up.
debil I. *s.m.* *~ mintal* non compos mentis. **II.** *adj.* feeble, weakly.
debilita I. *vt.* to debilitate. **II.** *vr.* to grow weak.
debilitate *s.f.* debility.
debit *s.n.* **1.** *(de tutun)* tobacconist's. **2.** *(chioșc)* news stand. **3.** *fin.* debit. **4.** *(de apă)* flow. **5.** *fig.* gabbling; *~ de băuturi spirtoase înv.* licensed spirits shop.
debita *vt.* **1.** to sell, to put out. **2.** *fig.* *(a spune)* to speak, to say.
debitant *s.m.* tobacconist; news agent.
debitare *s.f.* debiting etc. v. d e b i t a.
debiteză *s.f. ind.* glass-drawing machine.
debitmetru *s.n. tehn.* flow-meter.
debitor I. *s.m.* debtor. **II.** *adj.* debit.
debleiere *s.f. constr.* **1.** excavation, trenching. **2.** clearing (away), removal (of excavated material).
debleu *s.n. constr.* excavation, cut(ting).
debloca *vt.* **1.** to relieve. **2.** *(a concedia)* to discharge.
deblocare *s.f.* clearing (away) etc. v. d e b l o c a.
deborda *vi.* **1.** to overflow. **2.** *(a vărsa)* to vomit. **3.** *(fig.)* to gush; *a ~ de bucurie* to exult.
debordant *adj.* overflowing, gushing.
debreia *vi. tehn.* to declutch.
deburbaj *s.n. ind. alim.* settling; decanting (of wine).
deburbare *s.f. ind. alim.* v. d e b u r b a j.
debușeu *s.n.* outlet.
debut *s.n.* début; *de ~* maiden...
debuta *vi.* to make one's début.
debutant *s.m.* débutant.
debutantă *s.f.* débutante.
debye *s.m. fiz.* Debye.
deca- *prefix* deca-, dec-.
decadă *s.f.* ten days.
decadent *s.m., adj.* decadent.
decadentism *s.n.* decadentism.
decadență *s.f.* decline, decadence.
decaedru *s.n. geom.* decahedron.
decafeiniza *vt.* to decaffeinate, to decaffeinize.
decagon *s.n. geom.* decagon, ten-sided figure.
decagonal *adj. geom.* decagonal.
decagram *s.n.* decagram(me).
decala *vt. tehn.* **1.** to unwedge, to unkey (wheel). **2.** to set off (part of machine etc.). **3.** to shift the zero of (an instrument); *el.* to displace, to shift (brushes).
decalaj *s.n.* **1.** disparity. **2.** *(rămânere în urmă)* lag(ging) behind, gap. **3.** *(avans)* lead, advance.
decalc *s.n.* **1.** transfer(ring), tracing off. **2.** transfer, tracing off.
decalca *vt.* **1.** to transfer (design, picture). **2.** to trace (off).
decalcifiant *s.m. med.* decalcifying, causing decalcification.
decalcifi(c)a I. *vt.* to decalcify. **II.** *vr.* to become decalcified.
decalcificare *s.f. med., geol.* decalcification (of bones, rock).
decalcifiere *s.f.* v. d e c a l c i f i c a r e.
decalcomanie *s.f. artă* decalcomania; transfer (process or picture).
decalitru *s.m.* decalitre.
decalog *s.n.* decalogue.
decametru *s.m.* decametre.
decan *s.m.* **1.** dean. **2.** *(de vârstă etc.)* doyen.
decanat *s.n.* dean's office.
decanta *vt.* to decant.
decantare *s.f.* decantation.
decantor *s.n.* decantation apparatus.
decapa *vt.* **1.** *met.* to scale, to pickle. **2.** *constr.* to level.
decapant *s.n. met.* pickle; *ind. pielăriei* caustic, mordant; disinfectant; stain.
decapita *vt.* to behead.
decapitare *s.f.* beheading, decapitation.
decapode *s.n. pl. zool.* decapoda.
decapotabil *adj.* convertible.
decapsula *vt.* **1.** to open (a bottle); to take off a crown-cork. **2.** *med.* to decapsulate.
decapsulator *s.n.* bottle-opener.
decar *s.m.* *(la cărți)* ten.
decarboxilaze *s.f. biochim.* decarboxylase.
decarbura *vt.* to decarburize.
decarburare *s.f. met.* decarburization, decarbonization.
decasilab *s.m. stil.* decasyllabic verse.
decasilabic *adj. stil.* decasyllabic.
decaster *s.m.* decastere.
decastil *s.n. arh.* decastyle.
decata *vt. text.* to sponge, to steam; to take the gloss, the finish (of cloth).

decatlon *s.n. sport* decathlon.
decatlonist *s.m. sport* decathlon athlete.
decatron *s.n. tehn., cib.* Dekatron.
decava I. *vt.* to clean out. **II.** *vr.* to spend *sau* lose everything.
decavat *adj. fam.* cleaned out, drained, in low water.
decădea *vi.* **1.** to decline. **2.** to deteriorate. **3.** *(a scăpăta)* to go down (in the world).
decădere *s.f.* **1.** decline. **2.** *(degradare)* debasement.
decăzut *adj.* low down.
decât I. *adv. n-ai ~* suit yourself; (do) as you please. **II.** *prep.* **1.** than. **2.** *(în afară de)* but. **III.** *conj.* (rather) than.
deceda *vi.* to pass away.
decedat *adj., s.m.* deceased, defunct.
decela *vt. elev.* **1.** to reveal, to discern, to detect, to uncover. **2.** to detect, to find out.
decelabil *adj.* perceptible, detectable; discernible.
decelerație *s.f.* deceleration.
decembrie *s.m.* December.
decembrist *s.m.* Decembrist.
decemvir *s.m. ist. Romei* decemvir.
decenal *adj.* decennial.
deceniu *s.n.* decade; *~l al 7-lea* the sixties.
decent I. *adj.* decorous. **II.** *adv.* decorously.
decență *s.f.* decorum, propriety.
decepție *s.f.* disappointment.
decepționa *vt.* to let down, to disappoint.
decepționat *adj.* disappointed.
decerebrare *s.f. med.* decerebration.
decerna *vt.* to award; *a ~ un titlu cuiva* to confer a title upon smb.
decernare *s.f.* award(ing).
deces *s.n.* demise.
deci *conj.* therefore.
deci- *prefix.* deci-.
decibel *s.m.* decibel.
decibelmetru *s.n. fiz.* decibelmeter; V.U.-meter.
decide I. *vt.* **1.** to resolve. **2.** *(a stabili)* to fix. **3.** *(a convinge)* to persuade. **II.** *vi., vr.* to make up one's mind.
decigram *s.n.* decigram.
decilitru *s.m.* decilitre.
decima *vt.* to decimate.
decimal *adj.* decimal.
decimare *s.f.* decimation.
decimă *s.f. muz.* tenth.
decimetru *s.m.* decimetre.
decis *adj.* resolute, resolved.
decisiv *adj.* decisive, crucial.
decizie *s.f.* **1.** decision. **2.** *jur.* verdict; AE *și* award.
declama *vt., vi.* to recite.
declamator I. *adj.* declamatory, rhetorical. **II.** *s.m.* reciter, *peior.* spouter.
declamație *s.f.* declamation.
declanșa *vt.* **1.** to unleash. **2.** *tehn.* to release.
declanșare *s.f.* release, starting etc. v. d e c l a n ș a.
declara *vt.* **1.** to declare, to state. **2.** *(impozite etc.)* to enter. **3.** *jur.* to pronounce. **II.** *vr.* to declare (oneself).
declarat *adj.* avowed.
declarativ I. *adj.* declarative. **II.** *adv.* declaratively.
declarativ *adj.* **1.** *jur.* declarative. **2.** declamatory.
declarație *s.f.* **1.** declaration; statement. **2.** *jur. și* affidavit; *~ de impunere* tax returns; *~ falsă* perjury.
declasa *vt.* **1.** to lower the social position of. **2.** *sport* to penalize.
declasat *s.m., adj.* déclassé.
declasată *s.f., adj.* déclassée.
declic *s.n. tehn.* releasing gear / mechanism.
declin *s.n.* decline; *în ~* on the wane.
declina I. *vt.* to decline. **II.** *vr.* to be declined.
declinabil *adj. gram.* declinable.
declinare *s.f. gram.* declension.
declinatoriu *adj. jur.* declinatory (plea, motion etc.).
declinație *s.f. astr., fiz.* declination.
declinometru *s.n. el., fiz.* declinometer.
declivitate *s.f.* declivity; slope, fall.
decoct *s.n. farm.* decoction.
decocție *s.f.* decoction.
decoda, decodifica *vt.* to decode.
decodaj *s.n. telec., cib.* decoding.
decofra *vt. constr.* to strike.
decola *vt.* to take off.
decolare *s.f.* take-off.
decoletare *s.f. agr.* cutting of the tops (of beet and other root crops).
decolonizare *s.f.* decolonization.
decolora I. *vt.* **1.** to discolour. **2.** *(a albi)* to bleach. **II.** *vr.* to lose colour.
decolorant I. *adj.* decolo(u)rizing; bleaching. **II.** *s.m.* decolo(u)rant; bleaching agent.
decolorare *s.f.* **1.** discolo(u)ring, *tehn.* decolo(u)r(iz)ation, bleaching. **2.** change / loss of colour. **3.** *(paliditate)* pallor, paleness.
decolorat *adj.* off-colour.
decolta *vt.* to cut the neck of a dress.
decoltat *adj.* **1.** *(d. rochii etc.)* low-necked, low-cut. **2.** *(d. femei)* bare-shouldered. **3.** *fig.* high-kilted, blue.
decolteu *s.n.* low-cut neck, décolletage.
decompensa *vt. med.* to decompensate.
decompensare *s.f. med.* decompensation.
decompoziție *s.f.* (analysis of) decomposition.
decompresiune *s.f. fiz.* decompression.
decomprima *vt. fiz.* to decompress.
decomprimare *s.f. fiz.* decompression.
deconcerta *vt.* to disconcert, to put out of countenance.
deconcertant *adj.* disconcerting.
deconcertat *adj.* out of countenance, disconcerted, confused, abashed.
deconecta *vt. tehn.* to disconnect.
deconectant *s.n., adj.* **1.** relaxing (muscles, mind etc.). **2.** *fig.* diverting.
decongela *vt.* to thaw.
decongelare *s.f.* defreezing, thawing (of frozen meat etc.).
decont *s.n.* deduction.
deconta *vt. fin.* to discount.
decontamina *vt.* to decontaminate.
decontaminare *s.f.* decontamination.
decontare *s.f.* discount.
decor *s.n.* **1.** sets; décor. **2.** *(și natural)* scenery. **3.** *fig.* milieu. **4.** *fig. (fațadă)* pretence.
decora *vt.* to decorate.
decorare *s.f.* decoration.
decorativ *adj.* decorative.
decorator I. *s.m.* decorator. **II.** *adj. pictor ~* stage designer.
decorație *s.f.* decoration.
decortica *vt.* to decorticate; *(orez, orz)* to hull, to husk.
decorticare *s.f.* **1.** decortication, husking (of barley, rice etc.); **2.** *med.* decortication.
decorticator *s.n.* decorticator (machine).
decovil *s.n.* mountain railway.
decrement *s.n. fiz.* decrement.
decrepit *adj. livr.* decrepit, senile; decayed, declining.
decrepita I. *vt.* to bring to decay / decline. **II.** *vi.* decrepitate.
decrepitare *s.f. chim.* decrepitation.
decrepitudine *s.f.* decrepitude, decrepitness, senility, dotage, senile decay.

decrescendo *s.n., adj., adv. muz. etc.* decrescendo; diminuendo.
decret *s.n.* decree.
decreta *vt.* to decree.
decroșa *tehn.* **I.** *vt.* to unhook. **II.** *vr.* to fall out of step.
decroșare *s.f. geol.* **1.** unhooking, taking down. **2.** transverse fault.
decubit *s.n. med.* decubitus.
decupa *vt.* to cut up.
decupaj *s.n.* **1.** cutting up (of paper). **2.** *cin.* shooting / director's script.
decupla **I.** *vt.* *(vagoane etc.)* to uncouple; *telec.* to decouple. **II.** *vr. pas.* to be uncoupled *sau* decoupled.
decuplare *s.f.* uncoupling; decoupling.
decurge *vi.* **1.** to devolve. **2.** *(a se desfășura)* to unfold.
decurie *s.f. ist.* decury, decuria.
decurion *s.m. ist.* decurion.
decurs *s.n.* course, lapse.
decusație *s.f. anat.* decussation.
decuscuta *vt. agr.* to remove dodder from (crop).
decuscutator *s.n.* instrument for removing dodder.
decuvaj *s.n.* tunning, racking (of wine).
deda *vr.* to devote oneself; *a se ~ la băutură etc.* to indulge in drink(ing) etc.
dedesubt **I.** *s.n.* **1.** bottom. **2.** *pl. fig.* secrets. **II.** *adv.* below.
dedesubtul *prep.* under.
dedețel *s.m. pl. bot.* pasque flower *(Anemone pulsatilla).*
dedica **I.** *vt.* to dedicate. **II.** *vr.* to devote oneself.
dedicatoriu *adj.* dedicatory.
dedicație *s.f.* dedication.
dedițel *s.m. bot.* pasque flower (Anemone pulsatilla).
de doi *subst.* (tune of) Romanian folk dance performed by couples (in a quick binary rhythm).
dedubla *vr.* to be divided.
dedublare *s.f.* division; *~a personalității* dual personality.
deduce *vt.* **1.** to infer. **2.** *(a scădea)* to deduct.
deducere *s.f.* deduction.
deductiv *adj.* deductive.
deducție *s.f.* deduction.
dedulci *vr. fam.* to indulge (in), to get used to something pleasant.
deduriza *vt.* to remove calcium and magnesium salts from water by thermal or chemical means; *(d. apă)* soften.
dedurizare *s.f.* thermal or chemical process of removing calcium and magnesium salts from water; *(d. apă)* softening.
dedus *adj.* inferred; deduced from evidence.
defalca *vt.* to separate; *(dintr-un întreg)* to deduct; *(un teren etc.)* to parcel (out).
defalcare *s.f.* deduction etc. v. d e f a l c a.
defavoare *s.f.* detriment.
defavorabil *adj.* **1.** unpropitious. **2.** *(dăunător)* detrimental.
defavoriza *vt.* to disfavour, to wrong, to be unfair / unjust to (smb.); to handicap (smb.).
defaza *vt. fiz.* to dephase; to displace phase of; to induce a dephasing / a difference in phase of, to phase-shift.
defazaj *s.n. tehn.* phase difference.
defazor *s.n. fiz.* phase-shifter / converter.
defăima *vt.* to libel.
defăimare *s.f.* defamation.
defăimător **I.** *s.m.* slanderer. **II.** *adj.* defamatory.
defeca *vt.* **1.** *chim. etc. (a limpezi)* to defecate, to clarify. **2.** *fiziol.* to evacuate.
defecant *s.m. chim.* defecating / clarifying agent.
defecație *s.f.* **1.** *fiziol.* defecation. **2.** *chim.* defecation, clarification.
defect **I.** *s.n.* **1.** flaw. **2.** *(deficiență)* deficiency; short-coming. **3.** *tehn. și fault; ~ fizic* infirmity. **II.** *adj.* in bad repair, out of order.
defecta **I.** *vt.* to spoil. **II.** *vr.* to go out of order, to go wrong.
defectiv *adj. gram. etc.* defective.
defectologie *s.f.* defectology.
defectoscop *s.n.* fault detector.
defectoscopie *s.f.* defectoscopy.
defectuos **I.** *adj.* deficient, faulty. **II.** *adv.* badly, defectively.
defectuozitate *s.f.* **1.** defectiveness, faultiness. **2.** imperfection.
defecțiune *s.f.* **1.** desertion. **2.** *fam.* flaw.
defensă *s.f. zool. rar* tusk (of an elephant).
defensiv *adj.* defensive.
defensivă *s.f.* defensive.
deferent *adj.* deferential, respectful, dutiful.
deferență *s.f.* respect.
deferi *vt.* to refer.
deferiza *vt. chim.* to deferrize.
defertiliza **I.** *vt.* to render barren, to make (land) (becoming) unproductive, to unfertilize. **II.** *vr.* to grow / to become barren.
defertilizare *s.f.* the process of making (land) (to become) unproductive.
defervescență *s.f. med.* defervescence.
defetism *s.n.* defeatism.
defetist **I.** *adj.* defeatist, pessimistic. **II.** *s.m.* defeatist, *fam.* scuttler.
defibra *vt. (alcaliceluloza)* to scutch; *(lemnul)* to grind; *(trestia de zahăr)* to disintegrate.
defibrare *s.f. ind. text.* defibration, defiber(iz)ation.
defibrator *s.n.* scutching machine; *(al lemnului)* continual grinder.
deficient *adj.* deficient.
deficiență *s.f.* shortcoming, deficiency.
deficit *s.n.* deficit.
deficitar *adj.* **1.** scanty, poor. **2.** *fin.* in a deficit; *a fi ~* to show a deficit.
defila *vi.* to parade, to march past.
defilare *s.f.* parade.
defileu *s.n.* narrow path.
defini *vt.* to define.
definire *s.f.* defining etc. v. d e f i n i.
definit *adj.* definite.
definitiv **I.** *adj.* **1.** definitive, final. **2.** irrevocable, irreversible. **3.** incontestable, irrefutable. **4.** conclusive; *în ~* after all. **II.** *adv.* **1.** for good and all. **2.** incontestably, irrefutably. **3.** conclusively, finally. **4.** irrevocably, irreversibly.
definitiva *vt.* **1.** to finalize. **2.** *(în slujbă)* to appoint permanently.
definitivare *s.f.* finishing off, definitization; finishing/final touches.
definitivat *s.n. (învățământ)* tenure.
definitoriu *adj.* defining.
definiție *s.f.* definition.
deflagrant *adj.* deflagrating.
deflagrație *s.f.* deflagration, combustion.
deflație *s.f. ec.* deflation (of currency).
deflector *s.n. tehn.* deflector, baffle plate.
deflegma *vt. chim., fiz.* to dephlegmate, to rectify.
deflegmare *s.f. chim., fiz.* dephlegmation, rectification.
deflegmator *s.n. chim., fiz.* dephlegmator, rectification.
deflexiune *s.f.* deflection.
deflocula *vt. chim., fiz.* deflocculate.
defloculare *s.f. chim., fiz.* deflocculation.
deflora *vt.* to deflower.
defolia *vt.* to defoliate (a shrub, a tree).
defoliație *s.f.* defoliation; fall of the leaves.

deforma I. *vt.* **1.** to deform. **2.** *fig.* to distort. **II.** *vr.* to be(come) deformed.
deformabil *adj.* deformable, that can be put out of shape, distorted.
deformant *adj.* deforming, distorting.
deformare, deformație *s.f.* deformation.
defosfora *vt. met.* to dephosphorize.
defrauda *vr.* to embezzle.
defraudator *s.m.* defrauder, embezzler, defaulter; *jur.* peculator.
defrișa *vt.* to clear.
defrișare *s.f. agr.* clearing, grubbing, reclamation.
defunct *s.m., adj.* defunct, late.
degaja I. *vt.* **1.** to emit, to give off. **2.** *(a curăța)* to clear (up.) **3.** *sport* to clear. **II.** *vr.* **1.** to get rid (of smth.). **2.** to come out *sau* off.
degajament *s.n. teatru* exit; room / space provided in the back and sides of the stage, where the stage settings are stored.
degajare *s.f.* **1.** escape. **2.** *fig.* casualness.
degajat I. *adj.* **1.** free (and easy). **2.** *fig.* casual. **II.** *adv.* casually.
degaza *vt. chim.* to degas(ify).
degazare *s.f.* gas removal, degasing.
degazator *s.m. ind.* gas remover, extractor.
degazifica *vt.* to degasify.
degazolina *vt. ind. petr.* to extract crude oil (from natural gas); to strip.
degazolinare *s.f. ind. petrolieră* extraction of crude oil (from natural gas); stripping.
degazor *s.n.* gas remover / extractor.
degeaba *adv.* **1.** gratis, for love. **2.** *(inutil)* vainly; for no reason; *pe ~* for a mere song.
degenera *vi.* to degenerate.
degenerare *s.f.* degeneration.
degenerat *s.m., adj.* degenerate.
degenerescență *s.f.* **1.** *biol.* degenerescence. **2.** *mat., fiz.* the existence of more than one proper function corresponding to a single proper value of an operator.
degera *vi.* **1.** to be benumbed. **2.** *fig.* to tremble with cold, to freeze.
degerat *adj.* benumbed, frozen.
degerătură *s.f.* chilblain.
degermina *vt.* to degerm(inate).
degerminare *s.f.* degerming, degermination.
deget *s.n.* **1.** finger. **2.** *(de la picior)* toe. **3.** *(măsură)* inch; *~ arătător* forefinger; *~ inelar* ring finger; *~ mijlociu* middle finger; *~ mare* thumb; *~ mic* little finger.
degetar *s.n.* **1.** thimble. **2.** *bot.* fox glove *(Digitalis).*
degetariță *s.f. bot.* **1.** v. d e g e t a r. **2.** *fam.* v. d e g e ț e l r o ș u.
degetăruș *s.m. bot.* soldanella *(Soldanella).*
degețel roșu *s.n. bot.* dead men's bells, lady's glove *(Digitalis purpurea).*
deghiza *vt., vr.* to disguise.
deghizare *s.f.* **1.** disguise. **2.** *teatru* make-up.
degivra *vt.* to deice; to defrost.
degivror *s.n.* deicer, deicing / defrosting device.
deglutiție *s.f.* deglutition.
degoma *vt. text.* to ungum, to unstick; to boil off (raw silk).
degomare *s.f. text.* boiling off (of raw silk).
degrabă *adv.* quickly; soon; *mai ~* rather; for a change.
degrada *vt., vr.* to degrade (oneself).
degradant *adj.* debasing.
degradare *s.f.* degradation.
degradator *s.m. foto.* vignetter.
degras *s.n. ind. pielăriei* degras, dubbin(g).
degresa *vt. (a curăța)* to clean; *(pielea etc.)* to degrease, to defat.
degresaj *s.n.* **1.** degreasing (of leather). **2.** scouring (of wool). **3.** skimming (of soup). **4.** dry-cleaning (of clothes).
degresant *s.m.* degreasing substance.
degresiv *adj.* degressive, decreasing; windling; diminishing.
degreva *vt.* to relieve.
degrevant *adj.* tax-relieving.
degrevare *s.f.* reduction, abatement (of a tax etc.).
degringoladă *s.f. elev.* **1.** down fall, troublesome, collapse. **2.** *fig.* (gradual) decline, decay.
degrosisor *s.n. tehn.* gravel filter plant.
degroșa *vt.* to give a rough / preliminary dressing to (smth.).
degroșare *s.f.* **1.** *tehn.* roughing. **2.** *met.* cogging, gauge reduction.
degusta *vt.* to taste.
degustație *s.f.* tasting (of wine etc.).
degustător *s.m.* taster (of wine etc.).
dehidrogena *vt. chim.* to dehydrogenate.
dehidrogenaze *s.f. pl. biochim.* dehydrogenases.
dehiscent *adj. bot.* dehiscent.
dehiscență *s.f. bot.* dehiscence.
deictic *adj. lingv.* deictic.
deifica *vt.* **1.** to deify. **2.** *fig.* to idolize, to make an idol of, to worship.
deificare *s.f.* deification.
deism *s.n. filoz.* deism.
deist *s.m. filoz.* deist.
deistic *adj. filoz.* deistic(al).
deîmpărțit *s.m. mat.* dividend.
deînmulțit *s.m. mat.* multiplicand.
deja *adv.* already.
dejalenă *s.f. text.* fine poplin.
dejecție *s.f. med.* dejection, evacuation.
dejojare *s.f. av.* (about floats of seaplane) lifting from water.
dejuca *vt.* to thwart.
dejucare *s.f.* **1.** frustration; defeat, discomfiture, baffling etc.
dejuga *vt.* to unyoke.
dejun *s.n.* lunch (time); *micul ~* breakfast.
dejuna *vi.* **1.** to lunch. **2.** *(dimineața)* to breakfast.
dejurnă *adj.* on duty.
de la *prep.* v. d e.
delapida *vt.* to embezzle.
delapidare *s.f.* defalcation.
delapidator *s.m.* peculator.
delator *s.m.* informer.
delațiune *s.f.* delation, denouncement.
delăsa *vr.* to neglect one's duties.
delăsare *s.f.* neglect.
delco *s.n. auto.* (ignition) distributor.
deleatur *s.n. poligr.* delete (mark).
delecta I. *vt.* to delight. **II.** *vr.* to indulge (in a pleasure).
delectare *s.f.* delight; pleasure, enjoyment; diversion, entertainment, amusement, fun.
delega *vt.* to commission.
delegare *s.f.* delegation.
delegat *s.m.* delegate.
delegație *s.f.* **1.** deputation. **2.** *(echipă)* contingent. **3.** *(autorizație)* mandate.
delfin *s.m.* dolphin.
delibașă *s.m. ist. Franței* commander of the ruler's guard *(delii).*
delibera *vi.* to deliberate.
deliberant *adj.* deliberating, deliberative.
deliberare *s.f.* consultation.
deliberat I. *adj.* **1.** deliberate, intentional; well-considered. **2.** *jur.* premeditated, deliberate. **II.** *adv.* deliberately.
deliberativ *adj.* deliberative; *a avea vot ~* to be entitled to speak and vote, to have voice and vote.
deli(n)cvent *s.m.* offender.

delicat I. *adj.* **1.** delicate. **2.** *(slab)* weak, frail. **3.** *(fin și)* fine, dainty. **4.** *(dificil)* ticklish. **II.** *adv.* gently.
delicatese *s.f. pl.* delicatessen.
delicatețe *s.f.* **1.** delicacy, gentleness, tenderness. **2.** fineness; *(moliciune)* softness; *(a gustului)* refinement, nicety, softness. **3.** tactfulness.
delicios *adj.* **1.** delicious. **2.** *fig.* *și* charming.
deliciu *s.n.* relish.
delict *s.n.* offence.
delictual *adj. jur.* delictual, delinquent, criminal; regarding offences, in the nature of an offence.
delictuos *adj. jur.* punishable, subject / liable to penalty.
delicvescent *adj. chim.* deliquescent.
delicvescență *s.f. chim.* deliquescence.
delimita *vt.* to (de)limit.
delimitare *s.f.* delimitation.
delimitativ *adj.* (de)limitative; demarcation, border.
delimitator *adj.* v. d e l i m i t a t i v.
delincvență *s.f.jur.* delinquency, criminality.
delineavit *subst. artă* delineavit, pinxit.
delintersa *vt. agr.* delint, to free from lint / linters.
delintersare *s.f. agr.* delinting.
delir *s.n.* **1.** delirium, wildness. **2.** *(aiureală)* raving.
delira *vi.* to be delirious.
delirant *adj.* raving.
delirium tremens *subst. med.* delirium tremens.
deliu I. *adj.* **1.** brave, bold, heroic. **2.** crazy, mad, demented. **II.** *s.m.* **1.** *ist.* (Turkish) horseman. **2.** *ist.* (ruler's) guardsman. **3.** brave man, hero.
delniță *s.f. ist. României* (tenure of) plot of land.
delta *s.f.* delta.
deltaic *adj. geogr.* deltaic, deltic.
deltă *s.f.* delta.
deltoid I. *adj.* deltoid. **II.** *s.m. anat.* deltoid (muscle).
deluros *adj.* hilly.
delușor *s.n.* hillock; *(rotund)* knoll.
deluviu *s.n. geogr., geol.* sedimentary material produced by deluge.
demachia *vt., vr.* to remove make-up.
demagnetiza *vt.* to demagnetize.
demagnetizant *adj.* demagnetizing.
demagog *s.m.* demagogue.
demagogic *adj.* demagogic(al).
demagogie *s.f.* demagogy.
demara *vi.* to start.
demaraj *s.n.* **1.** start(ing). **2.** *nav.* unmooring.
demarca *vt.* to mark by a line of demarcation; to delimit.
demarcație *s.f.* demarcation.
demaror *s.n.* starter.
demasca I. *vt.* to expose, to unmask. **II.** *vr.* to be exposed; to show one's true face.
demascare *s.f.* exposure.
dematerializat *adj.* dematerialized.
demâncare *s.f.* food; *(merinde)* victuals.
dement I. *s.m.* lunatic. **II.** *adj.* demented.
demență *s.f.* madness.
demențial *adj.* demented, rabid, demential, (utterly) mad.
demers *s.n.* approach.
demilitariza *vt.* to demilitarize.
demilitarizare *s.f.* demilitarization.
demilitarizat *adj.* demilitarized.
demimondenă *s.f.* demi-mondaine, demirep.
demina *vt. mil.* to clear (a field) of mines; to dispose mines.
deminare *s.f.* **1.** *mil.* mine clearing. **2.** *mil., mar.* minesweeping.
demineraliza *vt.* to demineralize.
demineralizare *s.f.* demineralization.
demisie *s.f.* resignation.
demisiona *vi.* to resign.
demisionar I. *adj.* resigning; who has resigned; *(d. cabinet)* outgoing. **II.** *s.m.* resigner.
demisol *s.n.* semi-basement.
demite *vt.* to dismiss, to depose.
demitentă *s.f. artă, foto.* half-tone, half-tint.
demitere *s.f.* dismissal.
demiu *s.n.* topcoat.
demiurg *s.m. filoz.* demiurge.
demiurgic *adj. filoz. etc.* demiurgic(al), demiurgeous.
demn I. *adj.* **1.** dignified. **2.** *(semeț)* haughty; ~ *de* worthy of. **II.** *adv.* in a dignified manner.
demnitar *s.m.* dignitary, magistrate.
demnitate *s.f.* dignity; self-respect; *lipsit de* ~ undignified.
demobiliza *vt.* **1.** to demob(ilize). **2.** *fig.* to discourage.
demobilizare *s.f.* demobilization; ~ *generală* general release.
demobilizat *s.m.* demobee.
demobilizator *adj.* disheartening, discouraging, defeatist.
democrat I. *s.m.* democrat. **II.** *adj.* democratic.
democratic I. *adj.* democratic. **II.** *adv.* democratically.
democratism *s.n.* democracy.
democratiza *vt.* to democratize.
democratizare *s.f.* democratization.
democrație *s.f.* democracy; ~ *internă de partid* inner-party democracy; ~ *populară* people's democracy.
demoda *vr.* to become old-fashioned.
demodat *adj.* **1.** old-fashioned. **2.** *fig.* unfashionable, superannuated; *(glumeț)* worm-eaten; *lucru* ~, *persoană* ~ back number.
demodulator *s.n. el.* demodulator.
demodulație *s.f. el.* demodulation.
demograf *s.m.* demographer.
demografic *adj.* demographic.
demografie *s.f.* demography.
demola *vt.* to demolish, to pull down.
demolare *s.f.* demolition.
demon *s.m.* demon.
demonetiza I. *vt.* **1.** *fin.* to demonetize; *(lira etc.)* to devaluate. **2.** *fig.* to depreciate, to discredit. **II.** *vr.* **1.** *fig.* to lose credit. **2.** *fig.* *(a se banaliza)* to be hackneyed, to become trite / commonplace.
demoni(a)c *adj.* demoniac(al), diabolical.
demonstra *vt.* to demonstrate, to prove; to bear testimony to.
demonstrabil *adj.* demonstrable.
demonstrant *s.m.* participant in a demonstration, demonstrator.
demonstrare *s.f.* demonstration.
demonstrativ *adj.* demonstrative.
demonstrație *s.f.* demonstration.
demonta *vt.* **1.** to dismantle. **2.** *fig.* to disconcert. **3.** *(a bate)* to drub.
demontabil *adj.* collapsible.
demontare *s.f.* dismantling.
demoraliza I. *vt.* to dishearten. **II.** *vr.* to lose heart.
demoralizant *adj.* demoralizing; disheartening.
demoralizare *s.f.* discouragement, despondency, demoralization.
demoralizat *adj.* dejected, depressed, down-hearted.
demoralizator *adj.* demoralizing, depressive.
demos *s.n. ist. Greciei* demos.
demult *adv.* **1.** long ago. **2.** *(ca durată)* for quite a long time; *de* ~ before, former.
demultiplica *vt. tehn.* to reduce the gear ratio; to gear down.
demultiplicare *s.f. tehn.* reduction, gearing down.
denar *s.m. ec., fin.* **1.** dinar, denar. **2.** *ist. Romei* denarius (monetary unit).

denatura *vt.* **1.** to falsify, to distort. **2.** *fig.* to garble, to misconstrue.
denaturant *s.n. chim.* adulterant, denaturant, denaturing agent.
denaturare *s.f.* misrepresentation etc. *v.* d e n a t u r a.
denaturat *adj.* **1.** monstruous. **2.** *(d. alcool)* methylated.
denazifica *vt. pol.* to denazify.
denazificare *s.f. pol.* denazification.
dendrită *s.f. anat., geol.* dendrite.
dendritic *adj. anat., geol.* dendritic.
dendrografic *adj. bot.* dendrographic.
dendrografie *s.f. bot.* dendrography.
dendrologic *adj. bot.* dendrologic(al).
dendrologie *s.f. bot.* dendrology.
dendrometrie *s.f. bot.* dendrography.
dendrometru *s.n. bot.* dendrometer, hypsometer.
denega *vt.* to deny; to refuse; to disclaim.
denegare *s.f. jur. etc.* denying; refusing; disclaiming.
denicotiniza *vt.* to denicotinize.
denie *s.f. bis.* evening service during Passion Week (in Eastern Orthodox churches).
denier *s.m. text.* denier.
denigra *vt.* to backbite, to disparage.
denigrare *s.f.* disparagement.
denigrator *s.m.* depreciator, denigrator.
denii *s.f. pl.* vigils.
denisipator *s.n.* sand trap, riffler.
denitrificare *s.f. bot., agr.* denitrification.
denivela *constr.* **I.** *vt.* to put out of level, to make uneven. **II.** *vr.* to become uneven, to sink.
denivelare *s.f. geogr. etc.* difference / variation in level; drop; change of level.
denominalizare *s.f. ec.* decrease of nominal value for monetary units.
denominativ *adj. gram.* denominative.
denominație *s.f. livr.* denomination, name, appellation.
denota *vt.* to denote, to show, to indicate, to evince.
denotație *s.f. log.* denotation.
dens *adj.* dense.
densigramă *s.f.* densigram.
densimetrie *s.f. fiz.* densimetry.
densimetru *s.n.* **1.** *fiz.* densimeter. **2.** *chim.* densitometer.
densitate *s.f.* density.
dental *adj.* tooth..., dental.
dentală *s.f. lingv.* dental (consonant).
dentar *adj.* dental.
dentifrice *s.f.* dentifrice (powder), tooth powder.
dentină *s.f. anat.* dentine.
dentist *s.m.* dentist.
dentistică *s.f.* (surgical) dentistry, dental surgery.
dentiță *s.f. bot.* water agrimony *(Bidens tripartitus).*
dentiție *s.f.* dentition.
denucleariza *vt. mil., pol.* to denuclearize, to eliminate nuclear weapons from (an area).
denuclearizat *adj.* atom-free.
denudare *s.f. geol.* v. d e n u d a - ț i e.
denudație *s.f. geol.* denudation.
denumi *vt.* to name.
denumire *s.f.* **1.** naming **2.** name, denomination.
denumit *adj.* named, called, termed.
denunț *s.n.* denunciation.
denunța *vt.* to denounce.
denunțare *s.f.* denunciation.
denunțător *s.m.* denouncer.
denutriție *s.f. med.* denutrition.
deoarece *conj.* because, since.
deocamdată *adv.* for the time being.
deochi *s.n.* the evil eye.
deochia I. *vt.* **1.** to cast the evil eye on. **2.** *fig.* to hoodoo, to jinx. **II.** *vr.* to turn bad.
deochiat *adj.* **1.** spoilt by the evil eye. **2.** *(rău famat)* ill-famed.
deodată *adv.* **1.** suddenly. **2.** *(împreună)* at once.
deodor(iz)ant *s.n.* deodorizer.
deontologie *s.f.* deontology.
deoparte *adv.* aside.
deopotrivă *adj., adv.* alike.
deosebi I. *vt.* to distinguish; to tell (one from the other). **II.** *vr.* **1.** to differ. **2.** *fig.* to be distinguished.
deosebire *s.f.* **1.** difference, distinction. **2.** *fig.* variance; *fără ~* indiscriminately; *fără ~ de* irrespective of; *spre ~ de* unlike.
deosebit I. *adj.* **1.** different. **2.** *(distinct)* distinct. **3.** *(ciudat)* peculiar. **4.** *(ales)* exquisite; *nimic ~* not(hing) much; nothing strange. **II.** *adv. ~ de aceasta* apart from this, besides; *~ de bun etc.* extremely good etc.
deosebitor *adj.* distinctive, characteristic, particular.
depana *vt.* to put in good order.
depanare *s.f. tehn.* **1.** repair. **2.** *(serviciu)* emergency repairs, break-down service.
depanator *s.m.* break-down mechanic.
deparafina *vt. ind. chim.* to dewax, to remove paraffin from.
deparafinare *s.f. ind. chim.* dewaxing, paraffin removal.
deparatiza *vt.* to disinfest.
deparatizare *s.f.* disinfestation, delousing.
departament *s.n.* department, ministry.
departamental *adj.* departmental.
departe *adv.* far (away), at a great distance; *~ de adevăr* far from the truth; *~ de mine fig.* not that I should...; *de ~* remote(ly); *(superior)* by far; easily; *mai ~* further (down); *(în spațiu)* farther; *pe ~* by way of a hint, deviously.
depăna *vt.* to reel; *a ~ o poveste* to spin a yarn.
depănare *s.f.* winding etc. v. d e - p ă n a.
depănat *s.n.* v. d e p ă n a r e; *mașină de ~ text.* winder, reeling machine; *a lua pe cineva la ~ fam.* to take smb. to task, to give smb. a good dressing down.
depănătoare *s.f.* v. v â r t e l n i ț ă.
depănător *s.n.* yarn winder, reeler.
depărta I. *vt.* to remove, to move away. **II.** *vr.* to remove; to go far; *a se ~ de la ceva* to deviate from smth.
depărtare *s.f.* distance, remoteness; *din ~* from a distance.
depărtat *adj.* remote.
depărtișor *adv.* rather far.
depăși *vt.* **1.** to outrun. **2.** *fig. și* to surpass, to exceed. **3.** *auto.* to overtake; *a ~ norma etc.* to top *sau* overfulfil the quota etc; *chestiunea mă depășește* it is not within my province; *fam.* it is beyond my ken.
depășire *s.f.* **1.** outrunning. **2.** *(a planului etc.)* overfulfilment. **3.** *auto.* overtaking; *~ interzisă* no overtaking.
depășit *adj.* **1.** overfulfilled. **2.** *fig.* superannuated, old-fashioned.
dependent *adj. (de)* dependent (on).
dependență *s.f.* dependence (on).
dependințe *s.f. pl.* outbuildings.
depersonalizare *s.f. med.* depersonalization.
depeșă *s.f.* telegraphic message, telegram, wire, cable, dispatch.
depigmenta *vr. med.* depigmentation.
depila *vt.* to depilate; to remove the hair from.
depilator *s.n.* depilator, depilatory.
depinde *vi.* to depend; *a ~ de* to depend on; *~ numai de tine* it is up

to you; *a nu ~ de nimeni aprox.* to paddle one's own canoe.
depista *vt.* to trace (out).
depistare *s.f.* hunting out v. d e p i s t a.
deplasa I. *vt.* to move away, to remove, to displace. **II.** *vr.* **1.** to move. **2.** *(departe)* to travel.
deplasament *s.n. nav.* displacement.
deplasare *s.f.* **1.** change of place. **2.** official trip; *deplasări de forțe* reshuffle of forces.
deplasat *adj.* **1.** out of place. **2.** misplaced. **3.** *(inoportun)* unseasonable.
deplânge *vt.* to deplore, to lament over.
deplâns *adj.* de ~ *(d. persoane)* (much) to be pitied; *(despre lucruri)* lamentable, deplorable, pitiable.
deplin I. *adj.* **1.** thorough(going). **2.** *fig.* absolute, perfect. **II.** *adv.* wholly, thoroughly; *pe* ~ entirely.
deplinătate *s.f.* compleness; entireness, entirety; ful(l)ness.
deplora *vt. (a deplânge)* to deplore.
deplorabil *adj.* lamentable.
depolariza *fiz.* **I.** *vt.* to depolarize. **II.** *vr. pas.* to be depolarized.
depolarizant *adj. fiz.* depolarizing.
depolarizator *s.m. chim.* depolarizer.
depolimerizare *s.f. chim.* depolymerization.
deponent I. *adj. gram.* deponent. **II.** *s.m. ec.* depositor.
depopula *vt.* to depopulate, to unpeople, to thin out the population of.
deporta *vt.* to transport.
deportare *s.f.* deportation, transportation.
deportat *s.m.* deported person.
deposeda *vt.* to dispossess.
deposedare *s.f.* dispossession.
depou *s.n.* depot.
depozit *s.n.* **1.** warehouse, storehouse. **2.** *mil.* dump. **3.** *(de cărți)* stack.
depozita *vt.* to store.
depozitar *s.m. (păzitor)* keeper, guardian; *(de mărfuri)* depositary, person in charge.
depozitare *s.f.* depositing etc. v. d e p o z i t a.
depoziție *s.f.* testimony.
deprava I. *vt.* to deprave, to corrupt, to debauch, to pervert. **II.** *vr.* to become depraved.
depravare *s.f.* depravity.
depravat I. *s.m.* debauchée. **II.** *adj.* depraved.
deprecia I. *vt.* to depreciate, to belittle. **II.** *vr.* to lose its value.
depreciativ *adj.* depreciatory, disparaging.
depreciere *s.f.* depreciation, debasement; undervaluing, underrating, disparagement, demonetization; devaluation.
depresa *vt.* **1.** *tehn.* to remove the pressure from (object). **2.** to thin out (copse etc.).
depresant *s.n. min.* depressant.
depresionară *adj. meteo.* depression, of low pressure.
depresiune *s.f.* depression.
depresiv *adj.* **1.** *med.* bearing down. **2.** depressing, depressive.
depresor *adj. fiziol.* depressor.
deprima *vt.* to dishearten.
deprimant *adj.* depressing.
deprimare *s.f.* low spirits.
deprimat *adj.* downcast.
deprinde I. *vt.* **1.** to adopt. **2.** *(un obicei)* to fall into (a habit); *a ~ cu* to inure to. **II.** *vr. a se ~ cu* to become accustomed to.
deprindere *s.f.* **1.** habit. **2.** *(abilitate)* skill.
deprins *adj.* accustomed.
depside *s.f. pl. chim.* depsides.
depunător *s.m.* depositor.
depune I. *vt.* **1.** *(a preda)* to lay down. **2.** *(bani etc.)* to hand in, to deposit; *a ~ eforturi* to make efforts; *a ~ jurământul* to be sworn in; *a ~ mărturie* to give evidence. **II.** *vr.* to fall.
depunere *s.f.* deposition.
depurativ *s.n. med.* cleanser.
deputat *s.m.* **1.** M. P., Member of Parliament, commoner. **2.** *(în Europa)* deputy. **3.** *(în S.U.A.)* representative; *~ul X...* the Right Honourable (member for...).
deputăție *s.f.* **1.** mandate of a deputy. **2.** deputation, delegation, body of representatives.
deraia *vi.* **1.** to run off the rails. **2.** *și fig.* to go off the track.
deraiere *s.f.* derailment.
deranj *s.n.* **1.** disorder. **2.** *fig.* trouble.
deranja I. *vt.* **1.** to disturb, to trouble. **2.** *(lucrurile)* to throw into disorder, to derange. **3.** *(a strica)* to spoil, to put out of order. **4.** *(hainele etc.)* to put away. **II.** *vr.* to get out of one's way, to trouble oneself; *nu te ~!* please don't trouble!
deranjament *s.n.* derangement, trouble.
deranjare *s.f.* disturbance; troubling etc. v. d e r a n j a.
deranjat *adj.* **1.** disturbed. **2.** *(în neorânduială)* in disorder. **3.** *(stricat)* in bad repair.
derapa *vi.* to skid.
derapare *s.f.* skid(ding), side-slip(ping).
deratiza *vt.* to clear of rats.
deratizant *adj., s.n.* deratizating (solution).
deratizare *s.f.* deratization.
derâdere *s.f.* derision.
derbedeu *s.m.* guttersnipe.
derbi *s.n. sport* derby.
derdeluș *s.n.* coast.
deregla *vt., vr.* **1.** to disturb, to trouble. **2.** *tehn.* to disarrange; to put out of order / balance; *el.* to detune. **3.** *fiziol.* to unsettle.
deretica *vi.* to tidy up.
deriva I. *vt.* to derive. **II.** *vi. a ~ din* to derive, to come *sau* to arise from.
derivare *s.f.* derivation; ~ *regresivă* back formation.
derivat I. *s.n.* derivative. **II.** *adj.* derived.
derivată *s.f. mat.* differential; coefficient; ~ *continuă* derivative.
derivativ *adj., s.n.* derivative.
derivație *s.f.* **1.** derivation. **2.** *(la telefon)* extension.
derivă *s.f.* **1.** *mar.* drift. **2.** *av.* fin.
derivometru *s.n. av.* drift-indicator / meter.
derivor *s.n. nav.* drop-keel, centre-board; lee-board.
deriziune *s.f. livr.* derision, mockery.
derizoriu *adj.* ridiculous.
dermatină *s.f. ind.* dermateen, dermatin.
dermatită *s.f. med.* dermatitis.
dermatofitie *s.f. med.* dermatophytosis.
dermatolog *s.m.* dermatologist.
dermatologic *adj.* dermatologic(al).
dermatologie *s.f.* dermat(on)osis, skin disease.
dermatom *s.n. med.* dermatome.
dermatomicoză *s.f. med.* dermatomycosis.
dermatovenerologie *s.f. med.* dermatovenerology.
dermatozoonoză *s.f. med.* dermatozoonosus.
dermă *s.f. anat.* derm, cutis.
dermic *adj.* dermic, dermal.
dermită *s.f. med.* dermitis, dermatitis, *pl.* dermatitides.
dermografism *s.n. med.* dermographism.
dermotrop *adj. biol.* dermotropic.
deroga *vi. a ~ de la* to depart from.
derogare *s.f.* derogation.
derogatoriu *adj. jur.* derogatory.

derula *vt.* **1.** to unfurl. **2.** *(o bandă)* to rewind.
derulator *s.n. tehn.* tape handler / unit.
derulor *s.n. ind. lemnului* woodpeeler.
deruta *vt.* to mislead, to baffle.
derutant *adj.* misleading, baffling.
derutat *adj.* puzzled; confused.
derută *s.f.* rout.
derviș *s.m.* dervish.
des I. *adj.* **1.** dense, thick. **2.** *(frecvent)* frequent, reiterated. **3.** *(stufos)* bushy. **II.** *adv.* **1.** often, frequently. **2.** *(dens)* closely, thickly.
desagă *s.f.* wallet.
desant *s.n. mil.* **1.** air borne troops. **2.** paratroopers. **3.** motor-borne troops.
desăra *vt.* to clear of salt.
desărare *s.f.* clearing of salt, desalting; desalinization.
desărcina *vt.* to dismiss.
desărcinare *s.f.* release; dismissal.
desăvârși I. *vt.* to perfect, to finish. **II.** *vr.* to be perfected.
desăvârșire *s.f.* **1.** consummation, perfection. **2.** *(terminare)* completion; ~ *a propriei personalități* self-fulfilment; *cu* ~ totally, utterly.
desăvârșit I. *adj.* **1.** consummate, perfect. **2.** *(terminat)* finished. **II.** *adv.* perfectly.
descalifica *vt.* to disqualify.
descalificare *s.f. și sport* desqualification.
descăleca *vi.* to dismount.
descălecare *s.f.*, **descălecat** *s.n.* **1.** *(întemeiere) înv.* foundation (of a state), settling down; colonization. **2.** dismounting.
descălecător *s.m. înv.* state founder.
descălța *vr.* to take off one's shoes.
descălțat *adj.* barefoot(ed).
descărca I. *vt.* **1.** to unload. **2.** *fig.* to unburden; *a ~ de* to relieve of; *a-și ~ mânia asupra cuiva* to vent one's fury upon smb. **II.** *vr.* **1.** to be unloaded. **2.** *(d. armă)* to go off. **3.** *fig.* to get smth. off one's chest.
descărcare *s.f.* **1.** unloading. **2.** *(a puștii etc.)* discharge.
descărcător *s.m.* **1.** unloader, *nav.* discharger, docker, stevedore. **2.** *el.* discharging rod, discharger.
descărcătură *s.f.* **1.** v. d e s c ă r c a r e. **2.** unloaded goods.
descărna I. *vt.* to strip the flesh off; to emaciate. **II.** *vr.* to lose flesh, to waste away.
descărnat *adj.* emaciated; *(osos)* bony.
descătărăma I. *vt.* to unbuckle. **II.** *vr.* to come unbuckled.
descătușa I. *vt.* to unfetter, to unbind. **II.** *vr.* to free oneself.
descătușare *s.f.* unchaining, unfettering.
descăzut *s.n. mat.* minuend.
descâlci *vt.* to disentangle.
descânta *vt.* to exorcise.
descântec *s.n.* exorcism.
descendent I. *s.m.* **1.** descendant. **2.** *pl.* offspring, progeny. **II.** *adj.* downward, descending.
descendență *s.f.* **1.** descent. **2.** *(descendenți)* posterity.
descentra I. *vt.* to put out of centre, to decentre. **II.** *vr. pas.* to be out of centre, to be decentred.
descentraliza *vt.* to decentralize.
descentralizare *s.f.* decentralization.
descentrat *adj.* decentred, out of centre.
descheia I. *vt.* **1.** to unbutton. **2.** *(un nasture)* to undo. **II.** *vr.* **1.** to unbutton oneself. **2.** *(d. nasture)* to come undone.
deschiaburi *vt. pol.* to dispossess the kulaks.
deschiaburire *s.f. pol.* dispossession of (the) kulaks.
deschide I. *vt.* **1.** to open. **2.** *(a descuia)* to unlock; to unfasten. **3.** *(a forța)* to force open. **4.** *fig.* to inaugurate, to start; *a ~ drumul* to blaze the trail; *a ~ o eră nouă* to usher in a new era; *a-și ~ punga* to loosen one's purse strings; *a ~ robinetul* to turn on the water. **II.** *vi.* to open. **III.** *vr.* **1.** to open, to be opened. **2.** *(a crăpa)* to break *sau* burst open. **3.** *(a se căsca)* to yawn.
deschidere *s.f.* **1.** opening. **2.** *(început)* beginning, inauguration. **3.** *tehn.* span.
deschinga *vt.* to loosen up / take out the girth of a horse.
deschis I. *adj.* **1.** open. **2.** *fig.* frank, open-hearted. **3.** *(d. atitudine etc.)* undisguised. **4.** *(d. culori)* light; *larg* ~ wide open; *verde* ~ light green. **II.** *adv.* **1.** openly. **2.** *(limpede)* plainly.
deschizător *s.m.* ~ *de drumuri* pioneer, trail blazer.
deschizătură *s.f.* opening, aperture; *(lungă)* slit.
descifra *vt.* **1.** to decipher. **2.** *fig.* to unravel.
descifrabil *adj.* decipherable; *(citeț)* legible, readable.
descifrare *s.f.* deciphering etc. v. d e s c i f r a.
descinde *vi.* to descend.
descindere *s.f.* **1.** raid. **2.** *(percheziție)* search.
descinge I. *vt.* to ungird, to unbelt; to unbuckle. **II.** *vr.* to ungird / unbelt oneself.
descintra *vt. constr.* to strike / remove the centre / centring of (arch etc.).
descintrare *s.f. constr.* descentering, uncentring.
descleia *vr.* to come off.
descleiere *s.f. tehn.* deglutination.
descleșta *vt.* to open.
descleștare *s.f.* unclenching.
descoase I. *vt.* **1.** to undo. **2.** *fig.* to pump. **II.** *vr.* to come undone.
descoji *vt.* to peel.
descolăci *vt., vr.* to uncoil.
descompleta I. *vt.* to spoil; *(a reduce)* to curtail. **II.** *vr.* **1.** to be spoilt. **2.** to be curtailed.
descompune I. *vt.* to decompose. **2.** *(a strica)* to rot. **II.** *vr.* **1.** to disintegrate. **2.** *(a putrezi)* to decay.
descompunere *s.f.* **1.** decomposition. **2.** *(putrezire)* decay. **3.** *pol., ist.* disintegration; *în* ~ decaying; *fig.* disintegrating.
descompus *adj.* **1.** decomposed. **2.** *(stricat)* decayed, rotten. **3.** *(imoral)* depraved, unscrupulous; *era ~ la față* his face was distorted (with grief etc.).
desconcentra *vt.* to disband.
descongestiona *vt.* to relieve.
desconsidera *vt.* to disregard.
desconsiderare *s.f.* disdain.
desconsiderație *s.f.* **1.** *(dispreț)* despisal, lack of consideration. **2.** disrepute, discredit.
descoperi I. *vt.* **1.** to uncover. **2.** *fig.* to discover, to find out; *(a detecta)* to detect; *(a dezvălui)* to reveal, to disclose. **3.** *(a lămuri)* to unravel; *a ~ America* to set the Thames on fire. **II.** *vr.* **1.** to uncover (one's head). **2.** *(a se afla)* to be discovered *sau* disclosed.
descoperire *s.f.* **1.** discovery. **2.** *(dezvăluire)* disclosure, revelation.
descoperit *adj.* **1.** open, uncovered. **2.** *(fără pălărie)* bareheaded.
descoperitor *s.m.* discoverer; explorer.
descotorosi *vr. a se ~ de* to get rid of.
descreierat I. *s.m.* demented person. **II.** *adj.* desperate, reckless.
descrescător *adj.* decreasing.
descrește *vi.* **1.** to decrease, to dwindle. **2.** *(a scădea)* to abate.
descreștere *s.f.* diminution.

descreţi *vt.* to smooth out; *a ~ fruntea cuiva* to cheer smb. up.
descrie *vt.* to describe.
descriere *s.f.* **1.** description. **2.** portrayal.
descriptiv *adj.* descriptive.
descripţie *s.f. log.* description.
descuama *med.* **I.** *vt.* to desquamate, to scale; to exfoliate. **II.** *vr.* to desquamate, to scale off; to exfoliate.
descuia **I.** *vt.* **1.** to unlock. **2.** to open. **II.** *vr. fig.* to become broad-minded.
descuiat *adj.* **1.** unlocked. **2.** *fig.* broad- *sau* open-minded.
desculă **I.** *adj.* barefooted. **II.** *adv.* barefoot.
descumpăni *vt.* to upset.
descumpănit *adj.* unbalanced, disconcerted, out of one's depth.
descuraja **I.** *vt.* to dishearten. **II.** *vr.* to lose heart.
descurajant *adj.* discouraging.
descurajare *s.f.* discouragement.
descurajat *adj.* daunted, dejected, depressed, discouraged, down-hearted, crest-fallen.
descurajator *adj.* discouraging.
descurca **I.** *vt.* **1.** to disentangle, to unravel. **2.** *(a rezolva)* to solve, to clear up. **II.** *vr.* **1.** to fend for oneself. **2.** *(într-o situaţie)* to extricate oneself from a difficulty.
descurcăreţ *adj.* versatile.
descusut *adj.* unripped, ripped open.
desdăuna *vt. jur.* to compensate.
deseară *adv.* tonight, this evening.
deseca *vt. agr.* to dry up (ground); to reclaim / drain (land).
desecare *s.f.* draining.
desemn *s.n.* v. d e s e n.
desemna *vt.* **1.** to appoint. **2.** *(un candidat)* to nominate. **3.** *(a indica)* to designate.
desemna *vt. jur.* to assign.
desemnare *s.f.* designation, appointment.
desen *s.n.* **1.** drawing. **2.** *(model)* design; *~e animate* (animated) cartoons; *~ tehnic* mechanical drawing.
desena **I.** *vt.* to draw. **II.** *vr.* to loom, to take shape.
desenator *s.m.* **1.** drawer. **2.** *(tehnic)* draughtsman.
desensibiliza *vt. med., foto.* to desensitize.
desensibilizare *s.f.* **1.** *med.* desensitization. **2.** *foto.* desensitizing.
desensibilizator *s.n. foto.* desensitizer.
deseori *adv.* often.
desert *s.n.* dessert, sweets.
desertiza *vt. tehn.* to unset.
desertizare *s.f. tehn.* unsetting.
deservi *vt.* **1.** to damage, to harm. **2.** *fam. (a sluji)* to serve, to cater for.
deserviciu *s.n.* bad turn.
deservire *s.f.* **1.** harming. **2.** *fam.* catering (for).
desesiza *vt., vr. jur.* to disseize, to disseise, to dispossess, to deprive of.
desetină *s.f. odin.* tithe.
desface **I.** *vt.* **1.** to undo, to unbind. **2.** *(a deschide)* to open. **3.** *(a depărta)* to sever. **4.** *(a desfăşura)* to unfurl. **5.** *(a vinde)* to retail. **6.** *(a anula)* to break. **7.** *(a destrăma)* to disolve. **8.** *(părul)* to unplait. **II.** *vr.* **1.** to come loose *sau* apart. **2.** *(d. şireturi etc.)* to come undone. **3.** *(a se deschide)* to open; *a se ~ de / din* to get loose, to detach oneself from.
desfacere *s.f.* **1.** unbinding. **2.** detachment. **3.** *(vânzare)* sale. **4.** *(anulare)* cancellation.
desfăcător *s.n. tehn.* opener.
desfăcut *adj.* detached; open etc. v. d e s f a c e.
desfăşa **I.** *vt.* to unwrap *(a baby)*. **II.** *vr.* to get unswaddled.
desfăşura **I.** *vt.* **1.** to unfold, to unfurl, to spread. **2.** *(a duce)* to carry on, to display. **3.** *(a dezvolta)* to develop. **II.** *vr.* **1.** to unfold, to go on. **2.** *(a se dezvolta)* to grow apace. **3.** *(a avea loc)* to proceed, to take place.
desfăşurare *s.f.* **1.** unfolding; progress. **2.** *(etalare)* display.
desfăşurat *adj.* **1.** unfolded, spread. **2.** *fig.* all-out, large-scale.
desfăşurătoare *s.f. mat.* involute.
desfăta *vt.* to delight; *a-şi ~ privirea cu* to feast on; to gloat over.
desfătare *s.f.* **1.** relish, delight. **2.** *pl.* pleasures, enjoyments.
desfătător *adj.* delightful, delicious, blissful.
desfătui *vt. (de)* to dissuade (from).
desfăţa *vt.* to change the bed linen.
desfereca *vt.* to unfetter.
desfibrator *s.n. text.* cotton-scutching machine.
desfide *vt.* to defy, to dare.
desfigura *vt.* to maim.
desfigurare *s.f.* disfigurement; defacement; mutilation.
desfigurat *adj.* disfigured.
desfiinţa *vt.* **1.** to abolish. **2.** *(a anula)* to annul. **3.** *jur.* to repeal. **4.** *(a lichida)* to eliminate, to do away with.
desfiinţare *s.f.* **1.** elimination. **2.** *(anulare)* cancellation.
desfoia **I.** *vt.* to strip / denude of leaves, to defoliate. **II.** *vr.* to shed the leaves.
desfrâna *vr.* to debauch, to pervert.
desfrânare *s.f.* v. d e s f r â u.
desfrânat **I.** *s.m.* profligate. **II.** *adj.* debauched, dissolute.
desfrâu *s.n.* **1.** dissipation, licentiousness. **2.** *(sexual)* fornication, *fam.* poontang.
desfrunzi *v.* v. d e s f o i a.
desfrunzit *adj.* leafless.
desfunda *vt.* **1.** to open. **2.** *(un butoi)* to broach. **3.** *(a curăţa)* to clear. **4.** *(un drum)* to render impracticable.
desfundare *s.f.* cleaning etc. v. d e s f u n d a.
desfundat *adj.* **1.** bottomless. **2.** *(d. drum)* broken, impracticable.
deshăma *vt.* to unharness.
deshămare *s.f.* unharnessing.
deshidrata *vt.* to dehydrate.
deshidratare *s.f. chim.* dehydration.
deshidrator *s.n. tehn.* dehydrator.
deshuma *vt.* to exhume, to disinter.
deshumare *s.f.* exhumation, disinterment.
desigila *vt.* to unseal.
design *s.n.* design.
designa *vt.* to designate, to indicate.
designer *s.m.* designer.
desigur *adv.* certainly, by all means.
desime *s.f.* thickness.
desinenţă *s.f. gram.* inflexion.
desista *vt. jur.* to desist from, to withdraw (an action).
desiş *s.n.* thicket.
desluşi **I.** *vt.* **1.** to distinguish, to discern. **2.** *(a înţelege)* to understand. **3.** *(a lămuri)* to explain. **II.** *vr.* **1.** to loom. **2.** *(a se lămuri)* to become explicit.
desluşit **I.** *adj.* clear; distinct. **II.** *adv.* distinctly.
desman *s.m. zool.* desman *(Desmana moschata)*.
desmin *s.n. mineral.* desmine.
desmodrom *adj. tehn.* positive (drive).
desmotropie *s.f. chim.* desmotropism, desmotropy.
desolidariza *vr. a se ~ de* to dissociate oneself from.
desolidarizare *s.f.* dissociation.
desorbţie *s.f. chim.* desorbtion.
despacheta *vt.* to open; to unpack.
despachetare *s.f.* opening etc. v. d e s p a c h e t a.

despăduchia *vt.* to disinfest.
despăduri *vt.* to deforest.
despădurire *s.f.* deforestation, disafforestation.
despădurit *adj.* deforested, disafforested.
despăgubi I. *vt.* to compensate. **II.** *vr.* to make up for a loss.
despăgubire *s.f.* compensation, reparation.
despăienjeni *vr.* *(d. ochi, privire)* to clear (up), to grow clear.
despărți I. *vt.* **1.** to separate. **2.** *(a dezbina)* to split, to divide. **II.** *vr.* **1.** to part; to separate. **2.** to (get a) divorce; **3.** *(d. drumuri)* to fork.
despărțire *s.f.* **1.** parting; severance. **2.** divorce; *de ~* valedictory.
despărțitor *adj.* dividing.
despărțitură *s.f.* partition.
despătури *vt.* to unfold.
despecetlui *vt.* v. d e s i g i l a.
despera I. *vt.* to drive to despair. **II.** *vi.* to despair, to be despondent.
desperare *s.f.* despondency.
desperat I. *adj.* hopeless. **II.** *adv.* desperately.
desperechea *vt.* to mar, to spoil.
desperecheat *adj.* odd.
desperechere *s.f.* uncoupling etc. v. d e s p e r e c h e a.
despersonaliza *vt.* to depersonalize.
despersonalizat *adj.* depersonalized.
despica *vt.* **1.** to split. **2.** *(lemne)* to chop.
despicare *s.f.* splitting etc. v. d e s - p i c a.
despicătură *s.f.* **1.** splinter **2.** piece of chopped wood, billet.
despiedica *vt.* to unbind, to release.
despleti I. *vt.* **1.** to undo. **2.** *(părul și)* to let loose. **II.** *vr.* to undo one's hair.
despletit *adj.* **1.** dishevelled. **2.** *(desfăcut)* let loose *sau* down.
despodobi *vt.* to take decorations off..., to strip of ornaments.
despopula v. d e p o p u l a.
despot *s.m.* despot.
despotat *s.n. pol., ist.* rank of despot; despotat(e).
despotcovi I. *vt.* to unshoe. **II.** *vr.* to lose one's (horse) shoes.
despotic *adj.* despotic.
despotism *s.n.* despotism.
despotmoli *vt.* **1.** to refloat. **2.** *fig.* to disentangle.
despoție *s.f. pol.* despotism; despotat(e).
despovăra *vt. și fig.* to unburden, to unload, to discharge.
desprăfuire *s.f. tehn.* dust removal, de-dusting, freeing from dust.
desprăfuitor *s.n. tehn.* dust remover; de-duster, duster.
despre *prep.* about, of; on.
despresura *vt. mil.* to relieve (a besieged town etc.).
despresurare *s.f. mil.* relieving (of a besieged town etc.).
despresurat *adj.* relieved.
desprimăvăra *vr. impers. se ~ etc.* spring was coming.
desprimăvărare *s.f.* the coming / beginning of spring, spring-coming.
desprinde I. *vt.* **1.** to take out *sau* off, to detach. **2.** *fig.* to spotlight. **3.** *(o concluzie)* to infer, to draw. **II.** *vr.* **1.** to come off, to be torn (away). **2.** *fig.* to result.
desprindere *s.f.* separation, detachment.
despriponi *vt.* to untether.
despuia *vt., vr.* to strip.
despuiat *adj.* **1.** naked. **2.** *(d. arbori)* bare.
despuiere *s.f.* stripping; *~ a scrutinului* vote count.
destăinui I. *vt.* **1.** to disclose. **2.** *(a dezvălui)* to reveal. **II.** *vr.* to confess one's secrets, to open one's heart.
destăinuire *s.f.* confession.
destin *s.n.* destiny, fate.
destina I. *vt.* to destine. **II.** *vr.* to devote oneself.
destinat *adj.* *(cu dat.)* destined (to), meant (to), intended (to), dedicated (to), fated (to).
destinatar *s.m.* **1.** addressee. **2.** *com.* consignee.
destinație *s.f.* destination.
destinde I. *vt.* **1.** to ease, to loosen. **2.** *(a întinde)* to spread. **II.** *vr.* to relax, to take it easy.
destindere *s.f.* **1.** relaxation. **2.** *pol. și* détente. **3.** *(răgaz)* leisure. **4.** *(distracție)* entertainment.
destins *adj.* **1.** *tehn.* slack, slackened; weakened. **2.** relaxed, cosy-going (conversation etc.)
destitui *vt.* to discharge, to depose, to dismiss.
destituire *s.f.* discharge, deposition.
destoinic *adj.* capable, efficient.
destoinicie *s.f.* competence, (cap)ability, efficiency.
destrăbăla *vr.* to go to the bad; to lead a gay life.
destrăbălare *s.f.* **1.** dissoluteness, dissipation. **2.** *(sexuală)* fornication, poontang.
destrăbălat I. *s.m.* dissolute fellow. **II.** *adj.* dissipated.
destrăma I. *vt.* **1.** to unravel, to tear. **2.** *fig.* to dissolve. **3.** *(visuri)* to shatter. **II.** *vr.* **1.** to come off, to be torn. **2.** *fig.* to disintegrate.
destrămare *s.f.* teasing etc. v. d e s - t r ă m a.
destrămător *s.n. text.* cotton picker.
destrămătură *s.f. text.* teasing, fraying.
destul I. *adj.* enough, sufficient. *~ zahăr* enough sugar. **II.** *adv.* enough, sufficiently; *~ de târziu* late enough; rather / pretty late; *~ să pomenim că...* suffice it to mention that... **III.** *interj.* enough (of that)! that will do!
destupa *vt.* to uncork, to open.
desțeleni *vt.* to turn *sau* break up.
desțelenire *s.f.* fallowing, upturning.
desțelenit *adj.* upturned.
desțepeni *vr.* to stretch oneself, to recover elasticity / motion.
desublimare *s.f. fiz.* desublimation.
desuet *adj.* obsolescent.
desuetudine *s.f.* disuse.
desulfitare *s.f.* removal of sulfite from wine or must.
desulfonare *s.f. chim.* desulfonation.
desulfura *vt. chim.* to desulphurize / AE desulfurize, to desulphur / AE desulfur.
desulfurare *s.f. chim.* desulphurization, desulphuration / AE desulfur(iz)ation.
desuuri *s.n. pl.* underwear; *fam.* undies.
deszăpezi *vt.* to clear of snow.
deszăvorî *vt.* to unbolt.
deszice *vb.* v. d e z i c e .
deșănțare *s.f.* v. d e s t r ă b ă - l a r e.
deșănțat *adj.* **1.** indecent, shameless. **2.** *(rușinos)* shameful.
deșela I. *vt.* to knock up. **II.** *vr.* to break one's back.
deșelat *adj.* **1.** broken-backed. **2.** *fig.* knocked up.
deșert I. *s.n.* **1.** desert. **2.** *(gol)* vacuum; *în ~* vainly. **II.** *adj.* **1.** empty. **2.** *geogr.* waste. **3.** *(inutil)* useless, wanton.
deșerta *vt.* **1.** to empty. **2.** *(a bea)* to drink (up).
deșertat *adj.* emptied, empty; cleared.
deșertăciune *s.f.* **1.** vanity. **2.** *(inutilitate)* wantonness, uselessness.
deșeua *vt.* to unsaddle.
deșeuri *s.n. pl.* offals, refuse.
deși *conj.* (al)though.
deșira I. *vt.* to unwind. **II.** *vr.* to come off.

deșirat *adj.* **1.** unwound, loose. **2.** *(slab)* lanky, lean.
deștept I. *s.m.* **1.** clever *sau* wise man. **2.** *ironic* smart aleck. **3.** *peior.* dolt. **II.** *adj.* **1.** clever; bright. **2.** *(treaz)* wide awake. **III.** *adv.* cleverly.
deștepta I. *vt.* **1.** to wake, to awake. **2.** *fig.* to arouse, to bring about. **II.** *vr.* **1.** to grow wise. **2.** *(a se trezi)* to awake.
deșteptare *s.f.* **1.** awakening, rousing. **2.** *mil.* reveille.
deșteptăciune *s.f.* cleverness, brightness, quick mind.
deșteptător *s.n.* alarm clock.
deșucheat I. *s.m.* libertine. **II.** *adj.* **1.** dissolute, gay. **2.** *(d. o glumă)* bawdy, blue.
deșuruba *vt., vr.* unscrew.
deșurubat *adj.* unscrewed.
detaila *vb.* v. d e t a l i a.
detailist *s.m. ec.* retail dealer, small trader.
detalia I. *vt.* to detail; to relate in detail, to describe in detail. **II.** *vr.* to appear, to stand out.
detaliat I. *adj.* minute; detailed. **II.** *adv.* minutely.
detaliu *s.n.* **1.** detail, particular. **2.** *ec.* retail trade.
detalonare *s.f. tehn.* backing off (of tool).
de tare *s.n. muz. pop.* lively syncopated binary folk dance in Vrancea county of Romania.
detașa I. *vt.* **1.** to detach. **2.** *(pe cineva)* to transfer temporarily. **3.** *(un obiect)* to separate. **II.** *vr.* **1.** to come off, to separate. **2.** *(a se distinge)* to stand out.
detașabil *adj.* detachable.
detașament *s.n.* detachment; ~ *de corvoadă / pedeapsă* fatigue party; ~ *special* detach.
detașare *s.f.* **1.** *(a cuiva)* transfer. **2.** *(a unui obiect)* detaching.
detașat I. *adj.* **1.** detached. **2.** *fig.* aloof. **3.** *(formal)* perfunctory. **II.** *adv.* casually.
detecta *vt. telec. etc.* to detect.
detectare *s.f.* detection.
detectiv *s.m.* detective.
detector I. *adj.* detecting. **II.** *s.n. radio.* detector, spark indicator.
detecție *s.f. telec.* detection.
detensionare *s.f.* **1.** relaxation (of tensions); slackening. **2.** *med. fig.* removal of internal tensions.
detentă *s.f.* **1.** *fiz.* expansion (of steam, gases). **2.** *sport* spring, swing.
detentor *s.m. jur.* holder, custodian; owner.
detențiune *s.f.* imprisonment; ~ *riguroasă* penal servitude.
detergent *s.m.* detergent.
deteriora I. *vt.* to deteriorate. **II.** *vr.* to get out of order.
deteriorare *s.f.* deterioration.
determina *vt.* **1.** to establish, to ascertain. **2.** *(a hotărî)* to determine.
determinabil *adj.* determinable.
determinant I. *s.m.* determinative. **II.** *adj.* decisive.
determinare *s.f.* determination, fixing.
determinat *adj.* **1.** determined, definite. **2.** *(hotărât)* resolute, determinate.
determinativ *adj. gram.* determinative.
determinator *s.n.* catalogue or guide for determining breeds, species, varieties or minerals.
determinism *s.n. filoz.* determinism.
determinist *s.m. filoz.* determinist.
detesta *vt.* to loathe.
detestabil *adj.* hateful.
detonabil *adj.* v. d e t o n a n t.
detonant I. *adj.* detonating, explosive. **II.** *s.m.* explosive.
detonator *s.n.* detonator.
detonație *s.f.* detonation.
detraca *vr.* **1.** to decay. **2.** *med.* to lose one's wits. **3.** *tehn.* to go out of order.
detracat *s.m.* dissolute.
detracta *vt.* to disparage, to depreciate, to belittle.
detractor *s.m.* detractor.
detriment *s.n.* detriment; *în ~ul (cuiva)* to the prejudice of (smb.).
detritic *adj.* detrital.
detritus *s.n.* detritus, debris.
detrona *vt.* to depose.
detronare *s.f.* dethronement.
detubare *s.f. (a sondei)* extubation, detubation.
detuna *vt., vi.* to blast.
detunat *adj.* thunderstricken, thunderstruck.
detunător *adj.* **1.** detonating, explosive. **2.** pealing; stentorian.
detunătură *s.f.* **1.** blast, roar. **2.** *(de pușcă)* report.
deturna *vt.* to embezzle.
deturnare *s.f.* defalcation, embezzlement.
deținător *s.m.* holder, owner.
deține *vt.* to hold, to own.
deținere *s.f.* possession, holding.
deținut *s.m.* detainee, convict; ~ *politic* political prisoner.
deunăzi *adj.* the other day.
deuteriu *s.n. chim., fiz.* deuterium.
deuteron *s.m. fiz.* deuteron, deuton.
deuton *s.m. fiz.* v. d e u t e r o n.
dev *s.m. mitol.* daeva, deva, dev (demon in Zoroastrianism).
deva *subst. rel.* dev(a) (divinity in Hinduism / Buddhism).
devale *adv.* further down.
devaliza *vt.* to sack, to loot.
devalizare *s.f.* robbing etc. v. d e v a l i z a.
devaloriza I. *vt.* to devaluate. **II.** *vr.* to grow cheaper.
devalorizare *s.f.* devalorization etc. v. d e v a l o r i z a.
devansa *vt.* to outrun.
devansare *s.f.* outrunning etc. v. d e v a n s a.
devasta *vt.* to lay waste, to play havoc in.
devastare *s.f.* devastation.
devastator I. *adj.* devastating. **II.** *s.m.* devastator.
devălmaș *s.m. înv.* sharer, joint proprietor.
devălmășie *s.f. înv.* joint property *sau* ownership; *în ~* in common, jointly.
developa *vt.* to develop.
developant *s.m.* **1.** *foto.* developer (substance). **2.** *chim.* eluent, eluant.
developare *s.f. foto.* development (of an image).
developator *s.n. foto., text.* developer.
deveni *vt.* to become, to get.
devenire *s.f.* becoming; evolution; *în ~* in the making; coming.
dever *s.n.* turnover.
devergondaj *s.n.* **1.** dissoluteness, abandonment. **2.** *(nerușinare)* shamelessness, impudence.
deversare *s.f.* discharge, overflow (of liquid).
deversor *s.n.* **1.** *tehn.* overflow. **2.** *hidr.* spillway.
devia *vi.* to deviate, to swerve.
deviator *s.m.* deviationist.
deviație *s.f.*, deviere *s.f.* deviation.
devitrificare *s.f.* devitrification.
deviz *s.n.* estimate.
deviză *s.f.* **1.** motto, device. **2.** *fig.* standard.
devize *s.f. pl.* foreign currency.
devlă *s.f.* noddle, pate, knowledge box, (coco)nut.
devoltor *s.n. el.* reducing / stepdown transformer; negative booster.
devoluțiune *s.f. jur.* devolution, transmission (of property).
devon *s.n. (pescuit)* minnow, lure.
devonian *s.n., adj. geol.* Devonian.
devora *vt.* **1.** to devour, to wolf down. **2.** *fig.* to destroy.

devorant *adj.* ravenous.
devorator *adj.* devouring.
devota *vr.* to dedicate oneself.
devotament *s.n.* devotion.
devotat *adj.* devoted.
devoțiune *s.f.* devotion, piety.
devreme *adj.* early; ~ *ce* since.
dexteritate *s.f.* deftness.
dextran *s.n. farm., chim.* dextran.
dextrină *s.f. chim.* dextrin(e), starch-gum.
dextrinizare *s.f. chim.* dextrinization.
dextrocardie *s.f. anat.* dextrocardia.
dextrogir *adj.* clockwise.
dextroză *s.f. chim.* dextrose.
dezabuzat *adj.* life-weary; disillusioned; undeceived.
dezacord *s.n.* **1.** discord. **2.** *fig. și* variance.
dezacorda I. *vt.* to put out of tune. **II.** *vr.* to get out of tune.
dezacordat *adj.* out of tune.
dezactiva *vt. fiz. etc.* to decontaminate, to remove radioactive elements.
dezactivare *s.f. fiz. etc.* decontamination, removal of radioactive elements.
dezagreabil *adj.* unpleasant.
dezagrega *vt., vr.* to disintegrate.
dezagregare *s.f.* disintegration; weathering.
dezaharificare *s.f. ind. chim.* desugaring, desugarization.
dezamăgi *vt.* to disappoint, to let down.
dezamăgire *s.f.* disappointment, disillusionment.
dezamăgitor *adj.* that produces disappointment.
dezaminare *s.f. biochim.* de(s)amination.
dezancolare *s.f. text.* ungluing; unpasting.
dezaproba *vt.* **1.** to disapprove of, to deprecate. **2.** *(a condamna)* to blame.
dezaprobare *s.f.* disapproval.
dezaprobator I. *adj.* disapproving, deprecating. **II.** *adv.* disapprovingly, deprecatingly.
dezarma *vt., vi.* to disarm.
dezarmant *adj.* disarming.
dezarmare *s.f.* disarmament.
dezarmat *adj.* **1.** disarmed. **2.** *fig.* helpless, defenceless.
dezarticula I. *vt.* to disjoint, to put out of joint, to dislocate. **II.** *vr.* to be disjointed.
dezarticulare *s.f. med. etc.* disarticulation, disjointing; dislocation.
dezarticulat *adj.* loose, disjointed.
dezasfaltare *s.f. ind.* de-asphalting.
dezasimilație *s.f. fiziol.* disassimilation.
dezastru *s.n.* disaster.
dezastruos *adj.* disastrous.
dezavantaj *s.n.* drawback.
dezavantaja *vt.* to handicap.
dezavantajos *adj.* unfavourable.
dezavua *vt.* to disown.
dezavuare *s.f.* repudiation, disavowal.
dezaxa I. *vt. tehn.* to set over. **II.** *vr. fig.* to be(come) unbalanced.
dezaxat *s.m.* desperado.
dezbate *vt.* to discuss.
dezbatere *s.f.* debate.
dezbăra I. *vt.* to rid. **II.** *vr. a se ~ de* to get rid of; to give up.
dezbenzinare *s.f. ind. chim.* recovery, extraction of crude oil from natural gas.
dezbina I. *vt.* to split, to divide. **II.** *vr.* to fall apart.
dezbinare *s.f.* **1.** scission, split. **2.** *(dușmănie)* feud.
dezbinat I. *adj.* divided, disunited. **II.** *adv.* separately.
dezbobina *vt.* to unreel, to unwind.
dezbrăca I. *vt.* **1.** to take off. **2.** *(pe cineva)* to undress. **II.** *vr.* to strip, to undress.
dezbrăcare *s.f.* undressing etc. v. d e z b r ă c a.
dezbrăcat *adj.* **1.** undressed. **2.** *(gol)* naked, unclothed.
dezbroboni *vt.* to remove grapes from the bunch.
dezbrobonitor *s.n. ind. alim.* grape-sheller.
dezdoi *vt., vr.* to unbend.
dezechilibra I. *vt.* to unbalance. **II.** *vr.* to lose one's poise.
dezechilibrat *adj.* **1.** out of balance, unbalanced. **2.** *fig.* unbalanced, unhinged.
dezechilibru *s.n.* lack of poise.
dezechipa I. *vt.* to take the equipment off. **II.** *vr.* to take off / remove one's equipment.
dezechipare *s.f.* undressing.
dezemulsiona *vt. chim.* to demulsify.
dezemulsionat *s.n. chim.* demulsifying agent.
dezerta *vi.* to desert.
dezertare *s.f.* desertion.
dezertor *s.m.* **1.** deserter. **2.** *fig. și* quitter.
dezesperant *adj.* heart-breaking; hopeless.
dezexcitare *s.f.* **1.** *el.* drop-out. **2.** *fiz.* de-energization.
dezgheț *s.n.* thaw.
dezgheța I. *vt.* to defrost; to thaw. **II.** *vr.* **1.** to thaw. **2.** *fig.* to warm (up).
dezghețat *adj.* **1.** thawed. **2.** *fig.* quick, nimble.
dezghioca *vt.* to husk.
dezghiocător *s.n. tehn.* shelling machine; sheller.
dezgoli I. *vt.* to bare. **II.** *vr.* to strip.
dezgolire *s.f.* denudation, divestment.
dezgolit *adj.* bare, naked.
dezgropa *vt.* **1.** to dig up. **2.** *(a deshuma)* to disinter.
dezgropare *s.f.* digging out/up; *(de cadavre)* exhumation, disinterment.
dezgust *s.n.* abhorrence; *plin de ~* disgusted; in disgust.
dezgusta *vt., vr.* to sicken (oneself).
dezgustat *adj.* disgusted (at, with); ~ *de* sick (with).
dezgustător *adj.* nauseating.
dezice I. *vt.* to deny. **II.** *vr.* to recant.
dezicere *s.f.* denial etc. v. d e z i c e.
dezideologizare *s.f. sociol.* de-ideologization.
deziderat *s.n.* desideratum.
deziluzie *s.f.* deception.
deziluziona *vt.* to disappoint.
deziluzionat *adj.* disillusioned; disappointed.
dezincrusta *vt. tehn.* to scale (boiler etc.).
dezincrustant *s.n. tehn., chim.* disincrustant; anti-scale (boiler) composition; scale preventive.
dezincrustare *s.f. tehn.* scaling (of boiler).
dezinfecta *vt.* to disinfect.
dezinfectant I. *s.n.* disinfectant. **II.** *adj.* disinfecting.
dezinfectare, dezinfecție *s.f.* disinfection.
dezinfestare *s.f.* disinfestation.
dezinforma *vt.* to misinform.
dezinsectizare *s.f.* disinsectization; debugging.
dezinserție *s.f. med.* disinsertion.
dezintegra *vt., vr.* to disintegrate.
dezintegrare *s.f.* fission.
dezintegrator *s.n.* **1.** *tehn., constr.* disintegrator, (ore-)crusher. **2.** *ind. hârtiei* machine for reducing cellulose to fragments.
dezinteres *s.n.* carelessness.
dezinteresa *vr. a se ~ de* to pay no heed (to).
dezinteresare *s.f.* **1.** lack of interest. **2.** disinterestedness, unselfishness.
dezinteresat *adj.* unselfish.
dezintoxica *vt.* to disintoxicate.
dezintoxicare *s.f.* disintoxication.
dezinvolt *adj.* easy(-going).
dezinvoltură *s.f.* offhandedness.

dezlănțui I. *vt.* to unleash. II. *vr.* to break loose, to burst.
dezlănțuire *s.f.* *(de nebunie)* fit of madness; *(a unei răscoale, a unui război)* outbreak; *(a unei patimi)* (out)burst.
dezlănțuit *adj.* 1. unleashed. 2. *fig.* reckless.
dezlâna *vr.* to tease, to unravel; *fig.* to loosen.
dezlânat *adj.* unstrung.
dezlega I. *vt.* 1. *(un nod)* to untie. 2. *(a slăbi)* to loosen. 3. *(a absolvi)* to absolve. 4. *(a rezolva)* to solve. 5. *(a elibera)* to unfasten, to unfetter. II. *vr.* 1. to come undone. 2. *(a se elibera)* to wrest oneself free.
dezlegare *s.f.* 1. unbinding. 2. *(absolvire)* absolution.
dezlegat *adj.* 1. untied, unbound, unfastened. 2. *rel.* forgiven; exonerated; released. 3. *(d. enigmă etc.)* solved.
dezlipi I. *vt.* 1. to detach. 2. *(o hârtie și fig.)* to tear off. II. *vr.* 1. to come off *sau* undone. 2. *fig.* to separate.
dezlocuit *adj.* dislocated (of limb); dislodged (of stones).
dezmăț *s.n.* 1. disorder(liness). 2. *(nerușinare)* shamelessness.
dezmăța *vr.* v. d e s t r ă b ă l a.
dezmățat I. *s.m.* profligate. II. *adj.* 1. *(neglijent)* untidy. 2. *(destrăbălat)* wanton.
dezmembra *vt.* to dismember.
dezmembrare *s.f.* dismemberment, *anat.* dissection, anatomy.
dezmetici I. *vt.* to waken. II. *vr.* to wake up, to come to (one's senses).
dezmierda *vt.* 1. to caress. 2. *fig.* to pet.
dezmierdare *s.f.* caress.
dezmierdător *adj.* tender.
dezminți I. *vt.* to deny. II. *vr.* to contradict oneself; *a nu se ~* to be consistent.
dezmințire *s.f.* denial.
dezmiriști *vt.* to turn up.
dezmiriștire *s.f.* stubble-turning.
dezmiriștitor *s.n. tehn.* stubble-plough, grubber, scarifier.
dezmorți I. *vt.* to take the chill off. II. *vr.* 1. to stretch oneself. 2. *fig.* to warm up.
dezmorțire *s.f.* 1. removal of numbness. 2. *(reînviere)* revival.
dezmorțit *adj. fig.* 1. thawed. 2. revived; recalled to life.
dezmoșteni *vt.* 1. to disinherit. 2. *fig.* to disown.
dezmoștenire *s.f.* disinheritance, disinheriting; *fig.* disowning.
dezmoștenit *s.m.* poor devil; *dezmoșteniții soartei* the victims of fortune.
deznaționaliza *vt.* to denationalize.
deznaționalizare *s.f.* denationalization.
deznădăjdui *vi.* to despair.
deznădăjduit *adj.* hopeless.
deznădejde *s.f.* despair.
deznoda *vt.* to undo, to untie.
deznodat *adj.* *(deșirat)* lank.
deznodământ *s.n.* dénouement, issue.
dezobișnui I. *vt.* to break (from a habit). II. *vr.* *a se ~ de* to grow out of (a habit).
dezodorant *s.n.* deodorifer.
dezodoriza *vt.* to deodorize; to sweeten (the air).
dezodorizant *adj.* deodorant.
dezodorizare *s.f.* deodorization; sweetening (of the air).
dezola *vt.* to desolate, to grieve, to afflict.
dezolant *adj.* sad(dening).
dezolare *s.f.* dismay.
dezolat *adj.* (ag)grieved.
dezonoare *s.f.* shame.
dezonora *vt.* to disgrace.
dezonorant *adj.* dishonouring.
dezordine *s.f.* 1. disorder. 2. *pol.* disturbance.
dezordonat *adj.* 1. untidy. 2. *(destrăbălat)* disorderly, gay.
dezorganiza *vt.* to unsettle.
dezorganizare *s.f.* disorganization.
dezorienta *vt.* to disconcert, to perplex.
dezorientare *s.f.* bewilderment.
dezorientat *adj.* bewildered, puzzled, at a loss.
dezoxicolic *adj. chim.* deoxycholic (acid).
dezoxicorticosteron *s.m. biochim.* deoxycorticosterone, deoxycortone.
dezoxida *vt.* to deoxidate, to deoxidize.
dezoxidant I. *adj.* deoxidizing. II. *s.m.* deoxidizer.
dezoxidare *s.f. chim., met.* deoxidation, deoxidization.
dezoxiribonucleic *adj. biochim.* desoxyribonucleic (acid).
dezrădăcina *vt.* to uproot.
dezrădăcinare *s.f.* uprooting.
dezrădăcinat *adj.* 1. uprooted. 2. *fig.* alienated.
dezrobi *vt.* to set free.
dezrobire *s.f.* abolition of slavery.
dezrobitor I. *adj.* liberating etc. v. d e z r o b i. II. *s.m.* liberator, emancipator, deliverer.
dezuleiere *s.f.* deoiling.
dezumaniza *vt.* to dehumanize.
dezumanizare *s.f.* dehumanization.
dezumanizat *adj.* dehumanized.
dezumfla *vt.* 1. to deflate. 2. *fig.* to ridicule. II. *vr.* 1. to deflate. 2. *med.* to subside. 3. *fig.* to look small.
dezumflare *s.f.* deflation etc. v. d e z u m f l a.
dezuni I. *vt.* to disunite, to divide, to split, to set at variance. II. *vr.* to become disunited; to fall out (with one another).
dezunire *s.f.* disunion, dissension, variance.
dezvălui I. *vt.* 1. to unveil. 2. *fig.* to reveal, to disclose. II. *vr.* to come out.
dezvăluire *s.f.* disclosure, revelation.
dezvăluire *s.f.* revelation etc. v. d e z v ă l u i.
dezvăț *s.n.* weaning from a habit.
dezvăța I. *vt.* to wean (from a habit). II. *vr.* to get rid (of a habit etc.).
dezveli I. *vt.* to uncover; to unveil. II. *vr.* to uncover (oneself).
dezvelire *s.f.* uncovering etc. v. d e z v e l i.
dezvinovăți *vt., vr.* to exculpate (oneself).
dezvinovățire *s.f.* exculpation.
dezvinui *vt., vr.* v. d e z v i n o v ă ț i.
dezvirgina *vt.* to deflower.
dezvolta I. *vt.* 1. to develop, to promote, to advance. 2. *(a educa)* to mould, to cultivate. 3. *(a emite)* to give off. II. *vr.* 1. to develop (oneself), to grow, to increase. 2. *(a se forma)* to be moulded.
dezvoltare *s.f.* 1. development, promotion, advancement. 2. *(creștere)* growth, increase. 3. *fiz.* emission.
dezvoltat *adj.* 1. developed, advanced. 2. *(amănunțit)* ample, lengthy; *slab ~* un(der) developed.
di- *prefix* di-.
di! *interj.* gee ho!
dia- *prefix* dia-, di-.
diabaz *s.n. mineral.* diabase.
diabet *s.n. med.* diabetes, glucosuris.
diabetic *adj., s.m.* diabetic(al).
diabolic *adj.* devilish.
diabolo *s.n.* diabolo.
diac *s.m. înv.* 1. *(scriitor de cancelarie)* clerk. 2. *(cărturar)* scholar.
diachenă *s.f. bot.* diadone (fruit).

diaclază *s.f. geol.* diaclase.
diacon *s.m.* deacon.
diaconeasă *s.f.* **1.** deaconess, sister of charity. **2.** deacon's wife.
diaconesc *adj.* deacon's...
diaconicon *s.n. arh., bis.* diaconicon, diaconicum, *pl.* diaconica.
diaconie *s.f.* deaconry.
diacritic *adj. gram.* diacritic(al); *semn ~* diacritical mark / sign.
diacronic *adj.* **1.** *lingv.* diachronic, diachronistic, diachronous; **2.** diachronical.
diacronie *s.f. lingv.* diachrony.
diademă *s.f.* tiara.
diadoh *s.m. ist.* **1.** Diadoch (of Alexander the Great). **2.** crown prince (in modern Greece).
diadur *s.n. met.* ceramic-metallic alloy.
diafan *adj.* **1.** diaphanous. **2.** *fig.* delicate.
diafilm *s.n.* film strip.
diafiză *s.f. anat.* diaphysis.
diafonie *s.f.* **1.** *muz.* diaphony. **2.** *telec.* cross talk, cross induction.
diaforetic *adj. farm.* diaphoretic, sudorific.
diaforeză *s.f. med.* diaphoresis, perspiration.
diafragmare *s.f. foto.* stopping down (of lens).
diafragmă *s.f.* **1.** *med.* midriff. **2.** *foto.* stop.
diaftoreză *s.f. geol.* juxtapositive metamorphism.
diageneză *s.f. mineral.* diagenesis.
diagnostic *s.n.*, **diagnoză** *s.f.* diagnosis.
diagnostica *vt.* to diagnose, to diagnosticate.
diagnostician, -ă *s.m., s.f. med.* diagnostician.
diagonal *adj.* diagonal.
diagonală *s.f.* **1.** diagonal. **2.** *(la uniformă)* baldric.
diagramă *s.f.* diagram.
dialect *s.n.* dialect.
dialectal *adj.* dialectal.
dialectic *adj.* dialectical.
dialectică *s.f.* dialectics.
dialectician *s.m.* dialectician.
dialectolog *s.m. lingv.* dialectologist.
dialectologic *adj.* dialectological.
dialectologie *s.f. lingv.* dialectology.
dialelă *s.f. log.* diallelon, *pl.* diallela.
dialipetal *bot.* **I.** *adj.* dialypetalous. **II.** *s.f. pl.* Dialypetalae.
dialisepal *adj. bot.* dialysepalous (calyx).
dialit *s.n. ind.* thermoinsulating material.
dializă *s.f. chim.* dialysis.
dializor *s.n. chim.* dialyser, dialysing apparatus.
dialog *s.n.* dialogue.
dialoga *vi.* to dialogize, *fam.* to dialogue.
dialogat *adj.* dialogued, expressed in dialogue.
diamagnetic *adj. fiz.* diamagnet.
diamagnetism *s.n. fiz.* diamagnetism.
diamală *s.n. ind. alim.* malt extract for preparing sweets.
diamant *s.n.* **1.** diamond. **2.** *fig.* gem; *de ~ (e)* diamond.
diamantifer *adj.* diamantiferous.
diamantin *adj.* diamantine, adamantine.
diamb *s.m. stil. (prozodic)* diamb, diiamb.
diametral *adv.* diametrically.
diametru *s.n.* **1.** diameter. **2.** *(calibru)* bore.
diamofos *s.m. agr.* hygroscopic basic nitrophosphoric fertilizer.
diapauză *s.f. zool.* diapause.
diapazon *s.n.* **1.** *(instrument)* tuning fork. **2.** *(înălțime)* pitch.
diapedeză *s.f. fiziol.* diapedesis.
diapirism *s.n. geol.* diapirism.
diapozitiv *s.n.* (lantern *sau* film) slide.
diaproiecție *s.f. fiz.* diaprojection.
diaree *s.f.* diarrhoea.
diarium *s.n. livr.* diary.
diartroză *s.f. anat.* diarthrosis.
diascop *s.n.* **1.** slide projector. **2.** *med.* diascope.
diaspor *s.m. mineral.* diaspore.
diaspora *s.f.* **1.** *ist.* Diaspora. **2.** migration.
diastază *s.f.* **1.** *med.* diastasis. **2.** *chim.* diastase.
diastil *s.n. arh.* diastyle.
diastolă *s.f.* diastole.
diastolic *adj. med.* diastolic.
diastrofism *s.n. geol.* diastrophism.
diaterman *adj. fiz.* diathermanous.
diatermie *s.f. med.* diathermy.
diatermocoagulare *s.f. med.* diathermocoagulation.
diateză *s.f. gram.* voice.
diatomee *s.f. pl. bot.* Diatomeae, Bacillariophyceae.
diatomit *s.n. geol.* diatomite.
diatonic *adj. muz.* diatonic.
diatribă *s.f.* diatribe.
diavol *s.m.* **1.** devil, fiend. **2.** *fig.* imp.
diavolesc *adj.* devilish, diabolical.
diavolește *adv.* devilishly, diabolically.
diavoliță, diavoloaică *s.f.* she-devil; devil of a woman.
diazoderivat *s.m.* diazo compound.
diazotare *s.f. chim.* diazotization.
dibaci *adj.* **1.** deft. **2.** *fig.* clean.
dibăci *vt.* to find.
dibăcie *s.f.* **1.** skilfulness. **2.** *fig.* cleverness.
dibenzoil *s.n. chim.* dibenzoyl, benzoyl.
diblă *s.f. fam.* fiddle.
diblu *s.n. constr.* dowel(-pin).
dibrometan *s.n. chim.* dibromoethane.
dibui *vt.* to seize; to find.
dibuială, dibuire *s.f.* fumbling etc. v. d i b u i.
dibuit *s.n.* fumbling, finding; *pe ~e* fumbling around.
dibuite *s.n.* groping; *pe ~* groping(ly).
diceras *s.m. paleont.* Diceras.
dichis *s.n.* trimmings; *cu tot ~ul* perfectly, to a turn; in full dress.
dichiseală *s.f.* dressing up; adorning; *(exagerată)* tittivation.
dichisi **I.** *vt.* **1.** to dress up (to the nines). **2.** *(a împodobi)* to adorn, to arrange. **II.** *vr.* to tit(t)ivate (oneself).
dichisit *adj.* trim.
dicinodon *s.m. paleont.* dicynodon.
diclorbenzen *s.m. chim.* dichlorobenzene.
dicloretan *s.n. chim.* dichloroethane, ethylidene (di)chloride.
dicloretilenă *s.f. chim.* etylene chloride.
diclormetan *s.n. chim.* metylene chloride.
dicotiledonat *adj. bot.* dycotyledonous.
dicotomie *s.f. log.* dichotomy.
dicroism *s.n. fiz.* dichroism.
dicta *vt.* **1.** to dictate. **2.** *fig. și* to command.
dictafon *s.n.* dictaphone.
dictando *s.n. caiet de ~* lined copy book.
dictare *s.f.* dictation; *după / sub ~* to dictation.
dictat *s.n.* dictate.
dictator *s.m.* autocrat.
dictatorial *adj.* dictatorial.
dictatură *s.f.* dictatorship; *dictatura proletariatului* proletarian dictatorship.
dictiocauloză *s.f. med. vet.* infested with dictycaulus (worm).
dictionema *subst. paleont.* Dictyonema.
dicton *s.n.* adage.
dicționar *s.n.* dictionary; *~ ambulant* a walking encyclopaedia; *~ de buzunar* pocket *sau* midget dictionary; *~ pitic / liliput* jejune dictionary.
dicțiune *s.f.* delivery, articulation.

dicumarol *s.n. farm.* dicoumarin, dicoumarol.
didactic *adj.* didactic.
didactică *s.f.* didactics.
didacticism *s.n.* priggishness.
didacticist *adj.* priggish.
didascalie *s.f. ist., lit.* didascaly.
dieceză *s.f. bis.* diocese.
diedru *geom.* **I.** *adj.* di(h)edral. **II.** *s.m.* dihedron.
dielectric I. *adj.* dielectric, insulating. **II.** *s.n.* dielectric.
dienă *s.f. chim.* diene.
diencefal *s.n. anat.* diencephalon.
diereză *s.f. lingv.* diaresis.
diesel *s.n.* Diesel engine.
dietanolamină *s.f. chim.* diethanolamine.
dietă *s.f.* diet.
dietetic *adj.* diet(etic).
dietetică *s.f. med.* dietetics.
diez *s.m., adj.* sharp.
difenildicetonă *s.f. chim.* benzil.
diferend *s.n.* strife, dispute.
diferență *s.f.* difference; *la o ~ de 10 puncte* by a ten point margin.
diferenția *vt., vr.* to differentiate.
diferențial *s.n., adj.* differential.
diferențială *s.f. mat.* differential.
diferențiere *s.f.* differentiation, discrimination.
diferi *vi. a ~ de* to differ (from).
diferit *adj.* **1.** different, dissimilar, distinct. **2.** *(variat)* varied, various; *în ~e rânduri* several times.
dificil *adj.* **1.** difficult, hard. **2.** *(moftu-ros)* fastidious, finical. **3.** *(complicat)* intricate, involved. **4.** *(nesupus)* unmanageable, hard to manage.
dificultate *s.f.* **1.** difficulty, complication. **2.** *fig.* crux. **3.** *(caracter dificil și)* hardness, intricacy. **4.** *(piedică)* obstacle, handicap; *dificultăți bănești* straitened circumstances.
difluență *s.f. geogr.* diffluence.
diform *adj.* misshapen, deformed, unshapely.
diforma *vt., vr.* v. d e f o r m a.
diformitate *s.f.* deformity.
difracta *vr., vt. opt.* to diffract.
difractat *adj. opt.* diffracted.
difracție *s.f. opt.* diffraction.
difteric *med. adj.* diphtheri(ti)c; *anghină ~ă* diphtheria.
difterie *s.f.* diphtheria.
diftero-variolă *s.f. med. vet.* fowlpox.
diftină *s.f. text.* suedette, imitation suè, moleskin, velveteen.
diftong *s.m.* diphthong.
diftonga *vt., vr.* to diphthong(ize).
diftongare *s.f. lingv.* diphthongization.
difuz *adj.* diffuse.
difuza I. *vt.* **1.** to spread; to distribute. **2.** *(prin radio)* to broadcast. **II.** *vr.* to be spread *sau* broadcast.
difuzabil *adj.* diffusive.
difuzant *adj.* diffusing.
difuzare *s.f.* spread(ing).
difuzibil *adj.* diffusible.
difuzibilitate *s.f. fiz.* diffusibility.
difuziune *s.f. fiz. etc.* diffusion.
difuzivitate *s.f. fiz.* difusivity.
difuzor *s.n.* **1.** loudspeaker. **2.** *(persoană)* distributor.
dig *s.n.* dyke; *(mare)* breakwater; *(în port)* pier, jetty.
digera *vt.* to digest.
digerabil *adj.* digestible.
digerare *s.f. și fig.* digestion.
digestibil *adj.* digestible.
digestibilitate *s.f.* digestibility.
digestie *s.f.* digestion.
digestiv *adj.* digestive.
digestor *s.n. ind. alim.* digestor, digester.
digger *s.m. ist., pol. Angliei* Digger.
digital *adj. anat.* digital; *amprentă ~ă* finger print.
digitalină *s.f. farm.* digitaline.
digitat *adj.* digited; *bot.* digitated.
digitație *s.f. muz.* fingering.
digitigrad *zool.* **I.** *s.n. pl.* Digitigrada. **II.** *adj.* digitigrade.
digresiune *s.f.* digression
dihai *adv. mai ~* (far) better *sau* more *sau* stronger.
dihanie *s.f.* **1.** (wild) animal. **2.** *(monstru)* monster, freak of nature.
dihidrochinină *s.f. farm.* dehydroquinine.
dihidrofoliculină *s.f. biochim.* (o)estradiol.
dihidromorfinonă *s.f. farm.* dihydromorphinone.
dihonie *s.f.* discord, ill-blood.
dihor *s.m. zool.* fitch(ew), polecat *(Mustela putorius)*.
dihotomie *s.f. log.* dichotomy.
diiodotirozină *s.f. biochim.* diiodotyrosine.
dijmaș *s.m.* sharecropper.
dijmă *s.f.* **1.** tithe. **2.** *(lucrare în parte)* share cropping.
dijmui *vt.* to tithe.
dilata *vt., vr.* **1.** to dilate, to expand. **2.** *med.* to distend.
dilatabil *adj.* dilatable, expansible.
dilatare *s.f.* dila(ta)tion.
dilatat *adj.* dilated, swollen etc. v. d i l a t a.
dilatator *adj.* dilatator, dilator.
dilatație *s.f.* v. d i l a t a r e.
dilatograf *s.n. fiz.* dilatometer, extensometer.
dilatogramă *s.f. fiz.* dilatogram.
dilatometrie *s.f. fiz.* dilatometry, extensometry.
dilatometru *s.n. fiz.* dilatometer.
dilatoriu *adj. jur.* dilatory.
dilauden *s.n. farm.* dilaudid, dihydromorphinone.
dilemă *s.f.* dilemma.
diletant I. *s.m.* **1.** dilettante. **2.** *(profan)* layman. **II.** *adj.* lay.
diletantism *s.n.* amateurishness, dilettant(e)ism.
diligență *s.f.* **1.** diligency, diligence. **2.** *jur.* diligence, proceedings. **3.** diligence (coach).
dilogie *s.f. lit.* play with a double plot.
dilua *vt.* to dilute.
diluant *s.m. chim.* diluter, dilutor.
diluare *s.f.* dilution.
diluat *adj.* diluted; *soluție ~ă* diluted / weak solution.
diluție *s.f. chim.* dilution.
diluvian *adj. geol.* diluvian.
diluviu *s.n.* **1.** *(potop)* (great) flood, deluge. **2.** *geol.* diluvium.
dilver *s.n. met., el.* iron-nickel alloy.
dimensiona *vt.* to dimension, to size.
dimensional *adj.* dimensional.
dimensionare *s.f. tehn.* dimensioning; sizing, proportioning.
dimensiune *s.f.* size.
dimer *s.m. chim.* dimer.
dimerizare *s.f. chim.* dimerization.
dimerlie *s.f.* bushel (of grain).
dimetilformamidă *s.f. chim.* dimethyl formamide.
dimetru *s.m. stil.* dimeter.
dimie *s.f. text.* frieze, rough homespun.
dimineața *adv.* in the morning.
dimineață *s.f.* **1.** morning. **2.** *(zori)* dawn; *azi ~* this morning; *dis-de-~* in the early morning; *în dimineața acelei zile* on that morning, on the morning of that day.
diminua I. *vt.* to diminish, to decrease. **II.** *vr.* to abate, to decline; to dwindle.
diminuare *s.f.* diminution.
diminuendo *adv., adj. muz.* diminuendo.
diminutiv *s.n.* diminutive; pet name.
diminutival *adj. gram.* diminutive.
dimorf *adj. mineral.* dimorphous.
dimorfism *s.n. mineral.* dimorphism.
dimpotrivă *adv.* on the contrary.
dimprejur I. *adj.* about. **II.** *adv.* around.
dimprejurul *prep.* (a)round, about.

dimpreună *adv.* together.
din *prep.* **1.** *(static)* in, of, at. **2.** *(dinamic)* from. **3.** *(dinăuntrul)* out of. **4.** *(cauzal)* out of, because of, through. **5.** *(ca material)* of, from; ~ *afară* from without; ~ *cauza (asta)* because of (this); ~ *ce în ce* more and more; ~ *copilărie* from early childhood; ~ *curiozitate* out by curiosity; ~ *întâmplare* by chance; ~ *răsputeri* forcibly.
dinadins *adv.* purposely; *cu tot ~ul* keenly, *(anume)* expressly, on purpose.
dinafara *prep.* outside.
dinafară *adv.* from without; *de ~, pe ~* outside; *(pe de rost)* by heart.
dinainte I. *adj.* previous; *de ~* fore... *(în cuvinte compuse)*; *(anterior)* former. **II. 1.** *adv.* before. **2.** *v.* I..
dinaintea *prep.* before, in front of.
dinam *s.n.* dynamo.
dinametru *s.n. fiz.* dynamometer.
dinamic *adj.* dynamic.
dinamică *s.f.* **1.** dynamics. **2.** *ec.* evolution, progress.
dinamism *s.n.* dynamism.
dinamita *vt.* to blow up.
dinamitare *s.f.* dynamiting, blowing up (with dynamite etc.).
dinamită *s.f.* dynamite.
dinamiza *vt.* to galvanize.
dinamograf *s.n. tehn.* dynagraph.
dinamometamorfism *s.n. geol.* dynamometamorphism.
dinamometric *adj. fiz.* dynamometric(al).
dinamometru *s.n. fiz.* dynamometer.
dinanțian *subst., adj.* Dinantian.
dinapoi *s.n., adj., adv.* behind; *de ~* hind *(în cuvinte compuse)*.
dinapoia *prep.* behind.
dinar *s.m.* dinar.
dinastic *adj.* dynastic(al).
dinastie *s.f.* dynasty.
dinatron *s.n. el.* dynatron.
dină *s.f. fiz.* dyne.
dinăuntru I. *adj.* inner(most), inside. **II.** *adv.* (from) within; *de ~* inside; *pe ~* (from) within.
dinăuntrul *prep. (din interiorul)* from within; *(înăuntrul)* inside, within, in the interior of.
dincoace *adv.* (over) here; ~ *de* on this side of; *de ~* this (other); on this side; *pe ~* this way.
dincolo *adv.* **1.** beyond, over there. **2.** *(alături)* in the next room; *de ~* beyond; in the next room; *pe ~* the other way.
dincotro *adv.* (from) whence, from where; from what place.
dindărăt *adv.* v. d i n a p o i.
dindărătul *prep.* v. d i n a p o i a.
dineu *s.n.* dinner (party).
dingo *s.m. zool.* dingo *(Canis dingo)*.
dinlăuntru(l) *prep.* v. d i n ă u n t r u (l).
dinodă *s.f. el.* dynode.
dinoteriu *s.m. paleont.* dinotherium.
dinozaur *s.m. zool., paleont.* dinosaur(ian).
dinozaurieni *s.m. pl. paleont.* Dinosauria, dinosaurs, dinosaurians.
dinspre *prep.* from.
dintâi *adj.* **1.** first. **2.** *(anterior)* former.
dinte *s.m.* **1.** tooth. **2.** *(colț)* fang. **3.** *(de elefant)* tusk. **4.** *(de roată)* sprocket. **5.** *(de pieptene)* cog. **6.** *(de furcă)* prong. **7.** *(de cataramă)* holder; ~ *de aur* gold filling; *dinți de lapte* calf's teeth.
dintotdeauna *adv.* always.
dintre *prep.* **1.** between. **2.** *(selectiv)* (from) among.
dintr-o dată *adv.* at once.
dintru *prep.* from.
dința *vt.* to provide with teeth *sau* cogs; to cog.
dințare *s.f. tehn.* cogging, furnishing with teeth, toothing.
dințat *adj.* **1.** toothed. **2.** *(d. roți)* cogged.
dințatură *s.f.* cogging, denticulation, toothing, indentation.
dințișor *s.m.* little / small tooth, *rar* toothlet; *tehn.* denticle.
dioc *s.n. bot.* centaury, knapweed *(Centaurea)*.
dioceză *s.f. bis. ist. Romei* diocese.
diodă *s.f. el.* diode.
dioic *adj. bot.* dioecious.
diolefină *s.f. chim.* diolefine.
dionină *s.f.* ethylmorphine hydrochloride.
dionisiac *adj.* Dionysiac, Dionysian, Bacchic.
dionisiace *s.f. pl.* Dionysia.
diopsid *s.m. mineral.* diopside.
dioptaz *s.n. mineral.* dioptase.
dioptrică *s.f. opt.* dioptrics.
dioptrie *s.f.* dyoptric.
dioptru *s.m.* **1.** diopter, dioptra, theodolite. **2.** *opt.* dioptre.
dioramă *s.f.* diorama.
dioramic *adj.* dioramic.
diorit *s.n. mineral.* diorite.
dipeptidă *s.f. pl. biochim.* dipeptide.
dipetal *adj. bot.* dipetalous.
diplegie *s.f. med.* diplegia.
diplobacil *s.m. bot.* diplobacillus.
diplococ *s.m. bot.* diplococcus.
diplodoc *s.m. paleont.* Diplodocus.
diploe *s.f. anat.* diploe.
diplofază *s.f. biol.* diplophase.
diplograf *s.n.* twofold typewriter (for text and Braille).
diploidă *adj. biol.* diploid.
diplomat I. *s.m.* diplomat. **II.** *adj.* **1.** certificated. **2.** *fig.* tactful.
diplomatic I. *adj.* diplomatic. **II.** *adv.* diplomatically.
diplomatică *s.f. ist.* diplomatic(s).
diplomație *af.* **1.** diplomacy. **2.** *fig. și* tactfulness.
diplomă *s.f.* diploma.
diplopie *s.f. med.* diplopia.
diplopora *s.f. paleont.* Diplopora.
diplure *s.f. pl. entom.* Diplura, Entotrophi.
dipmetru *s.n. geol.* dipmeter.
dipnoi *s.m. pl. zool.* Dipnoi.
dipod *adj. stil.* dipodic.
dipodide *s.n. pl. zool.* Dipodidae.
dipodie *s.f. stil.* dipody.
dipol *s.m. fiz.* dipole.
dipolar *adj.* dipolar.
dipolmoment *s.m.* dipol moment.
dipsomanie *s.f. med.* dipsomania, alcoholism.
dipter *entom.* **I.** *adj.* dipterous. **II.** *s.n.* dipter(an).
diptic *s.n. artă* diptych.
direct I. *adj.* **1.** direct, straight-(forward). **2.** *(deschis)* open. **3.** official, formal. **II.** *adv.* **1.** straightly, directly. **2.** *(deschis)* openly, straightforwardly, frankly. **3.** *(de-a dreptul)* entirely, diametrically.
directă *s.f.* **1.** *mat.* straight line. **2.** *(la box)* straight.
directivă *s.f.* direction.
directivitate *s.f. fiz.* directivity.
directoare *s.f.* **1.** manageress. **2.** *(de școală)* headmistress.
directoire *ist., pol.* Directoire.
director[1] *s.m.* **1.** manager. **2.** *(de școală)* headmaster, principal; ~ *de scenă* stage manager; *~ul filmului* producer.
director[2] *adj.* **1.** guiding. **2.** *tehn.* steering.
directorat *s.n.* **1.** directorship. **2.** *ist.* Directory.
directorial *adj.* directorial.
direcție *s.f.* **1.** direction. **2.** *(birou)* manager's office. **3.** *(instituție)* (central) board. **4.** *(la școală)* headmaster's office. **5.** *(conducere)* management; ~ *principală* main trend; *în ce ~?* where? whither?
direcțional *adj.* directional.
direcțiune *s.f.* v. d i r e c ț i e 3, 4.
direse *s.n. pl. ist. României* official deeds / documents of the ruler's chancellery.

dirham *s.m. ec., fin.* dirhem, dirham, derham (monetary unit).
dirigent *înv.* **I.** *adj.* directing, guiding (person). **II.** *s.m.* leader.
dirigenție *s.f.* the activity of the class / form master.
diriginte *s.m.* **1.** form master. **2.** *(la poștă)* postmaster.
dirigui *vb.* v. d i r i j a .
diriguitor *adj.* guiding, leading.
dirija *vt., vi.* to conduct.
dirijabil I. *s.n.* dirigible ballon. **II.** *adj.* dirigible.
dirijare *s.f.* directing etc. v. d i r i j a.
dirijat *adj.* directed, controlled.
dirijism *s.n. ec. pol.* dirigisme; planning.
dirijor *s.m.* conductor.
dirijoral *adj.* conductor's.
dirijorală *adj. muz.* conductorial.
dirt-track *s.n. sport.* dirt-track (race).
dis- *prefix* dis-.
disamară *s.f. bot.* disamara fruit, key fruit.
disartrie *s.f. med.* dysarthria.
disc *s.n.* **1.** disk, disc. **2.** *(de patefon și)* record. **3.** *sport* discus; *~ul lui Newton* colour mixer.
discernământ *s.n.* discrimination.
discerne *vt.* to discern.
discheratoză *s.f. med.* dyskeratosis.
disciplina *vt.* to discipline.
disciplinar I. *adj.* **1.** disciplinary. **2.** exemplary. **II.** *adv.* as a penalty.
disciplinat *adj.* (well-)disciplined.
disciplină *s.f.* discipline.
discipol *s.m.* disciple.
discobol *s.m. sport* discobolos, discobolus, discus thrower.
discont *s.n. fin.* bank rate.
discontinuitate *s.f.* discontinuity.
discontinuu *adj.* discontinuous.
discorda I. *vi.* not to be in agreement; to clash. **II.** *vr. muz.* to be discordant, to be out of tune.
discordant *adj.* jarring.
discordanță *s.f.* disagreement.
discordie *s.f.* **1.** discord. **2.** *(dihonie)* feud.
discotecă *s.f.* library of records.
discrazie *s.f. med.* dyscrasia.
discredit *s.n.* discredit.
discredita I. *vt.* to discredit. **II.** *vr.* to compromise oneself.
discreditare *s.f.* disparagement, discrediting.
discrepant *adj.* discrepant.
discrepanță *s.f.* discrepancy.
discret I. *adj.* **1.** discret. **2.** *(modest)* unobtrusive. **3.** *(tăcut)* silent. **II.** *adv.* **1.** discreetly. **2.** *(modest)* unobtrusively.
discreție *s.f.* discretion; *la discreția cuiva* at smb.'s discretion; *fig.* at smb.'s beck and call; at smb.'s mercy.
discreționar *adj.* discretionary.
discrimina *vt.* **1.** to discriminate (against). **2.** to select, to discriminate, to choose.
discriminant *s.m.* **1.** *mat.* discriminant. **2.** *pol. etc.* discriminatory.
discriminare *s.f.* discrimination; *~ rasială* colour bar.
discriminator *s.n. el. etc.* discriminator, grader.
discriminatoriu *adj.* discriminating.
discui *vt. agr.* to disk.
discuire *s.f. agr.* disking, diskharrow ploughing.
discuitor *s.n.* disk harrow.
disculpa I. *vt* to exculpate, to exonerate. **II.** *vr.* to exculpate oneself.
discurs *s.n.* speech.
discursiv *adj.* discursive.
discursivitate *s.f.* **1.** discoursiveness, argumentation, expositoriness. **2.** digressiveness, disc(o)ursiveness, rambling, chattiness.
discuta I. *vt.* **1.** to debate upon. **2.** *(a pune la îndoială)* to question. **3.** *(a pune în discuție)* to moot. **II.** *vi.* **1.** to talk. **2.** *(în contradictoriu)* to argue (a point). **III.** *vr.* to be discussed.
discutabil *adj.* **1.** disputable, controversial. **2.** *(îndoielnic)* questionable.
discutare *s.f.* discussion.
discutat *adj.* mooted.
discuție *s.f.* **1.** debate. **2.** *(aprinsă)* argument; *fără ~* undoubtedly.
dis-de-dimineață *adv.* at dawn.
diseară *adv.* tonight.
diseca *vt.* to dissect.
disecție *s.f.* dissection.
diseminare *s.f.* dissemination.
disensiune *s.f.* variance.
disenterie *s.f. med.* dysentery.
disepal *adj. bot.* disepal(l)ous.
disertație *s.f.* dissertation.
disfagie *s.f. med.* dysphagia.
disfonie *s.f. med.* dysphonia.
disfuncție *s.f. med.* disfunction, dysfunction.
disgravidie *s.f. med.* gestosis.
disident I. *s.m.* non-conformist, dissenter. **II.** *adj.* disident.
disidență *s.f.* **1.** disidence. **2.** *pol.* cave, grouplet, faction.
disilabic *adj.* dis(s)yllabic.
disimetrie *s.f.* dissymmetry.
disimila *vr. lingv.* to be dissimilated.
disimilare *s.f. lingv.* dissimilation.
disimilație *s.f. lingv.* dissimilation.
disimula *vt.* to disemble.
disipa *vt., vr. fiz.* to dissipate (energy).
disipativ *adj. fiz.* dissipative.
disipator *s.n. tehn. etc.* dissipator, dissipater.
disjunct *adj.* **1.** disjunctive. **2.** *mat.* disjoined, disjointed.
disjunctiv *adj. gram.* disjunctive.
disjunctor *s.n. el.* automatic circuit breaker.
disjuncție *s.f. log.* disjunction, separation.
disjunge *vt.* to disjoin(t), to separate.
disjungere *s.f. jur.* severance (of causes etc.).
disloca *vt.* to dislocate.
dislocare *s.f.* dislocation.
dislocație *s.f. mineral., geol. etc.* dislocation, fault.
dismenoree *s.f. med.* dysmenorrh(o)ea.
disocia *vt., vr.* to dissociate.
disociabil *adj.* dissociable.
disociativ *adj.* dissociating.
disociație *s.f. chim. etc.* dissociation, decomposition.
disociere *s.f.* dissociation.
disodil *s.n. mineral.* dysodile.
disoluție *s.f.* dissolution.
disonant *adj.* dissonant, discordant.
disonanță *s.f.* dissonance.
disparat *adj.* ill-assorted.
disparitate *s.f.* disparity, dissimilitude.
dispariție *s.f.* **1.** disappearance. **2.** *(moarte)* demise. **3.** *(pierdere)* loss.
dispărea *vi.* **1.** to vanish. **2.** *(a muri)* to pass away.
dispărut I. *s.m.* **1.** the late. **2.** *pl. mil.* the missing. **II.** *adj.* **1.** missing. **2.** *(d. specie etc.)* extinct; *lumea ~ă* the lost world.
dispecer *s.m.* dispatcher.
dispensa I. *vt. a ~ de* to excuse from, to exempt from. **II.** *vr. a se ~ de* to dispense with, to do without.
dispensar *s.n.* **1.** health unit. **2.** village surgery.
dispensarizare *s.f.* follow-up.
dispensă *s.f.* licence, exemption.
dispepsie *s.f. med.* dyspepsia, indigestion.
dispera *vt., vi.* v. d e s p e r a.
dispers *adj.* disperse(d).
dispersa *vt., vr.* to scatter.
dispersant *adj.* dispersant.
dispersare *s.f.* dispersion.
dispersi(un)e *s.f. fiz.* dispersion.
dispersiv *adj. opt. etc.* dispersive.
dispersor *s.n. tehn.* dispersor (in carburettor).

displazie *s.f. med.* dysplasia.
displăcea *vi. îmi displace atitudinea lui* I don't like *sau* I dislike his attitude.
dispnee *s.f. med.* dyspnoea.
disponibil I. *s.n.* available funds *sau* assets. **II.** *adj.* available.
disponibilitate *s.f.* reserve; *în ~ mil.* on half-pay.
dispozitiv *s.n.* **1.** device, contrivance. **2.** *mil.* disposition, ordinance; *~ de luptă* combat disposition.
dispoziție *s.f.* **1.** disposal. **2.** *(legală etc.)* provision. **3.** *(așezare)* arrangement. **4.** *(sufletească)* mood. **5.** *(ordin)* order; *la ~* available; at your disposal; *până la noi dispoziții* till further orders; *bună ~* high spirits.
dispreț *s.n.* contempt; *cu ~* disdainfully.
disprețui *vt.* **1.** to scorn. **2.** *(primejdiile etc.)* to set at naught; *de ~t* contemptible, mean.
disprețuitor I. *adj.* contemptuous. **II.** *adv.* scornfully, down one's nose.
disproporție *s.f.* disproportion.
disproporțional *adj.* **1.** lopsided. **2.** *fig.* incongrous.
disproporționat *adj.* disproportionate; out of proportion.
dispune I. *vt.* **1.** to order. **2.** *(a înveseli)* to cheer. **II.** *vi.* to dispose; *a ~ de* to have; to possess; *sport* to defeat.
dispunere *s.f.* disposing etc. v. d i s p u n e.
dispus *adj.* **1.** ready, willing. **2.** *(vesel)* lively, cheerful; *bine ~* in high spirits; *prost ~* in low spirits.
disputa I. *vt.* to dispute. **II.** *vr.* to be fought *sau* played.
dispută *s.f.* dispute.
disruptiv *adj. fiz.* disruptive.
distant *adj.* stand-offish.
distanța I. *vt.* to outdistance. **II.** *vr.* to move away.
distanțare *s.f.* detachment.
distanță *s.f.* **1.** distance. **2.** *(deosebire)* difference. **3.** *(în timp)* interval; *de la ~* at a distance.
distanțier *s.n. tehn.* distance piece.
disten *s.n. mineral.* disthene, cyanite.
distih *s.n. stil.* distich.
distil *adj. arh.* distyle (columniation).
distila *vt.* to distil.
distilare *s.f.* distillation, distilling.
distilat I. *adj.* distilled. **II.** *s.m.* distillate.
distilator *s.n.* distiller, still.
distilerie *s.f.* distillery.
distinct I. *adj.* **1.** distinct. **2.** clear. **3.** *(separat)* separate. **II.** *adv.* clearly.
distinctiv *adj.* distinctive.
distincție *s.f.* **1.** distinction. **2.** *(decorație)* decoration.
distinge I. *vt.* to distinguish. **II.** *vi. a ~ între* to tell (one from the other). **III.** *vr.* to stand out.
distins *adj.* refined.
distocie *s.f. med., med. vet.* dystocia, dystokia.
distomatoză *s.f. med. vet.* rot (in sheep).
distona *vi.* to disagree; *(d. culori)* to clash.
distonant *adj.* discordant.
distonanță *s.f.* v. d i s c o r d a n ț ă.
distonie *s.f. med.* dystonia.
distorsionant *adj.* distorting, causing distortions.
distorsiune *s.f. fiz., el. etc.* distortion.
distra I. *vt.* to amuse, to entertain. **II.** *vr.* to have a good time, to enjoy oneself.
distractiv *adj.* amusing.
distracție *s.f.* **1.** entertainment. **2.** absent-mindedness.
distrage *vt.* **1.** to divert. **2.** *(a abate)* to side-track.
distrat I. *adj.* **1.** absent-minded. **2.** *(împrăștiat)* pie-eyed; scatter-brained. **II.** *adv.* absently, absent-mindedly.
distribui *vt.* **1.** to distribute. **2.** *(într-un rol)* to cast (in a part). **3.** *(a preda)* to hand (out), to deliver; *prost ~t(ă) teatru* miscast.
distribuire *s.f.* distribution.
distribuitor I. *s.m.* distributor, bestower, dispenser. **II.** *s.n.* **1.** *tehn.* distributor. **2.** *agr.* feed device.
distributiv *adj. gram.* distributive.
distribuție *s.f.* **1.** distribution; division. **2.** *teatru* cast.
district *s.n.* district.
districtual *adj.* district...
distrofic *adj. med.* dystrophic.
distrofie *s.f. med.* dystrophy.
distructiv *adj.* destructive.
distrugător I. *s.m., s.n.* destroyer. **II.** *adj.* destructive.
distruge *vt.* **1.** to destroy. **2.** *(oameni)* to exterminate. **3.** *(a ruina)* to ruin. **4.** *(a pustii)* to lay waste. **5.** *fig. (a nărui)* to shatter.
distrugere *s.f.* **1.** destruction. **2.** *(măcel)* extermination.
distrus *adj.* **1.** destroyed. **2.** *(ruinat)* wrecked. **3.** *fig.* downhearted. **4.** *(ratat)* washed out.
disuada *vt.* to dissuade.
disurie *s.f. med.* dysuria.
ditai *adv. fam.* v. c o ș c o g e a.
ditionic *adj. chim.* dithionic (acid).
ditionit *s.m. chim.* hydrosulfite, dithionite.
ditionos *adj. chim.* dithionous (acid).
ditiramb *s.m. s.n. și fig.* dithyramb(us).
ditirambic *adj. stil.* **1.** *lit.* dithyrambic. **2.** *(d. laudă etc.)* extrava-gant, exaggerated, (hyper-)encomiastic.
ditiscus *s.m. entom.* dytiscus *(Dytiscus).*
ditroit *s.n. geol., constr.* Moldavian variety of sienite used as building stone.
diuretic *adj., s.n. med.* diuretic.
diureză *s.f. fiziol.* diuresis.
diurn *adj.* **1.** day(-time). **2.** *(cotidian)* daily, every day.
diurnă *s.f.* (daily) allowance.
diurnist *s.m.* person getting a daily fee / allowance.
div *s.m. mitol.* v. d e v.
divaga *vi.* to wander in one's speech.
divagare *s.f.* **1.** v. d i v a g a ț i e. **2.** digressing.
divagație *s.f.* digression, rambling (in one's speech).
divan *s.n.* **1.** divan. **2.** *(mobilă și)* sofa.
divă *s.f.* diva, star, primadonna.
diverge *vi. fiz.* to diverge; to spread out, to divaricate.
divergent *adj.* **1.** divergent. **2.** *(d. probleme etc.)* litigious.
divergență *s.f.* **1.** divergence, divergency, discrepancy; clash of opinions. **2.** *biol., mat. etc.* divarication; (angular) spread; division.
divers *adj.* **1.** diverse. **2.** *(banal)* trite.
diverse *s.f. pl.* **1.** miscellaneous news, points etc. **2.** *(cheltuieli)* sundries.
diversifica *vt., vr.* to diversify.
diversificare *s.f. ec. etc.* diversification.
diversionism *s.n.* red-herring policy.
diversionist *s.m.* wrecker.
diversitate *s.f.* variety.
diversiune *s.f.* **1.** diversion. **2.** *fig.* side-tracking.
diverticul *s.n. anat.* diverticulum.
divertisment *s.n.* **1.** entertainment. **2.** *muz.* divertimento.
divide I. *vt.* to divide. **II.** *vr.* to be divided.
dividend *s.n.* dividend.
divin *adj.* **1.** divine. **2.** *fig. și heavenly.*
divinatoriu *adj. rel.* divinatory.
divinație *s.f.* divination.
divinitate *s.f.* divinity, deity.
diviniza *vt., vr.* to lionize, to worship.

divinizare *s.f.* deification etc. v. d i v i n i z a.
diviza *vt., vr.* to divide.
divizare *s.f.* division.
divizibil *adj.* divisible.
divizibilitate *s.f.* divisibility.
divizie *s.f.* **1.** division. **2.** *sport și* league.
divizion *s.n. mil.* artillery battalion.
divizionar *adj. mil.* divisional; *monedă ~ă* small change *sau* coinage.
diviziune *s.f.* division; *~a muncii* division of labour.
divizor *s.m.* divisor; *cel mai mare ~ comun* the greatest common measure *sau* factor.
divorț *s.n.* divorce.
divorța **I.** *vt.* to divorce. **II.** *vi., vr.* to (get a) divorce.
divulga *vt.* **1.** to disclose. **2.** *(a trăda)* to give away.
divulgare *s.f.* **1.** disclosure. **2.** *(trădare)* betrayal.
dixtuor *s.n. muz.* dixtuor, decet.
dizaharidă *s.f. biochim.* disaccharide.
dizenteric *adj. med.* dysenteric.
dizenterie *s.f.* dysentery.
dizenteriform *adj. med.* dysenteriform.
dizertație *s.f.* v. d i s e r t a ț i e.
dizeur *s.m.*, **dizeuză** *s.f.* singer, vocalist.
dizgrația *vt.* **1.** to cast into disgrace / disfavour. **2.** to dishonour, to ruin smb.'s reputation.
dizgrație *s.f.* disfavour.
dizgrațios *adj.* **1.** unseemly. **2.** *(rușinos)* shameful. **3.** *(diform)* ungainly.
dizident *s.m., adj.*, **dizidență** *s.f.* v. d i s i d e n t, d i s i d e n ț ă.
dizolva *vt., vr.* to dissolve.
dizolvant *adj.* **1.** dissolvent. **2.** *fig.* dissociating.
dizolvare *s.f.* dissolving etc.; *fig.* dissolution.
dizolvat **I.** *adj.* melted; dissolved. **II.** *s.m.* solvate, melted substance.
djinn *s.m. mitol. arabă* jinn, djin(n), djinni.
do *s.m.* C, do.
doagă *s.f.* stave.
doamnă *s.f.* lady, woman; *(vocativ)* Madam, Ma'am; *(în scris)* Mrs; *~ de onoare* lady-in-waiting.
doar *adv.* only, just; ~ ~ in the hope that; for the sake of; *fără ~ și poate* beyond any doubt.
doară *s.f. într-o ~* tentatively.
dobândă *s.f.* **1.** interest. **2.** *(cămătărească)* usury; *cu ~* at interest.
dobândi **I.** *vt.* **1.** to get, to obtain. **2.** *(a câștiga și)* to gain. **3.** *(a-și procura)* to secure, to procure. **II.** *vr.* to be obtained *sau* got.
dobândire *s.f.* obtaining etc. v. d o b â n d i I.
doberman *s.m. zool.* doberman (pinscher).
dobitoc **I.** *s.m.* blockhead, dolt. **II.** *s.n.* beast.
dobitocesc *adj.* **1.** beastly, brutish. **2.** brutish, stupid, idiotic.
dobitocie *s.f.* stupidity.
doborâre *s.f.* **1.** felling. **2.** *fig. (răsturnare)* overthrow.
doborâtor *adj.* **1.** felling, grounding *(d. lovitură ș.a.)*, destructive, serious. **2.** *(copleșitor)* overwhelming.
doborî *vt.* **1.** to fell, to ground. **2.** *(a învinge)* to overcome. **3.** *fig.* to overthrow.
doboș (tort) *s.n.* dobos (torte).
dobrogean **I.** *s.m.* inhabitant of the Dobrudja. **II.** *adj.* of *sau* from the Dobrudja.
dobrogeancă *s.f.* **1.** *geogr.* woman (native of) Dobrudja. **2.** *muz.* dance specific to Dobrudja. **3.** *cul.* pastry specific to Dobrudja.
doc *s.n.* 1. *mar.* dock, warehouse. **2.** *text.* duck.
docar *s.n.* dogcart.
docent *s.m.* reader.
docență *s.f.* docentship; reader's rank / title.
docher *s.m.* docker.
Dochia *s.f.* mother Carey; *Baba ~ își scutură cojoacele* mother Carey is plucking her geese.
docil *adj.* docile, meek.
docilitate *s.f.* tameness.
docimazie *s.f. med.* docimasy, docimasia.
docimologie *s.f.* docimology, the science of evaluating pupils / students.
doct *adj.* erudite.
doctor *s.m.* **1.** doctor. **2.** *(clinician și)* physician. **3.** *(chirurg)* surgeon. **4.** *fig.* adept. **5.** *(în știință etc.)* master; doctor; *~ în litere* master of arts.
doctoral **I.** *adj.* priggish. **II.** *adv.* priggishly.
doctorand *s.m.* **1.** medical undergraduate. **2.** trainer for a doctor's degree.
doctoraș *s.m. (doctor de mâna a doua) aprox.* medico.
doctorat *s.n.* doctor's *sau* master's degree.
doctorie *s.f.* **1.** drug. **2.** *(lichidă)* medicine.
doctoriță *s.f.* doctoress.
doctorizare *s.f. ind. chim.* doctor process / treatment, sodium plumbite treatment.
doctrinar *s.m., adj.* doctrinaire.
doctrinarism *s.n. ist., pol.* doctrinairism, doctrinarianism.
doctrină *s.f.* doctrine.
document *s.n.* **1.** document, deed. **2.** *(proces-verbal)* record.
documenta *vr.* to gather evidence.
documentar **I.** *s.n.* documentary. **II.** *adj.* reference.
documentare *s.f.* documentation.
documentarist *s.m.* documentarist, expert in documentation; library expert.
documentat *adj.* well-informed.
documentație *s.f.* documentation, reference material.
dodecaedru *s.n. geom., mineral* dodecahedron.
dodecafonic *adj.* dodecaphonic, twelvenote...
dodecafonie *s.f.* dodecaphony, the twelve-note system.
dodecafonism *s.n.* dodecaphonism.
dodecafonist *s.m. muz.* dodecaphonist.
dodecagon *s.n. geom.* dodecagon.
dodecagonal *adj. geom.* dodecagonal.
dodecar *s.m. ist., fin.* 19th century Turkish gold coin
dodecasilab *s.m. stil.* dodecasyllable.
dodecasilabic *adj. stil.* dodecasyllabic.
dodecastil *s.n. arh.* dodecastyle.
dodii *s.f. pl. a vorbi în ~* to talk nonsense / rot / twaddle / through one's hat, to twaddle.
dog *s.m. zool. (~ englez, câine ~)* mastiff.
dogar *s.m.* cooper.
dogărie *s.f.* **1.** *(meserie)* cooper-age. **2.** *(prăvălie)* cooper's shop.
doge *s.m.* doge.
dogger *subst. geol.* Dogger.
dogi *vr.* to break (up), to crack.
dogit *adj.* **1.** cracked. **2.** *(d. voce și)* broken.
dogmatic *adj.* dogmatic.
dogmatism *s.n.* dogmatism.
dogmatist *s.m.* dogmatist.
dogmatiza *vi.* to dogmatize.
dogmă *s.f.* dogma.
dogoare *s.f.* blaze.
dogori *vt., vi.* to burn.
dogoritor *adj.* scorching.
dohot *s.n. tehn.* axle lubricatory / oil.
doi *s.m., adj., pron., num.* two; *~ câte ~* by twos, in couples.

doică *s.f.* wet nurse.
doilea *adj., num.* the second; *al ~ sport* runner-up; *în al ~ rând* secondly.
doime *s.f.* **1.** half. **2.** *muz.* minim.
doinar *s.m.* v. d o i n a ș.
doinaș *s.m.* singer of *doina* (melancholy Romanian folk song).
doină *s.f.* melancholy Romanian folk song.
doini I. *vi.* to sing *sau* play the *doina.* **II.** *vt.* to sing; to play.
doinire *s.f.* **1.** action of singing *doinas* (melancholy Romanian folk songs). **2.** v. d o i n ă.
doinitor *adj.* singing *sau* playing the *doina.*
doisprezece *s.m., adj., pron., num.* twelve.
doisprezecelea *adj., num.* the twelfth.
dojană *s.f.* reproach.
dojeni *vt.* to rebuke.
dojenitor *adj.* reproachful chiding.
dol *s.n. jur.* fraud, wilful misrepresentation.
dolar *s.m.* dollar.
doldora *adj.* chock-full.
doleanță *s.f.* grievance; request.
dolerit *s.n. geol.* dolerite.
dolicocefal *antrop.* **I.** *adj.* dolicocephalic, dolicocephalous. **II.** *s.m.* dolicocephal.
dolicocefalie *s.f. antrop.* dolichocephalism, dolichocephaly.
dolie *s.f. arh.* line of striction, valley, throat.
dolihocefalie v. d o l i c o c e f a l i e.
dolină *s.f. geol.* doline, dolina.
doliu *s.n.* mourning.
dolly *s.n. cin.* dolly, dolley, dollie.
dolman *s.n.* dolman; fur-lined jacket (of hussars etc.).
dolmen *s.n.* dolmen, cromlech.
dolofan *adj.* plump.
dolomită *s.f. geol., mineral.* dolomite.
dolomitizare *s.f. geol.* dolomitization.
dolosiv *adj. jur.* fraudulent, dolose, dolous.
dom *s.n.* dome.
domeniu *s.n.* **1.** domain; area. **2.** *(moșie și)* estate. **3.** *fig. și* field, sphere, province.
domestic *adj.* **1.** domestic. **2.** *(d. animale și)* tame.
domestici I. *vt.* to tame. **II.** *vr.* to become tame.
domesticire *s.f.* taming, domestication.
domesticit *adj.* tame, domesticated; tamed, not wild.
domicilia *vi.* to reside, to dwell.
domiciliar *adj.* domiciliary.
domiciliu *s.n.* (place of) residence.
domina I. *vt.* **1.** to dominate. **2.** *(a stăpâni)* to rule. **3.** *(d. o clădire etc.)* to tower over. **II.** *vi.* to be prevalent.
dominant *adj.* **1.** ruling. **2.** *(predominant)* (pre)dominant.
dominantă *s.f.* **1.** *muz.* dominant (note). **2.** *fig.* prevalent feature.
dominat *s.n. ist., pol.* dominatio(n).
dominator *adj.* domina, dominating, ruling, *peior.* domineering.
dominație *s.f.* domination, dominion.
dominican *adj., subst.* **1.** dominican (friar, nun). **2.** *geogr.* (native / inhabitant) of the Dominican Republic.
dominion *s.n.* dominion.
dominium *subst. ist., jur.* dominium.
domino *s.n.* **1.** domino. **2.** *(joc)* dominoes.
domn *s.m.* **1.** (gentle)man. **2.** *(domnitor)* ruler, hospodar. **3.** *(stăpân)* master, owner; *Domnul (Dumnezeu)* the Lord (God); *~ul Ionescu* Mr. Ionescu; *~le Ionescu* Sir; Mr. Ionescu; *Doamne Dumnezeule!* Good gracious! *Doamne ferește!* God forbid!; not at all!
domnesc *adj.* princely.
domnește *adv.* royally, in a royal / princely manner, nobly, aristocratically.
domni *vi.* **1.** to reign. **2.** *fig.* to live in clover.
domnie *s.f.* rule, reign; *domnia sa* he; *domnia sa domnul Vasile Ionescu* Vasile Ionescu, Esq(uire); *domnia voastră* you.
domnișoară *s.f.* young lady; *~ bătrână* spinster; *~ de onoare* bride's maid; *domnișoara Ileana (Dumitrescu)* Miss Ileana (Dumitrescu).
domnișor I. *s.m.* **1.** young master. **2.** *(tinerel)* young man.
domnitor I. *s.m.* hospodar, ruler. **II.** *adj.* reigning.
domniță *s.f.* princess.
domol I. *adj.* **1.** leisurely. **2.** *(liniștit)* quiet. **3.** *(d. sunet)* hushed. **4.** *(dulce)* gingerly. **II.** *adv.* **1.** gently. **2.** *(treptat)* slowly.
domoli I. *vt.* **1.** to calm (down). **2.** *(a împăca)* to appease. **3.** *(a alina)* to comfort. **4.** *(setea)* to quench. **5.** *(foamea)* to stay. **6.** *(durerea)* to soothe. **II.** *vr.* **1.** to quiet down. **2.** *(d. furtună etc.)* to abate.
domră *s.f. muz.* domra, Arian / Russian lute.
dona *vt.* to donate.
donare *s.f.* donation.
donatar *s.m. jur.* donee.
donatism *s.n. rel.* donatism.
donator *s.m.* donor.
donație *s.f.* donation.
donchișotesc *adj.* Quixotic.
donchișotism *s.n.* quixotism.
dondăni *vi.* *(a bodogăni) fam.* to mutter (to oneself); *(a pălăvrăgi)* to chatter.
dong *s.m. ec., fin.* dong, basic monetary unit of Vietnam.
doniță *s.f.* pail.
donjon *s.n.* keep, stronghold of a castle, donjon, dungeon.
donjuan *s.m.* ladykiller.
donor *s.m. chim.* donor.
dop *s.n.* **1.** cork. **2.** *(astupuș)* plug.
dopa *vt.* **1.** *sport.* to dope, to take stimulants. **2.** *el., tehn.* to dope.
dopaj *s.n. sport., el., tehn.* doping.
dopare *s.f.* v. d o p a j.
doping *s.n.* v. d o p a j.
dor *s.n.* **1.** longing. **2.** *(tristețe)* melancholy; *~ de casă* homesickness; *~ de ducă* wanderlust; *~ de țară* homesickness; *în ~ul lelii* at random.
dori *vt.* **1.** to desire. **2.** *(a ura)* to wish; *de ~t* desirable; *aș ~ să merg la plimbare* I should like to go for a walk; *ce doriți?* what can I do for you?
doric *adj.* Doric.
dorieni *s.m. pl. ist.* Dorians.
dorință *s.f.* wish; *după ~* at one's choice *sau* request.
dorire *s.f. (urare)* wish.
dorit *adj.* long-expected.
doritor *adj.* eager(for); keen (on).
dorking *subst. zool.* Dorking (breed of fowls).
dormeză *s.f.* sofa.
dormi *vi.* **1.** to sleep, to be asleep. **2.** *fig.* to lie dormant. **3.** *(a ațipi)* to take a nap; *a ~ buștean* to sleep like a log; *a nu ~ toată noaptea* to have a sleepless night.
dormit *s.n.* sleep(ing).
dormita *vi.* to doze, to snooze.
dormitor *s.n.* **1.** bedroom. **2.** *(la internat etc.)* dormitory.
dorn *s.n. tehn.* fishing tap.
dornic *adj.* **1.** desirous, eager. **2.** *(nerăbdător)* anxious.
dorobanț *s.m. odin.* **1.** *mil.* foot soldier. **2.** *(jandarm)* gendarme.
dorsal *adj. anat.* dorsal.
dorsalizare *s.f. med.* hypertrophy of the seventh vertebra.
dos *s.n.* **1.** back(side). **2.** *(șezut)* behind, buttocks. **3.** *(revers)*

reverse; *din* ~ (at the) back; *în ~ul (cu gen.)* behind; *pe* ~ upside down; *(d. îmbrăcăminte)* inside out.
dosar *s.n.* **1.** file, dossier. **2.** *(personal)* record. **3.** *jur.* case, brief. **4.** *fig.* background; ~ *cu clape* (pocket) folder.
dosi *vt.* to conceal.
dosinia *subst. zool.* Dosinia.
dosit *adj.* **1.** concealed, hidden. **2.** *(dosnic)* isolated.
dosnic *adj.* hidden, isolated.
dosnică *s.f. bot.* ~ *galbenă* carpesium *(Carpesium cernuum)*; ~ *vânătă* lady's bower, clematis *(Clematis integrifolia)*.
dospeală *s.f.* **1.** v. d o s p i r e. **2.** leaven, yeast, barm. **3.** *fig.* idleness.
dospi I. *vt.* to leaven. **II.** *vi.* to yeast.
dospire *s.f.* fermentation etc. v. d o s p i.
dospitor *s.n. ind.* fermenting room (of bakery).
dost *s.n. bot.* wild marjoram *(Origanum vulgare)*.
dota *vt.* to endow.
dotal *adj. jur.* dotal.
dotare *s.f.* endowment.
dotat *adj.* gifted.
dotație *s.f.* endowment.
dotă *s.f.* dowry.
doua *adj., num.* (the) second; *a ~ zi* the next day, on the morrow.
două *s.f., adj., pron., num.* two; *din ~ în ~ zile* every other day; *de ~ ori* twice; *de ~ ori și jumătate* two and a half times; *pe din ~* fifty-fifty.
douăsprezece *num. feminin, adj., s.f.* twelve.
douăzeci *s.m., adj., pron., num.* twenty, a score.
douăzecilea *adj., num.* the twentieth.
douăzeci și unu *s.n. (joc)* blackjack, 21.
doucin *s.n. bot.* wild apple tree *(Malus pumila)*.
dovadă *s.f.* **1.** proof; *pl. jur. și* evidence. **2.** *(indicație)* sign. **3.** *(certificat)* certificate. **4.** *(exemplu)* instance.
dovedi I. *vt.* **1.** to prove. **2.** *(a arăta)* to show, to demonstrate. **3.** *(a atesta)* to certify. **4.** *(a manifesta)* to evince. **II.** *vr.* to prove.
dovedire *s.f.* demonstration (of a truth).
doveditor *adj.* conclusive, convincing.
dovleac *s.m.* **1.** *bot.* pumpkin *(Cucurbita pepo)*. **2.** *fig.* pate.
dovlecel *s.m. bot.* vegetable marrow *(Cucurbita pepo ovifera)*.
doxă *s.f. fam.* gumption, brains, brainstuff, grey matter; *n-are ~ la cap fam.* his head is empty, he has no gumption.
doxograf *s.m. ist., filoz.* doxographer.
doza *vt.* to measure.
dozaj *s.n.* dosing, dosage.
dozare *s.f.* dosing etc. v. d o z a.
dozator *s.n. ind.* feed regulator, batchmeter, dozer; measuring apparatus / hopper / pocket.
doză *s.f.* **1.** dose. **2.** *el.* pick-up cartridge.
dozimetrie *s.f. tehn., fiz.* dosimetry.
dozimetru *s.n. tehn., fiz.* dosimeter, dose meter, dosage meter.
drac *s.m.* **1.** devil, Old Nick. **2.** *fig.* demon. **3.** *(drăcușor)* imp, dickens; *~e!* hell!; *al ~lui* wicked, accursed; *la ~u!* hang it all!; *pe ~u!* not in the least!; *tot un ~* it's much of a muchness; *fir-ar al ~ului!* damn it!, hell!
dracilă *s.f. bot.* barberry *(Berberis vulgaris)*.
draconic *adj.* Draconian, Draconic.
draconitic *adj. astr.* dracontic, draconitic.
drag I. *s.m.* love(r); *~ul mamei* pet child; *~ul meu* my dear. **II.** *s.n.* love, eagerness; *cu tot ~ul* lovingly, eagerly; *de ~ul cuiva* for smb.'s sake. **III.** *adj.* **1.** dear; beloved. **2.** *(preferat)* favourite, pet; *cu ~ă inimă* gladly, willingly.
draga *vt.* to drag.
dragaj *s.n.* dredging.
dragavei *s.m. bot.* patience plant, balsam *(Rumex crispus)*.
dragă I. *s.f.* **1.** love, sweetheart. **2.** *tehn.* dredger. **II.** *interj.* honey!, my dear!; *Dragă domnule* Dear Sir; *Dragă John, Mary etc.* Dear John, Mary etc.
draglină *s.f.* dragline (excavator).
dragoman *s.m. odin.* dragoman.
dragon *s.m.* **1.** dragon. **2.** *mil.* dragoon.
dragor *s.n. nav.* mine dredger.
dragoste *s.f.* love, affection; ~ *interesantă* cupboard love; *de ~* love...; *din ~ (pentru cineva)* out of love (for smb.); *cu ~* lovingly.
drahmă *s.f. fin.* drachm(a).
draibăr *s.n.* drill (borer), wimble.
drajeu *s.n.* dragee.
drajon *s.m. silvicultură* (root) sucker.
dram *s.n.* **1.** grain. **2.** *fig.* ounce, trace.
dramatic I. *adj.* **1.** dramatic. **2.** *teatru* stageworthy. **II.** *adv.* dramatically.
dramatism *s.n.* dramatic nature; stageworthiness.
dramatiza *vt., vi.* to dramatize.
dramatizare *s.f.* stage version.
dramaturg *s.m.* playwright.
dramaturgie *s.f.* drama; ~ *de film* screenplay(s).
dramă *s.f.* tragedy; ~ *pasională* love crime.
draniță *s.f. reg.* shingle, AE clapboard.
drapa *vt.* to cover with cloth; *(mobilă, stofă etc.)* to drape.
drapel *s.n.* **1.** flag, banner. **2.** *mil.* colours; *~ul american* stars and stripes; *~ul britanic* Union Jack.
draperie *s.f.* hangings.
drastic I. *adj.* drastic. **II.** *adv.* drastically.
dravidian *geogr.* **I.** *s.m.* **1.** Dravidian. **2.** the speech of Dravidians. **II.** *adj.* of or relating to the Dravidians or their languages.
drăcesc *adj.* infernal, fiendish.
drăcește *adv.* devilishly, diabolically.
drăcie *s.f.* **1.** devilish trick. **2.** *fig.* device.
drăcoaică *s.f.* she-devil, shrew.
drăcos *adj.* roguish, impish.
drăcovenie *s.f.* v. d r ă c i e.
drăcui *vt., vi.* to curse.
drăcușor *s.m.* imp.
drăgaică *s.f.* **1.** *(sărbătoare)* Midsummer (Day); *(târg)* Midsummer fair. **2.** Romanian folk dance. **3.** *bot.* Our Lady's bedstraw *(Galium verum)* **4.** *pl.* v. i e l e.
drăgălaș *adj.* lovely, comely.
drăgălășenie *s.f.* **1.** charm, grace. **2.** *(amabilitate)* kindliness.
drăgăstos I. *adj.* affectionate, tender. **II.** *adv.* lovingly.
drăgosti I. *vt.* **1.** to fondle. **2.** *(a răsfăța)* to pamper. **II.** *vr.* to fondle (each other).
drăgostire *s.f.* fondling; *(dragoste)* love.
drăguliță *s.f.* love, darling, sweet one, *fam.* duckie; ~ *Doamne* as it were, allegedly.
drăguț I. *s.m.* sweetheart; *~ul de el!* the little love! **II.** *adj.* **1.** nice, pretty. **2.** *(frumos)* good-looking, charming. **3.** *(amabil)* kind(ly).
drăguță *s.f.* sweetheart, beloved(one), AE his best girl.
drămui *vt.* to skimp.
drâmbă *s.f.* Jew's harp.
dreaptă *s.f.* **1.** straight (line). **2.** right hand. **3.** *pol.* right-wing; *de dreapta* right-wing; *la dreapta* on the right.

dregător *s.m. înv.* **1.** high official. **2.** ruler.
dregătorie *s.f. înv.* high office / dignity.
drege I. *vt.* **1.** to mend, to repair. **2.** *fig.* to set to rights. **3.** *(vinul)* to doctor; *a-și ~ glasul* to clear one's throat. **II.** *vr.* to mend.
dreikanter *s.n. geol.* dreikanter, ventifact.
dren *s.n.* **1.** *med.* drainage tube, drain. **2.** *hidrotehnică* drain(pipe).
drena *vt.* to drain.
drenaj *s.n.* drainage, draining.
drenare *s.f.* drainage, draining.
drepnea *s.f. ornit.* (black)swift *(Apus apus).*
drept I. *s.m.* **1.** right foot *sau* leg. **2.** *pl.* the righteous, the pure at heart. **II.** *s.n.* **1.** right. **2.** *(legi)* law. **3.** *(dreptate)* justice. **4.** *(privilegiu)* permission, privilege; *~ civil etc.* civil etc., law; *~ de alegător / vot, ~ electoral* franchise, right to vote; *~ de autor* copyright; *pl.* royalties; *~ imprescriptibil* idefeasible right; *~ penal* criminal law; *~(ul) internațional* international law; *~ul la muncă* the right to work; *cu ce ~?* on what pretence?, by what right?; *de ~* by right, under the law; *de-a ~ul* directly, straightforwardly; *la ~ vorbind* frankly speaking; *pe ~* rightly. **III.** *adj.* **1.** right. **2.** *(just și)* fair. **3.** *geom.* straight. **4.** *(direct)* direct. **5.** *(țeapăn)* erect. **6.** *(adevărat)* true, truthful. **7.** *(cinstit)* righteous; *cu ~ cuvânt* for good reason (too). **IV.** *adv.* **1.** directly, straight. **2.** *(exact)* exactly, precisely; **V.** *prep.* *~ care* whereupon; *~ cine mă iei?* whom do you take me for?
dreptar *s.n.* jointing rule, straight edge; *constr.* reglet.
dreptate *s.f.* **1.** justice, right(eousness). **2.** *(justețe)* fairness.
dreptunghi *s.n.* rectangle.
dreptunghic *adj. geom.* rectangular.
dreptunghiular *adj. geom.* rightangled, rectangular.
dres *s.n.* **1.** paint. **2.** *pl.* cosmetics.
dresa *vt.* **1.** *(animale)* to tame; *(pt. circ)* to train. **2.** *(a alcătui)* to draw up.
dresaj *s.n.* training.
dresat *adj.* **1.** trained. **2.** *(pt. circ)* performing.
dresor *s.m.* tamer; trainer.
dresură *s.f.* (taming and) training (of animal); trick performed by a trained animal.
drețe *s.f. bot.* species of tropical lily *(Nimphaea lotus thermalis).*
drezină *s.f.* (velocipede) trolley.
driadă *s.f. mitol.* dryad.
dribla *vt., vi.* to dribble.
driblaj, dribling *s.n.* dribbling.
dric *s.n.* hearse.
dricar *s.m.* undertaker.
drifter *s.n. nav.* drifter.
dril *s.n.* tick.
driopitec *s.m. paleont.* Dryopithecus.
drișcă *s.f. constr.* mason's float.
drișcui *vt. constr.* to float.
droaie *s.f.* crowd, legion.
drob I. *s.m. (de sare)* block. **II.** *s.n.* haggis.
drobițor *s.n.* **1.** v. d r o b i ț ă . **2.** v. d r o b u ș o r.
drobiță *s.f.* **1.** *bot.* dyer's broom *(Genista tinctoria).* **2.** *bot.* dyer's weed, weld *(Reseda luteola).*
drobușor *s.n. bot.* **1.** v. d r o b i ț ă. **2.** dyer's woad *(Isatis tinctoria).*
drog *s.n.* **1.** drug. **2.** *sport* doping. **3.** *(stupefiant)* dope.
droga I. *vt.* **1.** to drug. **2.** *(cu stupefiante)* to dope. **II.** *vr.* **1.** to doctor oneself. **2.** *(cu stupefiante)* to dope oneself.
drogherie *s.f.* druggist's shop.
droghist *s.m.* druggist.
drojdie *s.f.* **1.** dregs. **2.** *(de bere)* yeast. **3.** *(de cafea)* grounds, lees. **4.** *fig. și scum; drojdia societății* the sweepings of the gutter; *pe ~* running, short.
dromader *s.m. zool.* dromedary *(Camelus dromedarius).*
dromatherium *s.m. paleont.* dromatherium.
dromomanie *s.f. med.* dromomania.
dropgol *s.n. sport* drop goal, dropped goal.
dropică *s.f. med.* dropsy, hydropsy; *bolnav de ~* dropsical.
dropie *s.f. ornit.* bustard *(Otis tarda).*
drops *s.n. cul.* drops (candy).
drosel *s.n. el.* choking-coil, reactor.
drosofilă *s.f. entom.* drosophila, vinegar / fruit fly *(Drosophila).*
drosometru *s.n.* drosometer.
droșcă *s.f. înv.* hansom (cab), droshki.
drot *s.n. reg.* **1.** curling tongs. **2.** (*arc*) spring.
drug *s.m.* (crow) bar.
druid *s.m.* druid.
druidic *adj.* druidic.
drum *s.n.* **1.** road, way. **2.** *fig.* (path)way. **3.** *(călătorie)* journey, trip; *~ bun!* farewell!; *~ cu prioritate* main road; *~ cu sens unic* one-way street; *~ de fier* railway; *~ de țară* country road; *~ nepietruit* dirt track; *de / la ~ul mare* highway...; *în ~ spre casă, școală etc.* on the way home, to school etc.; *peste ~* opposite.
drumeag *s.n.* narrow road / track.
drumeț *s.m.* traveller.
drumeție *s.f.* **1.** wandering, excursions, trip-making. **2.** tourism (on foot), sight-seeing.
drumlin *s.n. geogr.* drumlin.
drumui *vt. constr.* to traverse.
drumuleț *s.n. (cărare)* path. v. *și* d r u m e a g.
drupacee *s.f. pl. bot.* (plants with) drupaceous fruits.
drupă *s.f.* stone fruit.
drusare *s.f. text.* scribbling, scrabbling (wool).
drusetă *s.f. text.* scribbler.
drușcă *s.f. pop.* bride(s)maid.
druză *s.f.* **1.** *mineral.* druse, geade. **2.** *bot.* druse.
dual *s.n. gram.* dual (number).
dualism *s.n. filoz.* dualism.
dualist I. *adj.* dualistic. **II.** *subst.* dualist.
dualistic *filoz.* **I.** *adj.* dualistic. **II.** *s.m.* dualist.
dualitate *s.f.* double nature.
duant *s.m. fiz.* duant, dee.
dubă *s.f.* (police) van.
dubi *reg.* **I.** *vt.* to tan, to dress hides, to curry. **II.** *vr. pas.* to be tanned etc.
dubios *adj.* **1.** doubtful. **2.** *(îndoielnic)* uncertain.
dubitativ *adj. gram.* dubitative.
dubiu *s.n.* **1.** doubt. **2.** *(șovăială)* vacillation.
dubla I. *vt.* **1.** to (re)double. **2.** *(un actor)* to understudy. **3.** *(un film)* to dub. **II.** *vr.* to double.
dublaj *s.n. cin.* dubbing.
dublare *s.f.* doubling etc. v. d u b l a.
dublă *s.f.* bushel.
duble *s.n.* rolled gold.
dublet *s.n.* duplicate.
dublin *s.n. mar.* bight.
dublor *s.n. tehn.* doubling machine; *telec.* doubler; *met.* sheet doubler.
dublu I. *s.m.* double. **II.** *adj.* double, twofold; *~ decimetru* (ruler of) 20 cm. **III.** *adv.* twice (as much).
dublu-decalitru *s.m. înv.* volume unit holding two decaliters; recipient of this capacity.
dublu-decimetru *s.m.* rule(r) measuring two decimeters.

dublură *s.f.* **1.** understudy. **2.** *cin.* stand-in.
ducal *adj.* ducal.
ducat I. *s.m.* ducat. **II.** *s.n.* duchy.
ducă *s.f.* departure, leaving; going; travelling; *a fi pe (picior de)* ~ a. to be ready to start, to be on the point of leaving / departure. b. *fig.* to run out; to be on the decline, to draw to an end; *(pe moarte)* to have one's foot in the grave.
ducă-se pe pustii *s.m.* **1.** *(epilepsie)* falling sickness. **2.** *(dracul)* the Evil one, *fam.* Old Nick / Harry.
duce I. *s.m.* duke. **II.** *vt.* **1.** to lead, to take. **2.** *(a călăuzi)* to guide. **3.** *(a căra)* to bear, to carry. **4.** *(o activitate etc.)* to carry on. **5.** *(o viață)* to lead. **6.** *(un război)* to wage. **7.** *(a păcăli)* to diddle, to fool. **8.** *(a întreține)* to entertain; *a o* ~ to get on; *cum o (mai) duci?* how are you (getting on)?; *a ~ cu vorba / cu zăhărelul* to wheedle, to cajole; *pe el nu-l poți ~ cu preșul* he stands no nonsense; you can't take him in. **III.** *vi.* **1.** to resist. **2.** *(a conduce)* to lead. **IV.** *vr.* **1.** to go. **2.** *(a pleca)* to leave. **3.** *(a dispărea)* to pass away; *a se ~ pe copcă* to slip under; *a se ~ de râpă* to go to the dogs; *du-te și te plimbă* get yourself lost; *du-te naibii* go to hell; *du-te vino* agitation, comings and goings.
ducento *subst.* v. d u e c e n t o.
ducere *s.f.* going; *la* ~ on the journey out.
ducesă *s.f.* duchess.
dücker *s.n. constr.* siphon.
duco *s.n. chim.* intracellucose lacquer; plastifier, solvent (for lacquer).
ductil *adj.* ductile.
ductilitate *s.f.* ductility.
dud *s.m. bot.* mulberry tree *(Morus alba).*
dudă *s.f.* mulberry.
dudău *s.m.* **1.** v. c u c u t ă. **2.** *(buruieni)* weeds.
duducă *s.f.* v. d o m n i ș o a r ă.
dudui *vi.* to throb, to drone.
duduie *s.f.* young lady.
duduit *s.n.* roaring.
duduitură *s.f.* roaring, droning, whirring.
duecento *subst.* 13th century Italian art and literature.
duel *s.n.* duel, single combat.
duela *vi., vr.* **1.** to fight a duel. **2.** *fig.* to spar.
duelgiu, duelist *s.m.* duellist.
duet *s.n.* duet, duo.
dugheană *s.f.* **1.** booth. **2.** *(prăvălie)* shop.
dughie *s.f. bot.* Italian millet *(Setaria italica).*
duglas *s.m.* **1.** *bot.* douglas fir / spruce / pine. **2.** douglas fir wood.
duh *s.n.* **1.** spirit, genius. **2.** *(strigoi și)* ghost. **3.** *(haz)* wit; *cu ~ul blândeții* kindly.
duhni *vi.* to reek (of wine etc.).
duhoare *s.f.* stench.
duhovnic *s.m.* confessor.
duhovnicesc *adj.* spiritual.
duios I. *adj.* **1.** affectionate, loving. **2.** *(înduioșător)* melancholy. **II.** *adv.* tenderly.
duioșie *s.f.* **1.** fondness. **2.** *(dragoste)* affection.
duium *s.n. cu ~ul* (in) heaps.
dulamă *s.f.* (furred) cloth mantle.
dulap I. *s.m.* plank. **II.** *s.n.* **1.** cupboard. **2.** *(pt. haine)* wardrobe. **3.** *(bufet)* sideboard.
dulăpior *s.n.* **1.** locker. **2.** *(noptieră)* night commode.
dulău *s.m.* mastiff.
dulce I. *s.n.* **1.** dessert. **2.** *pl.* sweets; *de ~ rel.* meat. **II.** *adj.* **1.** sweet. **2.** *(drăguț și)* lovely. **3.** *(plăcut și)* nice. **III.** *adv.* **1.** sweetly; kindly. **2.** *(drăgăstos)* lovingly.
dulceag *adj.* **1.** mellow. **2.** *(grețos)* fulsome. **3.** *fig.* soppy.
dulceață *s.f.* **1.** sweetness. **2.** *(blândețe)* mildness. **3.** *(a glasului și)* softness. **4.** *(gem)* jam; *(de citrice)* marmalade. **5.** *pl.* sweets; *dulceața traiului* the sweet things of life.
dulcegărie *s.f.* mawkishness, schmeltz.
dulcicol *adj. biol.* (populating) fresh water.
dulcișor I. *adj.* sweetish. **II.** *s.m. bot.* cockshead *(Hedysarum obscurum).*
dulciuri *s.n. pl.* sweets.
dulgher *s.m.* carpenter.
dulgherie *s.f.* joinery.
dulgherit *s.n.* carpenter's trade.
dulie *s.f.* **1.** socket. **2.** *(de cartuș)* cartridge case.
duluță *adv. a se duce* ~ to make off, to clear out.
dumă *s.f. ist.* duma.
dumbeț *s.m. bot.* germander *(Teucrium chamaedrys).*
dumbravă *s.f.* grove.
dumbravnic *s.m. bot.* **1.** honey balm *(Melittis melissophyllum).* **2.** hemp agrimony *(Eupatorium cannabium).*
dumbrăveancă *s.f. ornit.* roller *(Coracias garrula).*
dum-dum *s.n. glonț* ~ dumdum bullet.
dumeri I. *vt.* to enlighten. **II.** *vr.* to understand.
dumica I. *vt.* **1.** *(pâine)* to crumb; *(a fărâmița)* to crumble (to pieces); *(a dezmembra)* to dismember; *(cu cuțitul)* to chop up, to cut into (little) pieces / bits / morsels; *(fin)* to mince. **2.** *(a împărți)* to divide (up); *(a nimici)* to destroy, to ruin. **II.** *vr.* to crumble away / to pieces.
dumicat *s.m.* mouthful, morsel.
duminica *adv.* on Sunday(s).
duminical *adj.* Sunday...
duminică *s.f.* Sunday.
dumiri I. *vt.* to clear up, to enlighten; *(a convinge)* to convince. **II.** *vr.* *(a înțelege)* to understand, to see; *(a deveni clar)* to become clear (to smb.).
dumitale *adj.* your; *al* ~ yours.
dumitriță *s.f. bot.* v. c r i z a n t e m ă.
dumneaiei I. *adj.* her; *al* ~ hers. **II.** *pron.* **1.** she. **2.** *(dativ)* (to) her; *pe* ~ her.
dumnealor I. *adj.* their; *al* ~ theirs. **II.** *pron.* **1.** they. **2.** (dativ) (to) them; *pe* ~ them.
dumnealui I. *adj.* his; *al* ~ his. **II.** *pron.* he.
dumneasa *pron. pop.* v. d u m n e a l u i.
dumneata *pron.* you; *pe* ~ you.
dumneavoastră I. *adj.* your; *al* ~ yours. **II.** *pron.* **1.** you. **2.** *(dativ)* (to) you; *pe* ~ you.
dumnezeiesc *adj.* divine, heavenly.
dumnezeiește *adv.* divinely.
dumnezeire *s.f.* divinity; godhead.
Dumnezeu *s.m.* **1.** (the Lord) God. **2.** *fig.* idol, divinity; *~le (mare)!* Holy smoke! son of a gun!; *pentru ~!* for goodness' sake.
dumping *s.n. ec.* dumping.
dună *s.f.* dune.
Dunăre *s.f. the* Danube; *a fi ~ turbată / de mânie* to boil / bubble over with rage.
dunărean *adj.* Danubian.
dunetă *s.f. nav.* poop (deck).
dungat *adj.* striped.
dungă *s.f.* **1.** stripe. **2.** *(la pantaloni)* crease. **3.** *(zbârcitură)* wrinkle; *în dungi* striped, zebra.
dungățea *s.f. bot.* winged pea *(Tetragonolobus).*
dunit *s.n. geol.* dunite.
dunst *s.n.* dunst.
duo *s.n. muz.* duo.

duodecimal *adj.* duodecimal.
duodecimă *s.f.* twelfth, duodecimo.
duoden *s.n. anat.* duodenum.
duodenal *adj. anat.* duodenal.
duodenită *s.f. med.* duodenitis.
duodiodă *s.f. el.* duodiode.
duolet *s.n. muz.* duole.
duopol *s.n. ec.* duopoly.
duotriodă *s.f. el.* duotriode.
după *prep.* **1.** after. **2.** *(dinapoia)* behind. **3.** *(conform cu)* in accordance to; ~ *toate aparențele* in all likelihood; ~ *mine* to my mind; ~ *noi potopul* after us the deluge; ~ *o săptămână* within a week; ~ *un ceas* an hour later; ~ *câte știu sau cred* as far as I know.
duplex *s.n.* **1.** *ind.* duplex. **2.** *telec.* diplex, duplex.
duplicat *s.n.* duplicate.
duplicitar *adj.* duplicitous, double faced, duplicitary, deceptive.
duplicitate *s.f.* duplicity.
dur *adj.* **1.** hard. **2.** *(aspru și)* harsh. **3.** *(sever)* dour. **4.** *(nemilos)* callous. **5.** *(dificil și)* difficult.
dura I. *vt.* to build, to make. **II.** *vi.* to last.
dura *adv. de-a* ~ head over heels; *a se da de-a* ~ to turn somersaults.
durabil *adj.* lasting.
durabilitate *s.f.* durability, durableness, lastingness, persistence.
duracid *s.m. met.* acid-proof silicon alloy.
duraluminiu *s.n. met.* duralumin.
duramater *subst. anat.* dura mater.
duramen *s.n. bot.* duramen.
duran *s.n. tehn.* duran, fireproof glass.
durată *s.f.* length, duration; *durata medie a vieții* span of life; *de* ~ long; *de lungă* ~ of long standing.
durativ *adj. gram.* durative.
dură *s.f. tehn.* pulley.
durbacă *s.f.* **1.** variant of winepress. **2.** water vessel of alembic.
durduca *vr.* to roll (head over heels).
durdui *vi.* v. d u d u i, h u r u i.
durduliu *adj.* **1.** plump. **2.** *(d. femei și)* buxom.
durea *vt.* **1.** to hurt, to pain. **2.** *(d. dinți, inimă)* to ache. **3.** *(d. ochi, picioare)* to be sore; *mă doare burta* I have a pain in my belly; *mă doare capul* my head aches, I have a headache; *mă doare când văd că...* it gives me pain to see...; *mă doare gâtul* I have a sore throat; *mă doare stomacul* I have a stomach ache; *ce te doare?* what hurts you? what ails you?
duren *s.n. mineral.* durene.
durere *s.f.* **1.** ache, pain. **2.** *(suferință)* suffering. **3.** *(sufletească)* grief; ~ *de dinți* toothache; ~ *de cap* headache; ~ *de inimă* heartache; *durerile facerii* throes of childbirth; *cu* ~ sorrowfully, with an aching heart; *de* ~ with pain.
dureros *adj.* **1.** painful; aching. **2.** *(trist)* sorrowful, grievous. **3.** *(d. un punct)* sore.
durifica *vt., vr.* to harden.
durificare *s.f. met. etc.* hardening.
durină *s.f. vet.* dourine.
durit *s.n. mineral.* v. d u r e n.
duritate *s.f.* **1.** hardness. **2.** *fig. și* harshness, dourness.
duro *s.m. ec., fin.* Spanish or Spanish American peso or silver dollar.
duroscop *s.n. met.* durometer.
durui *vt.* to rumble.
dus I. *s.n.* going; *(bilet)* ~ *și întors* return (ticket). **II.** *adj.* **1.** led, taken, carried. **2.** *(d. ochi)* wistful; ~ *de acasă* out; in town; ~ *de nas* diddled; ~ *pe ceea lume* dead; ~ *pe gânduri* wrapped (up) in thoughts. **III.** *adv. a dormi* ~ to be fast asleep.
duș *s.n.* **1.** shower (bath). **2.** *fig.* cold water.
dușcă *s.f.* draught; *(mică)* thimbleful; *o* ~ *la botul calului* a doch and dorris; *dintr-o* ~ at one gulp.
dușegubină *s.f. ist.* compensation paid for various offences.
dușman *s.m.* **1.** enemy. **2.** *(adversar)* opponent; ~ *de moarte* deadly foe.
dușman(c)ă *s.f.* enemy.
dușmănesc *adj.* hostile, inimical.
dușmănește *adv.* hostilely, in a hostile manner.
dușmăni I. *vt.* to bear a grudge to. **II.** *vr.* to hate each other.
dușmănie *s.f.* **1.** enmity, ill blood. **2.** *(pică)* rancour; *în* ~ at loggerheads; *(fără voie)* unwillingly.
dușmănos I. *adj.* inimical. **II.** *adv.* hostilely.
dușumea *s.f.* floor(ing).
du-te-vino *s.n.* coming and going, bustle.
duumvir *s.m. ist. Romei* duumvir.
duumvirat *s.n. ist. Romei* duumvirate.
duvalia *s.f. paleont.* Duvalia.
duză *s.f. tehn.* nozzle, bean.
duzină *s.f.* dozen; *de* ~ ordinary; *(prost)* poor.
dveră *arh., bis.* altar door in an Eastern Orthodox church.
dyke *s.n. geol.* dyke, dike.

E

E, e I. *s.m.* E, e, the seventh letter of the Romanian alphabet.II. *interj.* come! now!
ea *pron.* **1.** she. **2.** *(pt. lucruri, animale și noțiuni abstracte)* it.
eben *s.m.* v. a b a n o s.
ebenist *s.m., s.f. tehn.* cabinet-maker.
ebonit *s.n.*, **ebonită** *s.f.* ebonite.
eboșa *vt. met.* to roll.
eboșare *s.f. met.* rough-forming, rough-forging.
eboșă *s.f. met.* blank, rough.
eboșoar *s.n.* **1.** *artă* boaster, roughing-chisel. **2.** *tehn.* paring chisel; (mortise) boring bit.
ebraic *adj.*, **ebraică** *s.f., adj.* Hebrew.
ebrietate *s.f.* ebriety, drunkenness, intoxication.
ebuliometru *s.n.* ebulliometer.
ebulioscopie *s.f. fiz.* ebullioscopy, ebulliometry.
ebuliție *s.f. chim.* ebullition.
ecarisa *v.t. tehn.* to square (logs, trunks).
ecarisaj *s.n.* knacker's trade.
ecarisare *s.f. tehn.* log squaring.
ecarlat *s.n. chim. text.* scarlet industrial dye.
ecartament *s.n.* gauge.
ecarte(u) *s.n.* (game of) écarté.
ecclesia *s.f.* **1.** *ist. rel.* ecclesia. **2.** *bis.* parish.
eche *s.f. nav.* tiller, tillow.
echer *s.n.* (set) square.
echi- *prefix* equi-.
echidistant *adj.* equidistant.
echidistanță *s.f.* equidistance.
echidnă *s.f. zool.* echidna.
echilateral *adj. geom.* equilateral.
echilibra *vt., vr.* to balance.
echilibrare *s.f. tehn. etc.* equilibration, counterbalacing, counter poising; balacing (of the body, of the budget).
echilibrat *adj.* (well-)balanced, poised.
echilibrist *s.m.* rope walker.
echilibristică *s.f.* **1.** rope walking. **2.** *fig.* expediency.
echilibru *s.n.* equilibrium, poise; *lipsit de ~* unbalanced.
echimoză *s.f. med.* ecchymosis.
echinid *s.n.*, **echinidă** *s.f. zool.* echinus. *(Echinidae).*
echinism *s.n. med.* clubfoot,(talipes) equinus.
echinococ *s.m. med.* echinococcus.
echinococoză *s.f. med.* echinococcosis.
echinocțial (echinoxial) *adj. astr.* equinoctial.
echinocțiu *s.n.* equinox; *~ de primăvară* vernal equinox; *~ de toamnă* autumnal equinox.
echinoderm *s.n. zool.* echinoderm.
echinoxial *adj.* v. e c h i n o c ț i a l.
echipa I. *vt.* to fit out. **II.** *vr.* to equip (oneself).
echipaj *s.n.* crew.
echipament *s.n.* **1.** *mil. tehn. etc.* equipment. **2.** *tehn.* kit. **3.** *sport* outfit.
echipare *s.f.* equipping, fitting out.
echipartiție *s.f.* division into equal parts.
echipă *s.f.* **1.** team. **2.** *(grup și)* group. **3.** *(de fotbal și)* eleven. **4.** *(de rugbi și)* fifteen; *~ de filmare* film group.
echipier *s.m.* **1.** one of the set of workers. **2.** *sport* member of a team.
echipotențial *adj. fiz.* equipotential.
echitabil I. *adj.* fair, just. **II.** *adv.* fairly, justly.
echitate *s.f.* equity.
echitație *s.f.* horsemanship.
echivala I. *vt.* **1.** to equalize. **2.** *(a valida)* to validate. **II.** *vi.: a ~ cu* to be tantamount to.
echivalare *s.f.* equalization, equation; validation, confirmation.
echivalent *s.m., adj.* equivalent.
echivalență *s.f.* equivalence, equivalency.
echivoc I. *s.n.* ambiguity. **II.** *adj.* **1.** equivocal. **2.** *(îndoielnic)* doubtful. **3.** *(obscen)* smutty.
eclampsie *s.f. med.* eclampsia.
eclator *s.n. el.* spark gap.
eclectic *s.m., adj.* eclectic.
eclectism *s.n.* eclecticism.
ecler *s.n.* éclair.
ecleziarh *s.m.* ecclesiarch.
ecleziast *s.n. lit. rel.* Ecclesiastes.
ecleziastic *s.m., adj.* ecclesiastic.
eclimetru *s.n.* **1.** *astr.* gradimeter, gradient recorder, **2.** *geogr.* clinometer.
eclipsa I. *vt.* **1.** to eclipse; **2.** *fig. și* to outshine. **II.** *vr.* to disappear.
eclipsă *s.f.* eclipse. *~ de lună* lunar eclipse; *~ de soare* solar eclipse.
ecliptică *s.f. astr.* ecliptic.
eclisă *s.f.* **1.** *tehn.* cover plate. **2.** *pl. muz.* ribs.
eclozionator *s.n. zool.* hatchery.
ecloziune *s.f. zoot.* hatching (of eggs, chickens).
ecluză *s.f.* (canal) lock.
ecologic *adj.* ecological.
ecologic *adj.* ecological, environmental.
ecologie *s.f.* ecology, science of / concern with the environment.
ecometru *s.n.* echometer.
econom I. *s.m.* treasurer. **II.** *adj.* thrifty.
economat *s.n.* **1.** stationery department (of any large office). **2.** *ist. ec.* staff store.
econometrie *s.f.* econometrics.
economic I. *adj.* **1.** *(din domeniul economiei)* economic. **2.** *(econom)* economical. **3.** *(ieftin)* cheap. **II.** *adv.* thriftily.
economicos I. *adj.* economical. **II.** *adv.* sparingly.
economie *s.f.* **1.** economy. **2.** *(știință și)* economics. **3.** *(chibzuială)* thrift. **4.** *pl.* savings. **5.** *(administrație)* husbandry; *~ casnică sau domestică* husbandry; *cu ~* economically, sparingly.
economisi *vt.* to save, to economize.
economisire *s.f.* saving, economization etc. v. e c o n o m i s i.
economism *s.n.* economism.
economist *s.m.* (political) economist.
economizator *s.n. tehn.* economizer.
ecorșeu *s.n. artă pl.* anatomical model, écorché.
ecosez *adj.* check(ed); *stofă ~* tartan cloth.
ecoseză *s.f. muz.* écossaise, Scottish dance / tune.
ecosistem *s.n. biol.* ecosystem.
ecosondă *s.f. nav.* echo sounder, sonic depth-finder.

ecotip *s.n. biol.* ecotype.
ecou *s.n.* **1.** echo. **2.** *fig. și* response.
ecran *s.n.* screen; ~ *lat* large / wide screen.
ecrana *vt.* **1.** *tehn.* to shield, to screen. **2.** *fiz.* to cover.
ecraniza *vt.* to film, to cinem(at)ize.
ecranizare *s.f.* picturization.
ecrazită *s.f. chim., min., mil.* ecrazite.
ecru *adj. text.* écru, unbleached, natural-coloured.
ecruisa *vi. met.* to hammer-harden, to cold-harden / hammer; to cold-draw; to cold-roll.
ecruisaj *s.n. met.* cold-hammering.
ectazie *s.f. med.* ectasis.
ectenie *s.n. bis.* ektenis, string of prayers (in the Eastern-Orthodox church).
ectimă *s.f. med.* ecthyma.
ectoderm *s.n. biol.* ectoderm.
ectodermic *adj. zool.* ectodermal, ectodermic.
ectoendoparazită *s.f. bot.* ectoendoparasite.
ectoparazit *adj.* ectoparasitic.
ectopie *s.f. med.* displacement (of organ); ectopia.
ectoplasmă *s.f. biol.* ectoplasm.
ectropion *s.m. med.* ectropion, ectropium; eversion (of eyelid).
ecuator *s.n.* (the) equator, the line.
ecuatorial *s.n., adj.* equatorial.
ecuație *s.f.* equation.
ecumenă *s.f. geogr. etc.* ecumene.
ecumenic *adj. rel.* (o)ecumenical.
ecuson *s.n.* **1.** escutcheon, shield / coat of arms; scutcheon. **2.** badge. **3.** *auto.* parking permit.
ecvestru *adj.* equestrian.
ecvid *s.n. zool.* equid, *pl.* Equidae.
ecvisetacee *s.f. pl. bot.* equisetaceae.
eczemă *s.f.* eczema.
edafon *s.n. zool.* edaphon.
edam *s.f.* Edam, Dutch pressed cheese.
edec *s.n.* **1.** tow path. **2.** tow rope. **3.** *(obiect)* lumber.
edecar *s.m.* hauler, (boat) tower.
edelschwein *s.m. zool.* Edelschwein (breed of swine).
edem *s.n. med.* oedema.
eden *s.n.* **1.** Eden. **2.** *fig.* Eden, paradise, delightful place.
edentat I. *adj.* **1.** *zool.* edentate. **2.** *anat.* toothless. **II.** *s.n.* toothless (person etc.).
edict *s.n.* edict, decree.
edicul *s.n. constr.* **1.** aedicule, miniature temple, tabernacle. 2. kiosk, shelter. **3.** niche (for funeral urns).
edifica I. *vt.* to enlighten. **II.** *vr.* to be enlightened; *a se ~ asupra* to understand, to see for oneself.
edificat *adj.* convinced, enlightened.
edificator *adj.* illustrating.
edificiu *s.n.* building.
edil *s.n.* city father.
edilitar *adj.* town; (of) public utility.
edilitate *s.f.* **1.** *ist. Romei* aedileship. **2.** municipal administration.
edita *vt.* **1.** to publish. **2.** *(a îngriji)* to edit.
editare *s.f.* publication etc. v. e d i t a.
editor *s.m.* **1.** publisher. **2.** *(îngrijitor de ediție)* editor.
editorial I. *s.n.* editorial. **II.** *adj.* publishing (house).
editură *s.f.* publishing house.
ediție *s.f.* issue; ~ *bibliofilă* limited / collector's edition; ~ *de lux* fine (paper) edition.
educa *vt.* **1.** to educate, to bring up. **2.** *(a pregăti)* to train.
educabil *adj.* educable.
educare *s.f.* education, bringing up.
educat *adj.* educated.
educativ *adj.* instructive.
educator *s.m.* pedagogue.
educație *s.f.* **1.** education. **2.** *(pregătire)* training. **3.** *(maniere)* (good) manners; ~ *fizică* physical training.
educațional *adj.* educational.
edulcorat *adj.* saccharine.
efeb *s.m. ist. Greciei* ephebe.
efebie *s.f. ist. Greciei* ephebeum.
efect *s.n.* **1.** effect; *(urmare și)* result, consequence. **2.** *(de lumină)* cue. **3.** *(realizare)* accomplishment. **4.** *pl. (proprietate)* property. **5.** *pl. (haine)* clothes; *mil.* equipment; *de ~* effective; *fără ~* inefficient, without issue.
efectiv I. *s.n.* force. **II.** *adj.* effective. **III.** *adv.* in (actual) fact.
efectua I. *vt.* **1.** to effect, to perform. **2.** *ec.* to make. **II.** *vr.* **1.** to be effected / done. **2.** *(a se produce)* to take place.
efectuare *s.f.* effectuation etc. v. e f e c t u a.
efedrină *s.f. chim.* ephedrine.
efemer *adj.* ephemeral.
efemeră *s.f. entom.* **1.** ephemerid. **2.** *pl.* ephemeridae.
efemeride *s.f. pl.* **1.** ephemerides. **2.** *entom.* ephemeridae.
efeminat *adj.* effeminate, unmanly, womanish; *fam.* girly-girly.
efervescent *adj.* effervescent.
efervescență *adj.* effervescence. **2.** *fig. și* agitation.
efervescență *s.f.* **1.** *chim.* effervescence. **2.** *fig.* ebullience, effervescence, ferment, tumult.
eficace *adj.* **1.** effective. **2.** *(efectiv)* effectual.
eficacitate *s.f.* efficiency.
eficient *adj.* efficient, efficacious.
eficiență *s.f.* efficiency.
efigie *s.f.* effigy.
eflorescent *adj.* **1.** *chim.* efflorescent. **2.** *bot.* flowering.
eflorescență *s.f. bot., chim., med.* efflorescence.
efluviu *s.n.* **1.** *med.* effluvium. **2.** *(emanație)* effluvium, efflux(ion), effluence, emanation; *(efluvii otrăvitoare)* effluvia, noxious vapours, foul gases.
eflux *s.n. tehn.* **1.** efflux, effluence. **2.** *geogr.* outflow.
efor *s.m.* ephor, guardian, sponsor.
eforie *s.f.* ephors, guardians, sponsors.
efort *s.n.* **1.** effort. **2.** *fig. și* endeavour.
efracție *s.f.* burglary.
efuziometru *s.n.* effusiometer.
efuziune *s.f.* effusion.
efuziv *adj.* **1.** effusive, emotional; volcanic. **2.** *geol.* effusive (rock).
efuzor *s.n.* **1.** *tehn.* (exhaust)nozzle. **2.** *av.* jet exhaust.
egal I. *s.m.* equal, match; *fără ~* matchless. **II.** *adj.* **1.** equal. **2.** *(neschimbat)* uniform. **3.** *(proporțional)* proportional.
egala I. *vt.* to equal(ize). **II.** *vi. sport* to tie.
egalabil *adj.* that can be equalled (to, with).
egalare *s.f.* equalization etc. v. e g a l a.
egalitar *adj.* equalitarian.
egalitarism *s.n. pol.* equalitarianism.
egalitate *s.f.* **1.** equality. **2.** *(asemănare)* similarity. **3.** *(uniformitate)* regularity. **4.** *sport* tie; *la ~* at a draw. **5.** ~ *în drepturi* equal rights / opportunities.
egaliza *vt.* to equalize.
egalizare *s.f.* equalization.
egalizator *adj.* equalizing, levelling.
egeean *adj.* Aegean.
egerie *s.f. mitol.* Egeria.
eghilet *s.m.* aiguilette, aglet, (tagged)lace; *mil.* shoulderknot.
egidă *s.f.* aegis.
egiptean *s.m., adj.*, egipteancă *s.f.;* Egyptian (woman / girl).
egiptolog *s.m.* Egyptologist.

egiptologie *s.f.* Egyptology.
egipțiene *s.f. pl. poligr.* clarendon (type).
eglogă *s.f. lit.* eclogue, pastoral poem.
egocentric *adj., s.m.* egocentric, self-centred (person).
egocentrism *s.n.* egocentrism, self-centredness.
egoism *s.n.* selfishness.
egoist I. *s.m.* egoist. **II.** *adj.* selfish.
egolatrie *s.f.* egolatry.
egotism *s.n.* egotism.
egotist *adj.* egotistic(al).
egrena *vt. text.* to gin.
egrenare *s.f.*, **egrenat** *s.n.* ginning; *stație de* ~ cotton gin(ning) mill.
egretă *s.f.* **1.** egret,aigret(te). **2.** *ornit.* egret *(Egretta).*
egumen *s.m. bis.* Superior.
egumenă *s.f. bis.* Lady Superior (of a nunnery).
egumenie *s.f. bis.* abbotship, hegumen's rank and function.
egutare *s.f. ind.* drainage, draining (of cheese, ground, coal etc.).
egutor *s.n. poligr.* dandy-roll(er).
eh *interj.* why!, well!
ehei *interj.* v. h e i.
eholot *s.m.* v. e c o s o n d ă.
ei I. *adj.* her. **II.** *adj. și pron. pos.* **1.** *al* ~ hers. **2.** *(dativ.)* (to) her. **III.** *pron.* they. **IV.** *interj.* **1.** hey!, well! **2.** *(interog.)* what? ~ *bine!* well!; ~*și?* and what of that?
eicosan *s.n. chim.* eicosane.
eider *s.m. ornit.* eider *(Somateria).*
eidetic *adj. filoz.* eidetic.
einstein *s.m. fiz.* Einstein.
einsteiniu *s.n. chim.* einsteinium.
ejacula *vt.* to ejaculate.
ejector *s.n. tehn.* ejector.
ejecție *s.f.* ejection (of steam, water, cartridge etc.).
ekklesia *s.f. ist. rel.* v. e c c l e s i a.
el *pron.* **1.** he. **2.** *(d. lucruri)* it; ~ *însuși* he himself / personally. **3.** *pe* ~ *(acuzativ)* him; *(d. lucruri)* it.
elabora *vt.* **1.** to elaborate, to work out. **2.** *(a redacta și)* to draw up. **3.** *(o antologie, un dicționar)* to compile.
elaborare *s.f.* elaboration etc. v. e l a b o r a.
elaborat *adj.* elaborate.
elagaj *s.n. ind. forestieră* pruning (of tree); lopping (of branches).
elan I. *s.m. zool.* elk *(Cervus alces).* **II.** *s.n.* **1.** élan, enthusiasm. **2.** *(avânt)* impetus.
elastic I. *s.n., adj.* elastic. **II.** *adv.* elastically.
elasticitate *s.f.* resilience.
elastină *s.f. biochim.* elastin.
elastomecanică *s.f.* elastomechanics.
elastomer *s.m. chim.* elastomer.
elaterid *s.n. entom.* click beetle *(Elateridae).*
ele *pron.* **1.** they. **2.** *(acuzativ)* them.
eleagnacee *s.f. pl. bot.* Elaeagnaceae.
eleat *adj. filoz.* Eleatic (school etc.).
electiv *adj.* elective.
elector *s.m.* **1.** *ist.* elector. **2.** elector, voter.
electoral *adj.* electoral.
electorat *s.n.* **1.** *ist.* electorate, rank of Elector. **2.** *pol.* electorate, (body of) electors.
electret *s.m. fiz.* electret.
electrician *s.m.* electrician.
electricitate *s.f.* **1.** electricity. **2.** *(curent)* (electric) power.
electrifica *vt.* to electrify.
electrificare *s.f.* electrification.
electric I. *adj.* electric(al), power. **II.** *adv.* electrically.
electriza *vt.* **1.** to electrify. **2.** *fig.* to galvanize.
electrizat *adj. fiz.* charged with electricity.
electrizant *adj. și fig.* electrifying.
electrizitare *s.f.* electrification; electrization.
electro- *prefix* electro-.
electroacustică *s.f.* electroacoustics.
electroanaliză *s.f.* electroanalysis.
electrobuz *s.n.* electric bus.
electrocaloric *adj.* electrocaloric.
electrocapilaritate *s.f. fiz.* electrocapillarity.
electrocar *s.n.* electric car.
electrocardiograf *s.n. med.* electrocardiograph.
electrocardiografie *s.f. med.* electrocardiography.
electrocardiogramă *s.f. med.* electrocardiogram.
electrocauter *s.n. med.* electrocautery.
electrocauteriza *vt. med.* to electrocauterize.
electrocauterizare *s.f. med.* electrocauterisation.
electrocăldură *s.f.* v. e l e c t r o t e r m i e.
electrochimic *adj. chim.* electrochemical.
electrochimie *s.f. chim.* electrochemistry.
electrocinetic *fiz.* **I.** *adj.* electrokinetic. **II.** *s.f.* electrokinetics.
electrocoagula *vt. med.* to coagulate.
electrocoagulare *s.f. med.* electrocoagulation, diathermic coagulation.
electrocorticografie *s.f.* **1.** electrocorticogram. **2.** electrocorticography.
electrocuta *vt.* to electrocute.
electrocutare *s.f.* electrocution.
electrod *s.m.* electrode.
electrodializă *s.f.* electrodialysis.
electrodinamic *adj. fiz.* electrodynamic.
electrodinamică *s.f. fiz.* electrodynamics.
electroencefalografie *s.f. med.* electroencephalography.
electrofiziologie *s.f. fiziol.* electrophysiology.
electrofon *s.n.* record(-)player.
electrofor *s.n. fiz.* electrophore, electrophorus.
electroforeză *s.f. fiz.* electrophoresis.
electrogen *adj.* electrogenic.
electrogravimetrie *s.f.* electrogravimetry.
electrolit *s.m. fiz.* electrolyte.
electrolitic *adj. fiz.* electrolytic.
electroliză *s.f. chim.* electrolysis, electrolytic effect.
electrolizor *s.n. chim.* electrolyser.
electroluminescență *s.f. fiz., chim.* electroluminescence.
electromagnet *s.m. fiz.* electromagnet.
electromagnetic *adj.* electromagnetic.
electromagnetism *s.n. fiz.* electromagnetism.
electromecanică *s.f. fiz.* electromechanics.
electrometalurgie *s.f. met.* electrometallurgy.
electrometrie *s.f. chim.* electrometry.
electrometru *s.n. fiz.* electrometer.
electromiograf *s.n. med.* electromyograph.
electromiografie *s.f. med.* electromyography.
electromotor *s.n.* electric motor.
electron *s.m.* electron.
electronarcoză *s.f. med.* electronarcosis, electroshock therapy.
electronegativ *adj.* electronegative.
electronic *adj.* electronic.
electronică *s.f.* electronics.
electronomicroscopie *s.f.* electron microscopy.
electronvolt *s.m. fiz.* electron volt.
electrooptic *adj. fiz., tehn.* electrooptic(al).
electroosmoză *s.f. fiz.* electro-osmosis, electrosmosis.

electroplasmoliză *s.f.* electroplasmolysis.
electropozitiv *adj.* electro-positive.
electroprelucrare *s.f. ind.* electric processing.
electroscop *s.n.* electroscope.
electrosomn *s.n. med.* electrically induced sleep.
electrostatică *s.f.* electrostatics.
electrostricțiune *s.f. fiz.* electrostriction.
electroșoc *s.n. med.* electric shock (therapy).
electrotehnic *adj.* electrotechnical.
electrotehnică *s.f.* electrotechnics, electrical engineering.
electroterapie *s.f. med.* electrotherapeutics, electrotherapy, electropathy.
electrotermic *adj. el.* thermoelectric(al), electrothermic.
electrotermie *s.f. el.* electrothermics.
electrotonus *s.n. fiziol.* electrotonus.
electrovalență *s.f.* electrovalence, electrovalency.
electrum *subst. mineral.* electrum.
elefant *s.m.* **1.** elephant. **2.** *fig. argou* sugar daddy.
elefantiazis *s.n. med.* elephantiasis.
elegant I. *adj.* **1.** elegant. **2.** *(d. cineva și)* well-dressed, stylish. **3.** *(la modă)* fashionable. **4.** *fig.* graceful. **II.** *adv.* elegantly.
eleganță *s.f.* **1.** elegance. **2.** *(modă)* fashionableness.
elegiac I. *adj.* **1.** elegiac. **2.** *fig.* plaintive, mournful, doleful. **II.** *s.m.* elegi(a)st, elegiac poet.
elegie *s.f.* elegy.
element *s.n.* **1.** element, factor. **2.** *el.* cell. **3.** *(de calorifer)* radiator rib.
elementar *adj.* **1.** elementary. **2.** *(la școală și)* lower.
elen I. *adj.* Greek, Hellenic, Grecian, Hellenian. **II.** *s.m.* Greek, Hellene.
elenă *s.f. lingv. ist.* (old / classical) Greek, Hellene.
elenic *adj. ist.* Hellenic.
elenism *s.m.* **1.** *(grecism)* Hellenism, Grecism. **2.** *(cultură)* Hellenism.
elenist *s.m., s.f.* Hellenist.
elenistic *adj.* Hellenistic(al).
eleron *s.n. av.* aileron.
eleșteu *s.n.* (fish) pond.
elev *s.m.* **1.** schoolboy. **2.** *(generic)* pupil; ~ *extern* day-pupil. **3.** *(om studios)* student. **4.** *(discipol)* disciple, follower.
elevat *adj.* **1.** noble, lofty; **2.** *stil.* elevated, high; exalted.
elevator *s.n. ind.* elevator; lift, hoist.
elevație *s.f.* elevation.
elevă *s.f.* schoolgirl, pupil.
elevează *s.f. zool.* hatchery, broodery; incubator, foster-mother.
elf *s.m.* elf, fairy; goblin.
elibera I. *vt.* **1.** to liberate, to (set) free. **2.** to unfetter. **3.** *(un act)* to issue. **II.** *vr.* to free / liberate oneself.
eliberare *s.f.* **1.** liberation. **2.** *(din captivitate)* release. **3.** *(predare)* delivery. **4.** *(de energie etc.)* discharge.
eliberat *adj.* freed, released.
eliberator I. *s.m.* liberator. **II.** *adj.* liberating.
elice *s.f.* prop(eller).
elicitate *s.f. fiz.* helicity.
elicoid I. *adj.* helicoid, helical, spiral. **II.** *s.m. geom.* helicoid.
elicoidal *adj.* v. e l i c o i d I.
elicopter *s.n.* helicopter.
elida *vt. lingv.* to elide.
elidare *s.f. lingv.* elision.
eligibil *adj.* eligible.
eligibilitate *s.f.* eligibility, eligibleness.
elimina *vt.* **1.** to eliminate, to remove. **2.** *(de la școală)* to expel.
eliminare *s.f.* elimination etc. v. e l i m i n a.
eliminatoriu *adj.* eliminatory.
elin *adj., s.m.* v. e l e n.
elină *s.f. lingv.* v. e l e n ă.
elindă *s.f. tehn.* dredging ladder.
elinește *adv.* in (old) Greek; Greek.
elinvar *s.n. met.* elinvar.
eliport *s.n. av.* heliport, airport for helicopters.
elipsă *s.f.* **1.** *geom.* ellipse. **2.** *lingv.* ellipsis.
elipsograf *s.n. geom.* ellipsograph, trammel.
elipsoid *s.n. mat.* ellipsoid.
elipsoidal *adj. mat.* ellipsoidal.
eliptic *adj.* elliptical.
elisabetan *adj. ist. Angliei.* Elisabethan.
elită *s.f.* pick and flower; *de* ~ topnotch.
elitră *s.f. entom.* elytron, elytrum.
elixir *s.n.* elixir.
elizeu *s.n.* Elysium.
eliziune *s.f. lingv.* elision.
elocință, elocuție *s.f.* eloquence.
elocuțiune *s.f. lingv. stil.* elocution.
elocvent *adj.* eloquent, graphic.
elocvență *s.f.* eloquence.
elogia *vt.* to extol, to eulogize.
elogiere *s.f.* eulogizing, praising, extol(l)ment.
elogios *adj.* eulogistic.
elogiu *s.n.* praise.
elongație *s.f.* elongation.
eloxare *s.f. met.* eloxal / protective coating (of alluminium); eloxal process, anodization.
eluant *s.m. chim.* eluent, eluant.
eluare *s.f. chim.* elution.
elucida *vt.* to clear up.
elucubrație *s.f.* fallacy; aberration.
eluda *vt.* to evade.
eluțiune *s.f. chim.* v. e l u a r e.
eluvial *adj. geol.* eluvial.
eluvionare *s.f. geol.* eluviation.
eluviu *s.n. geol.* eluvium.
eluviune *s.f. geol.* eluvium.
elvețian *s.m., adj.* elvețiancă *s.f.* Swiss.
elzevir *s.n. poligr. etc.* elzevir (edition, book or type).
emaciere *s.f. med.* emaciation.
email *s.n.* enamel.
emaila *vt.* to enamel.
emailor *s.m., s.f.* enameller, enamellist.
emana I. *vt.* to give off. **II.** *vi.* to emanate.
emanagogic *adj. med.* emmenagogic.
emanatism *s.n.* v. e m a n a ț i o n i s m.
emanație *s.f.* emanation.
emanaționism *s.n. filoz.* emanationism, emanatism.
emancipa I. *vt.* to emancipate. **II.** *vr.* to become emancipated.
emancipare *s.f.* emancipation.
emancipat *adj.* emancipate(d), full-fledged.
emancipator *s.m.* emancipator.
emancipație *s.f. înv.* v. e m a n c i p a r e.
embargo *s.n.* embargo.
embatic *s.n. ist.* long lease; copyhold.
embaticar *s.m. ist.* tenant of a long lease; copyholder.
emblematic *adj.* emblematic(al); figurative.
emblemă *s.f.* **1.** emblem. **2.** *fig.* symbol. **3.** *(deviză)* motto.
embolie *s.f. med.* embole, embolism.
embolus *s.n. med.* embolus.
embriogeneză *s.f. biol.* embryogenesis.
embriolog *s.m., s.f. biol.* embryologist.
embriologic *adj. biol.* embryologic(al).
embriologie *s.f. biol.* embryology.
embrion *s.m. biol.* embryo.
embrionar *adj. biol.* embryonic.
embrionat *adj. biol.* embryonated.
embriotomie *s.f. med.* embry-otomy.
emden *subst. omit.* Em(b)den (goose).
emenagog *s.n. med.* emmenagogue.
emergent *adj. fiz.* emergent.
emergență *s.f. fiz.* emergence.

emeri *s.n. tehn.* emery.
emerit *adj.* honoured.
emersiune *s.f.* emersion.
emetic *s.n. farm.* emetic, vomitive.
emetrop *med.* **I.** *adj.* emmetropic. **II.** *subst.* emmetrope.
emetropie *s.f. med.* emmetropia.
emfatic *adj.* **1.** pompous. **2.** *(bombastic)* farfetched; *fam.* high-faluting.
emfază *s.f.* pompousness, grandiloquence.
emfiteoză, emfiteuză *s.f. jur. înv.* emphyteusis.
emfizem *s.n. med.* emphysema.
emi- *prefix* hemi-.
emigra *vi.* to emigrate.
emigrant *s.m.* émigré.
emigrare *s.f.* emigration; migration.
emigrat *s.m.* (political) exile, refugee.
emigrație *s.f.* **1.** emigration. **2.** emigrants.
emigrație *s.f.* emigration.
emigrațiune v. e m i g r a ț i e.
eminamente *adv.* (pre)eminently.
eminent *adj.* excellent.
eminență *s.f.* eminence.
eminescian *adj. lit.* in the manner or spirit of Romania's national poet Mihail Eminescu (1850-1889).
emir *s.m.* emir.
emirat *s.m. geogr.* emirate.
emisar *s.m.* emissary.
emisferă *s.f.* hemisphere; ~ *australă* southern hemisphere; ~ *boreală* northern hemisphere.
emisferic *adj.* hemispheric(al), semispheric(al).
emisie *s.f. fiz.* emission.
emisiune *s.f.* **1.** emission. **2.** *(de bani etc.)* issue. **3.** *(radio)* broadcast.
emisiv *adj. fiz.* emissive.
emistih *s.n. stil.* hemistich.
emitanță *s.f. fiz.* emissivity, emittance.
emite *vt.* **1.** to emit. **2.** *(sunete și) to utter.* **3.** *fiz. și to give out sau* off. **4.** *(o teorie etc.)* to put forward. **5.** *radio* to transmit, to broadcast. **6.** *(bani)* to issue.
emitent *adj. fin.* issuing.
emitere *s.f.* emission.
emitor *s.n. el.* emitter (of transistor).
emițător **I.** *s.n.* transmitter. **II.** *adj.* transmitting.
emolient *adj., s.n. farm.* emollient.
emondaj *s.n. bot. etc.* pruning, trimming.
emotiv *adj.* emotional, shy.
emotivism *s.n. filoz.* emotivism.
emotivitate *s.f.* emotion, excitement.
emoție *s.f.* **1.** emotion. **2.** *(tulburare și)* commotion; *emoții tari* thrills.
emoționa **I.** *vt.* to move; to excite. **II.** *vr.* **1.** to be excited. **2.** *(a fi mișcat)* to be touched.
emoțional *adj.* emotional.
emoționant *adj.* touching, pathetic.
emoționat *adj.* excited.
emoționat *adj.* **1.** moved, thrilled. **2.** agitated, nervous; frightened.
empire *s.n. artă (d. stil)* Empire (style).
empireu *s.n. rel.* empyrean, empyreum.
empiric **I.** *adj.* empiric. **II.** *adv.* empirically.
empiriocritic *adj. filoz.* empiriocritical.
empiriocriticism *s.n. filoz.* empiriocriticism.
empiriomonism *s.n. filoz.* empiriomonism, variant of empiriocriticism.
empiriosimbolism *s.n. filoz.* empiriosymbolism, variant of empiriocriticism.
empirism *s.n. filoz. (metodă experimentală)* empiricism.
empirist *s.m.* empiricist.
emplastru *s.n.* plaster.
emporiu *s.n. ist.* emporium.
emu *s.m. ornit.* emu. *(Dromiceius novae-hollandiae).*
emul *s.m.* rival.
emulație *s.f.* emulation.
emulgator *s.m. chim.* emulsifier.
emulsie *s.f. chim.* emulsion.
emulsină *s.f. biochim.* emulsin.
emulsiona *vt. chim.* to emulsify.
emulsionant *s.n. chim.* v. e m u l g a t o r.
emulsor *s.n.* emulsifier.
enantem *s.n. med.* enanthem(a).
enantiomorf *adj. chim.* enantiomorphous, enantiomorphic.
enantiomorfie (enantiomorfism) *s.f. chim.* enantiomorphism.
enantiotrop *adj. chim.* enantiotropic.
enantiotropie *s.f. chim.* enantiotropy.
enarmonie *s.f. muz.* enharmonic change.
encaustic *s.m. artă* encaustic (painting).
encefal *s.n. anat.* encephalon.
encefalic *adj. anat.* encephalic.
encefalită *s.f. med.* encephalitis.
encefalografie *s.f. med.* encephalography.
encefaloid *adj. anat.* encephaloid.
encefalomielită *s.f. med.* encephalomyelitis.
encefalopatie *s.f. med.* encephalophaty.
enciclică *s.f.* encyclical letter.
enciclopedic *adj.* encyclopaedic.
enciclopedie *s.f.* encyclopaedia.
enciclopedism *s.n.* encyclop(a)edism.
enciclopedist *s.m.* encyclop(a)edist.
enclavă *s.f. geol.* enclave.
enclitic *adj. gram.* enclitic.
encliză *s.f. lingv.* enclisis.
encomiastic *adj. stil.* encomiastic praising, laudatory.
encomion *s.n. stil.* encomium, encomion.
encrinus *subst. paleont.* Encrinus.
endarterită *s.f. med.* endarteritis.
endecagon *s.n. geom.* hendecagon, undecagon.
endecagonal *adj.* hendecagonal.
endecasilabic *adj. stil.* (h)endecasyllabic.
endemic *adj. med., biol.* endemic(al).
endemie *s.f. med.* endemic/local complaint/malady.
endemoepidemic *adj. med.* endemoepidemic.
endivie *s.f. bot.* endive *(Cichorium endivia).*
endo- *prefix* endo-.
endocard *s.n. anat.* endocardium.
endocardită *s.f. med.* endocarditis.
endocarp *s.n. bot.* endocarp.
endocraniu *s.n. anat.* endocranium, *pl.* endocrania.
endocrin *adj.* endocrine.
endocrinolog *s.m.* endocrinologist.
endocrinologie *s.f.* endocrinology.
endocrinoterapie *s.f. med.* endocrinotherapy.
endoderm *s.n. biol., bot.* endoderm.
endodermic *adj. anat.* endodermal, endodermic.
endoenzimă *s.f. biochim.* endoenzyme.
endofită *s.f. biol.* endophyte.
endogamie *s.f.* endogamy.
endogen *adj. bot., geol.* endogenous, endogenetic.
endolimfă *s.f. anat.* endolymph.
endometrită *s.f. med.* endometritis.
endometru *s.n. anat.* endometrium.
endomorfism *s.n. geol.* endomorphism.
endoparazit *biol.* **I.** *adj.* endoparasitic. **II.** *subst.* endoparasite.
endoplasmă *s.f. biol.* endoplasm.
endoreic *adj. geogr.* endor(h)eic.
endoscop *s.n. med.* endoscope.
endoscopie *s.f. med.* endoscopy.
endosmoză *s.f. fiz.* endosmose, endosmosis.
endosperm *s.n. bot.* endosperm.
endoteliu *s.n. anat.* endothelium.
endoterm *adj. fiz., chim.* endothermic, endothermal.
endotermic *adj. chim.* endothermic.
endotoxină *s.f. biochim.* endotoxin.

Ene *s.m.* *moș ~ fam.* the sandman, the dustman; *a venit moș ~ pe la gene fam.* the sandman/the dustman is coming.
eneagon *s.n. geom.* enneagon.
eneasilab *adj. stil.* enneasyllabic.
eneolitic *subst. geol.* Aeneolithic.
energetic *adj.* power.
energetică *s.f.* energetics.
energetism *s.n. filoz.* energism.
energic I. *adj.* **1.** energetic. **2.** *(apăsat)* emphatic. **3.** *(drastic)* drastic. **4.** *(viguros)* vigurous. **II.** *adv.* strongly.
energie *s.f.* **1.** strength. **2.** *(vigoare)* vigour. **3.** *(în știință)* energy; *~ electrică* (electric) power.
energumen *s.m. rel.* energumen, demoniac, fanatic.
enerva I. *vt.* to vex, to annoy. **II.** *vr.* to be / grow impatient.
enervant *adj.* annoying.
enervare *s.f.* irritation, vexation, annoyance. etc. v. e n e r v a.
enervat *adj.* irritated, annoyed.
englez I. *s.m.* Englishman; *~ii* the English. **II.** *adj.* English.
engleză *s.f.* English, the English language.
englezesc *adj.* English.
englezește *adv.* **1.** English; like an Englishman. **2.** *(pe furiș)* by stealth, surreptitiously.
englezoaică *s.f.* Englishwoman; English girl.
engobă *s.f. artă* engobe.
engolpion *s.n. rel.* encolpion, *pl.* encolpia; enkolpion, *pl.* enkolpia.
enibahar *s.n.* juniper.
enigmatic I. *adj.* **1.** enigmatical. **2.** *(neînțeles)* puzzling. **II.** *adv.* **1.** enigmatically. **2.** cryptically.
enigmă *s.f.* enigma, puzzle.
enigmistică *s.f.* crosswords and other puzzles (type of entertainment).
enologie *s.f.* oenology.
enoriaș *s.m.* parishioner; *pl.* flock.
enorie *s.f.* parish.
enorm I. *adj.* **1.** enormous. **2.** *(înspăimântător)* tremendous. **II.** *adv.* immensely.
enormitate *s.f.* **1.** enormity. **2.** *(prostie)* stupid thing.
enot *s.m. zool.* raccoon dog *(Nycterenles procyonides).*
entalpie *s.f. fiz., chim.* enthalpy.
entamibă *s.f. zool.* Entam(o)eba.
entelehie *s.f. filoz.* entelechy.
enteric *adj. med.* enteric, intestinal.
enterită *s.f. med.* enteritis, inflammation of the bowels.
enterobacterii *s.f. pl. bot.* Enterobacteriaceae.
enterochinază *s.f. biochim.* enterokinase.
enterocolită *s.f. med.* enterocolitis.
enterogastronă *s.f. biochim.* enterogastrone.
enteromorf *adj. biol.* enteromorphic.
entimemă *s.f. log.* enthymeme.
entitate *s.f.* entity.
entomofag *adj. zool.* entomophagous.
entomofil *adj. bot.* entomophilous.
entomolog *s.m.* entomologist.
entomologic *adj.* entomologic(al).
entomologie *s.f.* entomology.
entomostraceu *s.n. zool.* Entomostraca.
entorsă *s.f.* strain.
entozoar *s.n. entom.* entozoon.
entropie *s.f. fiz.* entropy.
entropion *s.n. med.* entropion.
entuziasm *s.n.* **1.** enthusiasm. **2.** *(încântare)* elation; *cu ~* enthusiastically.
entuziasma I. *vt.* to throw into raptures, to enthuse. **II.** *vr.* to become enthusiastic.
entuziasmant *adj.* **1.** enthusing. **2.** *(înălțător)* elating, soullifting. **3.** delightful; thrilling.
entuziasmat *adj.* enthusiastic.
entuziast I. *s.m.* enthusiast. **II.** *adj.* enthusiastic.
enucleare *s.f. med.* enucleation.
enumera *vt.* to enumerate.
enumerare *s.f.* enumeration.
enumerativ *adj.* enumerative.
enunț *s.n.* enunciation, statement.
enunța *vt.* to enunciate, to state.
enunțare *s.f.* **1.** enunciation. **2.** *log.* proposition.
enunțiativ *adj.* declarative.
enurezis *s.n. med.* enuresis.
enzimă *s.f. chim.* enzym(e).
enzimologie *s.f. biol.* enzymology.
enzootie *s.f. med. vet.* enzootic disease.
eocen *adj., s.n. geol.* eocene.
eohippus *subst. paleont.* Eohippus.
eolian *adj.* **1.** *ist.* (A)eolian. **2.** *(de vânt)* wind.
eolitic I. *adj.* eolithic. **II.** *s.n.* eolith, celt.
eolotrop *adj. fiz.* (a)elotropic.
eolotropie *s.f. fiz.* (a)elotropy.
eon *s.m. filoz.* (a)eon.
eozină *s.f. chim.* eosin.
eozinofil *adj. biol.* eosinophilic.
eozinofilie *s.f. med.* eosinophilia.
eozinopenie *s.f. med.* eosinopenia.
epanalepsă *s.f. stil.* epanalepsis.
epandaj *s.n. agr.* distribution (of water); spreading, scattering (of manure); field-sewerage for natural cleaning.
eparhial *adj. bis.* diocesan.
eparhie *s.f. bis.* diocese.
eparven *s.n. vet.* spavin.
epata *vt.* to enrapture.
epatant *adj.* enthusing, *fam.* ripping.
epavă *s.f.* wreck.
epecie *s.f. biol.* epoccia.
ependim *s.n. anat.* ependyma.
epentetic *adj. lingv.* epenthetic.
epenteză *s.f. lingv.* epenthesis.
epi- *prefix* ep(i)-.
epic *adj.* epic.
epicard *s.n. anat.* epicardium.
epicarp *s.n. bot.* epicarp.
epicen *adj. gram.* epicene.
epicentru *s.n.* epicentre.
epicheremă *s.f. log., stil.* epicherema.
epicicloidă *s.f. mat.* epicycloid.
epiciclu *s.m. astr.* epicycle.
epicontinentală *adj. geogr.* epicontinental.
epicotil *s.n. bot.* epicotyl.
epicureic *adj.* v. e p i c u r i a n I.
epicurian I. *adj.* **1.** epicurean. **2.** *fig.* epicurean, voluptuous, sensual. **II.** *s.m.* **1.** epicurean. **2.** *fig.* epicurean, epicure, sensualist, voluptuary.
epicurism *s.n.* epicurism.
epidemic *adj.* epidemic.
epidemie *s.f.* epidemic.
epidemiologie *s.f. med.* epidemiology.
epidermă *s.f. anat., bot.* epidermis.
epidermic *adj.* epidermic(al).
epidermizare *s.f. med.* epidermization, epithelization.
epidermofitie *s.f. med.* epidermophytosis.
epidiascop *s.n.* lantern slide projector.
epidot *s.n. mineral.* epidote.
epifenomen *s.n.* epiphenomenon.
epifenomenalism *s.n. filoz., psih.* epiphenomenalism.
epifit I. *adj. bot.* epiphytic, epiphytal. **II.** *s.n.* epiphyte.
epifiză *s.f. anat.* epiphysis.
epigastric *adj.* epigastric.
epigastru *s.n. anat.* epigastrium.
epigenetic *adj. geol.* epigenetic.
epigeneză *s.f. biol., geol.* epigenesis.
epigeu *adj.* epigeal, epigeous, epig(a)ean.
epiglotă *s.f. anat.* epiglottis.
epigon *s.m.* epigone, (poor) imitator.
epigonic *adj.* epigonic.

epigonism *adj.* epigonism.
epigraf *s.n.* epigraph.
epigrafie *s.f.* epigraphy, epigraphics.
epigrafist *s.m., s.f. ist.* epigraphist.
epigramatic *adj.* epigrammatic(al).
epigramă *s.f.* epigram.
epigramist *s.m.* epigrammatist, author of epigrams.
epila *vt.* v. d e p i l a.
epilator *adj.* v. d e p i l a t o r.
epilepsie *s.f.* epilepsy.
epileptic *s.m., adj.* epileptic.
epilog *s.n.* epilogue.
epinefrină *s.f. biochim.* epinephrin(e), adrenaline, adrenin.
epipaleolitic *subst. geol.* Epipaleolithic.
epiploon *s.n. anat.* epiploon, omentum.
epirogenetic *adj. geol.* epeiro-genetic, ep(e)irogenetic.
epirogeneză *s.f. geol.* epeirogenesis.
episcop *s.m. bis.* bishop.
episcopal *adj. bis.* episcopal.
episcopat *s.n. bis. (demnitate)* episcopate, episcopal office/dignity; *(durată)* episcopacy.
episcopie *s.f. bis.* bishopric.
episilogism *s.n. log.* episyllogism.
episod *s.n.* episode.
episodic *adj.* episodic.
epistat *s.m. ist. României* **1.** police man, police sergeant. **2.** administrator.
epistaxis *s.n. med.* epistaxis, *fam.* nosebleed.
epistemologie *s.f. filoz.* epistemology.
epistil *s.n. arh.* epistyle, architrave.
epistolar *adj. stil.* epistolary.
epistolă *s.f.* **1.** epistle. **2.** *(scrisoare)* letter.
epitaf *s.n.* epitaph.
epitalam *s.n. lit.* epithalamium.
epitază *s.f. teatru* epitasis, *pl.* epitases.
epitelial *adj. anat.* epithelial.
epiteliom *s.n. med.* epithelium.
epiteliu *s.n. anat.* epithelium.
epitelizare *s.f. med.* epitheli(ali)zation.
epitermal *adj. geol.* epithermal.
epitet *s.n.* epithet.
epitrahil *s.n. bis.* epitrachelian, stole (worn by Eastern Orthodox priests).
epitrop *s.m.* **1.** guardian. **2.** *(filantrop)* guardian of the poor.
epitropie *s.f.* **1.** guardians, guardianship. **2.** *(filantropică)* settlement.
epiu *s.n. tehn.* groin, groyn(e).
epizoar *s.n. entom.* epizoon.
epizonă *s.f. geol.* epizone.
epizootie *s.f. vet.* epizooty.
epocal *adj.* epoch-making.
epocă *s.f.* epoch; ~ *de glorie* better days; *mobilă de* ~ period furniture; *în epoca aceea* in those times.
epodă *s.f. lit.* epode.
epolet *s.m.* épaulette.
eponim *adj.* eponymic.
eponj *s.n. text.* spongy cloth.
epopee *s.f. lit.* epic, saga.
epopeic *adj. lit. stil.* epic, referring to an epos / epic.
epos *s.n. elev* v. e p o p e e.
epoxid *s.m.chim.* epoxide.
eprubetă *s.f.* test tube.
epruvetă *s.f. tehn.* test-piece / bar.
epuiza I. *vt.* **1.** to exhaust. **2.** *(a obosi și)* to fag out. **3.** *(a termina și)* to use up. **II.** *vr.* **1.** to be exhausted. **2.** *(a se obosi)* to knock oneself up. **3.** *(d. cărți)* to get out of print.
epuizant *adj.* exhausting; *fam.* fagging.
epuizare *s.f.* **1.** exhaustion. **2.** *(a unei cărți)* getting out of print.
epuizat *adj.* **1.** exhausted. **2.** *(obosit și)* fagged out. **3.** *(d. cărți)* out of print. **4.** *(d. baterii etc.)* flat.
epura *vt.* **1.** to comb out. **2.** *(un text)* to bowdlerize. **3.** *(apa etc.)* to clean.
epurare *s.f.* combing out etc. v. e p u r a.
epurator *s.n. tehn.* purifying apparatus; purifier (of liquids); scrubber, scrubbing plant.
epurație *s.f.* purge.
epură *s.f. geom.* draught.
equus *s.m. zool.* Equus.
eradica *vt.* to eradicate.
erasmic *adj.* Erasmian.
erată *s.f.* erratum.
eratic *adj.* erratic.
eră *s.f.* era; period; *era noastră* A.D. (anno domini); *înaintea erei noastre* B.C. (before Christ).
erbaceu *adj. bot.* herbaceous.
erbicid *s.n. chim., agr.* weed killer, herbicide.
erbiu *s.n. chim.* erbium.
erbivor I. *adj.* herbivorous, graminivorous. **II.** *s.m.* herbivore, herbivorous animal.
erboriza *vi.* to herborize.
erborizator *s.m.* herborizer, herbalist, herbarian.
erect *adj.* erect.
erectil *adj. anat.* erectile.
erecție *s.f. arh., fiziol.* erection.
ereditar *adj.* hereditary.
ereditate *s.f.* **1.** *biol.* heredity. **2.** *jur.* heirship, right of inheriting, inheritance.
eredosifilis *s.n. med.* heredosyphilis.
eres *s.n.* **1.** *rel.* heresy, heterodoxy. **2.** superstition. **3.** fallacy.
erete *s.m. ornit.* harrier *(Circus).*
eretic I. *s.m.* heretic. **II.** *adj.* unorthodox.
eretism *s.n. med.* erethism.
erezie *s.f.* **1.** heresy. **2.** *(greșeală)* fallacy.
erg *s.m. fiz.* erg, ergon.
ergan *s.n. tehn.* ceramic insulating material.
ergasterie *s.f. ist.* ergastulum.
ergocalciferol *s.m. med., farm.* ergocalciferol, vitamin D2.
ergograf *s.n. fiziol.* ergograph.
ergometrie *s.f.* ergometry.
ergonă *s.f. biochim.* ergone.
ergonomie *s.f.* ergonomics, biotechnology.
ergosterol *s.m. chim.* ergosterol.
ergoterapie *s.f. med.* ergotherapy.
ergotină *s.f. anat., chim.* ergotine.
ergotism *s.n. med.* ergotism.
ergotoxină *s.f.* ergotoxine.
erija *vr.: a se ~ în* to pose as, to give oneself out as.
erinaceide *s.n. pl. zool.* Erinaceidae.
erisifacee *s.f. pl. bot.* Erysiphaceae.
eristică *s.f., adj. filoz.* eristic.
eritem *s.n. med.* erythema.
eritremie *s.f. med.* erythraemia.
eritroblast *s.m. anat., fiziol.* erythroblast.
eritroblastoză *s.f. med.* erythroblastosis.
eritrocit *s.n. anat.* erythrocyte.
eritrodermie *s.f. med.* erythrodermia.
eritromicină *s.f.* erythromycin.
eritropoeză *s.f. fiziol.* erythropoesis.
eritropsină *s.f. biol.* erythropsin.
erizipel *s.m. med.* erysipelas.
ermeneutică *s.f. filoz. lit.* hermeneutic.
ermetic I. *adj.* **1.** (air)tight. **2.** *fig.* hermetic. **II.** *adv.* hermetically.
ermetism *s.n. artă, lit., filoz.* abstruseness.
ermină *s.f. zool.* hermine, sable.
ermit *s.m.* hermit.
ermitaj *s.n.* hermitage.
eroare *s.f.* **1.** error. **2.** miscalculation.
eroda *vt. geogr., geol. etc.* to erode, to abrade, to denude; to eat away, to wear away.
erodiu *s.m. ornit.* heron *(Ardea alba).*
eroic I. *adj.* heroic(al). **II.** *adv.* heroically, bravely.

eroicomic *adj.* mock-heroic.
eroină *s.f.* heroine.
eroism *s.n.* heroism, dauntlessness.
eronat *adj.* erroneous.
erotic *adj.* amatory, love.
erotism *s.n.* eroticism; *med.* erotism.
erotoman *med.* **I.** *s.m.* erotomaniac. **II.** *adj.* erotomaniacal.
erou *s.m.* **1.** hero. **2.** *(al unei opere și)* main character; *~ de salon* carpet knight; *~l zilei* the hero of the hour.
eroziune *s.f.* erosion; denudation; *~a solului* soil erosion.
eroziv *adj.* erosive.
eructa *vi. med.* to eruct, to belch.
eructație *s.f. med.* eructation, belching; belch.
erudit I. *s.m.* scholar. **II.** *adj.* erudite.
erudiție *s.f.* erudition.
erupe *vi.* **1.** to erupt. **2.** *med.* to break out.
eruptiv *adj.* eruptive.
eruptivism *s.n. geol.* eruptive condition(s).
erupție *s.f.* **1.** eruption. **2.** *med. (urticarie)* rash.
erzaț *s.n.* substitute.
escadr(il)ă *s.f. av., nav.* squadron.
escadron *s.n. av., nav.* squadron.
escalada *vt.* **1.** to climb (over). **2.** *mil.* to escalate.
escaladare *s.f. sport etc.* **1.** scaling, climbing (over). **2.** *mil.* escalation.
escalator *s.n. tehn.* escalator.
escală *s.f.* stop (over), call; *fără ~* non-stop.
escalop *s.m. cul.* escalope; scallop, fillet (of veal etc.).
escamota *vt.* **1.** to conceal. **2.** *tehn.* to retract.
escamotabil *adj. tehn.* retractable.
escapadă *s.f.* outing.
escară *s.f. med.* scab, eschar; bed shore.
escarpă *s.f. mil.* (e)scarp.
escarpen *s.m.* (dancing) shoe; court shoe.
escatologic *adj. filoz., rel.* eschatological.
escatologie *s.f. filoz., rel.* eschatology.
eschilă *s.f. med.* splinter (of bone).
eschimos *s.m., adj. geogr.* Eskimo.
eschiva *vr.* to shirk (from); *a se ~ de la un răspuns* to prevaricate.
eschivă *s.f. sport etc.* dodging; slip away /aside.
escorta *vt.* to escort.
escortă *s.f.* escort.
escroc *s.m.* rogue swindler, shark, cheat; *fam.* slickgent, blackleg.
escroca *vt.* to cheat, to swindler, to fleece, to rook.
escrocherie *s.f.* swindle, do.
escudo *s.m. fin., ist.* escudo, (old) monetary unit in Spain / Portugal.
esculină *s.f. farm., chim.* (a)esculin.
eseist *s.m.* essay-writer.
eseistic *adj.* essay-like.
eseistică *s.f.* essay-writing(s), essays.
esenian *s.m. rel.* Essene.
esență *s.f.* **1.** essence. **2.** *(miez și)* substance. **3.** *(natură)* nature. **4.** *(parfum și)* perfume oil; *în ~* essentially.
esențial I. *s.n.* essence, pith (and marrow). **II.** *adj.* **1.** essential. **2.** *(important)* material. **3.** *(de bază și)* basic.
esențialmente *adv.* fundamentally.
eseu *s.n.* essay.
esofag *s.n. anat.* oesophagus.
esofagism *s.n. med.* oesophagism, spasm of the oesophagus.
esopic *adj. lit.* Aesopic, Aesopian.
esoteric *adj.* esoteric; recondite, abstruse.
espadon *s.n. ist. mil.,* espadon, swordfish.
espadrilă *s.f.* espadrille, canvas shoe.
esperanto *s.n. lingv.* Esperanto.
esplanadă *s.f.* esplanade.
est *s.n.* East; *de ~* east(ern); *la ~ (de)* east (of).
estacadă *s.f.* **1.** *nav. (pt. acostare)* pier; *(pod provizoriu)* trestle(work) bridge. **2.** *(platformă)* scaffold. **3.** *mil.* stockade.
ester *s.m. chim.* ester.
esteraze *s.f. pl. biochim.* esterases.
esterificare *s.f. chim.* esterification.
estet *s.m.* aesthete.
estetic I. *adj.* aesthetic. **II.** *adv.* aesthetically.
estetică *s.f.* aesthetics.
estetician *s.m.* aesthetician.
estetism *s.n.* art for art's sake.
estetizant *adj.* art for art's sake.
esteziometrie *s.f. fiziol.* esthesiometry.
esteziometru *s.n.* esthesiometer.
estic *adj.* eastern.
estima *vt.* to estimate, to assess.
estimat *s.n.* estimate, estimated value of a measure.
estimativ *adj.* estimated.
estimație *s.f.* estimation, estimate, assesment, valuation, appreciation.
estival *adj.* summer.
estivație *s.f. biol.* (a)estivation.
estompa I. *vt.* **1.** to blur, to dim; to blunt. **2.** *(artă)* to stump. **II.** *vr.* to grow dim, to be blurred, to recede, to fade (away).
estompat *adj.* soft, indistinct, blurred, dim, faded.
estompă *s.f. artă* stump.
eston *s.m., adj. geogr.* Estonian.
estradă *s.f.* **1.** platform, dais. **2.** *(tribună)* rostrum; *(gen de spectacol)* music hall; *de ~* promenade; music hall.
estradiol *s.m. biochim.* (o)estradiol.
estral *adj. fiziol.* (o)estrous, (o)estral.
estriol *s.m. biochim.* (o)estriol.
estrogen *s.n. biochim.* (o)estrogen.
estronă *s.f. biochim.* (o)estrone.
estropia *vt.* to cripple, to lame, to maim.
estropiat *s.m., adj.* cripple.
estru *s.n. fiziol.* (o)estrus, (o)estrum.
estuar *s.n. geogr.* estuary.
eșafod *s.n.* scaffold.
eșafodaj *s.n.* **1.** scaffolding. **2.** *fig.* fabric, structure.
eșalon *s.n.* echelon.
eșalona *vt.* to stagger, to phase.
eșalonare *s.f.* phasing.
eșantion *s.n.* sample.
eșapament *s.n. auto.* exhaust.
eșarfă *s.f.* **1.** scarf. **2.** sash. **3.** *med.* arm sling.
eșec *s.n.* failure, set back.
eșua *vi.* **1.** to be stranded. **2.** *fig.* to fail, to fall through.
etaj *s.n.* **1.** *(pe dinăuntru)* floor. **2.** *(pe dinafară)* storey; *la ~* upstairs; *la ~ul întâi* on the first floor; AE on the second floor; *cu ~* two storeyed.
etaja *vt.* to range in tiers.
etajeră *s.f.* **1.** bookstand. **2.** *(poliță)* shelf, *pl.* shelves.
etala I. *vt.* to display. **II.** *vr.* to show off.
etalaj *s.n. met.* bosh (of blast-furnace).
etalare *s.f.* display.
etalon *s.n.* standard.
etalona *vt.* to standardize, to calibrate.
etambou *s.n. nav.* sternpost.
etamină *s.f. text.* coarse muslin.
etan *s.n. chim.* ethane.
etanol *s.m. chim.* ethanol, ethyl alcohol.
etanș *adj. tehn.* (air)tight; watertight.
etanșa *vt. tehn.* to make (air)tight.
etanșeitate *s.f. tehn.* tightness, imperviousness.
etanșor *s.n. tehn.* sealing gasket.
etapă *s.f.* **1.** stage; hop. **2.** *(oprire)* stop. **3.** *sport etc.* leg.
etate *s.f.* age; *în ~* elderly; *în ~ de un an* one-year old.

etatiza *vt. ec. pol.* to nationalize.
etatizare *s.f. ec. pol.* nationalisation.
etc, etcaetera *adv.* etcetera, a.s.o., and so on.
etenă *s.f. chim.* ethene; ethylene.
eter *s.n. chim., fig.* ether.
eterat I. *s.m. chim.* etherate. **II.** *adj.* **1.** ether-smelling. **2.** *fig.* ethereal; delicate; dainty.
eteric *adj.* **1.** *chim.* essential. **2.** *fig.* ethereal.
eterie *s.f. ist.* hetaeria.
eterist *s.m. ist. Greciei* hetaerist, militant of (anti-Ottoman) emancipation movement.
etern I. *adj.* eternal. **I.** *adv.* for ever.
eternitate *s.f.* eternity.
eterniza I. *vt.* to immortalize. **II.** *vr.* to last forever, *fig. (a nu mai pleca)* to outstay one's welcome.
etero- (hetero-) *prefix* (h)etero-.
eteroclit *adj.* heteroclitic(al), heteroclite, heteroclitous.
eterodină *s.f. rar* heterodyne.
eterodox *adj. rel.* heterodox.
eterodoxie *s.f. rel.* heterodoxy.
eterofonie *s.f. muz.* heterophony.
eterogen *adj.* heterogenous.
eterogenitate *s.f.* heterogeneousness, dissimilarity, disparity.
eteromanie *s.f. med.* etheromania, addiction to ether.
eteromorf *adj. biol.* heteromorphous, heteromorphic.
eteronomie *s.f. filoz.* heteronomy.
eteronorm *adj. filoz.* heteronomous.
eteziene *adj. pl. vânturi* ~ Etesian winds.
et(h)os *s.n. filoz.* ethos.
etiaj *s.n. nav.* low-water mark.
etic *adj.* moral.
etică *s.f.* ethics.
eticheta *vt.* to label.
etichetă *s.f.* **1.** label. **2.** *(politețe)* etiquette; *fără ~ fig.* informally.
etician *s.m.* ethician, ethicist.
etil *s.n. chim.* ethyl.
etila *vt. chim.* to ethylate.
etilare *s.f. chim.* ethylation.
etilenă *s.f. chim.* ethylene.
etilendiamină *s.f. chim.* ethylene diamin(e).
etilenglicol *s.m. chim.* ethylene glycol.
etilenoxid *s.m. chim.* ethylene oxide.
etilic *adj. chim.* ethylic.
etilism *s.n. med.* alcoholism.
etimologic *adj. lingv.* etymologic(al).
etimologie *s.f. lingv.* etymology.
etimologist *s.m. lingv.* etymologist.
etimon *s.n. lingv.* etymon.
etiola I. *vt. bot.* to etiolate, to blanch. **II.** *vr.* to starve.
etiolare *s.f. bot.* chlorosis, etiolation; drooping, wilting.
etiologic *adj.* (a)etiological.
etiologie *s.f. filoz., med.* (a)etiology.
etiopian *s.m., adj. geogr.* Ethiopian.
etira *vt. met.* to stretch; to draw out.
etirare *s.f. met.* stretching; drawing out (of metals).
etmoid *anat.* **I.** *adj.* ethmoid(al). **II.** *s.n.* ethmoid bone.
etnic *adj.* ethnical.
etnograf *s.m.* etnographer.
etnografic *adj.* ethnographical.
etnografie *s.f.* ethnography.
etnolog *s.m.* ethnologist.
etnologic *adj.* ethnologic(al).
etnologie *s.f.* ethnology.
etnomuzicologie *s.f.* ethno-musicology, ethnographic studies in music.
etolă *s.f.* stole.
etologie *s.f. biol.* ethology.
etravă *s.f. nav.* stem.
etrier *s.n.* **1.** *tehn.* stirrup piece, brace. **2.** *constr.* cradle stirrup.
etrusc *adj., s.m. ist.* Etruscan.
etufa *vt. (sericicultură)* to suffocate, to chock; to stifle (silk worm nympha).
etufare *s.f. (sericicultură)* suffocation, stifling (of silk worm nympha).
etui *s.n.* (leather) case, box.
etuvă *s.f.* drying stove.
ete *subst. geogr.* Amazonian tropical forests.
eu I. *s.n.* ego, self. **II.** *pron.* I, myself; *fam.* me.
eucalipt *s.m. bot.* eucalyptus.
eucaliptol *s.n. chim., farm.* eucalyptol, cineol(e).
euclidian *adj. geom.* Euclidean.
eucoloid *s.m. chim.* eucolloid, tine colloid.
eudemonism *s.n. filoz.* eudaemonism.
eudiometru *s.n. fiz.* eudiometer.
eufemism *s.n. stil.* euphemism.
eufemistic *adj.* euphemistic(al).
eufonic *adj. muz.* euphonic(al).
eufonie *s.f. muz., stil.* euphony.
euforb *s.m. bot.* spurge, milk weed *(Euphorbia).*
euforbiacee *s.f. pl. bot.* Euphorbiaceae.
euforic *adj.* exulting, euphoric.
euforie *s.f.* euphoria, elation.
eufuism *s.n. stil., ist.* euphuism.
eugenie *s.f.* eugeny.
euglenă *s.f. zool.* euglena *(Euglena viridis).*
euharistic *adj. rel., bis.* eucharistic(al).
euharistie *s.f. rel., bis.* Eucharist, Lord's Supper.
euhemerism *s.n. filoz.* euhemerism.
eunuc *s.m.* eunuch.
eupatrid *s.m. ist. Greciei* eupatrid.
euribar *adj. zool.* eurybathic, eurybenthic.
eurihalin *adj. biol.* euryhalin(e).
euristic I. *adj.* heuristic (method). **II.** *s.f.* heuristics.
euriterm *adj. biol.* eurythermal.
euritmic *adj.* eurhythmic.
euritmie *s.f.* eurhythmy.
european *s.m., adj.*, **europeană** *s.f., adj.* European.
europenesc *adj.* European.
europenește *adv.* like a European.
europeniza *vt.* to Europeanize.
europeoid *s.m.* v. e u r o p i d.
europid *s.m.* Europ(o)id, Caucasoid.
europiu *s.n. chim.* europium.
eutanasie *s.f. med.* euthanasia.
eutectic *adj., s.n. met.* eutectic.
eutectoid *s.n. met.* eutectoid.
eutocie *s.f. med.* eutocia.
ev *s.n.* **1.** century. **2.** *(eră)* age, era; *~ul mediu* the Middle Ages.
evacua *vt.* **1.** to evacuate. **2.** *(aburul)* to exhaust. **3.** *(chiriașii)* to evict. **4.** *(a lăsa liber)* to clear.
evacuabil *adj.* apt to be evacuated / moved.
evacuare *s.f.* **1.** evacuation. **2.** *(a chiriașilor)* eviction. **3.** *tehn.* to exhaust.
evacuat *s.m.* evacuee.
evada *vi.* to escape.
evadare *s.f.* **1.** escape. **2.** *fig.* escapism.
evadat *s.m.* fugitive.
evalua *vt.* to estimate, to assess.
evaluare *s.f.* estimate, assessment.
evanescență *s.f.* evanescence.
evangheliar *s.n. bis., rel.* Gospel.
evanghelic *adj. bis., rel.* Evangelic.
evanghelie *s.f. bis., rel.* Gospel.
evanghelist *s.m. bis., rel.* Evangelist.
evantai *s.n.* fan.
evapora I. *vt. fiz.* to evaporate. **II.** *vr. fiz.* **1.** to evaporate. **2.** *fig.* to vanish.
evaporare *s.f. fiz.* evaporation.
evaporator *s.n. tehn.* evaporator.
evaporimetru *s.n. tehn.* evaporometer.
evaza *vt.* **1.** to widen out at the mouth; to flare out. **2.** *tehn., met.* to ream up.
evazat *adj.* flaring.
evazionism *s.n.* escapism.
evazionist *s.m.* escapist; *~ fiscal* tax dodger.

evaziune *s.f.* dodge, evasion.
evaziv I. *adj.* evasive. **II.** *adv.* vaguely.
eveniment *s.n.* event; development; *plin de ~e* eventful.
eventiv *adj. lingv. gram.* eventuative, resultative; of becoming or result.
eventrație *s.f. med.* eventration.
eventual I. *adj.* possible, likely. **II.** *adv.* **1.** possibly. **2.** *(la nevoie)* if need be.
eventualitate *s.f.* **1.** contingency. **2.** *(probabilitate)* likelihood; *pentru orice ~* for all contingences, just in case.
evicțiune *s.f. jur.* eviction.
evident I. *adj.* obvious, conspicuous. **II.** *adv.* clearly, evidently.
evidență *s.f.* **1.** evidence. **2.** *(situație)* situation, record; *~ contabilă* book-keeping.
evidenția I. *vt.* **1.** to praise. **2.** *(a sublinia)* to spotlight, to highlight, to emphasize. **II.** *vr.* to stand out.
evidențiat *s.m.* excellent worker.
evidențiere *s.f.* making evident etc.
evinge *vt. jur.* to evict, to eject, to dispossess.
eviscerare *s.f. med. etc.* evisceration.
eviscerație *s.f. med.* evisceration.
evita *vt.* **1.** to avoid, to shun. **2.** *(a ocoli)* to obviate, to sidestep.
evitabil *adj.* avoidable.
evitare *s.f.* avoidance, evasion.
evlavie *s.f.* devoutness; *cu ~* piously.
evlavios *adj.* pious.
evoca *vt.* to conjure up.
evocare *s.f.* evocation, conjuring up. v. e v o c a.
evocator *adj.* reminiscent (of).
evolua *vi.* **1.** to evolve, to develop. **2.** *(a se mișca)* to appear. **3.** *(în public)* to perform.
evoluat *adj.* **1.** advanced. **2.** *fig.* emancipated.
evolută *s.f. mat.* evolute.
evolutiv *adj.* evolutionary.
evoluție *s.f.* evolution; advance; development.
evoluționism *s.n.* evolutionism.
evoluționist *s.m.* evolutionist.
evolventă *s.f. mat. geom.* evolvent, involute.
evorsiune *s.f. geol.* pot-hole.
evreică *s.f.* Jewish woman.
evreiesc *adj.* **1.** *geogr.* Jewish. **2.** *lingv.* Yiddish.
evreiește *adv.* **1.** like a Jew. **2.** *lingv.* Jewish.
evreu *s.m. geogr.* Jew.
evrica *interj.* eureka.
ex- *prefix.* ex-, former; *~ -ministru* ex-minister.
exacerba *vt.* to exacerbate.
exacerbare *s.f.* exacerbation.
exact I. *adj.* **1.** accurate. **2.** *(punctual)* punctual. **3.** *(minuțios)* minute, punctilious. **4.** *(adevărat)* exact, true. **II.** *adv.* **1.** exactly, precisely. **2.** *(punctual)* punctually. **3.** *(îngrijit)* carefully. **4.** *(minuțios)* minutely; *~ ca și just like; ~ ora cinci* five o'clock sharp. **III.** *interj.* that's it!, right (you are)!
exactitate *s.f.* **1.** exactness, accuracy. **2.** *(punctualitate)* punctuality.
exactitudine *s.f.* accuracy, exactness, exactitude, correctness.
exagera I. *vt.* **1.** to exaggerate. **2.** *(a supraestima)* to overestimate. **II.** *vi.* to exaggerate.
exagerare *s.f.* exaggeration.
exagerat *adj.* **1.** exaggerate(d). **2.** *fig.* coloured; *(dramatic)* histrionic.
exala I. *vt.* **1.** to exhale, to send out/forth. **2.** *fig.* to exhale, to breathe out/forth. **II.** *vr. pas.* to be exhaled.
exalare *s.f.* exhalation.
exalație *s.f.* exhalation.
exalta I. *vt.* to warm / work up. **II.** *vr.* to be exalted.
exaltare *s.f.* exaltation.
exaltat I. *s.m.* enthusiast. **II.** *adj.* self-intoxicated.
examen *s.n.* **1.** examination. **2.** *(la școală și)* investigation, verification, check, test; *~ de admitere* matriculation; *~ de sfârșit de an* end-of-year examination; *~ de maturitate* school-leaving examination; *~ de conștiință* self-examination.
examina *vt.* **1.** to examine. **2.** *(a cerceta)* to investigate.
examinare *s.f.* examination.
examinat *s.m.* examinee.
examinator *s.m.* examiner.
exantem *s.n. med.* exanthem.
exantematic *adj. med.* exanthematic.
exantemă *s.f. med.* exanthem(a), rash, eruption.
exarație *s.f. geol. (geomorfologie)* exaration, glacial erosion.
exarh *s.m. ist. mil., ist. bis.* exarch.
exarhat *s.n. ist. mil., ist. bis.* exarchate.
exaspera *vt.* to exasperate.
exasperant *adj.* exasperating, *fam.* aggravating.
exasperare *s.f.* exasperation.
exasperat *adj.* driven out of one's senses.
excava *vt. tehn.* to excavate, to hollow.
excavator *s.n. tehn.* excavator.
excavatorist *s.m.* excavator.
excavație *s.f. tehn.* excavation.
excedent *s.n.* surplus.
excedentar *adj.* excess, which is in excess, surplus.
excela *vi.* to excel.
excelent I. *adj.* excellent. **II.** *adv.* excellently. **III.** *interj.* capital!
excelență *s.f.* Excellency; *prin ~* pre-eminently; above all; *Eminescu este poetul român prin ~* Eminescu is *the* Romanian poet.
excentric *s.m., adj.* eccentric.
excentricitate *s.f.* **1.** *astr., geom., fiz.* eccentricity. **2.** *fig.* eccentricity, oddity, singularity.
excepta *vt.* to except, to bar.
excepție *s.f.* exception; *cu excepția (cu gen.)* except(ing); *fără ~* to a man; without exception; *făcând ~ de* excepting.
excepțional I. *adj.* exceptional, outstanding; *în mod cu totul ~* by way of exception. **II.** *adv.* exceptionally.
excerpta *vt.* to excerpt.
excerpt *s.n.* excerpt.
exces *s.n.* **1.** excess. **2.** *(lipsă de cumpătare)* intemperance.
excesiv I. *adj.* **1.** excessive. **2.** *(violent)* outrageous. **II.** *adv.* too much, too hard.
excita I. *vt.* to whip up. **II.** *vr.* to be (a)roused.
excitabil *adj.* irritable, irascible; excitable.
excitabilitate *s.f. biol.* excitability.
excitant I. *s.n.* stimulant. **II.** *adj.* (a)rousing.
excitare *s.f.* excitation.
excitator I. *adj.* exciting. **II.** *s.n. fiz.* excitator.
excitație *s.f.* excitation.
exciton *s.m. fiz.* exciton.
excitron *s.n. el.* excitron.
excizie *s.f. med.* excision.
exclama *vt.* to exclaim, to ejaculate.
exclamare *s.f.* exclamation.
exclamativ *adj.* exclamatory.
exclamație *s.f.* exclamation; asseveration.
exclude I. *vt.* **1.** to exclude. **2.** *(a împiedica și)* to preclude. **3.** *(a da afară și)* to expel. **II.** *vr.* to exclude each other.
excludere *s.f.* **1.** exclusion. **2.** *(dintr-o organizație)* expulsion.
exclus I. *adj.* **1.** excluded. **2.** *(dat afară)* expelled. **3.** *(imposibil)* out of the question. **II.** *interj.* impossible!
exclusiv I. *adj.* exclusive. **II.** *adv.* exclusively only.

exclusivism *s.n. (spirit exclusiv)* exclusivity; *(obiceiul de a exclude)* exclusivism.
exclusivist I. *s.m.* exclusivist. **II.** *adj.* exclusive.
exclusivitate *s.f.* exclusiveness; *în ~* exclusive(ly).
excluziune *s.f. fiz., log. etc.* exclusion.
excomunica *vt. bis.* to excommunicate.
excomunicare *s.f.* **1.** *bis.* excommunication. **2.** *fig.* expulsion.
excoriație *s.f. med.* excoriation, abrasion (of the skin).
excremente *s.n. pl. biol.* faeces, excreta.
excrescență *s.f.* excrescence; outgrowth.
excreta *vt. biol.* to excrete.
excretor *adj. biol.* excretory, excretive.
excursie *s.f.* **1.** trip, excursion, outing, run, jaunt. **2.** *fig.* investigation.
excursionist *s.m.* excursionist, hiker.
execrabil *adj.* abominable.
executa I. *vt.* **1.** *(a îndeplini)* to carry out, to implement. **2.** *(a face)* to perform, to do. **3.** *muz., teatru* to perform. **4.** *(a ucide)* to execute; *a ~ o ipotecă* to foreclose upon a mortgage. **II.** *vr.* to obey.
executant I. *s.m.* **1.** performer. **2.** *fig.* agent, menial.
executare *s.f.* execution etc. v. e x e c u t a.
executiv I. *adj.* executive. *jur. și* executory. **II.** *s.n.* executive committee / power / etc.
executor *s.m.* **1.** performer. **2.** *jur.* executor.
executoriu *adj. jur.* executory.
execuție *s.f.* **1.** execution. **2.** *(îndeplinire)* fulfilment, implementation. **3.** *(a unei ipoteci)* foreclosure.
exeget *s.m. lit.* exegete.
exegetic *adj. lit.* exegetic, explanatory.
exegetic *adj. lit.* exegetic.
exegeză *s.f. lit.* exegesis.
exemplar I. *s.n.* **1.** sample, copy. **2.** *fig.* instance; *~ gratuit* presentation copy; *~ semnal* preprint. **II.** *adj.* exemplary. **III.** *adv.* exemplarily.
exemplifica *vt.* to illustrate (with examples).
exemplificare *s.f.* exemplification.
exemplu *s.n.* **1.** example. **2.** *(caz și)* instance. **3.** *(mostră)* sample; *de ~* for example / instance; *după ~ul lui* taking his example.
exequatur *s.n. jur.* exequatur.
exercita *vt.* **1.** to exert, to exercise. **2.** *(a practica)* to practise.
exercitare *s.f.* exercise, practising.
exercițiu *s.n.* **1.** exercise. **2.** *(rutină și)* practice, study. **3.** *pl. (lecții)* homework; *în ~ul funcțiunii* (while) discharging one's duties.
exereză *s.f. med.* exeresis.
exersa *vt., vi., vr.* to practise.
exfoliație *s.f. med.* exfoliation.
exfoliere *s.f. tehn.* exfoliation.
exhaustiv *adj.* exhaustive.
exhaustor *s.n. tehn.* exhauster.
exhiba *vt., vr.* to make a show of (oneself), to display.
exhibiție *s.f.* exhibition, stunt.
exhibiționism *s.n.* exhibitionism.
exhibiționist *s.m.* exhibitionist.
exhuma *vt.* to exhume, to disinter, to dig up.
exhumare *s.f.* exhumation, disinterment, digging up.
exigent *adj.* exacting; demanding.
exigență *s.f.* exactingness, exigency.
exigibil *adj. jur. fin.* due.
exigibilitate *s.f. jur.* liability to be demanded; requirability demandability; exigibility.
exil *s.n.* exile.
exila I. *vt.* to banish, to exile. **II.** *vr.* to exile / eclude oneself.
exilare *s.f.* banishment.
exilat I. *adj.* exiled. **II.** *subst.* exile.
exista *vi.* **1.** to be (available), to exist. **2.** *(a dăinui)* to last; *există* there is; there are; *care există actualmente* now obtaining / offering.
existent *adj.* existent, existing, extant.
existență *s.f.* **1.** existence. **2.** *(trai)* living, livelihood. **3.** *(viață)* life.
existențialism *s.n. filoz., lit.* existentialism.
existențialist *s.m., adj.* existentialist.
exînscris *adj. mat. (d. cerc)* escribed.
ex libris *(locuțiune latină)* ex libris.
exmatricula *vt.* to expel.
exmatriculare *s.f.* expulsion.
exo- *prefix* exo-.
exobiologie *s.f.* extra-terrestrial biology, exobiology.
exocarp *s.n. bot.* epicarp, exocarp.
exocrin *adj. fiziol.* exocrine.
exod *s.n.* exode, migration.
exoderm *s.n. bot.* exoderm.
exoelectron *s.m. fiz.* exoelectron.
exoemisie *s.f. fiz.* exoemission.
exoftalmie *s.f. med.* exophthalmia.
exogamie *s.f. ist.* exogamy.
exogen *adj. med., geol.* exogenous.
exogiră *s.f. paleont.* exogyra.
exomorfism *s.n. geol.* exomorphism.
exonda *vr. geol.* (d. pământ) to emerge.
exondare *s.f. geol.* emergence (of land).
exonera I. *vt.* to exonerate. **II.** *vr.* to exonerate oneself.
exonerare *s.f. jur.* exoneration.
exorbitant *adj.* exorbitant.
exorbitanță *s.f.* exorbitance.
exorcism *s.n. rel.* exorcism.
exordiu *s.n.* **1.** *stil.* exordium. **2.** *fig.* beginning.
exorta *vt.* to exhort.
exosferă *s.f. geogr.* exosphere.
exosmoză *s.f. fiz.* exosmose.
exostoză *s.f. med.* exostosis.
exostozic *adj. med.* exostotic.
exoteric *adj.* exoteric.
exoterm(ic) *adj. fix. chim.* exothermic.
exotic *adj.* exotic.
exotism *s.m.* exot(ic)ism.
exotoxine *s.f. pl. biochim.* exotoxins.
expansibil *adj. fiz.* expansible.
expansibilitate *s.f.* expansibility.
expansionism *s.n. pol.* expansionism.
expansionist *adj. pol.* expansionist.
expansiune *s.f. pol.* expansion.
expansiv *adj.* hearty.
expansivitate *s.f.* effusiveness.
expatria *vr.* to go into exile.
expatriat *s.m.* (voluntary) exile.
expectativă *s.f.* abeyance.
expectora *vt., vi.* to expectorate.
expectorant *adj., s.n. med.* expectorant.
expectorație *s.f. med.* expectoration.
expedia *vt.* **1.** to send (away). **2.** *(un lucru și)* to ship. **3.** *(prin poștă)* to post, AE to mail.
expedient *s.n.* (make)shift.
expediere *s.f.* dispatch.
expeditiv I. *adj.* expeditious. **II.** *adv.* promptly.
expeditor *s.m.* **1.** sender. **2.** *ec.* shipper.
expediție *s.f.* **1.** *(trimitere)* sending, dispatch(ing). **2.** *(călătorie)* expedition.
expediționar *adj.* expeditionary.
experiență *s.f.* **1.** *(de laborator etc.)* experiment; test. **2.** *(întâmplare)* trial, experience(s). **3.** *(înțelepciune)* experience, routine; *experiențe nucleare* nuclear tests; *cu ~* experienced, wise.
experiment *s.n.* experiment.
experimenta *vt.* to test.
experimental I. *adj.* **1.** experimental, test. **2.** *fig.* tentative. **II.** *adv.* **1.** experimentally. **2.** *fig.* tentatively.
experimentare *s.f.* **1.** experimentation, experiment(aliz)ing. **2.** *fig.* experiencing.

experimentat *adj.* experienced.
experimentator *s.m.* experimenter, experimentalist.
expert *s.m.* **1.** expert (at). **2.** *fig.* adept (at).
expertiză *s.f.* (expert) examination; ~ *contabilă* auditing.
expia *vt. livr.* to expiate.
expiabil *adj.* expiable.
expiator *adj. livr.* expiator.
expiați(un)e *s.f.* expiation.
expira *vt., vi.* to expire.
expirare *s.f.* expiration.
expirator *adj.* expiratory.
expirație *s.f.* expiration.
expletiv *adj., s.n.* expletive.
explica **I.** *vt.* **1.** to explain. **2.** *(a interpreta)* to interpret. **3.** *(a justifica)* to explain away. **II.** *vr.* to be explained / justified.
explicabil *adj.* accountable.
explicare *s.f.* explanation etc. v. e x p l i c a.
explicativ *adj.* explanatory.
explicație *s.f.* **1.** explanation. **2.** *(justificare)* vindication. **3.** *(cauză)* reason, cause. **4.** *(discuție)* showdown.
explicit **I.** *adj.* explicit, clear. **II.** *adv.* explicitly.
exploata *vt.* **1.** to exploit. **2.** *(oameni și)* to sweat, to grind down. **3.** *(pământul)* to cultivate. **4.** *(o mină etc.)* to work. **5.** *(a profita de)* to seize. **6.** *(o linie ferată)* to operate.
exploatare *s.f.* **1.** exploitation. **2.** *ec.* operation, running. **3.** *(mină etc.)* mine, working; ~ *forestieră* timber station; *~a lemnului* winning of timber.
exploatat **I.** *s.m.* exploited person; *pl.* the exploited. **II.** *adj.* **1.** exploited. **2.** *(d. mină etc.)* worked.
exploatator **I.** *s.m.* exploiter. **II.** *adj.* exploiting, oppressing.
exploatație *s.f.* exploitation.
exploda *vi.* to explode.
explora *vt.* **1.** to explore. **2.** *fig.* to fathom.
explorare *s.f.* exploration; *fig.* probing.
explorator *s.m.* explorer.
explozibil *s.n., adj.* explosive.
explozie *s.f.* **1.** explosion, detonation, bursting, blast. **2.** *fig.* outburst.
exploziv *s.n., adj.* explosive.
exponat *s.n.* exhibit.
exponent *s.m.* **1.** exponent. **2.** *fig.* spokesman.
exponențial *adj. mat.* exponential.
exponometru *s.n. foto.* exposure meter, light meter.
export *s.n.* **1.** exportation. **2.** *(marfă)* export(s); *de* ~ export.
exporta *vt.* to export.
exportabil *adj. com.* exportable.
exportator **I.** *s.m.* exporter. **II.** *adj.* exporting.
expozant *s.m.* exhibitor.
expozeu *s.n.* (detailed) statement, exposition, exposé.
expozitiv *adj.* expositive.
expoziție *s.f.* exhibition, show; ~ *personală* one-man show.
expozițiune *s.f. stil. lit.* exposition.
expres **I.** *s.n.* **1.** express train. **2.** *(bufet)* snack-bar, AE cafeteria. **II.** *adj.* **1.** express. **2.** *(intenționat și)* purposeful. **III.** *adv.* deliberately, specifically.
expresie *s.f.* **1.** expression. **2.** *(locuțiune și)* phrase, idiom. **3.** *(manifestare și)* manifestation; *a-și găsi expresia în* to be illustrated by.
expresionism *s.n. artă* expressionism.
expresionist *s.m., adj. artă* expressionist.
expresiv **I.** *adj.* expressive, graphical. **II.** *adv.* eloquently.
expresivitate *s.f.* graphicalness.
exprima **I.** *vt.* **1.** to express, to voice. **2.** *(a formula)* to couch. **3.** *(a manifesta)* to manifest. **II.** *vr.* to express oneself; *cum să mă exprim?* how shall I put it?
exprimabil *adj.* expressible.
exprimare *s.f.* expression.
expropria *vt. jur.* to expropriate.
expropriat *jur.* **I.** *adj.* expropriated. **II.** *s.m.* expropriate.
expropriator *s.m. jur.* expropriator.
expropriere *s.f. jur.* expropriation.
expulsie *s.f.* **1.** *tehn.* expulsion. **2.** *med.* evacuation.
expulza *vt.* to expel.
expulzare *s.f.* expulsion.
expulzat **I.** *adj.* expelled. **II.** *s.m.* expelled person.
expune **I.** *vt.* **1.** to exhibit. **2.** *(la neplăceri etc.)* to expose. **3.** *(a arăta)* to display. **4.** *(o teorie)* to set forth; *a ~ punctul de vedere al* to state the case for. **II.** *vr.* **1.** to incur a risk. **2.** to risk one's life etc.
expunere *s.f.* **1.** *(discurs)* speech. **2.** *(aranjare etc.)* exposition; ~ *de motive* preamble; report.
expus *adj.* exposed, unsafe; ~ *la* liable to; in danger of.
exsanguinotransfuzie *s.f. med.* exsanguinotransfusion.
exsanguu *adj.* **1.** exsanguine, bloodless. **2.** cadaverous.
exsicator *s.n. chim.* exsiccator.
exsudat *s.n. med.* exudate.
extactic *adj.* enraptured.
extaz *s.n.* ecstasy.
extazia *vr.* to go into ecstasies.
extaziat *adj.* enraptured, entranced.
extemporal *s.n.* offhand paper.
extensibil *adj.* extensi(b)le, extendible.
extensibilitate *s.f.* extensibility.
extensiune *s.f.* extension.
extensiv *adj.* extensive.
extensor **I.** *s.m.* extensor. **II.** *s.n.* chest expander. **III.** *adj.* extensor.
extenua *vt., vr.* to exhaust (oneself).
extenuant *adj.* weary, exhausting.
extenuat *adj.* exhausted; *fam.* fagged out.
exterior **I.** *s.n.* **1.** outside. **2.** *(înfățișare)* appearance. **3.** *(străinătate)* foreign countries. **4.** *cin.* exterior (shot); *în ~* outwardly; *(în străinătate)* abroad. **II.** *adj.* **1.** external. **2.** *pol.* foreign.
exterioriza *vt.* to externalize.
exteritorial *adj.* exterritorial.
exteritorialitate *s.f.* exterritoriality.
extermina *vt.* **1.** to destroy. **2.** *(a eradica)* to eradicate.
exterminant *adj.* exterminating, destructive.
exterminare *s.f.* extermination; ~ *în masă* mass destruction.
exterminator **I.** *adj.* exterminating. **II.** *s.m.* exterminator.
extern **I.** *s.m.* **1.** extern. **2.** *(elev)* day pupil. **II.** *adj.* external, outside.
externat *s.n.* **1.** day school. **2.** *med.* non-resident medical studentship.
externe *s.n. pl.* (Ministry of) Foreign Affairs.
exteroceptor *s.m. fiziol.* exteroceptor.
extinctiv *adj. jur.* extinctive.
extinctor **I.** *adj.* extinguishing. **II.** *s.n.* fire extinguisher/sprinkler.
extincție *s.f.* exctinction.
extinde *vt., vr.* to spread.
extindere *s.f.* **1.** extension. **2.** proportions.
extirpa *vt. med., med. vet.* to extirpate.
extirpator *s.n. agr.* extirpator.
extorca *vt. livr.* to extort.
extra *adv.* extra(fine).
extrabugetar *adj. aprox.* voluntary.
extracelular *adj. bot.* extracellular.
extraconjugal *adj.* out of the wedlock.
extracontabil *adj. ec.* not referring to book keeping / accounting.
extracorporal *adj.* extracorporeal.
extract *s.n.* **1.** extract. **2.** certificate.
extractiv *adj.* extractive.

extractor I. *adj.* extracting. **II.** *s.n.* **1.** *mil.* extractor. **2.** *chim.* extraction apparatus. **3.** *(de miere)* extractor.
extracție *s.f.* extraction.
extrados *s.n.* **1.** *arh.* extrados, back (of arch). **2.** *av.* upper surface (of the wing).
extrafin *adj.* superfine.
extragalactic *adj. astr.* extragalactic.
extrage *vt.* **1.** to extract. **2.** *(un dinte)* to pull out.
extragere *s.f.* extraction.
extrajudiciar *adj. jur.* extrajudicial.
extraneitate *s.f. jur.* foreign origin, alien status.
extraordinar I. *adj.* **1.** extraordinary, wonderful. **2.** remarkable. **3.** special. **II.** *adv.* uncommonly; ~ *de* exceedingly, wonderfully.
extraparlamentar *adj. pol.* extraparliamentary.
extrapola *vt.* to extrapolate.
extrapolare *s.f. filoz., mat.* extrapolation.
extrareglementar *adj.* extraregular, out of the rules.
extras *s.n.* **1.** extract. **2.** *(pasaj și)* excerpt.
extrasistolă *s.f. med.* extrasystole.
extrastatal *adj. pol.* extrastate.
extrașcolar *adj.* out-of-school.
extraterestru *adj.* extraterrestrial.
extraurban *adj.* extra-urban.
extrauterin *adj. med.* extra-uterin.
extravagant *adv.* **1.** eccentirc; peculiar. **2.** *(nebunesc)* crazy. **3.** *(risipitor)* thriftless.
extravaganță *s.f.* **1.** oddity. **2.** *(risipă)* waste.
extravaza *vt. med.* to extravasate (d. sânge).
extravazare *s.f. med.* extra-vasation.
extravehicular *adj. (astronautică)* extravehicular (activity etc.).
extravertit *adj. psih.* extravert, extrovert.
extravilan *adj.* outside cities / towns; outside built-over areas.
extrăda *vt.* to extradite.
extrădare *s.f.* extradition.
extrem I. *s.m.* extreme; *la* ~ to the extreme, to the utmost. **II.** *adj.* **1.** extreme, excessive. **2.** *(îndepărtat)* far(thest); *Extremul Orient* the Far East. **III.** *adv.* extremely, exceedingly; ~ *de* to the last / highest degree.
extremală *s.f. mat.* extremal (function).
extremă *s.f.* **1.** extreme. **2.** *(partea opusă)* opposite. **3.** *sport* outside (forward); ~ *stângă sport* left ouside.
extremism *s.m.* extremism.
extremist *s.m., adj.* extremist.
extremitate *s.f.* **1.** extremity, extreme limit. **2.** *(vârf)* tip, end.
extrinsec *adj.* extrinsic(al).
extrovertit I. *s.m.* extrovert. **II.** *adj.* extroverted.
extrudare *s.f. met.* extrusion.
extruziune *s.f.* extrusion.
exuberant *adj.* exultant, exuberant.
exuberanță *s.f.* buoyancy.
exulcerație *s.f. med.* ulceration.
exulta *vi.* to exult, to rejoice.
ezerină *s.f. biol.* eserine.
ezita *vi.* to hesitate, to waver.
ezitant *adj.* vacillating.
ezitare *s.f.* **1.** hesitation. **2.** *(în vorbă)* stutter.
ezoteric *adj. rel.* esoteric.

F

F, f *s.m.* F, f the eight letter of the Romanian alphabet.
fa *s.m.* F, fa.
fabian, -ă *s.m., s.f. ist., pol.* Fabian.
fabianism *s.n. ist., pol.* Fabianism.
fabrica I. *vt.* **1.** to manufacture. **2.** *fig.* to concoct, to fabricate. **II.** *vr.* to be manufactured / made.
fabricant *s.m.* manufacturer, mill owner.
fabricare *s.f.* manufacture, fabrication.
fabricat *s.n.* manufactured product.
fabricație *s.f.* make.
fabrică *s.f.* **1.** factory. **2.** *(din industria ușoară)* mill. **3.** *(de cărămizi, cherestea)* yard. **4.** *(uzină)* works, plant.
fabulație *s.f.* **1.** *med. fig.* fabulation, fabrication, concoction. **2.** *lit.* texture, confabulation (of a novel etc.).
fabulă *s.f.* fable.
fabulist *s.m. lit.* fabulist.
fabulos *adj.* fabulous.
face I. *vt.* **1.** *(a crea)* to make. **2.** *(a fi ocupat cu)* to do. **3.** *(a comite)* to perpetrate, to commit. **4.** *(a fabrica)* to manufacture. **5.** *(copii)* to bear, to give birth to. **6.** *(a produce)* to yield, to produce. **7.** *(mâncare)* to cook. **8.** *(prăjituri)* to bake. **9.** *(a clădi)* to build. **10.** *(a alcătui)* to compose, to make up. **11.** *(un desen)* to draw. **12.** *(a scrie)* to write. **13.** *(a preface)* to turn, to render. **14.** *(a numi)* to appoint. **15.** *(a valora)* to cost; *a ~ abstracție de* to leave aside; *a ~ afaceri* to do business; *a ~ pe cineva albie de porci* to call smb. names; *a ~ o aluzie* to drop a hint; *a ~ aluzie la* to allude to; *a ~ anticameră* to cool one's heels; *a ~ apel (la)* to appeal (to); *a ~ apelul* to call the roll; *a ~ armata* to be / serve under the colours; *a-și ~ autocritica* to use self criticism; *a-și ~ bagajele* to pack up; to go away; *a ~ baie* to take a bath; *(în mare etc.)* to bathe; *a ~ bășcălie de* to mock; *a ~ bezele cuiva* to blow smb. kisses; *a ~ bilanțul* to draw the balance-sheet; *fig.* to survey; *a~ un bine cuiva* to do a good turn to smb.; *a-i ~ bine* to do one good; *fă bine și pleacă etc.* please go etc.; *a ~ o boacănă* to put one's foot in it; *a ~ ce vrea* to do as one likes; *a ~ (pe cineva) cu ou și cu oțet* to comb smb.; *a ~ cunoștințe noi* to pick up acquaintances; *a ~ de batjocură de râs* to (bring to) ridicule; *a ~ față la* to cope with; to meet; *a ~ (pe cineva) fericit* to render (smb.) happy; *a ~ fețe-fețe* to change colour, to colour (up); *a ~ foame* to be on short commons; *a-și ~ o haină* to have a coat made; *a o ~ la dreapta etc.* to turn (to the) right etc.; *a ~ nebunii* to colt; *a (o) ~ pe grozavul* to preen (oneself), to do the grand; *a ~ pe nebunul* to set up one's comb; *a-și ~ prieteni* to pick up new friends; *a ~ un rău cuiva* to do smb. a bad turn; *a-i ~ rău* to sicken one; *a-și ~ toaleta* to trim up; *a ~ tot ce poate* to do one's best damnedest; *ce are a ~?* what has that got to do with it? *ce ~?* what?, how on earth?; *n-am ce(-și) ~* I can't help it; *ce se poate ~?; ce e de făcut?* what's to be done?; *ce faci?* what are you doing?; *ce mai faci?* how are you?; *ce și-a făcut?* what has he done to you? **II.** *vi.* **1.** *(a valora)* to be worth; to cost. **2.** *(a alcătui)* to make (up). **3.** *(a acționa)* to do; *~ cât zece* he is a host in himself; *a ~ cum îl taie capul* to paddle one's own canoe; *a-și ~ de cap* to have one's fling, to colt; *(d. bărbați)* to sow one's wild oats; *nu ~* it's not worth it. **III.** *vr.* **1.** to be made / done. **2.** *(a deveni)* to become, to get, to grow. **3.** *(a se preface)* to sham, to pretend. **4.** *(a avea loc)* to take place; *s-a făcut!* O.K.!, all right!; *a se ~ bine* to recover; *a se ~ de basme / băcănie, a se ~ de râs(ul târgului)* to become everybody's laughing stock; to make a fool of oneself; *a i se ~ foame, sete etc.* to be(come) hungry, thirsty etc.; *a se ~ frumos* to titivate (oneself); *(d. vreme) se ~ frumos* it is clearing up; *a se ~ mare* to grow up; *a se ~ nevăzut* to vanish; *se ~ târziu* it is getting late; *se ~ ziuă* it is dawning, day is breaking; *așa se ~ că* and so...; *ce să mă fac?* what shall I do?; *nu se ~* such things are simply not done; *a i se ~ de bătaie etc.* to be in for trouble etc.
facere *s.f.* **1.** manufacture, making, make. **2.** *(naștere)* childbirth.
fachir *s.m.* fakir.
facial *adj. anat.* facial.
facies *s.n. med., geol. etc.* facies.
facil *adj.* **1.** easy. **2.** *(superficial)* shallow, wanton.
facilita *vt.* to facilitate, to ease.
facilitate *s.f.* facility.
faclă *s.f.* torch.
facsimil *s.n.* facsimile.
factaj *s.n.* **1.** carriage (and delivery); transport (of goods etc.). **2.** payment for postal and transport services.
factice *adj.* artificial.
factitiv *adj. gram.* causative, factive.
factologic *adj.* (too) factual, devoted to (an agglomeration of) details; over-detailed.
factologie *s.f.* agglomeration of (non-significant) facts or details; factualism.
factor *s.m.* **1.** factor. **2.** *fig.* (favourable) element. **3.** *(poștaș)* postman.
factorial *s.m., adj. mat.* factorial.
factorie *s.f. rar* foreign trading post / depot.
factotum *s.m.* Jack-of-all-trades.
factura *vt.* to invoice, to make an invoice of.
factură *s.f.* **1.** invoice. **2.** *fig.* structure.
facturier *s.n. fin.* sales book.
facțiune *s.f.* faction, grouplet, splinter party; clique.
faculă *s.f. astr.* facula.
facultate *s.f.* faculty.
facultativ I. *adj.* optional. **II.** *adv.* optionally, at will.
fad *adj.* vapid, dull.
fado *s.n.* fado.

faeton *s.n.* dray.
fag *s.m. bot.* beech(tree) *(Fagus)*.
fagacee *s.f. pl. bot.* Fagaceae.
fagocit *s.n. fiziol.* phagocyte.
fagocitoză *s.f. fiziol.* phagocytosis.
fagopirism *s.n. vet.* fagopyrism.
fagot *s.n.* bassoon.
fagotist *s.m.* bassoon (player), bassoonist.
fagure *s.m.* honeycomb.
fai *s.n. text.* poult-de-soie.
faianța *vt. constr.* to cover with faience.
faianță *s.f.* faience.
failibil *adj. rar.* fallible, liable to err, subject to errors.
failibilitate *s.f. rar.* fallibility, fallibleness, liability / proneness to errors.
faimă *s.f.* fame, repute.
faimos *adj.* **1.** famous. **2.** *peior.* notorius.
fain *adj., adv., interj.* capital (!).
falangă *s.f.* phalanx.
falanster *s.n.* phalanstery.
falansterian *adj.* phalansterian, Fourierist, associationist.
falansterianism *s.n.* phalansterianism, Fourierism.
fală *s.f.* **1.** glory, fame. **2.** *(mândrie)* pride, arrogance.
falcă *s.f.* jaw; *cu o ~ în cer și cu una în pământ* in high dudgeon.
falce *s.f. înv.* (survey) area measure in Moldavia (1,43 ha).
falconet *s.n. înv. mil.* falconet.
falconiform *s.n. ornit.* Falconiformes.
fald *s.n.* fold, pleat, crease.
falern *s.n.* Falernian (wine).
faleză *s.f.* **1.** cliff, sea wall. **2.** *geol.* cleve.
falic *adj.* phallic.
falie *s.f. geol.* fault.
faliment *s.n.* bankruptcy.
falimentar *adj.* bankrupt.
falit *s.m., adj.* bankrupt.
falnic I. *adj.* lofty. **II.** *adv.* proudly.
fals I. *s.n.* **1.** false(hood), fraud. **2.** *(document)* fake, forgery. **3.** *(bijuterii etc.)* imitation. **II.** *adj.* **1.** false, cheating. **2.** *(ipocrit)* hypocritical, double-faced. **3.** *(greșit)* fallacious. **4.** *(prefăcut)* phon(e)y, sham. **5.** *(d. bani etc.)* forged, counterfeit. **6.** *(artificial)* fake(d). **7.** *(d. bijuterii și)* costume... **III.** *adv.* **1.** falsely, treacherously. **2.** *muz.* out of tune. **3.** *(greșit)* mistakenly.
falset *s.n. muz.* falsetto, falsette.
falsifica *vt.* **1.** to falsify. **2.** *(băuturile și)* to doctor. **3.** *(bani etc.)* to forge. **4.** *(un text)* to fake.
falsificare *s.f.* falsification etc. v. f a l s i f i c a.
falsificat *adj.* specious.
falsificator *s.m.* **1.** falsifier. **2.** *(de bani, documente)* forger.
falsificație *s.f.* falsification, forgery, faking (of documents etc.).
falsitate *s.f.* perfidiousness, falsehood.
fals... v. f a l s...
falț *s.n.* **1.** groove, rebate, rabbet. **2.** fold. **3.** shaving knife.
falune *s.n. pl. geol.* faluns.
falus *s.n.* phallus, *pl.* phalli.
falx *s.n., ist., mil.* short sickle-shaped Dacian sword, falx, *pl.* falces.
famat *adj. rău ~* faned, reputed; famed, of evil repute.
famelic *adj.* famished.
famenian, -ă *subst., adj. geol.* Famennian (strata etc.).
familial *adj.* family..., household...
familiar I. *adj.* **1.** familiar, common. **2.** family... **II.** *adv.* informally.
familiarism *s.n.* familiarism.
familiaritate *s.f.* **1.** intimacy, acquaintance. **2.** *peior.* liberties.
familiariza I. *vt.* to accustom (to smth.). **II.** *vr.* to be inured (to smth.).
familiarizat *adj. (cu)* inured (to).
familie *s.f.* family.
familist *s.m.* familyman.
fana *vr.* to wither.
fanaragiu *s.m. înv.* v. l a m p a g i u.
fanariot *s.m., adj.* Phanariot.
fanariotic *adj. ist.* Phanariot.
fanatic I. *s.m.* fan(atic). **II.** *adj.* fanatical; true-blue.
fanatism *s.n.* fanaticism.
fanda *vi.* to lunge, to thrust.
fandango *subst.* fandango.
fandare *s.f.* lunge, thrust.
fandoseală *s.f.* **1.** airs and frills, affectation. **2.** *(mândrie)* pride.
fandosi *vr.* to attitudinize.
fandosit I. *s.m.* poser, swashbuckler. **II.** *adj.* affected.
fanere *s.n. pl. anat.* superficial body growth (hair, nails etc.).
fanerofite *s.f. pl. bot.* phanerophytes.
fanerogame *s.f. pl. bot.* phanerogams.
fanfară *s.f.* fanfare.
fanfaron I. *s.m.* braggart, hot-air artist. **II.** *adj.* boastful.
fanfaronadă *s.f.* swagger.
fangoterapie *s.f. med.* medicinal mud treatment, fango therapy, balneo-physiological treatment.
fanion *s.n.* pennant.
fanon *s.n.* whalebone.
fanotron *s.n. el.* phanotron, phanatron.
fantasc *adj.* odd, whimsical.
fantasmagoric *adj.* phantasmagoric.
fantasmagorie *s.f.* phantasmagoria.
fantasmă *s.f.* airy vision, delusive picture, phantom.
fantast *s.m.* fantastic(al) person, fantastic dreamer, visionary, air monger.
fantastic I. *adj.* **1.** fantastical. **2.** *(trăsnit)* fanciful, queer. **3.** *(strașnic)* capital. **II.** *adv.* fantastically.
fantă *s.f. tehn.* slit.
fante *s.m.* **1.** *(la cărți) fam.* knave. **2.** *fam.* masher, AE dude.
fantezie *s.f.* **1.** fancy. **2.** *(imaginație și)* fantasy. **3.** *(capriciu și)* freak, whim; *plin de ~* inventive.
fantezist *adj.* **1.** fanciful. **2.** *(neadevărat)* untrue.
fantomatic *adj.* **1.** ghostlike. **2.** *fig.* sporadic.
fantomă *s.f.* phantom.
fantoșă *s.f.* puppet.
fapt *s.n.* **1.** fact. **2.** *(acțiune)* deed, action. **3.** *(realitate și)* reality, truth. **4.** *(întâmplare)* happening; *~e diverse* news in brief; *~ împlinit* accomplished fact; *de ~* actually; *(la urma urmei)* after all; *în ~ul zilei* at break of day; *asupra ~ului* red-handed.
faptă *s.f.* **1.** deed, action. **2.** *(eroică)* exploit.
faptic *adj.* factual, real, actual.
far *s.n.* **1.** lighthouse. **2.** *și fig.* beacon. **3.** *auto.* headlamp, headlight.
farad *s.m. el.* farad.
faradic *adj. el.* farad(a)ic.
faradizare *s.f. med.* faradism, faradization.
faradmetru *s.n. el.* faradmeter.
farafastâcuri *s.n. pl.* **1.** tomfoolery. **2.** knick-knacks, trifles. **3.** affectation, airs and graces. **4.** cheap finery.
farandolă *s.f.* farandole, farandola (dance).
faraon *s.m.* Pharaoh.
fard *s.n.* paint, make-up.
farda *vt., vr.* to paint (one's face).
farfara *s.f. fam.* windbag.
farfurie *s.f.* **1.** plate. **2.** *(conținutul)* plateful; *~ adâncă* soup plate; *~ întinsă* dinner plate; *~ zburătoare* flying saucer.
farfurioară *s.f.* saucer.
farin *adj.* **1.** *(d. zahăr)* powdered, floury; farina(ceous). **2.** *fig.* colourless, pale.
farinaceu *adj.* farinaceous.

faringal *adj. anat.* pharing(e)al.
faringe *s.n. anat.* pharynx, gullet, *fam.* swallow.
faringian *adj. anat.* pharyngeal.
faringită *s.f. med.* pharyngitis.
farinograf *s.n. tehn.* farinograph.
fariseic *adj.* hypocritical.
fariseim *s.n.* Pharisaism, Phariseeism.
fariseu *s.m.* **1.** Pharisee. **2.** *fig. și hypocrite.*
farmaceutic *adj.* pharmaceutical.
farmaceutică *s.f.* pharmaceutics.
farmacie *s.f.* **1.** chemist's (shop). **2.** *(știință)* pharmaceutics.
farmacist *s.m.* chemist.
farmacodinamie *s.f. med.* pharmacodynamics.
farmacognozie *s.f. med.* pharmacognosy.
farmacolog *s.m. med.* pharmacologist.
farmacologic *adj. med.* pharmacologic(al).
farmacologie *s.f.* pharmacology, materia medica.
farmacopee *s.f.* pharmacopoeia.
farmacoterapie *s.f. med.* pharmacotherapeutics, pharmacotherapy.
farmec *s.n.* **1.** charm. **2.** *(vrajă și)* magic. **3.** *(încântare și)* enchantement. **4.** *(al unei femei și)* glamour; *ca prin ~* as if by magic.
farsă *s.f.* **1.** farce. **2.** *(festă)* practical joke.
farsor *s.m.* humbug.
fasciație *s.f. bot.* fasciation.
fascicul *s.n.* fascicle; *în ~e* in instalments.
fasciculat *adj. bot.* fasciculate(d), fascicled, fascicular.
fasciculă *s.f.* fascicle, number, (serial) instalment.
fascie *s.f.* **1.** *pl.* fascis. **2.** fagot.
fascina *vt.* to fascinate.
fascinant *adj.* fascinating, bewitching.
fascinator *adj.* fascinating.
fascinație *s.f.* fascination, spell.
fascină *s.f.* faggot.
fascioloză *s.f. zool.* fascioliasis.
fascism *s.n.* fascism.
fascist *s.m., adj.* fascist.
fasciza *vt.* to fascisti(ci)ze, to impose fascist methods on.
fascizare *s.f.* fascization.
fasole *s.f.* **1.** *bot.* (kidney) bean *(Phaselous vulgaris);* (haricot / kidney) beans. **2.** *pl. glumeț (dinți) fam.* dentals; *argou.* cogs, china store; *~ boabe* bean seeds; *a da / bate ca la ~ fam.* to sandbag, to beat black and blue.
fasoli *vr.* v. f a n d o s i.
fason *s.n.* **1.** fashion. **2.** *pl. (mofturi)* fuss.
fasona **I.** *vt.* to shape. **II.** *vr.* to become refined.
fasonare *s.f.* wood selection and shaping.
fasonator *s.m. ind.* worker specialized in wood selection and shaping.
fast *s.n.* pomp, ostentation.
fastidios *adj. livr.* dull, tedious, boring, wearisome, irksome, tiresome.
fastuos *adj.* pompous.
fasung *s.n.* socket.
fașă *s.f.* **1.** dressing. **2.** *pl. (pt. copii)* swaddling clothes.
fașină *s.f. tehn.* fag(g)ot.
fatal **I.** *adj.* **1.** fatal. **2.** *(mortal și)* deadly. **II.** *adv.* **1.** inevitably, necessarily. **2.** *(din nenorocire)* fatally.
fatalism *s.n.* fatalism.
fatalist **I.** *s.m.* fatalist. **II.** *adj.* fatalistic.
fatalitate *s.f.* **1.** fatum. **2.** *(nenorocire)* misfortune.
fatalmente *adv.* inevitably.
Fata Morgana *s.f. fiz.* fata morgana, mirage.
fată *s.f.* **1.** girl, young woman. **2.** *(fecioară)* maiden. **3.** *(fiică)* daughter. **4.** *(servitoare)* maid, servant; *~ bătrână* old maid, spinster; *~ în casă* maid(servant); *~ mare* (grown-up) girl; *(fecioară)* virgin.
fatidic *adj.* fatidical.
fatuitate *s.f.* self-satisfaction, self-complacency, self-conceit.
fatum *s.n.* fate.
fațadă *s.f.* **1.** façade, front. **2.** *fig.* show, ostentation; *de ~ fig.* sham, phoney.
față *s.f.* **1.** face. **2.** *(înfățișare)* look, appearance. **3.** *(aer)* air, mien. **4.** *(ten)* complexion. **5.** *(expresie)* countenance. **6.** *(suprafață)* surface. **7.** *(întindere)* expanse. **8.** *(fațadă)* outside, front. **9.** *(parte din față)* front, foreground. **10.** *(pagină)* page; *~ de masă* table cloth; *~ de pernă* pillow case / slip; *o ~ impenetrabilă* a poker face; *~ în ~* face to face; *~ de / cu (situația etc.)* given (the situation etc.); *cu două fețe* two-faced, doubledealing; *de ~* present; *de ~ cu* in the presence of; *din ~* fore, front; *(adverbial)* at the front; *în ~* in front; *în fața mea* before my (very) eyes, to my face; *în fața (cu gen.)* before...; *pe ~* openly, above-board; shamelessly.
fațetă *s.f.* side, facet.
fault *s.n. sport* (instance of) foul play, offence.
faulta *vt. sport* to foul, to play foul against, to obstruct.
faun *s.m.* Faun, satyr.
faună *s.f.* fauna.
faur *s.m.* **1.** February. **2.** *înv.* ironsmith.
faustian, faustic *adj.* faustian.
favisa *s.f. arh.* favissa, *pl.* favissae.
favoare *s.f.* **1.** favour, benevolence. **2.** *(cadou etc.)* gift, handout; *de ~* free, complimentary; *în ~a cuiva* to smb.'s advantage.
favorabil **I.** *adj.* **1.** favourable. **2.** *(propice)* auspicious. **3.** *(binevoitor)* benevolent. **4.** *(bun)* good, fair. **II.** *adv.* favourably, propitiously.
favorit *s.m.* favourite, pet.
favoritism *s.n.* favouritism.
favoriți *s.m. pl.* (side) whiskers.
favoriza *vt.* **1.** to encourage. **2.** *(a promova)* to promote.
favorizare *s.f. jur.* (illicit) favour(ing), partiality (to smb.).
favosites *subst. paleont.* favosites.
favus *s.n. med.* favus.
fazan *s.m.* **1.** *ornit.* pheasant *(Phasianus).* **2.** *fig.* dupe.
fazanerie *s.f.* pheasant preserve.
fază *s.f.* **1.** phase. **2.** *(stadiu)* stage; *~ mare auto.* high beam; *~ mică* low beam; *fazele lunii* horning.
fazitron *s.n. fiz.* phasitron.
fazmetru *s.n. el.* phasemeter.
fazotron *s.n. fiz.* phasitron.
fă *interj.* (heigh) you!
făcăleț *s.n.* pot stick.
făcălui *vt.* **1.** *reg.* to stir round / up (boiled vegetables); to mash. **2.** to pound, to bray. **3.** *fig.* to tan / drub soundly, to sandbag.
făcător **I.** *s.m.* maker, doer. **II.** *adj.* making.
făcătură *s.f.* **1.** *pop.* spell, piece of witchcraft. **2.** *fam., elev.* artefact, concoction; artificiality.
făclie *s.f.* **1.** torch. **2.** *fig.* celestial body.
făclier *s.m.* torch bearer.
făcut **I.** *s.n. parcă e un ~* it seems to be fated. **II.** *adj.* **1.** made (up), sophisticated. **2.** *(artificial)* artificial. **3.** *(beat)* lit up, tipsy.
făgaș *s.n.* **1.** rut. **2.** *și fig.* track; *~ul obișnuit fig.* routine.
făgădui *vt.* to promise.
făgăduială *s.f.* promise, pledge.
făget *s.n.* beech forest.
făinare *s.f. agr.* mildew.
făină *s.f.* flour; meal.
făinoase **I.** *s.f. pl.* farinaceous products. **II.** *adj.* flour..., paste.
făinos *adj.* mealy, farinaceous.
fălcea **1.** *(la sanie)* sledge runner. **2.** *mil.* split trail.

fălcos *adj.* square-jawed.
făli *vr.* to swagger; *a se ~ cu* to boast (of).
fălnicie *s.f.* **1.** loftiness, majesticalness. **2.** beauty. **3.** pride, haughtiness.
fălos *adj.* haughty.
fălțui *vt.* *(hârtie)* to sheet; *(o scândură)* to rabbet, to groove; *(piele)* to pare.
fălțuit *s.n.* sheeting.
fălțuitor I. *s.m. poligr.* folder. **II.** *s.n.* rabbet / grooving plane.
făptaș *s.m.* doer.
făptui *vt.* to commit.
făptuitor *s.m.* perpetrator.
făptură *s.f.* **1.** creature, being. **2.** *(trup)* body, flesh. **3.** *(fire)* nature.
făraș *s.n.* **1.** dust pan. **2.** *(pt. sobă)* fire shovel.
fără I. *prep.* **1.** without. **2.** *(minus)* less, but. **3.** *(cu excepția)* except(ing); *~ ajutor* helpless; *~ ajutorul tău* but for you; *~ bani* gratis; *(lefter)* penniless; *~ copii* childless; *~ dinți* toothless; *~ doar și poate* beyond any doubt; *~ inimă* callous(ly), hardhearted(ly); *~ încetare* ceaselessly; *~ îndoială* beyond the shadow of a doubt, doubtlessly; *~ sfârșit* endless(ly); *~ teamă* fearless(ly); *~ veste* unawares; *~ voie* involuntary; willy-nilly. **II.** *conj.* without; *~ să fie văzut* without being seen.
fărădelege *s.f.* wrongdoing.
fărâma I. *vt.* to crumble (to pieces); to knock / break / dash to pieces / *fam.* smithereens. **II.** *vr.* to be crumbled etc. v. I. și s f ă r â m a II.
fărâmă *s.f.* **1.** bit. **2.** *fig. și grain.* **3.** *(de pâine)* crumb. **4.** *pl.* shivers.
fărâmicios *adj.* brittle.
fărâmitură *s.f.* crumb.
fărâmița *vt.* to crumb.
fărâmițare *s.f.* crumb(l)ing; breaking down; division.
fărâmiță *s.f.* a little bit.
fărșeroți *s.m. pl.* Macedo-Romanian / Aromanian population in Albania.
făt *s.m.* foetus; *Făt Frumos* Prince Charming.
făta *vt.* to bring forth.
fătălău *s.m.* sister boy.
fătătoare *adj., s.f. (d. vaci, d. scroafe)* able to give birth (of female animals).
fățarnic I. *s.m.* double-dealer. **II.** *adj.* two-faced, smoothfaced.
fățărnicie *s.f.* double-dealing.
fățiș I. *adj.* **1.** open, frank. **2.** *(fără ascunzișuri)* undisguised. **3.** *(nerușinat)* shameless. **4.** *(sincer și)* sincere. **II.** *adv.* **1.** frankly, above-board. **2.** *(fără rușine)* shamelessly.
fățui *vt.* **1.** to smooth, to sleek; to plane; to polish, to glaze, to finish; *(stofă)* to calender. **2.** *poligr.* v. f ă l ț u i. **3.** *(a pălmui)* to slap.
fățuială, fățuire *s.f.* smoothing etc. v. f ă ț u i.
fățuitoare *s.f.* polishing / sleeking stick, polisher.
fățuitor *s.n.* smoothing plane.
făurar *s.m. înv.* **1.** *(fierar)* smith. **2.** v. f ă u r i t o r.
făurărie *s.f. pop. ind.* **1.** smithy. **2.** blacksmith's trade.
făuri *vt.* **1.** to create, to forge. **2.** *(un plan)* to devise.
făuritor *s.m.* creator, maker.
fâlfâi *vi.* to flutter, to wave, to clap.
fâlfâit *s.n.* flutter(ing).
fân *s.n.* hay.
fâneață *s.f.* hay field.
fântânar *s.m.* well sinker / digger.
fântână *s.f.* **1.** (draw) well. **2.** *fig. și fountain; ~ arteziană* artesian well.
fântânel *s.m. iht.* salvelinus *(Salvelinus fontinalis).*
fârnâi *vi., vr.* to twang.
fârnâit I. *adj.* twanging. **II.** *s.n.* twang(ing). **III.** *s.m.* snuffler.
fârtat *s.m.* bosom friend; *(prieten)* friend, *fam.* chum, pal; *(tovarăș)* comrade.
fâs *interj.* phut; *a face ~* to fizz; *fig.* to go phut.
fâsă *s.f.* **1.** *ornit.* (tree) pipit *(Anthus).* **2.** *iht.* v. z v â r l u g ă.
fâsâi *vi.* to fizz.
fâsâit *s.n.* fizzle; fizzling etc.
fâstâceală *s.f.* bewilderment.
fâstâci *vr.* to be flummoxed *sau* confused.
fâș *s.n.* mackintosh, waterproof coat, raincoat; waterproof cloth.
fâșâl *vi.* to swish.
fâșâit *s.n.* rustle; rustling etc. v. f â ș â i.
fâșie *s.f.* **1.** strip, band. **2.** *(de lumină)* streak.
fâșneț *adj.* **1.** lively; unruly, ungovernable; roguish; brisk; quick at work, smart. **2.** *(d. femei)* coquettish, flirtatious, *fam.* fast.
fâță *s.f.* minx, bit of fluff.
fâțâi *vr.* **1.** to go to and fro, to fidget. **2.** *(a-și da aere)* to do the grand.
fâțâială *s.f.* **1.** fidgeting. **2.** *fig.* affectation.
feblețe *s.f. livr.* weakness, preference (for smth. or smb.).
febră *s.f. med.* fever; *~ aftoasă* foot-and-mouth disease; *~ galbenă* yellow fever; *~ recurentă* recurrent fever; *~ tifoidă* typhoid.
febrifug *med.* **I.** *adj.* febrifuge, antifebrile. **II.** *s.n.* febrifuge.
febril I. *adj.* feverish. **II.** *adv.* feverishly.
febrilitate *s.f.* feverishness.
februalii *s.f. pl. ist.* ancient Roman celebrations of the dead and of god Februus.
februarie *s.m.* February.
fecal *adj. med.* faecal; *materii ~e* excrements, discharge of the bowels, f(a)eces.
fecale *s.f. pl.* faeces, excreta.
fecioară *s.f.* **1.** virgin, maiden. **2.** *rel.* Virgin (Mary); *Sfânta ~* the Holy Virgin.
fecior *s.m.* **1.** body, lad. **2.** *(fiu)* son. **3.** *(servitor)* footman.
feciorelnic *adj.* **1.** maiden(ly). **2.** *(timid)* bashful.
feciorесc *adj.* **1.** v. f e c i o r e l n i c. **2.** boyish, boylike; boy's, boys'. **3.** girlish, girl-like, maidenly; *(pt. fete)* girl's; girls'. **4.** youthful.
feciorește *adv.* maiden-like.
feciorești *s.n. muz. pop.* **1.** Romanian folk dances performed by young men. **2.** tunes of those dances.
feciori *vi. pop.* to live one's lad's / maiden's life; to live one's adolescence.
feciorică *s.f. bot.* rupture wort, burstwort *(Herniaria).*
feciorie *s.f.* **1.** virginity. **2.** *(la fete și)* maidenhood. **3.** *fig. și* innocence.
feculă *s.f.* starch flour, fecula.
fecund *adj.* **1.** fertile. **2.** *fig. și* prolific, productive.
fecunda *vt.* **1.** to fecundate. **2.** *fig. și* to fertilize.
fecundație *s.f.* fecundation.
fecunditate *s.f.* fecundity, fruitfulness, fertility, productiveness.
fedeleș I. *s.n.* keg. **II.** *adv.* hand and foot.
feder *s.n.* volume control.
federal *adj.* federal.
federalism *s.n.* federalism.
federalist, -ă *adj., s.m., s.f.* federalist.
federaliza *vt.* to federalize.
federalizare *s.f.* federalization.
federat *s.m., s.f.* **1.** *pl. ist. Romei* foederates (people protecting the borders of the Roman Empire). **2.** *ist. Franței* federate.
federativ *adj.* federative.
federație *s.f.* (con)federation.
feding *s.n.* fading.
fee *s.f.* fairy.

feeric *adj.* fairy(like).
feerie *s.f.* **1.** romance. **2.** și fig. fairy scene. **3.** *teatru* fairy play.
fel *s.n.* **1.** *(chip)* manner, way. **2.** *(tip)* kind, sort. **3.** *(mâncare)* dish. **4.** *(la masă, ca succesiune)* course. **5.** *fig.* nature; ~ *de* ~ all kinds / sorts; *ce ~?* how (is that)?; *ce ~ de oameni?* what kind of people?; *de tot ~ul* of all kinds; *fiecare după ~ul lui* each in his own way; *în așa ~ încât* in such a way as to; *în ce ~?* how?; *în ~ul acesta* thus; *în nici un* ~ in no way; *într-un ~ sau altul* in one way or other; *la* ~ identical(ly); *tot de un* ~ much of a muchness.
felah *s.m.* fellah, Egyptian peasant.
felcer *s.m.* feldsher, doctor's / surgeon's assistant.
felceriță *s.f.* woman assistant of a doctor / surgeon.
feldmareșal *s.m. mil.* field marshall.
feldspat *s.m. min.* feldspar, feldspath.
feldspatoid *s.m. mineral.* feldspathoid.
felibri *s.m. pl. ist. lit.* writers in the Provençal dialect, Felibres (members of the Provençal Felibrige society).
felicita I. *vt.* to congratulate (smb. on an event etc.), to compliment. **II.** *vr.* **1.** to be gratified. **2.** *(reciproc)* to congratulate each other.
felicitare *s.f.* **1.** congratulation. **2.** *(carte poștală etc.)* greetings (card). **3.** *poligr.* congratulatory card.
felid *s.n. zool.* felid, *pl.* Felidae.
felie *s.f.* **1.** slice. **2.** *(de carne și)* cut, steak. **3.** *(de slănină)* rasher.
felin *adj. zool., fig.* feline; graceful.
felinar *s.n.* **1.** street lamp. **2.** *(de mână)* lantern.
felinitate *s.f.* felinity.
felioară, feliuță *s.f.* little / slight cut, small / thin slice.
feloderm *s.n. bot.* phelloderm.
felogen *s.n. bot.* phellogen.
felon *s.n. bis.* phelonion.
felonie *s.f.* disloyalty, unfaithfulness, betrayal; *ist.* felony.
felucă *s.f. nav.* fel(l)uca.
felurime *s.f.* variety; ~ *de lucruri* all sorts / kinds of things.
felurime *s.m.* variety, diversity.
felurit *adj.* sundry, various.
femeie *s.f.* **1.** woman; *pl.* și womankind; the gentle sex. **2.** *(soție)* wife.
femeiesc *adj.* **1.** womanly. **2.** *(d. sex)* female.
femeiește *adj.* in a womanly way.
femeiușcă *s.f.* skirt, flirt.
femelă *s.f.* female.
feminin I. *s.f.* feminine (gender). **II.** *adj.* feminine.
feminism *s.n.* **1.** *pol., sociol.* feminism, women's lib(eration) movement, sufragette movement. **2.** *med.* femin(il)ism.
feminist, -ă *adj., s.m., s.f.* **1.** one that advocates or practices feminism. **2.** *med.* of or relating to feminism.
feminitate *s.f.* womanhood.
femur *s.n. anat.* thighbone, femur.
femural *adj. anat.* femoral.
fenantren *s.n. chim.* phenanthrene.
fenazonă *s.f. farm.* phenazone.
fenec *s.m. zool.* fennec *(Fennecus zerda).*
fenian *s.m. ist.* Fenian.
fenianism *s.n.* Fenian doctrine.
fenic *adj. chim. acid* ~ phen(yl)ic / carbolic acid, phenol.
fenician *adj., s.m.* Phoenician.
fenicul *s.m. bot.* foeniculum *(Foeniculum vulgare).*
fenil *s.n. chim.* phenyl.
fenilalanină *s.f. chim.* phenyl-alanine.
fenilamină *s.f. chim.* aniline.
fenilbutazonă *s.f. farm.* phenylbutazone.
fenilen *s.n. chim.* phenylene.
fenilhidrazină *s.f. chim.* phenylhydrazine.
fenix *s.m.* phoenix.
fenofază *s.f. bot.* phenological phase.
fenol *s.m. chim.* phenol.
fenolat *s.m. chim.* phenolate, phenoxide.
fenolază *s.f. chim.* phenolase, phenol oxidase.
fenolftaleină *s.f. chim.* phenol(-)phthalein.
fenologie *s.f. biol.* phenology.
fenomen *s.n.* **1.** phenomenon. **2.** *(minune și)* wonder.
fenomenal I. *adj.* phenomenal. **II.** *adv.* remarkably.
fenomenalism *s.n. filoz.* phenomenalism.
fenomenalist, -ă I. *s.m., s.f.* advocate or proponent of phenomenalism. **II.** *adj.* of or relating to phenomenalism or phenomenalists.
fenomenologic *adj. filoz.* phenomenologic.
fenomenologie *s.f. filoz.* phenomenology.
fenoplaste *s.n. pl. chim.* phenolic resins, phenolic plastics, phenoplasts.
fenotiazină *s.f. farm.* phenothiazine.
fenotip *s.n. biol.* phenotype.
fentă *s.f.* feint.
feoficee *s.f. pl. bot.* Phaeophyceae.
fer v. f i e r.
ferat *s.m. chim.* ferrate.
ferată *adj. cale* ~ railway, railroad.
ferăstraș *s.m. ornit.* merganser, sawbill *(Mergus).*
ferăstrău *s.n.* saw.
ferches *adj.* spruce.
ferchezui *vt., vr.* to dress up.
fereală *s.f.* wariness.
fereastră *s.f.* **1.** window. **2.** *(geam și)* window pane. **3.** *(gol)* gap, void; *fără ferestre* windowless.
fereca *vt.* **1.** to lock (up). **2.** *(a lega)* to bind, to hoop. **3.** *(a înlănțui)* to chain.
ferecătură *s.f. tehn.* precious metal binding or framing.
feregea *s.f.* **1.** veil Moslem women cover their faces with. **2.** mantle covering the clothes of a nobleman.
ferestruță *s.f. bot.* polypody *(Polypodium vulgare).*
ferestrău *s.n.* v. f e r ă s t r ă u.
ferestrui *vt.* **1.** to (cut with a) saw. **2.** *fig.* to indent.
ferestruică, ferestruie *s.f.* **1.** top-room / attic window; counter opening. **2.** peep hole / window.
ferfeniță *s.f.* tatters, bits; *a face* ~ to tear to rags.
ferfeniți I. *vt.* to tear to / in rags and tatters, to shred. **II.** *vr. pas.* to be torn into shreds.
ferfenițos *adj.* torn, tattered.
feri I. *vt.* to shelter; *a ~ de* to shrink / keep from; **II.** *vi. ferească Dumnezeu!* God forbid. **III.** *vr.* to step / stand aside; *a se ~ de* to avoid, to shun, to keep clear of.
feribot *s.n.* ferryboat.
feric *adj. chim.* ferric.
ferice *adj. (fericit)* happy; ~ *de acela care...* happy he who...; ~ *de el că...* lucky he to...; it is fortunate for him that...; ~ *de tine!* you (are a) lucky fellow! lucky you!
ferici I. *vt.* **1.** to render happy. **2.** *(a felicita)* to congratulate; to consider happy. **II.** *vr.* to be gratified.
fericianură *s.f. chim.* ferricyanide.
fericire *s.f.* **1.** happiness. **2.** *(noroc)* good luck / chance; *din* ~ fortunately.
fericit I. *s.m.* happy man / fellow. **II.** *adj.* **1.** happy, blissful. **2.** *(norocos)* lucky, fortunate. **3.** *(favorabil)* propitious. **III.** *adv.* happily.

ferigă *s.f. bot.* fern, bracken.
ferimagnetism *s.n. fiz.* ferrimagnetism.
ferit *adj.* safe; ~ *de primejdie* safe; unmolested.
ferită *s.f.* ferrite.
ferm I. *adj.* **1.** firm, strong. **2.** *(dârz)* unyielding. **3.** *(hotărât)* resolute. **II.** *adv.* firmly.
fermata *s.n. muz.* fermata.
fermă *s.f.* farm; ~ *de lapte* dairy farm; ~ *de animale* cattle farm.
fermeca *vt.* **1.** to enchant. **2.** *(a fascina)* to fascinate.
fermecare *s.f.* bewitchment, enchantment; casting a spell (on smb.).
fermecat *adj.* **1.** bewitched. **2.** *(vrăjit)* magic, enchanted.
fermecător *adj.* charming.
ferment *s.m.* ferment.
fermentat *adj.* ferment(at)ed.
fermentație *s.f.* effervescence.
fermier *s.m.* farmer.
fermion *s.m. fiz.* fermion.
fermitate *s.f.* **1.** firmness. **2.** *(tărie și)* solidity. **3.** *(fixitate)* steadiness.
fermiu *s.n. chim.* fermium.
fermoar *s.n.* zip (fastener).
fero- *prefix* ferro-.
feroaliaj *s.n.* ferroalloy.
feroaluminiu *s.n. met.* ferroaluminium.
ferocart *s.n. tehn., el.* ferrocart.
feroce I. *adj.* **1.** ferocious. **2.** *(nemilos)* pitiless. **3.** *(teribil)* dreadful. **II.** *adv.* savagely, grimly.
ferocianură *s.f. chim.* ferrocyanide.
ferocitate *s.f.* **1.** fierceness. **2.** *(sălbăticie)* savagery. **3.** *(neîndurare)* ruthlessness.
ferocrom *s.n. met.* ferrochromium, ferrochrome.
ferodou *s.n.* metal asbestos.
feroelectricitate *s.f. el.* ferroelectricity.
feroferic *adj. chim., met.* ferrosoferric.
ferofosfor *s.n. met.* ferrophosphorus.
feromagnetic *adj.* ferromagnetic.
feromagnetism *s.n.* ferromagnetism.
feromangan *s.n. met.* ferromanganese.
feronerie *s.f. tehn., ind.* **1.** iron works, iron foundry. **2.** ironmongery, hardware.
ferorezonanță *s.f. el.* ferroresonance.
feros *adj.* ferrous.
ferosiliciu *s.n. met.* ferrosilicon.
ferotipie *s.f. foto.* ferrotype.
feroviar I. *s.m.* railway worker / man. **II.** *adj.* rail(way).
ferpar *s.n.* (written) announcement (of death, wedding, birth, baptism); invitation to wedding.
fertil *adj.* **1.** fertile. **2.** *fig.* *și* prolific.
fertilitate *s.f.* fruitfulness.
fertiliza *vt.* to fertilize.
fertilizabil *adj. agr.* fertilizable.
fertă *s.f. nav.* cloth.
feruginos *adj.* ferruginous; *apă feruginoasă* ferruginous water.
ferură *s.f. tehn.* piece of ironwork, iron fitting, iron mounting.
fervent I. *adj.* ardent. **II.** *adv.* fervently.
fervoare *s.f.* fervour, fervency; pious ardour.
fes *s.n.* fez, Turkish cap.
fesă *s.f.* **1.** buttock. **2.** *pl.* behind, posterios(s).
festă *s.f.* (nasty) trick.
festin *s.n.* feast, banquet.
festiv *adj.* festive.
festival *s.n.* festival.
festivitate *s.f.* solemnity.
feston *s.n.* festoon.
festona *vt.* to festoon; to scallop.
festonat *adj.* festooned.
fešteli *vt.* to (make) dirty, to defile; *a o* ~ to mess up things.
feștilă *s.f.* **1.** wick. **2.** candle.
fetal *adj. med., anat.* f(o)etal.
fetesc *adj.* girlish, girl-like, maidenly, girl's...
fetică *s.f.* **1.** v. f e t i ț ă. **2.** *bot.* corn salad, lamb's lettuce *(Varianella olitoria).*
fetid *adj.* fetid, noisome, malodorous.
fetiditate *s.f.* fetidness, foulness (of smell etc.).
fetie *s.f.* maidenhead.
fetiș *s.n.* fetish.
fetișcană *s.f.* flapper.
fetișism *s.n.* fetishism.
fetișist I. *adj.* fetishistic. **II.** *s.m.* fetishist.
fetișiza *vt.* to fetishize.
fetiță *s.f.* **1.** little girl. **2.** *(fiică)* daughter.
fetru *s.n.* felt.
fetus *s.m.* f(o)etus.
feud *s.m.* v. f e u d ă.
feudal I. *s.m.* feudal lord. **II.** *adj.* feudal.
feudalism *s.n.* feudalism.
feudă *s.f.* feoff.
fezandare *s.f. gastr.* hanging (of meat, especially game).
fi I. *v. aux.* to be. **II.** *v. mod.* *a ~ să* to be to. **III.** *vi.* **1.** *(noțional)* to be, to exist; *(copulă)* to be. **2.** *(a trăi)* to live. **3.** *(a se afla)* to be found, to be situated. **4.** *(a consta din)* to lie, to consist (in). **5.** *(a se produce)* to take place, to happen. **6.** *(a aparține)* to belong (to smb.). **7.** *(a costa)* to cost, to be; *este* there is; *sunt destui* there are(enough); *este?* isn't it?, am I not right?; *o* ~ maybe; *a-i fi bine* to feel well; *e bine așa?* all right?; *nu-i sunt boii acasă* he is not himself; *a fi cât pe-aci să* to be about to; *fie ce-o fi* come what may; *fie-ți milă!* have a heart!; *a ~ de acord (cu)* to agree (to smth., with smb.); *să-ți fie de bine* to your pleasure; *peior.* serve you right; *a ~ de părere că* to think that; *a ~ în agonie* to be agonizing; *a nu ~ în apele lui* to feel out of sorts; *a ~ în asentimentul cuiva* to meet smb.'s agreement; *a ~ la ananghie* to be in a nice fix; *a-i ~ milă de* to take pity on; *a ~ treaz* to be sober; *fig.* to have one's wits about one; *așa să fie!* let it be so!; *cum e mai bine* as is best; *cum îți mai este?* how are you?
fiabil *adj. tehn.* reliable; dependable.
fiabilitate *s.f. tehn.* reliability.
fiacru *s.n. înv.* hackney, four-wheeler, cab.
fiară *s.f.* (wild) beast.
fiasco *s.n.* flop.
fibră *s.f.* fibre.
fibrilar *adj. anat.* fibrillar(y).
fibrilație *s.f. med.* fibrillation.
fibrilă *s.f. anat.* fibril(l)a.
fibrină *s.f. anat., chim.* fibrin(e).
fibrinogen *s.n. biochim.* fibrinogen.
fibrinolizină *s.f. biochim.* fibrinolysin.
fibroadenom *s.n. med.* fibroadenoma.
fibrocit *s.n. anat.* fibrocyte.
fibrom *s.n. med.* fibroma.
fibros *adj. anat., bot.* fibrous; *bot.* filamentous.
fibula *s.f. ist. Romei* **1.** fibula, buckle. **2.** ring. **3.** *anat.* fibula.
ficat *s.m.* liver.
ficățel *s.m.* liver (of a fowl).
ficomicete *s.f. pl. bot.* Phycomycetae, phycomecetes.
fictiv *adj.* fictitious.
ficționalism *s.n. filoz.* tictionalism, fictionism.
ficțiune *s.f.* **1.** imagination. **2.** *(invenție)* concoction.
ficus *s.m. bot.* ficus *(Ficus elastica).*
fidea *s.f.* vermicelli.
fideism *s.n. filoz.* fideism.
fideist *s.m. filoz.* fideist.
fidel I. *adj.* **1.** faithful, staunch. **2.** *(devotat și)* loyal. **II.** *adv.* faithfully, loyally.
fidelitate *s.f.* **1.** fidelity. **2.** *(devotament)* devotion. **3.** *(exactitate)* accuracy.
fider *s.n. el. etc.* feeder.

fiduciar *adj.* fiduciary; *circulație ~ ă* credit / note circulation; *monedă ~ ă* token money.
fie *conj. fie... fie...* either... or...
fiecare I. *adj.* **1.** *(separat)* each. **2.** *(toți)* every. **3.** *(oricare)* any. **4.** *(din doi)* either; *pe ~ față a paginei* on either side of the page. **II.** *pron.* **1.** *(separat)* each (one). **2.** *(toți)* everybody, everyone. **3.** *(oricine)* anybody; *~ dintre ei* each of them.
fiece *adj. nehot.* v. f i e c a r e.
fiecine *pron. nehot.* v. f i e c a r e.
fiecum *adv. înv. reg.* anyhow, anyway.
fief *s.n.* **1.** feoff. **2.** *(electoral)* (one's) constituency.
field *s.n. geol.* field.
fier *s.n.* **1.** iron. **2.** *(de călcat și)* pressing / flat iron. **3.** *(de frizat)* curling tongs. **4.** *pl.* chains, fetters; *~ de plug* ploughshare; *~ forjat* wrought iron; *~ vechi* scrap iron.
fierar *s.m.* (iron)smith.
fierărie *s.f.* **1.** smith's trade. **2.** *(atelier)* smithy. **3.** *(magazin)* ironmonger's shop. **4.** *(fiare)* hardware.
fierbător *s.n. tehn.* boiling vessel, cooker.
fierbe I. *vt.* **1.** to boil. **2.** *(a găti)* to cook. **3.** *fig.* to torture. **II.** *vi.* **1.** to boil, to seethe. **2.** *(a fermenta)* to ferment. **3.** *(la foc mic)* to simmer, to stew. **4.** *fig. și to fume; a ~ de mânie* to seethe / boil with rage.
fierbere *s.f.* **1.** boiling. **2.** *și fig.* seething.
fierbincior *adj.* rather hot.
fierbinte *adj.* **1.** (burning) hot. **2.** *(arzător)* scorching, torrid. **3.** *fig.* burning, hot, ardent. **4.** *(d. lacrimi)* bitter; *~ de la foc* hot and hot.
fierbințeală *s.f.* **1.** heat. **2.** *(arșiță)* dog days. **3.** *(febră)* fever. **4.** *fig.* fervour.
fiere *s.f.* **1.** bile. **2.** *și fig.* gall. **3.** *fig. și* venom.
fiert I. *s.n.* boiling. **II.** *adj.* **1.** boiled. **2.** *fig.* down in the mouth; *~ tare* hard boiled.
fiertură *s.f.* **1.** broth. **2.** *(terci)* porridge.
figura *vi.* to be present / found.
figurant *s.m.* **1.** *teatru* super. **2.** *cin.* extra. **3.** *și fig.* dummy.
figurantă *s.f.* **1.** *teatru* super, chorus girl. **2.** *(la balet)* figurante. **3.** *cinema* extra. **4.** *și fig.* dummy.
figurare *s.f.* figuring; figuration.
figurat I. *adj.* figurative. **II.** *adv.* figuratively.
figurativ *adj.* **1.** figurative. **2.** v. f i g u r a t.
figurație *s.f.* **1.** supernumeraries. **2.** *(la balet)* chorus girls, figurantes.
figură *s.f.* **1.** face. **2.** *(mutră)* countenance, mien. **3.** *(chip)* image. **4.** *fig.* picture, figure. **5.** *(la cărți)* picture card. **6.** *geom.* figure. **7.** *(la șah)* piece, chessman. **8.** *(de dans etc.)* figure. **9.** *(farsă)* (nasty) trick. **10.** *(persoană)* character; *argou* rum fellow; *~ de stil* figure of speech.
figurină *s.f.* figurine.
fiică *s.f.* daughter, girl.
fiindcă *conj.* because, since, as.
ființa *vi.* to exist.
ființă *s.f.* **1.** being, creature. **2.** *(om și)* man. **3.** *(existență)* existence. **4.** *(fire)* nature, character; *în ~* extant, present.
fila *vt.* **1.** to spin. **2.** *(a urmări)* to shadow.
filacteră *s.f.* **1.** phylactery. **2.** *ist. lit.* scroll.
filaj *s.n.* shadowing, surveillance, following (of person).
filament *s.n.* **1.** *anat.* fibre. **2.** *bot., el.* filament.
filamentos *adj.* **1.** *anat.* fibreous. **2.** *bot.* filamentous.
filantrop *s.m.* doer of good.
filantrop(in)ism *s.n.* philantropism.
filantropic *s.f.* charitable.
filantropie *s.f.* philanthropy.
filare *s.f.* **1.** *tehn.* spinning. **2.** *av.* low parallel flight (on landing). **3.** palming (of card). **4.** *(urmărire)* v. f i l a j.
filaria *s.f. zool.* filaria, guine aworm.
filarioză *s.f. med.* filariasis, filariosis.
filarmonică *s.f.* philarmonic orchestra.
filat *s.n. text.* v. f i l a r e 1.
filatelic *adj.* philatelic.
filatelie *s.f.* philately.
filatelist *s.m.* stamp collector.
filator *s.m.* spinner.
filatură *s.f.* spinning mill.
filă *s.f.* leaf.
fildecos *s.n. text.* Lisle thread.
fildeș *s.n.* **1.** ivory. **2.** *(colț)* tusk; *de ~* ivory.
file *s.n.* sirloin, fillet, chine.
filer *s.n. constr.* filler.
fileriza *vt. constr.* to add filler to (bitumen).
filet *s.n.* **1.** *tehn.* thread. **2.** *anat.* small fibre.
fileta *vt. tehn.* to cut a screw etc.
filetat *s.n. tehn.* threading (of screw), screw cutting; thread cutting.
filetic *adj. biol.* phyletic, phylogenetic.
fileu *s.n.* (hair)net.
filfizon *s.m.* coxcomb.
filial *adj.* filial.
filială *s.f.* branch.
filiașie *s.f.* **1.** (af)filiation, descendants. **2.** *fig.* filiation.
filicină *s.f. farm.* filicin.
filieră *s.f.* channel.
filiform *adj.* filiform, thread-like.
filigran *s.n.* **1.** filigree. **2.** *(la timbre etc.)* watermark.
filigrana *vt.* to watermark; to filigree.
filigranat *adj.* worked in filigree.
filigranist, -ă *s.m., s.f.* filigree worker.
filimică *s.f. bot.* marigold *(Calendula)*.
filioque *s.n.* filioque (doctrine).
filipică *s.f.* phillipic.
filistin *s.m., adj.* Philistine.
filistinism *s.n.* Philistinism.
filit *s.n. geol.* phyllite; mica slate.
film *s.n.* **1.** film. **2.** *(spectacol și)* moving picture. **3.** *(de lung metraj)* feature film; *(de scurt metraj)* short; *~ cu cow boy* horse opera; *~ didactic* training film; *~ documentar* documentary; *~ în culori* colour film; *~ sonor / vorbit* sound film.
filma *vt.* to shoot.
filmare *s.f.* filming.
filmfonograf *s.n. cin.* film phonograph.
filmic *adj.* film..., cinematographic.
filmografie *s.f.* catalogue, list of films made by director, actor, producer.
filmologie *s.f.* the study of the cinema (from the philosophical etc. angle), cinema / film study.
filmotecă *s.f.* film library.
filo- *prefix* phyl(o)-, phyllo-, phil(o)-.
filodendron *s.n. bot.* philodendron *(Monstera deliciosa)*.
filodormă *s.f.* key money.
filogenetic *adj. biol.* phylogenetic.
filogeneză *s.f. biol.* phylogeny, phylogenesis.
filogenie *s.f. biol.* phylogeny.
filolog *s.m.* philologist.
filologic *adj.* philological.
filologie *s.f.* philology.
filomelă *s.f. poetic* Philomela, nightingale.
filon *s.n.* lode; *~ carbonifer* coal vein.
filotaxie *s.f. bot.* phyllotaxis, phyllotaxy.
filotehnie *s.f.* phyllotechnics.
filoxeră *s.f. entom.* phylloxera *(Phylloxera vastatrix)*.
filozof *s.m.* philosopher.
filozofa *vi.* to philozophize.
filozofal *adj.* philosopher's, philosophic; *piatra ~ă:* philosopher's stone.

filozofem *s.n. filoz.* philosopheme, proposition, thesis.
filozofic *adj.* philosophical.
filozofică *adv.* philosophically.
filozofie *s.f.* **1.** philosophy. **2.** *fig.* sophistication.
filtra *vt.* to filter.
filtrabil, filtrant *adj.* filt(e)rable; *virus filtrant med.* filtrable virus.
filtrare *s.f.* filtration, percolation.
filtrat I. *adj.* filtered. **II.** *s.n. chim. etc.* filtrate.
filtru *s.n.* **1.** filter. **2.** *(strecurătoare)* strainer. **3.** *(cafea)* drip coffee; ~ *de cafea* percolator.
filă *s.n.* v. f e t r u.
fin I. *s.m.* godson. **II.** *adj.* **1.** fine. **2.** *(subțire și)* thin. **3.** *(grațios)* graceful. **4.** *(ales)* choice. **5.** *(rafinat)* refined, sophisticated. **6.** *(subtil)* subtle. **III.** *adv.* **1.** finely. **2.** *(subțire)* thinly. **3.** *(delicat)* delicately; subtly.
final I. *s.n.* **1.** finale. **2.** *(sfârșit)* end. **II.** *adj.* final, decisive.
finală *s.f.* final(s).
finalism *s.n.* finalism.
finalist *s.m.* finalist.
finalitate *s.f.* purpose.
finaliza *vt.* to finalize, to finish, to complete.
finalmente *adv.* finally, at last, in the end, ultimately.
financiar *adj.* **1.** financial. **2.** *(fiscal)* fiscal.
finanța *vt.* to finance.
finanță *s.f.* *(și pl.)* **1.** finance(s). **2.** *(venituri)* resources, means; *marea* ~ the high finance.
fină *s.f.* goddaughter.
fine *s.f.* end; *în* ~ in the end; *(exclamație)* well! at last!
finet *s.n.* flannelette.
finețe *s.f.* **1.** fineness. **2.** *(subțirime)* thinness. **3.** *(delicatețe)* delicacy. **4.** *(rafinament)* refinement.
finisa *vt.* to finish.
finisaj *s.n.*, **finisare** *s.f.* finishing.
finisor *s.n. constr.* finisher.
finiș *s.n. sport* finish.
finit *adj.* finished, finite.
finlandez I. *s.m.* Finn. **II.** *adj.* Finnish.
finlandeză *s.f.* Finn(ish woman); Finnish, the Finnish language.
fino-ugric *adj. lingv.* Finno-Ugrian / Ugric.
fiolă *s.f.* **1.** ampulla. **2.** *auto.* breathalizer, vial.
fior *s.m.* **1.** shiver, shudder. **2.** *(plăcut)* thrill.
fiord *s.n.* fjord.
fiorituri *s.f. pl. muz.* grace notes.
fioros I. *adj.* **1.** fierce, grim, terrible. **2.** *(sălbatic)* savage, cruel. **II.** *adv.* fiercely.
fir *s.n.* **1.** thread. **2.** *(de păr)* hair. **3.** *(de sârmă)* wire. **4.** *(de iarbă)* blade. **5.** *(bob)* grain; ~ *călăuzitor / conducător* (key) thread, clew; ~ *cu* ~ bit by bit; ~ *cu plumb* plummet; *de-a ~ a păr* in all details.
firav *adj.* **1.** feeble. **2.** *fig.* unsubstantial.
fire *s.f.* **1.** nature. **2.** *(caracter și)* character, disposition; *din* ~ naturally; *împotriva firii* contrary to nature; *în toată ~a* mature.
firesc *adj.* natural.
firește *adj.* (as a matter) of course.
fireț *s.n.* **1.** trimming, edging, border. **2.** embroidery in gold.
firicică *s.f. bot.* cotton weed, cud weed *(Filago germanica).*
firidă *s.f.* niche, nook.
firimitură *s.f.* **1.** crumb. **2.** *fig.* bit.
firmament *s.n.* firmament.
firman *s.n. odin.* firman.
firmă *s.f.* **1.** sign; door plate. **2.** *(întreprindere)* firm, concern. **3.** *fig.* disguise, screen.
firn *s.n. geogr.* neve, firn (snow).
firnis *s.n.* oil varnish.
firos *adj.* that contains (many) threads, wires.
firoscos I. *adj.* clever. **II.** *s.m.* wiseacre.
firuță *s.n. bot.* meadow grass *(Poa).*
fisă *s.f.* **1.** *(de telefon)* coin, AE *și* nickel. **2.** *(pt. joc)* counter.
fisc *s.n.* fisc.
fiscal *adj.* fiscal.
fiscalism *s.n. ec.* heavy taxation.
fiscalitate *s.f.* fiscality, taxation policy / system.
fisibilitate *s.f.* fissility.
fisiona *vt.* to split.
fisionabil *adj. fiz.* fissionable.
fisionar *adj.* fissile.
fisiune *s.f.* fission.
fistic I. *s.m. bot.* pistachio tree, pistacia *(Pistacia vera).* **II.** *s.n.* pistachio (nut).
fistichiu *adj.* cranky, rum.
fistulă *s.f. med.* fistula.
fisura I. *vt.* to fissure, to cleave. **II.** *vr.* to cleave, to crack.
fisurare *s.f.* cracking, fissuring; *geol., med.* fissuration.
fisură *s.f.* fissure; crack; *fără* ~ *fig.* flawless, faultless.
fișa *vt.* to card.
fișă *s.f.* **1.** (record) card. **2.** *el.* plug; ~ *personală* (personal) record.
fișet *s.n.* locker.
fișic *s.n.* roll (of money).
fișier *s.n.* card index; file.
fișiu *s.n.* small shawl, fichu.
fit *s.n.* *a trage la* ~ to play truant.
fitecine *pron. nehot. pop.* anyone, anybody; *peior.* just anybody, a mere nobody.
fitil *s.n.* **1.** wick. **2.** *fig.* intrigue.
fitină *s.f. biochim.* phytin.
fiting *s.n. tehn.* fitting.
fito- *prefix* phyto-.
fitocenologie *s.f. biol.* phytocoenology.
fitocenoză *s.f. bot.* phytocoenosis.
fitochimie *s.f. biochim.* phytochemistry.
fitofag *s.m., adj. zool.* phytophagous / plant-eating (animal).
fitofiziologie *s.f. biol., bot.* phytophysiology.
fitogeografie *s.f. geogr.* phytogeography.
fitohormon *s.m. biochim.* phytohormone.
fitoncide *s.f. pl. biochim.* phytocides.
fitopatogen *s.m. bot.* phytopathogen.
fitopatologie *s.f.* phytopathology.
fitoplancton *s.n. bot.* phytoplankton.
fitosociologie *s.f. bot.* phytosociology.
fitosterol *s.m. biochim.* phytosterol.
fitotehnic *adj.* phytotechnic(al).
fitotehnie *s.f.* phytotechny.
fitoterapie *s.f.* phytotherapy.
fitotoxic *adj. biochim.* phytotoxic.
fitotron *s.m.* plant laboratory.
fițe *s.f. pl.* airs (and graces).
fițuică *s.f.* **1.** note, slip (of paper). **2.** crib; cad. **3.** *peior.* *(ziar)* rag.
fiu *s.m.* son, boy.
five-o' clock *s.n.* five-o' clock tea / party.
fix I. *s.n.* *a se pune la* ~ to dress up to the nines. **II.** *adj.* **1.** fixed, immobile. **2.** *(constant)* steady. **3.** *(neschimbat)* unchanging. **4.** *(exact)* sharp. **III.** *adv.* **1.** fixedly, constantly. **2.** *(în gol)* vacantly; *la 12* ~ at twelve o'clock sharp.
fixa I. *vt.* **1.** to fix. **2.** *și fig.* to rivet. **3.** *(a stabili)* to settle. **4.** *(a preciza)* to determine. **5.** *(a măsura)* to measure; *(cu privirea)* to ascertain; *a ~ pe cineva* to stare (fixedly) at smb. **II.** *vr.* **1.** to be fixed / fastened. **2.** *(a se stabili)* to settle.
fixare *s.f.* fastening, v. f i x a.
fixativ *s.n.* fixative.
fixator *s.m.* **1.** *foto* fixing solution/ bath. **2.** *text.* fixer.

fixism *s.n. biol.* creationism.
fixist I. *adj.* creationistic. **II.** *subst.* creationist.
fixitate *s.f.* fixity.
fizic I. *s.n.* **1.** physique. **2.** *(trup)* frame, body. **II.** *adj.* physical.
fizicalism *s.n. filoz.* physicalism.
fizică *s.f.* physics; ~ *atomică* nuclear physics.
fizicește *adv.* physically.
fizician *s.m.* physicist.
fiziocrat *s.m. ec., pol.* physiocrat.
fiziocratic *adj. ec.* physiocratic.
fiziocratism *s.n.* physiocratism, physiocrasy.
fiziognomonie *s.f.* physiognomy, study of facial features.
fiziolog *s.m.* physiologist.
fiziologic *adj.* physiological.
fiziologie *s.f.* physiology.
fizionomie *s.f.* physiognomy, countenance.
fizionomist *s.m.* physiognomist.
fizioterapie *s.f.* physiotherapeutics.
fizostigmină *s.f. biochim.* physostigmine, eserine.
flacără *s.f.* **1.** flame. **2.** *(puternică)* blaze; *în flăcări* ablaze.
flacon *s.n.* phial.
flagel *s.n.* scourge.
flagela *vt.* to scourge, to flog, to lash.
flagelare *s.f.* flagellation, beating, flogging, scourging.
flagelat *s.n. zool.* flagellate *(Flagellata)*.
flagelație *s.f.* v. f l a g e l a r e.
flagrant *adj.* glaring; *în ~ delict* flagrant delict; in the act.
flagranță *s.f.* flagrancy, flagrance.
flaier *s.n. text.* flyer.
flajeolet *s.n. muz.* flageolet.
flamand I. *s.m.* Fleming. **II.** *adj.* Flemish.
flamandă *s.f.* **1.** Fleming, Flemish woman. **2.** *(limba)* Flemish.
flamă *s.f. rar* flame.
flamba *vt. med.* to sterilize (in flame).
flambaj *s.n. tehn.* buckling, lateral flexion, yielding, collapse (of metal plate etc.).
flamboyant *adj. arh., artă* flamboyant.
flamin *s.m. ist. Romei* flamen.
flamingo *s.m. ornit.* flamingo *(Phoenicopterus)*.
flamură *s.f.* banner, standard.
flanc *s.n.* **1.** flank. **2.** *(prăjitură)* flan; *prin ~ (câte unul)* in an Indian file; *din ~* on the flank.
flanca *vt. mil.* to flank.
flancgardă *s.f. mil.* flanker, flanking detachment, flankguard.
flanea *s.f.* v. f l a n e l ă 2.
flanelă *s.f.* **1.** flannel. **2.** *(pulover)* jersey.
flanșă *s.f. tehn.* flange.
flaps *s.n. av.* flap.
flasc *adj.* limp, flabby, flaccid.
flash *s.n. el., foto.* flash.
flașnetar *s.m.* organ grinder.
flașnetă *s.f.* hurdy-gurdy.
flata *vt.* to flatter.
flaut *s.n.* flute.
flautist *s.m.* fluteplayer.
flavonă *s.f. biochim.* flavone.
flăcăiandru *s.m.* (growing) lad, young fellow, stripling.
flăcăraie *s.f.* **1.** blaze, blazing fire, *fam.* flare. **2.** Will-o-the-wisp, Jack-o'-lantern.
flăcăruie *s.f.* small flame, flamelet.
flăcău *s.m.* **1.** lad; youth. **2.** *(holtei)* bachelor.
flămând *adj.* **1.** hungry. **2.** *(înfometat)* famished. **3.** *fig.* thirsty (of).
flămânzi *vi.* to starve.
flămânzică *s.f. bot.* whitlow grass *(Draba nemorosa)*.
Flămânzilă *s.m.* (in Romanian folk tales) glutton, greedy guts.
fleac *s.n.* **1.** trifle. **2.** *(obiect și)* trinket. **3.** *(persoană)* nobody; cipher. **4.** *pl.* candle ends; *fig.* nonsense, gas.
fleancă *s.f.* v. f l e o a n c ă.
fleandură *s.f.* rag.
fleașc *interj.* flip-flap! smack! pop! bang! there goes!
fleașcă I. *s.f.* flop. **II.** *adv.* flabby.
flebită *s.f. med.* phlebitis.
flebotom *s.m. entom.* blood-sucking sand fly, phelobotomus.
flebotomie *s.f. med.* phlebotomy.
flec *s.n.* heel lift / piece.
flecar I. *s.m.* babbler. **II.** *adj.* talkative.
flecăreală *s.f.* tittle-tattle.
flecări *vi.* to prattle.
flegmatic I. *adj.* phlegmatic. **II.** *adv.* phlegmatically.
flegmă *s.f.* phlegm.
flegmon *s.m. med.* phlegmon.
fleică *s.f.* beefsteak.
fleoancă *s.f. fam.* potato trap, chops, jaw; *tacă-ți fleoanca! fam.* hold your jaw! stop your jaw(ing)! stash it!
fler *s.n.* **1.** flair. **2.** *(adulmecare)* scent.
fleșă *s.f.* **1.** *arh.* rise. **2.** *tehn.* sag.
fleșcăi *vr.* to become flabby / soft.
fleșcăit *adj.* flagging.
fleț I. *s.m.* booby. **II.** *adj.* simple-minded.
fleuron *s.n. arh.* finial; flower-shaped ornament; fleuron.
flexibil *adj.* pliant.
flexibilitate *s.f.* flexibility, suppleness, pliancy; malleability; *(a corpului)* litheness.
flexionar *adj. lingv.* flexional; *(d. o limbă)* inflected.
flexiune *s.f.* flexion.
flexor *adj., s.n. anat.* flexor.
flexură *s.f. geol.* flexure, fold.
flictenă *s.f. med.* phlyct(a)ena, vesicle, pimple, bleb.
fligorn *s.n. muz.* bugle(horn); Flügelhorn.
flint *s.n. opt.* flint (glass).
flintă *s.f.* musket.
flirt *s.n.* **1.** flirtation. **2.** *(persoană)* sweetheart.
flirta *vi.* to flirt.
fliș *s.n. geol.* flysh.
flit *s.n.* fly-tox.
floare *s.f.* **1.** flower. **2.** *(de arbore)* blossom. **3.** *fig. și* bloom. **4.** *(elită și)* pick, cream. **5.** *(mucegai)* mould; ~ *de câmp* wild flower; ~ *de colă* edelweiss; ~ *a vinului* bouquet; *din flori* born under the rose; *în ~* in bloom.
floc I. *s.m., s.n. (de păr)* tuft; *(de lână etc.)* flock. **II.** *s.n. nav.* jib.
flocăi *vt.* to pluck.
flocoasă *s.f. bot.* caffre corn *(Sorghum vulgare)*.
flocos *adj.* hairy, fluffy.
flocoțel *s.m. bot.* teeth-bearing fungus *(Hyndum repandum)*.
flocoșică *s.f. bot.* broom / velvet grass *(Holcus lanatus)*.
flocul *s.n. astr.* flocculus.
floculant I. *adj.* flocculent. **II.** *s.m.* flocculant, flocculent.
floculare *s.f. chim.* flocculence, flocculency.
flogistic(on) *s.n. alchim.* phlogiston.
flogopit *s.n. mineral.* phlogopite.
floral *adj.* floral.
florant *s.m. ornit.* greenfinch *(Fringilla chloris)*.
florar *s.m.* **1.** florist. **2.** *(luna mai)* May. **3.** *(pt. desen)* (French) curve.
floră *s.f.* flora.
florăreasă *s.f.* flower girl.
florărie *s.f.* flowershop.
florentin *s.m., adj.* Florentine.
floretă *s.f.* foil.
floretist, -ă *s.m., s.f. sport* foilplay expert.
floricea *s.f.* **1.** little flower, tiny blossom, floweret. **2.** *pl. (de porumb)* pop corn. **3.** *fig. pl.* flowers of speech, flourishes; *peior.* high-flown phrases.
floricol *adj.* **1.** flower(y). **2.** *entom.* flower-dwelling.
floricultură *s.f.* floriculture, flower-growing.
florid *adj. med.* florid.

florifer *adj. bot.* floriferous.
Florii *s.f. pl.* Palm Sunday.
florilegiu *s.n.* florilegium, anthology.
florin *s.m. fin., ec.* gulden; *ist.* florin.
florinte *s.m. ornit.* v. f l o r a n ț.
floroglucină *s.f. chim., foto.* phloroglucin(ol).
flotabil *adj.* floatable, buoyant.
flotabilitate *s.f.* buoyancy.
flotant I. *s.m.* floating person; *pl.* come-and-go people. **II.** *adj.* floating, come-and-go.
flotare *s.f. ind. text.* floating.
flotație *s.f. min.* flotation.
flotă *s.f.* **1.** fleet. **2.** *(militară)* navy, naval force.
flotilă *s.f.* flotille.
flotor *s.n.* float, buoy.
fluaj *s.n. tehn., met.* creep; flow.
fluctua *vi.* to fluctuate, to oscilate.
fluctuant *adj.* fluctuating, varying.
fluctuație *s.f.* **1.** fluctuation. **2.** *(a cadrelor etc.)* turnover.
fludor *s.n. met.* acid-core solder.
fluent I. *adj.* fluent. **II.** *adv.* fluently.
fluență *s.f.* fluency.
fluid *adj., s.n.* fluid.
fluidifiant *s.m. ind.* thinning agent, thinner.
fluiditate *s.f.* fluidity.
fluidiza *vt. tehn.* to fluidize.
fluidizare *s.f. tehn.* fluidization.
fluier *s.n.* **1.** whistle. **2.** *muz.* pipe, flute.
fluiera I. *vt.* **1.** to whistle. **2.** *(a huidui)* to hoot, to hiss. **II.** *vi.* **1.** to whistle. **2.** *(a vâjâi)* to whiz.
fluierar *s.m.* **1.** piper. **2.** *ornit.* plover *(Tringa).*
fluieraș I. *s.n.* little whistle. **II.** *s.m.* whistler, whistle-player.
fluierat *s.n.*, **fluierătură** *s.f.* whistle.
fluierătoare *s.f. bot.* lady's seal *(Tamus communis).*
fluierător *adj.* whistling.
fluierătură *s.f.* whistle.
fluieră-vânt *s.m. fam.* idler, dawdler.
fluierice *s.f.* hunter's whistle used to lure the game.
fluor *s.n. chim.* fluorine.
fluoren *subst. chim.* fluorene.
fluoresceină *s.f. chim.* fluorescein.
fluorescent *adj. chim.* fluorescent.
fluorescență *s.f.* fluorescence.
fluorhidric *adj. chim.* fluorhydric, hydrofluoric.
fluorimetru *s.n. tehn.* fluorimeter.
fluorină *s.f. mineral.* calcic fluoride, fluor spar.
fluoriza *vt. med.* to fluoridize.
fluorizare *s.f. med.* fluoridization.
fluorografie *s.f. foto.* fluorography.
fluorometru *s.n. foto.* fluorometer, fluorophotometer.
fluoroză *s.f. med. vet.* fluorosis.
fluorură *s.f. chim.* fluoride.
flușturа *vt. rar* v. f l u t u r a.
flușturatic I. *s.m.* madcap. **II.** *adj.* **1.** flippant. **2.** *(nestatornic)* fickle.
flutura I. *vt.* **1.** to wave. **2.** *(amenințător)* to brandish. **II.** *vi.* to flutter.
fluturare *s.f.* waving, fluttering.
fluturaș *s.m.* spangle, tinsel; *cu ~i* spangled.
fluturatic, -ă *adj., s.m., s.f.* v. f l u ș t u r a t i c.
fluture *s.m.* butterfly.
fluvial *adj.* river.
fluviu *s.n.* **1.** river. **2.** *fig.* stream.
flux *s.n.* **1.** *nav.* (high) tide, high water. **2.** *med.* menstruation. **3.** flood; *~ și reflux* high tide and low tide, ebbing and flowing tide; *fig.* ebb and flow; **4.** *fiz.* flux.
fluxmetru *s.n. fiz.* fluxmeter, fluxgraph.
foaie *s.f.* **1.** leaf. **2.** *(coală, pânză)* sheet. **3.** *(pagină)* page. **4.** *pl.* skirt; *~ de cort* tarpaulin; *~ de drum* railway warrant; *~ volantă* loose leaf.
foaier *s.n.* foyer.
foale *s.n.* bellows.
foame *s.f.* **1.** hunger. **2.** *fig. și* thirst. **3.** *(foamete)* famine, starvation; *a avea o ~ de lup* to be as hungry as a wolf.
foamete *s.f.* famine, starvation.
foarfece *s.n.* **1.** scissors. **2.** *(mare)* shears. **3.** *(la rac)* claws; *~ de unghii* nail scissors; *~ pentru stofă* cloth shears.
foarte *adv.* very, rather, highly; *~ mult* very much, greatly.
F.O.B. *subst. ec.* F.O.B. (free on board).
fobie *s.f.* phobia, abhorrence.
foc *s.n.* **1.** fire. **2.** *(vâlvătaie)* blaze. **3.** conflagration. **4.** *jur.* arson. **5.** *(împușcătură)* shot, report. **6.** *(tir)* firing. **7.** *(căldură)* heat. **8.** *fig. și* ardour, passion. **9.** *(durere)* sorrow. **10.** *(necaz)* trouble, worry. **11.** *(mânie)* anger, fury; *~(uri) de artificii* fire works; *~ răzleț*, *~ tras la întâmplare* potshot; *în ~ul luptei* at the height of the battle; *de ~* fire.
focal *adj. geom., opt.* focal.
focaliza *vt. opt. etc.* to focus.
focar *s.n.* **1.** focus. **2.** *med. fig.* hotbed.
focă *s.f. zool.* seal.
fochist *s.m.* stoker.
focometru *s.n. opt.* focometer, focimeter.
focos I. *s.n.* fuse. **II.** *adj.* fiery.
fodră *s.f.* **1.** *nav.* wooden coating on the walls of a ship. **2.** *reg.* lace (collar).
foehn 1. *meteo.* foehn (wind). **2.** electric hair-dryer.
foen *s.n.* v. f o e h n.
fofârlică *s.f. a umbla cu fofârlica* to dodge the issue, to hedge.
fofează *s.f.* **1.** sail of a windmill. **2.** v. f u s c e l 1.
fofelniță *s.f.* **1.** *text.* hasp, reel. **2.** *fig.* cackling woman, gossip.
fofila *vr.* **1.** to slink, to steal. **2.** *fig.* to dodge (questions etc.).
foi *vr.* to go to and fro, to fidget.
foială *s.f.* fussing, bustling.
foileta *vt. livr.* to turn over, to look / skim through.
foileton I. *s.n.* **1.** *(pamflet)* lampoon. **2.** *(roman)* serial. **3.** *(la ziar)* serial story column. **II.** *adj.* published serially.
foiletonist *s.m.* columnist.
foios I. *s.n.* **1.** *zool.* manyplies, omasum. **2.** *bot.* dedidous tree. **II.** *adj.* leafy.
foișor *s.n.* (watch) tower.
foiță *s.f.* thin paper.
folclor *s.n.* folklore.
folcloric *adj.* folk(lore)...
folclorist *s.m.* folklorist.
folcloristic *adj.* folkloristic.
folcloristică *s.f.* folkloristics.
folia *s.f.* folia (carnival).
foliaceu *adj. bot.* foliaceous.
foliant *s.n.* folio volume / book; heavy volume.
foliat *adj.* bladed.
folic *adj. chim.* folic (acid).
folicul *s.m. anat.* follicle.
folicular *adj. anat.* follicular.
foliculă *s.f. bot.* follicle.
foliculină *s.f.* folliculin.
foliculită *s.f. med.* folliculitis.
folie *s.f.* thin sheet (of metal, plastic etc.).
folio *s.n.* folio.
foliolă *s.f. bot.* foliole, leaflet.
foliu *s.n. geom.* folium (curve).
folos *s.n.* **1.** use, utility. **2.** *(profit)* gain, profit. **3.** *(beneficiu)* benefit, advantage; *ce ~ ?* to what avail / purpose?; *cu ~* usefully; *de (mare) ~* useful; *fără ~* uselessly, vainly.
folosi I. *vt.* **1.** to use. **2.** *(a profita de)* to capitalize. **II.** *vi.* to be useful. **III.** *vr.* to be used; *a se ~ de* to use, to take advantage of; *a se ~ de un prilej* to seize an opportunity.

folosință *s.f.*, **folosire** *s.f.* utilization, employment.
folositor *adj.* useful.
fon *s.m. fiz.* phone.
fonator *adj. anat.* phonatory.
fond *s.n.* **1.** *fin.* fund. **2.** *fig.* stock. **3.** *(conținut)* substance. **4.** *(caracter)* nature. **5.** *(bază)* fundamentals. **6.** *artă* background. **7.** *(al unei stofe)* foundation. **8.** *sport* long distance; ~ *de locuințe* housing facilities; *~uri de rulment* circulating funds; *în* ~ after all, in the last analysis.
fonda *vt.* to set up, to establish, to found.
fondant I. *adj. bomboană ~ă* fondant. **II.** *s.n. tehn.* flux.
fondator I. *s.m.* founder. **II.** *adj.* founding.
fondist *s.m. sport* long-distance runner/racer.
fonem *s.n. lingv.* phoneme; phone.
fonematic *adj. lingv.* phonematic, phonologic(al).
fonetic *adj.* phonetical.
fonetică *s.f.* phonetics.
fonetician *s.m.* phonetician.
fonetism *s.n.* phonetism.
fonetist *s.m.* phonetist.
fonf I. *s.m.* twangy speaker. **II.** *adj.* with a twang.
fonfăi *vi., vr.* to twang.
fonfăit *adj., s.m.* v. f o n f.
fonic *adj.* phonic.
fonie *s.f.* **1.** *lingv.* voice, sonority. **2.** *el.* radio (waves).
fono- *prefix* phono-.
fonocardiograf *s.n. med.* phonocardiograph.
fonocardiogramă *s.f. med.* phonocardiogram.
fonograf *s.n.* phonograph.
fonogramă *s.f.* phonogram.
fonolog *s.m.* phonologist.
fonologic *adj.* phonologic(al).
fonologie *s.f.* phonology.
fonomontaj *s.n.* broadcast made up of mixed recordings.
fonon *s.m. fiz.* phonon.
fonotecare *s.f.* selection, cutting and mixing of phonograms; editing of recorded tape.
fonotecă *s.f.* record library.
fontanelă *s.f. anat.* fontanel(le).
fontă *s.f.* **1.** cast iron. **2.** *(brută)* pig iron.
for *s.n.* forum.
fora *vt.* to drill.
forabil *adj. min.* drillable.
forabilitate *s.f. ind. petrol.* drilling character, drillability.
foraibăr *s.n.* latch.
foraj *s.n.* drilling.
foraminifere *s.f. pl. zool.* foraminifera.
forceps *s.n. med.* forceps.
fordism *s.n. ec.* Fordism.
forestier *adj.* **1.** forest(ry). **2.** *(de cherestea)* timber.
forezie *s.f. biol.* phoresy.
forfeca *vt.* **1.** to cut (with the scissors). **2.** *fig.* to tear, to shred (smb.'s character).
forfecar *s.m. entom.* vine fretter / beetle *(Lethrus cephalotes).*
forfecare *s.f. tehn.* shearing, cutting.
forfecuță *s.f.* **1.** nail scissors. **2.** *ornit.* crossbill *(Loxia).*
forfeit *s.n. sport.* forfeit.
forfetar *adj.* contractual; *(d. sume)* lump...
forfotă *s.f.* agitation, bustle.
forfoteală *s.f.* v. foială.
forfoti *vi.* **1.** to bustle, to throb. **2.** *(a mișuna)* to teem.
forint *s.m.* florin.
forja *vt.* to forge.
forjabil *adj.* forgeable.
forjabilitate *s.f. met.* forgeability.
forjar *s.m.* forger.
forjare *s.f.* forging.
forjă *s.f.* forge.
forjerie *s.f.* forge shop.
forjor *s.m. met.* forger.
forma I. *vt.* **1.** to form. **2.** *(a alcătui și)* to build / make up. **3.** *(a constitui și)* to set up. **4.** *(a educa și)* to train. **5.** *(un număr de telefon)* to dial. **II.** *vr.* **1.** to be formed / moulded. **2.** *(a se înființa)* to be set up / founded.
formal I. *adj.* **1.** formal. **2.** *(oficial și)* official. **3.** *(expres și)* express; *în mod* ~ specifically, formally. **II.** *adv.* **1.** formally, specifically. **2.** *(de formă)* perfunctorily, for form's sake.
formaldehidă *s.f. chim.* formaldehyde.
formalină *s.f. chim.* formalin.
formalism *s.n.* **1.** form(alism). **2.** *(superficialitate)* perfunctoriness.
formalist I. *s.m.* stickler for etiquette. **II.** *adj.* ceremonious, clean-cravatish.
formalitate *s.f.* **1.** formality. **2.** *(ceremonie și)* form, ceremony. **3.** *(etichetă)* etiquette. **4.** *(procedură)* formal procedure.
formaliza *vr.* **1.** to stand on ceremony. **2.** to take offence.
formalizare *s.f. log.* formalization.
formare *s.f.* **1.** moulding, formation. **2.** *(înființare)* setting up.
format I. *s.n.* **1.** size. **2.** *(de carte)* format. **II.** *adj.* **1.** moulded. **2.** *(matur)* full-fledged.
formativ *adj.* formative.
formator *s.m. tehn.* formatore.
formație *s.f.* **1.** formation. **2.** *(orânduire)* system. **3.** *sport* disposition. **4.** *(echipă)* team.
formă *s.f.* **1.** *(geometrică etc.)* shape. **2.** *(înfățișare)* appearance, aspect. **3.** *(croială)* cut. **4.** *(format)* size. **5.** *(ceremonie)* form(ality). **6.** *gram.* voice. **7.** *(calapod)* last, block. **8.** *(mod)* way. **9.** *sport* fettle, mettle; *de* ~ perfunctorily; *de ~ pătrată* square; *în ~ bună* in fine fettle; *sub forma (cu gen.)* in the shape of.
formiat *s.m. chim.* formate.
formic *adj. chim. acid* ~ formic acid.
formidabil I. *adj.* **1.** formidable. **2.** *(înspăimântător)* tremendous. **II.** *adv.* **1.** formidably. **2.** wonderfully. **III.** *interj.* **1.** capital! **2.** you don't say so!
formol *s.n. chim.* formol.
formolizare *s.f.* formolizing.
formula *vt.* **1.** to formulate. **2.** *(a exprima)* to couch, to put.
formular *s.n.* form, blank.
formulare *s.f.* wording.
formulă *s.f.* **1.** formula. **2.** *(soluție și)* solution.
fornăi *vi.* v. f o n f ă i, s f o r ă i.
forsterit *s.n. mineral.* forsterite.
forăpan *s.n. cin.* trailer.
fort *s.n.* fort.
fortăreață *s.f.* fortress, stronghold.
forte I. *adj. a se face ~ să* to pledge (oneself) to do, to try hard to. **II.** *adv.* forte.
fortifiant *adj.* fortifying, strengthening, invigorating, *fam.* pick-me-up.
fortifica *vt.* **1.** to fortify. **2.** *fig.* to invigorate.
fortificație *s.f.* earth *sau* defence works.
fortuit *adj.* fortuitous.
fortuna *s.f. livr.* (the goddess of) fortune; fate, destiny.
forța I. *vt.* **1.** to force. **2.** *(a sparge)* to break open. **II.** *vr.* **1.** to strain oneself. **2.** *fig.* to affect.
forțamente *adv. livr.* perforce, under stress / force of circumstances.
forțat *adj.* **1.** forced, compelled. **2.** *(nesincer)* affected. **3.** *(exagerat)* far-fetched.
forță *s.f.* **1.** force, strength. **2.** *(putere)* power. **3.** *(intensitate)* intensity. **4.** *mil.* (armed) forces; ~ *de muncă* labour, manpower; ~ *de șoc* task

force; ~ *majoră* emergency; *de* ~ excelent.
forzato *adv. muz.* forzato, sforzando.
forzaț *s.n.* flyleaf.
fosă *s.f. (orchestra)* pit; ~ *nazală anat.* nasal fossa.
fosfagen *s.n. biochim.* phosphagen.
fosfat *s.m.* phosphate.
fosfata *vt.* to phosphatize.
fosfatază *s.f. biochim.* phosphatase.
fosfatidă *s.f. biochim.* phosphatide.
fosfenă *s.f. fiziol.* phosphene.
fosfină *s.f. chim.* phosphine.
fosfit *s.m. chim.* phosphite.
fosfocreatină *s.f. biochim.* phosphocreatine.
fosfolipidă *s.f. biochim.* phospholipid(e), phosphatide.
fosfoproteidă *s.f. biochim.* phosphoprotein.
fosfor *s.n.* phosphorus.
fosforescent *adj. fiz.* phosphorescent.
fosforescență *s.f. fiz.* phosphorescence.
fosforic *adj. chim.* phosphoric; *acid* ~ phosphoric acid.
fosforism *s.n. med.* phosphorism.
fosforit *subst. mineral.* phosphorite.
fosforos *adj. chim.* phosphorous.
fosforoscop *s.n. fiz.* phosphoroscope.
fosfură *s.f. chim.* phosphide.
fosgen *s.n. chim.* phosgene.
fosil *adj.* fossil.
fosilă *s.f.* **1.** fossil. **2.** *fig.* stick-in-the-mud.
fosiliza *vr.* to fossilize.
fosilizare *s.f.* fossilization.
fost I. *s.m.* has been. **II.** *adj.* **1.** former, past. **2.** *(defunct)* late.
foșnet *s.n.* rustle.
foșni *vi.* to rustle, to swish.
foșnitor *adj.* rustling etc. v. f o ș n i.
foșnitură *s.f.* v. f o ș n e t.
foț *s.m. fiz.* phot.
fotă *s.f.* peasant skirt.
fotbal *s.n.* (association) football, *fam.* AE soccer.
fotbalist *s.m.* footballer, *fam.* soccer player.
fotbalistic *adj.* football / soccer association.
foto- *prefix* photo-.
fotocartare *s.f. geogr.* photo(graphic) plotting.
fotocartograf *s.n. geogr.* photographic plotter.
fotocataliză *s.f. chim.* photocatalysis.
fotocatod *s.m.* photocathode.
fotocelulă *s.f. tehn.* photoelectric cell, photocell.
fotochimic *adj.* photo-chemical.
fotochimie *s.f.* photo-chemistry.
fotocolografic *adj. tipogr.* photocollographic.
fotocolografie *s.f.* photocollography.
fotoconductibilitate *s.f.* photoconductivity.
fotoconductiv *adj. fiz.* photoconductive, photoconducting.
fotoconducție *s.f. fiz.* photoconduction.
fotocopie *s.f.* photocopy.
fotocromie *s.f.* photochromy, colour photography.
fotocromografie *s.f. tipogr.* photochromography.
fotocromotipografie *s.f. tipogr.* photochromotypy.
fotocromoxilografie *s.f. tipogr.* photochromoxylography.
fotoculegere *s.f. tipogr.* film-setting, photocomposition.
fotodermatoză *s.f. med.* photodermatosis.
fotodezintegrare *s.f. fiz.* photodisintegration.
fotodiodă *s.f. el.* photodiode, photo conductive diode.
fotoelasticimetrie *s.f. fiz.* measurement of photoelasticity.
fotoelasticitate *s.f. fiz.* photoelasticity.
fotoelectric *adj.* photoelectric; *celulă ~ă* v. f o t o e l e m e n t.
fotoelectron *s.f. fiz.* photoelectron.
fotoelement *s.n. el.* photoelectric cell, photo-cell; photopile; AE photo tube.
fotoemisie *s.f. fiz.* photoemission, photoemissive effect.
fotofobie *s.f. med.* photophobia.
fotoforeză *s.f. fiz.* photophoresis.
fotogen *adj.* photogenic.
fotogenic *adj.* photogenic.
fotogenie *s.f.* photogenic qualities.
fotograf *s.m.* **1.** cameraman. **2.** *(la magazin)* photographer.
fotografia I. *vt.* to photograph. **II.** *vr.* to have a photo taken.
fotografic *adj.* photo(graphic).
fotografie *s.f.* **1.** photo(graph), picture. **2.** *(dintr-un film)* still. **3.** *(ca artă)* photography.
fotogramă *s.f.* photocopy.
fotogrametrie *s.f.* photogrammetry, photographic survey.
fotogrammetric *adj.* photogrammetric.
fotogrammetru I. *s.m.* photogrammetrist. **II.** *s.n.* photogrammeter.
fotogravură *s.f. fiz.* photoengraving; photogravure.
fotolitografie *s.f.* photolithography.
fotoliu *s.n.* **1.** armchair, easy chair. **2.** *(la teatru)* orchestra stall; ~ *pat* chairbed.
fotoliză *s.f. chim.* photolysis.
fotoluminescență *s.f. fiz.* photoluminescence.
fotomecanică *s.f.* photomechanics.
fotometric *adj.* photometric(al).
fotometrie *s.f.* photometry.
fotometru *s.n. fiz.* photometer.
fotomontaj *s.n.* photomontage.
fotomultiplicator *s.n. el.* photomultiplier (tube).
foton *s.m. fiz.* photon.
fotonastie *s.f. bot.* photonasty.
fotoperiodism *s.n. biol.* photoperiodism.
fotoreportaj *s.n.* picture story; photographic / picture report, photoreport.
fotoreporter *s.m.* photographer.
fotoreproducere *s.f. tipogr.* photoreproduction.
fotorezistiv *adj. fiz.* photoresistive.
fotosensibil *adj.* photosensible.
fotosensibilitate *s.f.* photosensitivity.
fotosferă *s.f. astr.* photosphere.
fotosferic *adj. astr.* photospheric.
fotosinteză *s.f. biol.* photosynthesis.
fototactism *s.n. biol.* phototactism.
fototecă *s.f.* photograph library, collection / archive of photographs.
fototelegraf *s.n.* phototelegraph.
fototelegrafie *s.f.* phototelegraphy, picture telegraphy.
fototeodolit *s.n.* phototheodolite.
fototerapie *s.f. med.* phototherapy.
fototipie *s.f. poligr.* phototypy.
fototropie *s.f.* v. f o t o t r o p i s m.
fototropism *s.n. biol. etc.* phototropism.
fotovoltaic *adj. el.* photovoltaic.
foulard *s.n. ind. text.* foulard, silk.
fourierism *s.n. ist., ec., pol.* Fourierism, associationism, phalansterianism.
fovism *s.n. artă* Fauvism.
fox(terier) *s.n.* fox-terrier.
fox(trot) *s.n.* fox-trot.
frac *s.n.* tail coat, tails.
fractura *vt.* to break.
fractură *s.f.* fracture.
fracție *s.f.* fraction.
fracționa *vt.* to divide into fractions.
fracționar *adj. mat.* fractional, fractionary; *număr* ~ fractional number; *(când numărătorul e mai mare)* improper fraction.

fracționare *s.f. chim.* fractional distillation.
fracționat *adj.* fractionate, fractional.
fracționism *s.n.* factionalism.
fracționist *adj.* factional.
fracțiune *s.f.* **1.** fraction, fragment. **2.** *pol.* faction, splinter (party).
frag *s.m. bot.* wild strawberry *(Fragaria vesca).*
fragă *s.f.* wild strawberry.
fraged *adj.* **1.** tender. **2.** *(moale și)* soft. **3.** *(delicat și)* frail, delicate. **4.** *(d. vârstă și)* early.
fragil *adj.* **1.** fragile. **2.** *fig.* tender.
fragilitate *s.f.* **1.** brittleness. **2.** *fig.* frailty.
fragment *s.n.* **1.** fragment. **2.** *(pasaj)* excerpt.
fragmenta *vt.* to break up.
fragmentar I. *adj.* fragmental. **II.** *adv.* by bits.
fragmentare *s.f.* division into fragments, breaking up.
fraht *s.n. fin.* bill of consigment / lading, way bill; letter of conveyance; freight.
framee *s.f. ist.* framea, javelin (of the Teutons).
franc I. *s.m.* **1.** *ist.* Frank. **2.** *(monedă franceză etc.)* franc. **3.** *(gologan)* coin; leu. **II.** *adj.* **1.** *ist.* Frankish. **2.** *(deschis)* frank. **III.** *adv.* openly.
franca *vt.* to stamp.
francă *s.f.* **1.** Frank(ish woman). **2.** Frankish, the Frankish language.
franceine *s.f. pl. chim.* non-nitric dyes (discovered by the Romanian chemist C. Istrati).
francez I. *s.m.* Frenchman; *pl.* the French. **II.** *adj.* French.
franceză *s.f.* French.
franchețe *s.f.* straightforwardness.
franciscan I. *adj.* Franciscan. **II.** *s.m.* Franciscan friar.
francisca *s.f. ist.* francisc(a), Frankish battle-axe.
franciu *s.n. chim.* francium.
francmason *s.m.* freemason.
francmasonerie *s.f.* freemasonry.
francmasonic *adj.* (free-)masonic; *lojă ~ă* freemasons' / masonic lodge.
franco *adv.* free (on board).
franctiror *s.m.* sniper.
franjă *s.f. fiz.* fringe.
franjuri *s.n. pl.* fringes.
franklin *s.m. fiz.* franklin.
franțuz *s.n.* Frenchman.
franțuzesc *adj.* French.
franțuzește *adv.* French; in the French style.
franțuzi I. *vt.* to Frenchify. **II.** *vr.* to speak French.
franțuzism *s.n.* Gallicism.
franțuzit I. *s.m.* gallomaniac. **II.** *adj.* Frenchified.
franțuzoaică *s.f.* Frenchwoman.
franzelă *s.f.* (long) loaf.
franzeluță *s.f.* cake bread.
frapa *vt.* to strike.
frapant *adj.* striking, glaring.
frapieră *s.f.* ice / icing bucket.
frasin *s.m. bot.* ash(tree) *(Fraxinus).*
frate *s.m.* **1.** brother. **2.** *(confrate)* brother (*pl.* brethren); *~ de cruce* sworn brother; *~ de lapte, ~ adoptiv* foster brother; *~ vitreg* step brother.
fratern *adj.* brotherly, fraternal.
fraternitate *s.f.* fraternity, brotherhood.
fraterniza *vt.* to fraternize.
fratricid *adj.* fratricidal.
fratrie *s.f. ist. Greciei* phratry, phratria.
frauda *vt. jur.* to defraud, to cheat; to defalcate.
fraudă *s.f.* **1.** embezzlement. **2.** *(înșelăciune)* swindle.
fraudulos *adj.* fraudulent.
fraza *vt.* to phrase.
frazare *s.f. muz.* phrasing.
frază *s.f.* **1.** *gram.* (compound / complex) sentence. **2.** *muz.* phrase; *~ (compusă) prin coordonare* compound sentence; *~ (compusă) prin subordonare* complex sentence; *fraze goale* gas, empty talk.
frazeolog *s.m. lingv.* phraseologist, phrase maker.
frazeologic *adj.* idiomatic.
frazeologie *s.f.* **1.** phraseology. **2.** mere verbiage, hollow phrases, empty talk / words, *fam.* claptrap.
frăgezi I. *vt.* to make soft. **II.** *vr.* to become soft.
frăgezime *s.f.* **1.** tenderness, delicacy. **2.** *(moliciune)* softness.
frăguliță *s.f. bot.* moschatel *(Adoxa moschatellina).*
frământa I. *vt.* **1.** to knead. **2.** *(a preocupa)* to worry, to challenge. **3.** *(a discuta)* to debate; *a-și ~ creierii* to rack one's brain. **II.** *vr.* to fret.
frământare *s.f.* **1.** kneading. **2.** *fig.* unrest. **3.** *pl. (preocupări)* challenges, problems.
frământător *s.n.* dough-kneading machine.
frăsinel *s.m.* dittany *(Dictamnus albus).*
frăsinet *s.n.* ash grove, forest of ash trees.
frățesc *adj.* brotherly.
frățește *adv.* **1.** fraternally. **2.** equally.
frăție *s.f.* fraternity; *~ de arme* brotherhood at arms.
frâna I. *vt.* **1.** to brake. **2.** *fig.* to curb. **II.** *vi.* to put on the brake.
frânar *s.m.* brakesman.
frânare *s.f.* braking etc. v. f r â n a.
frână *s.f.* **1.** brake. **2.** *(la căruță)* drag. **3.** *fig.* hindrance.
frânc *înv.* **I.** *s.m.* **1.** *ist.* Frank. **2.** Frenchman. **3.** Western European. **II.** *adj.* **1.** *ist.* Frank. **2.** French. **3.** West European.
frâncuță *s.f. bot.* Romanian variety of vine with small grapes.
frânge I. *vt.* to break (up); *a-și ~ mâinile* to wring one's hands. **II.** *vr.* to break.
frânghie *s.f.* rope, line.
frânghier *s.m.* rope maker / spinner.
frânt *adj.* **1.** broken. **2.** *(obosit)* exhausted, knocked to bits.
frântură *s.f.* bit.
frâu *s.n.* **1.** rein. **2.** *fig.* reins, helm.
freamăt *s.n.* **1.** rustling. **2.** *(murmur)* purling. **3.** *(agitație)* bustle. **4.** *(fior)* thrill.
freatic *adj.* phreatic.
freatobiologie *s.f. biol.* the biology of phreatic waters.
freca I. *vt.* **1.** to rub. **2.** *(cu peria)* to scrub. **3.** *fig.* to censure; *a ~ pe cineva, a ~ ridichea cuiva* to comb smb.'s hair for him. **II.** *vr.* **1.** to rub against each other. **2.** to rub oneself; *a se ~ la ochi etc.* to rub one's eyes etc.
frecare *s.f.* **1.** friction. **2.** *tehn.* abrasion.
frecat *adj.* rubbed; *~ cu viața* hard-boiled.
frecăței *s.m. pl.* noodles, doughboys.
frecție *s.f.* **1.** massage. **2.** *(la frizer)* shampoo.
frecuș *s.n.* **1.** friction. **2.** *fig. și* tiff, clash.
frecvent I. *adj.* frequent. **II.** *adv.* often.
frecventa *vt.* **1.** to frequent. **2.** *(cursuri etc.)* to attend.
frecvență *s.f.* **1.** frequency. **2.** *(participare)* attendance.
frecvențmetru *s.n.* frequency meter.
fredona *vt.* to hum.
fregată *s.f. nav.* frigate.
fremăta *vi.* **1.** to bustle. **2.** *(a foșni)* to rustle.
fremătător *adj.* **1.** rustling. **2.** *fig.* agitated, bustling, fidgety.
french-cancan *s.n.* (French-)cancan (dance).
frenetic I. *adj.* frantic. **II.** *adv.* passionately.
frenezie *s.f.* frenezy, wildness.

frenic *adj. nerv* ~ phrenic nerve.
frenolog *s.m.* phrenologist.
frenologie *s.f.* phrenology.
frențe *s.f. pl. med.* pox, syphilis, lues.
freon *s.m. chim.* Freon.
frescă *s.f.* **1.** fresco. **2.** *fig. și* picture.
fresco *s.n. text.* loosely woven woolen material.
freta *vt. tehn.* to bind (smth.) with a ring / ferrule.
fretaj *s.n. tehn.* binding, fitting with a ring / ferrule.
fretă *s.f. tehn.* hoop, collar, ferrule.
freudism *s.n. med., psih.* Freud(ian)ism.
frez *adj.* fraise, strawberry-coloured.
freza *vt.* to mill.
frezat *s.n. tehn.* milling; milling machine; milling cutters.
freză *s.f.* **1.** haircut. **2.** *tehn.* milling machine. **3.** *(la dentist)* drill.
frezie *s.f. bot.* freesia *(Freesia).*
frezmașină *s.f.* milling machine.
frezor *s.m.* milling machine operator.
friabil *adj.* friable, crumbly.
friabilitate *s.f.* friability, friableness.
fricando *s.n. cul.* fricandeau, larded veal braised.
fricativ *lingv.* **I.** *adj.* fricative. **II.** *s.f.* *~ă* fricative (consonant).
frică *s.f.* **1.** fear, fright. **2.** *(panică)* panic. **3.** *(neliniște)* anxiety; *fără* ~ dauntless(ly).
fricos I. *s.m.* coward. **II.** *adj.* white-livered.
fricționa I. *vt.* to rub; *med.* to massage. **II.** *vr.* **1.** *pas.* to be rubbed etc. v. ~ I. **2.** to rub oneself.
fricțiune *s.f.* friction.
frideric *s.n. ec., fin., ist.* friedrichsdor.
frig *s.n.* **1.** cold. **2.** *(ger)* frost. **3.** *pl.* the ague; și fig. fever; *~uri galbene* yellow fever.
frigare *s.f.* spit; *la* ~ spitted.
frigănea *s.f.* sippet.
frigăruie *s.f.* joint roasted on the spit.
frige I. *vt.* **1.** to roast. **2.** *(la grătar)* to grill. **3.** *(a arde)* to burn. **II.** *vi.* **1.** to burn. **2.** *(a avea febră)* to be feverish. **III.** *vr.* **1.** to be / get burnt. **2.** *fig.* to be cheated.
frige-linte *s.m. (zgârcit) fam.* skinflint.
frigian *adj.* Phrygian; *bonetă ~ă* Phrygian cap.
frigid *adj.* frigid.
frigider *s.n.* fridge.
frigiditate *s.f.* frigidity.
frigorie *s.f. fiz.* negative kilocalorie.
frigorifer I. *s.n.* refrigerator. **II.** *adj.* cooling.
frigorific *adj.* frigorific, cold; *instalație ~ă* refrigerating / cooling plant.
frigorigen *adj.* refrigerating.
frigotehnică *s.f. tehn.* refrigeration (technique).
frigurică *s.f. bot.* centaury *(Centaurium umbellatum).*
friguros *adj.* **1.** cold. **2.** *(d. cineva)* chilly.
fringilide *s.n. pl. ornit.* Fringillidae.
fript *adj.* **1.** roasted. **2.** *(ars)* burnt.
fripta *s.f.* hot cockles.
friptură *s.f.* roast(meat); ~ *de porc* roast pork; ~ *de vacă* roast beef.
fripturism *s.n. peior.* AE *aprox.* pork(chops).
frison *s.n.* (cold) shiver.
frișcă *s.f.* (whipped) cream.
frivol *adj.* **1.** wanton. **2.** *(neserios)* shallow.
frivolitate *s.f.* **1.** frivolousness. **2.** *(neseriozitate)* flippancy.
friz *s.n. constr.* border.
friza I. *vt.* **1.** to curl. **2.** *fig.* to border on. **II.** *vr.* to dress / curl (one's hair).
friză *s.f.* **1.** *arh.* frize. **2.** *(la parchet)* skirting band.
frizer *s.m.* hairdresser; barber.
frizerie *s.f.* barber's (shop).
frizeriță *s.f.* woman barber / hairdresser.
frizian *adj.* Frisian.
frizon *s.n. text.* floss silk.
frizură *s.f.* haircut.
frondă *s.f.* **1.** *ist.* the Fronde. **2.** *fig.* (selfish) opposition, rebelliousness.
front *s.n.* **1.** front. **2.** *min.* (working) front.
frontal I. *adj.* front(al). **II.** *adv.* in front.
frontalitate *s.f. arh., artă* frontality.
frontieră *s.f.* frontier, border.
frontispiciu *s.n.* **1.** frontispice. **2.** *(la carte)* title page.
frontogeneză *s.f. meteo.* frontogenesis.
fronton *s.n.* gable.
frotiu *s.n. med.* smear.
frotolla *s.f.* frottola (song).
fruct *s.n.* fruit; ~ *ul oprit* the forbidden fruit.
fructar *s.m.* fruitmonger.
fructărie *s.f.* fruiterer's.
fructieră *s.f.* fruit dish.
fructifer *adj.* fruit (bearing).
fructifica *vt.* to fructify.
fructificare *s.f.* fructification, turning to account.
fructificație *s.f. bot.* fructification, fructifying.
fructoză *s.f. chim.* fruitose.
fructuos *adj.* profitable.
frugal *adj.* frugal.
frugalitate *s.f.* frugality.
frugivor *adj.* fructivorous, frugivorous, fruit-eating (animal).
frumoasă *s.f.* beauty, belle; *Frumoasa din Pădurea Adormită* Sleeping Beauty.
frumos I. *s.n.* the beautiful; beauty. **II.** *adj.* **1.** beautiful; fair. **2.** *(drăguț)* lovely. **3.** *(arătos și)* good-looking, handsome, nice. **4.** *(nobil și)* noble, generous. **III.** *adv.* **1.** finely. **2.** *(ușurel)* nicely; ~ *îți șade!* for shame!
frumusețe *s.f.* beauty; *de toată ~a* as fine as one could wish.
frumușel I. *adj.* nice, pretty. **II.** *adv.* gently.
fruntar *s.n.* head piece of the bridle.
fruntaș I. *s.m.* **1.** front ranker, topranker. **2.** *pol.* leader; ~ *al vieții publice* public man; ~ *la învățătură* proficient student / pupil; ~ *în producție* topranking worker. **II.** *adj.* **1.** frontranking. **2.** *(la învățătură)* proficient.
frunte *s.f.* **1.** forehead. **2.** *(cap, și fig.)* head. **3.** *fig.* (pik and) flower; *~a sus!* chin up!; *de* ~ prominent; frontranking; *în* ~ in the van; *în ~ cu...* foremost of whom...
frunzar *s.n.* **1.** bower, arbour, leafy roof, canopy of leaves. **2.** v. f r u n z i ș.
frunză *s.f.* leaf.
frunzăreală *s.f.* v. r ă s f o i a l ă.
frunzări *vt.* to leaf.
frunziș *s.n.* foliage.
frunzos *adj.* leafy.
frunzuliță *s.f.* leaflet.
frupt *s.n. de* ~ meat.
frust *adj.* **1.** worn, defaced. **2.** *fig.* rough, crude.
frustra *vt. a* ~ *de* to deprive of.
frustrare *psih., sociol.* frustration.
frustrație *s.f.* frustration.
ftalat *s.m. chim.* phtalate.
ftaleină *s.f.chim.* phtalein.
ftizic I. *adj. med.* phthisical, consumptive. **II.** *s.m. med.* consumptive.
ftizie *s.f.* phthisis.
ftiziolog *s.f. med.* phtisiologist.
ftiziologie *s.f. med.* phtisiology.
fucoid *s.f. paleont.* fucoid.
fucoxantină *s.f. biochim.* fucoxanthin.
fucsie *s.f. bot.* fuchsia.
fucsină *s.f. chim.* fuchsine.
fucus *s.m. bot.* Fucus, sea wrack, rock weed.
fudul I. *adj.* haughty, conceited; ~ *de-o ureche* hard of hearing. **II.** *adv.* haughtily, swaggering.
fuduli *vr.* to strut; *a se ~ cu* to take pride in.

fudulie *s.f.* pride, haughtiness; *fudulii de berbec* lamb fries.
fuegian, -ă *s.m., s.f. geogr.* Fuegian.
fufă *s.f. iht.* v. p l e v u ș c ă.
fuga *adv.* **1.** quickly, running. **2.** *interjecțional* be quick! hurry on! look sharp! make haste!
fugaci *adj.* swift-footed.
fugacitate *s.f.* **1.** *livr.* fugacity, evanescence, transience. **2.** *fiz.* fugacity.
fugar I. *s.m.* fugitive. **II.** *adj.* **1.** transient. **2.** *(la întâmplare)* casual, desultory.
fugasă *s.f. mil.* fougasse, small mine.
fugato *s.n. muz.* fugato.
fugă *s.f.* **1.** run, flight. **2.** *(cursă)* race. **3.** *(evadare)* escape; *din ~* in passing; *în fuga mare* at full speed; *în ~* huriedly; *pe ~* frugally.
fugări *vt.* to chase.
fughetă *s.f. muz.* fughetta.
fugi *vt.* **1.** to run, to race. **2.** *(a se grăbi)* to rush (along). **3.** *(a se refugia)* to run away. **4.** *(cu cineva)* to elope; *a ~ de* to flee (from), to shun; *a ~ ca un nebun / ca din pușcă* to run for one's life; to tear along; *fugi de-aici! (și fig.)* get along (with you)! *(nu se poate)* impossible!
fugitiv *adj.* **1.** fleeting. **2.** *(întâmplător)* casual.
fugpapier *s.n. tehn.* joint paper, tape.
fugui *vt. tehn.* to joint (edge of board etc.).
fuior *s.n.* **1.** tow; *(de cânepă)* hemp bundle; *(de in)* flax bundle. **2.** distaff.
fuituială *s.f. tehn.* tamping; *min.* (material for) filling up the mine holes.
ful *s.n. (la pocher)* full (house).
fula *vi. fiz., tehn.* to twist; *auto.* to work loose; to oscillate.
fular *s.n.* muffler.
fularda *vt. ind. text.* to size (cloth).
fulare *s.f. fiz., tehn.* twist(ing); *auto.* working loose; oscillation.
fulbe *subst. geogr.* Fulbe, Fula(h).
fuleu *s.n.* **1.** *sport* fast run(ning). **2.** stride. **3.** print, tread (of horse's hoof). **4.** *(vânătoare)* foil, spoor, slot, track (of game).
fulg *s.n.* **1.** flake. **2.** *puf* down. **3.** *(pană)* feather. **4.** *(de zăpadă și)* snow flake; *~i de ovăz* oatmeal, porridge; *ca ~ul* light as a feather.
fulgarin *s.n.* waterproof (coat), mac(kintosh).
fulger I. *s.n.* **1.** (flash of) lightning. **2.** *fig.* flash; *ca ~ul* at lightning speed. **II.** *adj.* express. **III.** *adv.* express.
fulgera I. *vt.* to thunder; *a ~ pe cineva (cu privirea)* to look daggers at smb., to mortify. **II.** *vi.* **1.** to lighten. **2.** *fig.* to flash (with anger etc.); *fulgeră* it lightens.
fulgerare *s.f.* **1.** *meteo.* lightning, fulguration. **2.** *med.* stroke.
fulgerător I. *adj.* quick, flashing. **II.** *adv.* at lightning speed, as quick as lightining.
fulgui *vt.* to snow lightly.
fulguială *s.f.* light snow(ing) with sparse / tiny flakes.
fulgurant *adj.* flashing, lightning.
fulgurație *s.f.* fulguration.
fulgurit *s.n. geol.* fulgurite.
fulie *s.f. bot.* poet's narcissus *(Narcissus poeticus).*
fulmicoton *s.n.* pyroxylin(e), gun cotton.
fulminant *adj.* fulminating.
fulminat *s.n. chim.* fulminate.
fulminați(un)e *s.f. chim.* fulmination.
fulminic *adj. chim.* fulminic (acid).
fultuitor *s.n. min.* tamping rod.
fum *s.n.* **1.** smoke. **2.** *(al sobei)* flue. **3.** *pl. fig.* conceit, airs and graces.
fuma *vi.* to smoke.
fumagină *s.f. bot.* fumagine.
fumar *s.n.* flue, chimney.
fumarază *s.f. biochim.* fumarase.
fumaric *adj. chim.* fumaric (acid).
fumarole *s.f. pl. geol.* fumaroles.
fumat *s.n.* smoking; *~ul oprit* no smoking.
fumăr(a)ie *s.f.* dense smoke.
fumărit *s.n. ist. României* tax on chimneys.
fumăriță *s.f. bot.* fumitory *(Fumaria).*
fumător *s.m.* smoker.
fumega *vi.* to smoke.
fumegând *adj.* smoking.
fumegos *adj.* **1.** smoking. **2.** steaming.
fumigant *s.m. chim.* fumigant.
fumigație *s.f.* fumigation.
fumigen *adj.* smoke-producing.
fumivor *s.n. tehn.* smoke absorber.
fumiza *vi.* to produce (artificial) smoke / a smoke-screen.
fumizare *s.f. mil.* smoke-screen (production).
fumoar *s.n.* smoking room.
fumuriu *adj.* smoky.
funambul, -ă *s.m., s.f. livr.* funambulist, tightrope walker.
funambulesc *adj. livr.* **1.** funambulatory. **2.** slapstick, grotesque (story etc.).
funciar *adj.* **1.** land(ed). **2.** *(fundamental)* fundamental. **3.** *(original)* innate.
funciarmente *adv.* **1.** essentially. **2.** originally.
functor *s.m. log.* functor.
funcție *s.f.* **1.** function. **2.** *(slujbă și)* job, position. **3.** *(rol și)* role, part; *~ de* varying with; *în ~ de* depending on.
funcționa *vi.* **1.** to function. **2.** *tehn.* to run, to work; *a nu ~* to be out of order.
funcțional *adj.* functional.
funcționalism *s.n. sociol., arh.* functionalism.
funcționar *s.m.* **1.** office worker. **2.** *(înalt)* office holder; *~ public* civil servant.
funcționare *s.f.* work(ing).
funcționăraș *s.m. peior. fam.* Jack-in-office.
funcționăresc *adj.* red tape...
funcționărește *adv. peior.* bureaucratically.
funcționărime *s.f.* the black coat class.
funcțiune *s.f.* function(ing).
fund *s.n.* **1.** bottom. **2.** *(spate și)* back(side), behind. **3.** *(adâncime și)* depth. **4.** *(de lemn)* trencher, platter. **5.** *(capăt și)* end. **6.** *(la pantaloni)* seat; *~ de provincie* the back of beyond, a poky hole; *din ~, în ~* (at the) back; *fără ~* bottomless.
funda *vt.* to found.
fundal *s.n.* background.
fundament *s.n.* foundation.
fundamenta *vt.* to ground.
fundamental *adj.* fundamental.
fundamentare *s.f.* substantiation.
fundare *s.f.* foundation.
fundarisi *vi. mar.* to cast, to drop the anchor.
fundaș *s.m.* (full) back.
fundație *s.f.* **1.** foundation. **2.** *(instituție și)* establishment.
fundă *s.f.* bow.
fundătură *s.f.* blind alley.
funduară *adj. înv.* concerning, partaining to (the land).
funduc *s.m.* Turkish gold coin (in the 18th century).
funducliu *s.m.* v. f u n d u c.
funebru *adj.* **1.** funeral. **2.** *muz.* funeral.
funeralii *s.f. pl.* obsequies.
funerar *adj.* funeral.
funest *adj.* ill-fated.
fungă *s.f. nav.* halyard, halliard.
fungi *s.m. pl. bot.* fungi.
fungibil *adj. jur.* fungible, interchangeable.
fungicid *s.n.* fungicide.
fungiform *adj. anat. etc.* fungiform.
fungistatic *adj., s.n.* fungistatic (agent).

funicul *s.n. biol.* funicle, funiculus.
funicular *s.n.* cable way.
funie *s.f.* **1.** rope. **2.** *(odgon)* cable.
funigei *s.m. pl.* gossamer.
funingine *s.n.* soot.
funt *s.m.* pound.
fura I. *vt.* **1.** to steal. **2.** *(a șterpeli)* to purloin, to filch. **3.** *(mărunțișuri)* to pilfer. **4.** *(o persoană)* to kidnap. **5.** *(a jefui)* to rob. **6.** *(a delapida)* to embezzle, to defalcate. **7.** *fig.* to bereave of. **8.** *(inima)* to captivate; *a ~ ca în codru* to take a sheet off a hedge; *a ~ la cântar* to give short weight; *m-a furat somnul* I fell asleep; *își fură ochii* it dazzles one. **II.** *vi.* to steal.
furaj *s.n.* fodder.
furaja *vt.* to forage, to fodder.
furajer *adj.* fodder...
furan *s.m. chim.* furan(e).
furat *s.n.* stealing; *de ~* stolen; *pe ~e* by fits and starts, at random; off and on.
furbură *s.f. med. vet.* founder, laminitis.
furcar *s.m. zool.* two-years old stag (with fork-like horns).
furcă *s.f.* **1.** (pitch)fork. **2.** *(de tors)* distaff. **3.** *(la telefon)* cradle.
furchet *s.n. nav.* rowlock.
furcoi *s.n.* big fork with two teeth.
furculiță *s.f.* fork.
furcuță *s.f.* **1.** small fork. **2.** part of the horse's hoof.
furda *s.f.* waste rubbish.
furfurol *s.n. chim.* furfural, furfurol(e).
furgon *s.n.* van.
furgonetă *s.f. auto.* delivery car / van; van.
furibund *adj.* frenzied, mad (with fury).
furie *s.f.* **1.** fury, rage. **2.** *(justificată)* wrath. **3.** *(violență)* violence. **4.** *(nebunie)* madness, frenzy.
furier *s.m. mil.* military clerk.
furios I. *adj.* furious, angry. **II.** *adv.* furiously.
furioso *adv. muz.* furioso.
furiș I. *adj.* stealthy. **II.** *adv. pe ~* surreptitiously.
furișa *vr.* to sneak (in / away).
furlandisi *vr. fam.* to do the swell.
furmint *s.m. bot.* **1.** variety of wine-grapes. **2.** wine made of them.
furnal *s.n.* furnace; *~ înalt* blast furnace.
furnalist *s.m.* furnace worker.
furnica I. *vt.* to tingle. **II.** *vi.* *(de)* to teem (with).
furnicar I. *s.m. zool.* ant eater *(Myrmecophaga).* **II.** *s.n.* **1.** ant hill. **2.** *fig.* multitude, host, crowd.
furnică *s.f.* **1.** ant. **2.** *pl.* *(furnicături)* pins and needles.
furnicătură *s.f.* itch.
furnir *s.n.* veneer.
furnirui *vt.* to veneer.
furnitură *s.f.* accessory material in tailoring.
furnituri *s.f. pl.* **1.** supplies. **2.** *(de croitor)* furnishings.
furniza *vt.* to supply, to furnish.
furnizor *s.m.* **1.** purveyor; supplier; *pl.* trades folk / people. **2.** *(al armatei)* army contractor.
furori *s.f. pl. a face ~* to be quite a sensation.
furou *s.n.* chemise, combination, AE slip.
fursecuri *s.n. pl.* fancy cakes.
furt *s.n.* **1.** theft. **2.** *(prin efracție)* burglary. **3.** *(mărunt)* larceny. **4.** *(fraudă)* defalcation. **5.** *fig.* plagiarism.
furtișag *s.n.* petty theft.
furtiv *adj.* furtive, stealthy.
furtun *s.n.* (water) hose.
furtunar *s.m. omit.* shearwater, puffin *(Puffinus puffinus).*
furtunatic *adj.* v. f u r t u n o s 2.
furtună *s.f.* **1.** tempest; *(cu descărcări electrice)* (thunder) storm. **2.** *(vânt)* hust of wind, gale. **3.** *fig.* commotion, unrest.
furtunos *adj.* **1.** stormy, tempestuous. **2.** *fig.* violent, vehement. **3.** *(puternic și)* loud.
furuncul *s.n.* boil.
furunculoză *s.f. med.* furunculosis.
fururà *s.f. constr.* filling, lining material.
fus *s.n.* spindle, axle; *~ orar* meantime zone.
fusar *s.m. iht.* **1.** species of blenny *(Blenniidae)* **2.** v. ț i p a r.
fuscel *s.m.* **1.** *text.* lease (bar), crossing / dividing rod. **2.** *(de scară)* rung / step of a ladder; step of a staircase. **3.** *arh.* fillet, ledge.
fusiform *adj.* fusiform, spindle-shaped.
fustanelă *s.f.* fustanella; kilt.
fustă *s.f.* **1.** skirt. **2.** *(jupon)* petticoat. **3.** *fig. și* bit of fluff.
fusulină *s.f. paleont.* fusulina.
fuștaș *s.m. ist., mil.* lancer (with "fuște").
fuște *s.f. mil. înv.* wooden spear with an iron point; lance.
futil *adj. livr.* futile, trivial, trifling; frivolous.
futilitate *s.n. livr.* futility.
futurism *s.n.* futurism.
futurist *s.m.* futurist.
futurolog *s.m.* futurologist.
futurologic *adj.* futurological.
futurologie *s.f.* futurology, future science, science of the future.
fuzant *adj. mil.* fusing; fuze.
fuzarioză *s.f. bot.* fusariosis, fusariose.
fuzel *s.m. chim.* fusel oil.
fuzelaj *s.n.* fuselage.
fuzen *s.n. geol.* v. f u z i t .
fuzetă *s.f. auto.* fusee.
fuzibil *adj.* fusible, liquefiable, *met.* smeltable.
fuzibilitate *s.f. chim., tehn.* fusibility.
fuziona *vi.* **1.** to fuse. **2.** *fig.* to merge.
fuzit *s.n. geol.* fusi(ni)te.
fuziune *s.f.* **1.** fusion. **2.** *fig.* merging.

G

G, g *s.m.* G, g, the ninth letter of the Romanian alphabet.
gabară *s.f. nav.* barge, hoy, lighter.
gabardină *s.f.* gabardine.
gabarit *s.n.* clearance diagram.
gabelă *s.f. ist. Franței* gabelle, salt tax / excise.
gabie *s.f. nav.* crow's nest, top.
gabier *s.m. nav.* topman.
gabion *s.n. mil., hidr. etc.* gabion.
gabro *s.n. mineral.* gabbro.
gabrovean *s.m. înv.* (Bulgarian) knife-maker and dealer.
gaci *s.m. pl. reg.* very large and long white trousers of the northwestern Transylvanian traditional costume.
gaci *s.n. chim.* paraffin oil.
gadină *s.f.* wild beast; monster.
gadoliniu *s.n. chim.* gadolinium.
gaeli *s.m. pl. ist.* Gaels.
gafă *s.f.* blunder; *a face o ~* to drop a brick.
gag *s.n. cin.* gag.
gagică *s.f. fam.* **1.** girl, teen-ager. **2.** mistress, paramour.
gagist *s.m. înv.* 1. *teatru* supernumerary actor, *fam.* super. **2.** *mil.* musician not on the strength.
gagiu *s.m. fam.* **1.** man, core. **2.** *rar* lover.
gagliarda *s.f.* **1.** galliard, gaillard, lively old Italian and French dance. **2.** tune of this dance.
gaiac *s.m. bot.* guayacan, guaiacum.
gaiacol *s.n. farm.* guayacan resin extract.
gaial *s.m. zool.* gayal, Indian ox *(Bibos frontalis).*
gaibarace, gaibe *s.f. pl. (picioare) fam. sl.* pegs, pins, trotters, props.
gaică *s.f.* (back)strap.
gaidă *s.f.* **1.** *muz.* bag pipe. **2.** *pl. fam.* v. g a i b a r a c ă.
gaie I. *s.f.* **1.** *ornit.* jackdaw *(Corvus monedula).* **2.** *ornit.* kite *(Milvus).* **II.** *adv.* clinging.
gaiță *s.f.* **1.** *ornit.* jay *(Garrulus glandarius).* **2.** *fig.* jabberer, clacker, rattler.
gaj *s.n.* **1.** pledge. **2.** *pl. (joc)* forfeits.
gal *s.m. ist.* Gaul.
galactic *adj. astr.* galactic.
galactometru *s.n. fiz.* (ga)lactometer, milk densimeter.
galactoree *s.f. med.* galactorrh(o)ea.
galactoză *s.f. chim.* galactose.
galalit *s.n. chim.* galalith.
galant I. *adj.* **1.** courteous. **2.** *(generos)* generous, liberal. **II.** *adv.* gallantly.
galantar *s.n.* shopwindow.
galanterie *s.f.* **1.** gallantry, courtesy. **2.** *(prăvălie)* haberdasher's, hosier's. **3.** *(obiecte de ~)* haberdashery; *(de bărbat)* men's haberdashery, AE notions; hosiery.
galanton *adj.* generous, large-handed.
galaonul *s.n.* **1.** men's lively folk dance current in Oltenia region. **2.** tune of this dance.
galaxie *s.f. astr.* galaxy.
gală *s.f. de ~* festive.
galb *s.n.* v. g a l b ă.
galbă *s.f. arh.* **1.** curve, curved contour. **2.** entasis (of column).
galben I. *s.m. ist.* ducat. **II.** *s.n. (culoare)* yellow. **III.** *adj.* **1.** yellow. **2.** *(palid)* pale. **3.** *(icteros)* jaundiced. **4.** *(blond)* fair, blond(e).
gale *s.f. pl. bot.* oak apples / nuts / plums / galls.
galenă *s.f. mineral.* lead glance, galena.
galenic *adj.* **1.** *ist., med.* Galenic. **2.** *farm.* galenical.
galenism *s.n. ist., med.* Galenism.
galenți *s.m., pl.* clogs.
galeră *s.f.* galley.
galerie *s.f.* **1.** gallery. **2.** *(de mină și)* drift, adit. **3.** *(suporteri)* suporters, fans. **4.** *(la sobă)* fender, fireguard.
galeș I. *adj.* languid. **II.** *adv.* lovingly.
galet *s.m.* **1.** *geol.* pebble. **2.** *tehn., text., el.* roller, runner, pulley, (rail) wheel.
galetamă *s.f. text.* genuine silk refuse obtained from dissolving faulty cocoons.
galic *adj.* Gallic, Gaulish; *acid ~* gallic acid.
galicanism *s.n. rel.* Gallicanism.
galicism *s.n.* Gallicism.
galiforme *s.f. pl. ornit.* Galliformes.
galimatie *s.f.* balderdash; jumble of nonsense.
galinacee *s.f. pl. ornit.* gallinaceae.
galion *s.n. poligr.* galley.
galiotă *s.f. nav.* gal(l)iot.
galiu *s.n. chim.* gallium.
galoman *s.m. livr.* Galloman(iac), Francophile.
galomanie *s.f. livr.* Gallomania, Francophilia.
galon *s.n.* **1.** braid. **2.** *pl.* stripes.
galonat *adj.* gallooned, laced.
galop *s.n.* gallop; *în / la ~* at a gallop.
galopa *vi.* to gallop.
galopadă *s.f. livr.* gal(l)opade, gallop race.
galopant *adj.* galloping.
galopare *s.f. tehn.* uneven functioning of an internal combustion engine.
galo-roman *s.m. ist.* Gallo-Roman.
galoș *s.m.* galosh.
galvanic *adj.* galvanic; *curent ~* galvanic current; *pilă ~ă* galvanic pile.
galvanism *s.n. fiz.* galvanism.
galvaniza *vt.* to galvanize.
galvanizare *s.f. ind.* galvanization, galvanizing.
galvanocauter *s.n. med.* galvanocautery.
galvanometric *adj. el.* galvano-metric.
galvanometru *s.n. el.* galvano-meter.
galvanoplastic *adj. el.* galvanoplastic, electrometallurgic.
galvanoplastie *s.f.* **1.** *ind.* galvanoplasty, electrodeposition; electroplating. **2.** *poligr.* electrotyping.
galvanoscop *s.n. el.* galvanoscope.
galvanostegic *adj. ind.* of or relating to galvanoplasty.
galvanostegie *s.f. ind.* electrodeposition, electroplating.
galvanostereotipie *s.f.* galvano / electrostereotypy.
galvanotehnică *s.f. el.* galvanotechnics.
galvanoterapie *s.f. med.* galvanotherapeutics, galvanotherapy.
galvanotipie *s.f. fiz.* galvanotypy.
gama *subst., adj.* gamma.
gamay beaujolais *bot.* variety of French wine.
gamă *s.f.* **1.** scale, gamut. **2.** *fig. și* range, assortment.
gambă *s.f. anat.* shank.

gambetă *s.f. odin.* bowler hat.
gambit *s.n. șah* gambit.
gambuzie *s.f. iht.* gambusia, topminnow *(Gambusia).*
gamelă *s.f.* mess kettle.
gametofit *s.m. bot.* gametophyte.
gameți *s.m. pl. biol.* gametes.
gamma *s.n.* gamma.
gammaglobulină *s.f. biochim., med.* gammaglobulin.
gamopetal *adj. bot.* gamopetalous.
gamosepal *adj. bot.* gamosepalous.
ganașă *s.f. zool.* lower jaw / jowl of animals.
gangă *s.f. mineral.* gang(ue).
ganglion *s.n.* ganglion.
ganglionar *adj. anat.* ganglionary, ganglionic.
ganglioplegic *s.n. farm.* preanesthetic drug.
gangrena *vt., vr.* to gangrene; to canker.
gangrenă *s.f.* gangrene.
gangrenos *adj.* gangrenous, gangrened.
gangster *s.m.* gangster.
gangsterism *s.n.* gangsterism, hooliganism.
ganoide *s.m. iht.* Ganodei, Ganoids.
gaolean *s.m.* sorghum *(Sorghum vulgare sacchartum).*
gara *vt. auto.* to garage.
garafă *s.f.* carafe.
garaj *s.n.* garage.
garant *s.m.* guarantor, surety, bail.
garanta *vt., vi.* to guarantee, to warrant.
garantat I. *adj.* guaranteed, vouchsafed. **II.** *interj.* for sure!
garantism *s.n.* Fourierism, associationism.
garanță *s.f. bot.* dyer's madder *(Rubia tinctorum).*
garanție *s.f.* **1.** guarantee. **2.** *(gaj și)* security. **3.** *(cauțiune)* bail.
garanțină *s.f. chim.* garancin(e).
gară *s.f.* (railway) station.
gard *s.n.* **1.** fence. **2.** *(uluci)* paling. **3.** *(zid)* wall. **4.** *(viu)* hedge. **5.** *sport* hurdle.
gardaman *s.n. nav.* protection leather glove used when sewing sails.
gardă *s.f.* **1.** guard. **2.** *(pază și)* watch; ~ *personală* body guard; *de* ~ on duty.
gardenie *s.f.* gardenia *(Gardenia).*
garden-party *s.f.* garden-party.
garderob *s.n.* clothes press.
garderobă *s.f.* **1.** cloakroom. **2.** *(haine)* wardrobe.
garderobier *s.m.*, garderobieră *s.f.* cloakroom attendant.
gardian *s.m.* **1.** guard(ian). **2.** *(polițist)* policeman.
gardină *s.f.* chime.
gardist *s.m. odin.* policeman; (police) constable, *fam.* bobby; *pop.* cop(per).
garf *s.n.* spare rib.
gargară *s.f.* gargle.
gargarisi *vr.* to gargle (one's throat).
gargui *s.n. arh.* gargoyle.
garlin *s.n. nav.* line, cable.
garmond *s.n. poligr.* small pica.
garnetă *s.f. ind.* garnet hinge.
garnierit *s.n. mineral.* garnierite.
garnisaj *s.n. hidr.* torrent bed lining.
garnisi *vt.* to garnish.
garnitură *s.f.* **1.** *(de unelte etc.)* set. **2.** *(culinară)* garnish(ing). **3.** *(podoabe)* adornment. **4.** *ferov.* train. **5.** *tehn.* fittings; ~ *de mobilă* furniture set.
garniță *s.f.* can; *(pt. lapte)* milk can.
garnizoană *s.f.* garrison.
garoafă *s.f. bot.* carnation, pink *(Dianthus).*
garofiță *s.f. bot.* **1.** Carthusian pink *(Dianthus Carthusianorum).* **2.** China pink *(Dianthus chinensis).* **3.** cottage / garden pink *(Dianthus phumanius).*
garou *s.n. med.* garrot, tourniquet.
garriga *s.f. geogr.* garrigue.
garson *s.m.* boy, waiter; *tunsă* ~ with an Eten crop.
garsonieră *s.f.* one room / studio flat.
gasparcolor *s.n. foto.* method in photography.
gasteropode *s.n. pl. zool.* gastropods, gasteropoda.
gastralgie *s.f. med.* gastralgia, stomach pains.
gastrea *subst. paleont.* gastr(a)ea.
gastrectomie *s.f. med.* gastrectomy.
gastric *adj. anat.* gastric; *suc* ~ gastric juice.
gastrită *s.f. med.* gastritis, inflamation of the stomach.
gastroenterită *s.f. med.* gastro-enteritis.
gastroenterologie *s.f. med.* gastro-enterology.
gastrofiloză *s.f. med.* gasterophilosis.
gastrointestinal *adj.* gastro-intestinal.
gastrologie *s.f.* gastrology.
gastronom I. *adj.* gastronomical. **II.** *s.m.* gastronome(r); gourmet.
gastronomic *adj.* gastronomical.
gastronomie *s.f.* gastronomy.
gastroscop *s.n.* gastroscope.
gastroscopie *s.f.* gastroscopy.
gastrotomie *s.f.* gastrotomy.
gastrulație *s.f. biol.* gastrulation.
gastrulă *s.f. biol.* gastrula.
gașcă *s.f.* coterie.
gata I. *adj.* **1.** finished, ready. **2.** ready, prepared; ~ *de bătaie* game (for the battle); *de* ~ ready-made. **II.** *adv.* ready, finished.
gater *s.n. tehn.* frame / reciprocating saw; saw-mill.
gaucho *s.m. geogr.* gaucho.
gauleiter *s.m. ist.* gauleiter.
gaur *s.m. zool.* gaur, Indian ox *(Bibos gaurus).*
gaură *s.f.* **1.** hole, aperture. **2.** *(cavitate)* cavity, hollow. **3.** *(loc gol)* gap; *gaura cheii* keyhole.
gauss *s.m. fiz.* gauss.
gavanos *s.n. înv.* (enamelled clay) jar used for storing jam, fat etc.
gavial *s.m. zool.* gavial, ghanial *(Gavialis gangeticus).*
gavotă *s.f.* gavotte.
gayac v. g a i c a c.
gaz *s.n.* **1.** gas. **2.** *med.* wind. **3.** *text.* gauze. **4.** *(petrol)* kerosene; ~ *aerian* coal gas; ~ *de mină* fire damp; ~*(e) lacrimogen(e)* tear gas; ~*metan* methane gas; ~ *otrăvitor* poison gas.
gaza *vt.* to gas.
gazare *s.f. mil.* gasification.
gazbeton *s.n. constr.* gas concrete.
gazdă *s.f.* **1.** host; *fem.* hostess. **2.** *(proprietar)* landlord; *fem.* landlady.
gazeificare *s.f.* v. g a z i f i c a r e.
gazel *s.n. lit.* g(h)azel.
gazelă *s.f. zool.* gazelle.
gazetar *s.m.* journalist.
gazetă *s.f.* (news)paper.
gazetăraș *s.m. peior.* inkslinger, inkster, dotter.
gazetăresc *adj.* journalistic.
gazetărie *s.f.* journalism.
gazeu *s.n. text.* gauze, butter muslin.
gazi *s.m. ist.* **1.** participant in a military foray against non-Moslemis. **2.** honorary title of such a person.
gazifica *vt.* to gasify.
gazificare *s.f. fiz.* gasification.
gazifier *adj.* gas-making.
gazogen *adj.* gas-producing.
gazolină *s.f. chim.* gasolene.
gazometru *s.n.* **1.** *tehn.* gasometer. **2.** *(rezervor de gaz)* gas tank.
gazon *s.n.* turf, sod.
gazona *vt.* to (cover with) turf.
gazos *adj.* gaseous.
gazotron *s.n. ind.* gasotron, gas-filled rectifier.
găbji, găbui *vt. pop.* to seize.

găgăușă *s.f.* ninny, milksop.
găgăuz *s.m. geogr.* Orthodox Turk in Dobrudja or South Bessarabia.
găina *vr.* to mute.
găinar *s.m.* pilferer.
găinaț *s.n.* droppings.
găină *s.f.* hen.
găinărie *s.f.* pilfering.
găiniță *s.f. bot.* star-of-Bethlehem *(Ornithogalum).*
găinuță *s.f. ornit.* **1.** hazel hen *(Bonasia silvestris).* **2.** blackgame *(Tetrao tetrix).* **3.** ~ *(de baltă)* gallinule *(Gallinula).*
găitan *s.n.* braid; *pl.* passementerie.
gălăgie *s.f..* **1.** noise, hubbub. **2.** *(scandal)* racket.
gălăgios *adj.* noisy, riotous.
gălbează *s.f.* **1.** *vet.* sheep pox. **2.** *bot.* liverworts *(Hepaticae).*
gălbejală *s.f.* pallor, paleness, sickliness, wanness.
gălbeji *vr.* **1.** to turn yellow. **2.** *(a păli)* to grow pale; *(a slăbi)* to waste away.
gălbejit *adj.* **1.** wan, colourless. **2.** *(icteros)* jaundiced.
gălbeneală *s.f.* pallor.
gălbenele *s.f. pl. bot.* **1.** crawfoot *(Ranunculus).* **2.** marigold *(Calendula).* **3.** chantarelle *(Cantharellus cibarius).*
gălbenuș *s.n.* yolk (of egg).
gălbinare *s.f.* jaundice.
gălbior *adj.* **1.** yellowish **2.** *(blond)* fair.
gălbui *adj.* yellowish.
găleată *s.f.* pail, bucket.
găligan *s.m. fam.* strapper; *(lungan) fam.* lamp post.
găluscă *s.f.* **1.** dumpling. **2.** *(de carne și)* meat ball.
găman I. *adj.* gluttonous, greedy, ravenous. **II.** *s.m. fam.* glutton, *pop.* greedy guts / hog.
gămălie *s.f.* (pin) head.
găoace *s.f.* (egg)shell.
gărdinar *s.n.* crozer, notcher.
gărdurariță *s.f. bot.* matrimony vine, lycium *(Lycium halimifomium).*
gărgăriță *s.f. entom.* **1.** corn weevil *(Calandra Granaria).* **2.** grain moth *(Tinea granella).* **3.** lady bird, lady-bug *(Coccinella)*; ~ *fructelor* fruit weevil *(Rhynchites bacchus);* ~ *neagră / de bucate* v. ~ 1.
gărgăun *s.m.* **1.** hornet. **2.** *pl. fig.* maggots.
găselniță *s.f.* **1.** *entom.* bee-moth *(Galleria melonella).* **2.** *fig.* happy / lucky discovery / solution / find.
găsi I. *vt.* **1.** to find. **2.** to discover, to find out. **3.** *(a întâmpina)* to meet with. **4.** *(a gândi)* to think; *ce l-o fi ~t? fig.* what has come upon him?; *bine te-am ~t* I am glad to see you well. **II.** *vr.* **1.** to be (situated), to lie. **2.** *(a se pomeni)* to find oneself. **3.** *(a fi disponibil)* to be found; *se găsește destul* there is enough; *de ~t* available.
găsire *s.f.* finding etc. v. g ă s i.
găsit *s.n.* **1.** *de* ~ accidentally discovered, easly gained. **2.** *bun ~!* (greeting formula) glad to find you well! hail-fellow-well-met!
găsitor *s.m.* finder.
găta *vb.* v. g ă t i I 3.
găteală *s.f.* ornament.
găteje *s.n. pl.* faggots.
găti I. *vt.* **1.** to cook. **2.** *(a îmbrăca)* to dress up. **3.** *(a termina)* to finish, to end. **II.** *vi.* to cook. **III.** *vr.* to get ready; to dress (up).
gătire *s.f.* cooking etc. v. g ă t i.
gătit I. *s.n.* cooking. **II.** *adj.* dressed (up).
găunos *adj.* hollow.
găunoși I. *vt.* to hollow out. **II.** *vr.* to grow hollow.
găunoșitură *s.f.* hollow.
găurele *s.f. pl. text.* open lacework.
găuri I. *vt.* **1.** to pierce. **2.** *(a perfora)* to drill. **II.** *vr.* **1.** to be torn / pierced. **2.** *(d. ciorapi)* to hole.
găurire *s.f.* piercing etc. v. g ă u r i; perforation.
găurit *adj.* **1.** pierced etc. v. g ă u r i. **2.** full of holes, holey.
găvan *s.n.* **1.** hollow, cavity. **2.** *anat.* eye socket. **3.** wooden bowl. **4.** skimmer, ladle.
găzar *s.m.* kerosene vendor.
găzărie *s.f.* oil pump.
găzdui *vt.* **1.** to house. **2.** *fig.* to play host to.
găzduire *s.f.* accomodation.
gâde *s.m. înv.* v. c ă l ă u 1.
gâdila I. *vt.* to tickle. **II.** *vr.* to be ticklish.
gâdilătură *s.f.* tickle, tickling.
gâdilicios *adj.* ticklish.
gâdilitor *adj.* tickling, titillating.
gâfâi *vi.* to pant, to breathe hard.
gâfâitor *adj.* panting.
gâgâi *vi.* to gaggle.
gâgâit *s.n.* cackle, gaggle.
gâgâlice *s.f.* mite.
gâl *interj.* cluck!
gâlcă *s.f.* **1.** wen. **2.** *pl.* tonsils. **3.** *med.* quinsy.
gâlceavă *s.f.* feud, discord.
gâlcevi *vr.* to (have a) quarrel, to argue, to altercate; to brawl, to squabble, to (have a) row.
gâlcevire *s.f.* quarrel(ling).
gâlcevitor *adj.* quarrelsome.
gâlgâi *vi.* to gurgle.
gâlgâit *s.n.* gurgling.
gâlgâitor *adj.* gurgling.
gâlgâitură *s.f.* gurgle; bubble; babble.
gâlmă *s.f.* **1.** hillock. **2.** v. g â l c ă 1.
gând *s.n.* **1.** thought. **2.** *(idee)* idea. **3.** *(intenție)* intention. **4.** *(părere)* opinion. **5.** *(gândire)* thinking. **6.** *(închipuire)* imagination. **7.** *pl. (griji)* worry, anxiety; *un ~ bun* kindness; a brainwave; *~uri negre* low spirits; *în* ~ in one's mind; *nici* ~ nothing of the kind; *pe ~uri* wrapped / lost in thoughts.
gândac *s.m.* **1.** beetle. **2.** *(de bucătărie)* cockroach.
gândăcel *s.m.* **1.** beetle. **2.** *(copil)* dandiprat.
gândi I. *vt.* to think, to consider. **II.** *vi.* to think (over smth.), to reflect. **III.** *vr.* **1.** to think. **2.** *(a medita)* to ponder (over smth.). **3.** *(a-și închipui)* to imagine, to fancy; *a se~ să* to intend to; *la ce te gândești?* a penny for your thoughts; *nici nu mă gândesc* it doesn't even occur to me; *a se ~ bine* to think hard / twice.
gândire *s.f.* **1.** thinking. **2.** *(gând)* thought, idea.
gândirism *s.n. filoz.* ideological and political movement in inter-war Romania, revolving around the *Gândirea* magazine.
gândit *adj.* thought out, (well-) considered.
gânditor I. *s.m.* thinker. **II.** *adj.* pensive.
gângav *adj.* lisping, stammering.
gângăveală *s.f.* stammering.
gângăvi *vi., vt.* to stutter, to stammer.
gângăvit I. *adj.* v. g â n g a v. II. *s.n.* stuttering, stammering.
gânguri *vi.* **1.** to babble. **2.** *(d. porumbei)* to coo.
gângurit *s.n.* **1.** babbling. **2.** *(de porumbei)* cooing.
gânj *s.n.* bast rope.
gânsac *s.m. ornit.* gander.
gârbaci *s.n.* whip.
gârbiță *s.f. rar* v. g r e a b ă n.
gârbov(it) *adj.* stooping.
gârbovi *vr.* to stoop.
gârgâr *s.n. (pescuit)* ring-shaped fishing tool.
gârlă I. *s.f.* stream, river. **II.** *adv.* galore.
gârlici *s.n.* **1.** entrance; mouth / opening of a cellar. **2.** neck of a bottle.

gârliță *s.f. ornit.* white-fronted goose *(Anser albifrons).*
gârniță *s.f. bot.* Hungarian oak *(Quercus frainetto / conferta).*
gârnițet *s.n.* forest of Hungarian oak *(Quercus frainetto).*
gâscan *s.m.* gander.
gâscar *s.m.* gooseherd.
gâscariță *s.f. bot.* wall cress *(Arabis).*
gâscă *s.f.* goose.
gâsculiță *s.f.* **1.** gosling. **2.** *fig.* silly girl.
gât *s.n.* **1.** neck. **2.** *(beregată)* throat. **3.** *(dușcă)* draught, sip. **4.** *(guler)* collar; *până în ~* up to the teeth.
gâtar *s.n.* neck strap.
gâtlan *adj. bot.* species of plums, elongated at one end.
gâtlej *s.n.* throat.
gâtui *vt.* to throttle.
gâtuire *s.f.* **1.** throttling; stranglehold, strangulation. **2.** *(în producție)* bottleneck. **3.** *tehn.* narrowing of a section.
gâtuitor *s.n.* a tool used in operations of narrowing through forging.
gâtuitură *s.f.* the narrow part of a tool / object.
gâză *s.f.* flying insect.
geaba *adv. pop.* **1.** in vain, vainly. **2.** for nothing, gratis.
gealat *s.n.* **1.** *peior.* stout (and violent) man, hoodlum. **2.** *înv.* executioner. **3.** *fam.* policeman, thug.
gealǎ *s.f. min.* jar.
gealău *s.n.* trying / long plane.
geam *s.n.* window (pane); *(afară) pe ~* out of the window.
geamandură *s.f.* buoy.
geamantan *s.n.* **1.** suitcase; valise. **2.** *(cufăr)* trunk.
geamăn I. *s.m.* twin brother. **II.** *adj.* twin.
geamăt *s.n.* groan, sigh.
geambaș *s.m.* (horse) coper.
geamblac *s.n. min.* crownblock.
geamgiu *s.m.* glazier.
geamie *s.f.* mosque.
geamlâc *s.n.* bay window.
geamparale *s.f. pl.* **1.** castanets, *fam.* bones. **2.** *fam.* trill. **3.** lively Romanian folk tune.
geană *s.f.* **1.** eyelash. **2.** *(de lumină)* streak.
geantă *s.f.* **1.** bag. **2.** *(de damă și)* handbag. **3.** *(servietă și)* portofolio. **4.** *auto.* rim; *pe ~ fig.* on the rocks.
geanticlinal *s.n. geol.* geanticline.
gel *s.n. chim., fiz.* gel.
gelatină *s.f.* **1.** gelatine. **2.** *(prăjitură)* jelly.
gelatiniza *vt., vr.* to gelatinate, to gelatinize.
gelatinizare *s.f.* gelatin(iz)ation.
gelatinos *adj.* jelly-like, gelatinous.
gelep *s.m. ist.* Levantine cattle trader in the Middle Ages.
gelificare *s.f.* **1.** *tehn.* jellification, gellification, gelling. **2.** v. g e l a t i n i z a r e.
geliv *adj. geol.* frost-cleft, frost-riven.
gelivație *s.f. geol.* congelifraction, frost weathering (of rocks).
gelivitate *s.f. geol.* gelivity, liability to crack (through frost).
gelivură *s.f. geol.* frost crack, cleft (in stone, earth); heart shake (in wood).
gelos *adj.* **1.** *(pe)* jealous (of smb.). **2.** *(pizmaș și)* envious (of smb.).
geloză *s.f. biochim.* gelose, agar-agar.
gelozie *s.f.* jealousy.
gelui *vt.* to plane.
gem *s.n.* jam.
gemă I. *adj. fem. sare ~* rock / common salt. **II.** *s.f.* gem.
gemănariță *s.f. bot.* orchis *(Orchis).*
geme *vi.* to groan; *a ~ de lume* to be packed with people.
geminat *adj. biol.* geminate, twin.
geminație *s.f. lingv.* gemination.
gemulă *s.f. zool., bot., biol., anat.* gemmula.
gemut *s.n.* moaning, groaning.
gen I. *s.n.* **1.** kind, sort. **2.** *(manieră)* manner, style. **3.** *gram.* gender. **4.** *(ramură)* genre; *~ul dramatic* the drama; *de ~* genre...; *în ~ul ăsta* like this. **II.** *prep.* like.
genă *s.f. biol.* gene.
genealogic *adj.* genealogical.
genealogie *s.f.* genealogical table.
genera *vt.* to generate.
general I. *adj.* general; *(comun)* common. **II.** *s.m, s.n.* general(s); *de la particular la ~* from particulars to generals; *în ~* in general.
generalism *s.m. mil.* generalissimo.
generalitate *s.f.* generality.
generaliza I. *vt., vi.* to generalize. **II.** *vr.* to become general.
generalizare *s.f.* **1.** generalization. **2.** *(răspândire și)* spreading.
generalizator *adj.* generalizing.
generalmente *adv.* generally (speaking), on the whole, as a rule.
generare *s.f.* engendering etc. v. g e n e r a.
generatoare *s.f. geom.* generatrix.
generator I. *s.n.* generating set. **II.** *adj.* generating.
generație *s.f.* generation.
genere *s.n. în ~* roughly speaking.
generic I. *s.n. cin.* main titles. **II.** *adj.* generic.
generos I. *adj.* **1.** generous, liberal. **2.** *(nobil)* noble-hearted. **II.** *adv.* generously, liberally.
generozitate *s.f.* **1.** generosity. **2.** *(noblețe)* kindness.
genetic *adj.* genetic.
genetică *s.f.* genetics.
genetician *s.m. med.* geneticist.
geneză *s.f.* genesis.
genezic *adj.* of or relating to genesis.
genial I. *adj.* brilliant, of genius, geniuslike. **II.** *adv.* brilliantly.
genialitate *s.f.* genius.
genist *s.m.* sapper.
genital *adj.* genital.
genitiv *s.n.* genitive.
genitival *gram.* **I.** *adj.* genitival. **II.** *adv.* as a genitive.
genitoare *s.f.* dam.
genitor *s.m. zool.* sire.
geniu *s.n.* **1.** genius. **2.** *mil.* engineers.
genocid *s.n.* genocide.
genol *s.n. foto.* metol.
genom *s.n. biol.* genome.
genotip *s.n. biol.* genotype.
gentianacee *s.f. pl. bot.* Gentianaceae.
gentil I. *adj.* **1.** kind. **2.** *(drăguț)* nice. **II.** *adj.* courteously.
gentilețe *s.f.* kindness, courteousness.
gentilic *adj.* tribal.
gentilom *s.m.* gentleman.
gentleman *s.m.* gentleman.
gențiană *s.f. bot.* gentian *(Gentiana).*
genuflexiune *s.f.* genuflexion.
genuin *adj. livr.* genuine, authentic, real.
genunchi *s.m.* knee; *în ~* on one's bended knees; *până la ~* knee-deep.
genunchieră *s.f.* knee cap.
genune *s.f.* abyss, chasm.
geobotanică *s.f.* geobotany, phytogeography.
geocarpie *s.f. bot.* geocarpy.
geocentric *adj. astr.* geocentric.
geocentrism *s.n.* geocentricism.
geochimie *s.n.* geochemistry.
geochimist *s.m.* geochemist.
geocriologie *s.f.* geocryology.
geocronologie *s.f.* geochronology.
geodă *s.f. geol.* geode, druse.
geodez *s.n.* geodesist, surveyor.
geodezic *adj.* geodetic.
geodezie *s.f.* survey.
geofită *adj., s.f. bot.* geophyte.
geofizic *adj.* geophysical.
geofizică *s.f.* geophysics.
geofizician *s.m.* geophysicist.
geofon *s.n. ind.* geophone.

geofotogrammetrie *s.f.* geophotogrammetry.
geogenic *adj.* of or relating to geogeny.
geogenie *s.f.* geogeny.
geognozie *s. f.* geognosy.
geograf *s.m.* geographer.
geografic *adj.* geographical.
geografie *s.f.* geography.
geoid *s.n.* geoid.
geoizotermă *s.f. geogr.* geoisotherm, isogeotherm.
geolog *s.m.* geologist.
geologic *adj.* geological.
geologie *s.f.* geology.
geomagnetic *adj. geogr., fiz.* geomagnetic.
geomagnetism *s.n. geogr., fiz.* geomagnetism.
geometric *adj.* geometrical.
geometrie *s.f.* geometry; ~ *în spațiu* solid geometry; ~ *plană* plane geometry.
geometru *s.m.* geometrician.
geomorfolog *s.m. geogr.* geomorphologist.
geomorfologic *adj. geogr.* geomorphologic(al).
geomorfologie *s.f.* geomorphology.
geopolitică *s.f.* geopolitics.
georgian *s.m., adj.* Georgian, Grusinian.
Georgicele *s.f. pl. lit.* the Georgics.
geosferă *s.f. geogr.* geosphere.
geosinclinal *s.n. geol.* geosyncline.
geostaționar *adj. astr.* geostationary, synchronous.
geotectonic *s.f., adj.* geotectonic.
geotehnică *s.f.* geotechnics.
geotermal *adj.* geothermal.
geotermic *adj.* geothermic, geothermal.
geotermie *s.f.* geothermics.
geotropism *s.n. biol.* geotropism.
gepizi *s.m.* Gepidae.
ger *s.n.* frost.
gera *vt.* to manage / run (a hotel etc.).
geraniacee *s.f. pl. bot.* Geraniaceae.
geraniol *s.n. chim.* geraniol.
geranium *s.n. bot.* geranium, crane's bill.
gerant I. *adj.* managing. **II.** *s.m.* manager, director, gerant; managing director.
Gerar *s.m. pop.* January, *înv.* wolf month.
geriatrie *s.f. med.* geriatrics, gerontology.
german *s.m., adj.*, **germană** *s.f., adj.* German.
germanic *adj.* Germanic.
germanism *s.n.* Germanism; German phrase / idiom.
germanist *s.m.* Germanist, Germanic scholar.
germanistică *s.f.* Germanic philology.
germaniu *s.n. chim.* germanium.
germen *s.m.* embryo; *în ~e* in the bud.
germicid I. *adj.* germicidal. **II.** *s.m.* germicide.
germina *vi.* to germinate.
germinare *s.f.* germination.
germinativ *adj. biol.* germinative, germinal.
germinator *s.n.* germinator.
germinație *s.f.* v. g e r m i n a r e.
gerontocrație *s.f.* gerontocracy.
gerontologie *s.f.* gerontology.
geros *adj.* frosty.
gerui *v. impers.* to be freezing / frosty.
geruială *s.f.* frosty weather.
gerundiv *s.n. gram.* *(în limba latină)* gerundive; *(în limba engleză)* gerund.
gerunzial *adj. gram.* participial.
gerunziu *s.n.* present / indefinite participle.
gerusia *s.f. ist.* ger(o)usia.
gest *s.n.* gesture.
gestaltism *s.n. filoz.* gestaltism, Gestalt philosophy.
gestanță *adj.* in / with calf.
gestație *s.f.* pregnancy.
gestică *s.f.* gestures and motions used by an actor during his performance.
gesticula *vi.* to gesticulate.
gesticulație *s.f.* gesticulation.
gestionar *s.m.* administrator.
gestiune *s.f.* financial administration.
gestoză *s.f. med.* gestosis.
get *s.m.* Geta.
get-beget *adj.* true-born.
getic *adj.* Getic.
getinax *s.n. ind.* impregnated paper used as insulating material.
geto-daci *s.m. pl. ist.* G(a)eto-Dacians.
getter *s.m. chim.* getter.
getuli *s.m. pl. ist.* Getulians.
geți *s.m. pl.* Getae.
gheară *s.f.* claw; *ghearele morții* the jaws of death.
gheată *s.f.* **1.** boot. **2.** *(pantof)* shoe.
gheață *s.f.* **1.** ice. **2.** *(grindină)* hail; *la* ~ iced; *ca gheața* icy; *bani* ~ ready money, cash.
gheb *s.n.* hump.
ghebă *s.f.* typically Romanian traditional long and large overcoat made of thick woolen cloth.
ghebe *s.f. pl. bot.* honey agaric *(Armilaria mellea).*
ghebos *adj.* humpbacked.
ghebosa *vr.* to stoop.
ghebosat *adj.* **1.** stooping, bent, round-shouldered. **2.** v. g h e b o s.
gheenă *s.f. rel.* bottomless pit.
gheiță *s.f.* geisha.
gheizer *s.n.* geyser.
gheizerit *s.n. geol.* geyserite.
ghem *s.n.* **1.** ball. **2.** *(de ață)* clew.
ghemotoc *s.n.* crumpled paper.
ghemui I. *vt.* to roll up. **II.** *vr.* to crouch.
ghepard *s.m. zool.* hunting leopard, sheetah *(Felis jubata).*
gherdan *s.n.* beads, necklace, chain.
gherdapuri *s.n. pl.* rapids, cataracts.
gheretă *s.f.* **1.** lodge. **2.** *mil.* sentry box. **3.** *(chioșc)* booth.
gherghef *s.n.* tambour.
gherghin *s.m. bot.* hawthorn, white thorn; may (tree) *(Crataegus).*
gherghină *s.f. bot.* dahlia, georgine *(Dahlia).*
gheridon *s.n.* guerdon.
gherlă *s. f.* prison, *fam.* quod.
ghermea *s.f. constr.* wooden dowel.
ghes *s.n. a da ~ (cu dat.)* to urge, to goad.
gheșeft *s.n. fam.* business; bargain; sell, take-in; swindling business, swindle; *(speculă) fam.* spec; speculation.
gheșeftar *s.m. fam.* dishonest dealer; wind bag, jackal.
ghetou *s.n.* ghetto.
ghetre *s.f. pl.* spats.
ghetuță *s.f.* child's boot / shoe.
ghețar I. *s.m.* **1.** glacier. **2.** *(aisberg)* iceberg. **II.** *s.n.* ice box, fridge.
ghețărie *s.f.* ice house.
ghețos *adj.* icy.
ghețuș *s.n.* **1.** ice (tract). **2.** *(polei)* glazed frost.
ghiaur *s.m.* giaour.
ghibelini *s.m. pl.* Ghibellines.
ghiboră *s.m. iht.* v. g h i g o r ă.
ghici I. *vt.* **1.** to guess. **2.** *(a prezice)* to predict. **3.** *(a simți)* to feel. **4.** *(gândurile etc.)* to read. **II.** *vi.* to tell fortunes. **III.** *vr.* to be sensed / guessed.
ghicit *s.n.* guesswork, guessing; *pe ghicite* by guesswork; *(ca joc)* handy-dandy.
ghicitoare *s.f.* **1.** riddle (me-ree), puzzle. **2.** *(glumă)* conundrum. **3.** *fig.* enigma. **4.** *(prezicătoare)* fortune teller; *(în cafea)* cup tosser.

ghicitor *s.m.* fortune teller.
ghid I. *s.m.* guide. **II.** *s.n.* guide (book).
ghida I. *vt.* to guide. **II.** *vr.* to be guided (by smth.), to take as a guide.
ghidaj *s.n. tehn.* guiding.
ghidon *s.n.* handlebar.
ghidran *s.m. zool.* English-Arab horse breed.
ghidrin *s.m. iht.* stickle back *(Gasterosteus aculeatus).*
ghidropă *s.f. av.* guide / trail rope, drag.
ghiduș I. *s.m.* wag, sport. **II.** *adj.* merry, funny.
ghidușar *s.m.* v. g h i d u ș II.
ghidușie *s.f.* joke; farce, practical joke, prank.
ghiftui I. *vt.* to satiate, to cloy, to surfeit. **II.** *vr.* to gormandieze, to gorge (on smth.).
ghigoră *s.m. iht.* pope, ruff, black-tail *(Acerina cernua).*
ghildă *s.f. ist.* guild.
ghileală *s.f.* white, *rar* ceruse.
ghili *vt. (a înălbi) (reg.)* to bleach.
ghilimele *s.f. pl.* **1.** inverted commas. **2.** *(pt. repetiție)* ditto marks; *a deschide ~le* to quote; *a închide ~le* to unquote.
ghiloș *s.n. tehn.* rose-engine ornamentation, chequering.
ghiloșa *vt.* to guilloche, to chequer, to ornament with guilloches.
ghilotina *vt.* to guillotine.
ghilotină *s.f.* guillotine.
ghimbir *s.m. bot.* ginger, zingiber *(Zingiber officinale).*
ghimirlie *s.f.* **1.** bow / fret saw. **2.** hovel, shanty.
ghimpariță *s.f. bot.* thorn grass / weed *(Crypsis aculeata).*
ghimpat *adj.* **1.** spiked. **2.** *(d. sârmă)* barbed.
ghimpe *s.m.* **1.** thorn. **2.** *zool.* spine. **3.** *bot.* thistle.
ghimpos *adj.* **1.** *(d. plante)* thorny, prickled, prickly. **2.** *(d. arici etc.)* spiny. **3.** *fig.* biting, ironical. **4.** harsh, cruel.
ghin *s.n.* **1.** croze(r). **2.** pickaxe, AE (pick) mattock.
ghindă *s.f.* **1.** acorn. **2.** *(la cărți)* clubs.
ghindură *s.f. anat. pop.* **1.** tonsil. **2.** ganglion. **3.** glandule.
ghinion *s.n.* bad luck, hoodoo.
ghinionist I. *s.m.* unlucky man. **II.** *adj.* unlucky.
ghint *s.n.* **1.** (screw) thread. **2.** (groove of) rifling.
ghintui *vt.* **1.** to groove; to thread. **2.** to rivet, to nail, to stud, to tack.
ghintuit *adj.* **1.** rifled. **2.** nailed, studed.
ghinț *s.n.* boot tree, last.
ghințură *s.f. bot.* **1.** crosswort *(Gentiana cruciata).* **2.** yellow gentian *(Gentiana lutea).*
ghioagă *s.f.* club, mace.
ghioc[1] *s.n.* cowrie(shell).
ghioc[2] *s.m.* **1.** *bot.* v. d i o c. **2.** *bot.* cornflower *(Centaurea cyanus).*
ghiocel *s.m. bot.* snowdrop *(Galanthus nivalis).*
ghiol *s.n.* lake.
ghionder *s.n.* raft pole.
ghionoaie *s.f. ornit.* woodpecker *(Picus).*
ghionoi *s.n. min.* pick.
ghiont *s.m.* nudge, dig (in the rib).
ghionti *vt.* to nudge.
ghiordel *s.n. nav.* bucket.
ghioră *interj.* glub!
ghiorăți *vi.* v. c h i o r ă i.
ghioșă *s.f. tehn.* rose-engine tool.
ghiotură *s.f. cu ghiotura* galore.
ghiozdan *s.n.* satchel, bag.
ghips *s.n.* gypsum, plaster (of Paris).
ghipsotecă *s.f.* v. g i p s o t e c ă.
ghircă *s.f. bot.* hard / Algerian wheat *(Triticum durum).*
ghirlandă *s.f.* garland, wreath.
ghișeu *s.n.* **1.** window, desk. **2.** *(casă)* pay-office; ticket office.
ghitară *s.f.* guitar.
ghitarist *s.m.* guitarist, guitar player.
ghiu *s.n. nav.* guy, (spanker) boom.
ghiuden *s.n.* kind of dry mutton / beef sausage.
ghiuj *s.f. fam. peior.* gaffer, old fog(e)y.
ghiulea *s.f.* cannon ball.
ghiurghiuliu *adj. reg.* light red / rose-coloured.
ghiveci *s.n.* **1.** flower pot. **2.** *(mâncare și fig.)* hotchpotch.
ghivent *s.n.* thread.
ghiventui *vt. tehn.* to thread.
ghizd *s.n.* casing (of a well).
ghizdei *s.m. bot.* bird's foot trefoil *(Lotus corniculatus).*
ghizdui *vt.* to case (a well).
giardiază *s.f. med.* giardiasis, giardiosis.
gibbsit *s.n. mineral.* gibbsite.
gibereline *s.f. pl. bot.* giberellin.
gibon *s.m. zool.* gibbon (ape) *(Hylobates).*
gibozitate *s.f. med.* gibbosity.
gig *s.n. text.* **1.** ball, roll **2.** *nav.* gig.
gigafon *s.n.* powerful loudspeaker.
gigant *s.m.* giant.
gigantic *adj.* mammoth.
gigantism *s.n. med.* gigantism.
gigantografie *s.f. foto.* method in photography.
gigă *s.f. muz.* **1.** *ist.* gigue. **2.** *pop. înv.* jig.
gigea *adj.* sweet; swell.
gigolo *s.m.* gigolo; lounge lizard.
gilbert *s.m. fiz.* gilbert.
gill-box *s.n. ind. text.* gill box, drawing-frame.
gimnast *s.m.*, gimnastă *s.f.* gymnast.
gimnastic *adj.* gymnastic.
gimnastică *s.f.* gym(nastics); *~ suedeză* callisthenics.
gimnazial *adj.* gymnasium...
gimnazist *s.m.* gymnasiast.
gimnaziu *s.f.* gymnasium.
gimnosperm *adj. bot.* gymnospermous.
gimnosperme *s.f. pl. bot.* gymnosperms.
gimnot *s.m. iht.* gymnotus, *fam.* electric eel *(Gymnotus).*
gin *s.n.* gin.
ginandrie *s.f. med.* gynandry, gynandrism.
gineceu *s.n.* **1.** *ist.* gynaeceum. **2.** *bot.* gynaecium, gynaeceum.
ginecolog *s.m.* gynaecologist.
ginecologic *adj. med.* gynaecological.
ginecologie *s.f.* gynaecology.
ginere *s.m.* son-in-law.
gingaș I. *adj.* **1.** tender. **2.** *(dulce)* sweet. **3.** *(plăpând)* frail. **4.** *(dificil)* ticklish. **II.** *adv.* gingerly, delicately, gently.
gingășie *s.f.* delicacy.
gingie *s.f.* gum.
gingirică *s.f. iht.* small clupeoid herring in the Black and Caspian Seas *(Clupeonella cultriventris).*
gingival *adj.* gingival.
gingivită *s.f. med.* gingivitis.
ginkgo *s.m. bot.* ginkgo *(Ginkgo biloba).*
ginistru *s.n. bot.* broom *(Genista).*
gintă *s.f.* nation, race.
gioarsă *s.f. fam.* tatters, rag, clout.
giol *s.n.* dally bones.
gionate *s.f. pl. fam . peior.* pegs, pins, props.
gips *s.n.* v. g h i p s.
gipsotecă *s.f.* collection of gypsum statuettes and adorning plates.
gir *s.n.* endorsment.
gira *vt.* **1.** to guarantee. **2.** *(a înlocui)* to manage.
girafă *s.f.* **1.** *zool.* giraffe *(Camelopardalis giraffa).* **2.** *tehn.* boom.
girandolă *s.f.* **1.** girandole, chandelier. **2.** *pl.* girandoles, diamond earrings.

girant *s.m.* **1.** endorser. **2.** *(înlocuitor)* manager.
giratar *s.m. jur., fin.* endorsee, indorsee.
giratoriu *adj.* gyrating; *sens* ~ merry-go-round.
girație *s.f. fiz.* gyration.
girodină *s.f. av.* autogyro.
girodirecțional *s.n. av.* gyroscopic compass, gyrocompass, directional gyro.
girometru *s.n. av.* gyrometer, rate gyro.
girondini *s.m. pl. ist.* Girondins.
giroorizont *s.n. av.* gyro horizon.
giroplan *s.n. av.* gyroplane.
giroscop *s.n.* gyroscope.
giroscopic *adj.* gyroscopic.
girosin *s.n. av.* combination of a magnetic compass and a gyrocompass.
girovertical *s.n. av.* gyroscope with a vertical axis of rotation.
giruetă *s.f. meteo., av.* weathercork, windvane.
gisment *s.n. av., mar.* course angle, bearing (angle).
giubea *s.f.* **1.** *ist.* long, loose overcoat worn in the past by Romanian noblemen. **2.** festive coat, worn by peasants in some parts of Romania.
giugiuc *adj. fam.* topping, swell, *argou* slap-up.
giugiuleală *s.f.* petting, necking.
giugiuli I. *vt.* to fondle. **II.** *vr.* to bill and coo.
giulgiu *s.n.* shroud, pall.
giumbuș(luc) *s.n.* antics.
giuvaergerie *s.f.* **1.** jeweller's trade / business / shop. **2.** jewel(le)ry, jewels.
giuvaericale *s.f. pl.* jewelry.
giuvaier *s.n.* **1.** jewel. **2.** și fig. gem.
giuvaiergiu *s.n.* jeweller.
givraj *s.n.* **1.** *av.* frosting, icing. **2.** *filoz.* right-wing.
glabelă *s.f. anat.* glabella.
glabru *adj. biol.* glabrous.
glacial I. *adj.* **1.** icy, frigid. **2.** unfriendly. **II.** *adv.* icily.
glaciar *adj.* ice.
glaciație *s.f.* glacial age, glaciation.
glaciolog *s.m.* glaciologist.
glaciologie *s.f.* glaciology.
glacis *s.n. geol.* glacis.
gladiator *s.m.* gladiator.
gladiolă *s.f. bot.* gladiolus *(Gladiolus gandavensis).*
gladiș *s.n. bot.* maple(-tree) *(Acer Tataricum).*
gladium *s.n. ist.* Roman sword, gladius.
glaf *s.n. constr.* lintel.
glagole *s.f.* v. g l a g o r e.
glagolitic *adj. alfabet* ~ Glagolitic alphabet.
glagore *s.f. reg. fam.* gumption, brains, brain stuff, grey matter.
glajă *s.f. reg. (sticlă)* bottle.
glandă *s.f.* gland.
glandular *adj.* glandular.
glandulă *s.f. anat.* glandule.
glandulos *adj.* glandulous.
glanț *s.n. tehn.* gloss.
glas *s.n.* **1.** voice. **2.** *(sunet)* sound; *într-un (singur)* ~ in one voice, univocally.
glasa *vt.* to glaze.
glasiu *s.n. artă* scrumble, glaze.
glaspapir *s.n.* emery paper.
glastră *s.f.* flower pot / bowl.
glasvand *s.n.* French door / window.
glaucom *s.n. med.* glaucoma.
glauconit *s.n. mineral.* glauconite; green earth.
glazura *vt.* to glaze.
glazură *s.f.* icing, glaze.
glădice *s.f.* v. g l ă d i ț ă.
glădiță *s.f. bot.* honey-locust (tree), gleditsia, gleditschia *(Gledits(ch)ia triacanthos).*
glăsui *vi.* **1.** to speak, to say. **2.** to read, to run.
glăvoacă *s.f. iht.* goby *(Gobius).*
glăzuire *s.f.* glazing.
glei *subst. geol.* gley, glei.
gleizare *s.f. geol.* gleization, conversion into gley.
glenc *s.n. ind. pielăriei* joint, waist.
glet *s.n.* polishing plaster coat.
gleznă *s.f.* ankle.
gliadine *s.f. pl. biochim.* gliadin.
glicemie *s.f. med.* glycemia.
gliceric *adj. acid* ~ glyceric acid.
gliceride *s.f. pl. biochim.* glyceride.
glicerină *s.f.* glycerine.
glicină *s.f. bot.* wistaria *(Wistaria chinensis).*
glicocol *s.m. biochim.* glycocoll, glycin, gelatin sugar.
glicocolic *s.m. biochim.* glycolic acid.
glicogen *s.m. biochim.* glycogen, liver starch.
glicogenetic *adj. fiziol.* glycogenic.
glicogeneză *s.f. fiziol.* glycogenesis.
glicol *s.n. chim.* glycol.
glicoliză *s.f. fiziol.* glycolysis.
glicometru *s.n.* gleuconometer.
gliconeogeneză *s.f.* glyconeogenesis.
gliconic *adj. stil.* glyconic.
glicoproteide *s.f. pl. biochim.* glucoprotein, glycoprotein.
glicoregulator *adj.* which regulates the metabolism of glycogen.
glicozide *s.n. pl. biochim.* glycoside.
glicozurie *s.f. med.* glycosuria.
glie *s.f.* land, earth.
gliom *s.n. med.* glioma.
glioxal *s.n. chim.* glyoxal.
gliptal *s.m. chim.* glyptal.
gliptică *s.f.* glyptics.
gliptodon *s.m. paleont.* glyptodon(t), Glyptodon.
gliptogeneză *s.f.* glyptogenesis.
gliptotecă *s.f.* collection of carved gems.
glisa *vi.* **1.** *tehn.* to slide; to slip (over). **2.** *av.* to glide.
glisadă *s.f. av.* slip; dive.
glisant *adj.* gliding.
glisieră *s.f. tehn.* guide / slide bar.
glissando *adv.* glissando.
gloabă *s.f.* **1.** jade, nag. **2.** *(despăgubire)* damages.
gloată *s.f.* crowd, mob.
glob *s.n.* globe.
global *adj.* aggregate, overall.
globigerină *s.f. paleont.* globigerina.
globular *adj.* globular.
globulă *s.f.* (blood) corpuscle.
globulină *s.f. chim.* globulin.
globulizare *s.f. met.* thermic treatment of steel, in order to improve its qualities.
globulos *adj.* globular, globulous.
glockenspiel *s.n. muz.* glockenspiel.
glod *s.n.* mud.
glodi *vt.* **1.** to rub; **2.** to prick.
gloduros *adj.* muddy.
glomerul *s.m. biol.* glomerule, tuft.
glomerular *adj.* **1.** *biol.* glomerulate. **2.** *med.* glomerular.
glomerulă *s.f.* glomerule, tuft.
glonă I. *s.n.* bullet. **II.** *adv.* plumb, directly.
glorie *s.f.* glory, renown; *lipsit de* ~ gloryless.
glorifica I. *vt.* to glorify, to magnify, to praise, to extol. **II.** *vr.* to be glorified etc.
glorificare *s.f.* glorification etc. v. g l o r i f i c a.
glorios *adj.* glorious.
glosa *vt.* to gloss; *lit.* to construe, to interpret.
glosar *s.n.* glossary.
glosator *s.m.* glossator, glossist.
glosă *s.f.* gloss.
glosematic *adj. lingv.* glossematic.
glosematică *s.f. lingv.* glossematics.
glosită *s.f. med.* glossitis.
glossopteris *subst. paleont.* glossopteris.
glotal *adj. anat.* glottal, glottic.
glotă *s.f. anat.* glottis.
glucagon *s.m. biochim.* glucagon.

glucidă *s.f. biochim.* glucide.
glucidogramă *s.f.* glucidogram (by electrophoresis).
gluciniu *s.n. chim.* glucinium, beryllium.
glucocorticoizi *s.m. pl. biochim.* glucocorticoid.
glucometrie *s.f.* the measurement of glucose in grape must.
glucometru *s.n. tehn.* glucometer.
gluconic *adj. chim.* gluconic acid.
glucozamină *s.f. chim.* glucosamine.
glucoză *s.f.* glucose.
glucuronic *adj. chim.* glycuronic, glucuronic.
glugă *s.f.* hood.
glumă *s.f.* **1.** joke, jest. **2.** *(farsă)* practical joke. **3.** *(spirit și)* wit(ticism); ~ *de prost gust* horse fun; ~ *proastă* sau *nesărată* flat joke; ~ *răsuflată* stale joke; *în* ~ joking(ly); *nu* ~ regular, considerable.
glumeț **I.** *s.m.* wag; wit. **II.** *adj.* **1.** joking. **2.** *(spiritual)* witty.
glumi *vi.* **1.** to joke, to jest. **2.** *fig. (cu ceva etc.)* to trifle (with smth. etc.).
glutamic *adj. chim.* glutamic acid.
glutation *s.n. chim.* glutathione.
gluten *s.n. chim.* gluten.
glutenină *s.f. chim.* glutenin.
gnais *s.n. geol.* gneiss.
gnatostom *s.n. zool.* Gnathostoma, *pl.* Gnathostomata.
gnom *s.m.* gnome.
gnomic *adj.* gnomic.
gnomon *s.n.* gnomon.
gnoseologic *adj. filoz.* gnosiological, gnoseological.
gnoseologie *s.f. filoz.* gnosiology, gnoseology.
gnostic *adj., s. m.* gnostic.
gnosticism *s.n.* gnosticism.
gnu *s.m. zool.* gnu, wildebeest.
goană *s.f.* **1.** race. **2.** *(urmărire)* pursuit. **3.** *(viteză)* gallop, speed; *goana după aur* gold rush / fever.
goangă *s.f.* **1.** insect. **2.** *fig.* joke.
goarnă *s.f.* bugle, clarion.
goblen *s.n.* Gobelin tapestry; gobelin.
godac *s.m.* gruntling, young pig, porklet.
godavil *s.n. tehn.* v. g o d e v i l.
godetă *s.f.* saucer for mixing water colours.
godeu *s.n. tehn.* bucket.
godevil *s.n. tehn.* godevil, pipeline scraper.
godiere *s.f.* to (single-)scull; to single.
godin *s.n.* iron stove.
goeland *s.m. ornit.* sea gull / mew *(Larus).*
goeletă *s.f. nav.* schooner, sloop.
goethit *s.n. mineral.* goethite, brown-day irons tone, brown hematite.
gofra *vt.* to goffer.
gofraj *s.n.* pokerwork.
gogâlă *interj.* cluck!
gogoașă *s.f.* **1.** doughnut. **2.** *(cocon)* cocoon. **3.** *pl. fig.* lies, shaves.
gogoman **I.** *s.m.* nincompoop. **II.** *adj.* foolish.
gogomănie *s.f.* stupidity.
gogonat *adj.* whopping.
gogonea *s.f.* pickled tomato.
gogoneț *adj.* v. g o g o n a t.
gogoriță *s.f.* bugbear.
gogoșar *s.m. bot.* (bell)pepper *(Capsicum).*
gol **I.** *s.n.* **1.** gap. **2.** *(vid)* vacuum, void, emptiness. **3.** *(într-un text)* blank. **4.** *sport* goal; ~ *de aer* air pocket; hole in the air; ~ *de producție* waste time; *în* ~ idly. **II.** *adj.* **1.** *(nud)* naked. **2.** *(pustiu)* desert. **3.** *(descoperit)* bare. **4.** *(desfrunzit)* leafless. **5.** *(fără conținut)* empty. **6.** *fig.* *și idle, wanton.* **7.** *(curat)* pure; ~ *pușcă* stark naked.
golan **I.** *s.m.* **1.** street arab, vagabond. **2.** *(ticălos)* ruffian, rascal. **3.** *(mitocan)* cad, boor. **4.** *(sărac)* beggar. **II.** *adj.* boorish, caddish.
golancă *s.f.* strumpet, baggage, (woman) tramp.
golaș *adj.* **1.** featherless. **2.** barren. **3.** *(fără păr)* hairless.
golaveraj *s.n.* goalaverage.
golănesc *adj.* of a ragamuffin...etc. v. g o l a n II.
golănie *s.f.* hooliganism.
golănime *s.f.* rabble.
goldan *s.m. bot.* bullace *(Prunus insititia).*
goldană *s.f. bot.* bullace.
golf *s.n.* **1.** *geogr.* gulf, creek. **2.** *sport* golf.
golgeter *s.m.*, **golgheter** *s.m.* goal-getter.
goli **I.** *vt.* **1.** to empty. **2.** *(a bea)* to drink up. **3.** *(a evacua)* to clear. **II.** *vr.* to grow empty *sau* void.
goliardic *adj. lit.* goliardic, Goliardic.
goliarzi *s.m.* goliard, Goliard.
goliciune *s.f.* **1.** nudity. **2.** *fig.* emptiness.
golire *s.f.* **1.** emptying, **2.** evacuation.
gologan *s.m.* **1.** copper (coin). **2.** *pl.* money, dough.
golomăț *s.m. bot.* orchard grass, dactylis *(Dactylis glomerata).*
golomoz *s.n. bot.* cock's foot, couch grass *(Dactylis glomerata).*
gomaj *s.n. tehn.* sticking, gumming (of valves, pistons).
gomă *s.f.* **1.** *med.* gumma. **2.** *biol.* gum, gummosis.
gomoză *s.f.* gummosis, *pl.* gummoses.
gonaci *s.m.* **1.** steed, racehorse, courser. **2.** beater.
gonadă *s.f. anat., zool.* gonad.
gonadotrop *adj. fiziol.* gonadotrop(h)ic.
gonaș *s.m.* v. g o n a c i 2.
gondolare *s.f. met.* buckling (of sheet iron).
gondolă *s.f.* gondola.
gondolier *s.m.* gondolier.
gondolieră *s.f.* gondolier's song.
gonfalon *s.n. ist. Italiei* gonfalon, banner, streamer.
gonfalonier *s.m. ist. Italiei* gonfalonier(e), *pl.* gonfalonieri.
gong *s.n.* gong.
gongoric *adj.* **1.** *lit.* Gongoresque (style etc.). **2.** *peior.* cultist.
gongorism *s.n.* **1.** *lit.* Gongorism. **2.** *peior.* cultism.
goni **I.** *vt.* **1.** to chase. **2.** *(a izgoni)* to cast out. **3.** *fig.* to banish. **II.** *vi.* to run, to race.
gonidii *s.f. pl. bot.* gonidia.
goniometric *adj.* goniometrical.
goniometrie *s.f.* goniometry.
goniometru *s.n.* goniometer.
gonion *s.n. anat.* gonion, *pl.* gonia.
gonire *s.f.* **1.** driving away / out; expulsion. **2.** *zoot.* covering.
gonitor *s.m. zool.* young bull, bullock.
goniță *s.f. entom.* whirligig beetle, gyrinus, gyrinid *(Gyrinus natator).*
gonochorism *s.n. biol.* gonochorism, dioecism.
gonococ *s.m. biol.* gonococcus.
gonoree *s.f. med.* gonorrhoea, blennorhoea, *vulg.* clap.
gopac *s.n.* gopak, lively Ucrainian folk dance (with heel beats).
gordian *adj. nodul* ~ the Gordian knot.
gordin *s.m. bot.* Romanian variety of vine, yielding middle-sized dinner grapes.
gorgan *s.n.* cairn.
gorgonă *s.f. mitol.* Gorgon.
gorilă *s.f. zool.* gorilla.
gornist *s.m.* bugler.
gorun *s.m. bot.* **1.** common oak *(Quercus pedunculata).* **2.** evergreen oak *(Quercus petraea).*
goruniș *s.n.* grove of oaks, oak grove.
gosipol *s.n. chim.* noxious polyphenolic substance in cotton seeds.
gospodar **I.** *s.m.* **1.** householder. **2.** *(administrator)* good manager. **II.** *adj.* thrifty.

gospodăresc *adj.* **1.** household... **2.** *(economic)* thrifty, economical.
gospodărește *adv.* thriftily, economically.
gospodări I. *vt.* to administer. **II.** *vi.* to manage the house.
gospodărie *s.f.* **1.** farm(stead). **2.** *(casă)* household. **3.** *(menaj)* housework, housekeeping; ~ *chibzuită* self-management; ~ *comunală* communal husbandry.
gospodărie *s.f.* administration.
gospodărire *s.f.* careful management etc. v. g o s p o d ă r i.
gospodărit *adj.* nicely settled, well-to-do, a good husband / manager.
gospodină *s.f.* **1.** housewife. **2.** *(menajeră)* housekeeper; *gospodina* shop for (semi-)cooked food.
gostat *s.n.* **1.** state farm. **2.** greengrocery selling its products.
goștină *s.f. ist. României* tithe / impost consisting of pigs and sheep.
got *s.m. ist.* Goth.
gotcan *s.m. ornit.* v. c o c o ș s ă l b a t i c.
gotcă *s.f. ornit.* **1.** hazel hen / grouse *(Bonasa silvestris)*. **2.** mountain hen *(Tetrao urogallus)*; ~ *de pădure* blackgame *(Tetrao tetrax)*.
gotic *adj.* Gothic.
gotlandian, -ă *s.n., adj.* Got(h)landian.
grabă *s.f.* hurry, haste; *fără* ~ at leisure; *în* ~ in a hurry; *mai de* ~ rather.
graben *s.n. geol.* graben, rift valley, digging.
grabnic I. *adj.* **1.** quick. **2.** *(urgent)* urgent, pressing; ~*ă însănătoșire* speedy recovery. **II.** *adv.* **1.** speedily. **2.** urgently.
grad *s.n.* **1.** degree. **2.** *(rang și)* rank. **3.** *(măsură și)* measure, extent. **4.** *(de rudenie)* remove; ~*e Celsius* degrees centigrade; *în ce ~ ?* to what degree *sau* extent?
grada *vt.* to graduate.
gradare *s.f.* graduation.
gradat I. *s.m.* non-com, NCO. **II.** *adj.* **1.** graduated. **2.** *(treptat)* gradual. **III.** *adv.* gradually.
gradație *s.f.* gradation.
gradel *s.n.* twill cloth.
graden *s.n. arh.* step.
gradient *s.n. mat., meteo.* gradient.
gradier *s.n. tehn.* cooling-tower, thorn / graduation house.
gradină *s.f. artă* gradine, claw-tool.
graf *s.n. mat.* graph.
grafic I. *s.n.* **1.** graph, diagram. **2.** *(orar)* timetable. **II.** *adj.* graphic.
grafică *s.f.* graphics.
grafician *s.m.* drawer.
grafie *s.f.* method of writing.
grafit *s.n.* **1.** graphite. **2.** *artă* graffito.
grafitiza *vt.* to graphitize.
grafolog *s.m.* graphologist.
grafologic I. *adj.* graphological. **II.** *adv.* graphologically.
grafologie *s.f.* graphology.
grafometru *s.n.* angulometer.
graham *s.n.* diet bread, bread made of Graham flour / of whole wheat flour.
grai *s.n.* **1.** speech. **2.** *(limbă)* language; idiom. **3.** *(glas)* voice; ~ *popular* vernacular; *prin viu* ~ by word of mouth.
graifer *s.n. tehn.* gripper, gripping device; *constr.* grab (bucket).
grajd *s.n.* **1.** stable. **2.** *fig.* pigsty; ~*urile lui Augias* the Augean stables.
gram *s.n.* gram.
gramaj *s.n.* **1.** *fiz., tehn.* gram weight. **2.** actual weight.
gramatic *s.m. înv.* grammarian, linguist; author of (classical) grammar books.
gramatical I. *adj.* grammatical. **II.** *adv.* grammatically.
gramatică *s.f.* grammar(-book).
graminee *s.f. pl. bot.* graminaceae.
gramofon *s.n.* gramophone.
granat I. *s.n. mineral.* (precious / oriental) garnet, carbuncle. **II.** *s.m. bot.* feverfew *(Chrysanthemum parthenium)*.
granată *s.f.* **1.** grenade. **2.** *bot.* pomegranate.
grandee *s.f. nav.* boltrope, roping.
grandilocvent *adj.* grandiloquent.
grandilocvență *s.f.* grandiloquence, bombast.
grandios I. *adj.* grand(iose). **II.** *adv.* impressively.
grandoare *s.f.* stateliness.
grandoman *s.m.* megalomaniac.
grandomanie *s.f.* megalomania.
grangur(e) *s.m.* **1.** *ornit.* oriole *(Oriolus oriolus)*. **2.** *fig.* toff, big noise.
granic *s.n.* v. t r o l i u.
granit *s.n.* **1.** granite. **2.** *fig.* monolith; *de* ~ granite, monolithic.
granitic *adj.* granitic, granite...
granitizare *s.f. geol.* granitization.
graniță *s.f.* **1.** border. **2.** *fig.* confines; *de* ~ frontier...
granivor I. *s.m., s.f.* granivore, seed-eater. **II.** *adj.* granivorous.
granodiorit *s.n. mineral.* granodiorite.
granula *vt.* to granulate.
granular *adj.* granular.
granulat *adj.* granulated.
granulator *s.n.* granulator, granulating machine.
granulație *s.f.* granulation.
granulă *s.f.* granule.
granulie *s.f. med.* granulitis.
granulit *s.n. mineral.* granulite.
granulocit *s.n. anat.* granulocyte.
granulom *s.n. med.* granuloma.
granulometric *adj.* granulometric.
granulometrie *s.f.* granulometry.
granuloplasmă *s.f. anat.* granuloplasm, entosarc.
granulos *adj.* granular.
granulozitate *s.f.* granulosity.
grapă *s.f.* harrow.
grapină *s.f. nav.* grapnel.
graptolit *s.m. paleont.* graptolite.
gras I. *adj.* **1.** fat(ty). **2.** *(corpolent și)* stout, burly. **3.** *(d. mâncare și)* rich. **4.** *(unsuros și)* greasy. **II.** *adv.* *(mult)* liberally, well.
graseia *vi.* to trill the r's.
graseiat *adj.* rolled, trilled.
graset *s.n. zool.* stifle joint (of horse).
gratie *s.f.* bar.
gratifica *vt.* **1.** to confer, to bestow; **2.** to reward, to gratify.
gratificație *s.f.* recompense, bonus.
gratina *vt. cul.* to gratinate, to cook au gratin.
gratis *adv.* free (of charge).
gratitudine *s.f.* gratitude.
gratuit I. *adj.* **1.** gratuitous. **2.** *(nejustificat)* unwarranted. **II.** *adv.* **1.** gratis. **2.** *(nejustificat)* groundlessly.
gratuitate *s.f.* gratuitousness.
gratula I. *vt. înv.* to eulogize, to congratulate, to praise. **II.** *vi.* to congratulate, to praise (each other).
gratulație *s.f. înv.* congratulation.
grația *vt.* to pardon.
grație I. *s.f.* grace(fulness). **II.** *prep.* thanks to.
grațiere *s.f.* pardon.
grațios I. *adj.* graceful. **II.** *adv.* gracefully.
grațiozitate *s.f.* graciousness.
graur *s.m. ornit.* starling *(Sturnus vulgaris)*.
grav I. *adj.* **1.** grave, serious. **2.** *(sever)* solemn. **II.** *adv.* **1.** gravely, seriously. **2.** *(sever)* sternly.
grava *vt.* to engrave.
gravidă I. *s.f.* pregnant woman. **II.** *adj.* pregnant, gravid.
graviditate *s.f.* pregnancy.
gravific *adj.* gravific.
gravimetrie *s.f.* gravimetry.
gravita *vi.* to gravitate.

gravitate *s.f.* **1.** gravity. **2.** *(severitate)* sternness.
gravitație *s.f.* gravity.
gravitațional *adj.* gravitational.
graviton *s.m. fiz.* graviton, hypothetic particle associated with the gravitational field.
gravor *s.m.* engraver.
gravură *s.f.* **1.** engraving. **2.** *(lucrare și)* print. **3.** *(în lemn)* woodcut. **4.** *(cu apă tare)* etching.
grazioso *subst. muz.* grazioso.
grăbi I. *vt.* **1.** to quicken, to hasten. **2.** *(pe cineva)* to press; *a ~ pasul* to make haste. **II.** *vr.* to hurry (up).
grăbire *s.f.* **1.** quickening etc. v. g r ă b i. **2.** *rar* v. g r a b ă; *cu ~* quickly; urgently.
grăbit I. *adj.* **1.** hurried. **2.** *(pripit)* hasty, rash. **II.** *adv.* in a hurry.
grădinar *s.m.* gardener.
grădină *s.f.* **1.** garden. **2.** *(de zarzavat)* kitchen garden. **3.** *(livadă)* orchard. **4.** *(publică)* park.
grădinăreasă *s.f.* gardener; *(nevastă de grădinar)* gardener's wife.
grădinăresc *adj.* garden...; gardener's...
grădinărie *s.f.*, **grădinărit** *s.n.* gardening.
grădinări *vi.* to garden.
grădiniță *s.f.* *(de copii)* kindergarten.
grădiște *s.f.* hill; hillock.
grăi *vt., vi.* to speak.
grăitor I. *adj.* telling; visual. **II.** *adv.* graphically.
grăjdar *s.m.* stable man; *mil.* farrier.
grămadă I. *s.f.* **1.** pile. **2.** *(morman)* cluster. **3.** *(mulțime)* crowd. **4.** *pl.* lots, heaps; *o ~ de* a power of, heaps of. **II.** *adv.* in a lump *sau* heap.
grămădi v. î n g r ă m ă d i.
grămătic *s.m. înv.* copyist, *fam.* quill driver; secretary, clerk.
grănicer *s.m.* **1.** frontier guard. **2.** *(marin)* coast-guard.
grăniceresc *adj.* frontier guard('s)...
grăpa *vt., vi.* to harrow.
grăpat *s.n.* harrowing.
grăpiș *adv.* creeping, crawling, worming (one's way); *târâă ~* with the greatest trouble, *fam.* by fits and starts.
grăsime *s.f.* **1.** fat, grease. **2.** *(corpolență)* burliness, corpulence.
grăsuliu *adj.* fattish, plump, buxom.
grăsun I. *s.m.* pig. **II.** *adv.* plump.
grăsuț *adj.* fattish, plump.
grătar *s.n.* **1.** grill. **2.** *(pl. fript și)* gridiron. **3.** *(în sobă)* grate; *la ~* grilled.
grăunte *s.m., sn.* grain, seed.
grăunți *vt.* to reduce to grains, to corn, to granulate.
grăunțos *adj.* grainy, granular, granulate(d).
grânar *s.n.* granary.
grâne *s.f. pl.* grain(s), cereals.
grâu *s.n. bot.* wheat; grain, corn *(Triticum)*; *~ de toamnă* winter wheat; *de ~* wheaten.
grâușor *s.n. bot.* **1.** diminutive of *grâu*. **2.** v. u n t i ș o r *(Ranunculus ficolia)*.
grea *adj.* with child, *fam.* in the pudding club.
greabăn *s.n.* **1.** withers. **2.** *fig.* back.
greacă *s.f.* Greek.
greață *s.f.* **1.** nausea, sickness. **2.** *(scârbă)* disgust.
grebănar *s.n. zoot.* harness that goes over a horse's withers; checkreins.
grebănos *adj. zoot.* having prominent withers.
grebla *vt., vi.* to rake.
greblat *s.n.* raking.
greblă *s.f.* rake.
grec *s.m., adj.* **1.** Greek. **2.** *ist.* Hellen.
grecesc *adj.* **1.** Greek. **2.** *ist.* Hellenic.
grecește *adv.* Greek.
grecism *s.n.* Gr(a)ecism, Greek idiom, Hellenism.
greciza I. *vt.* to Gr(a)ecize, to Hellenize; to give a Greek turn to. **II.** *vr.* to become Gr(a)ecized.
grecoaică *s.f.* Greek woman.
greco-catolic *s.m., adj.* Greek-Catholic.
greco-latin *adj.* Greek-latin.
greco-oriental *adj. rel.* Greck-Orthodox.
greco-roman *adj.* Gr(a)eco-Roman.
greder *s.n. constr.* grader.
greement *s.n. nav.* rigging.
grefa *vt.* to graft.
grefă *s.f.* **1.** *med.* grafting. **2.** *jur.* court clerk's office.
grefier *s.m.* court clerk.
grefon *s.n. med.* graft, transplant.
gregar *adj.* gregarious.
greghetin *s.m. bot.* **1.** stork's bill, cranesbill *(Geranium)*. **2.** stork's bill *(Erodium circutarium)*.
gregorian *adj.* Gregorian.
greier *s.m. entom.* cricket.
greisen *s.n. geol.* greisen.
grej I. *s.n. text.* grège, greige, raw silk thread. **II.** *adj.* grège, greige, of the colour of raw silk.
gren *s.n.* **1.** *mar.* squall, local storm, gust of wind. **2.** particle, grain, atom.
grena *adj.* garnet-red.
grenadă *s.f.* (hand) grenade.
grenadier *s.m. odin.* grenadier.
grenadină *s.f. text.* grenadine.
greoi I. *adj.* **1.** heavy. **2.** *(neîndemânatic)* clumsy, unskilful. **3.** *(d. cap)* dull, slow. **II.** *adv.* heavily; clumsily.
grep(frut) *s.n.* grapefruit.
gresa *vt.* to grease.
gresaj *s.n.* greasing, lubrication.
gresie *s.f.* **1.** gritstone. **2.** *(de ascuțit)* whetstone.
gresor *s.n.* lubricator, oil cup.
greș *s.n.* failure; *fără ~* faultlessly; *(negreșit)* without fail.
greșeală *s.f.* **1.** mistake. **2.** *(vină)* fault. **3.** *(lipsă)* deficiency. **4.** *(defect)* flaw; *~ boacănă* howler, glaring mistake; *~ de calcul* miscalculation; *~ de tipar* misprint; *din ~* by mistake; *fără ~* faultless(ly), perfect(ly); *a cădea în ~* to err, to trespass.
greși I. *vt.* **1.** to mistake. **2.** *(ținta)* to miss; *a ~ adresa* to go to the wrong house, man etc.; *fig.* to hunt the wrong hare; *a ~ drumul* to lose one's way. **II.** *vi.* **1.** to be mistaken *sau* wrong, to make a mistake. **2.** *(a fi vinovat)* to be guilty. **3.** *(a nu nimeri)* to be wide of the mark.
greșit I. *adj.* **1.** mistaken, fallacious. **2.** *(nedrept)* wrong, unjust; *~ conceput* unsound, unwise. **II.** *adv.* wrongly, falsely.
grețos *adj.* nauseating, fulsome.
greu I. *s.n.* **1.** *(povară)* burden. **2.** *fig.* difficulty, brunt; *cu ~* at great pains; *din ~* hard; *a duce ~ul (cu gen.)* to bear the brunt (of). **II.** *adj.* **1.** heavy, weighty. **2.** *(greoi)* clumsy, unwieldy. **3.** *(apăsător)* burdensome. **4.** *(dificil)* difficult, hard. **5.** *(obositor)* weary. **6.** *(complicat)* involved, troublesome. **7.** *(aspru)* severe; harsh, grim. **8.** *(d. somn și)* deep; *~ de mulțumit* hard to please. **III.** *adv.* **1.** heavily, weightily. **2.** *(dificil)* with difficulty. **3.** *(abia)* hardly, scarcely.
greuleț, greușor *adj.* **1.** heavyish, rather heavy. **2.** hardish, rather hard.
greutate *s.f.* **1.** weight. **2.** *(povară)* load, burden. **3.** *(dificultate)* difficulty. **4.** *(complicație)* intricacy. **5.** *(influență și)* pull, influence; *greutăți financiare* sau *pecuniare* straitened circumstances; *cu ~* weighty, important; influential; with difficulty; *fără (nici o) ~ fam.* like nothing on earth.
greva *vt.* to tax.

grevă *s.f.* strike; *greva foamei* hunger strike; ~ *de solidaritate* sau *simpatie* sympathetic *sau* token strike; ~ *perlată* go-slow strike; ~ *de protest* protest strike; ~ *scoțiană* ca'canny strike; ~ *cu ocuparea întreprinderii* sit-down *sau* stay-in strike; *a face* ~ to call a strike, to strike.
grevist I. *s.m.* striker. **II.** *adj.* strike.
grezie *s.f.* v. g r e s i e.
gri *adj.* grey.
grifa *vt.* *(silvicultură)* to mark, to notch, to blaze (sapling).
grifă *s.f.* claw.
grifon *s.m.* griffin, gryphon.
grijanie *s.f.* communion.
grijă *s.f.* **1.** care. **2.** *(îngrijorare și)* anxiety, worry. **3.** *(dificultate)* trouble, difficulty. **4.** *(minuțiozitate)* punctiliousness, scrupulousness; *grija zilei de mâine* worry for the morrow; *cu* ~ careful(ly); *fără* ~ careless(ly); happy-go-lucky; *prin grija cuiva* thanks to smb.
griji *reg.* **I.** *vt.* **1.** to prepare. **2.** *rel.* to administer Holy Communion to. **3.** to take care of. **II.** *vr.* **1.** to provide oneself (with). **2.** *rel.* to receive Holy Communion.
grijuliu *adv.* careful; scrupulous.
grilaj *s.n.* lattice work.
grilă *s.f.* **1.** *el.* grid. **2.** *constr.* grate. **3.** *mil.* grating.
grima I. *vt.* to make up, to paint. **II.** *vr.* to make up one's face.
grimasă *s.f.* grimace, face.
grimat *adj.* made-up.
grimă *s.f.* make-up man.
grimeur *s.m.* maker-up; *(în limbaj teatral și)* make-up man.
grind *s.n.* sand bank.
grindă *s.f.* beam, girder.
grindei *s.n.* **1.** plough beam / shaft. **2.** small beam. **3.** axle of a water wheel.
grindel *s.m.* *iht.* loach *(Nemachilus barbatulus).*
grindină *s.f.* **1.** hail (stone). **2.** *fig.* *și* shower.
grindiș 1. *s.n.* *constr.* joists, beams. **2.** *s.n.* slope (of a hill).
gripa *vr.* *tehn.* to seize (up).
gripal *adj.* *med.* influenzal.
gripat *adj.* ill with the flu.
gripă *s.f.* the flu, influenza.
gripcă *s.f.* drawing scraper.
grisai *s.n.* *artă* grisaille, tint drawing.
grisină *s.f.* grissino, *pl.* grissini; stick-shaped bakery product.
griș *s.n.* semolina, semoule.
griv *adj.* speckled.
grivan *s.m.* *zool.* v. h â r c i o g.
grivă *s.f.* *departe griva de iepure pop.* it's as like as chalk and cheese.
grivei I. *adj.* *zool.* black and white spotted (animal). **II.** *s.m.* **1.** common name of dog. **2.** eponym for dog.
griza I. *vr.* to get tipsy / fuddled. **II.** *vt.* to intoxicate, to fuddle.
grizly *s.m.* grizzly bear *(Ursus arctos horribilis).*
grizonant *adj.* grizzled, turning / going grey; greying.
grizu *s.n.* *min.* fire damp, (pit) gas.
grizumetru *s.n.* *min.* fire-damp detector.
grizuscop *s.n.* *min.* safety lamp.
groapă *s.f.* **1.** pit. **2.** *(mormânt)* grave.
groază *s.f.* horror, fright; *o* ~ *de* heaps of, no end of, galore; *de* ~ frightful.
groaznic I. *adj.* awful, terrible. **II.** *adv.* frightfully.
grobian I. *adj.* rude, impolite; coarse, brutal; rough, unpolished, ill-bred. **II.** *s.m.* rude / coarse / ill-bred fellow, bully, brute, bear.
grof *s.m.* count, earl.
grog *s.n.* grog.
groggy *adj.* *sport fig. etc.* groggy, unsteady on one's feet.
groh *interj.* grunt!
grohăi *vi.* to grunt.
grohăit *s.n.* grunt(ing).
grohot *s.n.* **1.** v. g r o h ă i t. **2.** v. g r o h o t i ș.
grohoti *vi.* **1.** to roar (while rolling down). **2.** v. g r o h ă i.
grohotiș *s.n.* detritus, scree.
gromovnic *s.n.* *înv.* weather-book, old popular divination book of Syrian and Egyptian origin.
gropar *s.m.* grave digger.
gropiș *s.n.* place full of pits; moor.
gropiță *s.f.* dimple.
groplan *s.n.* *cin.* close-up.
gropniță *s.f.* *arh., bis.* **1.** burial vault, crypt of a church where the founders are buried. **2.** churchyard.
gros I. *s.n.* **1.** bulk, majority. **2.** *(închisoare)* stone jug, quod. **II.** *adj.* **1.** thick. **2.** *(gras)* fat, burly, stout. **3.** *(dens)* dense, compact; ~ *la pungă* heavy, rich; *din* ~ abundantly. **III.** *adv.* **1.** thickly. **2.** amply, considerably, abundantly; *îmbrăcat* ~ warmly dressed.
groscior *adj.* *fam.* of a tidy size, pretty sizable.
grosier I. *adj.* coarse, rough. **II.** *s.n.* *pl.* fibrous fodder.
grosime *s.f.* **1.** thickness. **2.** *(lățime)* breadth. **3.** *(adâncime)* depth.
grosisment *s.n.* **1.** magnifying, enlargement (through lens etc.); magnification, amplification. **2.** magnifying power of lens.
grosolan I. *adj.* **1.** gross, rough. **2.** *(nepoliticos)* rude; impolite. **3.** *(vulgar)* unrefined, coarse, common. **4.** *(d. greșeală)* glaring. **II.** *adv.* coarsely, grossly.
grosolănie *s.f.* coarseness, rudeness.
grosso modo *adv.* roughly (speaking).
grosular *s.n.* *mineral.* grossularite.
groș *s.m.* *odin.* groschen.
grosiță *s.f.* *ist., fin.* groschen.
grotă *s.f.* grotto, cave.
grotesc *s.n., adj.* **1.** grotesque. **2.** *poligr.* sans-serif.
grozamă *s.f.* *bot.* **1.** broom *(Genista).* **2.** v. d r o b i ț ă.
grozav I. *s.m.* *a face pe ~ul* to ride the high horse. **II.** *adj.* **1.** terrible, tremendous. **2.** *(uriaș)* colossal. **3.** *(oribil)* horrid; *ești ~!* you are a beauty! **III.** *adv.* **1.** terribly. **2.** *(foarte)* awfully.
grozăvenie *s.f.* v. g r o z ă v i e.
grozăvi *vr.* to put on airs, *fam.* to mount the high horse, to do the grand; to boast (of).
grozăvie *s.f.* **1.** horror. **2.** *(minune)* marvel.
grui *s.n.* *reg.* **1.** hill top; hill slope. **2.** hillock.
gruie *s.f.* **1.** *nav.* crane; ~ *de ancoră* anchor crane. **2.** *ornit.* crane *(Grus cinerea).*
gruiet *s.m.* *geol.* landslide hillock.
grumaz *s.m.* neck.
grund *s.n.* **1.** *artă* ground / prime colour, grounding. **2.** *constr.* plaster rough cast.
grunduire *s.f.* *tehn.* ground coating, priming.
grunjos *adj.* **1.** large-grained, rough-grained. **2.** rugous, rough.
grunz *s.m.* **1.** clod, stony clod of earth. **2.** lump, ball. **3.** frozen clod.
grunzuros *adj.* rough.
grup *s.n.* **1.** group. **2.** *(pâlc)* cluster.
grupa *vt., vr.* to group (together), to rally.
grupaj *s.n.* grouping (of news items etc.).
grupare *s.f.* group(ing).
grupă *s.f.* group.
gruzin *s.m., adj.* Grusinian, Georgian.
guaiacol v. g a i a c o l.
guanidină *s.f.* *chim.* guanidin.
guanină *s.f.* *biochim.* guanine.
guano *s.m.* guano.
guarani *s.m.* *fin.* guarani (monetary unit of Paraguay).

guard *s.m. mil.* guard, warder.
guașă *s.f. artă* gouache, body colour.
guatemalez *s.m., adj.* Guatemalan.
gubernie *s.f. odin.* province.
gudron *s.n.* tar.
gudronaj *s.n.* tarring.
gudronat *adj.* tarred.
gudronator *s.n.* tar sprayer, tar-spraying machine, asphalt distributor.
gudura *vr. (pe lângă cineva)* to fawn (upon smb.).
guelf *s.m. ist.* Guelf, Guelph.
guerilă *s.f.* **1.** guer(r)illa (warfare). **2.** guerillero, guerilla (warrior / fighter).
guernsey *s.n. zool.* Guernsey (cow).
gugiuman *s.n. ist.* sable fur cap (worn by rulers and court officials).
gugustiuc *s.m.* **1.** *ornit.* ring dove, cuchat *(Streptoptelia decaocto).* **2.** *fam.* pigeon, noodle, nincompoop, ninny.
guinee *s.f. fin.* guinea.
guiț *interj.* squeak!
guița *vi.* to squeak.
guițat *s.n.* squeak(ing).
gujon *s.n. constr.* gudgeon.
gulaș *s.n.* goulash.
gulden *s.m. fin.* (Dutch) gulden, guilder; *ist.* florin.
guler *s.n.* **1.** collar. **2.** *(la bere și)* head.
guleraș *s.n.* collaret(te).
gulerat I. *adj.* **1.** collared, provided with a collar. **2.** neck-spotted. **II.** *s.m. peior.* jack-in-office.
gulie *s.f.* turnip (cabbage).
guma *vt.* to (stiffen / stick with) gum; to rubberize.
gumaj *s.n.* gumming.
gumat *adj.* gummed.
gumă *s.f.* **1.** rubber. **2.** *(de șters)* india rubber. **3.** *(și de mașină)* eraser; ~ *arabică* gum arabic.
gumilastic *s.n.* elastic.
gunguri *vt., vi.* **1.** to babble. **2.** *(d. porumbei)* to coo.
gunoi[1] *s.n.* **1.** rubbish, garbage, filth. **2.** *pl.* litter. **3.** *fig.* scum, dregs. **4.** *(bălegar)* manure.
gunoi[2] *vt.* to manure.
gunoier *s.m.* scavenger.
gunoire *s.f. agr.* manuring, fertilization with manure.
gunoit I. *adj.* manured. **II.** *s.n.* manuring.
gupă *s.f. iht.* Goops, Black Sea fish *(Boops boops).*
guraliv *adj.* talkative.
gură *s.f.* **1.** mouth. **2.** *(buze)* lips. **3.** *(îmbucătură)* mouthful. **4.** *tehn. și* muzzle. **5.** *(deschizătură)* aperture. **6.** *(vorbire)* speech, gab(b)le. **7.** *(scandal)* row, to-do. **8.** *(sărutare)* smacker. **9.** *(de băutură)* draught; *gura leului* snap dragon; *gura lumii* the talk of the town; ~ *de apă* hydrant; ~ *de lup* crowbar; *anat.* cleft plate; ~ *rea* gossip, idle tongue; *bun de* ~ with a glib tongue; *cu jumătate de* ~ reluctantly; *de-ale gurii* food, victuals; *în gura mare* from the housetops; *la gura sobei* at the fire side.
gură-cască *s.m.* **1.** dupe. **2.** *(pierde-vară)* lounger.
gureș *adj.* talkative, loquacious; garrulous.
gurgui *s.n.* **1.** nipple, teat. **2.** *(de cană)* spout.
gurguiat *adj.* **1.** pointed. **2.** hooked.
guriță *s.f.* **1.** kiss, *fam.* buss. **2.** ginger snaps.
gurmand I. *s.m.* glutton. **II.** *adj.* greedy.
gurmă *s.f. med. vet.* strangles.
gurnă *s.f. nav.* bilge.
guseu *s.n. constr.* gusset stay.
gust *s.n.* **1.** taste. **2.** *(savoare)* relish; savour. **3.** *(aromă)* flavour. **4.** *(poftă)* desire, appetite; ~ *amar / coclit* hot coppers; *cu* ~ tasteful(ly); *fără*~ vapid, tasteless; *de prost* ~ in bad taste; unsavoury; *pe ~ul meu* to my liking.
gusta *vt.* **1.** to taste. **2.** *(a sorbi)* to sip. **3.** *(a savura)* to relish, to enjoy. **4.** *(a trece prin)* to experience, to undergo.
Gustar *s.m. pop.* August.
gustare *s.f.* **1.** snack. **2.** *(de dimineață)* breakfast.
gustat *adj.* appreciated.
gustativ *adj.* gustative; *(d. nervi etc.)* gustatory.
gustări *vt.* to taste; to eat on the sly, to pilfer.
gustărică *s.f. fam.* snack.
gustos *adj.* tasteful, appetizing.
gușat I. *s.m.* man with a goitre. **II.** *adj.* goitrous.
gușă *s.f.* **1.** *med.* goitre. **2.** *ornit.* crop. **3.** *fig.* double chin.
gușter I. *s.m. zool.* green lizard *(Lacerta viridis).* **II.** *s.n. med.* croup.
gutapercă *s.f.* gutta percha.
gutație *s.f. bot.* nocturnal elimination of drops of water, usually through the leaves of the plant.
gută *s.f. med.* gout.
gutieră *s.f. nav.* (inner) waterway.
gutos *adj. med.* gouty, afflicted with gout, arthritic(al).
gutui *s.m. bot.* quince tree *(Cydonia vulgaris).*
gutuie *s.f.* quince.
guturai *s.n.* cold (in the head).
gutural *adj.* guttural.
guvern *s.n.* **1.** government. **2.** *(guvernare și)* rule.
guverna I. *vt.* to rule. **II.** *vi.* to reign, to govern.
guvernamental *adj.* government, state.
guvernant *adj.* ruling.
guvernantă *s.f.* governess, (dry) nurse.
guvernare *s.f.* **1.** rule. **2.** *fig.* sway.
guvernator *s.m.* governor.
guvernământ *s.n.* government.
guvernor *s.m. înv.* governor, guardian, tutor.
guvid *s.m. iht.* gudgeon, chub.
guzgan *s.m. zool.* rat.
guzlă *s.f. muz.* gusla, guzla, g(o)usle.
gyroporella *s.f. pl. paleont.* Gyroporella.

H

H, h *s.m* H, h, the tenth letter of the Romanian alphabet.
ha *interj.* ha!
haban *adj. artă* 17th century fine pottery of Alba county (Transylvania).
habanera *s.f. muz.* habanera.
habar *s.n. a avea ~ de ceva* to be in the know (about smth.); *a nu avea ~ (de ceva)* to have (absolutely) no idea (of smth.); *fig.* not to care a fig (about smth.).
habeas corpus *jur.* habeas corpus.
habitaclu *s.n. av.* cockpit, passenger space.
habitat *s.n.* **1.** *biol.* biotope. **2.** habitat, accommodation.
habitudine *s.f.* **1.** *sociol.* habitude. **2.** habit, manner, custom.
habitus *s.n. med.* habitus, habit, constitutional type.
habotnic I. *adj.* **1.** bigoted; *fam.* saintly. **2.** fanatical, *fam.* gushing. **II.** *s.m.* bigot.
habotnicie *s.f.* bigotry.
hac *s.n. a veni de ~ cuiva* to get the better of smb.
hachițe *s.f. pl.* freaks, humours; *când îi vin ~le* when the fit takes her.
hafniu *s.n. chim.* hafnium.
hagialâc *s.n. rel.* Christian or Moslem pilgrimage to sacred places.
hagiograf *s.m.* hagiographer.
hagiografe *s.f. pl.* hagiographa.
hagiografic *adj. rel.* hagiographic.
hagiografie *s.f.* hagiography.
hagiu *s.m. rel.* Christian or Moslem pilgrim.
hahaleră *s.f.* scamp.
haham *s.m.* Jewish (kosher) butcher.
hahniu *s.n. chim.* hahnium.
hai *interj.* **1.** come on! **2.** let's go!
haidamac *s.m.* hoodlum.
haidău *s.m.* **1.** cowherd, AE cowboy. **2.** loafer, *fam.* gadabout, tramp.
haide *interj. v.* h a i.
haiduc *s.m.* outlaw.
haiducesc *adj.* of outlawry.
haiducește *adv.* like an outlaw.
haiduci *ist.* **I.** *vi.* to lead an outlaw's life. **II.** *vr.* to become an outlaw.
haiducie *s.f.* outlawry.
haihui *adv.* aimlessly.
haikai (hai-kai) *s.n. lit., ist. Japoniei* hai-kai, haikai.
haiku *s.n. lit.* haiku.
haimana I. *s.f.* tramp. **II.** *adv.* roamingly.
haimanalâc *s.n.* tramping, loafing, *fam.* mooching.
hain I. *adj.* heinous. **2.** *(aspru)* harsh. **II.** *adv.* heinously; cruelly.
haină *s.f.* **1.** coat. **2.** *pl.* clothes. **3.** *(sacou)* jacket. **4.** *(palton)* top coat; *haine civile* plain clothes, mufti; *haine de comandă* custom clothes; *haine de gală* full dress; *~(de) gata* clothes off the peg *sau* hook; *~ de ploaie* mac(kintosh); *haine de seară* evening dress; *haine vechi/ de ocazie* hand-me-downs, reach-me-downs.
haini *vr.* to become wicked / cruel / callous.
hainie *s.f.* **1.** wickedness; cruelty; enmity; spite, malice, viciousness. **2.** *(perfidie)* perfidy.
hait *interj.* you don't say so!
haită *s.f.* **1.** pack. **2.** *(câine)* dog.
haiti *interj.* v. h a i t.
haitic *s.n.* pack of wolves.
haitiș *adj.* **1.** *anat.* knock-kneed. **2.** *vet.* overreached.
hal *s.n.* bad plight, form *sau* state.
halaj *s.n. nav.* towage.
halal *interj.* **1.** good for you! **2.** *peior.* now you've done it!
halat *s.n.* **1.** overall. **2.** *(de casă)* dressing gown. **3.** *(de baie)* bathgown.
hală *s.f.* **1.** holl. **2.** *(piață)* market (place).
halbă *s.f.* **1.** mug. **2.** *(cantitate)* pint.
halcă *s.f.* hunk.
haldan *s.n. agr.* autumn hemp *(Cannabis sativa).*
haldă *s.f.* waste / dump heap, waste dump.
haleală *s.f. argou* **1.** *fam.* grub, belly timber. **2.** *fam.* wolfing.
halebardă *s.f. odin.* halberd, halbert.
halebardier *s.m. odin.* halberdier, *înv.* halberd, halbert.
half *s.m. sport* half (back).
hali I. *vt.* **1.** *argou, fam.* to wolf, to hally. **2.** (*la oină*) to strike, to bat. **II.** *v.i. argou* to grub.
halima *s.f.* **1.** Arabian nights. **2.** crazy story *sau* happening.
halit *s.n. geol.* halite, rock salt.
halloisit *s.n. mineral.* halloysite.
halma *s.f.* halma, hoppity.
halo *s.n.* halo.
halofită *bot.* **I.** *s.f.* halophyte. **II.** *adj.* halophytic.
halogen *adj. chim.* halogen.
halogenare *s.f. chim.* halogenation.
halogenură *s.f. chim.* halide.
haloid *adj., s. n. chim.* haloid.
halt *interj.* halt!
haltă *s.f.* **1.** *ferov.* flag station. **2.** *(oprire)* halt; *~ de ajustare* bait.
halter *s.n. entom.* halter, poiser (of diptera).
haltere *s.f. pl.* **1.** dumb bells. **2.** *(ca sport)* weight lifting.
halterofil *s.m.* weight lifter.
halterofilie *s.f.* weight-lifting.
halucina *vt.* to hallucinate.
halucinant *adj.* hallucinating.
halucinat *s.m.* hallucinative person.
halucinație *s.f.* hallucination.
halucinogen *adj.* hallucinogen.
halva *s.f.* khalva.
halviță *s.f.* dessert made of caramel, nuts, almonds, flavours.
ham I. *s.n.* harness. **II.** *interj.* bow-wow!
hamac *s.n.* hammock.
hamadă *s.f. geogr.* ham(m)ada.
hamal *s.m.* **1.** porter. **2.** *mar.* stevedore.
hamalâc *s.n.* hackwork.
hambar *s.n.* barn, granary.
hamei *s.n. bot.* hops *(Humulus lupulus).*
hamitic *adj. ist.* Hamitic.
hamito-semitice *adj.* Hamito-Semitic (of languages).
hamiți *s.m. pl. ist.* Hamites.
hamsie *s.f. iht.* anchovy *(Engraulis ecrassicholus).*
han I. *s.m. ist.* khan. **II.** *s.n.* inn, road house.
hanap *s.n.* goblet, trankard, hanap.
hanat *s.n. ist.* khanate.
handbal *s.n.* handball.
handbalist *s.m. sport.* handball player.
handicap *s.n.* **1.** handicap. **2.** *fig.* hindrance.
handicapa *vt.* **1.** to handicap. **2.** *fig.* to hamper.

handralău *s.n.* **1.** good-for-nothing (fellow), *fam.* gadabout, idler. **2.** *peior.* lad.
hang *s.n. a ține ~ul cuiva* to abet / support smb.
hangar *s.n.* hangar, shed.
hanger *s.n.* yataghan.
hangiță *s.f.* landlady.
hangiu *s.m.* innkeeper.
hanorac *s.n.* anorak.
han-tătar *s.m. ist.* Tartar khan.
hantru *s.m. agr.* conventional unit for measuring farming operations performed by a tractor.
hanzelă *s.f. ind.* installation for producing caramel candies.
haos *s.n.* chaos, jumble.
haotic I. *adj.* chaotic. **II.** *adv.* chaotically, in a jumble.
hap *s.n.* pill.
hapcă *s.f. cu hapca* arbitrarily, forcibly.
hapciu *interj.* at-cha!
haplea *s.m.* dolt, noddy.
haplofază *s.f. biol.* haplophase.
haploidă *adj. biol.* haploid.
haplologie *s.f. lingv.* haplology.
happy-end *s.n.* happy-ending.
hapsân *adj.* **1.** grabbing. **2.** *(hain)* hard-hearted.
har *s.n.* **1.** gift. **2.** *rel.* grace.
haraba *s.f.* rack waggon.
harababură *s.f.* **1.** jumble. **2.** *(zarvă)* hullabaloo.
harabagiu *s.m.* carter, carman.
harabaie *s.f. reg.* **1.** large room or yard. **2.** large vehicle.
harachiri *s.n.* hara-kiri.
haraci *s.n. ist.* yearly toll paid by the vassal peoples to the Sultan.
haram *s.n., adv. de ~* arbitrarily, ill-got(ten).
harapnic *s.n.* whip.
harbuz *s.m. reg. bot.* v. p e p e n e.
harcea-parcea *adv. a face ~* to play ducks and drakes with; to play havoc in.
hardpan *s.n. geol.* hardan.
hardughie *s.f.* ramshackle house.
harem *s.n.* harem.
harfă *s.f. v.* h a r p ă.
harfistă *s.f. v.* h a r p i s t ă.
harlechin *s.m.* v. a r l e c h i n.
harnașament *s.n.* harness.
harnic I. *adj.* hardworking, industrious. **II.** *adv.* industriously.
harpagon *s.m.* curmudgeon.
harpă *s.f.* harp.
harpie *s.f.* **1.** *mit.* harpy. **2.** *fig.* harpy, fury.
harpistă *s.f.* harp player.
harpon *s.n.* harpoon.
hartan *s.n.* **1.** large piece of steak. **2.** rag.
hartă *s.f.* map; *mar. și* chart.
harță *s.f.* quarrel, squabble.
harți *s.m. pl. rel.* (day of) absolution from fast (in Eastern Orthodox Church).
haruspicii *s.m. pl. ist. rel.* (h)aruspices.
hasidism *s.n. rel.* Has(s)idism, Chas(s)idism.
hasmațuchi *s.m. bot.* true / garden chervil *(Anthriscus cerefolium).*
haspel *s.n. text.* winch.
hașeu *s.n.* pork, liver and bacon preserve; tinned minced meat.
hașiș *s.n.* hashish.
hașișism *s.m. med.* has(c)hish intoxication.
hașmă *s.f. bot.* shallot *(Allium ascalonicum).*
hașura *vt.* to hachure.
hașuri *s.f. pl.* hachures, hatchings.
hat *s.n.* ba(u)lk.
hatâr *s.n.* favour; *de ~ul meu* for my sake.
hatișerif *s.n. ist.* royal mandate; Sublime Porte decree bearing the Sultan's seal.
hatman *s.m.* hetman.
hatorică *adj. arh.* Hathoric.
hatteria *s.m. zool.* hatteria, tuatara.
haț *interj.* snap!
hațegana *s.f. art.* **1.** lively Transylvanian folk dance (of Hatzeg county). **2.** tune of this dance.
hau *interj.* bow-wow!
haustor *s.m. bot.* haustorium.
hava *vt. min.* to (under)cut, to (under)hole.
havaet *s.n. ist.* **1.** special tax during the Ottoman Empire. **2.** 18th and 19th century Wallachian employment tax.
havaiană *s.f.* ukulele.
havalele *s.f. pl. ist.* **1.** Sublime Porte toll orders. **2.** peasants' work for the boyar or prince.
havan *adj. invar.* light brown colour.
havană *s.f.* cigar.
haveză *s.f. min.* coal-cutting machine; (mechanical) coal cutter.
havră *s.f. bis.* synagogue.
havuz *s.f.* artesian fountain.
havuz *s.n. arh.* artesian fountain.
haz *s.n.* **1.** fun. **2.** *(veselie)* sport. **3.** *(farmec)* relish; *fără ~* vapid, stale.
hazard *s.n.* hazard.
hazarda *vt., vr.* to venture.
hazardat *adj.* venturesome.
hazliu *adj.* **1.** comical. **2.** *(spiritual)* witty.
hazna *s.f.* **1.** cesspool. **2.** *(cu bani)* treasury.
hăbăuc I. *adj.* brainless; foolish; *fam.* muddle-headed. **II.** *s.m.* confused head / brain; *fam.* muddle-headed fellow; fool, blockhead.
hăcui *vt. reg.* to hack.
hădărag *s.m.* cudgel.
hăi *interj.* **1.** *(la vite)* hoy! **2.** heigh! hi! *(ascultă)* I say! *(hei)* to there!
hăis *interj.* right!
hăitaș *s.m.* beater.
hăitui *vt.* to hunt, to chase.
hăituială *s.f.* **1.** battue. **2.** *fig.* hue and cry.
hălăciugă *s.f.* **1.** bush. **2.** dishevelled hair.
hălădui *vi.* **1.** to live (in a place), to dwell. **2.** to rove, to ramble.
hălălaie *s.f.* hubbub, fuss, uproar, *fam.* row, shindy.
hăldan *s.m. bot.* female hemp *(Cannabis sativa).*
hămăi *vi.* to bark, to bay; *(d. cățel)* to yelp, to yap.
hămăit *s.n.* barking, yelping.
hămeseală *s.f.* canine appetite, rabid hunger, sharpness of the stomach.
hămesi *vi.* to be awfully / ravenously hungry, *fam.* to have a wolf in one's stomach.
hămesit *adj.* starving.
hăpăi *vt.* to gulp down, to devour, *fam.* to gobble up, to stuff down.
hărăbaie *s.f. reg.* v. h a r a b a i e.
hărăzi *vt.* **1.** *(cuiva)* to bestow (upon smb.). **2.** *(a sorti)* to destine.
hărmălaie *s.f.* **1.** hubbub. **2.** *(învălmășeală)* harum-scarum.
hărnicie *s.f.* diligence, zeal.
hărtăni I. *vt.* to hack; to lacerate, to tear to pieces, to mangle; **II.** *vr.* to wear out.
hărăui *vt.* to harass.
hărăuială *s.f.* **1.** harassing, nagging. **2.** hassle, fight. **3.** *mil.* attrition.
hărăuit *adj.* **1.** harassed, nagged, bothered. **2.** troubled, nervous, restless.
hăt *adv. ~ departe* very far.
hătmănesc *adj. odin.* hetman's ...
hătmănie *s.f. odin.* hetmanate, hetmanship.
hăț *s.n.* bridle; *pl.* reins.
hățaș *s.n.* **1.** forest path. **2.** steep road / path.
hățiș *s.n.* thicket.
hățui *vt.* to bridle.
hău *s.n.* chasm.
hăui *vi.* to (re)sound, to echo, to be echoed.

hăuli *vi.* 1. v. c h i u i. 2. v. h ă u i.
hăulitură *s.f.* 1. humorous / ironic couplet; short lyrics shouted during folk dances. 2. shout.
hăzos *adj.* v. h a z l i u.
hâc *interj.* huh!
hâd *adj.* ugly, ungainly.
hânsari *s.m. pl. ist. României* unpaid Moldavian horsemen, who fought for spoils.
hâr *interj.* gr-r-r! *că ~, că mâr fam.* v. c ă-i c â r, c ă-i m â r.
hârâi *vi.* 1. to rattle. 2. *(d. câine)* to growl.
hârâială *s.f.* 1. wheezing etc. v. h â r â i. 2. (*tuse*) cough.
hârâit I. *s.n.* 1. rattling. 2. *(respirație)* wheezing. II. *adj.* wheezing.
hârâitoare *s.f.* rattle.
hârâitură *s.f.* wheeze; growl, snail.
hârb *s.n.* crock.
hârbar *adj.* stray.
hârbui I. *vt.* to break (to pieces). II. *vr.* to get broken.
hârcă *s.f.* 1. *(craniu)* skull. 2. *(babă)* harridan.
hârciog *s.m. zool.* hamster, German marmot *(Cricetus cricetus).*
hârdău *s.n.* tub.
hârjoană *s.f.* gambolling etc. v. h â r j o n i.
hârjoneală v. h â r j o a n ă.
hârjoni *vr.* to frisk.
hârleț *s.n.* spade.
hârșâi *vi., vt.* to scrape, to grate; (*cu penița etc.*) to scratch.
hârșâitură *s.f.* scraping, grating (sound); scratch(ing).
hârști *interj.* slap! smack!
hârtie *s.f.* 1. paper. 2. *(bancnotă)* (bank)note; ~ *carbon* carbon paper; ~ *cretată* coated paper; ~ *de muște* fly paper, catch-them alive; ~ *de toaletă sau igienică* toilet paper; ~ *milimetrică* scale papers; cross section paper; ~ *monedă* paper money; ~ *pergament* wax paper, parchment.
hârtioară *s.f.* slip of paper.
hârtiuță v. h â r t i o a r ă.
hârtop *s.n.* pothole, rut.
hârțoage *s.f. pl.* old papers, rags.
hârzob *s.n.* 1. cable. 2. fish basket; *a cădea cu ~ul din cer fam.* to drop from the clouds.
hâș *interj.* shoo!
hâșâi *vt.* to shoo.
hâtru I. *s.m.* wag, wit. II. *adj.* waggish.
hâț *interj.* snap!
hâțâna I. *vt.* to shake (up); to rock, to swing. II. *vr.* to rock, to swing; to sway, to waddle.
he *interj.* v. h e i.
hebdomadar *s.n., adj.* weekly.
hebefrenie *s.f. med.* hebephrenia.
hecatombă *s.f.* 1. hecatomb. 2. *fig.* great slaughter, massacre.
hectar *s.n.* hectare.
hect(o)- *prefix* hect(o)-.
hectograf *s.n.* copying press, hectograph.
hectogram *s.n.* hectogram(me).
hectolitru *s.m.* hectolitre.
hectometru *s.m.* hectometre.
heder *s.n. agr.* header.
hedonism *s.n. filoz.* hedonism.
hedonist *adj., s.m. filoz.* hedonist.
hegelian *adj. filoz.* Hegelian.
hegelianism *s.n. filoz.* Hegelianism.
hegemon *s.m.* leader, ruler.
hegemonie *s.f.* hegemony.
hegira *s.f. ist. rel.* Hegira.
hei *interj.* heigh!
heleșteu *s.n.* (fish) pond.
helge *s.f. zool.* weasel (*Putoris vulgaris*).
heliantină *s.f. chim.* helianthin(e), methyl orange.
heliastrea *subst. paleont., zool.* Heliastraea.
helico- (elico-) *prefix* helic(o)-.
helicon *s.n. muz.* helicon.
helicopter *s.n. av.* helicopter, rotocraft.
helio- *prefix* heli(o)-.
heliocentric *adj. astr.* heliocentric.
heliocentrism *s.n. astr.* conception that admits the heliocentric system.
heliodor *s.n. mineral.* heliodor.
heliograf *s.n.* heliograph.
heliografie *adj. tehn.* heliographic.
heliografie *s.f. tehn.* heliography.
heliogravură *s.f.* heliogravure.
heliometru *s.n. astr.* heliometer.
helion *s.m. chim.* Helium nucleus.
helioscop *s.n. astr.* helioscope.
heliostat *s.n. opt.* heliostate.
helioterapie *s.f.* helioterapy.
heliotermic *adj. fiz.* heliothermic.
heliotermie *s.f. meteo.* heliothermy.
heliotipie *s.f.* heliotypy.
heliotrop *s.n.* heliotrope.
heliotropie *adj. bot.* heliotropic.
heliotropină *s.f. farm.* heliotropin, piperonal.
heliotropism *s.n. bot.* heliotropism.
helioză *s.f. med.* heliosis.
heliu *s.n.* helium.
helmintiază *s.f. med.* helminthiasis.
helmintologie *s.f. med.* helminthology.
helmintosporioză *s.f. bot.* helminthosporiosis, plant illness caused by helminthosporia.
helofită *s.f. bot.* helophyte.
helveți *s.m. pl. ist.* Helvetii.
helvețian *s.n., adj. geol.* Helvetian.
hem *s.n. chim.* hem(e), haem.
hema-, hemo- *prefix* h(a)ema-, h(a)emo-.
hemangiom *s.n. med.* h(a)emangioma.
hemartroză *s.f. med.* h(a)emarthrosis.
hematemeză *s.f. med.* h(a)ematemesis.
hematie *s.f. fiziol* red (blood) corpuscle, red cell.
hematină *s.f. chim., biol.* h(a)ematin.
hematit *s.n. mineral.* h(a)ematite, bloodstone, sanguine.
hematocrit *s.n.* 1. *tehn.* hematocrit. 2. *med.* hematocrit value.
hematofag 1. *adj.* h(a)ematophagous. 2. *s.m.* h(a)ematophagous.
hematoglobinometru *s.n. med.* v. h e m a t o c r i t.
hematolog *s.m. med.* h(a)ematologist.
hematologic *adj. med., biol.* h(a)ematologic(al).
hematologie *s.f. med., biol.* h(a)ematology.
hematom *s.n. med.* h(a)ematoma.
hematopo(i)etic *adj. med., fiziol.* h(a)ematopoietic.
hematopo(i)eză *s.f. med., fiziol.* h(a)ematopoiesis.
hematoporfirină *s.f. biochim.* h(a)ematoporphyrin.
hematoză *s.f. med.* h(a)ematosis.
hematozoar *s.n. zool.* malaria parasite (*Plasmodium malariae*).
hematurie *s.f. med.* h(a)ematuria.
hemeralopie *s.f. med.* 1. hemeralopia. 2. nyctalopia.
hemianestezie *s.f. med.* hemianaesthesia.
hemianopsie *s.f. med.* hemianop(s)ia.
hemi- (emi-) *prefix* hemi-.
hemiceluloză *s.f. biochim.* hemicellulose.
hemiciclu *s.n.* hemicycle.
hemicranie *s.f. med.* hemicrania, migraine.
hemicriptofită *adj., s.f. bot.* hemicryptophyte.
hemicristalin *adj. mineral.* hemicrystalline.
hemimetabolă *adj. zool.* hemimetabola.
hemină *s.f. biochim.* hemin.
hemipareză *s.f. med.* hemiparesis.
hemiplegic *adj., s.m., s.f. med.* hemiplegic.
hemiplegie *s.f. med.* hemiplegia.

hemipter *s.n. entom.* hemipteron, *pl.* hemiptera.
hemisfer... v. e m i s f e r ă...
hemistih *s.n. stil.* hemistich.
hemocianină *s.f. biochim.* haemocyanin.
hemocultură *s.f. med.* h(a)emoculture.
hemodinamică *s.f. fiziol.* h(a)emodynamics.
hemofilie *s.f. med.* h(a)emophilia, haemophily.
hemogenie *s.f. med.* h(a)emogenia, pseudoh(a)emo-philia.
hemoglobină *s.f.* haemoglobin.
hemoglobinurie *s.f. med.* h(a)emoglobinuria.
hemogramă *s.f.* blood test.
hemolimfă *s.f. biochim., fiziol.* h(a)emolymph.
hemoliză *s.f. med.* h(a)emolysis.
hemolizine *s.f. pl. chim., fiziol.* h(a)emolysin.
hemopatie *s.f. med.* h(a)emopathy.
hemoptizie *s.f. med.* haemoptysis.
hemoragie *s.f.* haemorrhage.
hemoroidal *adj. med.* h(a)emorrhoidal.
hemoroizi *s.m. pl.* piles.
hemosiderină *s.f. biochim., fiziol.* h(a)emosiderin.
hemosideroză *s.f. med.* h(a)emosiderosis.
hemostatic *s.n. med.* h(a)emostatic, styptic.
hemostază *s.f. fiziol.* haemostasis.
hemoterapie *s.f. med.* hemotherapy, hemotherapeutics.
hendiadă *s.f. stil.* hendiadys.
henoteism *s.n. ist. rel.* henotheism.
henry *s.m. fiz.* henry.
henă *s.n. sport* hands.
heparină *s.f. chim., med.* heparin.
hepatic *adj.* liver...
hepatică *s.f. bot.* **1.** hepatica, liverwort *(Marchantia polymorpha).* **2.** *pl.* Hepaticae.
hepatită *s.f.* **1.** *med.* hepatitis. **2.** *mineral.* hepatite.
hepatologie *s.f. med., fiziol.* hepatology.
hepatomegalie *s.f. med.* hepatomegaly.
hepta- *prefix* hept(a)-.
heptaedru *s.n. geom.* heptahedron.
heptagon *s.n. geom.* heptagon.
heptametru *s.n. stil.* heptameter.
heptan *s.n. chim.* heptane.
heptavalent *adj. chim.* septivalent, heptavalent.
heptemimer *adj. stil* (of caesura) hepthemimerous, occurring after three and a half feet.
heptodă *s.f. el.* heptode.
herald *s.m. ist.* herald.
heraldic *adj.* heraldic.
heraldică *s.f.* heraldry.
herâie *s.f. ist., jur.* fee paid by the party winning a suit.
herb *s.n. înv.* (coat of) arms.
herbar *s.n.* v. i e r b a r.
herboriza *vi.* to herborize, to botanize.
hercinic *adj. ist., geol.* Hercynian.
herculean *adj.* Herculean.
hereford *s.n. zool.* Hereford (breed of cattle).
herghelie *s.f.* stud, haras.
hering *s.m. iht.* herring *(Clupea harengus).*
hermafrodit *s.m., adj.* hermaphrodite.
hermafroditism *s.n. bot.* hermaphrod(it)ism.
hermelină *s.f.* **1.** *zool.* stoat, ermine. **2.** ermine fur.
hermeneutică *s.f. filoz.* Hermeneutics.
hermetic *adj. etc.* v. e r m e t i c.
herminat *adj.* ermine(d), white powdered with black tufts.
hermină *s.f.* **1.** *zool.* (h)ermine *(Mustela erminea).* **2.** *(blană de ~)* *(h)ermine.*
hernie *s.f.* hernia.
heroidă *s.f. stil.* heroic verse.
heroină *s.f. chim.* heroine(e).
herpes *s.n.* herpes, cold sore.
hertz *s.m. fiz.* hertz, cycle per second.
herțeg *s.m. ist.* title of Wallachian hospodars / voivodes holding rule over the Almaș and Făgăraș counties of Transylvania.
herțian *adj. unde / raze herțiene el.* Hertzian waves.
heruli *s.m. pl. ist.* (the Gothic tribe of the) Heruli.
heruvic *s.n. bis.* hymn book.
heruvim *s.m.* cherub.
hesperidă *s.f. bot.* hesperidium, *pl.* hesperidia.
hesperornis *subst. paleont.* hesperornis.
hessian *s.n. text.* hessian, burlap.
hetairă *s.f. ist. Greciei* hetaera, hetaira.
hetero- *prefix* heter(o)-.
heteroauxină *s.f. biochim.* heteroauxin, indoleacetic.
heterociclu *s.n. chim.* heterocycle.
heteroclit *adj.* heterogeneous.
heterocromozom *s.m. biol.* heterochromosome.
heterodină *s.f. tehn.* heterodyne.
heterodont *adj., s.m. zool.* heterodont.
heterofilie *s.f. bot.* heterophylly.
heterogamie *s.f. biol.* heterogamous reproduction.
heterometabolă *adj. entom.* heterometabolic, heterometabolous.
heteroptere *s.n. pl. entom.* Heteroptera.
heterostilie *s.f. bot.* heterostyly.
heterotermie *s.f. biol.* poikilothermy, poikilothermism, heterothermy.
heterotrof *s.m. biol.* heterotrophic.
heterotrofie *s.f. biol.* heterotrophy, heterotrophism.
heterozidă *s.f. biochim.* heteroside.
heterozigot *s.m. biol.* heterozygote.
heterozis *subst. biol.* heterozygosis.
heterozom *s.m. biol.* heterochromosome.
hexaclorbenzen *s.m. chim.* hexachlorbenzene.
hexaclorciclohexan *s.m. chim.* hexachlorocyclohexane.
hexacoralier *s.m. zool.* hexacorall(i)a, zoantharia.
hexaedru *s.n. geom.* hexahedron.
hexagon *s.n. geom.* hexagon.
hexagonal *adj. geom.* hexagonal.
hexametafosfat *s.m. chim.* hexametaphosphate.
hexametilentetramină *s.f. chim.* hexamethylenetetramine.
hexametric *adj. stil.* hexametric.
hexametru *s.m.* hexameter.
hexan *s.m. chim.* hexane.
hexapod *zool.* **I.** *adj.* hexapod(ous). **II.** *s.n.* hexapod.
hexastil *s.n. arh.* hexastyle.
hexavalent *adj. chim.* hexavalent.
hex(a)- *prefix* hex(a)-.
hexodă *s.f. tehn.* hexode.
hexoză *s.f. chim.* hexose.
hi *interj.* hoy! hi! jee-up! whup!
hiacint *s.m.* **1.** *bot.* hyacinth (*Hyacinthus*). **2.** *mineral.* hyacinth.
hialin *adj.* hyaline.
hialinoză *s.f. med.* hyalinosis, hyalin degeneration.
hialograf *s.n. tehn.* hyalograph.
hialoplasmă *s.f. biochim.* hyaloplasm(a).
hiat *s.n.* hiatus.
hiberna *vi.* to hibernate.
hibernal *adj.* hibernal.
hibernare *s.f. și fig.* hibernation.
hibernoterapie *s.f. med.* hibernation cure / therapy.
hibrid *s.m., adj.* hybrid.
hibridizare *s.f. chim.* hybridization.
hiclenie *s.f. ist., jur.* felony, treason.
hicori *s.n. bot.* hickory (*Hicoria ovata*).
hicsoși *s.m. pl. ist. Egiptului* Hyksos, the Shepherd Kings.
hidalgo *s.m.* hidalgo.
hidartroză *s.f. med.* hydrarthrosis.
hidatic *adj. med.* hydatid (cyst).
hidatioză *s.f. med.* hydatid disease.
hidatodă *s.f. bot.* hydathode.

hidos *adj.* hideous.
hidoșenie *s.f.* repulsiveness.
hidracarian *s.m.* hydracarian.
hidracid *s.m. chim.* hydracid.
hidramnios *s.n. med.* hydramnios, hydramnion.
hidrant *s.n.* hydrant, fire plug.
hidrargilit *s.m. mineral.* hydrargillite, wavellite, gibbsite.
hidrargir *s.n. chim.* Mercury, Hydrargyrum.
hidrargirism *s.n. med.* hydrargyrism, mercurialism.
hidrat *s.m.* hydrate.
hidrata *vt., vr. chim.* to hydrate.
hidratare *s.f. chim.* hydration.
hidraulic *adj.* hydraulic.
hidraulică *s.f.* hydraulics.
hidrazidă *s.f. chim.* hydrazide.
hidrazină *s.f. chim.* hydrazine.
hidrazobenzen *s.m. chim.* hydrazobenzene.
hidrazonă *s.f. chim.* hydrazone.
hidră *s.f. zool., mitol., fig.* hydra.
hidr(o)- *prefix* hydr(o)-.
hidremie *s.f. med.* hydra(e)mia.
hidrie *s.f.* hydria.
hidroameliorații *s.f. pl. agr.* hydrological land management.
hidroaviație *s.f. av.* marine aviation.
hidroavion *s.n.* hydroplane.
hidrobicicletă *s.f.* hydrocycle.
hidrobiologie *s.f. biol.* hydrobiology.
hidrobion *s.n.* wooden or tin plate recipient for the transport of living fish.
hidrobuz *s.n. nav.* small ship for the transport of passengers along the coast.
hidrocarbonat *s.n. chim.* hydrocarbonate.
hidrocarbură *s.f. chim.* hydrocarbon.
hidrocefal *adj. med.* hydrocephalic, hydrocephalous.
hidrocefalie *s.f. med.* hydrocephalus, *fam.* water on the brain.
hidroceluloză *s.f. chim.* hydrocellulose.
hidrocentrală *s.f.* hydroelectric (power) plant / station.
hidrochinonă *s.f. chim.* hydrochinon(e), hydroquinone.
hidrociclon *s.n. tehn.* hydroextractor.
hidrocoră *adj., s.f. biol.* hydrochore.
hidrocorie *s.f. biol.* hydrochory.
hidrodinamic *adj.* hydrodynamic(al).
hidrodinamică *s.f.* hydrodynamics.
hidroelectric *adj.* hydroelectric.
hidroelevator *s.n. ind.* device used for the lifting and removal of water and mud from mechanized excavations.
hidrofil *adj.* hydrophilic, absorbent.
hidrofilie *s.f. chim.* hydrophily, hydrophilism.
hidrofinare *s.f. chim.* hydrofining.
hidrofită I. *adj.* hydrophytic. **II.** *s.f.* hydrophyte.
hidrofob *adj. chim., biol.* hydrophobic, hydrophobous.
hidrofobie *s.f.* canine madness.
hidrofor *s.n.* hydrophore.
hidrofug *adj.* waterproof.
hidrofugare *s.f. ind. text.* process of making textiles waterproof.
hidrogamă *adj. bot.* v. h i d r o f i t ă.
hidrogel *s.n. chim.* hydrogel.
hidrogen *s.n.* hydrogen.
hidrogenare *s.f. chim.* hydrogenation.
hidrogenerator *s.n. ind.* electric power generating set activated by a hydraulic turbine.
hidrogenoliză *s.f. chim.* hydrogenolysis.
hidrogeologie *s.f. geol.* hydrogeology.
hidroglisor *s.n. nav.* hydroglider, hydroglisseur.
hidrograd *s.n. geogr.* variable measure unit for the level of running waters.
hidrograf *s.m.* hydrographer.
hidrografic *adj.* hydrographic(al).
hidrografie *s.f.* hydrography.
hidrolacolit *s.m. geogr.* hydrolaccolith.
hidrolază *s.f. biochim.* hydrolase.
hidrolitic *adj. chim.* hydrolytic.
hidroliză *s.f. chim.* hydrolysis.
hidrolog *s.m.* hydrologist.
hidrologic *adj.* hydrological.
hidrologie *s.f.* hydrology.
hidromanie *s.f. med.* psychic trouble characterized by a propensity for committing suicide by drowning.
hidromecanic *adj.* hydromechanical.
hidromecanică *s.f.* hydromechanics, hydraulics.
hidromecanizare *s.f. ind.* hydromechanization.
hidromecanizat *adj. ind.* hydromechanized.
hidromel *s.n.* hydromel.
hidrometalurgie *s.f. ind.* hydrometallurgy.
hidrometric *adj.* hydrometric.
hidrometrie *s.f.* hydrometry.
hidrometru *s.n.* hydrometer.
hidromodul *s.m. agr.* duty water.
hidromonitor *s.n.* giant.
hidronefroză *s.f. med.* hydronephrosis.
hidroniu *s.m. chim.* hydronium.
hidroperoxid *s.m. chim.* hydroperoxide.
hidropic *adj. med.* hydropic, dropsical.
hidropizie *s.f.* (hy)dropsy.
hidroplan *s.n. av.* hydroplane, seaplane.
hidroplanare *s.f. av.* movement of a hydroplane on water.
hidroponică *adj.* hydroponic.
hidrosadenită *s.f. med.* hydradenitis.
hidroscală *s.f. av.* airport for hydroplanes.
hidroseparator *s.n. ind.* hydroseparator.
hidrosferă *s.f. geol.* hydrosphere.
hidrosol *s.n. chim.* hydrosol.
hidrosolubil *adj. chim.* water-soluble.
hidrostatic *adj.* hydrostatic(al).
hidrostatică *s.f. fiz.* hydrostatics.
hidrosulfit *s.m. chim.* hydrosulphite.
hidrosulfuros *adj. chim.* hydrosulphurous (acid).
hidrotehnic *adj.* hydrotechnical.
hidrotehnică *s.f.* hydrotechnics.
hidrotehnician *s.m. ind.* water-supply engineer.
hidroterapic *adj.* hydrotherapeutic.
hidroterapie *s.f. med.* hydrotherapy.
hidrotermal *adj.* hydrothermal.
hidrotipie *s.f. foto.* hydrotype.
hidrotropism *s.n. bot.* hydrotropism.
hidroxiacid *s.m. chim.* hydroxyacid.
hidroxid *s.m. chim.* hydroxide.
hidroxil *s.m. chim.* hydroxil.
hidroxilamină *s.f. chim.* hydroxylamine.
hidrozoar *s.n. zool.* Hydrozoa.
hidrură *s.f. chim.* hydride.
hienă *s.f. zool.* **1.** hyena *(Hyaena)*. **2.** *fig.* vulture.
hieratic *adj.* hieratic(al).
hieratism *s.n. rar* hieratism.
hierodul *s.m. ist. rel.* hierodule.
hierofant *s.m. rel.* **1.** *ist. Greciei* hierophant, priest presiding over the Eleusian mysteries. **2.** pontiff, priest, hierarch.
hieroglifă *s.f.* hieroglyph.
hieroglific *adj.* hieroglyphic.
hifă *s.f. bot.* hypha.
high-life *s.n.* high society.
higienă *s.f. v.* i g i e n ă.
higienic *adj.* v. i g i e n i c.
higienist *s.m.* v. i g i e n i s t.
higro- *prefix* hygr(o)-.
higrofită I. *s.f.* hygrophyte, hydrophyte. **II.** *adj.* hydrophytic.
higrograf *s.n. meteo.* hygrogrpah.
higromă *s.f. med. vet.* hygroma.
higrometric *adj. meteor.* hygrometric.
higrometrie *s.f.* hygrometry.
higrometru *s.n. meteo.* hygrometer.
higroscop *s.n. text.* hygroscope.
higroscopic *adj. text.* hygroscopic; (*d. vată*) absorbant.
higrostat *s.n. tehn.* hygrostat.

hil *s.n. anat., bot.* hilum, hile.
hilar *adj.* **1.** *anat.* hilar. **2.** *(umoristic)* hilarious.
hilea *s.f. geogr.* Hyläa, tropical forests (of the Congo).
hilean *adj. geogr., bot.* wooded, covered with forests.
hilot *s.m. ist.* helot.
hilozoism *s.n. filoz.* hylozoism.
himen *s.n.* hymen, maidenhead.
himenoptere *s.n. pl. entom.* hymenoptera.
himeră *s.f.* chimaera.
himeric *adj.* chimaeric.
hinayana *s.f. rel.* hinayana.
hindi *subst. lingv.* Hindi.
hinduism *s.n. rel.* Hinduism.
hindus *s.m., adj.* Hindoo.
hindusă *s.f.* **1.** Hindoo. **2.** *(limba)* Hindi.
hindustană *adj., s.f.* Hindustani, Hindostani.
hingher *s.m.* knacker (man).
hinterland *s.n.* homefront.
hioid *adj. anat.* hyoid (bone).
hiparion *subst. paleont.* hipparion.
hiper- *prefix* hyper-.
hiperaciditate *s.f.* hyperacidity.
hiperbolă *s.f.* hyperbole.
hiperbolic *adj.* **1.** *stil.* hyperbolic(al). **2.** *geom.* hyperbolic.
hiperboloid *s.m. mat.* hyperboloid.
hiperborean *adj., s. m.* hyperborean.
hipercheratoză *s.f. med.* hyperkeratosis.
hiperchinezie *s.f. med.* hyperkinesis, hyperkinesia.
hiperclorhidrie *s.f. med.* hyperchlorhydria.
hipercorect *adj. lingv.* hypercorrect.
hipercritic *adj.* hypercritical.
hiperemie *s.f. med.* hyperemia.
hiperfoliculinism *s.f. med.* excessive secretion of folliculin.
hiperglicemie *s.f. med.* hyperglycemia.
hiperhidroză *s.f. med.* hyper(h)idrosis.
hiperinsulinism *s.n. med.* hyperinsulinism.
hipermenoree *s.f. med.* hypermenorrhea, abnormally abundant menorrhea.
hipermetrop *adj. med.* hypermetropic.
hipermetropie *s.n. med.* hypermetropia, long-sightedness.
hipermetru *s.m. stil.* hypermeter.
hiperon *s.m. fiz.* hyperon.
hiperparatiroidism *s.n. med.* hyperparathyroidism.
hiperplazie *s.f. med.* hyperplasia.
hipersecreție *s.f. med.* hypersecretion.
hipersensibil I. *s.m.* sensitive plant. **II.** *adj.* hypersensitive.
hipersensibilitate *s.f.* hypersensitiveness, hypersensitivity.
hipersten *s.m. geol.* hypersthene.
hipersustentație *s.f. av.* lift increasing / increase by lift-flap device.
hipertensiune *s.f.* high blood pressure.
hipertensiv *s.m., adj.* hypertensive (patient).
hipertimism *s.n. med.* hyperthymia.
hipertiroidie *s.f. med.* hyperthyroidism.
hipertiroidism *s.n. med.* hyperthyroidism, hiperthyroid state.
hipertonie *s.f. med.* hypertonicity.
hipertricoză *s.f. med.* hypertrichosis.
hipertrofia *vr. med.* to hypertrophy.
hipertrofic *adj. med.* hypertrophic.
hipertrofie *s.f. med.* hypertrophy.
hiperurbanism *s.n.* hyperurbanism.
hipervitaminoză *s.f. med.* hypervitaminosis.
hipic *adj.* horse.
hipism *s.n.* horse racing.
hipnopedie *s.f.* hypnopedia, sleep teaching / learning.
hipnotic *adj.* hypnotic; *fig.* și fascinating.
hipnotism *s.n.* hypnotism.
hipnotiza *vt.* to hypnotize.
hipnotizant I. *adj.* hypnotizing, hypnotic. **II.** *s.n. farm.* hypnotic; narcotic.
hipnotizat *adj.* **1.** hypnotized. **2.** *fig.* fascinated.
hipnotizator *s.m.* hypnotist, mesmerist.
hipnoză *s.f.* hypnosis, mesmerism.
hipo- *prefix zool.* hipp(o)-.
hipo- *prefix* hyp(o)-.
hipoaciditate *s.f. med.* hypochlorhydria.
hipocaustic *s.m. arh.* hypocaust.
hipocentaur *s.m. mit.* hippocentaur.
hipocentru *s.m. geol.* hypocentre.
hipocicloidă *s.f. mat.* hypocycloid.
hipoclorhidrie *s.f.* hypochlorhydria.
hipoclorit *s.m. chim.* hypochlorite.
hipocloros *adj. chim.* hypochlorous (acid).
hipocondru *s.n. anat.* hypochondrium.
hipocoristic *adj.* hypocoristic.
hipocotil *s.n. biol.* hypocotyl.
hipocratism *s.n. med.* **1.** Hippocratism. **2.** Hippocratic fingers *(deformare a mâinii).*
hipocristalin *adj. geol.* hypocrystalline.
hipoderm *s.n. anat.* hypoderm(a); hypodermis.
hipodermic *adj.* hypodermic.
hipodermoză *s.f. med. vet.* hypodermosis.
hipodrom *s.n.* race course.
hipoestezie *s.f. med.* hypoaesthesia.
hipofiză *s.f. anat.* hypophysis.
hipofosfat *s.m. chim.* hypophosphate.
hipofosfit *s.m. chim.* hypophosphite.
hipofosforic *adj. chim.* hypophosphoric (acid).
hipofosforos *adj. chim.* hypophosphorous (acid).
hipofuncție *s.f. fiziol.* hypofunction.
hipogastric *adj. anat.* hypogastric.
hipogastru *s.n. anat.* hypogastrium.
hipogeu I. *s.n. ist.* hypogeum. **II.** *adj. bot., zool.* hypogeous.
hipoglicemiant *adj. med.* hypoglycemic.
hipoglicemie *s.f. fiziol.* hypoglycemy.
hipolog *s.m., s.f.* expert in hippology / horses.
hipologie *s.f.* hippology.
hipomenoree *s.f. fiziol.* hypomenorrhea.
hiponastie *s.f. bot.* hyponasty.
hipoplazie *s.f.* hypoplasia.
hipopotam *s.m.* hippopotamus, *fam.* hippo.
hiposecreție *s.f. fiziol.* hyposecretion.
hipostază *s.f. med.* hypostasis.
hipostil *adj. arh.* hypostyle, pillared.
hiposulfit *s.m. chim.* hyposulfite.
hipotalamus *s.m. anat.* hypothalamus.
hipotensiune *s.f. med.* low blood pressure, hypotension.
hipotensiv *adj. med.* hypotensive.
hipotensivant *adj. farm.* hypotensive, lowering / reducing blood pressure.
hipotermal *adj.* hypothermal.
hipotermie *s.f. med.* hypothermia.
hipotiroidism *s.n. med.* hypothyroidism.
hipotonie *s.f. med.* hypotonicity.
hipotracțiune *s.f.* horse traction.
hipotrofie *s.f. biol.* hypotrophy.
hipovitaminoză *s.f. med.* hypovitaminosis.
hipsografie *s.f. geogr.* hypsography.
hipsometric *adj. geogr.* hypsometric(al).
hipsometrie *s.f. geogr.* hypsometry.
hipsometru *s.n. tehn.* hypsometer.
hipuric *adj. chim.* hippuric (acid).
hipurit *s.n. zool.* hippurite *(Hippurites).*
hiracoteriu *subst. paleont.* eohippus *(Hyracotherium).*
hirotoni *vt. bis.* v. h i r o t o n i s i.
hirotoni(si)re *s.f. bis.* ordainment (of a priest).

hirotonie *s.f. rel.* the mystery of priesthood; *bis.* ordainment.
hirotonisi *vt.* to ordain.
hirsut *adj.* **1.** hirsute. **2.** *fig.* uncouth.
hirsutism *s.n. med.* hypertrichosis, hirsutism.
hirudineu *s.n. pl. zool.* hirudinea *(Hirudinea).*
hirudinizare *s.f. med.* hirudinization, injection of hirudin.
hispanist *s.m., s.f.* hispanist; Spanish scholar.
histamină *s.f. biochim.* histamine.
histerectomie *s.f. med.* hysterectomy.
histerezis *s.n. fiz.* hysteresis.
histerotomie *s.f. med.* hysterotomy.
histidină *s.f. biochim.* histidine.
histiocit *s.m. fiziol.* histiocyte.
histoautoradiografie *s.f. med.* histoautoradiography.
histochimie *s.f. med.* histochemistry.
histofiziologie *s.f. fiziol.* histophysiology.
histogeneză *s.f. biol.* histogenesis.
histogramă *s.f. mat.* histogram.
histologic *adj. med.* histologic(al).
histologie *s.f. anat.* histology.
histomonoză *s.f. med. vet.* histomoniasis.
histone *s.f. pl. biochim.* histone.
histopatologie *s.f. med.* histopathology.
historiogramă *s.f.* chronogram.
histoterapie *s.f. med.* histotherapy.
histrion *s.m. ist.* histrion.
histrionic *adj.* **1.** histrionic. **2.** *fig.* hypocritical, deceitful, dishonest, tricky.
hitit *s.m., adj.* Hittite.
hitită *s.f. ist., lingv.* Hittite.
hitlerism *s.n.* Hitlerism.
hitlerist I. *s.m.* Hitlerite. **II.** *adj.* Hitler's, Hitlerite.
hlamidă *s.f.* mantle.
hlizi *vr.* to titter, to giggle.
hm *interj.* humph! (a)hem!
ho *interj.* stop!
hoanghină *s.f.* hag, witch, old croch / jade.
hoardă *s.f.* horde.
hoban *s.n. nav.* bracing wire.
hobby *s.n.* hobby.
hochei *s.n.* **1.** (ice) hockey. **2.** *(pe iarbă)* field hockey.
hocheist *s.m. sport* hochey player.
hocus - pocus *s.n.* hocus-pocus, hanky-panky.
hodograf *s.n. geom.* hodograph.
hodoroagă *s.f.* jalopy.
hodorog *s.m.* old fogey *sau* rotter.
hodorogeală *s.f.* (loud) rumbling / rattling etc. v. h o d o r o g i.
hodorogi I. *vi.* to rumble. **II.** *vr.* **1.** to get out of repair. **2.** *fig.* to decline in health.
hodorogit *adj.* **1.** in bad repair. **2.** *fig.* decrepit, shaky.
hodoronc-tronc *adv.* unawares, suddenly.
hogback *s.n. geogr.* hogback.
hoge *s.m.* mullah, moolah.
hogeac *s.n.* **1.** chimney, funnel. **2.** *fam.* room(s), diggings, home. **3.** *ist.* body of soldiers (in the Turkish army).
hohot *s.n.* **1.** peal of laughter, guffaw. **2.** *(de plâns)* burst of tears.
hohoti *vi.* **1.** *(de râs)* to guffaw, to roar with laughter. **2.** *(de plâns)* to cry one's eyes out.
hohotit *s.n.* roaring etc.
hohotitor *adj.* roaring etc. v. h o h o t i.
hoinar I. *s.m.* roamer, rover. **II.** *adj.* vagrant, idle; fugitive.
hoinăreală *s.f.* lounging / sauntering / loafing about.
hoinări *vi.* to rove, to tramp.
hoit *s.n.* **1.** corpse. **2.** *(de animal)* carcass.
hoitar *s.m. ornit.* Egyptian vulture, Pharaoh's chicken *(Neophron percmopterus).*
hoka-sioux *subst. lingv.* Hokan-Siouan (group of languages).
hol *s.n.* (entrance) hall.
holba I. *vt.* to open wide. **II.** *vr.* to stare.
holbat *adj.* **1.** starting (out of their sockets). **2.** *(d. cineva)* with bulging eyes.
holdă *s.f.* cornfield.
holding *s.n. ec.* holding (company).
holendru *s.n. tehn.* wine filter; ~ *de înălbit* bleaching vat; ~ *de rafinare* beater, finisher.
holeră *s.f. med.* cholera.
holeric *adj. med.* choleric.
holerină *s.f. med.* cholerine.
holism *s.n. filoz.* holism.
holistic *adj. filoz.* holistic.
holmiu *s.n. chim.* holmium.
holocaust *s.n.* holocaust.
holocen *s.n. geol.* holocene.
holocristalin *adj. geol.* holocrystalline.
holoenzimă *s.f. biochim.* holoenzyme.
holoferment *s.m. biochim.* holoenzyme.
holografie *s.f. tehn.* holography.
hologramă *s.f. tehn.* hologram.
holometabol *biol.* **I.** *adj.* holometabolous. **II.** *s.n.* holometabolum.
holoparazit *biol.* **I.** *s.m., s.f.* holoparasite. **II.** *adj.* holoparasitic.
holoturie *s.f. zool.* holothurian, sea slug, sea cucumber *(Holothuria).*
holstein *s.n. zoot.* Holstein(-Friesian) (breed of cattle).
holtei *s.m.* bachelor.
holteie *s.f.* bachelorhood.
homar *s.m. zool.* lobster *(Homarus).*
homeomorfism *s.n. mat.* homeomorphism.
homeopat *s.m.* homoeopath(ist).
homeopatic *adj. med.* homoeopathic.
homeopatie *s.f.* homoeopathy.
homeostază *s.f. fiziol.* hom(o)eostasis.
homeostazie *s.f. fiziol.* hom(o)eostasis.
homeoterm *biol.* **I.** *s.m., s.f.* homoiotherm, hom(o)eotherm, warm-blooded creature. **II.** *adj.* homoiothermic, hom(o)eothermic.
homeotermie *s.f.* homoiothermy, hom(o)eothermy.
homeric *adj.* Homeric.
homerid *s.m. lit.* Homerid.
hominid *s.n.* hominid, homonid.
homocromie *s.f. biol.* procrypsis.
homomorfism *s.n. mat.* homomorphism, homomorphy.
homopter *s.n. entom.* Homoptera.
homosexual *s.m., adj.* homosexual, queer.
homosexualitate *s.f.* homosexuality.
homozigot *s.m. biol.* homozygote.
hon *s.n. tehn.* hone.
honui *vt. tehn.* to hone.
honuit *s.n. tehn.* honing.
honved *s.m. ist.* Hungarian foot soldier in the Austro-Hungarian army.
hop I. *s.n.* **1.** pot hole. **2.** *fig.* obstacle. **II.** *interj.* hop!
hoplit *s.m. ist. Greciei* hoplite.
hoplolatrie *s.f. rel.* worship of tools and hunting weapons by primitive populations.
hopuros *adj.* bumpy.
horă *s.f.* Romanian ring dance.
horbotă *s.f. reg.* ribbon, lace.
horcăi *vi.* to snort, to rattle.
horcăială *s.f.* (rattling) hard breathing, (death) rattle.
horcăit *s.n.* (death) rattle.
hori *vi.* to dance the „*hora*"; to sing *sau* to play the „*hora*".
hormism *s.n. psih.* hormic psychology.
hormon *s.m.* hormone.
hormonal *adj. fiziol.* hormonic.
hormonologie *s.f. fiziol., med.* hormonology, clinical endocrinology.
hormonoterapie *s.f. med.* hormonotherapy.
horn *s.n.* chimney, funnel.
hornar *s.m.* chimney sweep(er).

hornblendă *s.f. mineral.* hornblende.

hornblendit *s.m. min.* hornblendite.

horoscop *s.n.* horoscope; *a face ~ul cuiva* to cast smb.'s horoscope.

horst *s.n. geol.* horst.

hortativ *adj., s. n. gram.* hortative.

hortensie *s.f. bot.* hydrangea *(Hydrangea hortensia).*

horticol *adj.* garden.

horticultor *s.m.* horticulturist.

horticultură *s.f.* horticulture.

hostie *s.f. bis.* (eucharistic) host.

hot *s.n.* hot jazz *sau* music.

hotar *s.n.* **1.** boundary. **2.** *fig.* limit, bound(s).

hotarnic *înv.* **I.** *adj.* boundary ..., frontier ...; *inginer ~* surveyor. **II.** *s.m.* surveyor.

hotă *s.f.* hood (of forge, laboratory, over fire-place); canopy (over fire-place).

hotărâre *s.f.* **1.** decision. **2.** *(scrisă și)* resolution. **3.** *(siguranță)* resolve, will-power. **4.** *(ordin)* order, decree. **5.** *(judecătorească)* ruling; *cu ~* firmly, resolutely.

hotărât **I.** *adj.* **1.** definite. **2.** *(decis)* resolute, resolved. **3.** *(stabilit)* determined, settled. **4.** *(sigur)* established, sure. **5.** *(ferm)* firm, unflinching. **II.** *adv.* **1.** positively, for sure. **2.** *(exact)* precisely, exactly. **3.** *(ferm)* categorically.

hotărâtor *adj.* decisive.

hotărî **I.** *vt.* **1.** to decide. **2.** *(a convinge)* to persuade, to get. **3.** *(a stabili)* to fix, to settle. **II.** *vi.* to decide. **III.** *vr.* to resolve, to make up one's mind.

hotărnici **I.** *vt.* to mark / define the frontier / limits of. **II.** *vr.* *(cu)* to border (upon), to be conterminous (with), to be contiguous (to).

hotărnicie *s.f.* drawing of boundaries.

hotel *s.n.* hotel.

hotelier **I.** *s.m.* hotel keeper. **II.** *adj.* hotel...

hotentoși *s.m. pl. geogr.* Hottentot.

hotnog *s.m. ist.* (in the Moldavian army) commander over a hundred soldiers.

hoț *s.m.* **1.** thief. **2.** *(de buzunar)* pickpocket. **3.** *(de drumul mare)* robber. **4.** *(spărgător)* burglar. **5.** *fig.* rascal; *~ de cai* horse stealer *sau* thief.

hoțesc *adj.* **1.** thievish. **2.** *fig.* furtive, stealthy.

hoțește *adv.* **1.** stealthily, by stealth. **2.** *(necinstit)* dishonestly.

hoți **I.** *vi.* to thieve, to lead a thief's life. **II.** *vt.* to thieve.

hoție *s.f.* **1.** theft, robbery. **2.** *(escrocherie)* swindle.

hoțoaică *s.f.* v. h o ț.

hoțoman *s.m.* rascal, rogue.

hram *s.n.* festival.

hrană *s.f.* **1.** food. **2.** *(pt. vite)* fodder, forage. **3.** *(întreținere)* upkeep. **4.** *(masă)* board, fare; *~ sufletească* spiritual assets.

hrăni **I.** *vt.* **1.** to feed, to nourish. **2.** *(un sugaci)* to suckle, to nurse. **3.** *fig.* to harbour. **4.** *(a întreține)* to provide for. **II.** *vi.* to eat, to feed (on smth.); *a se ~ cu iluzii* to indulge in illusions.

hrănire *s.f.* feeding etc. v. h r ă n i.

hrănit *adj.* nourished, fed; *bine ~* well fed / nourished.

hrănitor *adj.* nourishing.

hrăpăreț *adj.* grasping.

hrean *s.m. bot.* horse radish *(Cochlearis armoracia).*

hreniță *s.f. bot.* **1.** water cress / *fam.* cresses (*Nasturtium officinale*). **2.** garden / pepper cress (*Lepidium sativum*).

hrib *s.m. bot.* edible boletus (*Boletus edulis*).

hrisolit *s.n. mineral.* chrysolite, olivine.

hrisov *s.n.* document.

hrișcă *s.f. bot.* buckwheat *(Fagopyrum sagittatum).*

hronic *s.n. înv.* v. c r o n i c ă.

hrubă *s.f.* cellar.

htonian *adj. mitol.* chthonian, chthonic.

hublou *s.n. nav., av.* port-hole, air-port, sidelight.

huceag *s.n.* thicket, bush.

hughenot *s.m. ist.* Huguenot.

huhurez *s.m.* **1.** *ornit.* eagle owl *(Strix).* **2.** *fig.* noctambulist.

hui *vi.* v. v u i.

huideo **I.** *s.n.* boo(ing), hoot(ing); *a da cu ~ cuiva* to shout / hoot after smb.; *teatru* to boo / hoot smb. off the stage. **II.** *interj.* boo !

huidui *vt.* to boo.

huiduială *s.f.* hooting, booing.

huidumă *s.f.* hulking fellow.

huiet *s.n.* v. v u i e t.

huilă *s.f. geol.* pitcoal.

hula hoop *s.n.* hula-hoop.

hulă *s.f.* **1.** *rel.* blasphemy. **2.** *mar.* swell, hollow sea.

huli *vt., vi.* **1.** to blaspheme. **2.** *(a ocărî)* to curse.

huligan *s.m.* hooligan.

huliganic *adv.* hooligan ...

huliganism *s.n.* hooliganism.

hulpav **I.** *adj.* ravenous. **II.** *adv.* ravenously.

hulub *reg.* **I.** *s.m.* dove. **II.** *adj.* **1.** *ornit.* grey(-feathered). **2.** *zool.* grey (-haired).

hulubă *s.f.* shaft.

hulubărie *s.f.* dovecot.

hulubiță *s.f.* **1.** she-dove, turtle-dove. **2.** *bot.* russula *(Russula).*

humă *s.f.* clay.

humeral *adj. anat.* humeral.

humerus *s.n. anat.* humerus.

humor *s.n. v.* u m o r.

humorescă *s.f. muz.* humoresque.

humos *adj.* clayey.

humus *s.n.* humus, vegetable soil.

hun *s.m.* Hun.

hunic *adj.* Hunnish.

huo *interj.* v. h u i d e o.

hural *s.n. pol.* hural, people's assembly in Mongolia.

hurduca *vt., vi.* to jolt, to jerk.

hurducătură *s.f.* jold, jerk.

hurie *s.f.* houri.

hurmuz **I.** *s.m.* snow berry (*Symphoricarpus albus*). **II.** *s.n.* glass bead.

huroni *s.m. pl. geogr.* Hurons.

hurtă *s.f. reg. cu hurta* in a lump; *a cumpăra cu hurta* to buy in the lump, to purchase wholesale, *fam.* to buy (in) the lot.

hurui *vi.* to roll, to rumble.

huruială *s.f.* v. h u r u i t.

huruit *s.n.* rattle, rattling; roar(ing).

huruitură v. h u r u i a l ă.

husar *s.m.* hussar.

husă *s.f.* (slip) cover.

husăresc *adj. odin.* hussar's ...

husit *s.m. ist.* Hussite.

husitism *s.n. rel.* Hussitism, Hussism.

huște *s.f. pl. reg.* bran.

huța *interj. a se da ~* to rock, to swing.

huțan *s.n.* Guzul, Hutsullian.

huțul v. h u ț a n.

huzmet *s.n. ist. României* **1.** gift, bribe. **2.** toll. **3.** job; office.

huzur *s.n.* (life of) leisure.

huzuri *vi.* to live on the fat of the land.

hybris *subst. mitol.* hubris; hybris.

I

I, i *s.m.* I, i, the eleventh letter of the Romanian alphabet; *a pune punctul pe i* to dot the i's and cross the t's.
i *interj.* ah! oh!
i *pers. 3 prez. de la a fi* is, 's.
i, -i *pron.* **1.** *dat. (lui)* (to) him; (to) her; (to) it. **2.** *acuz. (pe ei)* them.
ia *interj.* come!, now!; ~ *să vedem* let us see; ~ *așa* just like this.
iac *s.m. zool.* yak *(Poephagus grunniens).*
iaca *s.f.* high quality Macedonian / Turkish tobacco.
iacă *interj.* **1.** (*păi)* well, why. **2.** (*acum*) now. **3.** (*adverbial, - deodată*) (all) of a sudden. **4.** v. i a t ă; ~ *așa* a. (*ia așa*) just for fun. b. (*asta e tot*) and that's all.
iacobin *s.m., adj. ist.* Jacobin.
iacut *adj., s.m.* Yakut.
iad *s.n.* hell.
iadă *s.f.* kid(ling).
iadeș *s.n.* **1.** wishbone. **2.** *(pariu)* wager, bet.
iafetizi *s.m. pl. ist.* Japhetic / Aryan population.
iahnie *s.f.* kind of ragout with vegetables, fish or meat, stewed potatoes etc.
iaht *s.n.* yacht.
ială *s.f.* cylinder lock.
ialomițeană *s.f. zoot.* cattle and horse breed of Ialomița county (Wallachia).
iama *s.f. a da ~ prin* to play havoc in *sau* among.
iamb *s.m. stil.* **1.** iamb(us), iambic meter. **2.** iamb(us), iambic verse.
iambic *adj.* iambic.
ianuarie *s.m.* January.
iapă *s.f.* mare.
iar I. *adv.* (once) again. **II.** *conj.* **1.** (*dar*) but; (*în timp ce*) while. **2.** (*și*) and.
iarăși *adv.* (once) again.
iarbă *s.f.* **1.** grass. **2.** *pl.* herbs; *(medicinale)* simples; *iarba fiarelor* magic opener *(Vincetoxium officinale)*; ~ *de leac* simple, medicinal herb; ~ *de mare* sea weed *(Zostera marina)*; ~ *rea* weed.
iardang *subst. geol.* yardang.
iarmaroc *s.n.* fair.
iarna *adv.* in winter (time).
iarnă *s.f.* winter; *astă* ~ last winter; *de* ~ winter.
iaroviza *vt. agr.* to vernalize, to iarovize, to yarovize.
iarovizare *s.f. agr.* vernalization, yarovization.
iască *s.f.* **1.** tinder. **2.** *fig. (carne tare)* cagmag.
iasomie *s.f. bot.* jasmine *(Iasminum officinale).*
iasta *adj., pron. dem. reg.* this.
iastă v. i a s t a.
iatac *s.n.* bedroom.
iatagan *s.n.* yataghan.
iată *interj.* **1.** here is!, here are! **2.** *(privește)* look! ~ *adevărul* this is the truth; ~ *autobuzul* here is the bus (coming).
iatrochimie *s.f.* iatrochemistry.
iaurgiu *s.m.* yog(h)urt maker / seller.
iaurt *s.n.* yoghurt.
iavaș *adv. fam.* slowly; easily, gently; *fam.* noiselessly, silently; *fam.* on the sly.
iavașa *s.f.* twitch.
iaz *s.n.* (fish)pond.
iazigi *s.m. pl. ist. Daciei* Jazyges, Sarmatians.
iazmă *s.f.* **1.** ghost, phantom. **2.** *fig. fam.* perfect fright / guy.
iberic *adj.* Iberian.
ibidem *adv.* ibidem, ibid.
ibis *s.m. ornit.* ibis (*Ibis*).
ibovnic *s.m. pop.* lover, paramour; *înv.* leman.
ibovnică *s.f. pop.* mistress, paramour.
ibric *s.n.* coffee pot; tea kettle.
ibrișin *s.n.* thrown silk.
ic *s.n. tehn.* wedge.
ici *adv.* here; ~ *colo* here and there.
icnet *s.n.* gasp.
icni *vi.* **1.** to gasp. **2.** *(a geme)* to groan.
icoană *s.f.* **1.** icon. **2.** *fig.* picture.
iconar *s.m.* painter of icons.
iconiță *s.f.* holy medal.
iconoclasm *s.n. rel.* iconoclasm.
iconoclast I. *s.m.* iconoclast. **II.** *adj.* iconoclastic.
iconodul *s.m.* iconodule.
iconograf *s.m.* iconographer.
iconografic *adj. bis.* iconographic.
iconografie *s.f.* iconography.
iconolatrie *s.f.* iconolatry.
iconologie *s.f.* iconology.
iconometru *s.n. fiz.* iconometer.
iconoscop *s.n. el.* iconoscope.
iconostas *s.n.* iconostasis.
icosaedru *s.n. geom.* icosahedron.
icositetraedru *s.n. geom.* trapezohedron, icositetrahedron.
icre *s.f. pl.* **1.** spawn. **2.** *(ca mâncare)* (salted) roe. **2.** *(mai ales negre)* caviar.
icter *s.n. med.* jaundice.
icteric *med.* **I.** *adj.* icteric(al); jaundiced. **II.** *s.m.* sufferer from jaundice.
ictus *s.n. lit., med.* ictus.
ide *s.f. pl.* ides.
ideal *s.n., adj.* ideal.
idealism *s.n.* idealism.
idealist I. *s.m.* idealist. **II.** *adj.* idealistic.
idealitate *s.f.* ideality.
idealiza *vt.* to idealize.
idealizant *adj.* idealizing.
idealizare *s.f.* idealization.
ideatic *adj. elev., filoz.* ideative, ideational, relating to ideas.
ideație *s.f.* ideation.
idee *s.f.* **1.** idea. **2.** conception. **3.** *(gând)* thought; (half a) mind. **4.** intention; ~ *fixă* monomania, crotchet; ~ *genială* brain wave, *fam.* capital idea; ~ *preconcepută* prepossession, bias.
idem *adv.* id(em).
idempotență *s.f. mat.* idempotency.
identic I. *adj.* identical. **II.** *adv.* likewise.
identifica *vt., vr.* to identify.
identificabil *adj.* identifiable.
identificare *s.f.* identification.
identitate *s.f.* identity.
ideogenie *s.f. rar* ideogenesis.
ideografic *adj.* ideographic(al).
ideografie *s.f.* ideography.
ideogramă *s.f.* ideogram, ideograph.
ideolog *s.m.* ideologist.
ideologic *adj.* ideological.
ideologie *s.f.* ideology.
idilă *s.f.* idyll.
idilic *adj.* idyllic.
idilism *s.n.* idyllicism.

idiliza *vt.* to idealize.
idilizant *adj.* idealizing; idyllic.
idilizare *s.f.* idealization; idyllicism.
idio- *prefix* idio-.
idiocromatism *s.n. fiz.* idiochromatism.
idiom *s.n.* language; dialect.
idiomatic *adj.* idiomatic.
idiomorf *adj. mineral.* idiomorphic.
idiomorfism *s.n. mineral.* idiomorphism.
idiopatic *adj. med.* idiopathic.
idiopatie *s.f. med.* idiopathy.
idiosincrasie *s.f. med.* idiosyncrasy.
idiot I. *s.m.* idiot. **II.** *adj.* idiotic.
idiotism *s.n.* idiom, idiomatic phrase / expression.
idioțenie *s.f.* **1.** (*ca atitudine*) rank stupidity. **2.** (*ca acțiune*) piece of rank stupidity.
idioție *s.f.* idiocy.
idiș *s.n.* Yiddish.
ido *s.n. lingv.* Ido, reformed Esperanto.
idol *s.m.* idol, graven image.
idolatrie *s.f.* idolatry.
idolatriza *vt.* to lionize.
idolatru *s.m.* votary.
idoneism *s.n.* idoneity, suitability, fitness.
ie *s.f.* embroidered blouse.
ied *s.m.* kid.
iederă *s.f. bot.* ivy *(Hedera).*
ieftin I. *adj.* **1.** cheap. **2.** *(rezonabil)* moderate. **3.** *(fără valoare)* worthless; ~ *ca braga* dirt cheap. **II.** *adv.* **1.** cheap(ly). **2.** *fig.* unscathed.
ieftinătate *s.f.* cheapness.
ieftini *vt., vr.* to cheapen.
ieftinire *s.f.* reduction in price.
iele *s.f. pl.* pixies.
ienibahar *s.n. bot.* juniper.
ienicer *s.m.* janissary.
ieniceresc *adj. ist.* janissary...
ienupăr *s.m. bot.* juniper tree *(Juniperus communis).*
ienuperă *s.f. bot.* juniper-berry.
iepurariță *s.f. med. vet.* exostosis (of horse's calf).
iepuraș *s.m.* leveret; bunny.
iepure *s.m. zool.* **1.** hare *(Lepus).* **2.** *(de casă)* rabbit; bunny.
iepurește *adv.* with one's ears pricked.
iepuroaică *s.f. zool.* doe / female hare.
iepuroi *s.m.* male hare.
ier *s.n. lingv.* two signs in the Cyrillic alphabet.
ierarh *s.m.* hierarch; (*episcop*) bishop; (*mitropolit*) metropolitan.
ierarhic I. *adj.* hierarchical. **II.** *adv.* hierarchically.
ierarhie *s.f.* hierarchy.
ierarhiza *vt.* to form *etc.* on the hierarchical system.
ierarhizare *s.f.* hierarchy; (hierarchic) differentiation.
ierbar *s.n.* **1.** *bot.* herbarium. **2.** *zool.* rumen.
ierbăluță *s.f. bot.* reed (canary) grass, lady's-laces *(Phalaris arundinacea).*
ierbărie *s.f.* weeds.
ierbărit *s.n. ist. Românie*i impost on pastures.
ierbicid I. *s.n.* weed-killer; herbicide. **II.** *adj.* herbicide.
ierbivor *adj.* herbivorous.
ierbos *adj.* grassy.
ieremiadă *s.f.* Jeremiad.
ieri *adv.* **1.** yesterday. **2.** *(în trecut)* formerly; *de ~ de alaltăieri* quite recent; *fig.* from yesterday; *mai ~* the other day.
ierna *vi.* to winter; to hibernate.
iernat *s.n.* wintering; hibernation; winter stay.
iernatic I. *adj.* **1.** wintery, winter-like, hibernal. **2.** *fig.* grey-headed, old. **II.** *s.n.* **1.** v. i e r n a t. **2.** (*hrană*) winter feed / fodder. **3.** *nav.* wintering harbour.
iernător *s.n.* wintering pond.
ierodiacon *s.m. bis.* hierodeacon, monk having the rank of a deacon.
ieromonah *s.m. bis.* hieromonk, monk having the rank of a priest.
ierta *vt.* **1.** to forgive; to pardon. **2.** *(a scuza)* to excuse, to condone. **3.** *rel.* to absolve; *a ~ de* to exempt from.
iertare *s.f.* **1.** pardon. **2.** *rel. și* absolution. **3.** *(scutire)* exemption.
iertăciune *s.f. înv.* **1.** forgiveness, pardon. **2.** permission, leave.
iertător *adj.* forgiving.
ierunсă *s.f. ornit.* hazel hen *(Tetrastes bonasia).*
iesle *s.f.* manger.
ieși *vi.* **1.** to go out (of doors). **2.** *(la lumină, la suprafață)* to emerge. **3.** *(a apărea)* to appear. **4.** *(la soare)* to fade. **5.** *(doctor etc.)* to become; *a ~ afară* to go out (for a walk); *med.* to have a stool; *a ~ bine* to turn out well; *(a reuși)* to do well; *a ~ din cameră / casă* to leave the room / house; *a ~ în afară* to be prominent; *a ~ la plimbare* to take a walk *sau* the air; *a ~ la pensie* to retire; *a ~ rău fam.* to come a cropper.
ieșind *s.n.* prominence.
ieșire *s.f.* **1.** going out, emergence. **2.** *(izbucnire)* outburst, fit. **3.** *(din impas)* way out; creep hole; *~ afară med.* stool.
ieșit *adj.* protruding, prominent, standing / jutting out.
ieșitură *s.f.* prominence.
iezăr *s.n.* mountain lake.
iezătură *s.f.* wicker dam.
iezi *vt.* to dam (up), to pond back / up.
iezuit I. *s.m.* Jesuit. **II.** *adj.* Jesuitic.
iezuitism *s.n.* Jesuitism, Jesuitry.
ififliu *adj. fam.* penniless, broke.
ifos *s.n. fam.* vanity, whim; *pl.* airs (and graces).
igapo *subst. geogr.* igapo, Amazonian forest.
igienă *s.f.* hygiene.
igienic *adj.* **1.** hygienic. **2.** *(de toaletă)* toilet...
igienist *s.m.* hygienist, sanitarian.
igliță *s.f.* crotchet, lacer.
iglu *s.n.* igloo, iglu.
ignar *adj. livr.* ignorant, stupid; illiterate.
Ignat *s.m.* (St.) Ignatius (December 20).
ignicol *adj. rar* fire-worshipping.
ignifug I. *adj.* fireproof, fire-resisting. **II.** *s.n.* fireproof(ing) material.
ignifuga *vt. tehn.* to fireproof.
ignitron *s.n. fiz.* ignitron.
ignitubular *adj. tehn.* fire-tube (boiler).
ignobil *adj.* ignoble, base.
ignominie *s.f. rar* ignominy, dishonour.
ignora *vt.* **1.** to ignore. **2.** *(pe cineva)* to cut.
ignorant I. *s.m.* ignoramus. **II.** *adj.* ignorant.
ignoranță *s.f.* ignorance.
ignorare *s.f.* ignoring; ignorance.
igrasie *s.f.* dampness.
igrasios *adj.* damp.
iguană *s.f. zool.* iguana, guana.
iguanodon *subst. paleont.* iguanodon.
ihneumon *s.m. entom.* ichneumon (fly).
ihneumonid *s.n. entom.* ichneumonid.
ihtiofag *s.m.* ichthyophagist.
ihtiofaună *s.f. biol.* ichthyofauna.
ihtiol *s.n. farm.* ichthyol, ichthammol.
ihtiolog *s.m.* ichtyologist.
ihtiologic *adj.* ichthyologic(al).
ihtiologie *s.f.* ichthyology.
ihtiomorf *adj.* ichthyomorphic, ichthyomorphous.
ihtiopatologie *s.f. biol.* ichthyopathology.
ihtiornis *s.f. paleont.* Ichthyornis.
ihtiostegalia *s.n.* Ichthyostegalia.

ihtiozaur *s.m. paleont.* ichthyosaurus.
ihtioză *s.f. med.* ichthyosis, fish-skin disease, porcupine disease.
ilar *adj. rar* hilarious, ridiculous.
ilariant *adj.* mirth-provoking; laughable; *gaz ~* laughing gas.
ilaritate *s.f.* hilarity.
ileană *s.f. entom.* rose chafer *(Cetonia aurata).*
ilegal I. *adj.* **1.** illegal, unlawful. **2.** *(clandestin)* underground. **II.** *adv.* **1.** illegally. **2.** *(clandestin)* underground.
ilegalist *s.m.* underground militant.
ilegalitate *s.f.* **1.** illegality. **2.** *(clandestinitate)* underground activity; *în ~* underground.
ilegaliza *vt. jur.* to illegalize, to declare (smth.) illegal.
ilegitim *adj.* illegitimate.
ileită *s.f. med.* ileitis.
ileon *s.n. anat.* ileum.
ileus *s.n. med.* ileus; acute chronic intestinal obstruction.
iliac *anat.* **I.** *adj.* iliac; *osul ~* v. ~ **II. II.** *s.n.* hip bone.
ilic *s.n.* Romanian peasant's vest.
ilicit *adj.* illicit.
ilion *s.n. anat.* ilium.
ilir *s.m.* Illyrian.
iliră *s.f. lingv.* Illyrian.
iliș *s.n. ist. Moldovei* tax on cereals.
ilizibil *adj.* illegible.
ilmenit *s.n. mineral.* ilmenite.
ilogic *adj.* illogical.
ilogism *s.n.* illogicality.
ilot *s.m. ist.* helot.
ilumina I. *vt.* **1.** to light up. **2.** *fig.* to enlighten. **II.** *vr.* **1.** to light up. **2.** *(a se înveseli)* to brighten up.
iluminare *s.f.* **1.** illumination, lighting etc. v. i l u m i n a. **2.** *fig.* inspiration.
iluminat I. *s.m.* enlightened mind. **II.** *s.n.* lighting. **III.** *adj.* **1.** illuminated. **2.** *fig.* enlightened.
iluminație *s.f.* lighting.
iluminism *s.n.* the enlightenment.
iluminist *s.m.* illuminist.
ilustra I. *vt.* to illustrate. **II.** *vr.* to become illustrious.
ilustrare *s.f.* illustration.
ilustrat *adj.* illustrated, picture.
ilustrată *s.f.* picture postcard.
ilustrativ *adj.* illustrative.
ilustrator *s.m.* illustrator.
ilustrație *s.f.* picture.
ilustrisim *adj. rar* most illustrious.
ilustru *adj.* brilliant.
iluzie *s.f.* illusion; *a-și face iluzii* to indulge in wishful thinking.
iluziona I. *vt.* to delude, to deceive, to feed with illusions. **II.** *vr.* to delude / deceive oneself, to labour under a delusion.
iluzionare *s.f. rar* **1.** delusion, deception. **2.** self-delusion, self-deception.
iluzionism *s.n.* **1.** (practice of) illusion. **2.** *filoz.* illusionism.
iluzionist *s.m.* illusionist, conjurer.
iluzoriu *adj.* illusory.
imaculat *adj.* **1.** immaculate. **2.** *fig.* unblemished.
imagina *vt.* to fancy.
imaginabil *adj.* conceivable, imaginable.
imaginar *adj.* imaginary.
imaginativ *adj.* imaginative.
imaginație *s.f.* **1.** imagination. **2.** *(mitomanie)* wishful thinking; *lipsit de ~* unimaginative, unromantic.
imagine *s.f.* **1.** image. **2.** *(tablou)* picture. **3.** *(fotografie)* photo(graph). **4.** *fig.* portrait.
imagism *s.n. lit.* imagism.
imagist *s.m., adj.* imagist.
imagistic *adj.* imagistic.
imagistică *s.f.* imagery.
imago *subst. entom.* imago.
imam *s.m.* ima(u)m.
imamat *s.m. rel. mahomedană* imamate.
imanent *adj.* natural, immanent.
imanență *s.f.* immanence; indwelling.
imaș *s.n.* common.
imaterial *adj.* immaterial.
imaterialitate *s.f.* immateriality.
imatur *adj.* **1.** immature; unripe. **2.** *fig.* unfledged.
imaturitate *s.f.* immaturity, unripeness.
imbatabil *adj.* invincible; unvanquishable; irresistible.
imbecil *s.m.* imbecile.
imbecilitate *s.f.* idiocy.
imbeciliza *vt.* to stultify.
imberb I. *s.m.* fledgeling. **II.** *adj.* beardless.
imbibiție *s.f. fiziol., bot.* imbibition.
imbold *s.n.* **1.** impulse. **2.** *(material)* incentive.
imbricat *adj.* imbricate.
imbroglio *s.n. teatru, muz.* imbroglio, embroglio.
imediat I. *adj.* immediate. **II.** *adv.* immediately, directly; *~ ce termin* as soon as I finish.
imelman *s.n. av.* Immelmann.
imemorabil *adj.* immemorable, (far too) remote in time.
imemorial *adj.* immemorial.
imens I. *adj.* immense, tremendous. **II.** *adv.* tremendously, immensely.
imensitate *s.f.* vastness.
imersiune *s.f.* **1.** immersion, dipping; (*a unui submarin*) submergence. **2.** *astr.* occulation.
imigra *vi.* to immigrate.
imigrant *s.n.* immigrant.
imigrație *s.f.* immigration.
iminei *s.m. pl. înv., reg.* (fine) pointed footwear.
iminent *adj.* impending; *a fi ~* to impend.
iminență *s.f.* imminence.
imiscibil *adj.* immiscible.
imita *vt.* **1.** to imitate. **2.** *(a mima)* to mimic.
imitabil *adj. rar* imitable.
imitativ *adj.* **1.** imitative. **2.** onomatopoeic.
imitator *s.m.* imitator.
imitație *s.f.* imitation, counterfeit; *bijuterii ~* costume jewelry, rhinestone.
imixtiune *s.f.* interference.
imn *s.n.* **1.** anthem. **2.** *rel. și fig.* hymn.
imobil[1] *s.n.* house, building.
imobil[2] *adj.* **1.** immobile, fixed. **2.** *jur.* real; *bunuri ~e* real estate.
imobiliar *adj.* real (estate).
imobilism *s.n.* stalemate attitude, lack of progress(iveness), ankylose; (ultra-)conservatism, opposition to progress.
imobilitate *s.f.* immobility.
imobiliza *vt.* to immobilize.
imobilizare *s.f.* immobilization.
imobilizat *adj.* **1.** immobilized. **2.** *(în pat)* bed-ridden.
imoral *adj.* **1.** immoral. **2.** corrupt. **3.** *(desfrânat)* unchaste.
imoralism *s.n. filoz.* immoralism, unethicalness.
imoralitate *s.f.* immorality; corruption.
imortaliza *vt.* to immortalize.
imortele *s.f. pl. bot.* everlasting (flower), immortelle *(Helichrysum arenarium / bracteatum).*
impacienta *vr.* to lose patience.
impact *s.n.* impact.
impalpabil *adj.* impalpable.
impar *adj.* odd.
imparabil *adj.* unstoppable; unavoidable.
imparipenat *adj. bot.* imparipinnate, oddpinnate.
imparisilabic *adj.* imparisyllabic.
imparitate *s.f.* imparity, uneveness, inequality.
imparțial *adj.* fair, impartial.
imparțialitate *s.f.* fairness.
impas *s.n.* deadlock.
impasibil *adj.* impassive, unimpassioned.

impasibilitate *s.f.* impassibility, impassiveness.
impecabil I. *adj.* faultless. **II.** *adv.* faultlessly.
impecabilitate *s.f. rar* impeccability, flawlessness.
impedanță *s.f. fiz.* impedance.
impediment *s.n.* obstacle, difficulty.
impenetrabil *adj.* impenetrable.
impenetrabilitate *s.f. fiz.* impenetrability.
impenitent *adj. rar* impenitent.
impenitență *s.f. rar* impenitence, impenitency.
imperativ *s.n., adj.* imperative.
imperator *s.m. ist.* imperator.
imperceptibil I. *adj.* imperceptible, slight. **II.** *adv.* imperceptibly.
imperceptibilitate *s.f.* imperceptibleness, imperceptibility.
imperfect *s.n., adj.* imperfect.
imperfectiv *adj. gram.* imperfective.
imperfecțiune *s.f.* **1.** imperfection. **2.** defect, flaw.
imperial *adj.* imperial.
imperială *s.f.* (bus)top.
imperialism *s.m.* imperialism.
imperialist *s.m., adj.* imperialist.
imperios I. *adj.* imperious, imperative. **II.** *adv.* peremptorily.
imperiu *s.n.* **1.** empire. **2.** *fig.* sway.
impermeabil I. mackintosh. **II.** *adj.* waterproof.
impermeabilitate *s.f.* imperviousness; impermeability.
impermeabiliza *vt.* to waterproof.
impersonal *adj.* impersonal.
impersonalitate *s.f.* impersonality.
impertinent *adj.* saucy.
impertinență *s.f.* impertinence, rudeness, pertness, brazeness.
imperturbabil *adj.* unruffled.
impetigo *s.n. med.* impetigo.
impetuos I. *adj.* impetuous. **II.** *adv.* impetuously.
impetuozitate *s.f.* impetuosity.
impiegat *s.m.* (service) official.
impieta *vi.* to encroach (upon smth.).
impietate *s.f.* ungodliness.
implacabil *adj.* implacable.
implant *s.n.* implant.
implanta I. *vt.* to implant, to root. **II.** *vr.* to strike / to take roots, to become rooted.
implantare *s.f. med.* implantation.
implica *vt.* **1.** to involve. **2.** *(a necesita)* to entail. **3.** *(a presupune)* to imply.
implicație *s.f.* implication.
implicit I. *adj.* implicit. **II.** *adv.* implicitly.
implora *vt.* to beseech.
implorare *s.f.* imploring, imploration.
implorator *adj.* imploring.
implozie *s.f. lingv.* implosion.
impluviu *s.n. ist. Romei* impluvium.
impolitețe *s.f.* **1.** impoliteness, rudeness. **2.** discourtesy, piece of impoliteness.
imponderabil I. *s.n.* inscrutable destiny. **II.** *adj.* imponderable.
imponderabilitate *s.f.* weightlessness.
import *s.n.* **1.** import(ation). **2.** *pl.* imports.
importa I. *vt.* to import. **II.** *vi.* to matter.
importabil *adj.* importable.
important *adj.* **1.** important, significant. **2.** *(istoric)* historic, momentous. **3.** *(dându-și importanță)* consequential; *puțin* ~ immaterial; inconsequent.
importanță *s.f.* **1.** importance, significance. **2.** *(proporții)* scope, moment. **3.** *(valoare)* consequence, value; *fără* ~ unimportant, insignificant; *a-și da* ~ to be *sau* look important; *plin de* ~, *care-și dă* ~ consequential.
importare *s.f.* import(ation).
importator I. *s.m.* importer. **II.** *adj.* importing.
importun *adj.* importunate, obtrusive, troublesome.
importuna *vt.* to disturb, to trouble, to intrude upon.
imposibil *s.n., adj., interj.* impossible.
imposibilitate *s.f.* impossibility.
impostă *s.f. arhit.* impost (of bearing arch), springer, transom.
impostor *s.m.* impostor.
impostură *s.f.* imposition.
impotent *s.m., adj.* impotent.
impotență *s.f.* impotency.
impozabil *adj.* subject to taxation.
impozant *adj.* stately.
impozit *s.n.* tax; ~ *pe salariu / venit* income tax.
impracticabil *adj.* **1.** impassable. **2.** *fig.* unworkable.
imprecație *s.f.* imprecation, curse.
imprecis *adj.* vague, indefinite.
imprecizie *s.f.* lack of precision; (*a unei declarații*) vagueness; (*a unui termen*) looseness.
impregna *vt.* to impregnate.
impregnare *s.f.* impregnation, permeation.
impresar *s.m.* impresario.
imprescriptibil *adj.* indefeasible.
impresie *s.f.* **1.** impression. **2.** *(greșită)* delusion.
impresiona *vt.* to impress; to move.
impresionabil *adj.* impressionable.
impresionabilitate *s.f.* impressionability.
impresionant *adj.* impressive; moving.
impresionism *s.n.* impressionism.
impresionist I. *adj.* impressionistic. **II.** *s.m.* impressionist.
imprevizibil *adj.* unforeseeable, incalculable.
imprima I. *vt.* **1.** to impart. **2.** *(a tipări)* to print. **3.** *fig. (a da cu dat.)* to lend (to), to inculate (upon *sau* in). **II.** *vr.* **1.** to be printed. **2.** *(în minte)* to linger (in one's memory).
imprimare *s.f.* recording, *muz.* rendition.
imprimat I. *s.n.* **1.** form. **2.** *pl.* printed matter. **II.** *adj.* printed.
imprimatur *subst. poligr.* imprimatur.
imprimerie *s.f.* printing works.
imprimeuri *s.m. pl.* prints.
improbabil *adj.* unlikely.
impromptu *subst. muz.* impromptu.
impropriu *adj.* improper, unsuitable.
improviza *vt., vi.* to improvise.
improvizat *adj.* **1.** improvised, slap-dash. **2.** *(d. pat etc.)* shakedown.
improvizație *s.f.* improvization; makeshift.
imprudent *adj.* imprudent, uncautious.
imprudență *s.f.* imprudence.
impuber *adj.* impubic, under the age of puberty; immature.
impudic *adj.* shameless, unashamed.
impudoare *s.f.* shamelessness, immodesty, impudicity.
impuls *s.n.* impulse; spur.
impulsie *s.f.* impulsion; impulse.
impulsiona *vt.* to impel, to give an impulse to.
impulsiv *adj.* hot-blooded.
impulsivitate *s.f.* impulsiveness, impulsivity.
impulsor *s.n. tehn.* impeller.
impunător *adj.* commanding.
impune I. *vt.* **1.** to impose. **2.** *(a obliga la)* to require. **3.** *(un impozit)* to tax. **II.** *vi.* to be impressive. **III.** *vr.* **1.** to be(come) established. **2.** *(d. un scriitor etc.)* to compel recognition. **3.** *(a fi necesar)* to be necessary.
impunere *s.f.* **1.** constraint. **2.** *(impozit)* tax(ation).
impunitate *s.f. jur.* impunity.
impur *adj.* impure.
impuritate *s.f.* impurity.
imputa I. *vt.* to charge. **II.** *vr. a i se* ~ *ceva* to be charged with smth.

imputabil *adj.* imputable.
imputare *s.f.* **1.** imputation. **2.** *(reproș)* reproach.
imputație *s.f.* v. i m p u t a r e.
imputrescibilitate *s.f.* imputrescibility.
imuabil *adj.* immutable.
imuabilitate *s.f.* immutability.
imun *adj.* immune (from disease etc.).
imund *adj.* foul, dirty.
imunitate *s.f.* immunity.
imuniza *vt.* immunize.
imunochimie *s.f. biochim.* immunochemistry.
imunoglobulină *s.f. pl. biol., med.* immunoglobulin, gammaglobulin.
imunologie *s.f.* immunology.
imunoterapie *s.f. med.* immunotherapy.
in *s.n.* **1.** *bot.* flax *(Linum)*. **2.** *(sămânță)* linseed; *de ~ text.* linen.
in- *prefix* in-, il-, ir-, un-.
inabil *adj.* inexpert, unskiful, unclever, skill-less.
inabordabil *adj.* out of one's reach.
inacceptabil *adj.* unacceptable.
inaccesibil *adj.* inaccessible.
inactiv *adj.* **1.** inactive; *(leneș)* idle. **2.** *chim.* inert.
inactivitate *s.f.* inactivity; *în ~* idle.
inactual *adj.* out of season, unseasonable, untimely; out-of-date, obsolete.
inadaptabil *adj.* misfit, inadaptable.
inadaptabilitate *s.f.* maladjustment; maladaptation.
inadecvat *adj.* inadequate.
inaderent *adj.* inadhesive, inadherent.
inaderență *s.f.* inadherence.
inadmisibil *adj.* inadmissible.
inadvertență *s.f.* inadvertence.
inalienabil *adj.* inalienable.
inalienabilitate *s.f. jur.* inalienability, inalienableness.
inalterabil *adj.* incorruptible.
inamic I. *s.m.* enemy; enemies. **II.** *adj.* inimical.
inamovibil *adj.* irremovable; (*d. cineva*) holding an appointment for life; (*d. un post*) held for life.
inamovibilitate *s.f.* irremovability.
inanimat *adj.* inanimate.
inaniție *s.f.* starvation.
inapetență *s.f. med.* lack of appetite, inappetence.
inaplicabil *adj.* inapplicable.
inapreciabil *adj.* inappreciable; inestimable.
inapt *adj.* unfit.
inaptitudine *s.f.* inaptitude, inaptness.
inariță *s.f. bot.* naias, naiad, najas *(Najas minor)*.
inatacabil *adj.* *(d. o fortăreață etc.)* unassailable; (*d. un drept etc.*) unimpugnable; (*indiscutabil*) unquestionable.
inaugura *vt.* to inaugurate.
inaugural *adj.* inaugural; maiden.
inaugurare *s.f.* inauguration etc. v. i n a u g u r a.
inavuabil *adj.* unavowable, unacknowledgeable.
inăriță *s.f. ornit.* redpoll (linnet), horneman's redpoll *(Cardnelis flammea)*.
incalculabil *adj.* incalculable.
incalificabil *adj.* unspeakable.
incandescent *adj.* incandescent.
incandescență *s.f.* incandescence, white heat; *lampă cu ~* incandescent / glow lamp.
incantație *s.f.* incantation.
incapabil *adj.* incapable; *~ să* unable to.
incapacitate *s.f.* **1.** incapacity. **2.** *(invaliditate)* disability, invalidity.
incarcerație *s.f. med.* incarceration (of hernia).
incarna *vt.* to embody.
incarnare *s.f.* embodiment.
incarnat *adj.* **1.** embodied. **2.** *fig.* inveterate, diehard; *unghie ~ ă* ingrowing nail.
incarnație *s.f.* **1.** *rel.* incarnation (of Christ). **2.** *med.* ingrowing (of the nails).
incasabil *adj.* unbreakable.
incaso *s.n. fin.* collection (of a sum), amount collected; proceeds, incasso.
incaș I. *s.m.* Inca. **II.** *adj.* Incaic.
incavație *s.f. tehn.* incavation.
incendia *vt.* to set on fire.
incendiar *adj.* incendiary.
incendiat *adj.* on fire, burning.
incendiator *s.m., adj.* **1.** incendiary. **2.** *fig.* instigator.
incendiere *s.f.* arson.
incendiu *s.n.* **1.** fire. **2.** *jur.* arson.
incert *adj.* uncertain.
incertitudine *s.f.* uncertainty.
incest *s.n.* incest.
incestuos *adj.* incestuous.
inchietudine *s.f.* agitation, restlessness, anxiety.
inchizitor *s.m. ist.* inquisitor.
inchizitorial *adj. ist.* inquisitorial.
inchiziție *s.n.* inquisition.
incident I. *s.n.* incident. **II.** *adj.* **1.** *gram.* parenthetical. **2.** *geom., fiz.* incident.
incidental I. *adj.* incidental, fortuitous. **II.** *adv.* accidentally.
incidență *s.f. fiz.* incidence.
incinera *vt.* to cremate.
incinerare *s.f.* cremation.
incintă *s.f.* precincts.
incipient *adj.* incipient.
incipit *s.n. muz., lit.* incipit.
incisiv I. *s.m.* incisor. **II.** *adj.* biting.
incisivitate *s.f.* incisiveness.
incita *vt.* to incite, to urge.
incitator I. *adj. livr.* inciting (agent). **II.** *s.m.* instigator.
incitație *s.f. livr.* incitation, instigation.
inciza *vt. med.* to incise, to cut.
incizie *s.f.* incision, cut.
incizură *s.f. med.* incisure, incisura; incision.
include *vt.* to comprise.
includere *s.f.* inclusion, v. i n c l u d e.
inclusiv *adv.* inclusive(ly).
incluziune *s.f. met., tehn. etc.* inclusion.
incoativ *adj. gram.* inceptive, inchoative.
incoercibil *adj.* incoercible.
incoerent *adj.* incoherent.
incoerență *s.f.* incoherence, incoherency.
incognito *adj.* incognito.
incognoscibil *adj.* unknowable.
incolor *adj.* colourless.
incomensurabil *adj.* immeasurable.
incomod I. *adj.* **1.** uncomfortable. **2.** *(greoi)* clumsy. **II.** *adv.* uncomfortably; *a sta ~* to be uncomfortable.
incomoda *vt.* to disturb.
incomoditate *s.f.* inconvenience, disconfort.
incomparabil I. *adj.* peerless. **II.** *adv.* incomparably.
incompatibil *adj.* incompatible.
incompatibilitate *s.f.* incompatibility.
incompetent *adj.* incompetent.
incompetență *s.f.* incompetence, incompetency.
incomplet *adj.* incomplete, unfinished.
incomprehensibil *adj.* incomprehensible.
incomprehensibilitate *s.f.* incomprehensibility.
incomprehensiune *s.f.* incomprehension.
incompresibil *adj. fiz.* incompressible.
incompresibilitate *s.f. fiz.* incompressibility.
incomunicabilitate *s.f.* incommunicability.
inconciliabil *adj.* irreconcilable.
inconfundabil *adj.* unmistak(c)able, distinct, not to be mistaken.
incongruent *adj.* incongruous.
incongruență *s.f.* incongruity.

inconsecvent *adj.* inconsistent; unsteady.
inconsecvență *s.f.* inconsistency.
inconsistent *adj.* loose.
inconsistență *s.f.* **1.** softness, flabbiness; looseness. **2.** *fig.* flimsiness, unsubstantiality.
inconstant *adj.* unsteady.
inconstanță *s.f.* inconstancy, fickleness.
inconștient *s.n., adj.* unconscious.
inconștiență *s.f.* **1.** unconsciousness. **2.** *(nebunie)* recklessness.
incontestabil **I.** *adj.* unchallenged; cogent. **II.** *adv.* indisputably.
incontinență *s.f.* incontinence.
incontrolabil *adj.* uncontrollable.
inconvenient *s.n.* difficulty.
inconvertibil *adj.* inconvertible (paper, money etc.).
incorect *adj.* incorrect, wrong.
incorectitudine *s.f.* **1.** incorrectness, inaccuracy. **2.** (*ca act*) incorrect act.
incorigibil *adj.* incorrigible.
incoruptibil *adj.* incorruptible.
incoruptibilitate *s.f.* incorruptibility, integrity.
incredibil *adj.* incredible.
incredul *adj.* incredulous.
increment *s.n.* increment.
incremental *adj.* incremental.
incrimina *vt.* to charge.
incriminare *s.f.* incrimination.
incriminator *adj. rar jur.* incriminating, incriminatory.
incrusta *vt.* to inlay.
incrustație *s.f.* intarsia.
incubator *s.n.* incubator.
incubație *s.f.* incubation.
inculca *vt.* to inculcate upon...
inculpa *vt.* to indict, to charge, to inculpate.
inculpat *s.m.* defendant, accused.
incult *adj.* uneducated.
incultură *s.f.* ignorance.
incumba *vi. a ~ cuiva* to devolve upon smb., to be incumbent on smb.
incunabul *s.n.* incunabulum.
incurabil *adj.* **1.** incurable. **2.** *fig.* hopeless.
incurie *s.f.* negligence, carelessness.
incursiune *s.f.* foray.
in-cvarto *adj.* in-quarto.
indantren *s.m. chim.* indanthrone.
indecent *adj.* **1.** indecent. **2.** *(nerușinat)* unchaste. **3.** *(nepotrivit)* unseemly, unbecoming.
indecență *s.f.* indecency, immodesty.
indecis *adj.* irresolute.
indeclinabil *adj. gram.* indeclinable.
indefinibil *adj.* indefinable, undefinable.
indefinit *adj.* indefinite.
indelebil *adj. elev.* indelible, unforgettable.
indelicatețe *s.f.* **1.** indelicacy, tactlessness. **2.** (*ca act*) indelicate / tactless action.
indemnizație *s.f.* indemnity, pay; ~ *de grevă* strike pay.
independent **I.** *s.m.* independent. **II.** *adj.* independent; ~ *de* independent / irrespective of. **III.** *adv.* independently (of smth.).
independență *s.f.* independence.
indescifrabil *adj.* undecipherable.
indescriptibil *adj.* indescribable.
indestructibil *adj.* indestructible.
indeterminabil *adj.* indeterminable, unascertainable.
indeterminism *s.n. filoz.* indeterminism.
index *s.n.* index.
indezirabil **I.** *s.m.* intruder. **II.** *adj.* undesirable.
indian *s.m., adj.* Indian.
indiană *s.f. sport* side stroke.
indiancă *s.f.* Indian (woman).
indica *vt.* to show.
indican *s.n. biochim.* indican.
indicare *s.f.* indication.
indicat *adj.* indicated; suitable.
indicativ **I.** *s.n.* indicative. **II.** *adj.* eloquent.
indicator *s.n.* indicator; ~ *rutier* guide post; *(la răspântie)* crosswitch.
indicație *s.f.* indication; *indicații de regie* stage directions.
indice *sm.* index.
indicibil *adj.* unspeakable.
indiciu *s.n.* **1.** sign. **2.** *(cheie)* clew.
indiction *s.n. ist. României* indiction.
indiferent **I.** *adj.* **1.** indifferent. **2.** *(rece)* unresponsive. **II.** *adv.* indifferently.
indiferență *s.f.* **1.** indifference. **2.** *(pasivitate)* listlessness.
indigen **I.** *s.m.* aboriginal; *pl.* aborigines. **II.** *adj.* native.
indigest *adj.* heavy.
indigestie *s.f.* indigestion.
indigna *vt., vr.* to revolt, to arouse the indignation of, to render / to make indignant; to anger.
indignare *s.f.* indignation.
indignat *adj.* indignant (at smth.).
indigo *s.n.* **1.** indigo. **2.** *(carbon)* carbon paper.
indirect **I.** *adj.* **1.** indirect. **2.** *(ocolit)* roundabout; *vorbirea ~ă* reported speech. **II.** *adv.* indirectly; deviously.
indisciplină *s.f.* indiscipline, lack of discipline.
indiscret *adj.* inquisitive, indiscreet; tactless.
indiscreție *s.f.* indiscretion.
indiscutabil **I.** *adj.* unchallenged, indisputable. **II.** *adv.* unquestionably.
indisolubil **I.** *adj.* **1.** *chim., fiz.* insoluble (salt etc.). **2.** *fig. jur.* indissoluble, unbreakable; solid (friendship etc.). **II.** *adv.* indissolubly, inextricably.
indispensabil *adj.* indispensable.
indispensabili *s.m. pl.* drawers, *(glumeț)* unmentionable.
indisponibil *adj.* unavailable.
indisponibilitate *s.f.* **1.** unavailability, unavailableness. **2.** *jur.* inalienability.
indispoziție *s.f.* **1.** indisposition. **2.** *fig.* dumps.
indispune **I.** *vt.* to trouble. **II.** *vr.* to be upset.
indispus *adj.* **1.** out of sorts. **2.** *med.* unwell.
indistinct **I.** *adj.* indistinct. **II.** *adv.* dimly.
indiu *s.n. chim.* indium.
individ *s.m.* **1.** individual. **2.** *peior.* person.
individual **I.** *adj.* individual; private. **II.** *adv.* individually, one by one.
individualism *s.n.* individualism.
individualist **I.** *adj.* individualistic. **II.** *s.m.* individualist.
individualitate *s.f.* personality.
individualiza *vt.* to individualize.
individualizare *s.f.* individualization.
indiviz *adj. jur.* undivided, joint (estate / owners).
indivizibil *adj.* indivisible.
indivizibilitate *s.f.* indivisibility.
indiviziune *s.f.* severalty.
indo-european *adj. lingv.* Indo-European.
indo-iranian *adj. lingv.* Indo-Iranian.
indol *s.m. chim.* indol(e), ketol.
indolent *adj.* indolent.
indolență *s.f.* indolence, sloth.
indonezian, -ă *s.m., s.f., adj. geogr.* Indonesian.
indrușaim *s.m. bot.* sweet pea (*Lathyrus odoratus*).
indubitabil *adj.* indubitable, beyond doubt.
induce *vt.* **1.** to induce. **2.** *(în eroare)* to mislead.
inductanță *s.f. fiz.* inductance.
inductiv *adj.* inductive.
inductivitate *s.f. fiz.* inductivity.
inductor *el.* **I.** *adj.* inductive. **II.** *s.n.* inductor.

inducție *s.f.* induction.
indulgent *adj.* lenient, mild.
indulgență *s.f.* indulgence.
indurație *s.f. med.* induration.
indus *adj.* induced.
industrial *adj.* industrial.
industrial design *s.n.* industrial design.
industrialism *s.n. ec.* industrialism.
industrializa I. *vt.* to industrialize. **II.** *vr. pas.* to become industrialized.
industrializare *s.f.* industrialization.
industriaș *s.m.* manufacturer.
industrie *s.f.* industry; ~ *prelucrătoare* processing industry.
inebranlabil *adj.* **1.** *(d. convingere etc.)* unshak(e)able, unshaken, firm, unflinching, resolute, steadfast, unyielding. **2.** *(d. persoană)* firm, adamant.
inechitabil *adj.* inequitable, unfair, unjust.
inechitate *s.f.* unfairness, inequity, unjustness, injustice.
inecuație *s.f. mat.* inequation.
inedit I. *s.n.* novelty. **II.** *adj.* **1.** published. **2.** *(nou)* novel, new(-fangled). **3.** undiscovered.
inefabil *adj.* ineffable.
ineficacitate *adj.* inefficient.
ineficacitate *s.f.* ineffectiveness, ineffectualness; inefficacy.
inegal I. *adj.* **1.** unequal. **2.** *(cu asperități)* uneven. **II.** *adv.* unequally.
inegalabil *adj.* unrivalled.
inegalitate *s.f.* inequality.
ineism *s.n. filoz.* innatism.
inel *s.n.* **1.** ring. **2.** *(verighetă)* wedding ring.
inelar I. *s.n.* ring finger. **II.** *adj.* ring-shaped.
inelat *adj.* curly; *viermi inelați zool.* annelids.
ineleganță *s.f.* inelegance, inelegancy.
ineluctabil *adj.* ineluctable, implacable, unavoidable.
ineluș-învârtecuș *s.n.* handy-dandy.
inept *adj.* inept, stupid.
inepție *s.f.* stupidity.
inepuizabil *adj.* inexhaustible.
inerent *adj.* inherent.
inert *adj.* inert, indolent.
inerțial *fiz.* inertial.
inerție *s.f.* **1.** inertness, indolence. **2.** *fig.* inertia.
inerva *vt. fiziol.* to innervate.
inervație *s.f. fiziol.* innervation.
inestetic I. *adj.* unaesthetic. **II.** *adv.* unaesthetically.
inestimabil *adj.* inestimable, invaluable.
inevitabil I. *adj.* unavoidable; inescapable. **II.** *adj.* inevitably.
inevitabilitate *s.f.* inevitability.
inexact I. *adj.* inaccurate. **II.** *adv.* inaccurately.
inexactitate *s.f.* inaccuracy.
inexigibil *adj. ec., fin.* inexigible; not due.
inexistent *adj.* absent.
inexistență *s.f.* absence, lack.
inexorabil *adj.* inexorable; unrelenting.
inexplicabil *adj.* **1.** unaccountable. **2.** *(nejustificat)* unreasonable.
inexplorabil *adj.* inexplorable, unexplorable.
inexplorat *adj.* unexplored.
inexpresiv *adj.* inexpressive.
inexprimabil *adj.* inexpressible.
inexpugnabil *adj.* impugnable, storm-proof.
in extremis *loc. adv.* in extremis, at the last extremity.
inextricabil *adj.* inextricable; (hopelessly) entangled.
infailibil *adj.* infallible.
infailibilitate *s.f.* infallibility.
infam I. *adj.* infamous; horrible. **II.** *adv.* infamously, horribly.
infamant *adj.* discreditable, disreputable.
infamie *s.f.* infamy.
infantă *s.f. ist. Spaniei* infanta.
infante *s.m. ist. Spaniei* infante.
infanterie *s.f.* infantry.
infanterist *s.m.* infantryman.
infanticid *s.n. jur.* infanticide.
infantil *adj.* infant(ile), child...
infantilism *s.n.* infantilism, retarded development.
infarct *s.n. med.* infarct (ion).
infatigabil *adj.* indefatigable, untiring, tireless.
infatuare *s.f.* conceit(edness), self-conceit, vanity, self-sufficiency.
infatuat *adj.* (self-)conceited, self-satisfied, overweening.
infect *adj.* horrible, awful.
infecta I. *vt.* to infect. **II.** *vr.* to become infected.
infecție *s.f.* **1.** infection. **2.** *(porcărie)* awful thing.
infecțios *adj.* catching.
infera *vt. livr.* to infer, to deduce, to conclude, to draw an inference of.
inferență *s.f. log.* inference; deduction; conclusion.
inferior I. *s.m.* subordinate. **II.** *adj.* inferior.
inferioritate *s.f.* inferiority; humility.
infern *s.n.* hell.
infernal *adj.* **1.** infernal. **2.** *(rău)* diabolical.
infesta *vt.* to infest, to overrun.
infestație *s.f. med., med. vet.* infestation.
infidel *adj.* unfaithful.
infidelitate *s.f.* **1.** infidelity, betrayal, unfaithfulness. **2.** *fig.* disloyalty. **3.** *ist.* felony.
infiltra *vr.* to trickle in.
infiltrare *s.f.* infiltration.
infiltrat *med.* **1.** *s.n.* infiltrate. **2.** *adj.* infiltrated.
infiltrație *s.f.* infiltration.
infim *adj.* trifling; infinitesimal.
infinit I. *s.m., s.n., adj.* infinite. **II.** *adv.* infinitely.
infinitate *s.f.* infinity.
infinitezimal *adj. și mat. etc.* infinitesimal.
infinitiv *s.n., adj.* infinitive.
infinitival *adj. gram.* infinitival.
infirm I. *s.m.* cripple; invalid. **II.** *adj.* disabled.
infirma *vt.* to refute; to reveal the weakness of; *(dovezi etc.)* to weaken, to invalidate.
infirmare *s.f.* refutation; invalidation.
infirmerie *s.f.* sickroom.
infirmier *s.m.* hospital attendant; male nurse.
infirmieră *s.f.* (sick)nurse.
infirmitate *s.f.* infirmity.
infix *s.n. lingv.* infix.
inflama *vr.* to swell.
inflamabil *adj.* **1.** inflammable, combustible. **2.** *fig.* irritable.
inflamabilitate *s.f.* inflammability, AE flammability.
inflamare *s.f.* inflammation.
inflamat *adj.* inflamed; *(d. gât etc)* sore; *(d. o rană etc.)* angry.
inflamator *adj.* inflammatory.
inflamație *s.f.* swell.
inflație *s.f.* inflation.
inflaționist *adj. fin.* inflationary.
inflexibil *adj.* **1.** inflexible. **2.** *fig.* unyielding.
inflexibilitate *s.f.* inflexibility, unyieldingness.
inflexiune *s.f.* modulation.
inflorescență *s.f. bot.* inflorescence.
influent *adj.* influential, weighty.
influența *vt.* to influence.
influențabil *adj.* weak.
influență *s.f.* **1.** influence. **2.** *(putere)* authority.
influx *s.n.* **1.** *fiz.* influx. **2.** *med.* ~ *nervos* nerve impulse.
in-folio *adj.* (in)folio...
inform *adj.* shapeless.

informa I. *vt.* to inform. **II.** *vr.* to investigate the situation, to inquire (into smth.).
informare *s.f.* report.
informat *adj.* well-informed.
informatică *s.f.* informatics, information science; data processing.
informativ *adj.* informative.
informator *s.m.* informer.
informație *s.f.* **1.** piece of information. **2.** *pl.* information.
informațional *adj.* informational, *fam.* info.
infra- *prefix* infra-, sub-, under-.
infractor *s.m.* offender.
infracțional *adj. jur.* relating to an infraction.
infracțiune *s.f.* offence.
inframicrob *s.m. biol.* inframicrobe, filtrable virus, ultravirus.
inframicrobian *adj. biol., med.* inframicrobian, referring to ultraviruses / inframicrobes.
inframicrobiologie *s.f. biol., med.* inframicrobiology.
infraroșu *s.m., adj.* infrared.
infrasonor *adj.* infrasonic.
infrastructură *s.f. tehn.* substructure, understructure.
infrasunet *s.n. fiz.* infrasound.
infructuos *adj.* fruitless, bootless; unsuccessful.
infundibul *s.n. anat.* infudibulum.
infuza *vt.* to infuse, to draw.
infuzibil *adj.* infusible, non-fusible, non-melting.
infuzie *s.f.* infusion.
infuzor I. *s.m. zool.* infusorian. **II.** *s.n. farm.* infusion vessel.
ingambament *s.n. stil.* enjambment.
ingenios *adj.* ingenious.
ingeniozitate *s.f.* cleverness.
ingenuș *s.f.* ingenue.
ingenuitate *s.f.* ingenuousness, ingenuity, naiveness, artlessness.
ingera *vt.* to ingest; to swallow.
ingerință *s.f.* encroachment, unwarrantable interference.
ingestie *s.f. fiziol.* ingestion, consumption.
inghinal *adj. anat.* inguinal.
inginer *s.m.* engineer; ~ *agronom* agronomist; ~ *constructor* civil engineer; ~ *silvic* forestry expert; ~ *chimist* industrial chemist.
ingineresc *adj.* engineer...
inginerie *s.f.* engineering.
ingrat I. *s.m.* ungrateful person. **II.** *adj.* **1.** ungrateful; undutiful. **2.** *(fig. dificil)* unrewarded.
ingratitudine *s.f.* ingratitude.
ingredient *s.n.* ingredient.
ingresiune *s.f. geogr.* intrusion, encroachment (of sea etc.).
ingurgita *vt.* to ingurgitate, to ingest, to swallow; *fam.* to guzzle.
inhala *vt.* to inhale.
inhalant *s.n.* inhalant.
inhalare *s.f.* inhalation, inhaling.
inhalator *s.n.* **1.** *av.* oxygen respirator. **2.** *med.* inhaler, inhalator.
inhalație *s.f.* inhalation.
inhiba *vt.* to inhibit.
inhibitiv *adj.* inhibitory, inhibitive.
inhibitor *adj.* inhibitory, inhibitive.
inhibiție *s.f.* inhibition.
inhumație *s.f. livr.* inhumation, burial, interment.
inimaginabil *adj.* unconceivable.
inimă *s.f.* **1.** heart. **2.** *(suflet)* soul. **3.** *(miez și)* core, centre; ~ *albastră* sadness; the blues; ~ *de piatră* callousness; ~ *rea* grief; *cu dragă~* willingly; *cu* ~ heartily; energetically; *din toată inima* whole-hearted; ungrudging.
inimiciție *s.f. livr.* enmity, hostility.
inimioară *s.f.* **1.** little heart. **2.** *tehn.* dead eye. **3.** *tehn.* small trowel used in foundry.
inimitabil *adj.* inimitable; matchless.
inimos *adj.* **1.** brave. **2.** large-hearted.
ininteligibil I. *adj.* unintelligible. **II.** *adv.* unintelligibly.
inion *s.m. anat.* inion.
iniște *s.f. agr.* flax crop.
iniția I. *vt.* to initiate. **II.** *vr.* to become initiated, to learn.
inițial I. *adj.* initial. **II.** *adv.* initially.
inițială *s.f.* initial.
inițiat I. *s.m.* adept, expert. **II.** *adj.* initiated, conversant (with smth.).
inițiativă *s.f.* initiative; *plin de* ~ resourceful; *lipsit de* ~ shiftless.
inițiator *s.m.* initiator.
inițiere *s.f.* initiation.
injecta *vt.* to inject.
injectabil *adj. med., farm.* injectable.
injectat *adj. (d. ochi)* bloodshot.
injector *s.n.* injector.
injecție *s.f.* injection.
injoncțiune *s.f. livr.* injunction, command, order.
injurie *s.f.* outrage.
injurios *adj.* abusive.
injust *adj.* unjust.
injustețe *s.f. elev.* unjustness, unfairness; inequity, injustice.
inobservabil *adj.* inobservable, unseen, unnoticed.
inocent *adj.* guiltless.
inocență *s.f.* innocence.
inoceram *subst. paleont.* Inoceramus.
in-octavo *adj.* octavo.
inocuitate *s.f.* innocuousness, harmlessness.
inocula *vt.* to inoculate.
inoculare *s.f.* inoculation.
inodor *adj.* inodorous.
inofensiv *adj.* harmless.
inoperant *adj.* inoperative, innocuous.
inopinat *adj.* sudden, unforeseen.
inoportun *adj.* unseasonable.
inoportunitate *s.f.* inopportuneness, unseasonableness.
inorog *s.m.* unicorn.
inosită *s.f. chim.* inosite, inositol.
inospitalier *adj.* inhospitable.
inova *vi.* to innovate.
inovator *s.m.* innovator.
inovație *s.f.* innovation.
inoxidabil *adj.* stainless.
in-plano *adj. invar. poligr.* broadsheet, broadside.
ins *s.m.* bloke, chap.
insalubritate *s.f.* insalubrity.
insalubru *adj.* unwholesome.
insan *adj.* **1.** insane, unsound, mad. **2.** unreasonable, unwise.
insanitate *s.f.* insanity; madness.
insatisfacție *s.f.* insatisfaction, dissatisfaction.
insațiabil *adj.* insatiable.
inscriptibil *adj. geom.* inscribable.
inscripție *s.f.* inscription.
insculpa *vt. fin.* to stamp; to hallmark.
insculpare *s.f. fin.* hallmark(ing), stamping.
insectar *s.n.* insectarium.
insectă *s.f.* insect.
insecticid *s.n., adj.* insecticide.
insectifug *s.n.* insectifuge, insect repellent.
insectivor I. *adj.* insectivorous. **II.** *s.n.* insect eater, insectivore.
insectofungicid *adj., s.n.* insectofungicide.
insensibil *adj.* insensible.
insensibilitate *s.f.* insensibility.
insensibiliza *vt.* to insensibilize.
inseparabil *adj.* inseparable.
insera *vt.* to insert.
insert *s.n.* insert, insertion.
inserție *s.f.* insertion.
insesizabil *adj.* that cannot be grasped; imperceptible; subtle.
insesizabilitate *s.f. jur.* immunity from seizure, distraint or attachment.
insidios *adj.* perfidious.
insignă *s.f.* badge.
insignifiant *adj.* trifling.
insinua I. *vt.* to insinuate. **II.** *vr.* to slink (in).
insinuant *adj.* insinuating.

insinuare *s.f.* insinuation; hint; innuendo.
insipid *adj.* vapid.
insista *vt.* to insist.
insistent I. *adj.* insistent. **II.** *adv.* insistently.
insistență *s.f.* **1.** insistence. **2.** importunity; *cu* ~ insistently.
insolație *s.f.* sunstroke.
insolent *adj.* saucy, pert.
insolență *s.f.* cheek(iness).
insolit *adj.* unwonted.
insolubil *adj.* insoluble.
insolvabil *adj. ec.* insolvent.
insolvabilitate *s.f. ec.* insolvency.
insomnie *s.f.* sleeplessness.
insondabil *adj.* **1.** unsoundable, fathomless. **2.** *fig.* unfathomable.
insonorizare *s.f.* sound proofing / damping.
inspecta *vt.* to inspect.
inspectare *s.f.* inspection.
inspector *s.m.* inspector.
inspectorat *s.n.* inspectorate.
inspecție *s.f.* inspection.
inspira I. *vt.* to inspire (with smth.). **II.** *vr. a se inspira din* to draw upon.
inspirare *s.f.* inspiring.
inspirat *adj.* (well-)inspired.
inspirator I. *adj. anat.* inspiratory. **II.** *s.m.* inspirer.
inspirație *s.f.* inspiration.
instabil *adj.* unstable.
instabilitate *s.f.* instability.
instala I. *vt.* to install. **II.** *vr.* to settle (down).
instalare *s.f.* installation.
instalator *s.m.* plumber.
instalație *s.f.* **1.** installation. **2.** *(de apă)* plumbing. **3.** *(de canalizare)* sewerage; *instalații sanitare* sanitation.
instantaneu I. *s.n.* snapshot. **II.** *adj.* momentary.
instanță *s.f.* instance; *în ultimă* ~ eventually.
instaura *vt.* to establish.
instaurare *s.f.* setting up.
instiga *vt.* to incite.
instigare *s.f.* instigation, incitement, abetment.
instigator *s.m.* instigator.
instigație *s.f.* instigation, incitement.
instila *vt.* to instil.
instilator *s.n. med.* instiller.
instilație *s.f. med.* instillation.
instinct *s.n.* instinct.
instinctiv I. *adj.* instinctive. **II.** *adv.* instinctively, naturally.
instinctual *adj.* instinctual.
instituire *s.f.* setting up.
institui I. *vt.* to institute, to set up, to establish. **II.** *vr. pas.* to be instituted etc. v. ~ I.
institut *s.n.* institute; ~ *de proiectare* design office; ~ *de mine* school of mines.
institutor *s.m.* schoolmaster, schoolteacher.
instituție *s.f.* office, establishment.
instituționalism *s.n. ec. pol.* institutionalism.
instructaj *s.n.* briefing.
instructiv *adj.* instructive, useful.
instructor *s.m.*, **instructoare** *s.f.* instructor.
instrucție *s.f.* **1.** instruction. **2.** *mil.* drill. **3.** *jur.* investigation.
instrucțiune *s.f.* instruction.
instrui I. *vt.* **1.** to brief. **2.** *mil.* to train. **3.** *jur.* to investigate. **II.** *vr.* to learn, to acquire information.
instruire *s.f.* **1.** instruction, teaching. **2.** briefing.
instruit *adj.* **1.** well-read; cultured. **2.** *mil.* trained.
instrument *s.n.* instrument; ~ *de suflat* the winds; *(din lemn)* the woods; *(din alamă)* the brass.
instrumenta *vt.* to orchestrate.
instrumental *adj.* instrumental.
instrumentalism *s.n. filoz.* instrumentalism.
instrumentar *s.n.* **1.** *med.* instrumentarium. **2.** tools, instruments.
instrumentație *s.f. muz.* instrumentation, scoring.
instrumentist *s.m.* instrumentalist.
insubmersibil *adj.* insubmersible, unsinkable.
insubordonare *s.f.* insubordination.
insucces *s.n.* failure.
insuficient *adj.* insufficient.
insuficiență s.f. insufficiency.
insufla *vt.* to inspire with.
insuflație *s.f. med.* insufflation, spraying.
insular I. *adj.* insular. **II.** *s.m.* islander.
insulă *s.f.* **1.** island. **2.** *(în denumiri și)* isle.
insulină *s.f. med.* insulin.
insulta *vt.* to abuse.
insultă *s.f.* insult.
insultător *adj.* insolent.
insuportabil I. *adj.* unbearable. **II.** *adj.* unbearably.
insurecție *s.f.* insurrection.
insurecțional *adj.* insurrectional.
insurgent *s.m.* insurgent, rebel.
insurmontabil *adj.* insuperable, insurmountable.
intabula *vt.* to tabulate.
intact *adv.* **1.** untouched. **2.** unimpaired.
intalie *s.f. artă* intaglio.
intangibil *adj.* intangible.
intarsie *s.f. artă* intarsia.
integra I. *vt.* to integrate, to orbit. **II.** *vr. a se* ~ to fit in.
integrabil *adj. mat.* integrable.
integral I. *adj.* **1.** integral. **2.** *(d. pâine)* whole-meal. **3.** *(d. un text)* unabridged. **II.** *adv.* totally.
integrală *s.f. mat.* integral.
integralitate *s.f.* integrality, entireness, wholeness.
integrant *adj.* constitutive; *parte ~ă* integral / integrant part; *parte ~ă din...* part and parcel of...
integrare *s.f.* integration.
integrator *s.n.* integrator, integraph.
integritate *s.f.* integrity.
integru *adj.* incorruptible.
integument *s.n. bot.* integument.
intelect *s.n.* brains, mind.
intelectual *s.m., adj.* intellectual.
intelectualicește *adv.* intellectually.
intelectualism *s.n.* intellectualism.
intelectualist *adj., s.m.* intellectualist.
intelectualitate *s.f.* intellectuals.
intelecțiune *s.f. rar* intellection, perception, understanding.
inteligent I. *adj.* intelligent. **II.** *adv.* wisely.
inteligență *s.f.* intelligence; brains; ~ *naturală* mother wit.
inteligibil I. *adj.* intelligible. **II.** *adv.* intelligibly.
inteligibilitate *s.f.* intelligibility, intelligibleness.
intemperie *s.f.* (bad) weather.
intempestiv *adj.* ill-timed; unexpected, stormy, tempestuous.
intendent *s.m.* administator.
intens I. *adj.* **1.** intense. **2.** *(aspru)* severe. **3.** *(puternic)* strong, powerful. **II.** *adv.* intensely.
intensifica *vt., vr.* to intensify.
intensificare *s.f.* intensification.
intensitate *s.f.* force.
intensiv *adj.* intensive.
intenta *vt. a ~ un proces cuiva* to sue smb. (at law).
intenție *s.f.* **1.** intention. **2.** *(dorință)* wish, aim; *cu* ~ deliberately; *fără* ~ unwittingly.
intenționa *vt.* to plan.
intențional *adj. jur.* intentional, deliberate, wilful.
intenționalitate *s.f.* purposefulness.
intenționat *adj.* **1.** deliberate, purposeful. **2.** *jur.* prepense.
inter- *prefix* inter-.
interacție *s.f.* interaction.

interacționa *vt. fiz.* to interact.
interacțiune *s.f.* interaction.
interaliat *adj.* interallied.
interastral *adj. astr.* interstellar.
interatomic *adj.* interatomic (space etc.).
interbelic *adj.* inter-war.
intercala *vt.* to intersperse.
intercalare *s.f.* insertion, interpolation.
intercalație *s.f. min.* intercalation.
intercelular *adj.* intercellular.
intercepta *vt.* to intercept.
interceptare *s.f.* interception.
intercineză *s.f. biol.* interkinesis; rest stage (between two nuclear divisions).
intercolonament *s.n. arh. etc.* intercolumn.
interconecta *vt. el.* to connect (up); to attach, to hook up.
interconexiune *s.f. el., cib.* interconnection; attachment, hook-up.
intercontinental *adj.* intercontinental.
intercostal *adj. anat.* intercostal.
interdepartamental *adj.* interdepartmental.
interdependent *adj.* interdependent.
interdependență *s.f.* interdependence.
interdict *s.n. bis.* interdict.
interdicție *s.f.* **1.** interdiction, ban. **2.** *jur.* incapacity.
interes *s.n.* **1.** interest(s). **2.** importance; *~ul personal* number one.
interesa **I.** *vt.* to concern; *nu mă interesează fam.* it is not my funeral. **II.** *vi.* to matter, to be material. **III.** *vr.* **1.** to be interested (in smth. etc.). **2.** to inquire (for *sau* after smb. etc.); *a se ~ la* to apply to.
interesant *adj.* interesting.
interesat *adj.* **1.** interested, concerned. **2.** *(lacom)* grasping.
interfață *s.f. chim., fiz.* interface.
interfera *vi.* to interfere.
interferență *s.f.* collision.
interferometrie *s.f. fiz.* interferometry.
interferometru *s.n. fiz.* interferometer.
interferon *s.n. biol.* interferon.
interfluviu *s.n. geogr.* interfluve.
interglaciar **I.** *adj.* interglacial (deposit, age). **II.** *s.n.* interglacial.
interglaciație *s.f. geol.* interglaciation.
interimar *adj.* ad-interim.
interimat *s.n.* interim, duties of ad-interim.
interior **I.** *s.n.* **1.** interior. **2.** *(la telefon)* extension. **II.** *adj.* internal, inner; *comerț ~* home trade.
interjecție *s.f.* interjection.
interlinie *s.f. poligr.* spacing; space between two lines.
interlocutor *s.m.* collocutor.
interlop *adj.* underworld...
interludiu *s.n.* interlude; *~ comic* comedy *sau* comic relief.
intermedia *vt.* v. m i j l o c i.
intermediar **I.** *s.m.* **1.** intermediary. **2.** *peior.* wangler. **II.** *adj.* intermediate.
intermediu *s.n.* agency.
intermezzo *s.n. muz.* intermezzo.
interminabil *adj.* endless.
interministerial *adj.* interdepartmental.
intermitent **I.** *adj.* intermittent. **II.** *adj.* sporadically.
intermitență *s.f.* intermittence, intermittency; *cu ~* intermittently.
intermolecular *adj. chim.* intermolecular.
intern **I.** *s.m.* **1.** *(elev)* boarder. **2.** *med.* intern. **II.** *adj.* **1.** internal; inner. **2.** *pol. și* home, domestic.
interna **I.** *vt.* **1.** to hospitalize. **2.** *(a închide)* to confine. **II.** *vr.* to go to hospital.
internare *s.f.* **1.** internment. **2.** hospitalization.
internat **I.** *s.n.* boarding school. **II.** *adj.* interned; hospitalized.
internațional *adj.* international; world.
Internaționala *s.f. muz.* the Internationale.
Internațională *s.f. pol.* International.
internaționalism *s.n.* internationalism.
internaționalist *s.m., adj.* internationalist.
internist *s.m.* internist.
internod *s.n. bot.* internode.
interoceptor *s.m. fiziol.* interoceptor.
interoga *vt.* to examine.
interogare *s.f.* interrogation.
interogativ *adj.* interrogative.
interogatoriu *s.n.* examination.
interogație *s.f. livr.* interrogation, question; questioning.
interpela *vt.* to interpellate.
interpelare *s.f.* interpellation.
interpelator *s.m.* interpellator.
interpenetrație *s.f.* interpenetration.
interplanetar *adj.* interplanetary.
interpola *vt.* to interpolate, to insert.
interpolare *s.f.* interpolation, insert(ion).
interpolat *adj. mat.* interpolated.
interpolator *s.m.* interpolator.
interpret *s.m.* **1.** interpreter. **2.** *(artist și)* performer.
interpreta *vt.* **1.** to interpret. **2.** *(în public)* to perform; *a interpreta greșit* to misinterpret.
interpretabil *adj.* subject to interpretation.
interpretare *s.f.* **1.** interpretation. **2.** *muz. și* rendition. **3.** *teatru și* acting.
interpretativ *adj.* interpretative.
interpune *vr.* to interpose.
interpunere *s.f.* interposition.
interpus *adj.* interposed.
interraional *adj.* inter-district...
interregn *s.n.* interregnum.
interschimbabil *adj.* interchangeable.
interschimbabilitate *s.f.* interchangeability.
intersecta *vt. și r.* to intersect.
intersecție *s.f.* crossing (point).
intersexualitate *s.f. biol.* intersexualism, intersexuality.
interspațiu *s.n.* interspace.
interstadial *s.n. geol.* interstadial.
interstatal *adj.* **1.** interstate. **2.** AE federal.
interstelar *adj. astr.* interstellar.
interstițial *adj. tehn., med.* interstitial.
interstrițiu *s.n.* interstice; *(joc)* play.
interșcolar *adj.* interschool...
intertip *s.n. poligr.* intertype.
intertrigo *s.f. med.* intertrigo.
interurban *adj.* **1.** interurban. **2.** *(la telefon)* trunk, toll.
interval *s.n.* **1.** interval. **2.** lapse of time. **3.** *(gol)* gap. **4.** *(între scaune)* aisle.
interveni *vi.* **1.** to intervene. **2.** *(a se amesteca)* to interfere. **3.** *(a se produce)* to happen, to occur; *a ~ pentru cineva* to intercede in smb.'s favour.
intervenient *s.m. jur.* intervener, intervening party.
intervenție *s.f.* intervention; *(pilă)* intercession.
intervenționism *s.n.* interventionism.
intervenționist *sm., adj.* interventionist.
intervertire *s.f.* inversion, transposition.
intervieva *vt.* to interview.
interviu *s.n.* interview.
intervocalic *adj.* intervocalic.
interzice *vt.* to ban, to forbid.
interzicere *s.f.* ban.
interzis *adj.* prohibited; *~ a vira la dreapta* no right turn.
intestin *s.n. anat.* bowel; *~ul gros* the large intestine; *~ul subțire* the small intestine.

intestinal *adj.* intestinal.
intim I. *s.m.* bosom friend. **II.** *adj.* **1.** intimate. **2.** *(retras)* private. **3.** *(adânc)* innermost. **III.** *adv.* **1.** closely. **2.** *(retras)* privately. **3.** *(îndeaproape)* familiarly, well.
intimat *s.m. jur.* respondent, defendant (in a Court of Appeals).
intimida I. *vt.* to browbeat. **II.** *vr.* to grow shy.
intimidare *s.f.* intimidation.
intimitate *s.f.* **1.** privacy. **2.** *pl.* secrets.
intitula I. *vt.* to entitle. **II.** *vr.* to be entitled.
intitulat *adj.* entitled.
intolerabil *adj.* insufferable.
intolerant *adj.* illiberal.
intoleranță *s.f.* intolerance.
intona *vt.* to tune (up).
intonație *s.f.* intonation.
intoxica I. *vt.* to intoxicate. **II.** *vr.* to become intoxicated.
intoxicație *s.f.* intoxication; ~ *alimentară* food poisoning.
intra *vi.* to enter, to go in(to); to get in; *a ~ în partid etc.* to joint the party etc.; *a ~ în cineva* to criticize smb.; *a ~ în cârdășie* to collude; *a~ în combinație* to combine; *a ~ în funcțiune* to be inaugurated; *intră!* come in!
intracelular *adj. biol.* intracellular.
intradermoreacție *s.f. med.* intradermal reaction.
intrados *s.n.* **1.** *arh.* inner surface, soffit, intrados (of arch). **2.** *av.* under surface (of wing).
intraductibil *adj.* untranslatable.
intrageanticlinal *s.n. geol.* intrageanticlinal.
intrageosinclinal *s.n. geol.* intrageosinclinal.
intraglandular *adj. anat.* intraglandular.
intramontan *adj. geogr.* intramontane.
intramuscular *adj. anat.* intramuscular.
intransigent *adj.* uncompromising.
intransigență *s.f.* intransigence.
intransmisibil *adj.* intransmissible.
intranzitiv *adj.* intransitive.
intrare *s.f.* **1.** entrance. **2.** *(fundătură)* (blind) alley. **3.** *(ca mișcare)* entering, coming; *~a oprită* private, no admittance.
intratabil *adj.* unmanageable.
intrauterin *adj. anat.* intra-uterine.
intravenos *adj.* intravenous.
intravilan *s.n. arh.* within the built-up area.
intrazonal *adj.* intrazonal.
intrând *s.n.* inlet; recess.
intrepid *adj.* intrepid, dauntless.
intriga *vt.* to astonish, to puzzle.
intrigant I. *s.m.* intriguer. **II.** *adj.* designing.
intrigat *adj.* intrigued.
intrigă *s.f.* **1.** machination. **2.** *(acțiune)* plot; *a face / țese intrigi* to intrigue, to machinate.
intrinsec *adj.* intrinsic.
introduce I. *vt.* to introduce. **II.** *vr.* **1.** to elbow one's way. **2.** *(a fi introdus)* to be introduced.
introducere *s.f.* **1.** introduction. **2.** *(prefață și)* preface. **3.** *(la o scrisoare)* salutation.
introductiv *adj.* introductory.
introdus *adj. (cunoscător) (în)* conversant (with).
introspectiv *adj.* introspective.
introspecție *s.f.* introspection.
introvertit *psih., med.* **I.** *adj.* introvertite. **II.** *s.m.* introvert.
intrus *s.m.* intruder.
intrusiv *adj. med., geol. etc.* intrusive.
intruziune *s.f. geol.* intrusion, intrusive rock.
intui *vt.* to infer.
intuire *s.f.* intuition.
intuitiv I. *adj.* intuitive. **II.** *adv.* intuitively.
intuiție *s.f.* intuition.
intuiționism *s.n. filoz., mat., log.* intuitionalism.
inulină *s.f. chim.* inulin.
inuman *adj.* savage.
inunda *vt.* to flood.
inundabil *adj.* liable to inundation; easily flooded.
inundat *adj.* flooded; (*d. o punte etc.*) afloat.
inundație *s.f.* flood.
inutil I. *adj.* **1.** useless. **2.** *(zadarnic)* unavailing. **II.** *adv.* needlessly, wantonly.
inutilitate *s.f.* wantonness.
inutilizabil *adj.* worthless, useless.
inuzitat *adj.* not in common use.
invada *vt.* to invade.
invadator *s.m.* invader.
invalid I. *s.m.* cripple. **II.** *adj.* invalid.
invalida *vt. jur.* to invalidate.
invalidare *s.f. jur.* invalidation.
invaliditate *s.f.* invalidity.
invar *s.n. met.* invar.
invariabil *adj.* invariable.
invariabilitate *s.f.* invariableness, invariability.
invariant *s.m. mat.* invariant, constant.
invazie *s.f.* invasion.
invectivă *s.f.* invective; *pl.* abuse.
inventa *vt.* **1.** to invent. **2.** *fig.* to fabricate.
inventar *s.n.* inventory; ~ *agricol* implements; ~ *mort* dead-stock implements; ~ *viu* live stock.
inventaria *vt.* to catalogue.
inventariere *s.f. ec.* taking stock (of goods etc.), inventorying, assessment, evaluation; census.
inventator *s.m.* inventor.
inventiv *adj.* inventive, resourceful.
inventivitate *s.f.* inventiveness, resourcefulness; adroitness.
invenție *s.f.* **1.** invention. **2.** *(minciună)* fabrication.
invențiune *s.f.* power of invention; *s.f. muz.* invenzione, fantasia.
invers I. *adj.* reverse. **II.** *adv.* conversely.
inversa *vt.* to invert.
inversare *s.f.* inversion, reversal.
inversie *s.f.* **1.** *fiz. etc.* inversion; transposition. **2.** *foto.* reversal, reversion.
inversiune *s.f.* **1.** inversion. **2.** *med.* homosexuality.
inversor *s.n. tehn.* reversor, change-over switch.
invertază *s.f. biochim.* invertase, sucrase, invertin, inverting enzyme.
inverti *vt. livr.* to reverse.
invertire *s.f. chim.* inverting (sucrose).
invertit *s.m.* invert.
invertor *s.n. el.* inverter.
investi *vt.* to invest.
investiga *vt.* to investigate, to examine, to probe into.
investigație *s.f.* investigation, inquiry.
investire *s.f.* investment (of a capital).
investit *adj. fin. etc.* invested.
investiție *s.f.* **1.** investment. **2.** *pl.* vested interests.
inveterat *adj.* inveterate.
invidia *vt.* to envy.
invidie *s.f.* envy.
invidios *adj.* **1.** envious. **2.** *(pizmaș)* covetous.
invincibil *adj.* invincible.
invincibilitate *s.f.* invincibility.
inviolabil *adj.* inviolable.
inviolabilitate *s.f.* inviolability; sacredness.
invita *vt.* to invite.
invitat *s.m.* guest.
invitație *s.f.* invitation.
in vitro *adv.* in vitro.
in vivo *adv.* in vivo.
invizibil *adj.* invisible.
invizibilitate *s.f.* invisibility.
invoca *vt.* to invoke.
invocare *s.f.* invocation.
involucru *s.n. bot.* involucre.

involuntar I. *adj.* **1.** involuntary. **2.** *(neintenționat)* unintentional. **II.** *adv.* unwillingly, involuntarily.
involuție *s.f.* involution.
invulnerabil *adj.* **1.** invulnerable. **2.** *fig.* watertight.
invulnerabilitate *s.f.* invulnerability.
ioaniți *s.m. pl. ist.* knights of (the order of) St. John (of Jerusalem), Knights, Hospital(l)ers.
iobag *s.m.* serf, villain.
iobăgie *s.f.* serfdom.
iobăgime *s.f. ist.* the class of serfs / villains; serfdom, bondage.
ioc *adv.* not at all.
iod *s.n.* iodine.
iodat *s.m. chim.* iodate.
iodhidric *adj. chim.* hydriodic, iodhydric.
iodic *adj. acid ~* iodic acid.
iodism *s.n. med.* iodism.
iodizare *s.f. lingv.* pronunciation of initial „e" as „y", yodization.
iodoform *s.n. farm.* iodoform.
iodometrie *s.f. chim.* iodometry.
iodopsină *s.f. biochim.* iodopsin.
iodură *s.f. chim.* iodide.
iolă *s.f.* yawl.
ion *s.m. fiz.* ion.
ionatan *s.m. bot.* Applejohn, John-apple.
ionian *adj., s.m.* Ionian.
ionic *adj.* **1.** *arhit.* Ionic. **2.** *fiz.* ionic.
ioniți *s.m. pl. chim.* general term for anions and cations.
ioniu *s.n. chim., fiz.* ionium.
ioniza *vt. fiz.* to ionize.
ionizant *adj. fiz.* ionizing.
ionizare *s.f. fiz.* ionization.
ionometru *s.n. chim.* ionometer.
ionosferă *s.f.* ionosphere.
ionoterapie *s.f. med.* ionotherapy.
iordan *s.n.* Epiphany; *a se ține de ~e* a. (*a spune vorbe goale*) *fam.* to talk through one's hat. b. (*a se ține de prostii*) *fam.* to play the giddy goat.
iordanian, -ă *s.m., s.f., adj. geogr.* Jordanian.
iot *s.n. lingv.* yod(h), jod, iot.
iotacism *s.n. lingv.* iotacism.
iotaciza *vr. lingv.* to become palatalized under the influence of a jot.
iotă *s.f.* jot.
iparh *s.m. ist. Greciei* hiparch, cavalry commander.
ipcărige *s.f. bot.* baby's breath, chalk plant, gypsophila *(Gypsophila parriculata)*.
ipeca *s.f. bot.* ipecac(uanha).
iperige v. i p c ă r i g e.
iperită *s.f. chim.* yperite, mustard gas.
ipingea *s.f. înv.* hooded mantle.
ipistat *s.m. înv.* deputy police officer, police sergeant.
ipocrit I. *s.m.* hypocrite, double-dealer. **II.** *adj.* hypocritical.
ipocrizie *s.f.* hypocrisy.
ipohondrie *s.f. med.* hypochondria.
ipohondru *adj.* hypochondric(al), *fam.* hipped, hippish.
ipostază *s.f.* hypostasis.
ipostaziere *s.f. filoz.* hypostatization.
ipoteca *vt.* to mortgage.
ipotecar I. *adj.* pertaining to / guaranteed by mortgage. **II.** *s.m.* mortgagee, holder of mortgage.
ipotecare *s.f.* mortgaging.
ipotecă *s.f.* mortgage.
ipotenuză *s.f. geom.* hypotenuse.
ipotetic *adj.* suppositional.
ipoteză *s.f.* hypothesis, assumption.
ipsofon *s.n. telec.* answering machine.
ipsos *s.n.* plaster.
iradia *vt.* to (ir)radiate.
iradiant *adj.* irradiative.
iradiație *s.f. fiz.* irradiation; *med. boală de ~* radiation sickness.
iradiere *s.f. fiz.* irradiation.
irakian *s.m., adj. geogr.* Iraqi, Iraki.
iranian *s.m., adj. geogr.* Iranian.
irascibil *adj.* irascible.
irascibilitate *s.f.* irascibility, hot temper, testiness, petulance.
iraser *s.n. fiz.* iraser, infrared laser.
irațional *adj.* irrational.
iraționalism *s.n. filoz.* irrationalism.
irbis *s.m. zool.* ounce, irbis, snow leopard.
ireal *adj.* unreal.
irealitate *s.f.* non-reality.
irealizabil *adj.* unachievable, impossible.
ireconciliabil *adj.* irreconcilable.
irecuperabil *adj.* irretrievable.
irecuzabil *adj. livr.* irrecusable, unimpeachable, unchallengeable.
iredentism *s.n. pol.* Irredentism.
iredentist *s.f., s.m., adj.* Irredentist.
ireductibil *adj.* irreducible; unyielding.
irefragabil *adj.* **1.** irrefragable, unquestionable, undeniable. **2.** irrefragable, indestructible.
irefutabil *adj.* irrefutable, indisputable.
irelevant *adj.* irrelevant.
iremediabil I. *adj.* irreparable, incurable. **II.** *adv.* hopelesly.
ireparabil *s.n., adj.* irreparable.
irepetabil *adj.* unrepeatable.
ireproșabil I. *adj.* irreproachable, flawless. **II.** *adv.* faultlessly, perfectly.
irespirabil *adj.* stifling.
iresponsabil *adj.* irresponsible; reckless.
iresponsabilitate *s.f.* irresponsibility; recklessness.
ireverențios I. *adj.* impolite. **II.** *adv.* irreverently.
ireversibil *adj.* irreversible.
ireversibilitate *s.f.* irreversibility.
irevocabil I. *adj.* irrevocable; **II.** *adv.* irrevocably.
irezistibil I. *adj.* irresistible. **II.** *adv.* irresistibly.
iridacee *s.f. pl. bot.* Iridaceae.
iridiu *s.n. chim.* iridium.
iriga *vt.* to irrigate, to water.
irigabil *adj.* irrigable.
irigare *s.f.* irrigation.
irigator *s.n.* enema.
irigație *s.f.* irrigation.
irimic *s.n.* pollard.
iris I. *s.m. bot.* iris, flag *(Iris)*. **II.** *s.n. anat.* iris.
irita I. *vt.* to annoy. **II.** *vr.* to become irritated.
iritabil *adj.* irritable.
iritabilitate *s.f.* irritability.
iritant *adj.* irritating.
iritare *s.f.* **1.** irritation. **2.** *med.* inflammation.
iritat *adj.* **1.** irate (at smth.). **2.** *med.* swollen.
iritație *s.f.* v. i r i t a r e.
irită *s.f. med.* iritis.
iriza *vt.* to make iridescent.
irizare *s.f.* irisation.
irlandez I. *s.m.* Irishman. **II.** *adj.* Irish.
irlandeză *s.f.* **1.** Irishwoman. **2.** *(limba)* Irish.
irmilic *s.m. ist., fin.* irmilik, old Turkish silver (or gold) coin (circulated also in the Romanian lands).
irochez *s.m., adj. geogr.* Iroquois (Indian).
irod *s.m.* Herod (in a folk minstrel show); (actors of a) minstrel show.
ironic I. *adj.* ironical. **II.** *adv.* ironically.
ironie *s.f.* irony.
ironist *s.m.* ironist.
ironiza *vt.* to banter.
iroseală *s.f.* waste, wasting; squandering.
irosi *vt.* to squander.
irotațional *adj. fiz., mat.* irrotational.
irozi *s.m. pl. pop.* Herods, Romanian folk Nativity show (derived from the medieval mysteries).
irumpe *vi.* **1.** to irrupt, to intrude. **2.** to erupt, to burst out, to explode. **3.** to overflow, to overbrim.
irupe *vi.* v. i r u m p e.
irupție *s.f.* eruption, irruption.

isatină *s.f. chim.* isatin.
isca I. *vt.* to arouse. **II.** *vr.* to arise.
iscăli *vt., vi., vr.* to sign.
iscălitură *s.f.* signature.
ischemie *s.f. med.* ischaemia.
ischion *s.n. anat.* ischium.
iscoadă *s.f.* spy.
iscodi I. *vt.* **1.** to probe. **2.** *(a născoci)* to invent. **II.** *vi.* **1.** to investigate. **2.** *(cu ochii)* to peer, to scan.
iscoditor *adj.* spying, prying.
iscusință *s.f.* skill, ability.
iscusit *adj.* **1.** skilful, apt. **2.** *(d. lucruri)* clean, clever.
isihasm *s.m. rel.* hesychasm.
isihast *s.m. rel.* hesychast.
islam *s.n.* Islam.
islamic *adj.* Islamic.
islamism *s.n.* Islamism.
islandez, -ă *geogr.* **I.** *s.m.* Icelander. **II.** *s.f. lingv.* Icelandic.
islaz *s.n.* common.
ismailit *s.m.* Ismaili(an).
isoglosă *s.f. lingv.* isogloss.
ison *s.n.* **1.** accompaniment. **2.** *fig.* abbetting.
isop *s.m. bot.* **1.** hyssop *(Hyssopus officinalis)*. **2.** *rel.* holy water.
isopod *s.n. zool.* isopod.
isoscel *adj. geom.* isosceles.
Ispas *s.n. pop.* Ascension.
ispăși *vt.* to expiate.
ispășire *s.f.* expiation, atonement.
ispășitor *adj. țap* ~ scape goat.
ispisoc *s.n. înv.* v. h r i s o v.
ispită *s.f.* temptation.
ispiti *vt.* to lure.
ispitire *s.f.* **1.** temptation. **2.** ordeal, hard lines.
ispititor *adj.* (al)luring.
ispol *s.n.* scoop, bail.
ispravă *s.f.* **1.** feat. **2.** *(realizare)* achievement, success; *de ~* worthy; *frumoasă ~!* a pretty kettle of fish!
ispravnic *s.m. ist.* subprefect.
isprăvi I. *vt.* **1.** to finish. **2.** *(un discurs)* to wind up. **3.** *(a epuiza)* to run out of. **II.** *vr.* to be all over.
isprăvit *s.n.* finished, concluded, completed.
israelit I. *adj.* Israelite, Israelitic, Israelitish. **II.** *s.m.* Israelite, Jew, Israeli.
ist v. i a s t a.
ista v. i a s t a.
isteric I. *adj.* hysterical. **II.** *adv.* hysterically.
istericale *s.f. pl.* conniption (fit).
isterie *s.f.* hysteria.
isteț *adj.* clever.
isteți *vr.* to become clever.
istețime *s.f.* cleverness.
istm *s.n.* isthmus.
istmic *adj. geogr.* isthmian, isthmic.
istoric I. *s.m.* historian. **II.** *adj.* **1.** historical. **2.** *(important)* historic, epoch-making.
istoricește *adv.* historically.
istoricitate *s.f.* historicity.
istorie *s.f.* **1.** history. **2.** *(poveste)* story. **3.** *(încurcătură)* sad tale.
istorioară *s.f.* anecdote.
istoriograf *s.m.* historiographer.
istoriografie *s.f.* historiography.
istorisi *vt.* to narrate.
istorisire *s.f.* narration, narrative.
istorism *s.n.* histor(ic)ism.
istov *s.n. de ~ pop.* quite, completely.
istovi I. *vt.* **1.** to exhaust. **2.** *(a obosi)* to weary. **II.** *vr.* to work oneself to death.
istovit *adj.* knocked up.
istovitor *adj.* exhausting.
istroromân *adj., s.m.* Istro-Romanian.
islic *s.n. ist. României* large, round or square bottomed fur cap worn by princes or court officials.
italian *s.m., adj.* Italian.
italiană *s.f.* Italian.
italiancă *s.f.* Italian (woman).
italic *adj. și poligr.* italic.
italice *s.f. pl. poligr.* Italic type, italics.
italienesc *adj.* Italian.
italienește *adv.* (like an) Italian.
italienism *s.n.* Italian word / idiom.
italiot *s.m. ist.* Italiot.
italo-celtic *adj. ist.* Italo-Celtic (languages).
iterativ *adj. gram.* iterative, frequentative.
iterație *s.f.* (re)iteration, repetition.
itinerant *adj.* at large, itinerant.
itinerar *s.n.* itinerary.
ițari *s.m. pl.* tight peasant trousers.
iță *s.f.* thread, heald.
iți *vr.* to appear for a moment, to gleam, to flash; to burst upon smb.'s view.
iu *interj.* **1.** (*de bucurie*) heigh-ho! **2.** (*de spaimă*) ho!
iubi I. *vt.* to love, to be fond of. **II.** *vi., vr.* to be in love (with each other).
iubire *s.f.* love.
iubit I. *s.m.* sweetheart. **II.** *adj.* (be)loved.
iubită *s.f.* sweetheart, flame.
iubitor *adj.* fond.
iudaic *adj.* **1.** Judaic(al). **2.** Jewish.
iudaism *s.n.* Judaism.
iudă *s.f.* Judas, hypocrite; double-dealer; traitor.
iudeu *s.m.* **1.** *ist.* Jud(a)ean. **2.** *înv.* Jew.
iuft *s.n.* yuft, Russia leather.
iugăr *s.m.* old Transylvanian surface measure unit.
iugoslav *s.m., adj.* Yugoslav.
iulian *adj.* Julian.
iulie *s.m.* July.
iulus *s.m. zool.* julus, iulus, millipede *(Iulus terrestris)*.
iuncher *s.m.* **1.** *ist.* junker. **2.** (*cadet*) *înv.* cadet.
iuncherime *s.f. ist.* Junkerdom, (the) Junkers, German landowners' class based on the military aristocracy.
iunie *s.m.* June.
iureș *s.n.* rush, race.
iurtă *s.f.* yourt, felt or leather tent of Central Asia vagrant populations.
iută *s.f.* jute.
iute I. *adj.* **1.** quick, swift. **2.** *(agil)* nimble. **3.** *(pripit)* rash. **4.** *(nervos)* quick-tempered. **5.** *(la gust)* hot, spicy; *~ de mână* deft; *~ de picior* swift-footed;*~ la mânie* swift/ quick to anger. **II.** *adv.* quickly, fast, swiftly.
iuțari *s.m. pl. reg. bot.* lactarius vellereus *(Lactarius piperatus)*.
iuțeală *s.f.* **1.** speed, swiftness. **2.** *fig.* cleverness; *~ de mână* sleight of hand.
iuți I. *vt.* **1.** to speed up, to hasten. **2.** *(la mâncare)* to pepper. **II.** *vr.* **1.** to quicken, to become fast. **2.** *(la gust)* to turn hot / acrid.
iuvenalii *s.f. pl. ist.* Juvenalia, ancient Roman celebrations of goddess Juventas (Hebe).
iuxtă *s.f.* v. j u x t ă.
iuzbașă *s.m. ist.* v. h o t n o g.
ivăr *s.n.* **1.** v. z ă v o r. **2.** v. c l a n ț ă 1.
iveală *s.f.* light.
ivi *vr.* to appear; to turn up.
ivire *s.f.* appearance.
ivorin *s.n. ind.* ivorine, artificial ivory.
ivoriu *s.n.* ivory.
ivrit *s.n.* Ivrit.
iz *s.n.* reek, smack.
izbă *s.f.* Russian peasant house.
izbăvi *vt.* to deliver.
izbăvire *s.f.* salvation.
izbăvitor *s.m.* saviour, deliverer.
izbândă *s.f.* success, victory.
izbândi *vi.* to meet with success.
izbânditor *adj.* victorious, triumphant.
izbeliște *s.f. de ~* (God-)forsaken; *a lăsa de ~* to abandon, to forsake.
izbi I. *vt.* to hit. **II.** *vr.* to strike (against); *a se ~ de* to come up against.
izbire *s.f.* hit(ting).
izbitor *adj.* striking.
izbitură *s.f.* knock(ing).

izbuc *s.m. geogr.* Karstic intermittent spring.
izbucni *vi.* **1.** to break out. **2.** *(în lacrimi etc.)* to burst (into tears etc.).
izbucnire *s.f.* **1.** outbreak. **2.** *(de mânie etc.)* outburst.
izbuti I. *vt. a ~ să* to manage (to do smth.); to succeed in doing smth. **II.** *vi.* to be successful.
izbutit *adj.* successful, accomplished.
izentalp *adj. fiz.* having or indicating constant enthalpy.
izentrop *adj. fiz.* isentropic.
izgoni *vt.* **1.** to drive away. **2.** *(a surghiuni)* to banish.
izgonire *s.f.* driving away.
izlaz *s.n.* (village) common.
izmă *s.f. bot.* (pepper)mint *(Mentha).*
izmene *s.f. pl.* pants, small clothes.
izmeneală *s.f. fam.* mincing manners, finicality.
izmeni *vr. fam.* to mince.
izmenit *adj. fam.* mincing, finical, finicking.
iznoavă *s.f.* fib, story; invention.
izo- *prefix* iso-.
izoalcan *s.m. chim.* isoparaffin.
izobară *s.f.* isobar, isobaric curve.
izobată *s.f. geogr.* isobath.
izobutenă *s.f. chim.* isobutylene.
izocianat *s.m. chim.* isocyanate.
izoclinal *adj. geol.* isoclinal.
izoclină *s.f. geol.* isoclinal line, isocline.
izocor *s.f., adj. fiz.* v. i s o s t e r i c.
izocron *adj.* isochronous, isochronic.
izocronism *s.n. fiziol.* isochronism.
izodimorfism *s.n. fiz.* isodimorphism.
izodinamie *s.f. fiziol.* isodynamia.
izogam *adj.* isogamous.
izogamie *s.f. biol.* isogamy.
izogeotermă *s.f.* isogeotherm.
izoglosă *s.f. lingv.* isogloss.
izogon *adj. geom.* isogonal, isogonic.
izohietă *s.f. meteo.* isohyet.
izola I. *vt.* **1.** to isolate. **2.** *el.* to insulate. **II.** *vr.* to live in seclusion.
izolament *s.n. el.* insulation.
izolare *s.f.* isolation; loneliness; seclusion; *el.* insulation.
izolat *adj.* isolated; detached; lonely; remote; *el.* insulated.
izolator I. *adj.* insulating. **II.** *s.n.* insulator.
izolație *s.f. el.* insulation, layer of insulating material.
izomer *chim.* **I.** *adj.* isomerous. **II.** *s.m.* isomer.
izomerie *s.f. chim.* isomery, isomerism.
izomerizare *s.f. chim.* isomerization.
izometric *adj.* isometric(al).
izomorf *adj.* isomorphous, isomorphic.
izomorfism *s.n.* isomorphism.
izonefă *s.f. meteo.* isoneph.
izooctan *s.n.* isooctane.
izoosmotic *adj.* v. i z o t o n i c.
izoparafină *s.f. chim.* isoparaffin.
izopentan *s.m. chim.* isopentane.
izopode *s.n. pl. zool.* Isopoda.
izopren *s.m. chim.* isoprene.
izopropilbenzen *s.m. chim.* isopropylbenzene.
izoseistă *s.f. geol.* isoseismal (line).
izosporie *s.f. bot.* isospory.
izostazie *s.f. geol.* isostasy, isostacy.
izoster *adj., s.f. fiz.* isosteric.
izoterm *adj.* isothermal.
izotermă *s.f.* isotherm.
izotermic *adj. fiz.* isothermic.
izotipie *s.f. chim.* isostructure.
izotonic *adj. chim.* isotonic.
izotonie *s.f. fiziol.* isotonicity.
izotop *s.m.* isotope; *~ radioactiv* radioactive isotope.
izotopie *s.f. fiz.* isotopy.
izotrop *adj. fiz.* isotropic.
izotropie *s.f. fiz.* isotropy.
izraelit I. *adj.* Hebrew, Jewish; (*din statul Israel*) Israeli. **II.** *s.m.* Israelite; Hebrew, Jew.
izvod *s.n. ist. înv.* chronicle, register, old manuscript.
izvodi *reg.* **I.** *vt.* **1.** to create, to invent, to devise. **2.** to draw up. **II.** *vr.* to loom, to appear.
izvoditor *s.m. înv., reg.* **1.** chronicler, chronicle-writer. **2.** writer, author. **3.** creator.
izvor *s.n.* spring, source.
izvorî *vi.* **1.** to rise, to spring. **2.** *fig.* to arise (from).

Î

Î, î *s.m.* the twelfth letter of the Romanian alphabet.
îmbarca *vt., vr.* to embark.
îmbarcare I. *s.f.* embarkation, embarkment; shipment, shipping.
îmbăia I. *vt.* to wash. **II.** *vr.* to bath.
îmbăla *vt.* to slobber.
îmbălat *adj.* slobbery.
îmbălsăma *vt.* to embalm.
îmbălsămat *adj.* embalmed.
îmbărbăta *vt.* to hearten.
îmbărbătare *s.f.* cheering up, encouraging.
îmbăta I. *vt.* to intoxicate. **II.** *vr.* to get drunk.
îmbătare *s.f.* intoxication.
îmbătat *adj.* drunken (with).
îmbătător *adj.* inebriating.
îmbătrâni *vt., vi.* to age.
îmbătrînire *s.f.* ageing.
îmbătrînit *adj.* grown old.
îmbâcseală *s.f.* stuffiness.
îmbâcsi *vt., vr.* to fill.
îmbâcsit *adj.* **1.** close, stale, stuffy. **2.** *(îndesat)* crammed.
îmbârliga *vr.* to coil up.
îmbârligat *adj.* coiled.
îmbelșuga *vt. rar* to cause to bear fruit, to cause to become fruitful.
îmbelșugare *s.f.* plenty, abundance.
îmbelșugat *adj.* copious.
îmbia *vt.* to **1.** to prompt. **2.** *(a ispiti)* to (al)lure, to draw.
îmbiba I. *vt.* to imbue. **II.** *vr.* to be imbued.
îmbibare *s.f.* soaking; *tehn.* imbibition.
îmbietor *adj.* inviting, alluring.
îmbina I. *vt.* to join, to blend. **II.** *vr.* **1.** to blend. **2.** *(a se potrivi)* to dovetail, to fit.
îmbinare *s.f.* joining; dovetailing.
îmblăciu *s.n.* flail.
îmblăni *vt.* to line with fur.
îmblănit *adj.* fur-lined.
îmblăti *vt.* **1.** to (thresh with a) flail. **2.** *fam.* to pommel, to whack, to sandbag.
îmblătit *s.n. agr.* threshing (grain) with a flail, flailing.
îmblânzi I. *vt.* **1.** to tame, to domesticate. **2.** *(a dresa)* to train. **II.** *vr.* to become tame / quiet.
îmblânzire *s.f.* taming.
îmblânzitor *s.m.* tamer; ~ *de lei* lion tamer.
îmboboci *vi.* to bud.
îmbogăți I. *vt.* to enrich. **II.** *vr.* to grow rich(er); to make a fortune.
îmbogățire *s.f.* enrichment.
îmboldi *vt.* to goad / urge on; to spur.
îmbolnăvi I. *vt.* to render sick. **II.** *vr.* to fall / be ill.
îmbolnăvire *s.f.* being taken ill.
îmbrăca I. *vt.* **1.** to put on. **2.** *(pe cineva)* to dress. **3.** *(a înveli)* to wrap. **II.** *vr.* to dress (oneself).
îmbrăcăminte *s.f.* clothes.
îmbrățișa I. *vt.* **1.** to embrace. **2.** *(o profesie)* to take up. **II.** *vr.* to embrace.
îmbrățișare *s.f.* embrace.
îmbrânceală *s.f.* jolting.
îmbrânci I. *vt.* to push. **II.** *vr.* to jostle each other.
îmbrobodi I. *vt.* **1.** to wrap smb.'s head. **2.** *(a înșela)* to hoodwink. **II.** *vr.* to wrap up (one's head).
îmbuca I. *vt.* **1.** to clamp. **2.** *(a înfuleca)* to gobble. **II.** *vr.* to dovetail.
îmbucătăți *vt.* to cut into pieces; to mince; to parcel out; to divide.
îmbucătură *s.f.* mouthful.
îmbucurător *adj.* glad(dening).
îmbufna *vr.* to sulk.
îmbufnat *adj.* scowling.
îmbuiba *vt., vr.* to gorge.
îmbuibare *s.f.* **1.** gorging **2.** *fig.* v. h u z u r.
îmbuibat *adj.* surfeited.
îmbujora *vr.* to blush.
îmbujorare *s.f.* blushing.
îmbujorat *adj.* blushing; flush, glowing; *(roșu)* red; hectic.
îmbulzeală *s.f.* crush, crowd.
îmbulzi *vr.* **1.** to throng. **2.** *(a se repezi)* to rush.
îmbuna I. *vt.* to placate. **II.** *vr.* to relent.
îmbunătăți *vt., vr.* to improve.
îmbunătățire *s.f.* bettering.
îmbutelia *vt.* to introduce fluids into recipients, to bottle.
împacheta *vt.* to pack / wrap up.
împachetare *s.f.*, **împachetat** *s.n.* packing.
împăca I. *vt.* **1.** to pacify; to reconcile. **2.** *(a consola)* to soothe, to comfort. **II.** *vr.* **1.** to make it up. **2.** *(a se înțelege)* to get on together (like a house on fire).
împăcare *s.f.* reconciliation.
împăciui *vt. rar* to pacify, to reconcile, to conciliate, to convince someone to make peace.
împăciuire *s.f.* appeasement.
împăciuitor *adj.* propitiatory.
împăciuitorism *s.n.* appeasement.
împăciuitorist I. *s.m.* conciliator. **II.** *adj.* placatory, propitiatory.
împăduri *vt.* to afforest.
împădurire *s.f.* afforestation.
împăia *vt.* to stuff.
împăiat *adj.* stuffed.
împăienjeni *vr.* to grow dim.
împăienjenit *adj.* **1.** cobwebbed, cobwebby, covered with cobwebs. **2.** *(d. ochi, vedere)* blurred, dim, not clear. **3.** *(d. minte)* cobwebbed, troubled.
împământa *vt. el., telec.* to earth.
împământeni *vr.* to take roots.
împăna *vt.* to (inter)lard.
împănare *s.f.* **1.** *cul.* larding. **2.** *tehn.* wedging (up); shimming.
împănat *adj. fig.* **1.** full (of), crammed, packed (with). **2.** *cul.* (inter)larded (with).
împărat *s.m.* emperor.
împărăteasă *s.f.* empress.
împărătesc *adj.* imperial.
împărătește *adv.* royally; in a kingly manner.
împărăți *vi. pop.* to rule (as an emperor).
împărăție *s.f.* **1.** empire. **2.** *fig. și* realm.
împărtășanie *s.f.* eucharist.
împărtăși I. *vt.* **1.** to impart. **2.** *rel.* to give (smb.) the eucharist. **II.** *vr.* to receive the eucharist; *a se ~ din* to share.
împărțeală *s.f.* distribution.
împărți I. *vt.* **1.** to divide. **2.** *(a distribui)* to share (out). **3.** *(poșta)* to deliver. **4.** *(cărțile de joc)* to deal (out). **5.** *(dreptate)* to mete out. **II.** *vr.* to be divided.
împărțire *s.f.* **1.** division. **2.** *(distribuție)* distribution.

împărțitor *s.m. mat.* divisor.
împătimit *adj.* passionate, impassioned; obsessed.
împătri *vt.* to quadruple.
împătrit *adj., adv.* fourfold.
împături *vt.* to fold.
împăuna *vt. a se ~ cu* to plume oneself on.
împăunat *adj.* **1.** plumed (with peacock feathers). **2.** *fig.* conceited, haughty, vain.
împâcli *vr.* v. î n c e ț o ș a.
împânzi *vt.* to fill.
împânzit *adj.* full (of), studded (with).
împâsli *vt.* **1.** to overpass, to overspread. **2.** *tehn.* to full.
împerechea *vt., vr.* to pair.
împerechere *s.f.* **1.** pairing. **2.** *zool.* mating.
împestrița *vt.* to mottle.
împestrițat *adj.* mottled, speckled.
împiedica **I.** *vt.* **1.** to hinder. **2.** *(a frâna)* to brake. **II.** *vr.* to stumble (over smth.).
împiedicat *adj.* **1.** hampered. **2.** *(la vorbă de rând)* stammering.
împiegat *s.m.* v. i m p i e g a t.
împielițat **I.** *s.m.* Old Nick. **II.** *adj.* devilish, accursed.
împietri **I.** *vi.* to turn to stone. **II.** *vr.* to become callous; to harden.
împietrire *s.f.* callousness.
împietrit *adj.* **1.** turned to stone. **2.** *fig.* hard-hearted. **3.** *(încremenit)* dumbfounded.
împietruire *s.f. constr.* **1.** crushed stone surface. **2.** system of consolidation of the carriage road with layers of gravel.
împila *vt.* to grind down.
împilare *s.f.* oppression.
împilător *adj.* oppressive.
împinge *vt.* **1.** to push, to shove. **2.** *fig.* to goad, to drive.
împingere *s.f.* push(ing).
împistri *vt. pop.* **1.** to adorn with drawings, to mottle. **2.** to paint (Easter eggs).
împlânta *vt.* to thrust / shove (into smth.).
împleti **I.** *vt.* **1.** to knit. **2.** *(a țese)* to weave. **3.** *(coadă)* to plait. **II.** *vr.* **1.** to be knitted / woven. **2.** *fig.* to interweave.
împletici *vr.* **1.** to stagger. **2.** *(a se bâlbâi)* to stammer, to stutter.
împleticit *adj.* staggering.
împletitură *s.f.* **1.** knitting. **2.** *(de nuiele)* wickerwork.
împlini **I.** *vt.* **1.** to complete. **2.** *(a îndeplini)* to carry out. **3.** *(o vârstă)* to reach (an age); *a ~t 20 de ani* she has turned twenty, she is twenty. **II.** *vr.* **1.** to come true. **2.** *(a trece)* to elapse. **3.** *(la trup)* to fill out; *se împlinesc zece ani de atunci* it is ten years since (then).
împlinire *s.f.* **1.** filling. **2.** *(îndeplinire)* fulfilment.
împodobi **I.** *vt.* to adorn. **II.** *vr.* to smarten up.
împodobire *s.f.* adornment, adorning.
împopoțona **I.** *vt.* to adorn (heavily). **II.** *vr.* to titivate.
împopoțonat *adj.* titivated.
împotmoli *vr.* **1.** to stick in the mud. **2.** *fig.* to be stalled, to get stuck.
împotriva *prep.* **1.** against. **2.** *jur., sport* versus, vs.
împotrivă *adv.* against it.
împotrivi *vr. (la / cu dat.)* to oppose / resist (smth.).
împotrivire *s.f.* opposition, resistance.
împovăra *vt.* to burden, to load.
împovărător *adj.* burdensome, burdening, overwhelming.
împrăștia **I.** *vt.* **1.** to spread. **2.** *(a risipi)* to disperse. **3.** *(grijile)* to dispel. **II.** *vr.* **1.** to scatter. **2.** *(d. nori și fig.)* to dissipate. **3.** *(d. ceață și fig.)* to clear (away).
împrăștiat *adj.* **1.** scattered. **2.** *(distrat)* harebrained.
împrăștiere *s.f.* **1.** scattering, spreading. **2.** *fiz. etc.* dispersion, diffusion. **3.** *(răspândire)* dissemination. **4.** *(risipire)* dissipation; vanishing. **5.** *(zăpăceală)* absent-mindedness, giddiness, confusion.
împrejmui *vt.* to enclose.
împrejmuire *s.f.* enclosure; fence, paling.
împrejmuitor *adj.* enclosing; surrounding.
împrejur *adv.* around, about.
împrejurare *s.f.* circumstance, event; *în aceste împrejurări* under / in the circumstances.
împrejurime *s.f.* neighborhood, environs; vicinity, environment.
împrejurimi *s.f. pl.* environs.
împrejurul *prep.* around, about.
împresura *vt.* to encircle.
împreuna **I.** *vt.* **1.** to unite. **2.** *(a împerechea)* to pair, to couple. **II.** *vr.* **1.** to unite. **2.** *(a se împerechea)* to copulate.
împreunare *s.f.* **1.** union. **2.** *(împerechere)* copulation.
împreună *adv.* together.
împricina *vr. pop.* to look for a reason for a feud or trial; to quarrel.
împricinat *s.m.* litigant.
împrieteni *vr.* to make / become friends.
împrimăvăra *vr. s-a ~t* spring has come.
împroprietări *vt.* to put in possession of land; to appropriate (land) to.
împroprietărire *s.f.* land reform.
împrospăta *vt.* to refresh.
împrospătare *s.f.* refreshing.
împroșca *vt.* **1.** to splash. **2.** *(cu noroi)* to sling mud at.
împroșcătură *s.f.* splashing, spattering.
împrumut *s.n.* loan; credit; *de ~* lending; borrowed.
împrumuta **I.** *vt.* **1.** *(cuiva)* to lend (to smb.). **2.** *(de la)* to borrow (from.). **II.** *vr.* to borrow (from smb.).
împuia *vt. a ~ capul cuiva* to make smb.'s head swim.
împunge **I.** *vt.* **1.** to prick. **2.** *(a înțepa)* to sting. **II.** *vr.* to prick oneself.
împunsătură *s.f.* prick, sting; *o ~ de ac* a stitch.
împurpura *vr.* to blush.
împușca **I.** *vt.* to shoot (dead). **II.** *vi.* to shoot, to fire. **III.** *vr.* to shoot oneself.
împușcare *s.f.* **1.** shooting. **2.** *tehn., constr., min.* blast(ing), blow-up. **3.** ind. petrolieră gun-perforating.
împușcătură *s.f.* shot.
împuternici *vt.* to authorize.
împuternicire *s.f.* mandate.
împuternicit *s.m.* commissioner; authorized agent; representative; proxy.
împuți **I.** *vt.* to soil. **II.** *vr.* to become stale / foul.
împuțina *vt., vr.* to lessen.
împuținare *s.f.* decrease (in number).
împuțit *adj.* stinking.
în *prep.* **1.** *(static)* in; at. **2.** *(dinamic)* into. **3.** *(într-un spațiu de)* in, within. **4.** *(ca dată)* on. **5.** *(pt. lună, anotimp, an etc.)* in; *~ 15 August* on August 15; *într-o (bună) zi* once, one day; *(în viitor)* some day (or other); *~ săptămâna aceea* that week; *~ ziua aceea* (on) that day; *~ dimineața acelei zile* on the morning of that day.
înadins *adv.* purposely, on purpose, deliberately.
înainta **I.** *vt.* **1.** to advance. **2.** *(o cerere etc.)* to submit. **II.** *vi.* to advance.
înaintare *s.f.* **1.** advance(ment). **2.** *(în slujbă și)* preferment.
înaintaș *s.m.* **1.** precursor, forerunner. **2.** *sport* forward.

înaintat *adj.* **1.** advanced. **2.** *(progresist)* forward-looking, progressive.
înainte *adv.* **1.** forward. **2.** *(mai de mult)* before. **3.** *(în față și)* ahead; ~ *de* before; *de azi* ~ from now on.
înaintea *prep.* **1.** before. **2.** *(în fața și)* in front of. **3.** *(în avans față de)* ahead of.
înainte-mergător *s.m.* **1.** forerunner, predecessor. **2.** *(deschizător de drumuri)* trail-blazer, pioneer.
înalt **I.** *s.n.* high; *în ~ul cerului* on high. **II.** *adj.* **1.** tall; high. **2.** *fig.* *și lofty, superior.* **3.** *muz., el., tehn.* high; ~ *de zece metri* thirty-five feet high.
înamora *vr.* *înv.* *elev.* to fall in love (with), to be infatuated (with).
înamorat *adj.* *elev.* *înv.* enamoured, infatuated, in love (with).
înapoi *adv.* back(wards); *a da* ~ *(tranzitiv)* to give back; *(intranzitiv)* to recede.
înapoia[1] **I.** *vt.* to return, to restore. **II.** *vr.* to return, to come back.
înapoia[2] *adv.* behind, at the back of.
înapoiat *adj.* backward.
înapoiere *s.f.* **1.** return. **2.** *fig.* backwardness.
înaripa *vt.* to wing.
înaripat *adj.* winged; *fig.* inspired, enthusiastic.
înarma **I.** *vt.* **1.** to arm. **2.** *fig.* to equip. **II.** *vr.* to arm (oneself).
înarmare *s.f.* arming, armament.
înarmat *adj.* **1.** armed. **2.** *fig.* equipped; ~ *pînă-n dinți* armed to the teeth.
înavuți *vt.* to grow rich.
înavuțire *s.f.* enrichment.
înăbușeală *s.f.* **1.** sultriness, sultry heat. **2.** stuffy atmosphere; stale air.
înăbuși **I.** *vt.* **1.** to smother. **2.** *(a îneca)* to choke. **3.** *(un sunet)* to muffle. **4.** *(o răscoală și)* to put down. **II.** *vr.* to stifle, to choke.
înăbușit *adj.* stifling, chocking, *(d. sunet)* muffled, dull, dead(ened).
înăbușitor *adj.* stifling, choking, suffocating.
înăcri *vr., vt.* **1.** v. a c ri. **2.** *fig.* to become or cause someone to become sour / morose / grumpy / sulking, to sour up.
înăcrit *adj.* ill-tempered, sour.
înădi *vt.* to stitch / sew together.
înălbăstri *vb.* v. a l b ă s t r i.
înălbi **I.** *vt.* to bleach. **II.** *vi.* to grow white(-haired), to whiten; *(rufe)* to bleach.
înălbire *s.f.* **1.** whitening, bleaching. **2.** tehn. bleaching. **3.** *bot.* method of forced growing of vegetables in darkness.
înălbit *s.n.* whitening; bleaching.
înălța **I.** *vt.* **1.** to raise. **2.** *(steagul și fig.)* to hoist. **II.** *vr.* to rise.
înălțare *s.f.* **1.** raising. **2.** *(a steagului)* hoisting. **3.** *rel.* Ascension.
înălțător **I.** *s.n.* *mil.* backsight; hindsight. **II.** *adj.* elevating, uplifting.
înălțime *s.f.* **1.** height. **2.** *geogr.* altitude. **3.** *fig.* loftiness. **4.** *muz.* pitch. **5.** *(ca titlu)* Highness; *la* ~ up to the mark.
înăspri **I.** *vt.* to harden, to worsen, to aggravate. **II.** *vr.* **1.** to harden. **2.** *(d. oameni)* to become callous / hard hearted.
înăuntru *adv.*, înăuntrul *prep.* in(side), within.
încadra **I.** *vt.* **1.** to frame. **2.** *(a înconjura)* to surround. **3.** *(în slujbă)* to appoint; *a* ~ *cu personal* to staff (with people). **II.** *vr.* **1.** *(în)* to join (a collective). **2.** *fig.* to harmonize (with smb. / smth.). **3.** *(a se angaja)* to take a job.
încadrare *s.f.* **1.** framing. **2.** *(numire)* appointment. **3.** *(categorie)* wageclass. **4.** *(salariu)* wages.
încaltea *adv.* at least.
încarcera *vt.* to incarcerate.
încarna *vb.* v. i n c a r n a.
încarnat *adj.* incarnated, embodied.
încartirui v. c a r t i r u i.
încasa *vt.* **1.** to cash. **2.** *(a strânge)* to collect. **3.** *(o lovitură)* to get, to suffer.
încasare *s.f.* **1.** cashing. **2.** *pl.* (box office) returns.
încasator *s.m.* **1.** (tax) collector. **2.** *(taxator)* conductor.
încastelură *s.f.* *med. vet.* navicular disease, deformation of animals' hooves (horses).
încastra *vt.* to embed; to fix, to impact.
încastrare *s.f.* *constr.* embedding, fixing, housing; impaction.
încazarma *vt.* to quarter in barracks, to barrack.
încă *adv.* **1.** *(în prop. afirm. și interog.)* still. **2.** *(în prop. neg.)* yet. **3.** *(până acum)* so far. **4.** *(mai mult)* some / any more. **5.** *(chiar)* even; ~ *din...* as early as...; ~ *doi* another two; ~ *unul* another; *și* ~ *cum!* with a vengeance!; you bet!
încăiera *vr.* to skirmish.
încăierare *s.f.* brawl, fight.
încăierat **I.** *s.n.* v. î n c ă i e r a r e. **II.** *adj.* quarrelling, fighting.
încălca *vt.* to encroach upon.
încălcare *s.f.* infringement, violation, encroachment, invasion, invading.
încăleca **I.** *vt.* **1.** to mount. **2.** *fig.* to subdue. **II.** *vi.* to mount. **III.** *vr.* to overlap.
încălecare *s.f.* **1.** mounting. **2.** superposition.
încălța **I.** *vt.* **1.** to put on. **2.** *fig.* to cheat. **II.** *vr.* to put on one's shoes.
încălțat **I.** *adj.* **1.** (of people) wearing footwear. **2.** (of birds) having feathered legs. **II.** *s.n.* sho(e)ing, putting on one's shoes.
încălțăminte *s.f.* footwear.
încălțătoare *s.f.*, **încălțător** *s.n.* shoehorn.
încălzi **I.** *vt.* **1.** to warm (up). **2.** *(a înfierbânta)* to heat. **3.** *fig.* to encourage; *ce mă încălzește pe mine?* what is that to me? **II.** *vr.* **1.** to warm oneself. **2.** *(a se însufleți)* to warm up. **3.** *(a se înfierbânta)* to grow hot.
încălzire *s.f.* **1.** heating. **2.** *fig.* warming (up).
încălzit *s.n.* heating.
încălzitor *s.n.* *tehn.* heater.
încăpăstra *vt.* to bridle.
încăpător *adj.* roomy.
încăpățâna *vr.* to persist (in smth.), to stick (stubbornly) to smth.
încăpățânare *s.f.* obstinacy.
încăpățânat **I.** *s.m.* stubborn man, mule. **II.** *adj.* **1.** obstinate, stubborn. **2.** *(dârz)* die-hard.
încăpea **I.** *vi.* **1.** to enter. **2.** *fig.* to fall (into smb.'s hands); *nu încape vorbă / îndoială* there is no doubt about it.
încăpere *s.f.* room.
încărca **I.** *vt.* **1.** to load. **2.** *(prea mult)* to burden. **3.** *el.* to charge. **4.** *fin.* to overcharge. **II.** *vr.* to load, to burden (oneself).
încărcare *s.f.* loading.
încărcat *adj.* **1.** (over)loaded. **2.** *(împopoțonat)* titivated.
încărcător **I.** *s.m.* loader. **II.** *s.n.* **1.** *tehn.* charging apparatus, feeder. **2.** *mil.* magazine.
încărcătură *s.f.* **1.** load. **2.** *tehn.* charge. **3.** *mar.* freight, cargo.
încărunți **I.** *vt.* to turn grey. **II.** *vi.* to grizzle.
încărunțit *adj.* grizzled, (turned) grey / silvery / hoary.
încătărăma **I.** *vt.* to clasp, to buckle. **II.** *vr.* to be clasped / buckled.
încătușa *vt.* to shackle.
încâlceală *s.f.* confusion, muddle; jumble.
încâlci **I.** *vt.* to tangle. **II.** *vr.* to be tangled.

încâlcit *adj.* **1.** tangled. **2.** *fig.* intricate; *cu mintea ~ă* muddle-headed.
încânta *vt.* **1.** to delight. **2.** *(cu iluzii)* to delude.
încântare *s.f.* relish.
încântat *adj.; ~ de* delighted with; *~ de cunoștință!* glad to meet you!
încântător *adj.* charming, pleasing.
încârliga *vt. și fig.* to bend; to hook.
încârligat *adj.* bent; hooked.
încât *conj.* **1.** *(rezultativ)* that; so (much)... that. **2.** *(final)* so that.
începător *s.m.* beginner, greenhorn.
începe *vt., vi.* to begin, to start.
începere *s.f.* beginning; *cu ~ de la* beginning on...
început *s.n.* beginning, start; *la ~* in the beginning; *la ~ul cărții etc.* at the beginning of the book etc.; *de la (bun) ~* from the outset; *de la ~ până la sfârșit* from beginning to end.
încerca I. *vt.* **1.** to try, to attempt. **2.** *(a se strădui să)* to endeavour. **3.** *(a proba)* to test. **4.** *(o haină)* to try on. **5.** *(a simți)* to feel. **II.** *vt.* to be tried / tested.
încercare *s.f.* **1.** trial, attempt. **2.** *(strădanie)* endeavour. **3.** *(probă)* test, experiment. **4.** *(greutate)* hardship, difficulty. **5.** *(chin)* ordeal, suffering.
încercat *adj.* (hard)tried.
încercănat *adj.* ringed.
încercuire *s.f.* encircling, encirclement.
încercuit *vt.* to encircle.
încet I. *adj.* **1.** slow. **2.** *(greoi)* dull. **3.** *(slab)* faint. **II.** *adv.* **1.** slowly, little by little. **2.** *(greoi)* idly, sluggishly.
înceta *vt., vi.* to cease, to stop; *a ~ din viață* to pass away, to die.
încetare *s.f.* cessation; *~a alarmei* all-clear signal; *~ din viață* decease, death; *fără ~* ceaselessly.
încetățeni I. *vt.* to naturalize. **II.** *vr.* to be established.
încetățenire *s.f.* naturalization.
încetineală *s.f.* slowness.
încetini *vt., vi.* to slow down.
încetinire *s.f.* slowing down.
încetinitor *s.n.* **1.** retarder. **2.** *(la film)* slow motion.
încetișor *adv.* **1.** (very) slowly, gently; delicately, softly. **2.** *(ca sonoritate)* softly, gently, sweetly, in a low voice.
încețoșa *vr.* to grow foggy / dim.
încețoșat *adj.* **1.** foggy. **2.** *fig.* dim, misty.
închega I. *vt.* **1.** to coagulate. **2.** *fig.* to knock together. **II.** *vr.* **1.** to coagulate. **2.** to unite.
închegător 1. *adj.* that coagulates. **2.** *s.f.* shepherd wooden recipient used for coagulating milk.
închegătică *s.f. bot.* cinguefoil, potentilla *(Potentilla rubens).*
încheia I. *vt.* **1.** to finish, to wind up. **2.** *(o înțelegere etc.)* to conclude. **3.** *(a contracta)* to contract. **4.** *(nasturi)* to button up. **5.** *(a îmbina)* to fix. **II.** *vr.* **1.** to (come to an) end, to close. **2.** *(la haine)* to button oneself up.
încheiat *adj.* **1.** buttoned (up). **2.** ended. **3.** (*d. ore etc.*) full, solid, running.
încheiere *s.f.* **1.** conclusion, end. **2.** *(la nasturi)* buttoning-up.
încheietoare *s.f.* **1.** button hole. **2.** *bot.* ironwort sideritis *(Sideritis montana).*
încheietor *s.m. ~ de pluton* covering sergeant.
încheietură *s.f.* joint, articulation.
închiaburi *vr.* to become a kulak, to grow rich.
închiaburire *s.f.* becoming a kulak, growing rich.
închide I. *vt.* **1.** to close, to shut. **2.** *(cu zăvorul)* to fasten, to bolt. **3.** *(cu cheia)* to lock. **4.** *(a întemnița)* to imprison. **5.** *(o curte etc.)* to fence in. **6.** *(a cuprinde)* to include. **7.** *(un aparat)* to switch / turn off. **II.** *vr.* **1.** to close, to shut. **2.** *(a înceta)* to be over. **3.** *(în odaie)* to lock oneself up. **4.** *(a se întuneca)* to darken. **5.** *(d. o rană)* to heal; *a se ~ în sine* to clam.
închidere *s.f.* **1.** closing, shutting. **2.** *(cu cheia)* locking.
închina I. *vt.* **1.** to dedicate. **2.** *(a preda)* to yield. **II.** *vi.* to (propose a) toast. **III.** *vr.* **1.** to cross oneself. **2.** *(a se pleca)* to bow down. **3.** *(a se supune)* to submit; *a se ~ la* to worship; *fig.* to ko(w)tow to.
închinare *s.f.* **1.** crossing oneself, making the sign of the cross; praying. **2.** respectful bow. **3.** *(a unei poezii, cărți)* dedication. **4.** *(la un idol etc.)* worship, adoration (of).
închinăciune *s.f.* **1.** v. p l e c ă c i u n e. **2.** praying; prayer.
închinător *s.m.* worshipper.
închinga *vt.* to girth (a horse).
închipui *vt.* **1.** to imagine. **2.** *(a reprezenta)* to symbolize; *a-și ~ că* to fancy that.
închipuire *s.f.* **1.** fancy, imagination. **2.** *(iluzie)* delusion, chimera.
închipuit I. *s.m.* coxcomb. **II.** *adj.* **1.** imaginary. **2.** *(încrezut)* vain, conceited.
închirci v. c h i r c i.
închiria I. *vt.* **1.** *(a da cu chirie)* to let, to rent; *(obiecte)* to hire out. **2.** *(a lua cu chirie)* to rent; *(obiecte)* to hire; *de ~t* to let. **II.** *vr.* to be hired out / let.
închiriat *adj. case de ~* houses to let.
închiriere *s.f.* **1.** *(dare cu chirie)* renting, letting (out). **2.** *(luare cu chirie)* luring; renting.
închis *adj.* **1.** closed, shut. **2.** *(întemnițat)* imprisoned, jailed. **3.** *(la caracter)* reserved, as close as an oyster. **4.** *(apăsător)* close, dull. **5.** *(la culoare)* dark.
închisoare *s.f.* prison.
închista *vr.* **1.** *biol., med.* to isolate (itself) in a cyst. **2.** *fig.* to isolate oneself.
închistare *s.f.* **1.** *biol., med.* encystation, encystment. **2.** *fig.* seclusion, isolation; estrangement. **3.** confinement, rigidity (in a state).
închizătoare *s.f.* fastener.
închizător *s.n. mil.* breech.
încincit *adj., adv.* fivefold.
încinge I. *vt.* **1.** to gird(le). **2.** *(a înconjura)* to surround, to enfold. **3.** *(a încălzi)* to heat. **II.** *vr.* **1.** to girdle oneself. **2.** *(a se înfierbânta)* to heat. **3.** *(a începe)* to arise.
încingere *s.f.* girdling; surrounding; enfolding, heating.
încins *adj.* **1.** girded **2.** hot; fiery.
inciuda *vt.* to anger.
înciudat *adj.* vexed, spiteful.
încleia *vt.* to glue / paste together.
încleiere *s.f.* gluing / sticking together.
încleșta *vt., vr.* to clench.
încleștare *s.f.* **1.** clenching. **2.** *(încăierare)* fight, struggle, grips.
încleștat *adj.* **1.** gripped, gritted. **2.** *(d. lupte)* grim, passionate, fierce.
înclina I. *vt.* to incline, to bend. **II.** *vi.* to incline (towards); *a ~ să* to be ready to. **III.** *vr.* **1.** to bend. **2.** *(a saluta)* to bow. **3.** *(a fi înclinat)* to slant.
înclinare *s.f.* inclination; vocation.
înclinat *adj.* inclined.
înclinație *s.f.* inclination, proclivity.
înclinometru *s.n. tehn.* inclinometer.
încoace *adv.* hither, here; *~ și încolo* back and forth; *ce mai ~ și încolo?* let us go straight to the point; *mai ~* closer; *(ca timp)* later on.
încolăci I. *vt.* **1.** to cross. **2.** *(a împleti)* to twine. **3.** *(o frânghie)* to coil, to wind; *a-și ~ brațele în jurul gâtului cuiva* to throw one's

arms about smb.'s neck. **II.** *vr.* **1.** to coil / curl up. **2.** *(a șerpui)* to wind.
încolo *adv.* **1.** (far) away, off; aside. **2.** *(într-acolo)* thither. **3.** *(altfel)* otherwise; *mai ~* further on; later on.
încolona *vr.* to fall into a column.
încolți I. *vt.* **1.** to corner. **2.** *(a mușca)* to bite. **II.** *vi.* to germinate.
încondeia *vt.* to describe in bad colours.
înconjur *s.n.* detour; *fără ~* without beating about the bush.
înconjura I. *vt.* **1.** to surround. **2.** *(a asedia)* to beleaguer. **3.** *(a da ocol la)* to go round. **II.** *vr.* to rally around (oneself).
înconjurător *adj.* environing.
încontinuu *adv.* ceaselessly, incessantly, continuously.
încontra *vr. pop.* to dispute, to contradict (each other); to quarrel.
încopcia *vt.* **1.** to clasp. **2.** (*hârtii*) to staple.
încopciere *s.f. tehn.* **1.** clasping. **2.** stapling (together).
încorda *vt., vr.* to strain (oneself).
încordare *s.f.* strain(ing).
încordat *adj.* **1.** strained. **2.** *fig.* tense.
încornora *vt.* to cuckold.
încornorat I. *s.m.* cuckold. **II.** *adj.* betrayed.
încorona I. *vt.* to crown. **II.** *vr.* to be crowned.
încoronare *s.f.* **1.** coronation. **2.** *fig.* crowning.
încoronat *adj.* crowned; *capete ~e* royalty.
încorpora *vt.* **1.** to incorporate. **2.** *mil.* to conscript.
încorporare *s.f.* **1.** incorporation. **2.** *mil.* conscription.
încorseta *vt.* **1.** to corset. **2.** *fig.* to hinder, to restrain, to strait-jacket, to strain.
încorsetat *adj.* **1.** in stays. **2.** *fig.* trammelled.
încotoșmăna *vt., vr.* to wrap up.
încotro *adv.* whither, where(ver); *a nu avea ~* to have no alternative.
încotrova *adv.* somewhere.
încovoia *vt., vr.* to bend.
încovoială *s.f.* curving, curve, arch(ing), bend, sinuosity.
încovoiat *adj.* bent.
încovoiere *s.f.* **1.** bending, curvature, curving, arch(ing). **2.** *tehn.* flection, flexure; camber.
încovoietură *s.f.* v. î n c o v o i e r e.
încovriga *vr.* v. î n c o l ă c i I I, 1.
încrâncena *vr.* to shudder.
încrâncenare *s.f.* bitterness, grimness; stubbornness.
încrâncenat *adj.* obstinate, bitter, grim.
încrede *vr.* to confide (in smb.), to trust (smb.).
încredere *s.f.* **1.** confidence, trust. **2.** *(bizuire)* reliance (on); *de ~* reliable; *nedemn de ~* untrustworthy.
încredința I. *vt.* **1.** to entrust. **2.** *(a asigura)* to assure (smb. of smth.). **II.** *vr.* to ascertain (smth.).
încredințare *s.f.* **1.** *(asigurare)* assurance(s). **2.** *(înmânare)* committing. **3.** *(convingere)* conviction.
încredințat *adj.* ~ *că* convinced / persuaded / sure that.
încremeni *vi.* to stand stock-still.
încremenit *adj.* stock-still, stone-still; dumbfounded; flabbergasted.
încrengătură *s.f. biol.* phylum, *bot.* division; *înv.* branch subkingdom.
încreți I. *vt.* **1.** to wave, to curl. **2.** *(a undui)* to ripple. **3.** *(a zbârci)* to wrinkle. **II.** *vi. a ~ din sprâncene* to frown. **III.** *vr.* **1.** to be wrinkled. **2.** *(d. păr)* to wave.
încrețire *s.f.* **1.** creasing, waving; *(a mării)* billowing. **2.** *bot.* plant illness caused by viruses.
încrețit *adj.* **1.** wavy; curly. **2.** rippled.
încrețitură *s.f.* wave; wrinkle.
încrezător *adj.* **1.** confident. **2.** *(nebănuitor)* unsuspecting.
încrezut *adj.* conceited, presumptuous.
încropi *vt.* to knock together.
încropit *adj.* tepid, lukewarm.
încrucișa *vt., vr.* to cross.
încrucișare *s.f.* **1.** crossing; crossroads. **2.** *biol.* cross-breeding. **3.** *(nod feroviar)* crossing station.
încrucișat *adj.* **1.** crossed. **2.** *(zbanghiu)* cross-eyed.
încrunta I. *vt.* to knit. **II.** *vr.* to frown, to scowl.
încruntat *adj.* frowning, scowling.
încruntătură *s.f.* frown(ing look).
încuia I. *vt.* **1.** to lock, to shut. **2.** *fig.* to stunt. **II.** *vr.* to lock (oneself) up.
încuiat I. *s.m.* square toes. **II.** *adj.* **1.** locked, shut. **2.** *fig.* narrow-minded; illiberal. **3.** *(prost)* stupid.
încuiba *vr.* to strike / take root; to settle.
încuietoare *s.f.* **1.** bolt. **2.** *fig.* puzzling question.
încumeta *vr.* to venture.
încunoștința *vt.* to inform.
încunoștințare *s.f.* informing; notification.
încununa *vt.* to crown.
încuraja *vt.* to stimulate.
încurajare *s.f.* encouragement.
încurajator *adj.* encouraging, heartening.
încurca I. *vt.* **1.** to tangle. **2.** *fig.* *și* to confuse. **3.** *(a împiedica)* to encumber. **4.** *(a deranja)* to trouble. **5.** *(a pune în încurcătură)* to flummox, to puzzle. **II.** *vr.* **1.** to get entangled. **2.** *(a se zăpăci)* to be perplexed. **3.** *(cu cineva)* to get involved / entangled (with smb.); *a i se ~ limba în gură* to stammer.
încurcat *adj.* **1.** (en)tangled. **2.** *fig.* in a maze. **3.** *(încâlcit)* tortuous. **4.** *(zăpăcit)* at a loss.
încurcă-lume *s.m.* muddler; bungler.
încurcătură *s.f.* **1.** confusion. **2.** *(necaz)* mess. **3.** *(zăpăceală)* confusion, flounder; *~ de circulație* traffic jam, hold-up.
încuscri *vr.* *(cu)* to become / be related (with).
încuviința *vt.* **1.** to consent / agree to. **2.** *(a permite)* to allow.
încuviințare *s.f.* permision, consent.
îndată *adv.* immediately; on the spot; *~ după aceea* soon afterwards; *de ~ ce* as soon as, directly (after).
îndatora I. *vt.* to oblige. **II.** *vr.* **1.** to be obliged (to smb.). **2.** to plunge into debts.
îndatorat *adj.* *(cuiva)* indebted (to); obliged (to); *elev.* beholden (to).
îndatorire *s.f.* duty, obligation.
îndatoritor *adj.* obliging.
îndărăt *adv.* back(wards).
îndărătnic *adj.* stubborn, obstinate, strong-headed.
îndărătnici *vr.* to be obstinate / stubborn; *a se ~ în...* to persist în.
îndărătnicie *s.f.* obstinacy.
îndărătul *prep.* behind, at the back of.
îndătinat *adj.* customary, common, usual.
îndârji I. *vt.* to embitter. **II.** *vr.* to be embittered, to become grim.
îndârjire *s.f.* bitterness, grimness.
îndârjit *adj.* **1.** bitter, fierce, hardened. **2.** stubborn, pertinaceous; persevering.
îndeajuns *adv.* enough.
îndeaproape *adv.* closely, minutely.
îndelete *adv.* *pe ~* at leisure.
îndeletnici *vr.* *a se ~ cu* to deal with; *(din când în când)* to dabble in.
îndeletnicire *s.f.* occupation, business.
îndelung *adv.* for long.
îndelungat *adj.* long.

îndemânare *s.f.* **1.** deftness; léger-demain. **2.** *(capacitate)* ability.
îndemânatic *adj.* **1.** deft, clean. **2.** *(capabil)* clever.
îndemână *adv. la* ~ at hand; available.
îndemn *s.n.* **1.** urge. **2.** *(impuls)* stimulus. **3.** *(apel)* appeal.
îndemna I. *vt.* **1.** to urge. **2.** *(a ațâța)* to goad. **3.** *(a sfătui)* to advise. **II.** *vr.* to find a stimulus (in each other).
îndemnizație v. i n d e m n i z a ț i e.
îndeobște *adv.* generally, usually.
îndeosebi *adv.* particularly.
îndepărta I. *vt.* **1.** to remove. **2.** *fig.* to eliminate. **3.** *(de cineva)* to estrange (from smb.). **II.** *vr.* **1.** to go away. **2.** *fig.* to fade (away). **3.** *(de la subiect)* to stray (from the subject).
îndepărtare *s.f.* moving off.
îndepărtat *adj.* far-off.
îndeplini I. *vt.* **1.** to fulfil. **2.** *(îndatoririle)* to discharge. **II.** *vr.* **1.** to materialize. **2.** *(a fi îndeplinit)* to be accomplished / carried out.
îndeplinire *s.f.* achievement.
îndesa I. *vt.* **1.** to pack, to stuff. **2.** *(pălăria etc.)* to pull / press down. **II.** *vr.* to cluster; *a se ~ în* to press against (smb. etc.).
îndesat *adj.* **1.** packed. **2.** *(ca fizic)* thickset.
îndesi I. *vt.* **1.** to thicken. **2.** to render more frequent. **II.** *vr.* **1.** to become thicker. **2.** to become more frequent.
îndestula I. *vt.* to satiate. **II.** *vr.* to eat one's fill.
îndestulare *s.f.* **1.** providing. **2.** plenty, abundance; *cu* ~ in plenty, plentifully.
îndestulător *adj.* copious, ample.
îndigui *vt.* to dyke.
îndiguire *s.f.* damming, dyking.
îndobitoci I. *vt.* to stultify. **II.** *vr.* to grow stupid.
îndobitocit *adj.* stupefied.
îndocare *s.f. mar.* (dry) docking.
îndoctrina *vt.* to indoctrinate.
îndoctrinare *s.f.* indoctrination.
îndoi I. *vt.* **1.** to bend. **2.** *(o hârtie etc.)* to fold. **3.** *(colțurile)* to dog-ear. **4.** *(a dubla)* to redouble. **II.** *vr.* **1.** to bend, to stoop. **2.** *(a spori)* to double. **3.** *(de un lucru)* to doubt, to question.
îndoială *s.f.* doubt, uncertainty; hesitation; *fără* ~ undoubtedly; *mai presus de orice* ~ unquestionable.
îndoielnic *adj.* doubtful, dubious.
îndoit *adj.* **1.** bent. **2.** *(d. hârtie)* folded. **3.** *fig.* hesitating, doubtful.
îndoitură *s.f.* **1.** bent; fold. **2.** *anat.* flexion.
îndolia *vt.* to cause to mourn.
îndoliat *adj.* mourning.
îndopa I. *vt.* **1.** to cram, to stuff. **2.** *fig. (un elev)* to grind (a pupil in grammar etc.). **II.** *vr.* to gormandize.
îndrăci *vr.* to become furious, to fret and fume; to become vicious.
îndrăcit *adj.* **1.** devilish, diabolical. **2.** *(nebunesc)* wild, frenzied.
îndrăgi *vt.* to grow fond of.
îndrăgosti *vr.* to fall in love, to be infatuated (with smb.).
îndrăgostit I. *s.m.* lover. **II.** *adj.* **1.** infatuated, in love (with smb.) **2.** *și fig.* fond (of smb., smth.).
îndrăzneală *s.f.* **1.** daring, boldness. **2.** *(obrăznicie și)* impudence.
îndrăzneț *adj.* bold, daring.
îndrăzni *vt.* to dare.
îndrea *s.n. înv., pop.* (the month of) December.
îndrepta I. *vt.* **1.** to straighten. **2.** *fig.* to correct, to rectify. **3.** *(spre)* to aim, to point. **4.** *(a îndruma)* to direct. **II.** *vr.* **1.** to straighten oneself. **2.** *(pe picioare)* to stand up (erect). **3.** *fig.* to improve. **4.** *(după boală)* to recover. **5.** *(de năravuri)* to reform, to mend one's ways; *a se ~ spre* to make for.
îndreptar *s.n.* guide(book).
îndreptăți *vt.* to justify.
îndritui *vt. rar, înv.* to justify; *(să)* to entitle (to do smth.).
îndruga *vt.* **1.** to utter. **2.** *(a trăncăni)* to chatter.
îndruma *vt.* to guide.
îndrumar *s.n. rar* guide(-book).
îndrumare *s.f.* guidance, direction; *lipsit de* ~ unguided.
îndrumător *s.m., s.n.* guide.
înduioșa I. *vt.* to move, to touch. **II.** *vr.* to be moved, to take pity (on smb.).
înduioșare *s.f.* (tender) feeling.
înduioșător *adj.* touching.
îndulci I. *vt.* **1.** to sweeten. **2.** *(a îmbunătăți)* to alleviate. **II.** *vr.* **1.** to become sweet. **2.** *fig.* to grow milder, to soften. **3.** *(a se potoli)* to abate.
îndulcire *s.f.* **1.** sweetening; *elev.* edulcoration. **2.** *fig.* softening. **3.** *bot.* disease of the potatoes induced by low temperature.
îndumnezei *vt.* to deify.
înduplеca I. *vt.* to persuade. **II.** *vr.* to relent.
îndura I. *vt.* to bear, to endure. **II.** *vr.* to relent, to take pity (on smb.); *a nu se ~ să* not to be able to (tear oneself away etc.).
îndurare *s.f.* mercy, ruth.
îndurător *adj.* compassionate, sympathetic.
îndurera *vt.* to (ag)grieve, to sadden.
îndurerat *adj.* sad, (ag)grieved.
înec *s.n.* drowning.
îneca I. *vt.* **1.** to drown. **2.** *fig. și* to overwhelm. **II.** *vr.* **1.** to get drowned. **2.** *(a se sinucide)* to drown oneself. **3.** *(cu mâncare etc.)* to choke.
înecat I. *s.m.* drowned man. **II.** *adj.* drowned.
înecăcios *adj.* choking, stifling.
înecăciune *s.f.* choking, stifling, difficulty in breathing, suffocation.
înfăptui I. *vt.* to achieve, to implement, to accomplish. **II.** *vr.* to come true, to materialize.
înfăptuire *s.f.* achievement; implementation.
înfăptuitor *s.m.* accomplisher.
înfășa *vt.* to swaddle.
înfășura I. *vt.* to wrap up. **II.** *vr.* to cover / wrap / muffle oneself up.
înfășurare *s.f.* wrapping (up).
înfășurătoare *s.f. mat.* evolute.
înfășurător *s.n. ind. hârtiei* roll.
înfățișa I. *vt.* **1.** to (re)present. **2.** *(a arăta)* to produce. **3.** *(a închipui)* to imagine. **II.** *vr.* **1.** to come up, to present oneself. **2.** *mil.* to report (to smb.). **3.** *jur.* to appear.
înfățișare *s.f.* **1.** appearance; aspect. **2.** *(prezentare și)* description.
înfeuda *vt.* to enfeoff.
înfeudare *s.f.* enfeoffment; subjugation.
înfia *vt.* to adopt.
înfiat *adj.* adopted.
înfiera *vt.* to brand.
înfierbânta I. *vt.* to heat. **II.** *vr.* **1.** to get heated, to run hot. **2.** *fig.* to warm up.
înfierbântat *adj.* heated; *fig.* hectic.
înfiere *s.f.* adoption.
înfietor *s.m. jur.* adoptive parent.
înfigăreț *adj. fam.* pushful, pushing; *fam.* insinuating, intruding.
înfige I. *vt.* to thrust. **II.** *vr.* to thrust oneself forward.
înființa I. *vt.* to set up, to found. **II.** *vr.* **1.** to be set up. **2.** *fig.* to intrude.
înființare *s.f.* establishment, setting up.
înfiora I. *vt.* to thrill. **II.** *vr.* to shudder.
înfiorare *s.f.* thrill(ing).
înfiorător *adj.* terrible, blood-curdling.
înfipt *adj.* pushing, thrusting.

înfiripa *vr.* to take shape.
înflăcăra I. *vt.* to fire. **II.** *vr.* to get excited.
înflăcărare *s.f.* ardour.
înflăcărat *adj.* **1.** fiery. **2.** *fig.* *și* passionate.
înflora *vt.* to adorn / embellish with flowers.
înflori *vi.* **1.** to blossom. **2.** *fig.* *și* to flourish.
înflorit *adj.* **1.** in bloom / blossom. **2.** *fig.* florid.
înfloritor *adj.* **1.** flowering. **2.** *fig.* *și* flourishing, thriving.
înflorit ură *s.f.* flourish.
înfoca *rar* **I.** *vr.* to warm up, to heat (up), to get excited. **II.** *vt.* to heat (up).
înfocare *s.f.* ardour, warmth.
înfocat *adj.* fiery, fanatic.
înfofoli *vt.*, *vr.* to muffle up.
înfoia *vt.*, *vr.* to swell.
înfoiat *adj.* **1.** beruffled. **2.** *(d. haine)* loose, folded. **3.** *(d. sol)* broken up.
înfometa *vt.* to starve.
înfometat *adj.* starved; *(flămând)* hungry.
înfrăți I. *vt.* to unite. **II.** *vr.* to establish a close friendship.
înfrățire *s.f.* fraternity.
înfrâna I. *vt.* **1.** to bridle. **2.** to tame. **3.** *fig.* to bridle, to restrain, to (keep in) check, to control. **II.** *vr.* to restrain / control oneself.
înfrânare *s.f.* **1.** bridling. **2.** *fig.* restraint; abstention, abstinence.
înfrânge *vt.* **1.** to defeat. **2.** *fig.* to conquer.
înfrângere *s.f.* defeat.
înfricat *adj.* *reg.* fearful; *(speriat)* frightened.
înfricoșa *vt.* to scare.
înfricoșat *adj.* **1.** frightened. **2.** v. î n f r i c o ș ă t o r.
înfricoșător *adj.* frightful.
înfrigurare *s.f.* feverishness.
înfrigurat *adj.* **1.** shivering. **2.** *fig.* anxious.
înfrumuseța *vt.* to embellish.
înfrumusețare *s.f.* **1.** embellishment. **2.** *(cosmetică)* cosmetology.
înfrunta *vt.* to face, to set at naught.
înfruntare *s.f.* **1.** facing. **2.** fight; conflict.
înfrunzi *vi.* to leaf (out), to come into leaf; to cover with leaves / foliage; *hort.* to embower.
înfrunzit *adj.* in leaf.
înfrupta *vr.* **1.** to partake (of smth.). **2.** *(a gusta)* to taste. **3.** *(a se bucura de)* to indulge (in smth.).
înfuleca *vt.*, *vi.* to wolf (down).
înfumura *vr.* to give oneself airs, to ride the high horse, to be (self-)conceited.
înfumurare *s.f.* cockiness, conceit.
înfumurat *adj.* conceited, self-important.
înfunda I. *vt.* **1.** to stop up. **2.** *(pe cineva)* to nonplus. **II.** *vr.* **1.** to be stopped. **2.** *(a se îngloda)* to be / get stuck; *a i se ~* to touch bottom, to be finished.
înfundat *adj.* **1.** plugged. **2.** *(ascuns)* hidden. **3.** *(estompat)* stifled. **4.** *(d. băuturi)* bottled.
înfundătură *s.f.* **1.** hollow. **2.** nook, recess. **3.** v. f u n d ă t u r ă.
înfuria I. *vt.* to anger, to irritate. **II.** *vr.* to grow / be angry.
înfuriat *adj.* furious, angry.
îngădui I. *vt.* **1.** to allow, to permit. **2.** *(a păsui)* to brook. **II.** *vi.* to be patient. **III.** *vr.* to be permitted / permissible.
îngăduială *s.f.* v. î n g ă d u i n ț ă.
îngăduință *s.f.* tolerance.
îngăduitor *adj.* lenient.
îngăima *vt.* to mumble, to stutter.
îngălat *adj.* *reg.* **1.** dirty, untidy, slovenly. **2.** indistinct; mumbled.
îngălbeni I. *vt.* to yellow. **II.** *vi.*, *vr.* **1.** *(d. frunze etc.)* to turn yellow. **2.** *(d. oameni)* to grow pale.
îngălbenit *adj.* (turned) yellow; withered.
îngâmfa *vr.* to put on airs.
îngâmfare *s.f.* haughtiness, arrogance, conceit(edness), superciliousness, *fam.* swelled head.
îngâmfat I. *s.m.* coxcomb, peacock. **II.** *adj.* conceited, vain, overbearing.
îngâna I. *vt.* **1.** to mimic, to imitate. **2.** *(a murmura)* to murmur. **II.** *vr.* to combine, to blend, to interweave.
îngândura *vt.* to make smb. fall to thinking; to give / cause smb. anxiety.
îngândurare *s.f.* **1.** musing. **2.** anxiety.
îngândurat *adj.* **1.** thoughtful. **2.** *(îngrijorat)* worried, concerned.
îngemăna *vt.* to twin, to join, to combine; to blend.
îngemănare *s.f.* joining.
îngemănat *adj.* twinned, united, combined, halved together.
îngenunchere *s. f* subjugation.
îngenunchia I. *vt.* to bring down on one's knees. **II.** *vi.* to kneel.
înger *s.m.* angel; *slab de ~* weak(-willed); cowardly; *tare de ~* strong-hearted, game.
îngeresc *adj.* seraphic.
îngerește *adv.* angelically, like an angel.
înghesui *vt.*, *vr.* to crowd, to throng.
înghesuială *s.f.* crowd, crush.
înghesuit *adj.* full, packed; thickset.
îngheț *s.n.* frost.
îngheța *vt.*, *vi.* to freeze.
înghețare *s.f.* freezing; *~a salariilor* wage-freeze.
înghețat *adj.* frozen; congealed; *~ până la oase* chilled to the bone.
înghețată *s.f.* ice(cream).
înghimpa I. *vt.* **1.** to prick. **2.** *fig.* to goad. **II.** *vr.* to prick oneself.
înghionti *vt.*, *vr.* to nudge, to jostle.
înghiți *vt.* **1.** to swallow. **2.** *(repede)* to gobble, to gulp. **3.** *(a devora)* to devour. **4.** *fig.* *(pe cineva)* to stomach (smb.), to bear.
înghițire *s.f.* (the act of) swallowing; deglutition.
înghițitură *s.f.* mouthful; *(de lichid)* sip, draught.
îngloba *vt.* to include.
înglobare *s.f.* inclusion.
îngloda *vr.* to stick in the mud; *a se ~ în datorii* to plunge into debts.
îngrădi *vt.* **1.** to enclose. **2.** *fig.* to restrict.
îngrădire *s.f.* **1.** enclosure. **2.** *fig.* obstruction.
îngrăditură *s.f.* fence, paling.
îngrămădeală *s.f.* crowd; mass.
îngrămădi I. *vt.* **1.** to crowd, to amass. **2.** *(unul peste altul)* to pile / heap up. **II.** *vr.* **1.** to press, to crush (into each other). **2.** *(a se acumula)* to accumulate.
îngrămădire *s.f.* piling / heaping up.
îngrășa I. *vt.* **1.** to fatten. **2.** *agr.* *(cu bălegar)* to fertilize, to manure. **II.** *vr.* to put on weight, to grow fat.
îngrășare *s.f.* **1.** fattening. **2.** fertilization.
îngrășământ *s.n.* fertilizer; *(natural)* manure.
îngrășătorie *s.f.* (part of) a farm where stock animals are fattened for slaughter.
îngrețoșa I. *vt.* to disgust. **II.** *vr.* to be nauseated.
îngrețoșare *s.f.* nausea, disgust, aversion.
îngreuna I. *vt.* **1.** to burden. **2.** *fig.* to render more difficult. **3.** *(a agrava)* to worsen. **II.** *vr.* **1.** to grow heavier. **2.** *fig.* to become more difficult.
îngrija *vr.* v. î n g r i j o r a.
îngriji I. *vt.* **1.** to look after; to tend. **2.** *(un copil mic)* to nurse. **II.** *vr.* to take care (of smth., smb.), to see

(to smth., to smb.); *a se ~ de* to look after, to see to.
îngrijire *s.f.* care, solicitude, attention; *sub ~a cuiva* under smb.'s care; *(d. cărți etc.)* edited by.
îngrijit I. *adj.* **1.** trim, dapper. **2.** *(corect)* exact. **3.** *(minuțios)* punctilious. **II.** *adv.* neatly, accurately.
îngrijitoare *s.f.* **1.** servant. **2.** *(menajeră)* housekeeper.
îngrijitor *s.m.* **1.** intendant. **2.** (man-)servant.
îngrijora *vt.* to worry.
îngrijorare *s.f.* worry, anxiety.
îngrijorat *adj.* worried; careworn.
îngrijorător *adj.* alarming.
îngropa *vt., vr.* to bury.
îngropare *s.f.* **1.** burying. **2.** burial.
îngropat *s.n.* **1.** burial; entombment. **2.** *agr.* covering, burying (vine).
îngropăciune *s.f.* burial.
îngroșa I. *vt.* **1.** to thicken. **2.** *fig.* to worsen. **II.** *vr.* **1.** to thicken. **2.** *fig.* to worsen; *se îngroașă gluma* it's past joking.
îngroșare *s.f.* thickening.
îngroșător *s.n. tehn.* thickener.
îngrozi I. *vt.* to horrify, to scare. **II.** *vr.* to be scared / frightened.
îngrozit *adj.* horror-stricken.
îngrozitor I. *adj.* dreadful, disastrous. **II.** *adv.* dreadfully, terribly.
îngurgita *vt.* to ingurgitate, to swallow (greedily or hastily).
îngust *adj.* **1.** narrow. **2.** *(strâmb)* tight. **3.** *(la minte)* narrowminded, hidebound.
îngusta I. *vt.* **1.** to narrow. **2.** *(a strâmba)* to tighten. **II.** *vr.* to grow narrow(er).
îngustare *s.f.* narrowing; shrinking.
îngustime *s.f. și fig.* narrowness; *~ de vederi* narrowmindedness, parochialism.
înhăita *vr.* to gang up.
înhăma I. *vt.* to harness. **II.** *vr. a se ~ la o treabă etc.* to set to a job etc.
înhăța *vt.* to seize.
înhorbotat *adj.* laced, decorated with lace.
înhuma *vt.* to inter.
înhumare *s.f.* burial, interment.
înierba *vt. agr.* to grass.
înierbare *s.f. agr.* (the action of) grassing.
înjgheba *vt.* **1.** to knock / scrape together. **2.** *(a aduna)* to gather.
înjghebare *s.f.* **1.** settlement. **2.** *(construcție)* building, structure.
înjosi *vt., vr.* to abase.
înjosire *s.f.* degradation.
înjositor *adj.* humiliating, degrading.
înjuga *vt., vr.* **1.** to yoke. **2.** *fig.* to harness.
înjumătăți I. *vt.* to halve. **II.** *vr.* to diminish (to a half).
înjumătățire *s.f. fiz.* reducing to one half.
înjunghia *vt.* to stab.
înjunghietură *s.f.* v. j u n g h i.
înjura I. *vt.* to swear at, to curse. **II.** *vi.* to swear (like a trooper), to curse.
înjurătură *s.f.* oath, curse.
înlăcrimat *adj.* (all) in tears.
înlănțui I. *vt.* **1.** to link, to connect, to concatenate. **2.** *(pe cineva)* to chain. **3.** *(a îmbrățișa)* to hug; to fold in one's arms. **II.** *vr.* to be linked.
înlănțuire *s.f.* concatenation.
înlătura *vt.* to remove, to do away with.
înlemni *vi.* to be perplexed.
înlesnire *s.f.* advantageous conditions.
înlocui *vt.* to replace; *a ~ un lucru vechi cu altul nou* to substitute a new thing for an old one, to replace an old thing by a new one.
înlocuire *s.f.* replacement, substitution.
înlocuitor *s.m.* substitute.
înmagazina *vt.* to store.
înmatricula *vt.* to enrol, to enter, to matriculate.
înmănunchia *vt.* to put together.
înmănușat *adj.* gloved.
înmărmuri *vi.* to be flabbergasted.
înmărmurit *adj.* dumbfounded, astounded; *rămase ~* it took his breath away.
înmâna *vt.* to hand.
înmânare *s.f.* handing (over).
înmii *vt.* to increase a thousandfold, to multiply by a thousand.
înmiit *adj., adv.* thousandfold.
înmiresmat *adj.* fragrant.
înmlădia *vb.* v. m l ă d i a.
înmormânta *vt.* to bury.
înmuguri *vi.* to bud.
înmugurire *s.f.* **1.** burgeoning. **2.** *fig.* beginning.
înmuia *vt.* **1.** *(a face mai moale)* to soften. **2.** *(într-un lichid)* to dip, to soak.
înmuietor *s.n. agr.* steeping vat.
înmulți I. *vt.* **1.** to multiply. **2.** *(a spori)* to increase. **II.** *vr.* to be multiplied.
înmulțire *s.f.* **1.** multiplication. **2.** *(sport)* increase.
înmulțitor *s.n. mat.* multiplier, factor.
înnăditură *s.f.* patch; extension (piece).
înnămoli *vr.* to stick in the mud.
înnăscut *adj.* inborn.
înnebuni I. *vt.* to drive mad / crazy, to drive (smb.) out of one's mind. **II.** *vi.* to lose one's mind / wits.
înnebunit *adj.* mad(dened), crazy (with smth.).
înnebunitor *adj.* maddening, exasperating.
înnegri *vt., vr.* to blacken.
înnegrire *s.f. bot.* dry necrosis, blacking, disease of the potatoes, induced by the bacteria Erwina phytophtora.
înnegura I. *vt.* to dim (with mist). **II.** *vr.* to grow misty.
înnegurat *adj.* **1.** covered with mist; foggy, misty. **2.** *fig.* gloomy, dark.
înnisipa *vr.* to sand (up).
înnobila I. *vt.* **1.** to ennoble. **2.** *fig.* to elevate. **3.** *(a face baron)* to create (smb.) a baronet. **II.** *vr.* to be ennobled / elevated.
înnoda I. *vt.* **1.** to knot. **2.** *(șireturi)* to lace. **II.** *vr.* to knot.
înnodătură *s.f.* (*nod*) knot.
înnoi I. *vt.* to renovate, to renew. **II.** *vr.* to be renewed / renovated.
înnoire *s.f.* renovation.
înnoitor *adj.* innovating.
înnopta I. *vi.* to stay overnight. **II.** *vr. se înnoptează* night is setting in.
înnoptare *s.f.* **1.** passing the night. **2.** (*căderea nopții*) nightfall.
înnoptat *adj.* **1.** overtaken by the night; (*d. un călător etc.*) benighted. **2.** *fig.* gloomy, dark.
înnora *vt., vi., vr.* to cloud (over).
înnorat *adj.* clouded, cloudy.
înnotătoare *s.f.* fin.
înnoura v. î n n o r a.
înot *s.n., adv.* swimming.
înota *vi.* to swim.
înotător I. *s.m.* swimmer. **II.** *adj.* swimming.
înrădăcina *vr.* to strike root(s).
înrădăcinare *s.f.* striking root.
înrădăcinat *adj.* (deeply) rooted.
înrăi I. *vt.* to embitter. **II.** *vr.* to become callous.
înrăit *adj.* **1.** embittered. **2.** *(inveterat)* inveterate, confirmed.
înrăma *vt.* to frame.
înrăutăți *vt., vr.* to worsen.
înrăutățit *adj.* **1.** worsened; worse. **2.** v. î n r ă i t.
înrâuri *vt.* to influence.
înrâurire *s.f.* impact.
înregimenta *vr. a se ~ în ...* to join..., to become a member of....
înregimentare *s.f.* joining.
înregistra I. *vt.* **1.** to record. **2.** *(progrese etc. și)* to register. **3.** *(în*

scris) to enter. **4.** *(succese)* to score. **II.** *vr.* to be recorded / registered / scored.
înregistrare *s.f.* recording; registering.
înregistrator I. *adj.* recording, registering. **II.** *s.n.* recorder, recording apparatus / instrument.
înrobi *vt.* to ensalve.
înrobitor *adj.* enslaving.
înrola *vt., vr.* to enlist.
înroși I. *vt.* to redden. **II.** *vr.* to blush.
înroura *vr.* to be covered with dew.
înrourat *adj.* dewy.
înrudi *vr.* to be related (to smb. etc.).
înrudire *s.f.* relation(ship).
înrudit *adj.* related, kindred.
însă *conj.* **1.** but, yet. **2.** *(totuși)* however.
însăila *vt.* **1.** to stitch. **2.** *(o poveste)* to improvise.
însăilat *adj.* **1.** tacked, stitched. **2.** *fig.* improvised; sketchy.
însăilătură *s.f.* stitch(ing), tack(ing).
însămânța *vt.* **1.** to sow. **2.** *zool.* to inseminate.
însămânțare *s.f.* **1.** *agr.* sowing. **2.** *zool.* insemination.
însămânțat I. *adj.* sown. **II.** *s.n.* sowing.
însămi *pron.* myself.
însănătoși I. *vt.* **1.** to heal. **2.** *fig.* to reform. **II.** *vr.* to recover.
însănătoșire *s.f.* recovery, healing.
însărcina *vt.* to charge.
însărcinare *s.f.* **1.** charging. **2.** errand, commission; task; duty; mission.
însărcinat *s.m.* ~ *cu afaceri* chargé d'affaires.
însărcinată *adj.* pregnant.
însăși *pron.* **1.** herself. **2.** *(pt. lucruri, animale și noțiuni abstracte)* itself.
însăți *pron.* yourself.
însângera *vt.* **1.** to stain with blood. **2.** *fig.* to redden.
însângerat *adj.* blood-stained.
înscăuna I. *vt.* to establish. **II.** *vr.* to come to the fore, to become established.
înscăunare *s.f.* enthroning, enthronement.
înscena *vt.* **1.** to stage. **2.** fig. to feign; *(un proces)* to frame up.
înscenare *s.f.* **1.** staging. **2.** *(judiciară)* frame-up.
înscenare *s.f.* staging etc. v. î n s c e n a; frame-up, put-up affair.
înscrie I. *vt.* **1.** to write down. **2.** *(a grava)* to inscribe. **3.** *(pe listă)* to place (on the list); *a ~ la loc de frunte* to give prominence to. **II.** *vr.* to put one's name down; *a se~ în / la* to join, to apply / enrol for; *a se ~ printre fig.* to range among.
înscriere *s.f.* registration.
înscris *s.n.* act, document; transaction; certificate.
însele *pron.* themeselves.
însemn *s.n.* distinguishing mark; badge. *pl.* insignia.
însemna I. to note / write down. **II.** *vi.* **1.** to mean; to stand for. **2.** *(a constitui)* to be.
însemnare *s.f.* note, noting.
însemnat *adj.* **1.** noteworthy, significant. **2.** *(considerabil)* considerable, remarkable.
însemnătate *s.f.* importance, consequence.
însenina *vr.* **1.** to clear / brighten up. **2.** *(d. cineva)* to cheer up.
înseninare *s.f.* cheering (up) etc. v. î n s e n i n a.
însera *vr. se înserează* night is falling.
înserare *s.f.*, **înserat** *s.n.* nightfall, dusk.
înserat *s.n. pe ~ (e)* at nightfall; in the twilight; at dusk; in the evening.
înseta *vi.* **1.** to be thirsty. **2.** *fig. și* thirsting (for smth.).
însetat *adj.* thirsty.
însiloza *vt.* to silo.
însilozare *s.f.* (en)silage.
însingura *vr.* to seclude oneself (from society).
însori *vr.* to bask in the sun, to take the sun, to sun-bathe.
însorit *adj.* sunny, sunlit.
însoți I. *vt.* to accompany. **II.** *vr.* to consort.
însoțire *s.f. pop.* **1.** matching. **2.** *(căsătorie)* marriage, wedding.
însoțitoare *s.f.* **1.** companion. **2.** *(ghid)* guide; *~ de bord* air hostess, stewardess.
însoțitor I. *adj.* accompanying; attendant; concomitant. **II.** *s.m.* companion; (*turistic*) conductor.
înspăimânta I. *vt.* to frighten, to terrify. **II.** *vr.* to be panic-stricken / frightened.
înspăimântat *adj.* panic-stricken.
înspăimântător *adj.* frightful.
înspica *vi. bot.* to ear (up), to come into ears.
înspicare *s.f. bot.* earing (up), coming into ear.
înspicat *adj.* **1.** *bot.* eared, full of ears. **2.** with grey hairs; (*încărunțit*) grey.
înspița *vt.* to fix spokes in a hub.
înspre *prep.* towards; against.
înspuma *vt.* to froth.
înspumat *adj.* foamy, frothy.
înstări *vr.* to grow rich; to make a fortune.
înstărit *adj.* well-to-do.
înstela *vr.* to become bespangled / studded / adorned with stars, to bespangle.
înstelat *adj.* starry.
înstrăina I. *vt.* **1.** to alienate. **2.** *fig.* to estrange. **II.** *vr.* to become estranged (from smb.).
înstrăinare *s.f.* **1.** alienation. **2.** *fig.* estrangement.
înstruna *vt.* **1.** *muz.* to tune (up). **2.** *(calul)* to curb.
însufleți I. *vt.* **1.** *to animate.* **2.** *(a înviora)* to enliven. **3.** *(a stimula)* to inspire. **II.** *vr.* to grow more animated / lively.
însuflețire *s.f.* **1.** élan, enthusiasm. **2.** *(vioiciune)* liveliness.
însuflețit *adj.* **1.** alive. **2.** *fig.* lively; *~ de* actuated by.
însuflețitor *adj.* inspiring, animating, quickening.
însul, însa *pron.* v. d â n s u l, d â n s a.
însuma *vt.* to tot(alize).
însumare *s.f. mat.* summing up, summation.
însumi *pron.* myself.
însura I. *vt.* to marry. **II.** *vr.* to marry; *a se ~ cu cineva* to marry smb.
însurat *adj.* married.
însurătoare *s.f.* marriage.
însurățel *s.m.* **1.** newly-married man. **2.** *pl.* newly-married couple.
însuși[1] *pron.* **1.** himself. **2.** *(pt. lucruri, animale și noțiuni abstracte)* itself.
însuși[2] *vt.* **1.** to appropriate. **2.** *fig.* to assimilate.
însușire *s.f.* **1.** feature. **2.** *(preluare)* approriation.
însutit I. *adj.* centuple. **II.** *adv.* a hundredfold.
însuți *pron.* yourself.
înșela I. *vt.* **1.** to cheat. **2.** *(a trăda)* to betray. **II.** *vi.* to cheat; *a ~ la cântar* to give short weight. **III.** *vr.* to be misled / wrong.
înșelăciune *s.f.* **1.** fraud. **2.** *fig.* hoax.
înșelător I. *s.m.* swindler. **II.** *adj.* deceptive.
înșelătorie *s.f.* deception.
înșeua *vt.* to saddle.
înșeuat *adj.* saddled.
înșfăca *vt.* to seize, to grasp.
înșine *pron.* ourselves.
înșira I. *vt.* **1.** to string, to thread. **2.** *(a enumera)* to list. **3.** *(povești etc.)* to tell, to spin (yarns). **II.** *vr.* to stretch.

înșirare *s.f.* **1.** stringing etc. v. î n ș i r a. **2.** succession, sequence.
înșirui v. î n ș i r a.
înșiși *pron.* themselves.
înșivă *pron.* yourselves.
înștiința *vt.* to notify, to let smb. know (of).
înștiințare *s.f.* notice.
înșuruba *vt., vr.* to screw (on).
întărâta *vt.* to incite.
întărâtat *adj.* excited, worked up; irritated; furious.
întări I. *vt.* **1.** to strenghten. **2.** *(a fortifica)* to fortify. **3.** *(cu autoritate)* to sanction. **4.** *(sănătatea)* to invigorate. **5.** *(a accentua)* to stress. **II.** *vr.* to consolidate, to instensify.
întărire *s.f.* reinforcement.
întăritor I. *s.n.* physic, cordial. **II.** *adj.* fortifying, bracing.
întăritură *s.f.* *mil.* earth works.
întâi I. *adj., num.* (the) first; one. **II.** *adv.* at first, first of all; in the beginning; ~ *și* ~ firstly.
întâiași *num. ord.* ~ *dată* for the first time.
întâlni I. *vt.* **1.** to meet (with), to come across. **2.** *(întâmplător)* to run into. **II.** *vr.* to meet (with smb.).
întâlnire *s.f.* **1.** appointment, date. **2.** *(întâmplătoare)* meeting. **3.** *(sportivă etc.)* meet, encounter.
întâmpina *vt.* **1.** to meet, to welcome. **2.** *(greutăți)* to face, to come up against.
întâmpinare *s.f.* **1.** contestation; objection. **2.** *(primire)* welcome.
întâmpla *vr.* to happen, to take place; *ce s-a ~t?* what is the matter? what happened? *orice s-ar* ~ anyway, come what may.
întâmplare *s.f.* **1.** occurrence, incident. **2.** *(soartă)* change, luck; *din* ~ accidentally; *la* ~ at random.
întâmplător I. *adj.* fortuitous. **II.** *adv.* accidentally.
întârzia I. *vt.* to delay. **II.** *vi.* **1.** to be late (for the classes etc.). **2.** to be back / behindhand (with the rent etc.).
întârziat *adj.* belated, late.
întârziere *s.f.* **1.** delay. **2.** *(la ore etc.)* late coming; *în* ~ behindhand.
întemeia I. *vt.* to found, to set up; *a* ~ *pe* to base on. **II.** *vr.* *a se* ~ *pe* to rely on.
întemeiat *adj.* (well-)grounded.
întemeiere *s.f.* foundation, setting up.
întemeietor *s.m.* founder.
întemnița *vt.* to jail.
întemnițare *s.f.* penal servitude.
întemnițat I. *adj.* imprisoned. **II.** *s.m.* prisoner.
înteți *vt.* to intensify.
întețire *s.f.* intensification.
întietate *s.f.* priority.
întina *vt.* to stain; to defile, to desecrate.
întinare *s.f.* staining, v. î n t i n a.
întinde I. *vt.* **1.** to stretch. **2.** *(mâna etc.)* to hold out. **3.** *(a așterne)* to lay, to spread, to put; *a o* ~ to skedaddle. **II.** *vr.* **1.** to stretch, to extend. **2.** *(a se culca)* to recline. **3.** *(a se tolăni)* to sprawl. **4.** *(a dura)* to last, to linger.
întindere *s.f.* **1.** extent, expanse. **2.** *(suprafață)* surface, area. **3.** *(acțiune)* stretching.
întineri I. *vt.* to rejuvenate. **II.** *vi.* to grow younger.
întinerire *s.f.* rejuvenation.
întinge *vt. pop.* to dip (in a sauce etc.).
întins I. *adj.* **1.** stretched. **2.** *(încordat)* tightened. **3.** *(vast)* extensive. **II.** *adv.* straight, directly.
întinsoare *s.f.* extent; *într-o* ~ at a run.
întinzător *s.n. tehn.* tightener, stretcher.
întipări *vt., vr.* to imprint (upon smth.).
întipărire *s.f.* **1.** imprinting. **2.** imprint, impress, stamp.
întitula v. i n t i t u l a.
întoarce I. *vt.* **1.** to (re)turn. **2.** *(pe dos)* to reverse. **3.** *(o haină)* to have (a coat) turned. **4.** *(ceasul)* to wind up; *a* ~ *cu susul în jos (o casă etc.)* to comb. **II.** *vr.* **1.** to return, to turn back. **2.** *(a se răsuci)* to twist.
întoarcere *s.f.* return; *~a interzisă auto.* no U-turn.
întocmai *adv.* **1.** exactly, precisely; just so; (just) the same. **2.** certainly, naturally; yes; ~ *ca*... just like...; just as....
întocmi *vt.* to work out, to draw up.
întocmire *s.f.* **1.** elaboration. **2.** *(structură)* structure.
întomna *vi., vr. poetic* to turn to autumn.
întors I. *s.n.* return.II. *adj.* (re)turned; ~ *pe dos* upturned, upset; *fig.* not himself.
întorsătură *s.f.* contingency.
întortochea *vt.* to wind, to twist.
întortocheat *adj.* **1.** devious, tortuous. **2.** *(complicat)* intricate.
întortochere *s.f.* **1.** deviousness, winding (course). **2.** *(complicație)* entanglement; twisting, turning; confusion.
întotdeauna *adv.* always, ever.
întovărăși I. *vt.* to accompany. **II.** to associate, to come together.
întovărășire *s.f.* association.
întovărășit *adj.* associated, joined (by).
întracoace *adv. pop.* towards us, *înv.* hither.
întrajutorare *s.f.* mutual assistance.
întraripat *adj. și fig.* winged.
între *prep.* **1.** *(dacă sunt două elemente)* between. **2.** *(dacă sunt mai multe elemente)* among.
întreba *vt., vi.* to ask.
întrebare *s.f.* question.
întrebător I. *adj.* inquiring. **II.** *adv.* questioningly.
întrebuința I. *vt.* to use, to make use of. **II.** *vr.* to be in usage.
întrebuințat *adj.* **1.** used. **2.** *(uzat)* worn.
întrebuințare *s.f.* use, utilization.
întrece I. *vt.* **1.** to outrun, to outstrip. **2.** *fig.* to exceed. **II.** *vr.* to compete, to vie (with each other).
întrecere *s.f.* **1.** competition. **2.** *sport* contest.
întredeschide *vt.* to half-open.
întredeschidere *s.f.* cracking (of a door).
întredeschis *adj.* **1.** half-open. **2.** *(d. ușă și)* ajar.
întrefier *s.n. el.* air gap (of dynamo).
întreg I. *s.m.* **1.** whole. **2.** *mat.* integer. **II.** *adj.* **1.** whole, entire, all (the). **2.** *(complet)* complete, full. **3.** *(neprescurtat)* unabridged. **4.** *(neștirbit)* undivided.
întregi I. *vt.* to complete, to round off. **II.** *vr.* to be rounded off / completed.
întregime *s.f.* entirety; *în* ~ fully, completely.
întregire *s.f.* completing, completion.
întregitor *adj.* completing; additional; supplementary.
întrei *vt., vr.* to treble.
întreit *adj., adv.* threefold.
întrema *vr.* to pick up (strength).
întremare *s.f.* recovery.
întremat *adj.* better, quite oneself again; well, in good health.
întremător *adj.* strengthening, invigorating; (*d. aer*) bracing; (*d. un medicament*) tonic.
întrepătrunde *vr.* to interpenetrate, to be interdependent.
întrepătrundere *s.f.* interpenetration.

întreprinde *vt.* to undertake, to embark upon.
întreprindere *s.f.* **1.** industry, industrial unit. **2.** *(comercială)* shop.
întreprinzător *adj.* enterprising.
întrerupător *s.n. el.* switch.
întrerupe I. *vt.* to interrupt. **II.** *vr.* to break off.
întrerupere *s.f.* interruption; stoppage, cessation, break; (*a negocierilor etc.*) breaking off; *fără ~* without cessation / a break; continually.
întrerupt I. *adj.* interrupted, discontinuous, with interruptions. **II.** *adv.* interruptedly, discontinuously.
întreruptor *s.n.* v. î n t r e r u p ă t o r.
întretăia *vt., vr.* to intercept.
întretăiat *adj.* **1.** criss-crossed. **2.** *(d. respirație)* panting.
întretăiere *s.f.* **1.** crossing; intersection. **2.** crossroad, crossing.
întrețese *vt., vr.* to interweave.
întreține I. *vt.* to keep (up). **II.** *vr.* **1.** to earn one's living. **2.** *(a vorbi)* to talk (with smb.).
întreținere *s.f.* **1.** maintenance, upkeep. **2.** *(la bloc etc.)* rates.
întreținut *s.m.* fancyman.
întreținută *s.f.* kept mistress.
întrevedea I. *vt.* **1.** to catch a glimpse of. **2.** *(a prevedea)* to contemplate. **II.** *vr.* to be foreseen / foreshadowed.
întrevedere *s.f.* meeting.
întrezări I. *vt.* to discern. **II.** *vr.* to loom.
întrista I. *vt.* to (ag)grieve. **II.** *vr.* to grow sad.
întristare *s.f.* grief, sadness.
întristat *adj.* sad, grieved, downcast.
întristător *adj.* saddening.
întrona *vt.* **1.** to enthrone. **2.** *fig.* to establish.
întru *prep.* *într-atât... încât* so (much)... that...; *într-una* incessantly, permanently.
întrucât *conj.* as, since.
întrucâtva *adv.* to a certain extent, somewhat.
întruchipa *vt.* to embody, to impersonate.
întruchipare *s.f.* embodiment.
întruni I. *vt.* **1.** to bring together. **2.** to combine. **II.** *vr.* to come together, to rally.
întrunire *s.f.* meeting; rally; reunion.
întrupa I. *vt.* to embody. **II.** *vr.* to take shape.
întrupare *s.f.* v. î n t r u c h i p a r e.
întuneca I. *vt.* to darken, to cloud. **II.** *vr.* to darken, to become gloomy; *se întunecă* it is getting dark.
întunecare *s.f.* darkening.
întunecat *adj.* **1.** dark. **2.** *(posomorât)* gloomy. **3.** *(sinistru)* grim.
întunecime *s.f.* dark(ness).
întunecos *adj.* dark, gloomy.
întuneric *s.n.* dark(ness), obscurity.
înturna *vr.* to return, to come back.
înturnare *s.f.* return, coming back.
înțărca *vt.* to wean.
înțărcătoare *s.f. agr.* pen where weanlings are kept.
înțelegător I. *adj.* understanding, broad-minded. **II.** *adv.* sympathetically.
înțelege I. *vt.* **1.** to understand, to see. **2.** *(a-și da seama de)* to realize. **3.** *(o aluzie)* to take (a hint). **4.** *(a distinge)* to distinguish; *a ~ greșit* to misunderstand; *nu ~ de vorbă bună* he doesn't obey. **II.** *vr.* **1.** to understand each other. **2.** to get on (together), to agree. **3.** *(a pune la cale)* to plot. **4.** *(a fi de înțeles)* to be clear; *se ~ de la sine* it goes without saying; *a nu se ~* not to be understood; *(a se ciocni)* to collide.
înțelegere *s.f.* **1.** understanding, concord. **2.** *(compătimire)* sympathy; *lipsit de ~* unsympathetic.
înțeleni I. *vi.* **1.** *agr.* to lie fallow. **2.** *fig.* v. î n l e m n i. **II.** *vr.* v. î n ț e p e n i.
înțelenire *s.f. agr.* lying fallow.
înțelenit *adj.* fallow.
înțelepciune *s.f.* wisdom, sagacity; *lipsit de ~* unwise, unsound.
înțelept *adj.* wise, sober-minded.
înțelepțește *adv.* wisely.
înțeles *s.n.* meaning, sense; *de ~* pliant, malleable.
înțepa I. *vt., vi.* **1.** to prick, to sting. **2.** *(a pișca)* to bite. **II.** *vr.* **1.** to prick (one's finger etc.) **2.** *fig.* to taunt each other.
înțepat *adj.* **1.** pricked. **2.** *fig.* stuck-up, stiff.
înțepător *adj.* **1.** prickling, sharp. **2.** *(d. gust)* pungent.
înțepătură *s.f.* sting, prick.
înțepeni I. *vt.* to fasten, to fix. **II.** *vi.* to become stiff, to remain stock-still. **III.** *vr.* to get stuck; to become rigid.
înțepenit *adj.* **1.** fixed etc. v. î n ț e p e n i. **2.** stiff, rigid.
înțesa *vt.* to pack, to fill (to capacity).
înțesat *adj.* *~ (de)* packed (with); crowded (with).
înțoli *vt., vr.* to dress (swell).
învălătuci *vt.* to roll up.
învălmășag *s.n.* v. v ă l m ă ș a g.
învălmășeală *s.f.* jumble, bustle.
învălmăși *vt.* to jumble (together).
învălmășit *adj.* confused, mixed up.
învălui *vt.* **1.** to wrap. **2.** *(a înconjura)* to surround.
învăluire *s.f.* covering etc. v. î n v ă l u i.
învăluit *adj.* veiled, surrounded, wrapped; muffled.
învăluitor *adj.* **1.** enveloping, covering. **2.** surrounding, protecting. **3.** *mil.* outflanking.
învălura *vt. și vr.* to wave.
învăpăia *vr.* **1.** to blaze / fire up. **2.** *fig.* to take fire, to become inflamed.
învăpăiat *adj.* inflamed, flaming, aflame; hot; ardent; bright.
învăpăiere *s.f.* **1.** v. v ă p a i e. **2.** ardour.
învăța *vt., vi.* **1.** to learn; to study. **2.** *(a preda)* to teach.
învățare *s.f.* teaching, learning.
învățat I. *s.m.* scholar; *fam.* egghead. **II.** *adj.* **1.** learned, cultured. **2.** *(deprins)* accustomed (to smth).
învățăcel *s.m. fam.* pupil; disciple.
învățământ *s.n.* education, instruction; *~ mixt* co-education; *~ profesional* vocational education.
învățătoare *s.f.* teacher, schoolmistress.
învățător *s.m.* **1.** schoolteacher. **2.** *fig.* teacher.
învățătorime *s.f.* teachers.
învățătură *s.f.* **1.** learning, studies. **2.** *(învățământ)* education, instruction. **3.** *(morală)* teaching. **4.** *(cunoștințe)* knowledge.
învârsta *vt. text.* to stripe.
învârteală *s.f.* makeshift.
învârteji *vt.,vr.* to whirl.
învârti I. *vt.* **1.** to spin (round), to twist. **2.** *(a răsuci)* to roll. **3.** *(o sabie etc.)* to brandish. **II.** *vr.* **1.** to turn, to spin. **2.** *tehn.* to revolve; to rotate. **3.** *fig.* to get on in the world; *mi se învârtește capul* my head swims.
învârtire *s.f.* turn, rotation.
învârtit *s.m.* **1.** *mil.* cuthbert. **2.** *(profitor)* profiteer.
învârtită *s.f.* kind of gay Romanian dance.
învârtitor *adj.* spinning, circling.
învârtitură *s.f.* **1.** turn, twist, bent. **2.** *fig., fam.* trick.
învârtoșa *vt., vr. și fig.* to harden.

învechi *vr.* **1.** to age. **2.** *(a se uza)* to be worn out.
învechire *s.f.* antiquation.
învechit *adj.* old(-fashioned), obsolete.
învecina *vr.* to be contiguous / adjacent; to border (upon each other).
învecinat *adj.* neighbouring.
învedera I. *vt.* to prove, to demonstrate, to evince, to make clear / obvious. **II.** *vr. pas.* to be proved etc. v. I.
învederat *adj.* clear, obvious, manifest, evident.
înveli I. *vt.* to cover, to wrap (up). **II.** *vr.* to wrap / tuck (oneself) up.
înveliș *s.n.* **1.** cover. **2.** *(strat)* layer.
învelitoare *s.f.* cover.
învenina *vt.* to poison, to envenom.
înveninare *s.f. și fig.* poisoning.
înveninat *adj.* **1.** venomous, poisonous. **2.** poisoned. **3.** *fig.* embittered.
înverșuna *vr.* to become stubborn, obstinate / bitter.
înverșunare *s.f.* **1.** frenzy. **2.** *(încăpățânat)* obstinacy.
înverșunat *adj.* grim, fierce.
înverzi I. *vt.* to make / paint green. **II.** *vi.* to turn green.
înverzit *adj.* verdant, green.
înveseli I. *vt.* **1.** to cheer up. **2.** *(a înviora)* to enliven. **II.** *vr.* to cheer up.
înveselitor *adj.* funny, exhilarating, mirth-provoking.
învesti *vt.* ~ *(cu)* to invest (with).
învestire *s.f.* **1.** *(cu)* investing, investment (with). **2.** *jur.* authorizing, mandating, giving power of attorney to.
învestitură *s.f.* investiture.
înveșmânta *vt., vr.* to clothe.
învia *vt., vi.* to revive.
înviere *s.f.* **1.** resurrection. **2.** *fig.* revival, rebirth.
învineți I. *vt.* to render purple / blue; *a ~ ochiul cuiva* to give smb. a black eye. **II.** *vr.* to turn purple / blue.
învinețit *adj.* blue; livid; black and blue.
învingător I. *s.m.* conqueror, victor. **II.** *adj.* victorious, triumphant.
învinge I. *vt.* **1.** to defeat, to worst, to best. **2.** *(dificultăți etc.)* to overcome. **II.** *vi.* to be victorius, to carry the day.
învinovăți *vt.* to accuse (of smth.).
învinovățire *s.f.* **1.** accusing. **2.** accusation, charge.
învins I. *s.m.* **1.** vanquished man etc. **2.** *pl.* the vanquished. **II.** *adj.* defeated.
învinui *vt.* to accuse (of smth.), to charge (with smth.).
învinuit *s.m. jur. (mai ales pl.)* the defendant, the accused.
înviora I. *vt.* to enliven, to animate. **II.** *vr.* to cheer up, to take heart.
înviorare *s.f.* **1.** enlivening, refreshing. **2.** *ec. pol.* revival, boom.
înviorător *adj.* bracing, refreshing.
învoi I. *vt.* **1.** to permit, to allow. **2.** to give (smb.) leave of absence. **II.** *vr.* **1.** to agree. **2.** *(a accepta)* to consent, to accept.
învoială *s.f.* **1.** agreement. **2.** *(secretă)* collusion.
învoire *s.f.* **1.** leave; permission. **2.** v. î n v o i a l ă.
învolbura *vt., vr.* to whirl.
învolburare *s.f.* whirling.
învolburat *adj.* whirling.
învolt *adj.* luxuriant; *(bogat)* rich, exuberant, plenteous, abundant; *(des)* thick.
învrăjbi I. *vt.* to set against each other. **II.** *vr.* to quarrel.
învrăjbire *s.f.* feud, discord.
învrăjbit *adj.* at loggerheads, divided; hostile.
învrăjbitor I. *adj.* dividing, disuniting; instigating; seditious. **II.** *s.m.* instigator, person who causes quarrels / who sets people at variance / who shows discord.
învrednici *vr.* to become able (to do smth.), to succeed (in doing smth.).
înzăpezi I. *vt.* to snow up. **II.** *vr.* to be snowed up / snowbound.
înzdrăveni *vr.* to pick up (strength / health).
înzeci *vt.* to increase tenfold; *a-și ~ eforturile* to redouble / to bend one's efforts.
înzecit *adj., adv.* tenfold.
înzepezit *adj.* snowbound.
înzestra *vt.* **1.** to endow, to equip. **2.** *(o fată)* to dower.
înzestrare *s.f.* endowment, equipment.
înzestrat *adj.* **1.** endowed (with). **2.** *(talentat)* gifted, talented.
înzidire *s.f. constr.* walling up, enclosing in masonry.

J

J, j *s.m.* J, j, the thirteenth letter of the Romanian alphabet.
jabă *s.f. vet. (la oi)* sheep pox; *(la câini)* distemper.
jabie *s.f. bot.* golden maidenhair *(Polytrichum).*
jabou *s.n.* frill, ruffle, jabot.
jac *s.n. tehn.* jack.
jacard *s.n. text.* Jacquard loom.
jachetă *s.f.* jacket.
jad *s.n.* jade.
jadeit *s.n. mineral.* jadeite.
jaf *s.n.* robbery.
jaguar *s.m. zool.* jaguar *(Felis onca).*
jainism *s.n. rel.* Jainism.
jais *s.n. mineral.* jet; black onyx; jet-glass.
jalapa *s.f. bot.* **1.** jalap(a) *(Exogonium purga).* **2.** *fam. med.* jalap(a) root (used as a purgative).
jalbă *s.f.* supplication.
jale *s.f.* grief; distress; *cu ~* sadly; *de ~* sad, sorrowful.
jaleș *s.m.* **1.** *bot.* sage *(Salvia).* **2.** *bot.* hedge nettle, woundwort *(Stachys).*
jalnic I. *adj.* **1.** sad, griveous. **2.** *(deplorabil)* lamentable. **II.** *adv.* sadly, grievously.
jalon *s.n.* **1.** stake, pole. **2.** *fig.* landmark.
jalona *vt.* **1.** *agr.* to lay / stake out, to mark stations. **2.** *fig.* to mark out, to place landmarks in.
jaluzele *s.f. pl.* Venetian blinds
jambiere *s.f. pl.* leggings.
jambon *s.n.* ham.
jandarm *s.n.* gendarme.
jandarmerie *s.f.* **1.** gendarmerie. **2.** *(în Anglia)* constabulary.
janghinos *pop.* **I.** *adj.* **1.** *(murdar)* filthy; *(păduchios)* lousy; *(râios)* scabbed, mangy. **2.** *(jigărit) fam.* weedy, AE scraggy, scrawny. **II.** *s.m. fam.* tatterdemalion, ragamuffin, lousy /filthy / scurvy fellow / knave.
janilie *s.f.* chenille.
jansenism *s.n. rel.* Jansenism.
jansenist, -ă *adj., s.m., s.f.* Jansenist.
jantă *s.f. auto. etc.* rim.
jană *s.n.* cheese butter.
jap *interj.* smack!
japcă *s.f.: cu japca* arbitrarily.
japiță *s.f.* **1.** *pop.* joint of cart shaft. **2.** *fam.* cur, scoundrel, v. j i g o d i e.
japonez *s.m., adj.* Japanese.
japoneză I. *s.f.* **1.** Japanese (woman). **2.** Japanese, the Japanese language. **3.** *(pâiniță)* bun. **II.** *adj.* Japanese.
japșă *s.f.* **1.** *s.f.* backwater. *geogr.* **2.** puddle, pool. **3.** low hollow (in the Danube Delta).
jar *s.n.* **1.** embers. **2.** *fig.* fire, glow.
jardinieră *s.f.* flower stand, ornamental flower pot.
jaret *s.n. anat., vet.* hock, hough.
jargon *s.n.* jargon; *~ gazetăresc* journalese; *~ medical* medicalese.
jariște *s.f. înv.* **1.** v. j a r. **2.** *(silvicultură)* burnt forest.
jart *interj.* smack!
jartieră *s.f.* garter.
jasp *s.n. mineral.* jasper.
javel *subst. apă de ~* Javel(le) water.
javelizare *s.f. tehn.* javellization, chlorination.
javră *s.f.* **1.** cur, mutt. **2.** *fig.* rip, tike.
jaz *s.n.* jazz.
jazband *s.n.* jazzband.
jăcmăni *vt.* v. j e f u i.
jăratic *s.n.* v. j e r a t i c.
jder *s.m. zool.* marten *(Mustela).*
jecmăneală *s.f.* fleecing, bleeding, swindling, wheedling, v. j e f u i r e.
jecmăni *vt.* to fleece.
jeep *s.n. auto.* jeep, Willis car.
jefui *vt.* **1.** to plunder. **2.** *fig.* to fleece.
jefuire *s.f.* **1.** robbing etc. v. j e f u i. **2.** *(jaf)* robbery; pillage; *fig.* fleecing, bleeding.
jefuitor I. *adj.* robbing, plundering. **II.** *s.m.* robber, plunderer.
jeg *s.n.* filth.
jegos *adj.* filthy.
jejun *s.n. anat.* jejunum.
jejunită *s.f. med.* jejunitis, inflammation of the jejunum.
jelanie *s.f.* mourning, grieving; weeping, lamentation.
jeleu *s.n.* jelly.
jeli I. *vt.* **1.** to bewail. **2.** *(a deplânge)* to deplore. **II.** *vi., vr.* to lament.
jelire *s.f.* lamentation, commiseration, mourning etc. v. j e l i.
jelit *adj. pop.* **1.** mourned, grieved, lamented (over). **2.** v. j e l u i t 2.
jelitoare *s.f.* hired mourner, woman hired to lament over a dead person.
jelui *vr.* **1.** to complain. **2.** *(a se lamenta)* to lament.
jeluire *s.f.* **1.** lamenting etc. v. j e l u i. **2.** complaint; petition (for the redress of grievances).
jeluit I. *adj. pop.* **1.** v. j e l i t. **2.** agrieved, sad, tormented by grief. **II.** *s.n.* lamentation grieving, mourning.
jeluitor, -oare I. *s.m., s.f. înv.* griever, mourner. **II.** *adj.* mournful(ler).
jena I. *vt.* **1.** to hinder. **2.** *(a deranja)* to disturb. **3.** *(d. pantofi)* to pinch. **II.** *vr.* **1.** to be embarrassed. **2.** to shrink (from doing smth.).
jenant *adj.* **1.** embarrassing. **2.** *(penibil)* awkward.
jenat *adj.* embarrassed.
jenă *adj.* **1.** uneasiness. **2.** *(sfială)* timidity; *~ financiară* financial difficulties, want; *fără ~* informally; shameslessly.
jenșen *s.m. bot.* ginseng, genseng *(Panax ginseng).*
jep *s.m. bot.* knee pine *(Pinus pumilio).*
jeratic *s.n.* hot embers; *ca pe ~* on tenter-hooks.
jerbă *s.f.* wreath, garland.
jerpeli *vr.* to wear out.
jerpelit *adj.* shabby, threadbare.
jerseu *s.n.* jersey.
jersey *s.f. zool.* Jersey (cattle breed).
jertfă *s.f.* **1.** sacrifice. **2.** *fig.* victim.
jertfelnic *s.n. rel.* v. p r o s c o m i d i e.
jertfi *vt., vr.* to sacrifice (oneself).
jet *s.n.* **1.** *tehn.* jet; spurt; spray; flash. **2.** *av.* jet plane.
jetelă *s.f. constr., nav.* jetty, pier.
jeton *s.n.* **1.** counter. **2.** *(de prezență)* tally.
jeț *s.n.* armchair.
jgheab *s.n.* **1.** drain, pipe. **2.** *(burlan)* rain race. **3.** *(la moară)* mill. **4.** *(canal)* sewer.
jiclor *s.n. auto.* jet (nozzle), spray nozzle; nose pipe.

jieneasca *s.f. muz. pop.* Romanian folk dance with a binary rhythm (in South Transylvania and North Oltenia).
jiganie *s.f.* **1.** monster, monstrous / awful creature, prodigy, *fam.* fright. **2.** *(pentru a speria copii)* bugbear, bugaboo. **3.** v. j i v i n ă.
jigări *vr. fam.* to lose flesh, to fall away; to grow lean.
jigărit *adj.* skinny.
jigni *vt.* to hurt.
jignire *s.f.* offence.
jignitor *adj.* insulting.
jigodie *s.f.* **1.** *vet.* distemper (of dogs). **2.** *vet.* mange. **3.** cur, knave, scoundrel; beast. **4.** v. j i v i n ă.
jigou *s.n.* leg of mutton.
jilav *adj.* moist, damp, humid; wet.
jiletcă *s.f.* waistcoat.
jilip *s.n. tehn.* shoot, chute; log slide, sluice.
jilă *s.n.* easy / arm chair.
jimblă *s.f.* loaf of white bread.
jind *s.n.* hankering; *cu ~* enviously, covetously.
jindui *vt.* **1.** to envy. **2.** *(a tânji)* to crave for.
jinduit *adj.* coveted, desired, longed for.
jinduitor *adj.* covetous, hankering etc. v. j i n d u i.
jintiță *s.f.* **1.** sediments left on the bottom of the pail after the boiling of the whey. **2.** whey mixed up with cow cheese.
jintui *vt.* to knead (ewe cheese), to whey (cheese) by kneading.
jintuială *s.f.* cheese butter.
jintuit *s.n.* kneading / wheying (of cheese).
jir *s.n.* beach nut.
jirebie *s.f. reg.* narrow plot of tilled land.
jitar *s.m. agr.* crop watcher, assistant bailiff.
jitnicer *s.m. odin.* provisioner.
jiu-jiutsu *s.n.* ju jutsu.
jivină *s.f.* **1.** animal; wild beast. **2.** *fig.* hideous / awful creature; monster.
jneapăn *s.n. bot.* juniper tree *(Juniperus).*
joacă *s.f.* play; *în ~* jokingly.
joagăr *s.n.* saw mill.
joantă *s.f. ferov.* joint (of rails).
joardă *s.f.* **1.** switch, rod. **2.** *(lovitură de ~)* stroke / cut with a rod.
joben *s.n.* **1.** top / silk hat. **2.** *(clac)* crash / opera hat.
joc *s.n.* **1.** game, play. **2.** *(sport)* sport. **3.** *(distracție)* pastime. **4.** *fig.* a child's play. **5.** *(dans)* dance. **6.** *teatru* acting; *~ cu gajuri* forfeits; *~ de cărți* card game; *~ de cuvinte* play on words, quip; *~uri de salon* parlour tricks.
jocheu *s.m.* jockey.
jodler *s.n. muz.* yodel, jodel.
joi **I.** *s.f.* Thursday. **II.** *adj.* (on) Thursday.
joia *adv.* on Thursday(s).
joian[1] *s.m.* name given to an ox born on a Thursday.
joian[2] *s.m. bot.* earth nut *(Oenanthe).*
joiană *s.f.* **1.** name given to a cow born on a Thursday. **2.** a Romanian popular dance.
joimăriță *s.f.* **1.** an imaginary monster in the shape of a woman. **2.** *fig.* old maid; *fam.* unappropriated blessing; *înv.* ape leader. **3.** *(hârcă)* hag. **4.** *ornit.* (night) owl *(Strix).*
joimir *s.m. ist. României* **1.** Polish mercenary. **2.** Romanian mercenary in the Polish army. **3.** *pl.* 18th century Moldavian army.
jojă *s.f. tehn.* ga(u)ge.
joker *s.m.* joker.
joncă *s.f. nav.* (Chinese) junk.
joncțiune *s.f.* junction; *mil. a face ~a* to join hands.
jongla *vi.* to juggle.
jongler *s.m.* **1.** juggler. **2.** trickster, conjurer.
jonglerie *s.f.* juggling.
jordie **s.f.** v. j o a r d ă.
jos **I.** *s.n.* bottom; *de ~* lower, bottom; from below; *în ~* down(wards); *(pe râu)* downstream; *în ~ul apei* down the river; *pe ~* on foot, walking. **II.** *adj.* low. **III.** *adv.* **1.** down. **2.** *(dedesubt)* below. **3.** *(la pământ)* to / on the ground. **4.** *(la parter)* downstairs, on the groundfloor. **5.** *(la fund)* at the bottom; *~ mâinile!* hands off!; *mai ~* lower down. **IV.** *interj.* down!
josnic **I.** *adj.* low(-down). **II.** *adv.* meanly.
josnicie *s.f.* baseness.
jota *s.f. muz.* jota (Spanish dance).
joule *s.m. fiz.* joule.
jovial **I.** *adj.* cheerful. **II.** *adv.* cheerfully.
jovialitate *s.f.* joviality, jovialness, cheerfulness; *fam.* jollity.
jubila *vi.* to be exultant.
jubilare *s.f.* jubilation.
jubileu *s.n.* jubilee.
jubiliar *adj.* jubilee.
juca **I.** *vi.* **1.** to play (at). **2.** *(la șah etc.)* to move. **3.** *teatru, cin.* to act, to play. **4.** *(a dansa)* to dance. **5.** *(jocuri de noroc)* to gamble; *a ~ o carte mare* to play one's trumpcard; *a ~ o festă cuiva* to play / clap a trick upon smb.; *a ~ teatru (și fig.)* to act. **II.** *vt.* **1.** to play (games). **2.** *(a zburda)* to gambol. **3.** *teatru, cin.* to act. **4.** *(a dansa)* to dance **5.** *(a mișca)* to move. **6.** *(la loterie)* to put in the lottery; *a ~ pe bani* to play for money. **III.** *vr.* **1.** to play. **2.** *(a glumi)* to play tricks. **3.** *(d. piesă etc.)* to be acted, to be on.
jucărie *s.f.* **1.** toy, plaything. **2.** *fig.* trifle.
jucător *s.m.* **1.** player. **2.** *(prost)* rabbit. **3.** *(cartofor)* gambler.
jucăuș *adj.* **1.** playful, frisky. **2.** *(vioi)* quick, sprightly.
jude *s.m. ist. României înv.* **1.** county lord. **2.** prince, knez. **3.** magistrate judge. **4.** village headsman. **5.** enfranchised / freed bondsman.
judec *s.m. ist. României* v. j u d e.
judeca **I.** *vt.* **1.** to judge. **2.** *jur.* to try. **3.** *(a critica)* to blame, to condemn, to censure. **4.** *(a cântări)* to consider, to weigh. **II.** *vi.* to judge (by appearances etc.). **III.** *vr.* to go to law.
judecare *s.f.* **1.** *jur.* trial. **2.** *fig. (criticare)* censure, criticism; *(condamnare)* condemnation. **3.** *fig. (apreciere)* appreciation, estimation.
judecată *sf.* **1.** judgement. **2.** *(proces penal)* trial. **3.** *(judecătorie)* court. **4.** *(minte și)* reason. **5.** *(hotărâre)* sentence; verdict. **6.** *(opinie și)* opinion; *judecata de apoi* doomsday; *cu ~* wise, reasonable; *la ~* in court.
judecător *s.m.* judge; *~ de instrucție* examining magistrate; *~ de pace* justice of the peace.
judecătoresc *adj.* judicial.
judecătorie *s.f.* court (of law); *~ de instrucție* police court.
judecire *s.f. ist. României* enfranchisement (of a bondsman / peasant).
județ *s.n.* county.
județean *adj.* county.
judiciar *adj.* **1.** judiciary. **2.** *(juridic)* juridical. **3.** *(d. medicină)* forensic.
judicios **I.** *adj.* judicious. **II.** *adv.* reasonably.
judiciozitate *s.f.* judiciousness, sagacity.
judo *s.n.* v. j i u - j i t s u.
jug *s.n.* yoke.
jugan *s.m.* gelding, castrated horse.
jugastru *s.m. bot.* common maple *(Acer campestre).*

jugăni *vt.* to castrate; *vet.* to geld; *fam.* to doctor.
jugănit *adj.* castrated etc. v. j u g ă n i.
jugendstil *s.n. artă* Jugendstil.
juglandacee *s.f. bot.* Juglandaceae.
jugula *vt.* to strangle.
jugular *adj. anat.* jugular.
jugulară *adj. anat.* jugular.
jugulare *s.f.* strangling, throttling.
juisa *vi.* **1.** to enjoy (life). **2.** to have an orgasm; *argou* to come.
jujeu *s.n.* (triangular) cog, yoke, poke.
juli I. *vt.* to scratch, to graze. **II.** *vr.* to hurt oneself.
julitură *s.f.* scratch.
jumări *s.f. pl.* **1.** scraps. **2.** *(de ouă)* scrambled eggs.
jumătate *sf.* half; *o ~ de kg.* half a kilogram, a pound; *~ - ~, pe ~* fifty-fifty; *pe ~ închis* half closed.
jumelă *s.f. tehn.* (spring-)shackle.
jumuleală *s.f.* **1.** plucking. **2.** *fig., fam.* fleecing, bleeding.
jumuli *vt.* **1.** to pluck. **2.** *fig.* to bleed.
jună *s.f.* girl.
junc *s.m.* young bullock.
juncan *s.m.* bullock.
juncană *s.f.* v. j u n c ă.
juncă *s.f.* heifer.
june *înv. / glumeț* **I.** *adj.* young; *fam.* green, raw. **II.** *s.m.* young man, youth; *(ceva mai tânăr)* lad, stripling; *(băiat)* (young) boy; *fam.* youngster; *~ prim* jeune premier; *teatru* juvenile lead; leading man.
junețe *s.f. înv.* v. t i n e r e ț e.
jungher *s.n. (pumnal) înv.* dagger.
junghi *s.n.* **1.** stitch. **2.** *(pumnal)* dagger.
junghia *vt.* v. î n j u n g h i a.
junghietură *s.f.* **1.** *(ceafă)* nape, back of the neck. **2.** v. j u n g h i.
junglă *s.f.* jungle.
junime *s.f. înv.* **1.** v. t i n e r e t. **2.** v. t i n e r e ț e.
Junimea *s.f. ist.* the Junimea literary circle.
junimism *s.n. lit.* Junimism, classicist trend around the literary society "Junimea" (late 19th century).
junimist *adj., s.m. ist.* „Junimist", member of the Junimea literary circle.
junincă *s.f. zool.* heifer.
junioară *s.f. sport etc.* junior (sportswoman / athlete).
junior *s.m. sport etc.* junior (sportsman / athlete).
juntă *s.f.* junta.
jupan *s.m. ist. României* boyar of the highest rank.
jupaniță *s.f. înv. ist. României* the wife of a "jupan".
jupă *s.f.* skirt.
jupân *s.m.* master.
jupâneasă *s.f.* housekeeper.
jupâniță *s.f. înv.* young titled lady.
jupon *s.n.* **1.** *înv.* petticoat. **2.** *(modern)* half-slip.
jupui I. *vt.* **1.** to skin. **2.** *(a răni)* to graze. **3.** *fig.* to exploit. **II.** *vr.* to peel.
jupuială *s.f.* **1.** skinning, excoriation. **2.** v. j u p u i t u r ă. **3.** *(de bani)* robbing, fleecing.
jupuit *adj.* skinned, peeled; *d. copac)* barked (trees).
jupuitură *s.f. (julitură)* scratch; *med.* excoriation, desquamation.
jur *s.n. în ~, de ~-împrejur* all (a)round; everywhere.
jur[1] *s.n. pop.* **1.** surrounding. **2.** *înv.* oathrow.
jur[2] *s.m.* juryman, member of the jury.
jura I. *vt.* **1.** to swear. **2.** *fig.* to promise. **II.** *vi., vr.* to swear (by smth.); *a ~ strâmb* to commit perjury.
jurasic *adj. geol.* Jurassic.
jurat I. *s.m.* jury man. **II.** *adj.* sworn.
jurământ *s.n.* **1.** oath. **2.** *fig.* vow, promise; *~ fals* sau *strâmb* perjury; *sub ~* on oath.
juri *s.m. pl. curte cu ~* (court of) assizes.
juridic *adj.* juridical, law.
juridicește *adv. jur.* judicially, legally, juridically.
jurisconsult *s.m.* solicitor.
jurisdicție *s.f.* jurisdiction.
jurisdicțional *adj. jur.* jurisdictional.
jurisprudență *s.f. jur.* **1.** jurisprudence. **2.** legal maxim.
jurist *s.m.* jurist, lawyer.
juriu *s.n.* **1.** jury. **2.** *(la o expoziție)* hanging committee.
jurnal *s.n.* **1.** journal, gazette. **2.** *(ziar)* daily (paper), newspaper. **3.** *(personal)* diary. **4.** *(de actualități)* news reel; *~ de bord* log (book); *~ sonor* radio news reel; *~ de modă* fashion magazine.
jurnalism *s.n. rar* journalism.
jurnalist *s.m.* **1.** newspaperman. **2.** *(gazetar și)* journalist.
jurnalistică *s.f.* journalism.
jurubiță *s.f.* skein.
jurui *vt. înv., reg.* **1.** to promise. **2.** to swear. **3.** to become engaged.
just I. *adj.* **1.** fair. **2.** *(corect)* correct. **3.** *(exact)* accurate. **4.** *(îndreptățit)* right. **5.** *(cinstit)* righteous. **II.** *adv.* **1.** correctly. **2.** *(pe dreptate)* right(ful)ly. **3.** *(cum se cuvine)* properly. **III.** *interj.* right!; hear! hear!
justețe *s.f.* **1.** *(corectitudine)* rightfulness. **2.** *(dreptate)* justice. **3.** *(imparțialitate)* fair-mindedness. **4.** *(exactitate)* justness.
justifica I. *vt.* **1.** to justify. **2.** *(a apăra)* to vindicate. **II.** *vr.* **1.** to exculpate oneself. **2.** *(a fi îndreptățit)* to be legitimate.
justificabil *adj.* amenable, justifiable.
justificare *s.f.* **1.** justification. **2.** *(dovadă)* proof, corroboration.
justificativ *adj.* explanatory.
justițiar *adj.* reparatory.
justiție *s.f.* **1.** justice. **2.** *jur.* law.
juvaer *s.n.* v. g i u v a e r.
juvăț *s.n.* noose.
juvelnic *s.n.* fish pond.
juvenil *adj.* youthful.
juvete *s.m. iht.* fry.
juxtalinear *adj.* juxtalinear; *traducere ~ă* interlinear translation.
juxtapoziție *s.f.* juxtaposition.
juxtapune I. *vt.* to place side by side, to juxtapose. **II.** *vr.* to be juxtaposed / in juxtaposition.
juxtapunere *s.f.* juxtaposition.
juxtapus *adj.* juxtaposed, in juxtaposition.
juxtă *s.f.* cab(bage), crib.

K

K, k *s.m.* K, k the fourteenth letter of the Romanian alphabet.
kabil *s.m. geogr.* Kabyle.
kainit *s.n. mineral.* kainit(e).
kaiser *s.m. ist.* kaiser.
kakemono *subst. artă* kakemono, Japanese wall picture.
kaki *adj.* khaki.
kala-azar *subst. med.* kala-azar, visceral leishmaniasis.
kalam *subst. ist., rel. mahomedană* Kalam, Muslim scholastic theology.
kaliu *s.m. chim.* kali, potassium.
kamala *s.f. bot., chim., farm.* kamala, kamela, kamila *(Malotus philippineusis).*
kamika(d)ze kamikaze.
kammgarn *s.n. text.* **1.** worsted (yarn). **2.** combed yarn.
kantian *adj. filoz.* Kantian.
kantianism *s.n. filoz.* Kanti(ani)sm.
kaon *s.m. fiz.* k-meson, kaon.
karen *s.n. geol.* karren.
karling *s.n. geogr.* glacial horn, pyramidal peak.
karma *subst. filoz., rel.* karma.
karstenite *agr., chim., min.* anhydrite.
kasidă *s.f. lingv.* the Elamite language, Kassite, cassite.
katharsis *subst. filoz.* catharsis.
katiușă *s.f. mil.* jet mortar.
kattamaran *s.n. nav.* catamaran.
kazah *s.m., adj.* Kazak(h).
kediv *s.n.* khedive.
kelen *s.n. farm.* kelene, ethyl chloride.
kelvin *s.m. fiz.* Kelvin (degree).
kenotron *s.n. el.* kenotron.
keta *s.f. iht.* oncorhynchus (salmon) *(Oncorhynchus keta).*
keynesism *s.n. ec.* Keynesianism.
khaki-campbell *s.f. zool.* Khaki Campbell (duck).
khmer *s.m., adj.* K(h)mer, Cambodian.
khmeră *s.f. lingv.* K(h)mer, Cambodian.
kieselgur *s.n. mineral.* kieselguhr, infusorial earth.
kieserit *s.n. mineral.* kieserite.
kil *s.n. fam.* kilogram.
kilo(gram) *s.n.* kilo(gram).
kilociclu *s.m. fiz., el.* kilocycle.
kilogram *s.n.* **1.** kilogram(me). **2.** *(litru)* litre.
kilogrammetru *s.m. fiz.* kilogrammeter, kilogrammetre.
kilohertz *s.m. fiz., el.* kilocycle.
kilokalorie *s.f.* kilocalorie.
kilolitru *s.m.* kilolitre, one thousand litres.
kilometra *vt.* to mark off with kilometre / hectometre stones.
kilometraj *s.n.* mileage (recorder).
kilometric *adj.* **1.** kilometric. **2.** *fig.* endless.
kilometru *s.m.* kilometre.
kilovat *s.m.* kilowatt.
kilovolt *s.m. el.* kilovolt.
kilovoltamper *s.m. el.* kilovolt-ampere.
kilowattoră *s.m. el.* kilowatt-hour.
kimberlit *s.n. mineral.* kimberlite, blue earth / ground / stuff.
kimeridgian, -ă *subst., adj. geol.* Kimmeridgian.
kip *s.m. ec., fin.* Cambodian piastre.
kirghiz *s.m., adj.* Kirghiz.
kismet *subst. rel.* kismet, kismat, Fate (in the Islamic religion).
kiș-miș *s.n. viticultură* Russian variety of grapes for currants.
kitsch *s.n. artă etc.* kitsch.
kiwi *s.f.* **1.** *ornit.* kiwi, apteryx *(Apteryx australis).* **2.** *bot.* kiwi (fruit); Chinese gooseberry *(Actinidia chinensis).*
klingerit *s.n. mineral.* v. c l i n g h e r i t.
klinker *s.n. ind.* (Dutch) klinker / clinker; *met.* hard stock.
klinkerizare *s.f. ind.* clinkerization, clinkering.
know-how *subst.* know-how.
kola *s.m. bot.* cola, Kola.
kore *s.f. artă* koré.
kouros *s.m. artă* kouros, *pl.* kouroi.
krarupizare *s.f. telec.* Krarup / continuous loading.
kripton *s.n. chim.* krypton.
kronprinz *s.m. ist. Germaniei* Crown Prince (of Prussia).
kșatrya *subst. ist., pol.* Kshat(t)riya, Ksatriya, the military aristocracy.
kulm *s.n. geol.* culm.
kurd I. *s.m. geogr.* Kurd. **II.** *adj.* Kurdish.
kurdă *s.f. lingv.* Kurdish.
kuș-kuș *s.n.* couscous(sou).
kyat *s.m. ec., fin.* basic monetary unit of Burma.
kyrie eleison *bis.* Kyrie eleison.

L

L, l *s.m.* L, l, the fifteenth letter of the Romanian alphabet.
l-, -l *pron.* him; it.
la I. *s.m., muz.* A, la. **II.** *vt., vr.* to wash. **III.** *prep.* **1.** *(static)* at, in. **2.** *(dinamic)* to. **3.** *(către)* towards. **4.** *(lipit de)* against; close to. **5.** *(pt. ore)* at. **6.** *(pt. zile)* on. **7.** *(caracteristic pentru)* in. **8.** *cu pl.* with; ~ *noi* with us; *pe* ~ (at) about, roundabout; *până* ~ (up) to.
laban *s.m. iht.* gray / grey mullet *(Mugil cephalus)*
labă *s.f.* **1.** paw. **2.** *argou (mână)* hand. **3.** *(a piciorului)* foot; *în patru labe* on all fours.
labferment *s.n. biochim.* labenzyme.
labial *adj. lingv.* labial.
labială *s.f. lingv.* labial, lip consonant.
labializa *vt. lingv.* to labialize.
labializare *s.f. lingv.* labialization.
labiat *adj. bot.* labiate, lipped.
labiate *s.f. pl. bot.* labiates, labiatae.
labie *s.f. anat., bot.* labium, *pl.* labia.
labil *adj.* labile, unstable.
labilitate *s.f. fiz., fiziol.* lability.
labio-dental *adj. lingv.* labio-dental.
labirint *s.n.* labyrint.
labirintic *adj. rar* v. î n t o r t o c h e a t.
labirintită *s.f. med.* labyrinthitis.
labiu *s.n. entom.* labium.
laborant *s.m.* laboratory-assistant.
laborator *s.n.* laboratory.
laborios *adj.* laborious.
labrador *s.n. mineral.* labrador.
labradorit *s.n. geol.* labradorite.
laburist *pol.* **I.** *adj.* labour. **II.** *s.m.* labourite.
lac *s.n.* **1.** *geogr.* lake. **2.** *(mic)* pond. **3.** *(baltă)* pool. **4.** *(lustru)* laquer; ~ *de mobilă* cabinet varnish; ~ *de sudoare* all in a sweat; ~ *sărat* salt lake; *de* ~ patent leather (shoes etc.).
lacăt *s.n.* padlock; ~ *cu cifru / cu inele* combination lock; *sub* ~ under lock and key.
lacertilian I. *adj. zool.* lacertilian. **II.** *s.m.* Lacertilian, *pl.* Lacertilia.
lacherdă *s.f. iht.* bluefish *(Sarda sarda)*.
lacheu *s.m.* **1.** footman. **2.** *fig.* flunkey.
laciniat *adj. bot.* laciniate(d), laciniose, slashed (leaves etc.).
lacolit *s.n. geol.* laccolite, laccolith.
lacom I. *adj.* **1.** greedy. **2.** *fig. și* covetous (of smth.). **II.** *adv.* **1.** voraciously. **2.** *fig.* avidly.
laconic I. *adj.* laconic. **II.** *adv.* tersely.
laconism *s.n.* lacon(ic)ism, brevity.
lacoviște *s.f.* puddle, pool; marshy ground.
lacră *s.f.* v. r a c l ă.
lacrima-christi *s.n.* Lachryma / lacrima Christi.
lacrimal *adj. anat. canal* ~ tear duct; *glandă ~ă* tear gland.
lacrimatoriu *s.n. ist.* lachrymatory vase.
lacrimă *s.f.* tear; *lacrimi de crocodil* crocodile tears; *până la lacrimi* to the point of crying.
lacrimogen *adj.* **1.** *(d. gaz, bombă)* tear. **2.** *fig.* mawkish.
lactalbumină *s.f. biochim.* lactalbumen.
lactamă *s.f. biochim.* lactam.
lactat *adj.* dairy...
lactate *s.n. pl.* dairy produce.
lactație *s.f.* suckling, nursing.
lactază *s.f. biochim.* lactase.
lactee *adj. Calea* ~ the Milky Way.
lactenină *s.f. chim.* lactenin.
lactic *adj. chim.* lactic (acid).
lactobar *s.n.* milk bar.
lactobioză *s.f. chim.* v. l a c t o z ă.
lactoferment *s.n. chim.* v. c h e a g 1.
lactoflavină *s.f. biochim.* lactoflavin, riboflavin.
lactoglobulină *s.f. biochim.* lactoglobulin.
lactometru *s.n.* milk gauge.
lactonă *s.f. chim.* lactone.
lactovegetarian *adj.* lacto-vegetarian.
lactoză *s.f. chim.* lactose.
lacunar *adj.* lacunar(y).
lacună *s.f.* gap.
lacustru *adj. (d. o locuință)* lacustrian; *(d. un animal etc.)* lacustrine.
ladă *s.f.* **1.** case, box. **2.** *(cufăr)* trunk, chest; ~ *de camion* bin; ~ *de gunoi* dust bin, garbage can; ~ *de zestre* bottom drawer, hope chest.
ladin, -ă *s.m., s.f. geogr.* Ladin, Romans(c)h.
ladină *s.f. lingv.* Romans(c)h, Romanche, Rumansch.
ladinian *adj. geol.* ladinic.
lady *s.f.* lady.
lagăr *s.n.* **1.** camp. **2.** *tehn.* bearing.
lagoftalmie *s.f. med.* lagophthalmos, lagophthalmus.
lagunar *adj. geogr.* lagoonal.
lagună *s.f.* lagoon.
lai[1] *s.n. stil.* lay.
lai[2], **laie** *adj. pop.* motley (in black and white).
laibăr *s.n.* short, close-fititing, sleeveless jacket; *aprox.* bolero.
laic *adj.* lay, secular.
laiciza *vt.* to secularize.
laicizare *s.f.* laicization, secularization.
laie *s.f.* **1.** Gipsy camp. **2.** *(ceată)* band, troop.
laitmotiv *s.n.* leit motif.
lakist I. *adj. ist. lit.* Lakist, in the style of the Lake School of poetry. **II.** *s.m.* Lake poet, Lakist.
lalea *s.f. bot.* tulip *(Tulipa)*.
lama *s.m.* (Buddhist) lama.
lamaism *s.n. rel.* Lamaism.
lamaist I. *adj.* Lamaistic. **II.** *subst.* Lamaist.
lamantin *s.m. zool.* lamantin, manatee, manati *(Trichechus latyrostris / manatus)*.
lamarckism *s.n. biol.* Lamarckism, Lamarckianism.
lamarckist *adj. biol.* Lamarckian.
lamare *s.f. tehn.* facing, spot facing.
lamaserie *s.f. bis.* lamasery, lama monastery.
lamă *s.f.* **1.** blade. **2.** *(de ras și)* razor blade. **3.** *(pt. microscop)* mount. **4.** *zool.* llama *(Auchenia lama)*.
lambar *s.n. tehn.* rabbet(ting)- / grooving-fillister / plane.
lambă *s.f.* **1.** *(la căruță)* tether. **2.** *constr.* tongue.
lambert *s.m. fiz.* lambert (unit of brightness).
lambliază *s.f. med.* lambliasis, giardiasis.
lamblie *s.f. zool.* lamblia, giardia *(Lambria / Giardia intestinalis)*.
lambrechin *s.n. constr.* lambrequin.

lambrisa *vt. constr.* to wainscot, to panel, to line.
lambriu *s.n. constr.* panelling, wainscoting (in wood); casing, lining (in marble).
lamelar *adj.* lamellar, lamellate.
lamelat *adj.* lamellate(d).
lamelă *s.f.* **1.** lamella. **2.** *(pt. microscop)* slide.
lamelibranhiat *zool.* **I.** *adj.* lamellibranchiate. **II.** *s.n.* lamellibranch.
lamelicorn *adj. zool.* lamellicorn.
lameliform *adj.* lamelliform, lamellar, flaky.
lamenta *vr.* to lament, to wail, to complain.
lamentabil I. *adj.* pitiable. **II.** *adv.* lamentably.
lamentație *s.f.* lamentation, lament, (be)wailing.
lamento *s.n. muz.* lament, dirge.
lamina *vt., vr.* to roll.
laminaj *s.n. text.* draft.
laminar *adj. fiz. etc.* laminar; flaky, scaly.
laminaria *s.f. bot.* Laminaria *(Laminaria).*
laminat *met.* **I.** *adj.* laminate(d). **II.** *s.n.* rolled iron; laminate.
laminate *s.m. pl.* rolled (metal) goods.
laminator *s.m. met.* roller.
lamină *s.f. bot.* lamina; limb.
laminectomie *s.f. med.* laminectomy.
laminor *s.n.* rolling mill.
laminorist, -ă *s.m., s.f. met.* roller, mill-hand, laminator.
lampadar *s.n.* lamp post.
lampagiu *s.m.* lamp lighter.
lampant *adj.* lamp.
lampas *s.n.* stripe (on officer's trousers).
lampă *s.f.* **1.** lamp. **2.** *(bec)* light bulb; ~ *de masă* reading lamp; ~ *de miner* cap lamp.
lampion *s.n.* Chinese lantern.
lamprofir *s.n. geol.* lamprophyre.
lamură *s.f.* flower, pick, cream.
lamé *s.n. text.* gold / silver lamé, gold / silver spangles.
lan *s.n.* field.
lanametru *s.m. text.* lanameter.
lancasterian *adj.* lancasterian, lancastrian.
lancasterianism (lancastrianism) *s.n.* Lancast(e)rianism.
lance *s.f.* lance, spear.
lanceolat *adj. bot.* lanceolate, spear-shaped.
land *s.n. geogr., pol.* land.
landă *s.f.* sandy moor; *(pârloagă)* heath.
ländler *s.n. muz.* ländler, Austrian couple dance.
landou *s.n.* **1.** landau. **2.** *(cărucior)* pram, perambulator.
landras *s.m. zool.* landras breed of swine.
landsknecht *s.m. mil.* landsknecht, lansquenet.
landsmal *s.n. lingv.* Landsma(a)l.
landșaft *s.n.* landscape; geographical zone / area.
landtag *pol.* **1.** land parliament. **2.** provincial diet.
languros *adj.* **1.** sentimental. **2.** *(d. priviri)* sheep's (eyes etc.).
langustă *s.f. zool.* spiny lobster *(Palinurus vulgaris).*
lanital *s.n. text.* lanital, casein fibre.
lanolină *s.f.* lanoline.
lansa I. *vt.* **1.** to launch. **2.** *(a răspândi)* to circulate. **3.** *(a iniția)* to initiate. **4.** *(pe cineva)* to introduce. **II.** *vr.* **1.** to rush (headlong). **2.** *(a se aventura)* to venture.
lansare *s.f.* launching.
lansetă *s.f.* semi-automatic shooting-rod.
lantan *s.n. chim.* lanthanum.
lantanide *s.n. chim.* lanthanide.
lanternă *s.f.* **1.** lantern. **2.** *(de buzunar)* flash light.
lanternou *s.n. arh.* (small) lantern.
lanț I. *s.n.* **1.** chain. **2.** *pl. și* fetters. **3.** *(serie și)* concatenation; ~ *muntos* mountain range; *în* ~ chain. **II.** *adv.* in succession.
lanțetă *s.f.* lancet.
lanugo *s.n. anat.* lanugo.
lao *subst. geogr., lingv.* lao.
laolaltă *adv.* together.
laoțian, -ă I. *adj.* Laos. **II.** *subst.* Laotian.
laparoscop *s.n. med.* laparoscope.
laparoscopie *s.f. med.* laparoscopy.
laparotomie *s.f. med.* laparotomy.
lapida *vt.* to lapidate, to stone.
lapidar *adj.* terse.
lapiez *s.n. geol.* lapies; karren.
lapili *s.m. pl. geol.* lapilli; *sg.* lapillus.
lapislazuli, lapis (lazuli) *s.n. mineral.* lapis lazuli, lapis.
lapiți *s.m. pl. mitol.* lapithae.
lapon *s.m., adj.* Lapp.
laponă I. *s.f.* **1.** Lapp (woman). **2.** *(limba)* Lapponic. **II.** *adj.* Lapp.
lapoviță *s.f.* sleet.
lapsus *s.n.* slip.
lapte *s.n.* milk; ~ *acru* sour milk; ~ *bătut* butter milk; ~ *covăsit* curds; ~ *de pasăre* snow eggs; ~ *de var* milk of lime; ~ *praf* powder milk.
lapți *s.m. pl.* soft roe.
larariu *s.n. ist., arh.* lararium.
larg I. *s.n.* open (sea); *în* ~ in the offing; *în ~ul coastei* off the coast; *în ~ul său* at one's ease; *pe* ~ in great detail, fully. **II.** *adj.* **1.** wide, vast, broad. **2.** *(spațios)* roomy, spacious. **3.** *(d. haine)* loose. **4.** *(d. gest și)* sweeping.
larga *vt. av.* to release, to drop.
largactil *s.n. chim.* chlorpromazine.
largare *s.f. av. etc.* releasing, dropping.
larghetto *adv. muz.* larghetto.
larghețe *s.f.* liberality, open-handedness.
largo *adv., s.n. muz.* largo.
lari *s.m. pl. mitol.* Lares.
larice *s.f. bot.* v. z a d ă.
lariforme *s.n. pl. ornit.* the gulls; laridae.
laringal *adj. lingv.* laryngeal.
laringe *s.n.* larynx.
laringial *adj. anat.* laryngeal.
laringian *adj. anat.* laryngeal.
laringită *s.f. med.* laryngitis.
laringofon *s.n.* laryngophone, throat microphone.
laringolog *s.m.* laryngologist.
laringologie *s.f. med.* laryngology.
laringoscop *s.n. med.* laryngoscope.
laringoscopie *s.f. med.* laryngoscopy.
laringotomie *s.f. med.* laryngotomy.
lariță *s.f. bot.* v. z a d ă.
larmă *s.f.* hubbub.
larvar *adj.* larval.
larvă *s.f.* larva.
larve *s.f. pl. mitol.* v. l e m u r i.
larvicid I. *adj.* larvicidal. **II.** *subst.* larvicide, larvacide.
lasciv *adj.* lascivious, randy.
lascivitate *s.f.* lasciviousness, lewdness, lust.
laser *s.n. fiz. etc.* laser.
lasso *s.n.* lasso.
lastex *s.n. ind.* lastex.
laș I. *s.m.* coward. **II.** *adj.* cowardly, yellow about the gills.
lașitate *s.f.* poltroonery.
lat I. *s.m. entom.* crab (louse). **II.** *s.n.* **1.** broad (side); breadth. **2.** *(al sabiei)* flat; *de-a ~ul* across. **III.** *adj.* **1.** broad. **2.** *(d. farfurii)* flat; ~ *în spate* broad-shouldered.
latent I. *adj.* latent. **II.** *adv.* latently.
latență *s.f.* latency.
lateral I. *adj.* lateral. **II.** *adv.* laterally.
laterit *s.n. geol.* laterite.
latex *s.n.* latex, liquid rubber.
latice *s.f. mat.* lattice.
laticifer *s.n. bot.* laticiferous element; cell.
laticlavă *s.f. ist. Romei* laticlave.

latifundiar *s.m.* great landowner.
latifundiu *s.n.* great landed property.
latin *adj.* Latin.
latină *s.f.* Latin.
latinesc *adj.* Latin.
latinește *adv.* Latin.
latinism *s.n.* Latinism.
latinist I. *adj.* Latinizing. **II.** *s.m.* **1.** Latinist, Latin scholar. **2.** *ist.* adept of Latinism.
latinitate *s.f.* Latinity.
latiniza *vt.* to Latinize.
latinizant *adj.* Latinizing.
latino-american *s.m., adj. geogr.* Latin-American.
latir *subst. bot.* Lathyrus *(Lathyrus).*
latirism *s.n. med.* lathyrism.
latitudine *s.f.* **1.** *geogr.* latitude. **2.** *fig.* freedom, means; *e la ~a ta* it is up to you.
latrină *s.f.* privy.
latrones *s.m. pl. ist. Romei* latrons, brigands.
latură *s.f.* **1.** side. **2.** *fig. și* aspect.
laț *s.n.* **1.** loop, noose. **2.** *fig. și* trap.
lațe *s.f. pl.* shaggy hair.
laudanum *s.n. farm.* laudanum.
laudativ I. *adj.* laudative, laudatory; eulogistic. **II.** *adv.* eulogistically; in commendatory terms.
laudă *s.f.* praise; *~ de sine* boastfulness.
laur *s.m.* **1.** laurel. **2.** *bot.* v. d a f i n.
lauracee *s.f. pl. bot.* Lauraceae.
laureat *s.m.* laureate.
lauță *s.f. muz.* lute.
lavabil *adj.* washable, wash...
lavabou *s.n.* **1.** wash-stand. **2.** *(spălător)* lavatory.
lavalieră *s.f.* four-in-hand tie.
lavandă *s.f.* lavender.
lavă *s.f.* lava.
lavină *s.f.* snow slip; avalanche.
laviță *s.f.* bench.
laviu *s.n. artă* aquatint, wash(ed) / tinted drawing, wash-tint.
lavoar *s.n.* **1.** wash-stand. **2.** *(chiuvetă)* wash-hand basin.
lavrac *s.m. iht.* morone *(Morone labrax).*
lavră *s.f. bis. ortodoxă* spread out / vast monastery.
lawrenciu *s.n. chim.* lawrencium.
laxativ *s.n., adj.* laxative.
lazaret *s.n.* lazaret(to).
lazulit *s.n. mineral.* lazulite.
lazurit *s.n. mineral.* v. l a p i s l a - z u l i.
lăbărța *vr.* to get out of shape.
lăbărțat *adj.* **1.** out of shape; hanging loosely; loose. **2.** *(d. scris)* scrawling. **3.** *(d. stil)* swollen, bombastic. **4.** *(d. cineva)* sprawling.
lăcar *s.m. ornit.* warbler *(Acrocephalus).*
lăcaș *s.n.* **1.** house, place. **2.** *tehn.* groove; *~ de veci* one's last home.
lăcăraie *s.f.* v. a p ă r i e.
lăcărie *s.f.* pool.
lăcărit *s.n. ind. petrol.* bailing.
lăcătuș *s.m.* locksmith.
lăcătușerie *s.f.* locksmith's trade *sau* shop.
lăcomi *vr.* to be greedy; *a se ~ la* to covet.
lăcomie *s.f.* **1.** greed. **2.** *(la mâncare)* gluttony. **3.** *fig. și* avidity; *cu ~* eagerly.
lăcoviște *s.f.* v. l a c o v i ș t e.
lăcrămioară *s.f. bot.* lily of the valley *(Convalaria majalis).*
lăcrămos *adj.* weeping, tearful.
lăcrima *vi.* to shed tears.
lăcrimar *s.n. constr.* dipstone; larmier, draining board.
lăcrimos *adj.* v. l ă c r ă m o s.
lăcui *vt.* to lacquer.
lăcustar *s.m. ornit.* rose-coloured starling / pastor *(Pastor roseus).*
lăcustă *s.f. entom.* **1.** locust. **2.** *(cosaș)* grasshopper.
lăfăi *vr.* **1.** to sprawl. **2.** *fig.* to lord it.
lăicer *s.n.* (strip of) carpet.
lăieș *s.m.* wandering Gypsy.
lălăi *vt. fam.* to troll out / off (a song).
lălâu *adj.* lubberly.
lămâi *s.m. bot.* lemon-tree *(Citrus limonium).*
lămâie *s.f.* lemon.
lămâioară *s.f. bot.* thyme *(Thymus vulgaris).*
lămâiță *s.f. bot.* aloysia *(Lippia citriodora).*
lămbui *vt. tehn.* to rabbet.
lămbuitor *s.n. tehn.* v. l a m b a r.
lămpărie *s.f. min.* lamp room.
lămuri I. *vt.* **1.** to clear up. **2.** *(pe cineva)* to enlighten. **3.** *(a rezolva)* to solve. **II.** *vr.* to be explained.
lămurire *s.f.* explanation.
lămurit I. *adj.* **1.** clear. **2.** distinct. **II.** *adv.* **1.** clearly. **2.** distinctly. **3.** *(tare)* aloud.
lămuritor *adj.* explanatory.
lăncier *s.m. mil. odin.* lancer; *(ulan)* uhlan.
lănțișor *s.n.* **1.** little chain. **2.** *mat.* catenary.
lăor *s.n. text.* flax and hemp fibres.
lăpăi *vi.* to lap.
lăptar *s.m.* milkman.
lăptaș *s.n.* multiple fishing-net.
lăptăreasă *s.f.* dairy maid.
lăptărie *s.f.* dairy (produce).
lăptișor *s.n. ~ de matcă* royal jelly.
lăptoc *s.n.* mill race.
lăptos *adj.* milky.
lăptucă *s.f. bot.* lettuce *(Lactuca sativa).*
lărgi I. *vt.* **1.** to widen. **2.** *(a dilata)* to dilate. **3.** *(o haină)* to let out. **4.** *(a întinde)* to stretch. **II.** *vr.* **1.** to widen, to expand. **2.** *(d. o haină etc.)* to grow loose.
lărgime *s.f.* width, breadth.
lărgire *s.f.* **1.** enlargement, expansion, extension. **2.** under-reaming (the bore hole).
lărgit *adj.* widened etc. v. l ă r g i; *(d. o ședință)* broadened.
lărgitor *s.n. tehn.* under-reamer.
lărguț *adj.* fairly loose / wide.
lăsa I. *vt.* **1.** to let (loose). **2.** *(jos)* to drop. **3.** *(a slobozi)* to set free, to release. **4.** *(a îngădui)* to allow. **5.** *(a părăsi)* to leave. **6.** *(a înceta)* to discontinue; *a-și ~ barbă* sau *mustață* to grow a beard / a moustache; *a ~ în pace* to let alone; *a ~ în pană* to leave in the lurch; *a ~ în urmă* to outrun; *a ~ la ananghie* to leave in the lurch; *a ~ la o parte* to leave aside; to say nothing of; *las' pe mine* leave it to me. **II.** *vi.* not to mind; *lasă, lasă!* take care! **III.** *vr.* **1.** to allow oneself... **2.** *(în jos)* to go down, to drop; *(a se tasa)* to settle. **3.** *(a se întinde)* to lie down. **4.** *(a ceda)* to give way. **5.** *(d. noapte etc.)* to set in; *a nu se~* not to let go; *nu te ~!* hold hard!; *a se ~ de* to leave off; to give up; *a se ~ greu* not to yield; *a se ~ în voia...* to submit to...; to indulge in...; *a se~ moale* to yield; *a nu se ~ mai prejos decât* to keep up with (smb. etc.).
lăsată *s.f. lăsata secului* Shrove Tuesday.
lăsător *adj.* indolent.
lăscaie *s.f.* penny.
lăsnicior *s.m. bot.* bitter-sweet, woody, nightshade *(Solanum dulcamara).*
lăstar *s.m., s.n.* offshoot; *pl.* copse.
lăstări *vi.* to sprout, to shoot.
lăstăriș *s.n.* brushwood.
lăstun *s.m. ornit.* **1.** *(~ de casă)* house-martin *(Delichon urbica).* **2.** *(~ de mal)* sand-martin *(Riparia riparia).*
lătăreț *adj.* broad(ened), flat (tened), crushed; widish.
lătăuș *s.m. zool.* gamarid, camaron *(Gammarus pulex).*

lătra *vi.* to bark, to bay.
lătrat *s.n.* barking.
lătrătură *s.f.* bark.
lăturalnic *adj.* **1.** side-... **2.** *(ascuns)* hidden. **3.** *(d. străzi etc.)* back..., by-...
lăturaș **I.** *adj.* side... **II.** *s.m.* outrunner, side horse.
lături[1] *s.f. pl.* slops.
lături[2] *s.f. pl.* *în ~* aside; *(ca interj.)* step aside!, make way! *pe de ~* laterally.
lăți *vt., vr.* to broaden.
lățime *s.f.* breadth.
lățiș *s.n. pop.* *în ~ și curmeziș,* everywhere.
lățos *adj.* **1.** hairy, shaggy. **2.** *(d. oameni)* unkempt.
lăuda **I.** *vt.* **1.** to praise. **2.** *(a flata)* to flatter. **II.** *vr.* to boast, to brag.
lăudabil *adj.* commendable.
lăudăros **I.** *s.m.* windbag. **II.** *adj.* bragging.
lăudăroșenie *s.f.* boastfulness.
lăuntric **I.** *adj.* inner(most). **II.** *adv.* inwardly.
lăut *s.n.* washing.
lăutar *s.m.* fiddler, musician.
lăută *s.f. muz.* **1.** lute. **2.** violin. **3.** string instrument.
lăutăresc *adj.* fiddler's.
lăutărește *adv.* **1.** like a fiddler; by the ear (without notes). **2.** *fig.* amateurishly. **3.** *fam. cinstit, lăutărește* correctly, toat; professionally.
lăuză *s.f.* lying-in woman, confined woman.
lăuzie *s.f.* confinement.
lână *s.f.* wool; *lână de aur* the Golden Fleece; *~ pură* all wool; *de ~* wool(len).
lânărie *s.f.* wool-spinning mill.
lânăriță *s.f.* v. b u m b ă c a r i ț ă.
lânced *adj.* weak, feeble; *(ofilit)* withered.
lâncezeală *s.f.* torpor.
lâncezi *vi.* to stagnate.
lângă *prep.* **1.** (close) by, near, next to. **2.** *(lipit de)* against; *~ geam* by *sau* at the window; *de ~* near *sau* next to; *de pe ~ Consiliul de Miniștri* with *sau* under the Council of Ministers; *pe ~* about; *pe ~ că* besides.
lânos *adj.* woolly, fleecy.
leac *s.n.* remedy; *~uri băbești* quack medicine; *de ~* curative; *nici de ~* not at all; *fără ~* incurable.
leafă *s.f.* **1.** wages. **2.** *(de funcționar și)* salary.
leagăn *s.n.* **1.** cradle. **2.** *(azil)* nursery. **3.** *(scrânciob)* swing.
leah *s.n. înv. geogr.* Pole.
leal *adj.* loyal.
lealitate *s.f.* honesty.
leandru *s.m. bot.* oleander, rose bay *(Nerium oleander).*
leapșa *s.f.* high cockalorum.
leapșă *s.f.* *(joc de copii)* leap frog.
leasă *s.f.* **1.** hurdle work. **2.** *(pt. pești)* wear, weir, kiddle, keep. **3.** *(desiș)* thicket.
leasing *ec., fin.* leasing.
leat **I.** *s.m.* private soldier. **II.** *s.n.* **1.** class; contingent. **2.** year.
leaț *s.n. constr. etc.* lath, thick slat.
lebădă *s.f. ornit.* swan *(Cygnus).*
lebădoi *s.m.* cob swan.
lebărvușt *s.m. cul.* liver sausage, white pudding.
lecit *s.n. artă* lecythus.
lecitinază *s.f. biochim.* lecithinase.
lecitină *s.f. biochim.* lecithin.
lectică *s.f.* litter, palanquin.
lector *s.m.* (university) lecturer.
lectorat *s.n.* lectureship.
lectură *s.f.* reading.
lecție *s.f.* **1.** lesson. **2.** *(oră)* class. **3.** *pl. (teme)* homework; *~ particulară* private lesson; *~ practică* object lesson.
lecui **I.** *vt.* to heal. **II.** *vr.* **1.** to be healed. **2.** *fig.* to get sick (of smth.).
ledeburită *s.f. met.* ledeburite.
lefegiu *s.m. odin.* hireling.
lefter *adj.* penniless; *a lăsa ~* to clean out.
lefteri **I.** *vt.* to fleece, to clean out. **II.** *vr. fam.* to be hard up (for money).
lega **I.** *vt.* **1.** to tie, to bind. **2.** *(strâns)* to fasten. **3.** *(de ceva)* to attach. **4.** *(a uni)* to unite. **5.** *(o ramă)* to dress. **6.** *(a înnoda)* to knot. **7.** *fig.* to connect; *a ~ prietenie* to make friends; *a ~ de gard* to give up. **II.** *vr.* **1.** to be tied *sau* bound. **2.** *fig.* to pledge, to promise; *a se ~ de* to be bound up with; *(a pisa)* to importune, to bother; *(a acosta)* to accost; *(a critica)* to cavil at.
legal **I.** *adj.* lawful. **II.** *adv.* legally.
legalitate *s.f.* legality.
legalizare *vt.* **1.** to legalize. **2.** *(a autentifica)* to authenticate.
legalizare *s.f.* authentication, legalization.
legare *s.f.* binding etc. v. l e g a.
legat **I.** *adj.* **1.** bound, tied. **2.** *(închegat)* connected; *bine ~* strong(ly built). **II.** *adv.* coherently.
legat[1] *s.n. jur.* legacy.
legat[2] *s.m. ist. Romei* legate.
legatar *s.m.* heir; *~ universal* heir general.
legato *adv. muz.* legato.
legație *s.f.* legation.
legământ *s.n.* **1.** pledge. **2.** *(jurământ)* vow.
legăna **I.** *vt.* to rock. **II.** *vr.* **1.** to swing. **2.** *(d. valuri)* to undulate.
legănat **I.** *s.n.* rocking. **II.** *adj.* **1.** rocking. **2.** *(d. mers)* w(r)iggling.
legătoare *s.f.* **1.** *pop. (basma de cap)* headkerchief; *(cravată)* tie; *(fular)* comforter. **2.** *agr. (mașină)* (self-)binder.
legător *s.m.* bookbinder.
legătorie *s.f.* bookbinding.
legătură *s.f.* **1.** bundle. **2.** *(mănunchi)* bunch. **3.** *(basma)* head-kerchief. **4.** *(de carte)* binding. **5.** *(relație)* relation(ship). **6.** *(contact)* touch. **7.** *chim.* (chemical) bound. **8.** *tehn.* coupling. **9.** *mil.* liaison. **10.** *(amoroasă)* (love) affair, liaison; *fără ~* unconnected; *în ~ cu* in connection with; *(din pricina)* on account of; *a lua legătura cu* to contact, to see.
lege *s.f.* **1.** law. **2.** *(în Anglia, S.U.A. și)* act. **3.** *(proiect)* bill. **4.** *(regulă)* rule.
legendar *adj.* legendary, mythical.
legendă *s.f.* **1.** legend, myth. **2.** *(poveste)* tale. **3.** *(a hărții)* conventional signs. **4.** *(la fotografii etc.)* caption.
leghe *s.f.* league.
leghorn *subst. zool.* Leghorn (breed of poultry).
legic *adj. rar* in the nature of a (scientific) law; absolute, compulsory.
legifera *vt.* to proclaim.
legiferare *s.f. jur.* legislation, promulgation, proclamation (of a law, decree).
legionar *s.m. ist. României* iron guard(ist).
legislativ *adj.* legislative.
legislator *s.m. jur.* legislator, lawgiver.
legislatură *s.f.* **1.** legislature. **2.** *(perioadă)* term (of office).
legislație *s.f.* legislation.
legist *adj.* forensic.
legitate *s.f.* nature of a (scientific) law; regularity; absoluteness; compulsioriness.
legitim *adj.* legitimitate.
legitima **I.** *vt.* **1.** to identify. **2.** *(a recunoaște)* to legitimate. **3.** *(un sportiv)* to give (smb.) his colours. **II.** *vr.* to prove one's identity.
legitimare *s.f.* **1.** *jur.* legitimation (of a child). **2.** official recognition (of delegate, title).

legitimație *s.f.* **1.** identity card. **2.** personal paper.
legitimist *s.m. ist. Franței* legitimist.
legitimitate *s.f.* legitimacy.
legiui *vt. rar* to rule, to legislate, to enact.
legiuire *s.f. rar* **1.** ruling. **2.** law, legislation, enactment.
legiuit *adj.* lawful.
legiuitor I. *s.m.* legislator. **II.** *adj.* legislative.
legiune *s.f.* **1.** legion. **2.** *(ist. României)* the Iron Guard.
legumă *s.f.* vegetable.
legumicol *adj.* vegetable...
legumicultor *s.m.* vegetable gardener, market gardener, AE truck gardener.
legumicultură *s.f.* vegetable growing.
legumină *s.f. biochim.* legumin.
leguminoase *s.f. pl.* vegetables.
leguminos *adj.* leguminous.
lehamite *s.f. a-i fi ~ de ceva* to be sick and tired of smth.
lehm *s.n. geol.* limon.
lehuză *s.f.* v. l ă u z ă.
lehuzie *s.f.* v. l ă u z i e.
leietă *s.f.* layette.
leishmanioză *s.f. med.* leishmaniosis, leishmaniasis.
leit *adj.* exact, perfect, very; *~ taică-său* the dead spit of his father.
lejer I. *adv.* loose. **II.** *adj.* lightly.
lek *s.m. ec., fin.* lek (Albanian monetary unit).
lele *s.f.* **1.** *(soră) pop.* sister; *(mătușă)* aunt. **2.** *pop. (femeie tânără)* young woman; *(fată)* girl, *poetic* lass; *(iubită)* love, sweetheart. **3.** profligate, libertine; *(târfă)* whore; *fecior / pui / fiu de ~* bastard.
leliță *s.f.* v. l e l e 1, 2.
lemă *s.f. mat.* lemma.
leming *s.m. zool.* Lemming *(Lemmus lemmus).*
lemn I. *s.n.* **1.** (piece of) wood. **2.** *(butuc)* log. **3.** *pl.* (fire) wood. **4.** *(netăiate)* lumber **5.** *(cherestea)* timber; *~ de esență moale* softwood; *~ de esență tare* hardwood; *de ~* wood(en); *fig.* insensible, dead. **II.** *adj., adv.* unmoved, motionless.
lemnar *s.m.* woodcutter.
lemnărie *s.f.* **1.** wood(work). **2.** *(cherestea)* timber. **3.** *(grămezi)* lumber. **4.** *(meserie)* carpentry.
lemniscată *s.f. geom.* lemniscate.
lemnos *adj.* wooden.
lemuri *s.m. pl. mitol.* lemures.
lemurieni *s.m. pl. zool.* lemuridae.
lenaj *s.n.* woollen material; *pl.* woollens.
lene *s.f.* laziness, sloth.
leneș I. *s.m.* sluggard. **II.** *adj.* slothful. **III.** *adv.* lazily.
lenevi *vi.* to idle.
lenevie *s.f.* laziness.
lenevos *adj.* v. l e n e ș i.
lengăna *vb. reg.* v. l e g ă n a.
leninism *s.n.* Leninism.
leninist I. *s.m.* Leninist. **II.** *adj.* Lenin's, Lenin(ist).
lenitiv I. *adj.* lenitive, mitigating, soothing. **II.** *s.n.* lenitive, palliative.
lenjereasă *s.f.* seamstress.
lenjerie *s.f.* (under)linen; *(de pat)* bedclothes.
lenjuri *s.n. pl.* v. l e n j e r i e.
lent I. *adj.* **1.** slow. **2.** *(leneș)* lazy, torpid. **II.** *adv.* slowly.
lenticelă *s.f. bot.* lenticel.
lenticular *adj.* lenticular.
lentilă *s.f.* lens.
lento *adv. muz.* lento.
leoaică *s.f.* lioness.
leoarbă *s.f. fam.* gab, (potato) trap; *tacă-ți leoarba! fam.* hold your jaw! shut up!, *argou* stash it!
leoarcă *adj.* wringing wet.
leone *s.m. ec., fin.* monetary unit in Sierra Leone.
leonin *adj.* **1.** leonine, lion-like. **2.** *stil.* Leonine.
leopard *s.m. zool.* leopard *(Felis pardus).*
leordă *s.f. bot.* wild garlic *(Allium ursinum).*
lepăda I. *vt.* **1.** to drop. **2.** *(d. animale)* to cast. **3.** *(a avorta)* to miscarry. **4.** *(a părăsi)* to abandon. **II.** *vi.* **1.** to miscarry. **2.** *(d. animale)* to cub. **III.** *vr. a se~ de* to abjure; *(un obicei)* to leave off.
lepădare *s.f.* letting fall etc. v. l e p ă d a; *~ de sine* self-denial.
lepădătură *s.f.* **1.** abortion. **2.** *fig.* villain. **3.** *(femeie stricată)* whore, slut.
lepidocrocit *s.n. mineral.* lepidocrocite.
lepidodendron *s.m. paleont.* lepidodendron.
lepidolit *subst. mineral.* lepidolite.
iepidoptere *s.n. pl. entom.* Lepidoptera.
lepră *s.f.* **1.** leprosy. **2.** *fig.* scoundrel.
lepros I. *s.m.* leper. **II.** *adj.* leprous.
leprozerie *s.f.* leprosy colony.
lepton *s.m. fiz.* lepton.
leptosom *s.m. anat.* leptosome.
leptospiră *s.f. bot.* Leptospira.
leptospiroză *s.f. med.* leptospirosis, leptospiroses.
lepui *vt. tehn.* to lap.
lepuire *s.f. tehn.* straight-line lapping.
lepuit I. *adj.* lapped. **II.** *s.n.* v. l e p u i r e.
ler(ui) *interj.* Halleluiah (used as a refrain in Christmas carols).
lesbiană *s.f.* Lesbian.
lesbianism *s.n. med.* lesbianism, sapphism, tribadism.
lesne *adv.* easily.
lesnicios *adj.* easy.
lespede *s.f.* **1.** slab. **2.** *(de mormânt)* tombstone.
lest *s.n.* ballast.
leș *s.n.* **1.** carrion. **2.** *(de animal)* carcase.
leși *s.m. pl. înv.* Poles.
leșie *s.f.* lye.
leșietic *adj.* **1.** alkaline. **2.** *(cenușiu)* grey; *(mohorât)* gloomy. **3.** *(sălciu)* brackish.
leșin *s.n.* swoon, fainting fit.
leșina *vi.* to faint.
leșinat *adj.* **1.** seized with faintness, in a swoon, in a dead faint. **2.** *fig. (slăbit)* faint; *(de dragoste)* love-sick; *~ de foame* faint with hunger; *~ de oboseală* dropping with fatigue.
leșios *adj.* v. l e ș i e t i c.
letargie *s.f.* lethargy; *med.* death trance.
letcon *s.n. tehn.* soldering bit.
leton I. *s.m.* Lett. **II.** *adj.* Lettish, Latvian.
letonă *s.f.* **1.** Lett(ish woman). **2.** Lettish, the Lettish language.
letopiseț *s.n.* annals, chronicle.
letrină *s.f. poligr.* reference / superior letter; (ornamental) capital, head / initial letter.
letrism *s.n.* **1.** *lit.* lettrism, euphonism; emphasis on sonority in poetry. **2.** *lingv., lit.* cultism, lettrism.
leu *s.m.* **1.** zool. lion *(Felis leo).* **2.** *(monedă)* leu.
leucă *s.f.* support for the sides; stud stave; *reg.* funnel; *lovit cu leuca fam.* off one's nut / chump, potty, dotty.
leucemie *s.f. med.* leukemia.
leucină *s.f. biochim.* leucine.
leucit *s.n. mineral.* leucite.
leuco- *prefix* leuc(o)-.
leucobază *s.f. chim.* leuco base.
leucocidină *s.f. biochim.* leucocidin.
leucocită *s.f. fiziol.* leucocyte, white cell / corpuscle.
leucocitoză *s.f. med.* leucocytosis.
leucoderivat *s.m.* v. l e u c o - b a z ă.

leucodermie *s.f. med.* leucoderma, leukoderma.
leucogramă *s.f. med.* leucogram, leukogram.
leucom *s.n. med.* leucoma, albugo.
leucometru *s.n. med.* leucometer, leukometer.
leuconostoc *s.m. biol.* leuconostoc *(Leuconostoc mesenteroides).*
leucopenie *s.f. med.* leucopenia, leukopenia.
leucoplast *s.n. med.* adhesive plaster / bandage.
leucoplaste *s.n. pl. bot.* leucoplast(id)s.
leucoplazie *s.f. med.* leucoplakia, leucoplasia, smokers's tongue / patches.
leucopoeză *s.f. biol.* leucopoiesis.
leucoree *s.f. med.* leucorrhoea, *fam.* whites.
leucotoxină *s.f. med.* leukotoxin.
leucoză *s.f. med. vet.* leukosis.
leuștean *s.m.* lovage.
leva *s.f.* leva, Bulgarian monetary unit.
Levant *s.m.* Orient, East.
levantin *s.m., adj.* Levantine.
levată *s.f.* **1.** *(la jocul de cărți)* trick. **2.** *text.* doffing.
levănțică *s.f. bot.* lavender *(Lavandula).*
levelleri *s.n. pl. ist. Angliei* Level(l)ers.
levent *înv.* **I.** *adj.* **1.** brave; sturdy. **2.** gallant, generous, open-handed. **II.** *s.m.* v. l e v e n ț i.
levenți *s.m. pl. ist.* **1.** (Moldavian, Turkish, Hungarian) mercenaries. **2.** (Turkish, Levantine) mercenary, seamen. **3.** Hungarian boyscouts (of extremist tendencies).
leviatan *s.n.* Leviathan.
levier *s.n. tehn.* lever.
leviga *vt. agr.* to leach, to levigate.
levigabil *adj.* that can be levigated.
levigare *s.f. agr.* leaching.
levit *s.m. ist. rel.* levite.
levitație *s.f.* levitation.
levită *s.f.* (man's) long and warm indoor gown; dressing gown; long frock coat.
levogir *adj. fiz.* levogyraton, levogyre; anticlockwise.
levulic *adj. chim.* levulinic (acid).
levuloză *s.f. pl. chim.* l(a)evulose, fructose.
levură *s.f. bot., ind. alim.* **1.** leaven; barm, yeast. **2.** *(artificială)* baking powder.
lewisită *s.f. chim.* lewisite.
lexem *s.n.* lexeme.
lexic *s.n.* vocabulary.
lexical *adj.* lexical, word..., vocabulary.
lexicograf *s.m.* lexicographer.
lexicografic *adj.* lexicographic(al).
lexicografie *s.f.* lexicography.
lexicolog *s.m.* lexicologist.
lexicologic *adj.* lexicological.
lexicologie *s.f.* lexicology.
lexicon *s.n.* lexicon.
leza *vt.* to harm.
leziune *s.f.* lesion.
lezmajestate *s.f. (crimă de ~)* lese-majesty.
liană *s.f.* liana.
liant *s.m. constr.* binder, binding material.
liasic *geol.* **I.** *adj.* Lias, Liassic. **II.** *subst.* Lias.
libanez, -ă *adj., subst. geogr.* Lebanese.
libarcă *s.f. entom.* cockroach, *fam.* black beetle *(Blatta orientalis).*
libație *s.f.* libation, drink offering.
libelulă *s.f. entom.* dragon fly.
liber I. *adj.* **1.** *(de)* free (from). **2.** *(disponibil)* available, vacant. **3.** *(gol și) empty.* **4.** *(independent)* independent, unhindered. **5.** *(deschis)* open, clear. **6.** *(d. ochi)* naked. **7.** *(de închiriat, d. casă)* for hire, to let. **8.** *(la semafor)* clear. **II.** *adv.* **1.** freely; openly. **2.** *(improvizat)* offhand.
libera I. *vt.* **1.** to liberate. **2.** *mil.* to discharge. **II.** *vr.* **1.** to get free. **2.** *mil.* to be discharged. **3.** *(de ceva)* to get rid (of smth.).
liberal *s.m., adj.* liberal.
liberalism *s.n. pol.* liberalism.
liberalist *adj. pol.* liberalist(ic).
liberalitate *s.f.* liberality, generosity.
liber-arbitru *s.m. filoz. etc.* free will / arbiter.
liberare *s.f.* **1.** liberation, freeing; discharge. **2.** *jur.* ~ *condiționată* (release on) parole.
liber-cugetător *s.m.* free-thinker.
liberian, -ă *s.m., s.f., adj. geogr.* Liberian.
liber-schimbism *s.n. pol., ec.* free-trade / policy / exchange.
liber-schimbist *s.n.* free-trader; advocate of free exchanges.
libert *s.m. ist. Romei* affranchised Roman slave.
libertate *s.f.* **1.** freedom, liberty. **2.** *(îndrăzneală)* boldness. **3.** *(permisiune)* leave; *~a cuvântului* freedom of speech; *~a presei* freedom of the press; *în~* at large, free (to go).
libertin I. *s.m.* libertine. **II.** *adj.* dissolute.
libertinaj *s.n.* libertinage, libertinism.
libian, -ă *adj., s.m., s.f. geogr.* Libyan.
libidinos *adj.* lewd.
libido *s.n. fiziol., psih.* libido.
librar *s.m.* bookseller.
librație *s.f.* **1.** swing(ing). **2.** *astr.* libration.
librărie *s.f.* bookshop.
libret *s.n. muz.* libretto; ~ *de economii* savings book.
libretist *s.m.* librettist.
licăr *s.n.* sparkle; glitter; *(scânteie)* spark.
licări *vi.* **1.** to glitter; to flicker *(slab)*; to sparkle *(intermitent)*; to shimmer *(pe apă)*; *(d. stele)* to twinckle. **2.** *fig.* to glimmer, to gleam.
licărire *s.f.* gleam.
licăritor *adj.* twinkling.
liceal *adj.* secondary-school...
licean *s.m.* pupil at a secondary school / at a lycée.
licență *s.f.* **1.** university degree. **2.** *(brevet)* licence; ~ *în litere* B. A. (degree); ~ *poetică* poetic licence.
licenția *vt.* to dismiss.
licențiat *s.m.* bachelor (of law, arts etc.).
licențios *adj.* bawdy.
liceu *s.n.* secondary school.
lichea *s.f.* **1.** bootlicker. **2.** *(ticălos)* ne'er-do-well.
lichefia *vt., vr.* to liquefy, to liquate.
lichefiat *adj.* liquefied; liquid; *aer ~* liquid air.
lichefiere *s.f.* liquefaction.
lichelism *s.n.* toad eating.
lichen *s.m. bot.* lichen.
lichid I. *s.n.* liquid. **II.** *adj.* liquid, fluid; *bani lichizi* ready money, hardcash.
lichida *vt.* **1.** to liquidate. **2.** *(a încheia)* to settle (a debt). **3.** *ec.* to clear.
lichidare *s.f.* **1.** abolition. **2.** *ec.* clearance (sale), clearing off.
lichidator *s.m. jur.* liquidator.
lichiditate *s.f. fin.* liquidity.
lichidus *adj. met.* liquidus (curve).
lichior *s.n.* liqueur.
licit *adj.* licit, lawful.
licita *vi.* to bid.
licitant *s.m.* auctioneer, bidder.
licitație *s.f.* auction.
licoare *s.f.* (sweet) drink.
lictor *s.m. ist. Romei* lictor.
licuație *s.f.* **1.** *fiz.* liquation. **2.** *met.* aliquation.
licurici *s.m. entom.* glow worm *(Lampyris noctiluca).*
lider *s.m.* leader.
lidită *s.f. geol.* Lydian stone, touchstone.
lido *subst. geogr.* lido; sand bar.

lied *s.n.* lied.
lift *s.n.* **1.** lift. **2.** *(la bucătărie)* rising cupboard, dumb waiter.
liftă *s.f.* **1.** heathen. **2.** *(ticălos)* scoundrel.
liftier *s.m.* liftboy.
ligament *s.n.* ligament.
ligatură *s.f.* **1.** ligature, *med.* string. **2.** *poligr.* ligature.
ligă *s.f.* league.
lighean *s.n.* basin.
lighioană *s.f.* (wild) beast.
lignificare *s.f.* lignification.
lignină *s.f.* lignin.
lignit *s.n.* lignite.
ligroină *s.f. chim.* ligroin(e).
ligulat *adj. bot.* ligulate.
ligur *ist.* Ligurian.
lihni *vr. a i se ~ de...* to be ready to faint with...
lihnit *adj.* starving, hungry.
liliac *s.m.* **1.** *bot.* lilac *(Syringa vulgaris)*. **2.** *zool.* bat, rearmouse *(Vespertilio)*.
liliacee *s.f. pl. bot.* liliaceae.
liliachiu *adj.* lilac.
liliput *adj.* **1.** *(d. dicționare etc.)* mini, jejune, Lilliput. **2.** *fig.* v. l i l i p u t a n.
liliputan *s.m., adj.* Lilliputian.
limaci *s.m. zool.* slug *(Limax)*.
liman *s.n.* **1.** *geogr.* liman. **2.** *fig.* haven.
limax *s.m. zool.* v. l i m a c i.
limb *s.n.* **1.** *bot., tehn.* limb. **2.** rel. limbo, purgatory.
limbaj *s.n.* language; speech; *~ poetic* poetic diction.
limbare *s.f. mar.* partial / provisional unloading, limbation.
limbareț *adj.* v. l i m b u t.
limbariță *s.f. bot.* water plantain *(Alisma plantago)*.
limbă *s.f.* **1.** tongue. **2.** *(națională)* language. **3.** *(vorbire)* speech. **4.** *(de ceas)* hand. **5.** *(încălțător)* shoe horn. **6.** *(de pământ)* strip. **7.** *(flacără și)* flame; *~ ascuțită* rough tongue; *~ maternă* mother tongue; *~ vorbită* colloquial speech; *cu limba scoasă fig.* breathlessly; thirsty; *cu ~ de moarte* on one's deathbed.
limbric *s.m. zool.* belly worm *(Ascaris lumbricoides)*.
limbut **I.** *s.m.* loquacious fellow. **II.** *adj.* chattering.
limbuție *s.f.* chattering, prating, *fam.* chitchat.
limerick *s.n. stil., lit.* limerick.
limes *s.n. ist., mil.* limes, *pl.* limites.
limfadenită *s.f. med.* lymphadenitis.
limfangită *s.f. med.* lymphangitis.
limfatic *adj. fiziol.* lymphatic.
limfatism *s.n. med.* lymphatism.
limfă *s.f.* lymph.
limfocită *s.f. fiziol.* lymphocyte.
limfocitoză *s.f. med., fiziol.* lymphocytosis.
limfogranulomatoză *s.f. med.* lymphogranulomatosis.
limfoid *adj. fiziol.* lymphoid.
limfopenie *s.f. med.* lymphopenia.
limfopoeză *s.f. fiziol.* lymphopoiesis.
limicol *adj. zool.* limicolous.
limita *vt., vr.* to limit (oneself).
limitare *s.f.* limitation; restriction; *fig.* parochialism.
limitat *adj.* **1.** confined. **2.** *(redus)* reduced. **3.** *fig.* narrowminded.
limitativ *adj.* limitative.
limitator *s.n. tehn.* limiter, limiting device.
limită *s.f.* bound(ary); *fără ~* illimited, infinite; *în limita posibilităților* according to (our etc.) possibilities; *la ~* barely.
limitrof *adj.* coterminous.
limnea *s.f. zool.* lymnaea *(Limnaea)*.
limnigraf *s.n.* limnograph.
limnimetru *s.n.* limnimeter, limnometer.
limnolog *s.m.* limnologist.
limnologie *s.f.* limnology.
limonadă *s.f.* lemonade.
limonit *s.n. mineral.* limonite.
limpede **I.** *adj.* **1.** clear. **2.** *(deslușit)* distinct. **3.** *(senin și)* cloudless. **4.** *(transparent)* transparent. **5.** *(evident)* obvious, evident; *~ ca lacrima* crystal clear. **II.** *adv.* clearly, distinctly.
limpezeală *s.f.* **1.** v. l i m p e z i r e. **2.** transparency, clarity, clearness.
limpezi **I.** *vt.* **1.** to clear (up). **2.** *(a clăti)* to rinse. **II.** *vr.* to clarify.
limpezime *s.f.* clearness.
limpezire *s.f.* **1.** clarification; decantation. **2.** rinse, swilling.
limulus *s.f. zool.* limulus, king crab.
limuzină *s.f.* saloon (car), limousine (car).
lin **I.** *s.m. iht.* tench *(Tinca vulgaris)*. **II.** *adj.* **1.** gentle. **2.** *(dulce)* sweet. **3.** *(neted)* smooth. **4.** *(liniștit)* quiet. **III.** *adv.* slowly.
linacee *s.f. pl. bot.* Linaceae.
linariță *s.f. bot.* wild / toad flax *(Linaria vulgaris)*.
lincoln *subst. zool.* Lincoln (sheep breed).
lindină *s.f. entom.* nit.
lineal *s.n.* **1.** *tehn.* rule(r), straight edge. **2.** *poligr.* ink knife. **3.** *text.* comb strip. **4.** *(la mașina de cusut)* guiding rule.
lingău *s.m.* lickspittle.
linge **I.** *vt.* **1.** to lick. **2.** *fig. și to flatter.* **II.** *vr. a se ~ pe bot fig.* to whistle for it.
linge-blide *s.m.* sponge(r).
lingoare *s.f. pop.* typhoid (fever).
lingotieră *s.f. met.* ingot mould.
lingou *s.n.* ingot.
lingual *adj. anat.* lingual.
lingula *s.f. zool., paleont.* lingula *(Lingula)*.
lingurar *s.m.* **1.** spoon maker. **2.** *(țigan)* Gypsy.
lingură *s.f.* **1.** spoot. **2.** *(polonic)* ladle. **3.** *(conținut)* spoonful.
linguriță *s.f.* **1.** teaspoon. **2.** *(conținutul)* teaspoonful.
linguroi *s.n.* ladle.
lingușeală *s.f.* v. l i n g u ș i r e.
lingușí *vt.* to flatter.
lingușire *s.f.* flattery, *fam.* soft soap.
lingușitor **I.** *s.m.* flatterer, toad eater. **II.** *adj.* cringing.
lingvist *s.m.* linguist.
lingvistic *adj.* linguistic.
lingvistică *s.f.* linguistics.
linia *vt.* to rule.
liniament *s.m.* lineament, feature (of face).
liniar **I.** *adj.* linear; *(drept)* straight. **II.** *adv.* straight.
liniat *adj.* ruled.
liniatură *s.f.* outline (of face / features).
linie *s.f.* **1.** line. **2.** *(riglă)* ruler; *linia orizontului* skyline; *~ de despărțire* hyphen; *~ ferată* railway (line); *~ de conduită* behaviour, conduct; *în linii mari* on the whole, roughly.
liniere *s.f.* ruling of copybooks etc.
liniment *s.n. farm.* liniment.
linioară *s.f.* *(cratimă)* hyphen.
liniometru *s.n. poligr.* type scale.
liniște **I.** *s.f.* **1.** silence. **2.** *(tihnă)* peace, calm. **3.** *(răgaz)* quiet, leisure. **4.** *(nemișcare)* stillness; *~ sufletească* peace of mind. **II.** *interj.* silence!
liniști **I.** *vt.* **1.** to quiet(en). **2.** (a alina) to soothe. **3.** *(a împăca)* to compose. **II.** *vr.* **1.** to grow calm. **2.** *(d. furtună etc.)* to abate.
liniștit **I.** *adj.* **1.** quiet, calm. **2.** *(tăcut)* silent. **3.** *(nemișcat)* still. **4.** *(tihnit)* restful. **II.** *adv.* **1.** quietly, calmly. **2.** *(în tăcere)* silently.
liniștitor *adj.* reassuring etc. v. l i n i ș t i.
liniuță *s.f.* dash; *~ de unire* hyphen.
linograf *s.n. poligr.* linograph.

linogravură *s.f.* woodcut.
linoleat *s.m. chim.* linoleate.
linoleic *adj. chim.* linoleic, linolic (acid).
linolenic *adj. chim.* linolenic (acid).
linoleum *s.n.* **1.** linoleum. **2.** *artă* linocut.
linolic *adj. chim.* v. l i n o l e i c.
linotip *s.n. poligr.* linotype.
linotipie *s.f. poligr.* linotype setting, linotypy.
linotipist *s.m. poligr.* linotyper.
linoxină *s.f. chim.* linoxyn.
lins *adj.* **1.** licked. **2.** *(d. păr)* sleek.
linșa *vt.* to lynch.
linșaj *s.n.* lynching; Lynch Law.
lint *s.n. text.* lint.
linte *s.f.* lentil.
linters *s.n. text.* linters.
lintiță *s.f. bot.* duckweed, frog foot *(Lemna minor).*
lintou *s.n.* v. b u i a n d r u g.
lințoliu *s.n.* pall, shroud.
linx *s.m. zool.* lynx *(Lynx lynx).*
liofil *adj. chim.* lyophilic.
liofilizare *s.f. chim.* lyophilization.
liofob *adj. chim.* lyophobe, lyophobic.
liogel *s.n. chim.* lyogel.
liotă *s.f.* litter, crowd.
lipa-lip *interj.* lickety-split.
lipan *s.m.* **1.** *bot.* v. b r u s t u r e. **2.** *iht.* umber, grayling *(Thymallus thymallus).*
liparit *s.n. geol.* liparite, rhyolite.
lipază *s.f. chim.* lipase.
lipăi *vi.* to scrape / shuffle one's feet.
lipcan *s.m. ist. Românieі* official courier (Turkish or Tartar) employed by Moldavian and Wallachian rulers.
lipcă *s.f. a sta ~ fam.* to stick like a burr.
lipemie *s.f. biochim., med.* v. l i p i d e m i e.
lipi I. *vt.* **1.** to stick (together). **2.** *(un afiș și) to hang.* **3.** *(a suda)* to solder. **II.** *vr.* to stick (to smth.).
lipici *s.n.* **1.** glue, paste. **2.** *fig.* come-hither.
lipicios *adj.* **1.** sticky, gluey. **2.** *(d. mâini etc.)* clammy. **3.** *fig.* affectionate.
lipidă *s.f. biochim.* lipid(e).
lipidemie *s.f.* lip(id)emia, hypercholesterodemia.
lipidol *s.n. farm., med.* lipidol.
lipie *s.f.* flat loaf of bread.
lipit *adj.* stuck, glued; *~ de perete* against the wall; *sărac ~* in dire poverty, (as) poor as a churchmouse.
lipitoare *s.f.* **1.** *zool.* leech *(Hirudo).* **2.** *fig. și parasite.*
lipitor *s.m. ~ de afișe* bill sticker / poster.
lipitură *s.f.* soldering.
lipițan *s.m. zoot.* Lipizzan(er), Lippizaner, Lippizana (Austrian horse breed).
lipocaic *s.m. biochim.* lipocaic.
lipoidă *s.n. chim.* lipoid.
lipoidoză *s.f. med.* lipoidosis.
lipoliză *s.f. fiziol.* lipolysis.
lipom *s.n. med.* lipoma.
lipomatoză *s.f. med.* lipomatosis.
liposarcom *s.n. med.* liposarcoma, *pl.* liposarcomata.
liposolubil *adj. chim.* liposoluble.
lipotimie *s.f.* **1.** *med.* lipothymia, lipothymy. **2.** faintness, swooing.
lipovan *adj., s.m.,* lipovenesc *adj.* Lippovan.
lipoveancă *s.f.* Lippovan (woman).
lipsă *s.f.* **1.** absence. **2.** *(deficiență)* deficiency. **3.** *(greșeală)* error. **4.** *(sărăcie)* want. **5.** *(criză)* shortage; *~ de bani* straitened circumstances;*~ de grijă* carelessnes; *~ la cântar* short weight; *în ~ jur.* by default.
lipscan *s.m. ist.* name given by Romanians to German merchants from Lipsca (Leipzig).
lipscănie *s.f.* **1.** shop of a "Lipscan". **2.** goods sold by a "Lipscan".
lipsi I. *vt.* to deprive. **II.** *vi.* **1.** to fail to come. **2.** *(a nu se găsi)* to be short *sau* wanting; *a-i ~ (un lucru)* to lack *sau* need (smth.); *lipsește* it is missing; *nu-i lipsește nimic* he needs nothing; *nu lipsește mult ca să* it is not far from... **III.** *vr.* to give (it) up; *mă lipsesc de el* I'll do without it.
lipsit *adj.* ~ de... wanting, ...less.
liquidus *adj.* v. l i c h i d u s.
liră *s.f.* **1.** *(sterlină)* pound (sterling). **2.** *(italiană)* lira. **3.** *muz.* lyre.
liră *s.f. tehn.* pipe, expansion pipe.
liric *adj.* lyrical.
lirică *s.f.* (lyrical) poetry.
lirism *s.n.* lyricism, sentimentalism.
lisa *vt. text.* to sleek, to slick.
lisare *s.f. text.* sleeking.
lisă *s.f. constr.* rail rod.
lisează *s.f. text.* smoothing machine.
lista *vt. cib.* to list.
listare *cib.* listing.
listă *s.f.* list; *~ de candidați* panel of candidates; *~ electorală* electoral register.
listel *s.n. arh.* listel, fillet, plain moulding; stria.
listerioză *s.f. med. vet.* listeriosis, listerellosis.
lișiță *s.f. ornit.* moor hen *(Fulica atra).*
litanie *s.f.* litany.
litargă *s.f. chim.* litharge.
literal I. *adj.* word for word. **II.** *adv.* literally.
literalmente *adv.* literally; virtually.
literalmente *adv.* literally.
literar *adj.* literary.
literariza *vt. lit. elev.* to refine stylistically, to sophisticate; to poeticize, to render literary.
literat *s.m.* man of letters, literary man.
literatură *s.f.* **1.** literature. **2.** *(bibliografie)* reference material.
literă *s.f.* **1.** letter. **2.** *(de tipar)* type, character. **3.** *pl.* tellers, literature; *~ mare* capital, block letter; *~ mică* small letter; *litere cursive* italics; *în litera legii* to the letter.
litiază *s.f. med.* lithiasis.
litie *s.f. bis. înv.* **1.** litany. **2.** procession. **3.** prayer for blessing offers. **4.** offers blessed.
litieră *s.f.* v. l e c t i c ă.
litieră *s.f. ist.* palanquin, litter.
litigant *adj.jur.* litigant (party), party in a law-suit.
litigios *adj.* disputed, outstanding.
litigiu *s.n.* litigation.
litispendență *s.f. jur.* pendency (of case).
litiu *s.n. chim.* lithium.
lito- *prefix* litho-.
litofil *adj. chim., bot.* lithophilous.
litogeneză *s.f. geol.* lithogenesis.
litograf *s.m.* lithographer.
litografia *vt.* to mimeograph.
litografic *adj.* lithographic.
litografie *s.f.* **1.** lithograph. **2.** *(procedeul)* lithography.
litografiere *s.f.* lithographing.
litologie *s.f. geol.* lithology.
litopon *s.n. chim.* lithopone.
litoral *s.n.* seacost; *pe ~* at the seaside.
litosferă *s.f.* lithosphere.
litotamniu *subst. bot.* Lithothamnion.
litotă *s.f. stil.* litotes.
litotipografie *s.f. poligr.* lithotypy.
litră *s.f.* **1.** *(băutură)* half pint. **2.** *(greutate)* half pound.
litru *s.m.* litre; quart.
lituană *s.f.* Lithuanian (language).
lituanian *adj., s.m.* Lithuanian.
liturghie *s.f.* mass.
liturghier *s.n.* missal, ordinal.
liturgic *adj.* liturgical.
liță *s.f. el.* stand, stranded wire.
livadă *s.f.* **1.** orchard. **2.** *(pajiște)* meadow.

livan *s.m. bot.* frankincense, salai *(Boswellia).*
livenți v. l e v e n ț i.
livid *adj.* livid, pale.
lividitate *s.f.* lividity, lividness.
livra *vt.* to deliver.
livrabil *adj.* ready for delivery.
livrare *s.f.* delivery; furnishing.
livră *s.f.* pound.
livrea *s.f.* livery.
livresc *adj.* book...; *(d. spirit etc.)* bookish.
livret *s.n.* (small) book.
lizare *s.f. biol.* lysis.
liză *s.f.* v. l i z a r e.
lizibil *adj.* legible.
lizieră *s.f.* skirt (of a forest).
lizimetru *s.n. geol.* lysimeter.
lizină *s.f. biochim.* lysin.
lizol *s.n. farm.* lysol.
lizozimă *s.f. biochim.* lysozyme.
llanos *s.n. geogr.* llano, (South American) savanna(h).
lob *s.m.* lobe.
lobat *adj.* lobate.
lobbism *s.n. pol.* lobbyism.
lobelină *s.f. biochim.* lobeline.
lobodă *s.f. bot.* orache *(Atriplex).*
lobul *s.m. anat.* lobule; *bot.* lobelet.
loc *s.n.* **1.** place; spot. **2.** *(spațiu)* room. **3.** *(scaun)* seat. **4.** *(teren)* (p)lot. **5.** *(pământ)* land. **6.** *(post)* post, job; ~ *comun* cliché, commonplace; ~ *de casă* house lot; ~ *de parcare* motor pool; ~ *de trecere* passage; *de pe* ~ standing; *din* ~ *în* ~ here and there; *în ~ul cuiva* in smb.'s stead; *eu, în ~ul lui* if I were he; *la* ~ again; *la* ~ *comanda! mil.* cancel! *la ~ul lui* unobtrusive, unpresuming, unpretentious; *pe* ~ on the spot.
local **I.** *s.n.* **1.** *(sediu)* premises; headquarters. **2.** *(restaurant etc.)* restaurant; ~ *de dans* dance, hop. **II.** *adj.* local.
localitate *s.f.* locality, place.
localiza *vt.* **1.** to localize. **2.** *(un incendiu)* to bring under control.
localizare *s.f.* localization.
localizat *adj.* localized.
localnic *s.m., adj.* native.
locaș *s.n.* place (of worship etc.).
locatar *s.m.* lodger.
locativ *adj.* dwelling.
locator *s.m.* locator.
locație *s.f.* demurrage.
loch *s.n. nav.* log.
lock-out *ec. pol.* lockout.
loco *adv.* loco.
locomobil *adj.* locomotive.
locomobilă *s.f.* transportable steam engine.
locomotivă *s.f.* railway engine.
locomotor *adj.* locomotor(y).
locomoție *s.f.* locomotion.
locotenent *s.m.* lieutenant; ~ *colonel* lieutenant colonel; ~ *major* senior lieutenant.
locotenență *s.f. ist.* ~ *domnească* deputies of the hospodar, ad-interim rulers.
locotractor *s.n. ferov.* light railway motor tractor.
locșor *s.n. fam.* a little bit of a place.
locțiitor *s.m.* deputy; ~ *politic* political instructor.
locui *vi.* to live.
locuibil *adj.* habitable.
locuință *s.f.* dwelling.
locuit *adj.* inhabited.
locuitor *s.m.* inhabitant.
locuțiune *s.f.* phrase.
locvace *adj. livr.* loquacious, voluble, talkative; eloquent.
locvacitate *s.f.* loquaciousness, loquacity, volubility, talkativeness; eloquence.
loden *s.n.* **1.** *text.* loden cloth. **2.** duffle coat.
loess *s.n. geol.* loess.
logaedic *adj. stil.* logaoedic.
logaritm *s.m.* logarithm.
logaritma *vt. mat.* to find the logarithm of a number.
logaritmic *adj. mat.* logarithmic.
logatom *s.m. telec.* logatom.
loggia *s.f. arh.* **1.** loggia. **2.** *fam.* closed balcony.
logic **I.** *s.n.* the logical thing. **II.** *adj.* logical. **III.** *adv.* logically.
logică *s.f.* logic.
logician *s.m.* logician.
logicism *s.n. log.* logicism.
logistică *s.f.* logistics.
logistician, -ă *s.m., s.f.* logistician.
logo- *prefix* log(o)-.
logodi **I.** *vt.* to betroth. **II.** *vr.* to become engaged (to smb.).
logodnă *s.f.* engagement.
logodnic *s.m.* fiancé.
logodnică *s.f.* fiancée.
logofăt *s.m.* **1.** chancellor. **2.** *(vătaf)* bailiff.
logograf *s.m. ist., lit.* logograph, logogram.
logogrif *s.n.* **1.** logogriph. **2.** *fig.* puzzle.
logometru *s.n.* **1.** *el.* rationeter; quotient meter. **2.** *fiz.* logometer.
logopedie *s.f.* logopedia, logopedics.
logoree *s.f.* garrulousness, loquacity.
logos *s.n.* **1.** logos. **2.** *(discurs)* speech; *(morală)* lecture, *fam.* jaw.
loh *s.n. nav.* log.
loial **I.** *adj.* loyal. **II.** *adv.* loyally.
loialitate *s.f.* loyality.
loisir *s.n.* leisure; spare time activity.
loitră *s.f.* waggon ladder.
lojă *s.f.* box; *(masonică)* lodge.
lojniță *s.f. pop.* v. l e a s ă.
lombalgie *s.f. med.* lumbar pain, pain in the loins.
lombar *adj. anat.* lumbar.
lombard *s.n. fin.* Lombard loan.
londonez **I.** *adj.* London..., *fam.* cockney. **II.** *s.m.* Londoner, *fam.* cockney.
longeron *s.n.* **1.** *constr., tehn.* stringer; beam, member. **2.** *av.* longeron, spar.
longevitate *s.f.* longevity.
longilin *adj. anat.* long-limbed.
longitudinal *adj.* longitudinal.
longitudine *s.f.* longitude.
longobard, -ă **I.** *adj.* Longobardic. **II.** *subst.* Longobard, Lombard.
longrină *s.f. constr.* longitudinal beam / girder / member / sleeper.
lopată *s.f.* **1.** shovel. **2.** *(vâslă)* oar.
lopăta *vi.* to row.
lopătar *s.m.* **1.** rower, oarsman; *(barcagiu)* boatman. **2.** *ornit.* spoon bill *(Platalea leucorodia).*
lor **I.** *adj.* their; *al* ~, *a* ~, *ai* ~, *ale* ~ theirs. **II.** *pron.* (to) them.
lord *s.m.* lord.
lordoză *s.f. med.* lordosis.
lori *s.m. zool.* lori(s) *(Loris gracilis).*
lornietă *s.f.* lorgnette, eye glasses, opera glasses (with a handle).
lornion *s.n.* pince nez, eyeglasses; *(monoclu)* monocle.
lostriță *s.f. iht.* huck *(Salmo hucho).*
lot *s.n.* **1.** (p)lot (of land). **2.** *(parte)* share. **3.** *(grup)* group, batch.
lotcă *s.f.* boat.
loterie *s.f.* **1.** lottery. **2.** *fig.* lottery; matter of chance.
lotiform *adj. artă etc.* lotus-like.
loto *s.n.* **1.** lotto. **2.** *(loterie)* lottery.
lotru *s.m. înv., pop.* v. h o ț, t â l h a r.
lotus *s.m. bot.* lotus *(Nymphaea lotus).*
loțiune *s.f.* shampoo, lotion.
lovi **I.** *vt.* **1.** to strike, to hit. **2.** *(a bate)* to beat. **3.** *(cu cotul)* to nudge. **4.** *(ușurel)* to pat. **5.** *(cu piciorul)* to kick. **6.** *(cu capul, sport)* to head. **7.** *(a răni și fig.)* to hurt. **II.** *vi.* to deal a blow (at smb.). **III.** *vr.* **1.** to bump into each other. **2.** to get hurt; *a se* ~ *de* to come up against.
lovire *s.f.* striking etc. v. l o v i.
lovitură *s.f.* **1.** blow. **2.** *(de picior)* kick. **3.** *(în ușă)* knock. **4.** *(izbitură*

și fig.) stroke. **5.** *(de bici)* lash. **6.** *(atac)* attack, offensive. **7.** *(la fotbal)* shot, kick. **8.** *pol.* coup (d'Etat). **9.** *(spargere)* burglary; ~ *cu capul sport* header; ~ *de grație* finishing stroke; ~ *de pedeapsă* penalty (shot); ~ *de teatru* sensational turn of events; ~ *de trăsnet* thunderbolt; ~ *joasă*, ~ *sub centură* foul *sau* deep hit; ~ *norocoasă* fluke, lucky stroke; *dintr-o* ~ at a stroke (of the pen), at one go.

loxodromă *s.f. geogr.* loxodrome, rhumbline.

loz *s.n.* lottery ticket.

lozie *s.f. bot.* osier *(Salix cinerea).*

lozincă *s.f.* slogan.

lua I. *vt.* **1.** to take. **2.** *(a apuca)* to seize; to catch. **3.** *(a prelua)* to take over, to assume. **4.** *(a răpi)* to deprive *sau* rob of. **5.** *(trenul etc.)* to go by, to board. **6.** *(a cumpăra)* to buy, to book. **7.** *(a consuma)* to have. **8.** *(a căpăta)* to catch. **9.** *(greșit)* to mistake (for smb. else etc.); *a ~-o către* to go to; *a ~ cu împrumut* to borrow; *a-și ~ examenele cu brio* to go in for honours. **10.** *(a încasa)* to charge; *a ~ pe cineva în balon / batjocură* to make a hare of smb.; *a ~ pe cineva în răspăr* to comb smb.'s hair the wrong way; *a ~ pe cineva la rost* to haul smb. over the cools; *a-și ~ picioarele la spinare* to show a clean pair of heels. **II.** *vr.* **1.** *pas.* to be taken / siezed / caught. **2.** *(a fi molipsitor)* to be catching; *a se ~ cu treburile* to forget because of one's work; *a se ~ de cineva* to cavil at smb.; *a se ~ după* to follow smb.'s example; to take smb.'s advice; *a se ~ la întrecere* to run a race; *a se ~ la hartă* to quarrel.

luare *s.f.* taking; *~-aminte* care(ulness); attention; ~ *în discuție* discussion, consideration.

lubeniță *s.f. reg.* water melon.

lubric *adj.* lewd, obscene.

lubricare *s.f. tehn.* lubrication, greasing.

lubricator *s.n. tehn.* lubricator, greaser, oiler.

lubricitate *s.f.* lubricity, lust.

lubrifia *vt.* to lubricate.

lubrifia *vt. tehn. etc.* to lubricate; to grease, to oil.

lubrifiant *s.m.* lubricant.

lubrificator *s.n. tehn.* lubricant, lubricator.

lucarii *s.f. pl. ist. Romei* Lucaria, celebration of sacred forests.

lucarnă *s.f.* skylight, lihght.

luceafăr *s.m.* evening *sau* morning star.

lucernă *s.f. bot.* alfalfa *(Medicago sativa).*

luci *vi.* to glisten.

lucid *adj.* lucid.

luciditate *s.f.* consciousness.

luciferină *s.f. biochim.* luciferin.

lucios *adj.* shiny, glossy, glowing.

lucire *s.f.* shining; *(strălucire)* radiance; *(luciu)* gloss; *(lumină)* brightness.

lucitor *adj.* shining.

luciu I. *s.n.* lustre. **II.** *adj.* **1.** glistening. **2.** *(lunecos)* slippery. **3.** *(neted)* smooth. **4.** *(d. sărăcie)* dire.

lucra I. *vt.* **1.** to process. **2.** *(pământul)* to till. **3.** *(pe cineva)* to sap. **II.** *vi.* **1.** to work. **2.** *(din greu)* to toil. **3.** *(a funcționa și) to function; a ~ noaptea* to work nights; to sit up till small hours. **III.** *vr.* **1.** to be worked. **2.** *(d. pământ)* to be tilled.

lucrare *s.f.* **1.** work. **2.** *(acțiune)* working. **3.** *(teză etc.)* paper. **4.** *pl. (dezbateri)* debates, proceedings; *lucrări edilitare* urban equipment.

lucrat *adj.* elaborate.

lucrativ *adj.* lucrative.

lucrătoare *s.f.* worker, working woman.

lucrător I. *s.m.* **1.** worker, working man. **2.** *(necalificat)* labourer. **II.** *adj.* **1.** work(ing). **2.** *(d. zile)* working, week.

lucrătură *s.f.* **1.** working. **2.** *fig.* intrigue, machination.

lucru *s.n.* **1.** thing. **2.** *(obiect și) object.* **3.** *(muncă)* work. **4.** *(trudă)* toil. **5.** *(acțiune)* act(ion), deed. **6.** *(chestiune)* matter. **7.** *pl.* belongings, chattels; *~cu bucata / în acord* piecework; ~ *de mână* needlework, knitting; fancywork; ~ *demodat* back number; ~ *manual* handicraft; manual training class; *de~* working; *la ~* at work.

luddism *s.n. ist. Angliei* Ludd(it)ism, machine-breakers' movement.

lude *s.f. ist. României* set / lot of tax-payers.

ludion *s.n.* Cartesian devil.

ludlow *s.n. poligr.* Ludlow.

ludovic *s.m. ist., fin.* louis (d'or) (coin).

ludvigit *s.n. mineral.* ludwigite.

lues *s.n. med.* lues, syphilis.

luetă *s.f. anat.* uvula.

lufar *s.m. iht.* blue fish *(Pomatomus saltatrix).*

lufă *s.f. bot.* loofah *(Luffa egiptiaca).*

lugal *s.m. ist.* title of ancient Sumerian rulers of cities-states.

lugol *subst. farm.* lugol's solution.

lugubru I. *adj.* lugubrious. **II.** *adv.* sinisterly.

lui I. *adj.* his; its; *al ~, a ~, ai ~, ale ~* his. **II.** *pron.* (to) him; (to) it.

lujer *s.m.* stem.

lulea I. *s.f.* (tobacco) pipe; *(de lut)* clay (pipe). **II.** *adv.: îndrăgostit ~* head over ears in love.

lumașel *s.n. geol.* lumachel(le).

lumânare *s.f.* candle; taper.

lumânărar *s.m.* chandler.

lumânărică *s.f. bot.* **1.** verbascum, mullein *(Verbascum).* **2.** *lumânărica-pământului* gentian *(Gentiana asclepiadea).*

lumbago *s.n. med.* lumbago.

lume *s.f.* **1.** world. **2.** *(oameni și)* people. **3.** *(omenire și) humanity; ~a mare* the wide world; high society; *ca ~a* fitting, proper, decent; *(adverbial)* properly, decently; *vechi de când ~a* as old as the hills; *de ~* worldly; *de ochii lumii* perfunctorily, ostentatiously; *în ~a întreagă* throughout the world; *pe ~* on earth; *toată ~a* everybody.

lumen *s.m. fiz.* lumen.

lumesc *adj.* **1.** wordly, earthly. **2.** *med.* venereal.

lumina I. *vr.* **1.** to light(en). **2.** *(a lămuri)* to enlighten. **3.** *(a clarifica)* to explain (away), to clear up. **4.** *(a instrui)* to educate, to instruct. **II.** *vi.* to shine, to light. **III.** *vr.* **1.** to dawn, to grow light. **2.** *(la față)* to brighten. **3.** *(d. vreme)* to clear *sau* brighten up. **4.** *(a înțelege)* to understand; *se luminează de ziuă* day is breaking.

luminanță *s.f. opt.* luminance, brightness.

luminat I. *s.n.* illumination. **II.** *adj.* **1.** lit, lighted. **2.** *fig.* enlightened. **3.** educated.

luminator *s.n. arhit., constr.* sky light; lighting aperture.

lumină *s.f.* **1.** light. **2.** *opt.* lumen. **3.** *fig.* learning, culture; *lumina lunii* moonlight; *lumina zilei* daylight; *lumina soarelui* sunlight, daylight; *(fluorescentă)* strip lighting; *lumina ochilor* eyesight; *fig.* the apple of one's eye; *luminile rampei* footlights, floats; *fig.* limelight; *la lumina zilei* by daylight.

luminător *s.n.* sky light.
luminăție *s.f. luminăția sa etc. înv.* His *sau* Her Highness.
luminiscent *adj.* luminescent.
luminiscență *s.f.* luminescence.
luminism *s.n. artă, filoz.* luminism; luminarism; caravaggism.
luminiș *s.n.* clearing.
luminiță *s.f. bot.* oenothera, evening primrose *(Oenthera biennis).*
luminofor *s.n. chim.* luminophore, luminescent material, phosphor.
luminos *adj.* **1.** bright. **2.** *(strălucitor)* shining.
luminozitate *s.f.* luminosity, luminousness.
lumpenproletariat *s.n.* lumpen (proletariate).
lunar *adj.* **1.** monthly. **2.** *astr.* lunar. **II.** *adv.* monthly.
lunatic I. *adj.* somnambulistic. **II.** *s.m.* sleep walker, somnambulist.
lunație *s.f. astr.* lunation.
lună *s.f.* **1.** month. **2.** *astr.* moon. **3.** *(lumină)* moonlight; ~ *de miere* honeymoon; *acum o* ~ a month ago.
luncă *s.f.* **1.** river meadow. **2.** *(inundabilă)* holm.
lunea *adj.* on Monday(s).
luneca *vi.* **1.** to slip, to slide. **2.** *(a pluti)* to glide. **3.** *(a fi lunecos)* to be slippery.
lunecare *s.f. tehn.* modification of the angle between two linear, concurrent elements within a body, as a result of tangent efforts.
lunecos *adj.* slippery.
lunecuș *s.n.* (glazed) ice.
lunetă *s.f.* **1.** field glass. **2.** *astr.* small telescope.
lunetist *s.m.* rifle man who shoots with a riflescope fire-machine; snipper.
lung I. *s.n.* length; *a-și vedea ~ul nasului* to know one's place. **II.** *adj.* **1.** long. **2.** *(prelung)* prolonged. **III.** *adv.* long.
lungan *s.m.* lanky youth *sau* man; hobbledehoy.
lungi I. *vt.* **1.** to lengthen, to stretch, to extend. **2.** *(a prelungi)* to prolong. **II.** *vr.* **1.** to stretch. **2.** *(a se culca)* to lie down. **3.** *(a se prelungi)* to draw out.
lungime *s.f.* **1.** length. **2.** *(durată și)* duration; ~ *de undă* wave length.
lungire *s.f. tehn.* **1.** plastic deformation resulting from a decrease of the transversal dimensions. **2.** length variation resulting from simple compression or stretching efforts.
lungiș *s.n. în* ~ lengthwise; *în* ~ *și-n curmeziș* far and wide.
lungit *adj.* lying; stretched, elongate(d).
lunguieț *adj.* oblong.
luni I. *s.f.* Monday. **II.** *adv.* (on) Monday.
luntraș *s.m.* boatman.
luntre *s.f.* boat.
luntricică *s.f.* **1.** little boat. **2.** *bot.* oxytropis, locoweed *(Oxytropis).*
lunulă *s.f.* **1.** *anat.* lunule. **2.** *geom.* lunula.
lup *s.m.* wolf; ~ *de mare* seawolf, seadog.
lupanar *s.n.* brothel.
lupă *s.f.* magnifying glass.
lupercalii *s.f. pl. ist.* Lupercalia, ancient Roman celebrations of the god Faunus Lupercus.
lupesc *adj.* wolfish, wolf's.
lupin *s.m. bot.* lupin *(Lupinus).*
luping *s.n.* looping, (the loop).
lupinoză *s.f. med. vet.* lupinosis.
lupoaie *s.f. bot.* broom rape *(Orobanche).*
lupta *vi., vr.* to fight, to struggle; *a (se)* ~ *cu / împotriva* to fight, to combat.
luptă *s.f.* **1.** struggle. **2.** *(bătălie)* battle. **3.** *(încăierare)* fight. **4.** *(război)* war(fare). **5.** *(întrecere)* competition, contest; *lupta de clasă* class struggle;~ *pe viață și pe moarte* mortal combat; ~ *dreaptă* wrestling; *lupta pentru pace* fight for peace; *lupte greco-romane* Gr(a)eco-Roman wrestling; *la mare* ~ in close contest.
luptător *s.m.* **1.** fighter, champion. **2.** *sport* wrestler.
lupus *s.n. med.* lupus.
lurex *s.n.* **1.** fine thin band or thread of gold, gilden silver or copper. **2.** fabric employing this thread.
lusitan, -ă *adj., s.m., s.f. geogr.* Lusitanian, Lusian.
lusitanian *subst., adj. geol.* Lusitanian.
lustragerie *s.f.* shoeblack's / boot black's (work)shop.
lustragiu *s.m.* shoeblack.
lustră *s.f.* chandelier.
lustrin *s.n. text.* (silk) lustrine; cotton lustre.
lustru *s.n.* **1.** lustre, polish. **2.** *(candelabru)* chandelier. **3.** halfdecade, lustrum.
lustrui I. *vt.* **1.** to polish. **2.** *(pantofi și) to clean, to black.* **II.** *vr.* to brush up.
lustruială *s.f.* **1.** polishing. **2.** superficial knowledge and culture (of a person).
lustruire *s.f.* **1.** v. l u s t r u i a l ă. **2.** fine smoothing of a surface with fine abrasives.
lustruit *adj.* **1.** glazed etc. v. l u s - t r u i. **2.** *fig. peior.* artificial.
lustruitor *s.m.* polisher.
lușa *vi.* to squint.
lut *s.n.* clay, earth.
lutărie *s.f.* loam / clay pit.
luteină *s.f. biol.* lutein.
luteran *s.m., adj.* Lutheran.
luteranism *s.n.* Lutheranism, protestantism.
lutețian *s.n., adj. geol.* Lutetian.
lutețiu *s.n. chim.* lutecium.
lutier *s.m.* stringed-instrument maker, violin maker.
lutișor *s.m.* ochre.
lutos *adj.* clayey.
lutră *s.f. zool.* otter *(Lutra vulgaris).*
lutru *s.n.* sealskin, otter fur.
lux *s.n.* **1.** luxury. **2.** *(abundență)* profusion; *de* ~ luxury...
luxa *vt.* to sprain.
luxație *s.f.* sprain.
luxemburghez, -ă *geogr.* **I.** *adj.* Luxemb(o)urgian. **II.** *s.m, s.f.* Luxemb(o)urger.
luxmetru *s.n. fiz.* luxmeter.
luxos *adj.* luxurious, rich.
luxuriant *adj.* luxuriant.

M

M, m *s.m.* M, m, the sixteenth letter of the Romanian alphabet.
mac I. *s.m. bot.* poppy *(Papaver).* **II.** *interj.* quack!
macabru *adj.* grizzly.
macac *s.m. zool.* macaque *(Macacus).*
macadam *s.n.* macadam.
macadamiza *vt.* to macadamize.
macagiu *s.m.* pointsman.
macama *s.n. lit.* Arabic species of rhythmical prose.
macara *s.f.* crane.
macaragiu *s.m.* crane operator.
macaroane *s.f. pl.* macaroni.
macaronic *adj. stil.* macaronic (verse).
macat *s.n.* quilt.
macaz *s.n.* switch.
macchiaioli *s.m. pl. artă* Macchiaioli, Italian impressionists.
macedonean *s.m., adj.* Macedonian.
macedoneancă *s.f.* Macedonian (woman / girl).
macedo-român I. *adj.* Macedo-Romanic. **II.** *s.m.* Macedo-Roman.
macedo-română *s.f.* Macedo-Romanian (language).
macera *vt.* to macerate, to steep, to soak.
macerație *s.f.* maceration, steeping, soaking.
macferlan *s.n. înv.* Inverness(cape).
mach *s.m. fiz., av.* Mach (number).
machairodus *subst. paleont.* Machairodus, Machaerodus.
machetator *s.m.* model maker.
machetă *s.f.* **1.** *artă* clay model. **2.** *teatru* model (of a stage setting). **3.** *tehn.* mock-up; scale model. **4.** *(d. carte etc.)* upmaking.
machi[1] *s.n. geogr.* brushwood-covered heath.
machi[2] *s.m. pol.* maquis, French guerilla / partisan (movement).
machia *vt., vr.* to make up.
machiaj *s.n.* make-up.
machiat *adj.* made-up.
machiavelic I. *adj.* Machiavel(l)ian. **II.** *adv.* cunningly, craftily.
machiavelism *s.n.* Machiavellism.
machiere *s.f.* making-up.
machior *s.m.* make-up man.
machism *s.n. filoz.* Machism, Empiriocriticism.
maclă *s.f. mineral.* macle.
macrameu *s.n.* macramé.
macră *adj.* lean.
macro- *prefix* macr(o)-.
macrobiotic *adj.* macrobiotic, long-lived.
macrobiotică *s.f.* macrobiotics.
macrocefal *adj.* macrocephalic.
macrocefalie *s.f.* macrocephaly.
macrocosm *s.n.* macrocosm.
macroeconomic *adj.* macroeconomic.
macroeconomie *s.f. ec.* macroeconomics.
macrofag *s.n. anat.* macrophage, histiocyte.
macromicete *s.f. pl. bot.* macromycetes.
macromolecular *adj. chim.* macromolecular.
macromoleculă *s.f.* macromolecule.
macroscopic *adj.* macroscopic.
macroscopie *s.f. met.* macroscopic examination.
macroseism *s.n. geol.* macroseism.
macrosocial *adj. sociol.* macrosocial.
macrospor *s.m. bot.* macrospore.
macrostructură *s.f.* macrostructure.
mactra *subst. paleont.* Mactra.
macula *vt. livr.* to maculate, to spot, to speckle.
maculat *adj.* maculate(d).
maculator *s.n.* rough notebook.
maculatură *s.f.* **1.** *poligr.* makle; spoilt sheet. **2.** waste sheets; waste. **3.** *fig.* pulp(s).
maculă *s.f.* spot, stain.
madam *s.f.* madam; *(urmat de nume)* Mrs...
madamă *s.f. înv.* **1.** *(guvernantă)* governess. **2.** *(econoamă)* housekeeper. **3.** *(hotel)* madame. **4.** procuress, AE madam.
madh *s.n. lit.* verse panegyric in Arabic literature.
madipolon *s.n. text.* madapol(l)am.
madonă *s.f.* Madonna.
madrepor *s.m. zool.* madrepore.
madreporar *s.m. zool.* madrepore.
madrigal *s.n. lit., muz.* madrigal.
madrilen *adj., s.m.* Madrilenian.
maestoso *adv. muz.* maestoso.
maestricțian *subst., adj. geol.* upper Senonian.
maestru *s.m.* **1.** master. **2.** *muz.* maestro. **3.** *(specialist)* expert; ~ *emerit* merited master (in art, of sports etc.).
mafie *s.f.* **1.** Maf(f)ia. **2.** *fig. fam.* gang, mafia, organized crime.
mag *s.m.* magus, wise man.
magazie *s.f.* **1.** warehouse, store. **2.** *(la casă)* lumber room.
magazin *s.n.* **1.** shop, store. **2.** *(revistă)* (illustrated) magazine; ~ *cu sucursale* chain store, multiple shop; ~ *de consignație* commission store; ~ *universal* department store.
magazinaj *s.n.* **1.** warehousing, storing (of goods). **2.** *(plată)* storage (charges).
magazioner *s.m.* warehouse man.
maghernită *s.f.* hovel.
maghiar *s.m., adj.* Magyar, Hungarian.
maghiarism *s.n. lingv.* Hungarian word or phrase borrowed by other languages.
maghiran *s.m. bot.* marjoram *(Origamum majorana).*
magic *adj.* magic.
magician *s.m.* magician; *(vrăjitor)* wizard.
magie *s.f.* witchcraft.
magistral I. *adj.* masterly. **II.** *adv.* marvellously.
magistrală *s.f.* thoroughfare.
magistrat *s.m.* magistrate.
magistratură *s.f.* magistrature.
magistru *s.m.* teacher.
magiun *s.n.* (plum) jam.
magmatic *adj. geol.* magmatic.
magmatism *s.n. geol.* magmatism.
magmatogen *adj. geol.* magmatogenic.
magmă *s.f. geol.* magma.
magnat *s.m.* magnate.
magnet *s.m.* magnet.
magnetic *adj.* magnetic.
magnetism *s.n.* magnetism.
magnetit *s.m.*, **magnetită** *s.f. mineral.* magnetite, lodestone.
magnetiza *vt.* to magnetize.
magnetizant *adj.* magnetizing; *fig.* mesmerizing.

magnetizare *s.f. fiz.* magnetization, magnetizing.
magnetizație *s.f. fiz.* magnetization.
magnetochimie *s.f.* magnetochemistry.
magnetodielectric *s.n.* v. m a g n e t o i z o l a n t.
magnetofon *s.n.* tape recorder.
magnetograf *s.n.* magnetograph.
magnetogramă *s.f. fiz.* magnetogram; magnetic map.
magnetohidrodinamic *adj. fiz.* magnetohydrodynamic.
magnetohidrodinamică *s.f. fiz.* magnetohydrodynamics.
magnetoizolant *s.m.* magnetical isolating material.
magnetometrie *s.f. fiz.* magnetometry.
magnetometru *s.n. fiz.* magnetometer.
magneton *s.m. fiz.* magneton.
magnetooptică *s.f. fiz.* magnetooptics.
magnetoscop *s.n.* magnetoscope, video play recorder.
magnetostatică *s.f. fiz.* magnetostatics.
magnetostrictiv *adj.* magnetostrictive.
magnetostricțiune *s.f. fiz.* magnetostriction.
magnetou *s.n. tehn.* magneto.
magnetron *s.n. el.* magnetron.
magnezic *adj. chim.* magnesic.
magnezie *s.f. farm.* magnesia, magnesium oxide.
magnezit *s.n.*, **magnezită** *s.f. mineral.* magnesite.
magneziu *s.n.* magnesium.
magnific *adj.* magnificent.
magnificență *s.f.* magnificence, splendour.
magnitudine *s.f. astr.* magnitude.
magnolie *s.f. bot.* magnolia *(Magnolia)*.
magot *s.m. zool.* maggot *(Macaus sylvanus)*.
mahala *s.f.* **1.** suburb. **2.** *(în Anglia)* slum; *de* ~ suburban, low.
mahalagioaică *s.f.* gossip.
mahalagism *s.n.* scandal (mongering).
mahalagiu *s.m.* scandalmonger.
mahaleb *s.m. bot.* mahaleb (cherry).
maharadjah *s.m.* maharaja(h).
mahayana *s.f. rel.* Mahayana.
mahăr *s.m. argou* big bug / gun.
mahmudea s.f. ist. fin. mahmudiye, Turkish gold coin (of 25 piastres).
mahmur *adj.* seedy (with a hangover).
mahmureală *s.f.* hangover.
mahomedan *s.m., adj.* Moslem, Mahommedan.
mahomedanism *s.n.* Mohammedanism, Mahometanism, Moslemism.
mahon *s.m.* **1.** *bot.* mahogany (tree) *(Swietenia makagoni)*. **2.** *(ca lemn)* mahogany, acajou.
mahorcă *s.f.* cheap tobacco.
mai I. *s.m.* May; *întâi* ~, *unu* ~ May Day. **II.** *s.n.* **1.** *tehn.* mallet, wooden hammer. **2.** *constr.* rammer. **III.** *adv.* **1.** more; -er. **2.** *(aproape)* almost, nearly; *(aproximativ)* approximately, about; *(cât pe ce)* about, on the point of. **3.** *(încă)* still. **4.** *(iarăși)* again; *(încă o dată)* one more / again. **5.** *(după aceea)* after(wards). **6.** *(și)* and; *(în plus)* besides, in addition; **7.** *(încă un / o)* another. **8.** ~ *ales / cu seamă* particularly, especially; ~ *apoi* after(wards); *(mai târziu)* later on; ~ *bine* better; ~ *deunăzi* the other day; ~ *înainte* before; *(mai devreme)* earlier; *(altădată)* formerly; ~ *întâi* in the first place, above all; to begin with; ~ ... ~ ... now... now...; ~-~, ~ *că* about to..., on the point of... (*cu forme în* -ing); almost...; all but...; ~ *mult sau* ~*puțin* more or less; ~ *rar* (quite) unusual; ... is an exception...; doi) the more...; *cât* ~ ... as... as possible; *cu atât* ~ ... all the more...; *nu* ~...; *(cantitativ sau temporal)* no more...; *(temporal)* no longer...; și ~ ... even + *comp.* ...; *tot* ~ ... even more..., *comparativ + comparativ* (greater and greater etc.); *ce se* ~ *aude* what is the news?; ~ *că aș face-o fam.* I have half a mind to do it, I might as well do it; ~ *citește lecția o dată* read the lesson once more; ~ *dă-mi un pahar cu apă* give me another glass of water; ~ *doriți apă etc.?* do you want some more water etc.?; *să nu te* ~ *duci acolo* you shouldn't go there any more / longer; ~ *e aici?* is he still here? ~ *e / încape vorbă! fam.* it goes without saying!, *(sigur)* certainly!, *fam.* to be sure!, sure(ly)!; *nu* ~ *e sare în solniță* there's no more salt in the salt cellar; *cine* ~ *era acolo?* who else was there?; *ce* ~ *faci?* how are you? how are you getting along?; *nu* ~ *spune! fam.* you don't mean it! no, really!; *și ce* ~ *știi?* and what else do you know?.
maia *s.f.* leaven.
maică *s.f.* **1.** mother. **2.** *(călugăriță)* nun; *Maica Domnului* the Holy Virgin.
maidan *s.n.* waste ground.
maiestate *s.f.* **1.** Majesty. **2.** *fig.* stateliness.
maiestuos I. *adj.* stately. **II.** *adv.* majestically.
maieu *s.n.* v. m a i o u.
maieutică *s.f. filoz.* maieutics.
maillechort *s.n. met.* German / nickel silver.
maimuță *s.f.* **1.** monkey. **2.** *și fig.* ape.
maimuțăreală *s.f.* **1.** aping. **2.** *(afectare)* affectation.
maimuțări I. *vt.* to ape. **II.** *vr.* **1.** to put on airs and graces. **2.** *(a se strâmba)* to pull faces.
maimuțoi *s.m.* **1.** missing link. **2.** *(imitator)* ape.
maioneză *s.f.* mayonnaise.
maior *s.m.* major.
maioreasă *s.f. fam.* major's wife.
maiou *s.n.* **1.** undershirt. **2.** *(de balerin)* fleshings.
maistru *s.m.* **1.** foreman. **2.** *fig.* master.
maișă *s.f. ind. alim.* mash (of beer malt).
maizenă *s.f. biochim.* maize amidone.
majarcă *s.f. bot.* Romanian variety of vine with big green grapes.
majolică *s.f. artă* majolica, maiolica.
major I. *s.m.* sergeant. **II.** *adj.* **1.** major. **2.** *(matur și) of age.*
majora *vt.* to increase.
majorant *s.n. mat.* upper bound (of a point set).
majorare *s.f.* increase (in price etc.).
majorat *s.n.* coming of age; *la* ~ of age.
majordom *s.m.* butler.
majoritar *adj.* of a majority.
majoritate *s.f.* majority.
majusculă *s.f.* **1.** capital (letter). **2.** *pl.* block letters.
makimono *s.n. artă* makimono.
mal *s.n.* **1.** bank. **2.** *(de mare)* shore; *(coastă)* coast. **3.** *(râpă)* cliff.
mala *s.f. constr.* trowel / mortar board.
malac *s.m.* **1.** *zool.* young buffalo. **2.** *fig. peior. (om voluminos) fam.* strapping fellow, strapper, beef; *(prost) fam.* duffer, dolt.
malacof *s.m.* hoop (skirt).
malacologic *adj. zool.* malacological.
malacologie *s.f. zool.* malacology.
maladie *s.f.* disease.
maladiv *adj.* **1.** sickly, puny, ailing. **2.** *fig.* unhealthy, morbid.

malaga *s.f.* Malaga (wine).
malaguena *s.f. muz.* malaguena (dance).
malahit *s.n. mineral.* malachite, mountain green.
malaiez *s.m., adj.* Malay.
malar I. *adj.* malar; *os* ~ v. m a l a r II. **II.** *s.n. anat.* malar / cheek bone.
malaric I. *adj.* malarial, malarious. **II.** *s.m.* person suffering from malaria.
malarie *s.f. med.* malaria, marsh fever; ague (fever).
malarioterapie *s.f. med.* malariatherapy.
malaxa *vt.* to mix; *(aluatul)* to knead.
malaxor *s.n.* kneader.
maldăr *s.n.* heap, lot.
maleabil *adj.* pliant.
maleabilitate *s.f.* malleability; pliability.
maleabiliza *vt. met.* to anneal; to ductify.
maleabilizare *s.f. met.* annealing; ductification.
maledicție *s.f. livr.* malediction, curse.
malefic *adj.* malefic, (ob)noxious, wicked, mischievous.
maleină *s.f. biochim.* mallein.
maleolă *s.f. anat.* malleolus.
malformație *s.f. med.* malformation.
malgaș, -ă *adj., s.m., s.f. geogr., lingv.* Malagasy.
malign *adj. med.* malignant.
malignitate *s.f. med. etc.* malignity, malignancy.
maliție *s.f.* malice.
malițios I. *adj.* acrimonious. **II.** *adv.* maliciously.
malițiozitate *s.f.* malice.
malm *s.n. geol.* malm, white Jura.
malofag *adj. entom.* Mallophagan, Mallophagous.
malonest *adj. livr.* dishonest, incorrect.
maltază *s.f. biol.* maltase.
maltez, -ă *adj., s.m., s.f. geogr.* Maltese.
malthusianism *s.n. sociol. pol.* Malthusianism.
malthusianist *sociol. pol.* **I.** *adj.* Malthusian. **II.** *s.m.* Malthusian(ist).
maltoză *s.f. chim.* maltose.
maltrata *vt.* to ill-treat.
maltratare *s.f.* ill-usage, maltreating.
malț *s.n.* malt.
malțifica *vt. agr.* to malt.
malvacee *s.f. pl. bot.* Malvaceae.
mamar *adj. anat.* mammary.
mamă *s.f.* **1.** mother. **2.** *zool.* dam; ~ *vitregă* step mother; *de* ~ maternal; *la mama dracului* at the back of beyond.
mambo *s.n. muz.* mambo (dance).
mamelar *adj. anat.* mammary.
mamelă *s.f.* mamma.
mamelon *s.n. anat.* **1.** nipple. **2.** *geogr.* knoll.
mameluc *s.m.* **1.** mameluke. **2.** *fig. fam. peior.* dummy, mollycoddle; old rotter / fogey.
mamifer *s.n.* mammal.
mamită *s.f. med. vet.* mammitis, mastitis.
mamon *s.m.* Mammon.
mamoș *s.m.* obstretician.
mamut *s.m.* mammoth.
mana *subst. rel.* manna.
management *subst.ec.* management.
manager *s.m. sport, ec.* manager.
mană *s.f.* manna.
manciurian *adj., s.m.* Manchurian.
manco *s.n. ec.* lack, want.
mandant(e) *s.m. jur.* **1.** mandant, mandator. **2.** instigator.
mandarin *s.m.* **1.** *ist.* mandarin. **2.** *s.m. bot.* mandarin(e) tree *(Citrus aurantium).*
mandarină *s.f.* tangerine.
mandat *s.n.* **1.** mandate. **2.** *(poștal)* money order. **3.** *(de arestare)* warrant (for arrest). **4.** *(de deputat)* seat; *sub* ~ mandated.
mandata *vt.* to pass for payment; to sanction an expenditure.
mandatar *s.m. jur.* authorized agent; attorney; assignee.
mandibulă *s.f. zool.* mandible.
mandolă *s.f. muz.* mandola, mandora, mandore.
mandolină *s.f.* mandoline.
mandoră *muz.* v. m a n d o l ă.
mandragoră *s.f. bot.* mandragora, *fam.* mandrake *(Mandragora officinalis).*
mandră *s.f.* circular crawl.
mandril *s.m. zool.* mandrill *(Cynocephalus mormon).*
mandrin *s.n. tehn.* mandrel.
mandrina *vt. tehn.* to chuck (on the lathe), to roll down / on, to bulge.
mandrinare *s.f. tehn.* drifting (of holes).
mandrină *s.f. tehn.* chuck; ~ *de strung* lathe chuck.
manechin *s.n.* **1.** dummy. **2.** *(persoană)* mannequin.
manej *s.n.* manège.
manelă *s.f.* **1.** *constr.* pole. **2.** *nav.* capstan bar.
manetă *s.f.* lever.
maneton *s.n. tehn.* crank pin (of crankshaft); throw.
manevra I. *vt.* **1.** to handle. **2.** *ferov.* to shunt. **II.** *vi.* to manoeuvre.
manevrabil *adj.* manageable; workable.
manevrare *s.f.* handling; man(o)euver(ing); manoeuvre.
manevră *s.f.* **1.** *mil., nav.* exercise; tactical exercise, manoeuvre, drill. **2.** *ferov.* shunting, marshalling. **3.** *nav. (frânghie)* rope; *pl.* rigging. **4.** *fig.* scheme, manoeuvre, intrigue.
mangafa *s.f. (prost) fam.* blockhead, duffer, dolt.
mangal *s.n.* charcoal.
mangaliță *s.f. zool.* Mangalitza swine.
mangan *s.n. chim.* manganese.
manganat *s.m. chim.* manganate.
manganic *adj. chim.* manganic.
manganin *s.n. met.* manganin.
manganit *s.n. mineral.* manganite.
mango *s.n. bot.* (fruit of) mango (tree) *(Mangifera indica).*
mangold *s.m. bot.* mangold, mangel-wurzel, beta *(Beta vulgaris cicla)*
mangrove *s.f. bot.* mangrove (swamp).
mangustă *s.f. zool.* mongoose *(Herpestes).*
mani *s.m. pl. rel.* Manes.
maniabil *adj.* manageable, easy to handle.
maniabilitate *s.f.* **1.** pliancy, maniability, handiness (of tool, ship). **2.** *auto.* dirigibility, controllability, manoeuvrability (of aircraft etc.); handling ability (of vehicle, machine).
maniac I. *s.m.* (mono)maniac. **II.** *adj.* maniac.
maniament *s.n.* point (on fat stock for checking their condition).
manichiură *s.f.* manicure.
manichiuristă *s.f.* manicurist.
manie *s.f.* **1.** (mono)mania, fad. **2.** *(pasiune)* hobby.
manierat *adj.* well-mannered.
manieră *s.f.* manner; *lipsit de maniere* unmannerly.
manierism *s.n.* mannerism.
manierist *artă, lit.* **I.** *adj.* manneristic(al). **II.** *subst.* mannerist.
manifest I. *s.n.* **1.** manifesto. **2.** *(foaie)* leaflet. **II.** *adj.* obvious.
manifesta I. *vt.* to manifest. **II.** *vi.* to demonstrate. **III.** *vr.* to be *sau* become manifest.
manifestant *s.m.* demonstrant.
manifestare *s.f.* manifestation.
manifestație *s.f.* demonstration.

maniheism *s.n. rel.* Manich(a)eism, Manich(a)eanism.
manila *s.f. bot.* Manil(l)a hemp.
manioc *s.m. bot.* manioc, cassava *(Menihot utilissima).*
manipul *s.m. ist. mil.* maniple.
manipula *vt.* to manipulate.
manipulant *s.m.* tram-driver.
manipulator I. *s.n.* manipulator; ~ *telegrafic* key. **II.** *s.m.* v. m a - n i p u l a n t.
manită *s.f. biochim.* mannite, mannitol, manna-sugar.
manivelă *s.f.* crank; ~ *de pornire* crank arm.
manograf *s.m.* manograph.
manometric *adj.* manometric(al).
manometrie *s.f. fiz.* manometry.
manometru *s.n.* pressure gauge.
manoperă *s.f.* labour.
manoză *s.f. chim.* mannose.
mansardat *adj.* mansard-roofed.
mansardă *s.f.* attic.
mansuetudine *s.f.* mansuetude, meekness, tameness; indulgence.
manșă *s.f. av.* control column.
manșetă *s.f.* **1.** cuff. **2.** *(la pantaloni)* turn-up. **3.** *(de ziar)* imprint.
manșon *s.n.* **1.** muff. **2.** *tehn.* sleeve.
manșură *s.f.* armhole.
manta *s.f.* **1.** cloak. **2.** *(de ploaie)* waterproof.
mantie *s.f.* mantle.
mantilă *s.f.* mantila.
mantinelă *s.f. sport* board, fence.
mantisă *s.f. mat.* mantissa.
mantou *s.n.* top coat.
manual I. *s.n.* handbook. **II.** *adj.* manual, hand...
manubriu *s.n. zool.* manubrium.
manuelin *adj. artă* Manoeline.
manufactura *vt.* to manufacture.
manufactură *s.f.* manufacture.
manufacturier *adj.* processing, manufacturing.
manuscript *adj., s.n.* v. m a n u - s c r i s.
manuscris *s.n.* manuscript, MS.
manutanță *s.f.* military bakery.
maor *s.m., adj. geogr.* Maori.
mapamond *s.n.* world map.
mapă *s.f.* portfolio.
maquis *s.n.* **1.** *bot., geogr.* maquis, Mediteranian scrub / brush. **2.** *ist. Franței* (member of the) maquis, maquisard, French guerilla.
marabu *s.m.* marabout.
marafet *s.n.* artifice.
maramă *s.f.* raw silk head dress.
maramureșean I. *adj.* of / from Maramureș. **II.** *s.m.* a man of Maramureș county.
maramureșeancă *s.f.* a woman of Maramureș county (North West Romania).
maran *s.m. ist., geogr.* Ma(r)rano, Christianized Jew.
marangoz *s.m.* ship carpenter.
marasm *s.n.* morass; deadlock.
maraton *s.n.* marathon.
maratonist *s.m. sport.* marathoner, marathon runner.
marc *s.n. cul.* marc (of grapes).
marca I. *vt.* **1.** to mark. **2.** *fin.* to hallmark. **3.** *(a înscrie)* to score. **II.** *vi.* to score.
marcaj *s.n.* **1.** mark. **2.** *fin.* hallmark.
marcando *adv. muz.* marcando.
marcant *adj.* noteworthy.
marcare *s.f.* mark, marking.
marcasit *s.n. mineral.* marcasite.
marcat *adj.* marked.
marcator[1] *s.n. agr.* marker.
marcator[2] *s.m.* marker.
marcație *s.f.* v. m a r c a r e.
marcă *s.f.* **1.** mark. **2.** *(tip)* type. **3.** *(timbru)* postage stamp; *marca fabricii* trade mark.
marcescent *adj. bot.* marcescent, withering.
marchetărie *s.f. artă* inlaid work.
marchitan *s.m.* haberdasher.
marchiz *s.m.* marquess.
marchiză *s.f.* **1.** marchioness. **2.** *arh.* marquee.
marchizet *s.n. text.* marquisette.
marcomani *s.m. pl. ist.* Marcomanni.
marcomanic *adj.* referring to the Marcomanni.
marcota *vt. bot.* to layer.
marcotaj *s.n.* layering, marcottage.
marcotă *s.f.* layer; marcotte.
mardeală *s.f. (bătaie) argou, fam.* drubbing, good licking.
mardi *vt. (a bate) argou, fam.* to drub, to lick soundly.
mare I. *s.f.* **1.** sea. **2.** *fig. și ocean; la* ~ at the seaside; *pe* ~ at sea. **II.** *adj.* **1.** great. **2.** *(întins, vast)* large, vast. **3.** *(voluminos, substanțial)* big. **4.** *(înalt)* tall, high. **5.** *(uriaș)* huge, colossal. **6.** *(grandios)* grand(iose). **7.** *(puternic)* mighty. **8.** *(matur)* grown-up; *în* ~ by and large; *la mai ~!* I wish you joy of it!
maree *s.f.* tide.
maregraf *s.n. nav.* registering tide gauge.
mareometru *s.n.* maregraph, marigraph.
mareșal *s.m.* marshal.
marfagiu *s.m.* cadger.
marfă *s.f.* ware(s), goods.
margaretă *s.f. bot.* (ox-eye) daisy *(Chrysanthemum leucanthemum).*
margarină *s.f.* margarine.
marghiloman *s.n.* Turkish coffee (with a large addition of rum or cognac).
marginal *adj.* marginal.
marginalii *s.f. pl.* marginal notes *sau* comments.
marginalism *s.n. ec.* marginalism.
marginaliza *vt.* to marginalize, to cast out.
margine *s.f.* **1.** edge. **2.** *(de pahar etc.)* brim. **3.** *(graniță)* border. **4.** *(capăt)* end. **5.** *(limită)* limit. **6.** *(de prăpastie)* verge; *la ~a orașului* on the outskirts; *fără margini* boundless.
margraf *s.m. ist.* margrave.
margrafiat *s.n. ist.* margrav(i)ate.
mariaj *s.n.* marriage, match.
marias *s.m. ist., fin.* Maria Theresa dollar.
marijuană *s.f. chim., med.* marijuana, marihuana, marajuana; *fam.* grass.
marimba *s.f. muz.* marimba.
marin *adj.* sea.
marina *vt.* to pickle.
marinar *s.m.* sailor; *fam.* jack tar.
marinare *s.f. cul.* marinading, sousing; pickling, salting.
marinat *adj.* pickled.
marinată *s.f.* marinade.
marină *s.f.* **1.** *mil.* navy. **2.** *(comercială)* merchant marine.
marinăresc *adj.* sailor's, ship's.
marinărește *adv.* in the sailors' fashion / manner.
marinărie *s.f.* seamanship.
marinism *s.n. lit.* Marinism.
marionetă *s.f.* **1.** marionette. **2.** *și fig.* puppet.
marital I. *adj. jur.* marital, conjugal. **II.** *adv.* maritally.
maritim *adj.* sea(going)...
marketing *subst. ec.* marketing science / research.
marmeladă *s.f.* jam.
marmită *s.f. mil.* dixy, camp kettle.
marmora *vt. tehn.* to marble.
marmoră *s.f.* marble.
marmorean *adj.* marmorean, marmoreal.
marmotă *s.f. zool.* marmot, mountain rat *(Arctomys marmotta).*
marmură *s.f.* marble.
marnă *s.f. geol.* marl, diorite sand.
maro *adj.* brown.
marocan, -ă *s.m., s.f., adj. geogr.* Moroccan.
marochin *s.n.* Morocco leather.

marochinărie *s.f.* (Morocco) leather goods.
marochiner *s.m.* morocco-leather dresser; leather worker.
maroniți *s.m. pl. ist. rel.* Maronites.
marotă *s.f.* hobby (horse).
marsuin *s.m. zool.* porpoise, *fam.* sea hog *(Phocaena communis).*
marsupial *adj., s.n. zool.* marsupial.
marsupializare *s.f. med.* marsupialization.
marsupiu *s.m. zool.* marsupium, pouch.
marș I. *s.n.* march; ~ *nupțial* wedding march. **II.** *interj.* **1.** *mil.* forward! **2.** *fam.* get out!
marșarier *s.n.* reverse; *în* ~ on the reverse.
marșă *s.f. geol.* polder.
marșrut *s.n.* **1.** route; *(itinerar)* itinerary. **2.** *tehn.* marchrout.
martalogi *s.m. pl. ist. României* (prince's) frontier guards.
Marte *s.m.* Mars.
martelat *adj.* hammer-wrought.
martensită *s.f. met.* martensite.
martie *s.m.* March.
martingală *s.f. (în diferite sensuri)* martingale.
martir *s.m.* martyr.
martiraj, martiriu *s.n.* martyrdom.
martiriza *vt.* to martyr(ize).
martor I. *s.m.* **1.** witness. **2.** *(în știință)* control; ~ *ocular* eye witness. **II.** *adj.* control.
marț *s.m.* gammon.
marțafoi *s.m. fam.* **1.** waster, rotter, bad lot. **2.** fop, coxcomb, dude.
marțea *adj.* on Tuesday(s); *marțea viitoare* next Tuesday.
marți I. *s.f.* Tuesday. **II.** *adv.* (on) Tuesday.
marțial *adj.* martial.
marțian *s.m.* Martian.
maruflaj *s.n. artă* cloth backing; taping.
maruflare *s.f.* v. m a r u f l a j.
maruflu *s.n. artă* strong paste (for remounting pictures).
mas *s.n.* spending / passing the night; putting up for the night.
masa I. *vt.* **1.** to massage. **2.** *(a îngrămădi)* to mass. **II.** *vr.* to mass, to throng.
masacra *vt.* **1.** to massacre. **2.** *fig.* to mangle.
masacru *s.n.* massacre.
masai *s.m. geogr.* masai, *pl.* masai(s).
masaj *s.n.* massage.
masă *s.f.* **1.** table. **2.** *(mâncare)* meal; *(dejun)* lunch; *(cină, masă principală)* dinner. **3.** *(meniu)* fare. **4.** *(întreținere)* board. **5.** *(mulțime și fiz.)* mass; ~ *de comandă tehn.* console desk; ~ *de prânz* lunch; dinner; ~ *de scris* desk; ~ *de seară* dinner, supper; *masele largi populare* the masses, the rank and file; *mase plastice* plastics; *de* ~ mass; *după* ~ in the afternoon; *în* ~ en masse; *(în serie)* mass, serial.
masca *vt.* **1.** to mask. **2.** *fig.* to screen. **3.** *mil.* to camouflage.
mascaradă *s.f.* masquerade.
mascare *s.f.* **1.** masking. **2.** *mil.* camouflage.
mascaron *s.n. arh.* (grotesque) mask, mascaron.
mascat *adj.* **1.** masked. **2.** *mil.* camouflaged.
mască *s.f.* mask; ~ *de gaze* gas mask; ~ *mortuară* death mask; *sub masca (cu gen.)* under the mask of; under colour of.
mascon *subst. astr.* mascon.
mascotă *s.f.* mascot.
mascul *s.m.* male.
masculin *adj.* masculine.
masculinitate *s.f.* masculineness.
masculinitate *s.f.* masculinity, manliness.
masculiniza *vt., vr. med.* to masculinize.
masculinizare *s.f. med.* masculinization.
mascur *s.m.* boar; *(castrat)* gelded boar.
maselotă *s.f. met.* deadhead; sullage piece, (feed-)head, sprue, runner.
maselotieră *s.f. met.* hot brick.
maser *s.n. tehn.* maser.
maseter *adj. anat. mușchi* ~ masseter muscle.
maseză *s.f.* masseuse.
masicot *s.n. chim.* massicot.
masiv I. *s.n.* massif. **II.** *adj.* **1.** massive, bulky. **2.** *(corpolent)* burly, portly. **III.** *adv.* massively.
masivitate *s.f.* massiveness.
maslu *s.n. rel.* extreme unction.
masochism *s.n. med.* masochism.
masochist, -ă I. *adj.* masochistic. **II.** *s.* masochist.
mason *s.m.* freemason.
masonerie *s.f.* freemasonery.
masonic *adj.* masonic.
masor *s.m.* masseur.
masoreti *s.n. ist. lit.* mas(s)orete, masorite.
mass media *subst.* mass media, the media.
mast *s.n. min.* mast.
mastaba *s.f. arh., ist.* mastaba.
masticare *s.f. ind. cauciucului* mastication.
masticator *adj. anat.* masticatory.
masticație *s.f.* mastication.
mastică *s.f.* anisette, mastic, (mastic / aniseed flavoured alcholic drink).
mastită *s.f. med.* mastitis.
mastodont *s.m.* mastodon.
mastoidă *adj. med. apofiză* ~ mastoid (projection).
mastoidită *s.f. med.* mastoiditis, mastoid disease, *fam.* mastoid.
masturbație *s.f. med.* masturbation, self-eroticism / stimulation.
mașcat *adj. reg. (mare)* big; gross; *(cu bobul mare)* coarsegrained.
mașiculi *s.n. ist., constr., mil.* machicolation.
mașinal I. *adj.* mechanical. **II.** *adv.* mechanically.
mașinație *s.f.* machination.
mașină *s.f.* **1.** machine, engine. **2.** *(automobil)* (motor) car. **3.** *(mașinărie)* machinery. **4.** *(locomotivă)* railway engine, locomotive; ~ *agricolă* farming *sau* agricultural machine; *pl.* machinery; ~ *cu aburi* steam engine; ~ *de calculat* computer; ~ *de călcat* flat *sau* pressing iron; ~ *de croitor* goose (*pl.* gooses); ~ *de cusut* sewing machine; ~ *de gătit* cooking stove; cooker; gas stove; ~ *de imprimat* printing press; ~ *de război* war machine; ~ *de salubritate* scavenging machine; ~ *de scris* typewriter; ~ *de spălat rufe* washing *sau* laundering machine; ~ *de tocat* meat mincing machine; ~ *de tuns iarba* lawn-mower; ~ *de tricotat* knitting machine; ~ *infernală* time bomb; *mașini unelte* machine tools.
mașinărie *s.f.* machinery.
mașinism *s.n.* mechanization.
mașinist *s.m.* **1.** mechanic. **2.** *teatru* flyman.
mașter *adj. pop.* v. v i t r e g.
mașteră *s.f.* stepmother.
mat I. *s.n.* checkmate. **II.** *adj.* **1.** mat(ted). **2.** *(d. sticlă și)* frosted. **3.** *(la șah)* checkmate(d).
mata *pron.* you.
matador *s.m.* matador.
matahală *s.f.* giant, strapping fellow.
matale *adj.* your; *al* ~ yours.
matare *s.f. tehn.* caulking, peening.
mată *s.f. met.* matte, coarse metal.

matcă *s.f.* **1.** *entom.* *(albine)* queen. **2.** *(de râu)* river bed. **3.** *(cotor)* stub.
maté *s.n. bot.* mate, Paraguay tea *(Ilex paraguayensis).*
matelot *s.m.* sailor.
matematic I. *adj.* **1.** mathematical. **2.** *fig.* accurate. **II.** *adv.* mathematically, precisely.
matematică *s.f.* mathematics.
matematician *s.m.* mathematician.
material I. *s.n.* material; ~ *didactic* teaching aid(s), school supplies; ~ *rulant* rolling stock. **II.** *adj.* **1.** material. **2.** *(palpabil)* substantial.
materialicește *adv.* materially.
materialist I. *s.m.* materialist. **II.** *adj.* materialist(ic)
materialitate *s.f.* materiality.
materializa *vt., vr.* to materialize.
materializare *s.f.* materialization.
materie *s.f.* **1.** matter. **2.** *(de studiu)* subject (matter). **3.** *(material)* material; ~ *primă* raw material.
matern *adj.* **1.** maternal. **2.** *(d. limbă)* mother...
maternitate *s.f.* **1.** motherhood. **2.** maternity (hospital).
matinal *adj.* early.
matineu *s.n.* matinée performance.
matisa *vt. nav.* to splice.
matisare *s.f. ind. text.* mat(t)ing, dulling.
matisire *s.f. nav.* splicing, splice.
matitate *s.f. med.* deadness, dullness (of sound).
matiță *s.f. pescuit* matrix of fishing net.
matlasa *vt.* to pad, to quilt, to stuff, to cushion (with fabric).
matlasat *adj.* quilted, padded.
mator *s.n. poligr.* matting iron.
matosi *vr. pop.* v. î m b ă t a II.
matostat *s.n.* v. j a s p.
matrapazlâc *s.n.* racket.
matriarhal *adj.* matriarchal.
matriarhat *s.n.* matriarchate.
matrice *s.f.* **1.** *anat.* uterus, womb. **2.** *mat.* matrix.
matricid I. *adj.* matricidal. **II.** *s.n.* matricide.
matricol *adj.* registration....
matricolă *s.f.* roll, register, list (of members etc.); *mil.* regimental roll.
matrimonial *adj.* matrimonial, marriage...
matrimoniu *s.n.* matrimony, marriage.
matriță *s.f.* **1.** stencil. **2.** *met.* die, mould.
matrițer *s.m. tehn.* die-maker.
matroană *s.f.* matron; *ist. Romei* wife of a Roman citizen.
matronimic *adj.* matronymic.
matroz *s.m.* seaman.
matur *adj.* **1.** mature. **2.** *(adult)* grow-up.
maturație *s.f.* maturation, ripening.
maturitate *s.f.* maturity; ripeness; *lipsă de* ~ nonage.
maturiza *vt., vr.* to mature, to ripen.
maturizare *s.f.* maturation, ripening.
matusalemic *adj.* *(d. vârstă)* incalculable, very advanced / old, of a methuselah.
maț *s.n.* gut, bowel.
maur I. *s.m.* Moor. **II.** *adj.* Moorish.
mauresc *adj.* Moresque.
maurovlah *s.m., adj.* Balkan Romanian.
maus *s.n.* **1.** *cib.* mouse. **2.** German cardgame, maus.
mausoleu *s.n.* mausoleum.
mavrofor *s.m. ist. mil.* elite Greek voluntary.
maxilar *s.n.* jaw.
maxilă *s.f. entom.* maxilla.
maxim *s.n., adj.* **1.** maximum. **2.** *fig.* utmost.
maximal *adj.* maximum, limit.
maximaliza *vt.* to maximalize.
maximă *s.f.* adage, wise saw.
maximum I. *s.n.* maximum; utmost. **II.** *adv.* at (the) most.
maxwell *s.m. fiz.* maxwell.
maya I. *subst. filoz.* maya. **II.** *adj.* *geogr., ist.* Maya(n). **III.** *subst.* *lingv.* Maya(n).
mazagran *s.n.* iced coffee.
mazăre *s.f. bot.* **1.** pea *(Pisum).* **2.** *(boabele)* peas.
mazdakiți *s.m. pl. rel.* mazdakites, mazdakeans.
mazdeism *s.n. rel.* Mazdaism, Zoroastrianism.
mazetă *s.f.* muff; rabbit.
mazil *s.m. ist.* **1.** demoted ruler or dignitary; dethroned prince. **2.** petty boyar without a function at the court. **3.** cavalryman, knight. **4.** tax-collector.
mazili *vt.* to banish.
mazurcă *s.f.* mazurka.
mă *interj.* you!, mister!
măcar *adv.* at least; ~ *că* although; ~ *dacă* if at least.
măcăi *vi.* to quack.
măcăit *s.n.* quacking.
măcăleandru *s.m. ornit.* robin *(Erithacus rubecula).*
măc(i)eș *s.m. bot.* hip (rose) *(Rosa canina).*
măceașă *s.f.* hip(berry), haw, *fam.* roseberry.
măcel *s.n.* massacre.
măcelar *s.m.* butcher.
măcelări *vt.* to slaughter.
măcelărie *s.f.* butcher's (shop).
măcina I. *vt.* to grind. **II.** *vr.* to crumble.
măcinare *s.f.* **1.** grinding, crushing, milling. **2.** *fig.* turmoil; anxiety, concern.
măcinat I. *s.n.* milling. **II.** *adj.* ground.
măcinătură *s.f.* *(făină etc.)* meal.
măciniș *s.n.* grist.
măciucă I. *s.f.* bludgeon. **II.** *adj., adv.* *(d. păr)* on end.
măciulie *s.f.* knob.
măcriș *s.n. bot.* sorrel *(Rumex acetosa).*
mădular *s.n.* limb.
măduvă *s.f.* **1.** marrow. **2.** *bot. și fig.* pith; *până în măduva oaselor* to the backbone.
măgar *s.m.* **1.** donkey, ass. **2.** *fig.* pig, swine.
măgăresc *adj.* **1.** ass('s)..., donkey('s)..., *rar* asinine. **2.** *fig.* *(d. purtare etc.)* asinine; asslike...; *tuse măgărească* (w)hooping cough.
măgărește *adv.* like an ass; like a swine.
măgărie *s.f.* caddishness.
măgăriță *s.f.* she-ass.
măgăruș *s.m.* little donkey / ass, neddy.
măghiran *s.m.* v. m a g h i r a n.
măguleală *s.f.* flattery.
măguli I. *vt.* to flatter. **II.** *vr.* to congratulate oneself.
măgulire *s.f.* flattery.
măgulitor *adj.* complimentary.
măgură *s.f.* knoll.
măi *interj.* hey you!, mister!
măiculeană, măiculiță, măicuță *s.f.* *pop.* **1.** mother, mammy. **2.** *interjecțional* (oh) my!, for goodness' sake!
măiestri *vt.* to make smth. very skillfully / artistically.
măiestrie *s.f.* masterliness, art; ~ *literară* craftsmanship.
măiestrit *adj.* v. m ă i e s t r u.
măiestru *adj.* **1.** masterly; *(artistic)* artistic; *(îndemânatic)* skilful. **2.** supernatural, miraculous.
măiug *s.n.* little rammer.
măiuț *s.n.* v. m ă i u g.
măjărit *s.n. ist.* tax for fishing in the Danube swamps (in Moldavia / Wallachia).
mălai *s.n.* **1.** maize *sau* corn flour. **2.** *(turtă)* maize cake.
mălăieș *adj.* mellow.
mălin *s.m.* bird cherry (tree).

mălină *s.f. bot.* bird cherry *(Prunus padus).*
mălură *s.f.* smut.
mălurici *s.m. bot.* wood pea / vetch *(Orobus variegatus).*
măluros *adj.* blighted.
mămăligă *s.f.* **1.** maize *sau* corn mush; atole. **2.** *fig.* milksop.
mămăligos *adj. fam.* spineless.
mămică *s.f.* mummy.
măna *vr.* to be blighted.
mănăstire *s.f.* monastery.
mănăstiresc *adj.* cloistral, conventual, monastery.
mănos *adj.* **1.** fruitful, fertile; *(bogat)* rich. **2.** *fig.* fruitful; yielding profits; lucrative.
mănunchi *s.n.* **1.** bunch. **2.** *(de raze)* pencil.
mănușar *s.m.* glove maker.
mănușă *s.f.* **1.** glove. **2.** *(de lucru)* gauntlet. **3.** *(fără degete)* mitten. **4.** *(fină)* kid glove; *cu mănuși fig.* gently, delicately; *fără mănuși* roughly; ruthlessly.
măr I. *s.m.* **1.** apple tree. **2.** *(pădureț)* crab tree. **II.** *s.n.* **1.** apple. **2.** *(pădureț)* crab apple; *~ul discordiei* the apple of discord; *mere coapte* coddled apples. **III.** *adv.* soundly; *a bate ~* to lick soundly.
mărar *s.m. bot.* dill *(Anethum graveolens).*
mărăcinar *s.m. ornit.* whinchat, whinchacker *(Saxicola rubetra).*
mărăcine *s.m.* bramble.
mărăciniș *s.n.* **1.** briers, brambles. **2.** patch of ground covered with brambles.
mărăcinos *adj.* briery, full of brambles.
măre *interj. pop. înv. (iată)* lo! behold! *(exprimă mirarea)* oh!
măreț I. *adj.* grand(iose), glorious. **II.** *adv.* grandly.
măreție *s.f.* stateliness, greatness; grandeur; *(maiestate)* majesty; *(splendoare)* splendour.
mărfar *s.n.* goods train.
mărgărit *s.n.* **1.** v. m ă r g ă r i t a r 1. **2.** *bot.* v. m ă r g ă r i t a r 2.
mărgăritar *s.n.* **1.** pearl. **2.** lily-of-the-valley.
mărgea *s.f.* bead.
mărgean *s.n.* coral.
mărgelușă *s.f. bot.* grey millet, pearl plant *(Lithospermum officinale).*
mărgică *s.f.* bead.
mărginaș *adj.* peripheral.
mărgini I. *vt.* to bound. **II.** *vr. a se ~ cu* to border upon; *a se ~ la* sau *să* to confine oneself to.
mărginire *s.f.* **1.** limitation. **2.** *fig. și* narrow-mindedness.
mărginit *adj.* **1.** limited. **2.** *fig. și* narrow-minded.
mări I. *vt.* **1.** to enlarge. **2.** *fig. și to enhance.* **3.** *(în optică)* to magnify. **II.** *vr.* to grow, to increase.
mărie *s.f.* majesty, highness.
mărime *s.f.* **1.** size, dimension(s). **2.** *(proporții)* scope, proportions. **3.** *mat., fiz.* magnitude; *mai-mărimile* the big shots; *în ~ naturală* life-size.
mărinimie *s.f.* magnanimity.
mărinimos I. *adj.* large-hearted. **II.** *adv.* generously.
mărire *s.f.* **1.** enlargement. **2.** *fig.* glory, splendour.
mărit *adj.* **1.** enlarged etc. v. m ă r I. **2.** *fig.* glorious.
mărita I. *vt.* to marry (away). **II.** *vr.* to get married (to smb.).
măritat *s.n.* marriage; *de ~* marriageable.
măritată *adj.* married.
măritiș *s.n.* matrimony.
mărșălui *vi.* to march.
mărturie *s.f.* **1.** testimony. **2.** *fig.* token.
mărturisi *vt., vi., vr.* to confess.
mărturisire *s.f.* avowal.
mărțișor I. *s.m.* March. **II.** *s.n.* amulet.
mărunt I. *s.n.* (small) change. **II.** *adj.* **1.** small. **2.** *(meschin)* mean, petty. **3.** *(fin)* fine. **III.** *adv.* small.
măruntaie *s.f. pl.* entrails.
măruntel *adj.* tiny; mean; scrubby.
mărunți *vt.* to break up.
mărunțiș *s.n.* **1.** *(small)* change. **2.** *pl.* trifles. **3.** *pl.* haberdashery; AE notions.
măscări *s.f. pl.* obscenities.
măscărici *s.m.* buffoon.
măsea *s.f.* large tooth; *~ de minte* wisdom tooth.
măselariță *s.f. bot.* henbane, hog's bean *(Hyoscyamus niger).*
măslin *s.m.* olive tree.
măslină *s.f. bot.* olive *(Olea europaea).*
măsliniu *adj.* olive(-coloured).
măslui *vt.* to load (the dice); to mark (the cards); *(alegerile)* to gerrymander; *(a falsifica)* to falsify; to counterfeit.
măsluitor *s.m.* card sharper.
măsura I. *vt.* **1.** to measure. **2.** *(a cântări)* to weigh. **II.** *vi.* to be (three inches etc.) long etc. **III.** *vr.* measure one's strength (against smb.).
măsurabil *adj.* measurable, mensurable.
măsurare *s.f.* v. m ă s u r ă t o a r e.
măsurat *adj.* **1.** measured. **2.** *fig.* moderate.
măsură *s.f.* **1.** measure. **2.** *(cantitate)* amount. **3.** *muz.* bar. **4.** *(la versuri)* foot. **5.** *fig. (valoare)* value, force; *~ de capacitate* liquid measure; *~ de volum* cubic measure; *cu ~* moderately, temperately; *în ce ~?* in what measure?; *în egală ~* equally; *în mare ~* in a large measure; *în oarecare ~* to a certain extent; *pe ~* made to measure *sau* order; *pe ~ ce* according as; *peste ~* exceedingly.
măsurătoare *s.f.* **1.** measurement. **2.** *(de teren)* survey.
măsuță *s.f.* small *sau* little table; *~ de toaletă* dressing table.
mășcat *adj. bot. reg. (d. cereale)* with big grains.
mătanie *s.f.* **1.** genuflexion. **2.** *pl.* beads; rosary; *a bate mătănii* to genuflect.
mătase *s.f.* silk; *bot. ~a broaștei* water weed.
mătăciune *s.f. bot.* **1.** garden balm, balm mint *(Melissa officinalis).* **2.** dragon's head *(Dracocephalum moldavica).*
mătăhălos *adj.* bulky.
mătăsar *s.m.* **1.** *(țesător)* silk weaver; *(negustor)* silk mercer / dealer. **2.** *ornit.* waxwing, chatterer *(Ampelis garrulus).*
mătăsărie **1.** *text.* (a large quantity of) silk goods. **2.** *ind.* silk mill.
mătăsică *s.f. text.* thin vegetal silk cloth mixed with cotton.
mătăsos *adj.* silky.
mătrăgună *s.f. bot.* belladona *(Atropa belladonna).*
mătreață *s.f.* dandruff.
mătuire *s.f.* matting; caulking, hammering.
mătura *vt.* to sweep.
mătură *s.f.* **1.** broom. **2.** *(târn)* besom.
măturătoare *s.f.*, măturător *s.m.* (street *sau* crossing) sweeper.
măturele *s.f. pl. bot.* cornflower, centaurea *(Centaurea diffusa).*
măturică *s.f.* **1.** small broom; clothes broom / brush. **2.** *bot.* v. m ă t u r e l e.
măturoi *s.n.* v. t â r n.
mătușă *s.f.* **1.** aunt. **2.** *(babă)* old woman.
mătușică *s.f. fam.* auntie.
măzărat *adj.* coarse-grained; big.

măzăriche *s.f.* **1.** *bot.* vetch *(Vicia).* **2.** *(lapoviță)* sleet.
mâhni I. *vt.* to (ag)grieve. **II.** *vr.* to grow sad.
mâhnire *s.f.* sorrow.
mâhnit *adj.* sad, mournful; wistful.
mâine *adv.* **1.** tomorrow. **2.** *(în viitor)* in the future; *ca ~* very soon; *pe ~* see you tomorrow.
mâl *s.n.* silt.
mâlc *adv. fam.* creep-mouse, mum, as mum as mice; *a tăcea ~* to be (as) still as a mouse.
mâlos *adj.* oozy.
mâna *vt., vi.* to drive.
mână *s.f.* **1.** hand. **2.** *(pumn)* fist; *~ curentă* hand rail; *o ~ de ajutor* a helping hand; *de ~* (manual) hand(icraft); *de mâna întâi* of the first water, first rank; *de mâna a doua* second best; *pe sub ~* under hand.
mânăstire *s.f.* v. m ă n ă s t i r e.
mânătarcă *s.f. bot.* mushroom, edible boletus *(Boletus edulis).*
mânca I. *vt.* **1.** to eat. **2.** *(a irita)* to itch. **3.** *fig.* to gnaw at. **4.** *(a bârfi)* to cook smb.'s goose; *a ~ bătaie* to get it hot *sau* in the neck. **II.** *vr.* **1.** to be eaten. **2.** *fig.* to disparage each other.
mâncare *s.f.* **1.** food, fare. **2.** *(merinde)* victuals. **3.** *(fel)* dish.
mâncăcios I. *s.m.* glutton. **II.** *adj.* gluttonous.
mâncărime *s.f.* itching, rash.
mâncător *s.m.* eater; *~ de oameni* man eater.
mâncătorie *s.f.* **1.** intriguery. **2.** *(furt)* embezzlement.
mâncătură *s.f.* **1.** erosion. **2.** v. r o s ă t u r ă.
mâncău *s.m.* glutton.
mândră *s.f.* beauty; sweetheart.
mândrețe *s.f.* splendour.
mândri *vr.* to take pride (in smth.); to boast (of smth.).
mândrie *s.f.* **1.** pride. **2.** *(deșartă)* vanity, arrogance.
mândru *adj.* **1.** proud. **2.** *(încrezut)* haughty. **3.** *(nobil)* lofty. **4.** *(frumos)* splendid, handsome.
mândruliță *s.f. pop.* v. m â n d r ă.
mânea *vi.* *(a petrece noaptea)* to spend the night, to stay all / over night / to take shelter for the night; *(a se opri la un hotel etc.)* to put up.
mâneca *vi., vr. înv., pop.* **1.** to wake up early in the morning; to be an early riser. **2.** to set out early in the morning.
mânecar 1. *s.n. ist. României* short fur or woollen coat with long sleeves. **2.** pad for ironing sleeves.
mânecare *s.n. pl.* butcher's sleeves.
mânecat *s.n. de / la / pe / cu ~e pop.* early in the morning, at daybreak.
mânecă *s.f.* sleeve.
mâner *s.n.* **1.** handle. **2.** *(de sabie etc.)* hilt.
mângâia I. *vt.* **1.** to caress, to stroke. **2.** *(a alinta)* to soothe. **II.** *vr.* to console oneself (with a thought etc.).
mângâiere *s.f.* **1.** caress. **2.** *fig.* comfort.
mângâietor *adj.* soothing.
mângâios *adj.* **1.** v. m â n g â i e t o r. **2.** *(blând)* gentle, soft; *(plăcut)* pleasant; *(încântător)* delightful.
mânia I. *vt.* to vex. **II.** *vr.* to grow *sau* to be furious.
mâniat *adj.* v. m â n i o s.
mânie *s.f.* **1.** wrath. **2.** *(furie)* rage.
mânios I. *adj.* **1.** wrathful. **2.** *(furios)* furious. **II.** *adv.* **1.** wrathfully. **2.** *(furios)* furiously.
mânji *vt., vr.* to sully (oneself).
mânjit *adj.* dirty, soiled.
mântui I. *vt.* **1.** to save. **2.** *(a isprăvi)* to finish. **II.** *vr.* **II.** *vr.* **1.** to be saved. **2.** *(a se sfârși)* to end.
mântuială *s.f. de ~* perfunctory.
mântuire *s.f.* salvation.
mântuitor *s.m.* saviour.
mânui *vt.* to handle, to wield.
mânuire *s.f.* **1.** handling, manipulation. **2.** *ec., fin.* manipulation.
mânuitor *s.m.* **1.** handler. **2.** manipulator.
mânz *s.m.* *(și fig.)* colt.
mânzare *s.f. zool.* a ewe which has recently lambed.
mânzat *s.m.* weanling.
mânză *s.f. zool.* filly.
mânzărar *pop.* **1.** *s.m.* a sheperd who lambs / watches the ewes at lambing time. **2.** *s.n.* sheepfold where the lambing ewes are kept.
mânzește *adv. a râde ~* to put on a forced smile.
mânzoc *s.m.* two or three years old colt.
mârâi *vi.* to growl.
mârâit *s.n.* snarl(ing) etc. v. mârâi.
mârced *adj. reg.* **1.** withered, faded (plants). **2.** *(d. lemn)* imbued with water. **3.** *(d. oameni)* weak, thin.
mârlan *s.m.* boor.
mârli *vt.* to tup.
mârliță *s.f. iht.* v. ș t i u c ă.
mârșav I. *adj.* knavish. **II.** *adv.* knavishly.
mârșăvie *s.f.* baseness.
mârțoagă *s.f.* jade.
mârzac *s.m. ist.* Tartar nobleman (and military leader).
mâț *s.m.* kitten.
mâță *s.f.* cat; *~ blândă* sly dog, sneak.
mâțișori *s.m. pl.* catkins.
mâzgă *s.f.* slime.
mâzgăleală *s.f.* v. m â z g ă l i t u r ă.
mâzgăli *vt.* **1.** to smear, to daub. **2.** *(cuvinte)* to scribble.
mâzgălitură *s.f.* scribbling.
mea *pron. pos., adj. pos.* my; *a ~* mine.
meandră *s.f.* meander; *cu meandre* winding.
meat *s.n.* **1.** *anat.* meatus. **2.** *bot.* intercellular space.
mecanic I. *s.m.* **1.** mechanic. **2.** *(de locomotivă)* engine driver. **II.** *adj.* mechanical. **III.** *adv.* mechanically.
mecanică *s.f.* mechanics; *~ cerească* celestial mechanics.
mecanicism *s.n. filoz.* mechanicalism.
mecanicist *adj. filoz.* mechanical, mechanistic.
mecanism *s.n.* **1.** mechanism. **2.** *(dispozitiv)* device. **3.** *fig.* wheels (within wheels).
mecaniza *vt.* to mechanize.
mecanizare *s.f.* mechanization.
mecanizat *adj.* mechanized.
mecanizator *s.m.* mechanic.
mecanoreceptor *s.m. fiziol.* mechanoreceptor.
mecanotehnică *s.f.* mechanics.
mecanoterapie *s.f.* mechanotherapy.
mecena *s.m.* Maecenas, patron (of art, letters).
mecenat *s.m.* patronage (of art, letters), Maecenatism, Maecenasship.
mecet *s.n. înv.* **1.** little mosque. **2.** Turkish cemetery.
meci *s.n.* match; *~ nul* tie, draw; *~ în nocturnă* floodlit match.
meconină *s.f. chim.* meconin.
meconiu *s.n.* **1.** *fiziol.* meconium. **2.** *chim.* opium.
med *s.m. ist.* Mede, Median.
medalia *vt.* to medal, to award a medal to, to confer a medal on.
medaliat I. *adj.* medal(l)ed. **II.** *s.m.* *(olimpic etc.)* (gold etc.) medallist, recipient of a (gold etc.) medal.
medalie *s.f.* medal; *~ de aur* gold medal.

medalier *s.n.* collection of medals; *(ca mobilă)* medal cabinet.
medalion *s.n.* **1.** medallion. **2.** *(în ziar)* personal.
medalist *s.m. rar* **1.** v. m e d a l i a t II. **2.** *artă* medallionist.
medalistică *s.f.* (the field of) numismatics that studies medals.
medelnicer *s.m. ist.* (lord) steward, attendant to the ruling prince.
medelniță *s.f. înv. ist. României* wash-basin used by the ruler and his guests before dinner.
media *vi.* to intercede.
medial *adj.* medial.
median *adj.* median.
mediană *s.f.* median (line).
mediantă *s.f. muz.* mediant.
mediastin *s.n. anat.* mediastinum.
mediat *adj.* mediate(d).
mediatoare *s.f. geom.* perpendicular on the middle of a segment.
mediator *s.m.* mediator.
mediaiție *s.f.* mediation.
medic[1] *s.m.* physician, doctor; ~ *legist* forensic expert; ~ *veterinar* veterinary surgeon.
medic[2] *adj. ist. Persiei* Median.
medical *adj.* medical; health...
medicament *s.n.* medicine, drug.
medicamentos *adj.* medicinal, drug...
medicație *s.f.* medication, medical treatment.
medicinal *adj.* medicinal.
medicină *s.f.* medicine; ~ *legală* forensic medicine.
medicinist *s.m.* medical student.
medico- *prefix* medico-.
medico-farmaceutic *adj.* medico-pharmaceutical.
medico-legal *adj.* medico-legal.
medico-militar *adj.* medico-military.
medico-sanitar *adj.* medico-sanitary.
medie *s.f.* average; mean; *în* ~ on an average.
mediere *s.f.* mediation, intercession, intermediation.
medieval *adj.* medieval.
medievist *s.m.* medi(a)evalist.
mediocritate *s.f.* mediocrity.
mediocru *adj.* **1.** middling. **2.** *(slab)* poor.
medita I. *vt.* to coach. **II.** *vi.* to meditate (upon smth.), to ponder (over smth.).
meditativ I. *adj.* thoughtful. **II.** *adv.* meditatively.
meditator *s.m.* coach.
meditație *s.f.* **1.** meditation. **2.** *(lecție)* coaching.
mediteranean *adj., s.m.* Mediterranean.
mediu I. *s.m.* medium. **II.** *s.n.* **1.** milieu, environment. **2.** *(în știință)* medium. **III.** *adj.* **1.** average. **2.** *(d. școală)* middle.
medjilis *s.n. pol.* mejilis, majlis.
medresă *s.f.* **1.** Islamic religious school. **2.** building serving for this purpose.
medular *adj. anat. etc.* medullary.
medulosuprarenală *s.f. anat.* medulloadrenal gland.
medulotransfuzie *s.f.* medulla transfusion.
meduză *s.f.* **1.** *zool.* medusa, jelly fish *(Calinema ornata).* **2.** *mitol.* Medusa.
mefistofelic *adj.* Mephistophelian, Mephistophelean.
mefitic *adj.* mephitic, foul, noxious.
mega- *prefix* meg(a)-.
megaciclu *s.m. fiz.* v. m e g a h e r t z.
megacolon *s.n. med.* megacolon.
megaelectronvolt *s.m. fiz.* mega-electron-volt.
megafon *s.n.* loudspeaker.
megagraf *s.n.* megagraph.
megahertz *s.m.* megahertz, megacycle.
megalit *s.m.* megalith.
megalitic *adj.* megalithic.
megalocit *s.n. med.* megalocyte.
megaloman *s.m., adj.* megalomaniac.
megalomanie *s.f.* megalomania.
megarici *s.m. pl. filoz.* Megarians.
megaron *s.n. arh., ist.* megaron.
megateriu *s.m. geol.* megatherium.
megatonă *s.f.* megaton.
megawatt *s.m. fiz. tehn.* megawatt.
megiaș *s.m. pop. ist. României* free holder / peasant.
megieș v. m e g i a ș.
meglenit, -ă *s.m., s.f., adj.* v. m e g l e n o r o m â n.
meglenoromân *adj., s.m.* Megleno-Romanian.
megohm *s.m. el.* megohm.
megohmetru *s.n. el.* megohmeter.
mehenghi *s.m.* **1.** *(șmecher)* old fox, crafty person. **2.** v. p o z n a ș.
mehmendar *s.m. ist. României* **1.** prince's companion and attendant. **2.** prince's supply commissioner / official.
mehtup *s.n. ist. României* **1.** official letter. **2.** report, address.
mehtupciu *s.m. ist. României* clerk in a princely chancellery.
mei I. *s.n. bot.* millet *(Panicum miliaceum).* **II.** *pron. pos., adj. pos.* my; *ai* ~ mine; my folk(s).
meioză *s.f. biol.* meiosis.
meistergesang *s.n. ist.* Meistergesang.
meistersänger *s.m. ist.* Meistersinger.
meișor *s.m. bot.* **1.** millet grass *(Milium effusum).* **2.** crabgrass, digitaria *(Digitaria sanguinalis).*
melafir *s.n. geol.* melaphyre.
melamină *s.f. chim.* melamine.
melană *s.f. text.* melana wool.
melancolic I. *adj.* melancholy, melancholic. **II.** *adv.* melancholically.
melancolie *s.f.* melancholy.
melanezian, -ă *s.m., s.f. geogr.* Melanesian.
melanic *adj. biol.* melanistic.
melanină *s.f. biol.* melanine.
melanj *s.n.* mixture.
melanodermie *s.f. med.* melanoderm(i)a.
melanom *s.n. med.* melanoma.
melanosarcom *s.n. med.* melanosarcoma.
melanterit *subst. mineral.* melanterite.
melasă *s.f.* molasses.
melc *s.m.* snail; *ca ~ul* at a snail's pace.
mele *pron. pos., adj. pos.* my; *ale* ~ mine.
meleaguri *s.n. pl.* parts, regions.
melenă *s.f. med.* mel(a)ena.
meleu *s.n. sport* scrimmage; mêlée.
melifer *adj.* melliferous, honeybearing.
melinită *s.f. chim.* melinite (explosive).
meliorism *s.n. filoz., sociol.* meliorism.
melisă *s.f. bot.* melissa, balm *(Melissa officinalis).*
melița *vt.* to brake.
meliță *s.f.* **1.** brake. **2.** *fig.* chatterbox.
melo- *prefix* melo-.
melodic I. *adj.* melodic. **II.** *adv.* melodically.
melodică *s.f.* melodics.
melodie *s.f.* melody, tune.
melodios I. *adj.* melodious; harmonious. **II.** *adv.* melodiously.
melodramatic *adj.* melodramatic.
melodramă *s.f.* **1.** melodrama. **2.** *fig.* comic opera.
meloman *s.m.* music fan.
melomanie *s.f.* melomania.
melopee *s.f. muz.* singsong, chanting; *(recitativ)* recitative; *(cântec)* song.
melos *s.n. muz.* melos.
melurg *s.m. ist.* composer of Byzantine hymns.
membrană *s.f.* **1.** membrane. **2.** *tehn.* diaphragm.
membranos *adj.* membraneous.
membru *s.m.* **1.** member. **2.** *anat.* limb. **3.** *(element)* part; ~ *corespondent* corresponding member;

~ *de partid* party member; ~ *de sindicat* trade union member; ~ *onorific,* ~ *de onoare* honorary member; ~ *supleant* alternate member; ~ *viril* membrum virile.
memento *s.n.* **1.** reminder. **2.** *(agenda)* memorandum book. **3.** vademecum.
memora *vt.* to memorize.
memorabil *adj.* unforgettable.
memorandum *s.n.* memorandum.
memorator *s.n.* vademecum.
memorial *s.n. lit.* memories, memorial, travel notes.
memorialist *s.m.* memoir-writer.
memorialistică *s.f.* memoirs, memorism.
memorie *s.f.* memory; *din* ~ by heart.
memoriu *s.n.* **1.** memorial, complaint. **2.** *pl.* memoirs.
memoriza *vt.* to memorize.
memorizare *s.f.* memorization.
menadă *s.f. mitol.* m(a)enad, bacchante.
menaj *s.n.* **1.** house(keeping). **2.** *(căsătorie)* marriage. **3.** *(pereche)* couple.
menaja *vt., vr.* to spare (oneself)
menajament *s.n.* gentlesess; *cu ~e* gently, gingerly; *fără ~e* unsparingly.
menajer *adj.* domestic.
menajeră *s.f.* housekeeper.
menajerie *s.f.* menagerie.
mendeleeviu *s.n. chim.* mendelevium.
mendelism *s.n. biol.* Mendelism.
mendre *s.f. pl. a-și face ~le* to do as one pleases.
menestrel *s.m.* minstrel.
menghină *s.f. tehn.* vice.
menhir *s.n.* menhir.
meni *vt.* **1.** to destine. **2.** *(a descânta)* to exorcise.
menilit *s.n. geol.* menilite.
meninge *s.n. anat.* meninx.
meningită *s.f. med.* meningitis.
meningococ *s.m. med.* meningococcus.
meningoencefalită *s.f. med.* meningoencephalitis.
menire *s.f.* mission.
menisc *s.n. fiz.* meniscus.
menit *adj.* (pre)destined.
meniu *s.n.* menu, bill of fare; ~ *fix* ordinary.
menoniți *s.m. pl. rel.* Mennonites.
menopauză *s.f.* menopause.
menoragie *s.f. med.* menorrhagia.
menou *s.n. arh.* mullion; *(orizontal)* transom.
menstrual *adj.* menstrual.
menstruație *s.f.* monthlies, period.
mensual *adj.* monthly.
menșevic I. *s.m.* Menshevik. **II.** *adj.* Menshevist.
menșevism *s.n. pol.* Menshevism.
mental *adj.* v. m i n t a l.
mentalitate *s.f.* outlook.
mentă *s.f.* **1.** *(bomboană)* peppermint. **2.** *bot.* mint *(Mentha).*
mentol *s.f. farm.* menthol.
mentolat *adj. chim.* mentholated.
mentor *s.m.* mentor; adviser.
menține I. *vt.* to maintain. **II.** *vr.* **1.** to maintain oneself, to continue. **2.** *(ridicat)* to keep up. **3.** *(a nu ceda)* not to give in.
menționa *vt.* to mention.
mențiune *s.f.* mention.
menuet *s.n.* minuet.
menzil *ist. României* **I.** *s.n.* post, mail service, mail (in Moldavia and Wallachia). **II.** *s.m.* courier; relay.
mepacrină *s.f. farm.* quinacrine, Atebrin, mepacrine.
meplat *s.n. artă* planes that build up the face.
mercantil *adj.* mercantile; commercial; *spirit* ~ mercenary spirit.
mercantilaj *s.n.* printed material.
mercaptan *s.m. chim.* mercaptan.
mercenar *s.m., adj.* mercenary.
merceolog *s.m.* commodity expert.
merceologie *s.f.* science of commodities.
mercerie *s.f.* small ware(shop).
merceriza *vt.* to mercerize.
mercerizare *s.f. text.* mercerizing, mercerization.
mercur *s.n.* mercury.
mercurial I. *s.n.* market pricelist. **II.** *adj.* mercurial.
mercuric *adj. chim.* mercuric.
mercuros *adj. chim.* mercurous.
mereu *adj.* always, (for) ever.
merge *vi.* **1.** to go. **2.** *(pe jos)* to walk. **3.** *(d. un mecanism)* to work. **4.** *(a se mișca)* to move. **5.** *(a acționa)* to act. **6.** *(cu un vehicul)* to ride. **7.** *(cu un autoturism)* to drive; *a ~ apostolește* to foot it, to walk; *a-i ~ (bine)* to get on (well); *nu-și ~ cu mine* you can't have me at that; ~ *pe 20 de ani* he is rising *sau* coming twenty; *așa nu* ~ that won't do; *cum își ~?* how are things with you?; *pe unde ~m?* which way do we take?.
meridian *s.n.* meridian.
meridiană *s.f.* meridian line.
meridional *s.m., adj.* meridional.
merinană *s.f. bot.* sandwort *(Moehringia trinervia).*
merinde *s.f. pl.* victuals.
merinos *adj.* merino.
meristem *s.n. bot.* meristem.
merișor *s.m. bot.* rowan tree.
merit *s.n.* merit; *de* ~ praiseworthy.
merita I. *vt.* **1.** to deserve. **2.** *(d. lucruri și) to be worth (reading etc.).* **II.** *vi.* to be worthwhile.
meritat *adj.* (well-)deserved.
meritoriu *adj.* praiseworthy.
merituos *adj.* deserving.
merlon *s.n. arh.* merlon.
merlot *s.m.* merlot variety of vine and wine.
mers *s.n.* **1.** going. **2.** *(al cuiva)* gait; amble. **3.** *tehn.* running; ~ *înainte* progress; *~ul trenurilor* ABC; *(orar)* timetable; *din* ~ casually, in passing.
mersi *interj.* thank you (very much)! (many) thanks! *fam.* thanks!
mertic *s.n. înv.* **1.** grain measure. **2.** v. u i u m. **3.** portion, ration of food. **4.** *fig.* thrashing, beating.
merzlotă *s.f. geol.* v. m o l l i s o l.
mesa *adv. a băga (pe cineva) ~ fam.* to push smb. to the wall, AE to get smb. in wrong; *a intra / a cădea ~ fam.* to get into a mess / scrape / muddle / a nice fix.
mesadă *s.f.* padded or fur lining for winter coat.
mesager *s.m.* messenger.
mesagerie *s.f.* parcel post.
mesaj *s.n.* **1.** message; communication, advices. **2.** *(apel)* appeal.
mesă *s.f. bis. muz.* mass.
mescalină *s.f. chim.* mescalin.
meschin *adj.* **1.** petty, mean, menial. **2.** *(zgârcit)* stingy, niggardly.
meschinărie *s.f.* **1.** meanness. **2.** *(zgârcenie)* stinginess.
mesean *s.m.* guest at table.
meseriaș *s.m.* handicraftsman.
meserie *s.f.* **1.** trade. **2.** *(profesie)* profession, calling; *de* ~ professional; *de meserii* vocational.
mesia *s.m.* Messiah.
mesianic *adj.* Messianic.
mesianism *s.n. rel.* Messianism.
mesitilenă *s.f. chim.* mesitylene.
mesmerism *s.n.* mesmerism.
mesohippus *subst. paleont.* Mesohippus.
mesopotamian *adj. geogr.* Mesopotamian.
mesteacăn *s.m. bot.* birch tree *(Betula).*
mesteca I. *vt.* **1.** to chew. **2.** *(a amesteca)* to stir. **II.** *vi.* to chew.
mestecănaș *s.m. bot.* **1.** little birch-tree. **2.** pubescent birch(-tree) *(Betula pubescens).*

mestecăniș *s.n.* birch grove.
meșă *s.f.* **1.** lock. **2.** *med.* tent.
meșină *s.f.* basan.
meșter I. *s.m.* **1.** (past) master. **2.** *(meseriaș)* craftsman. **II.** *adj.* skilful, expert.
meștergrindă *s.f. pop. constr.* main beam on peasant houses.
meșteri I. *vt.* to arrange. **II.** *vi. a ~ la* to potter about, to meddle with.
meșteșug *s.n.* **1.** trade. **2.** *(pricepere)* art, skill. **3.** *(mijloc)* means, method.
meșteșugar *s.m.* v. m e s e r i a ș.
meșteșugăresc *adj.* handicraft.
meșteșugi *vt.* **1.** to execute artistically. **2.** *(a unelti)* to plot, to scheme. **3.** *(a aranja)* to arrange.
meșteșugit *adj.* **1.** skilful. **2.** *(șiret)* cunning.
meta- *prefix.* meta-.
metaaldehidă *s.f. chim.* metaldehyde.
metabioză *s.f. biol.* metabiosis.
metabolic *adj.* metabolic.
metabolism *s.n.* (basal) metabolism.
metabolit *s.m. biochim.* metabolite.
metacarp *s.n. anat.* metacarpus.
metacarpian *adj. anat.* metacarpal.
metacentru *s.n. fiz. etc.* metacentre.
metacrilat *s.m. chim.* methacrylate.
metacrilic *adj. chim.* methacrylic.
metafizic *adj.* metaphysical.
metafizică *s.f.* metaphysics.
metafizician *s.m.* metaphysician.
metafonie *s.f. lingv.* vowel mutation, metaphony.
metaforă *s.f.* metaphor.
metaforic I. *adj.* metaphorical; *(figurat)* figurative; tropical. **II.** *adv.* metaphorically, figuratively.
metafosfat *s.m. chim.* metaphosphate.
metafosforic *adj. chim.* metaphosphoric.
metagalaxie *s.f. astr.* metagalaxy.
metagenetic *adj. biol.* metagen(et)ic.
metageneză *s.f. biol.* metagenesis.
metagramă *s.f.* metagram.
metal *s.n.* metal; *~e neferoase* nepherrous metals.
metalazbest *s.n. tehn.* metal asbestos.
metaldehidă *s.f.* v. m e t a a l d e h i d ă.
metalepsă *s.f. stil.* metalepsis.
metalic *adj.* metallic.
metalifer *adj.* metalliferous, metal-bearing.
metalimbaj *s.f. log.* metalanguage.
metalimbă *s.f.* v. m e t a l i m b a j.
metaliza *vt.* to (cover with) metal.
metalizare *s.f. met.* metallization.
metalizat *adj. auto. etc.* metallized.
metaloceramică *s.f. met.* powder metallurgy.
metalochimie *s.f.* chemistry of metals.
metalogică *s.f. log.* metalogic.
metalografic *adj. met.* metallographic(al).
metalografie *s.f.* metallography.
metaloid *s.m.* metalloid.
metalotehnică *s.f.* metal engineering / processing.
metaloterapie *s.f. med.* metallotherapy.
metalurgic *adj.* metal(lurgic).
metalurgie *s.f.* metallurgy.
metalurgist *s.m. ind.* metalworker; metallurgist.
metamatematică *s.f.* metamathematics.
metamer *s.n. zool.* metamere.
metamerie *s.f. zool.* metamerism, metamery.
metamorfic *adj. geol.* metamorphic, metamorphous.
metamorfism *s.n. geol.* metamorphism.
metamorfoza *vr.* to metamorphose, to change completely / altogether.
metamorfozat *adj. geol.* metamorphosed.
metamorfoză *s.f.* metamorphosis.
metan *s.n., adj. chim.* methane.
metanol *s.m. chim.* methanol.
metaplasmă *s.f. gram.* metaplasm.
metaplazie *s.f. med.* metaplasia.
metapsihic *adj. psih.* metapsychic(al).
metapsihologie *s.f.* metapsychology.
metasomatoză *s.f. geol.* metasomatism, metasomatosis.
metastabil *adj. fiz.* metastable.
metastabilitate *s.f. fiz.* metastability.
metastază *s.f. med.* metastasis.
metatars *s.n. anat.* metatarsus.
metatarsian *adj. anat.* metatarsal.
metateorie *s.f. log.* metatheory.
metateză *s.f. lingv.* metathesis.
metatorace *s.n. entom.* metathorax.
metatorax *s.n.* v. m e t a t o r a c e.
metazoar *s.n. biol.* metazoon.
meteahnă *s.f.* **1.** defect, flaw. **2.** *(boală)* disease, complaint. **3.** *(nărav)* habit, hobby.
metec *s.m. ist. Greciei* metic.
metempsihoză *s.f.* metempsychosis.
metencefal *s.n. anat.* metencephalon.
meteor *s.n.* meteor.
meteoric *adj.* meteoric.
meteorism *s.n. med.* meteorism.
meteorit *s.m.* meteorite.
meteoritic *s.f.* meteoritic.
meteorograf *s.n.* meteorograph.
meteorolog *s.m.* meteorologist.
meteorologic *adj.* weather.
meteorologie *s.f.* meteorology; weather forecast.
meteoropatologie *s.f. med.* meteoropathology.
meterez *s.n.* bulwark.
meticulos I. *adj.* meticulous. **II.** *adv.* minutely.
meticulozitate *s.f.* punctiliousness.
metil *s.m. chim.* methyl.
metilceluloză *s.f. chim.* methyl cellulose.
metilen *s.m. chim.* methylene.
metiletilcetonă *s.f. chim.* methyl ethyl ketone.
metilic *adj.* methylic.
metilmorfină *s.f. farm.* methylmorphine, codeine.
metiloranj *s.n. chim.* methyl orange.
metionină *s.f. biochim.* methionine.
metis *s.m.* half-breed, half-caste.
metisaj *s.n. biol.* cross-breeding.
metoc *s.n. înv. bis.* succursal (monastery).
metocar *s.m. bis.* monk in charge of a succursal (monastery).
metodă *s.f.* method; *fără ~* desultory.
metodic I. *adj.* methodical. **II.** *adv.* methodically.
metodică *s.f.* method(ology).
metodism *s.n. rel.* methodism.
metodist *s.m.* **1.** methodologist. **2.** *rel.* methodist.
metodologic *adj.* methodological.
metodologie *s.f.* methodology.
metol *s.m. chim., foto.* Metol.
metonimic *adj.* metonymic(al).
metonimie *s.f. stil.* metonymy.
metopă *s.f. arh.* metope.
metoxibenzen *s.n. chim.* v. a n i s o l.
metraj *s.n.* length (of cloth); *de lung ~* full length; *de scurt ~* short reel.
metresă *s.f.* (kept) mistress.
metric *adj.* metric.
metrică *s.f.* prosody.
metrită *s.f. med.* metritis.
metro *s.n.* underground, tube.
metrologic *adj.* metrological.
metrologie *s.f.* metrology.
metronom *s.n.* metronome.
metronomie *s.f.* metronomy.
metropolă *s.f.* **1.** metropole. **2.** *(țară și)* mother country. **3.** *(capitală)* capital.
metropolitan *s.n.* **1.** underground. **2.** AE subway.
metroragie *s.f. med.* metrorrhagia.
metru *s.m.* **1.** metre. **2.** *(de croitor)* tape measure.

meu *pron. pos., adj. pos.* my; *al ~* mine.
mexican *s.m., adj.* Mexican.
mezalianță *s.f.* misalliance.
mezanin *s.n.* mezzanine.
mezat *s.n.* auction.
mezelărie *s.f.* **1.** sausage factory. **2.** *(magazin)* ham-and-beef shop, pork-butcher's shop.
mezel(ic) *s.n.* hors d'oeuvre.
mezeluri *s.n. pl.* sausages.
mezencefal *s.n. anat.* mesencephalon.
mezenchim *s.n. biol.* mesenchyma.
mezenter *s.n. anat.* mesentery.
mezenteric *adj. anat.* mesenteric.
mezi *s.m. pl.* **1.** *ist.* Medes, Medians. **2.** mat. medians.
mezin *s.m.* last *sau* second born (child).
mezo- *prefix* meso-.
mezocarp *s.n. bot.* mesocarp.
mezoderm *s.n. biol.* mesoderm.
mezofil I. *s.n. bot.* mesophyll(um). **II.** *s.f. bot.* mesophile.
mezofită *bot.* **I.** *adj.* mesophytic. **II.** *s.f.* mesophyte.
mezoinozitol *s.n. chim.* inosite, inositol.
mezolitic *s.n. geol.* mesolithic.
mezomerie *s.f. chim.* mesomerism.
mezon *s.m. fiz.* meson, barytron.
mezonic *adj. fiz.* mesonic.
mezosferă *s.f.* mesosphere.
mezotermal *adj.* mesothermal.
mezotorace *s.n. entom.* mesothorax.
mezotoriu *s.n. fiz., chim.* mesothorium.
mezozoic *adj. geol.* mesozoic; *era ~ă* mesozoic era / period.
mezozonă *s.f. geol.* mesozone.
mezzo(soprană) *s.f.* mezzosoprano.
mezzo-forte *adv. muz.* mezzo-forte.
mezzo-tinto *subst. artă* mezzo-tint.
mho *s.m. fiz.* mho.
mi I. *s.m.* E, mi. **II.** *pron.* (to) me.
mi, mi-, -mi *pron.* v. î m i.
mia *s.f. zool.* ewe-lamb, young ewe.
mială 1. v. m i a. **2.** v. a r ș i c.
mialgie *s.f. med.* myalgia.
miasmă *s.f.* miasma.
miastenie *s.f. med.* myasthenia.
miau *interj.* mew!
miază *s.f.* **1.** *med. vet.* my(i)asis. **2.** *înv. pop.* noon. **3.** midnight.
miazănoapte *s.f.* north; *de ~* north(ern).
miazăzi *s.f.* south; *de ~* south(ern).
mic I. *s.m.* grilled minced meat roll. **II.** *adj.* **1.** small. **2.** *(mititel)* little, tiny. **3.** *(scund)* short. **4.** *(pitic)* midget. **5.** *(îndesat)* dumpy, squat. **6.** *(nedezvoltat)* stunted. **7.** *(strâmt)* tight. **8.** *(slab)* feeble. **9.** *(jos)* low. **10.** *(ca vârstă)* young. **11.** *(mărunt)* petty. **12.** *(ușor)* light; *de ~ copil* from early childhood.
micaceu *adj. geol.* micaceous.
micanită *s.f. el.* micanite.
micașist *s.n. geol.* micaschist.
mică *s.f.* mica.
micelă *s.f. biol.* micella.
miceliu *s.n. bot.* mycelium.
michiduță *s.m. fam.* little imp, fibbertigibbet, urchin.
miciman *s.m.* midshipman.
micime *s.f.* **1.** smallness. **2.** *fig.* pettiness.
miciurinism *s.n. biol.* Michurin's theory.
miciurinist, -ă *adj., s.m., s.f.* Michurinist.
micofloră *s.f. bot.* fungic flora.
micolog *s.m. bot.* mycologist, fungologist.
micologie *s.f. bot.* myc(et)ology.
micoriză *s.f. bot.* micorrhiza.
micosterol *s.m. biochim.* mycosterol.
micotoxicoză *s.f. med. vet.* mycotoxicosis.
micoză *s.f. med.* mycosis.
micro- *prefix.* micr(o)-.
microamper *s.m. fiz.* microampere.
microampermetru *s.n.* microammeter.
microanaliză *s.f. chim.* microanalysis.
microb *s.m.* microbe.
microbalanță *s.f.* micrometer balance.
microbar *s.m. fiz.* microbar.
microbian *adj.* microbial, microbic.
microbiolog *s.m.* microbiologist.
microbiologie *s.f.* microbiology.
microbiologic *adj.* microbiological.
microbist *s.m.* fan(atic).
microbuz *s.n. auto.* microbus, minibus.
microcefalie *s.f.* microcephaly.
microcenoză *s.f. biol.* v. b i o c h o r i e.
microcentrală *s.f.* small (rural) power station.
microchimie *s.f. chim.* microchemistry.
microclimă *s.f. meteor.* microclimate.
microclin *s.n. mineral.* microcline.
micrococ *s.m.* micrococcus.
microcosm *s.n.* microcosm.
microcristalin *adj.* microcrystalline.
microeconomie *s.f. ec.* microeconomics.
microelement *s.n. chim.* microelement, trace element.
microfarad *s.m. el.* microfarad.
microfilm *s.n. foto.* microfilm.
microfilma *vt.* to microfilm.
microfon *s.n.* microphone, *fam.* mike.
microfotocopie *s.f.* microphotocopy.
microfotografie *s.f.* **1.** microphotography. **2.** *(concret)* photomicrograph, microphotograph.
microfotometru *s.n.* microphotometer.
microfotoradiografie *s.f.* X-ray microphotograph.
microgram *s.n.* microgram(me).
microlit *s.n. mineral.* microlith.
micrometeorit *s.m. geol. etc.* micrometeorite.
micrometric *adj.* micrometric(al).
micrometru *s.n.* micrometer.
micromicete *s.f. bot.* micromycete.
micromotor *s.n. tehn.* micro engine.
micron *s.m. fiz.* micron, micromillimeter.
micronezian, -ă *s.m., s.f., adj. geogr.* Micronesian.
microorganism *s.n.* microorganism.
micropil *s.n. bot.* micropyle.
microporos *adj.* microcellular.
microradiografie *s.f. med.* microradiography.
microraion *s.n.* self-contained unit *sau* district.
microreceptor *s.n. telec.* microtelephone, telephone receiver.
microrilă *s.f.* v. m i c r o s i (II) o n.
microscop *s.n.* microscope; *~ electronic* electron microscope.
microscopic *adj.* **1.** microscopic. **2.** *fig. și* infinitesimal.
microscopic *adj.* microscopic(al).
microseism *s.n.* microseism.
microsi(II)on *s.n.* microgroove (record).
microsociologie *s.f. sociol.* microsociology.
microspor *s.m. bot.* microspore.
microsporie *s.f. med.* microsporiasis.
microstructură *s.f.* microstructure.
microtom *s.n.* microtome.
microtron *s.n. fiz.* microtron.
microvoltmetru *s.n.* microvolt meter.
microzoare *s.f. pl.* microzoa.
microzonă *s.f.* microzone.
micsandră *s.f. bot.* gillyflower *(Matthiola icana).*
micșora I. *vt.* **1.** to diminish. **2.** *(a minimaliza)* to belittle. **3.** *(a scurta)* to shorten. **II.** *vr.* **1.** to di-

minish. **2.** *(a scădea)* to decrease, to decline, to abate.
micșorare *s.f.* reduction, decrease etc. v. m i c ș o r a.
micșunea *s.f. bot.* rocket *(Hesperis matronalis).*
micșunică *s.f. bot.* v. m i c s a n d r ă.
micțiune *s.f. med.* urination, miction.
midie *s.f. zool.* mussel *(Mytilus).*
midinetă *s.f.* midinette, shopgirl, work girl.
midriază *s.f. med.* mydriasis.
mie I. *s.f., adj., num.* thousand; *O ~ și una de nopți* the Arabian Nights; *mii și mii de oameni* thousands upon thousands of people; *trei mii* three thousand. **II.** *pron.* (to) me.
mied *s.n.* mead, vinous hydromel.
miel *s.m.* lamb.
mielărea *s.f. bot.* chaste / hemp tree *(Vitex agnus castus).*
mielea, mia *num. ord.* the thousandth.
mielină *s.f. anat.* myelin(e).
mielinic *adj. anat.* myelinic.
mielită *s.f. med.* myelitis.
mieloblast *s.m. med.* myeloblast.
mielogramă *s.f. med.* myelogram.
mielom *s.n. med.* myeloma.
mielopatie *s.f. med.* myelopathy.
mieloză *s.f. med.* myelosis, leukemia.
miercurea *adv.* on Wednesday(s).
miercuri I. *s.f.* Wednesday. **II.** *adv.* (on) Wednesday.
miere *s.f.* honey.
mierlă *s.f. ornit.* blackbird *(Turdus merula).*
mierli *vi. a o ~* to slip one's cable.
mierloi *s.m. ornit.* cock blackbird.
mierluță *s.f. bot.* alsine, chickweed *(Minuartia).*
mieros I. *adj.* **1.** honeyed. **2.** *(d. oameni)* smooth spoken. **II.** *adv.* unctuously.
mierță *s.f. înv.* measure for grain, *aprox.* bushel.
mieuna *vi.* to mew.
mieunat *s.n.* mew.
miez *s.n.* **1.** core. **2.** *(de nucă etc.)* kernel. **3.** *fig. (al unei probleme)* crux. **4.** *(substanță)* pith (and marrow); *~ul nopții* midnight; *cu ~* pithy.
migală *s.f.* meticulousness, minuteness.
migăleală *s.f.* v. m i g a l ă.
migăli *vt.* to work elaborately on.
migălos *adj.* **1.** meticulous. **2.** difficult, fastidious.
migdal *s.m. bot.* almond tree.
migdalat *adj.* almond-shaped.
migdală *s.f. bot.* almond *(Amygdalus communis).*
migmatit *s.n. geol.* migmatite, injection gneiss.
mignon *adj.* tiny, small.
migra *vi.* to migrate.
migrator *adj.* migratory.
migrație *s.f.* migration.
migrenă *s.f.* sick headache, migraine.
mihalț *s.m. iht.* burbot *(Lota vulgaris).*
mihoti *vi.* **1.** to neigh, to whinny. **2.** *(d. oameni)* to guffaw.
mihrab *subst. bis.* mihrab, niche / altar in a mosque (pointing to Mecca).
miime *s.f.* thousandth.
mija *s.f. de-a ~ (de-a v-ați ascunselea)* hide-and-seek; *(de-a baba oarba)* blind Tom.
miji I. *vt.* to half-close. **II.** *vi.* **1.** to appear. **2.** *(d. ochi)* to blink. **III.** *vr. a se ~ de ziuă* to dawn.
mijire *s.f.* appearance etc. v. m i j i.
mijloc *s.n.* **1.** middle; centre. **2.** *(talie)* waist. **3.** *(metodă)* means. **4.** *(de transport)* vehicle. **5.** *(posibilitate)* possibility. **6.** *pl.* means, wealth; *mijloace de trai* livelihood; *~ de diversiune* red herring; *de ~* middle; *la ~* in the middle.
mijlocaș I. *s.m.* **1.** *sport* halfback. **2.** *(țăran)* middle peasant. **II.** *adj.* middle.
mijloci *vt.* **1.** to mediate. **2.** *(o afacere)* to negotiate.
mijlocire *s.f.* intermedium; intercession; medium; agency; instrumentality; *prin ~a* through the medium / agency / instrumentality of...
mijlocitor *s.m.* intermediary, go-between.
mijlociu *adj.* **1.** middle. **2.** *(moderat)* middling. **3.** *(mediu)* average.
mijoarca *s.f.* v. m i j a.
mikado *s.m. ist. Japoniei* Mikado.
milacop *s.m. iht.* croaker, umbrina, European unibra *(Umbrina cirrhosa).*
milanez I. *s.n.* Millanese silk. **II.** *adj.* Milanese.
milă *s.f.* **1.** *(măsură)* mile. **2.** *(caritate)* pity, charity. **3.** *(bunătate)* kindness. **4.** *(compătimire)* sympathy. **5.** *(pomană)* alms; *~ marină* sea mile; *de ~* out of pity; *fără ~* pitiless(ly); ruthless(ly); *plin de ~* pitiful, charitable.
milenar *adj.* millenary; age-old.
milenarism *s.n. rel.* millenarianism, milleniarism, chiliasm.
mileniu *s.n.* millenary, millenium.
mili- *prefix* milli-.
miliamper *s.m. el.* milliampere.
miliampermetru *s.n. el.* milliampermeter.
miliar I. *adj.* milliary; marking a kilometre. **II.** *s.n. pl.* milestones.
miliard *s.n., adj., pron., num.* **1.** thousand million. **2.** AE billion.
miliardar *s.m.* **1.** multi-millionaire. **2.** AE billionaire.
miliardime *s.f.* one thousand millionth, AE billionth.
milibar *s.m. fiz.* millibar.
milieu *s.n.* doily, doy.
miligram *s.n.* milligram.
mililitru *s.m.* millilitre.
milimetric *adj.* millimeter...; *hârtie ~ă* scale paper.
milimetru *s.m.* millimeter.
milion *s.n., adj., pron., num.* million.
milionar *s.m.* millionaire.
milionară *s.f.* millionairess.
milionime *s.f.* millionth.
milionulea *num. ord.* the millionth.
milita *vi.* to militate.
militant *s.m., adj.* militant.
militar I. *s.m.* soldier; *pl.* the military. **II.** *adj.* military.
militarism *s.n.* militarism.
militarist I. *s.m.* brass hat. **II.** *adj.* militaristic.
militariza *vt.* to militarize.
militarizare *s.f.* militarization.
milităresc *adj.* soldierly.
militărește *adj.* like a soldier.
militărie *s.f.* military service; *la ~* under the colours.
milităros *adj.* soldierlike.
milivolt *s.m. el.* millivolt.
millerit *s.n. mineral.* millerite.
milog *s.m.* cadger.
milogeală *s.f.* begging.
milogi *vr.* to beg, to cadge.
milonit *s.n. geol.* mylonite.
milos *adj.* charitable, merciful.
milostenie *s.f.* **1.** *(pomană)* alms, charity. **2.** v. d a n i e.
milostiv *adj.* merciful; *(bun)* kind; *(iertător)* forgiving; *(darnic)* bountiful, generous, liberal.
milostivi *vr.* to take pity (on smb.).
milostivire *s.f.* **1.** v. m i l ă. **2.** *(dărnicie)* bounty, generosity.
milui *vt.* to give alms to.
mim *s.m.* mime.
mima *vt.* to mimic.
mimansa *s.f. filoz.* Mimamsa.
mimă *s.f.* mime, mimicry.
mimesis *subst. artă, filoz.* mimesis, imitation, mimicry.
mimetic *adj.* mimetic; imitative.
mimetism *s.n.* mimesis; mimicry.
mimic *adj.* mimic.
mimică *s.f.* mimicry.

mimodramă *s.f. teatru* mimodrama, mime, dumb-show performance.
mimoză *s.f. bot.* mimosa *(Mimosa)*.
mina *vt.* **1.** to mine. **2.** *fig.* to undermine.
minaret *s.n. arh.* minaret.
minavet *s.n. muz.* v. f l a ș n e t ă.
mină *s.f.* **1.** mine. **2.** *(de creion)* lead, refill. **3.** *(înfățișare)* mien. **4.** *(expresie)* countenance; ~ *de cărbuni* coal pit, colliery.
mincinos I. *s.m.* liar. **II.** *adj.* lying.
mincioc *s.n. (pescuit)* sacknet, bagnet.
minciog *s.n.* v. m i n c i o c.
minciună *s.f.* **1.** lie. **2.** *(născocire)* concoction. **3.** *(prăjitură)* cruller; ~ *gogonată* whopper; ~ *nevinovată* white lie.
minciunele *s.f. pl. cul.* v. m i n c i u - n ă 3.
mindir *s.n.* straw mattress.
minei *s.n. bis.* liturgy book, daily missal, church book with a schedule of sermons.
miner *s.m.* miner.
mineral *s.n., adj.* mineral.
mineralier *s.n.* ore-carrier.
mineraliza *vr.* to be mineralized.
mineralizat *adj. geol.* mineralized.
mineralizator *chim.* **I.** *adj.* mineralizing (agent). **II.** *s.n.* mineralizer.
mineralizație *s.f. chim., mineral.* mineralization.
mineralog *s.m.* mineralogist.
mineralogic *adj.* mineralogical.
mineralogie *s.f.* mineralogy.
minereu *s.n.* ore.
minerit *s.n.* mining.
minete *s.f. pl. geol.* minettes (iron ore).
mineu *s.n.* v. m i n e i.
minge *s.f.* ball; ~ *de fotbal* football.
miniatural *adj.* miniature...
miniatură *s.f.* miniature.
miniaturist *s.m.* miniaturist, miniature painter.
miniaturistică *s.f. artă* the art of miniatures / illuminations.
miniaturizare *s.f.* miniaturization.
minier *adj.* mining.
minim *s.n., adj.* minimum.
minimal *adj.* minimum, minimal.
minimaliza *vt.* to minimize.
minimetru *tehn.* minimeter.
minimum I. *s.n.* minimum. **II.** *adv.* at least.
minister *s.n.* ministry; *(în Anglia și) office, board; (în S.U.A.)* department; *Ministerul Coloniilor* the Colonial Office; ~ *de Externe* Foreign Ministry, *(în Anglia)* Foreign Office; ~ *de Interne* Ministry of Home Affairs, *(în Anglia)* Home Office; ~*ul Comerțului* the Ministry of Trade, *(în Anglia)* the Board of Trade; ~*ul de Finanțe* the Ministry of Finance, *(în Anglia)* Exchequer; ~*ul Forțelor Armate* Ministry of the Armed Forces, *(în Anglia)* the War Office; ~*ul Învățământului* the Ministry of Education, *(în Anglia)* the Board of Education.
ministeriabil *adj.* cabinetable.
ministerial *adj.* ministerial; *coală ~ă* foolscap.
ministru *s.m.* **1.** *(cabinet)* minister. **2.** *(ambasador)* envoy, minister; ~ *adjunct* deputy minister, *(în Anglia)* under-secretary; ~ *de externe* Foreign Minister, *(în Anglia)* Foreign Secretary; ~ *de Finanțe* Minister of Finance, *(în Anglia)* Chancellor of the Exchequer; ~ *de Interne* Minister of Home Affairs, *(în Anglia)* Home Secretary; ~*ul comerțului* the minister of Trade, *(în Anglia)* the President of the Board of Trade; ~*ul învățământului* the Minister of Education, *(în Anglia)* the President of the Board of Education; ~ *plenipotențiar* minister plenipotentiary.
miniu *s.n.* red lead.
minnesang *s.n. ist., muz.* minnesang, minnesong.
minnesota *s.f. zool.* Minnesota (swine breed).
minnesänger *s.m. ist. Germaniei* minnesinger, minnesänger.
minor I. *s.m.* minor. **II.** *adj.* **1.** minor. **2.** *(ca vârstă și)* under age.
minorant, -ă *s.m., s.f. mat.* minor, subdeterminant.
minorat *s.n. jur.* minority.
minorca *s.f. ornit.* Minorca (breed of domestic fowls).
minorit *s.m., adj. rel.* Minorite.
minoritar *adj.* of, pertaining to a minority.
minoritate *s.f.* **1.** minority. **2.** *(ca vârstă și)* nonage.
minotaur *s.m. mitol.* Minotaur.
mintal I. *adj.* mental. **II.** *adv.* mentally.
mintă *s.f. bot.* mint *(Mentha)*; ~ *creață* curled mint *(Mentha crispa)*; *bomboană de* ~ peppermint.
minte *s.f.* **1.** mind. **2.** *(înțelepciune)* brains. **3.** *(rațiune)* common sense. **4.** *(memorie)* memory; *cu* ~ wise; *fără* ~ unreasonable; *(prostesc)* foolish; *ținere de* ~ memory.
mintean *s.n.* kind of country jacket (with braid).
mintos *adj.* reasonable, wise; *(deștept)* clever, *fam.* cute.
minți I. *vt.* to deceive. **II.** *vi.* to lie.
minuna I. *vt.* to astonish. **II.** *vr.* to marvel.
minunat I. *adj.* **1.** wonderful, marvellous. **2.** *(încântător)* delightful. **3.** *(vrăjit)* enchanted. **II.** *adv.* wonderfully, marvellously. **III.** *interj.* capital!, wonderful!
minunăție *s.f.* marvel, wonder.
minune *s.f.* wonder, miracle; *de* ~ perfectly; *mare ~!* I should wonder!; *ironic* there's nothing to write home about.
minus *s.n., adv.* minus.
minuscul *adj.* tiny, infinitesimal.
minut *s.n.* minute.
minutar *s.n.* minute hand.
minută *s.f.* minute(s).
minuție *s.f.* minuteness.
minuțios I. *adj.* minute, thorough(going). **II.** *adv.* minutely.
minuțiozitate *s.f.* scrupulousness, minuteness.
mioară *s.f.* ewe, sheep.
miocard *s.n. anat.* myocardium.
miocardită *s.f. med.* myocarditis.
miocen *s.n. geol.* Miocene.
miocenic *adj. geol.* Miocenic, Miocene.
mioclonie *s.f. med.* myoclonus.
miofibrilă *s.f. anat.* myofibril(la).
miogen *s.n. biochim.* myogen.
mioglobină *s.f. biochim.* myoglobin, myohemoglobin.
miograf *s.n. med.* myograph.
miografie *s.f. fiziol.* myography.
miologie *s.f. anat.* myology.
miom *s.n. med.* myoma.
miop I. *s.m.* short-sighted person. **II.** *adj.* short-sighted.
miopatie *s.f. med.* myophaty.
miopie *s.f.* short-sightedness.
mioriță *s.f.* ewe(-lamb).
miorlăi *vi., vr.* **1.** to caterwaul; *(a mieuna)* to mew, to miaow, to miaou. **2.** *(d. oameni)* to whine, to whimper.
miorlăit I. *adj.* whining, whimpering. **II.** *s.n.* **1.** caterwauling etc. v. m i o r l ă i **2.** caterwaul.
miotomie *s.f. med.* myotomy.
miotonie *s.f. med.* myotonia.
mioză *s.f. med.* myosis, miosis.
miozină *s.f. biochim.* myosin.
miozită *s.f. med.* myositis.
miozotis *s.m. bot.* v. n u - m ă - u i t a .
mipolam *s.m. chim.* mipolam.
mir *s.n.* (extreme) unction; *la* ~ on the head.

mira I. *vt.* to surprise. **II.** *vr.* to wonder; *te miri ce* next to nothing.
mirabilit *s.n. mineral.* mirabilite.
miracol *s.n.* miracle.
miraculos *adj.* miraculous.
mirador *s.n. arh.* mirador, belvedere.
miraj *s.n.* mirage.
mirare *s.f.* wonder, surprise; *de ~* surprising.
mirat *adj.* astonished.
miră *s.f.* surveyor's pole / rod.
mire *s.m.* bridegroom.
mirean I. *s.m.* layman. **II.** *adj.* lay.
mireasă *s.f.* bride.
mireasmă *s.f.* fragrance, scent.
miriadă *s.f.* myriad.
miriapod *s.n. zool.* myriapod.
mirific *adj.* wonderful, mirific.
miriște *s.f.* stubblefield.
mirmecofil, -ă *s.m., s.f., adj. entom.* myrmecophile.
mirmidon *s.m. mitol.* Myrmidon.
mirodenie *s.f.* spice.
mironosiță *s.f.* prude.
miros *s.m.* **1.** smell, odour. **2.** *(plăcut)* aroma. **3.** *(urât)* stench.
mirosi I. *vt.* to smell. **II.** *vi.* **1.** to smell (of smth.). **2.** *(urât)* to stink (of smth.).
mirositor *adj.* smelling; *rău-~* ill-smelling.
mirt *s.m. bot.* myrtle *(Myrtus communis).*
mirtacee *s.f. pl. bot.* myrtles, Myrtaceae.
mirui *vt.* **1.** to anoint. **2.** *fig.* to crack on the head.
miruță *s.f. bot.* anchusa, bugloss, alkanet *(Anchusa).*
misadă *s.f.* v. m e s a d ă.
misă *s.f. muz.* mass.
miscelaneu I. *adj.* miscellaneous. **II.** *s.n.* miscellanea.
miscibil *adj. chim.* miscible.
miscibilitate *s.f. chim.* miscibility.
miserere *s.n.* **1.** *rel., muz.* Miserere. **2.** *fig.* complaint, prayer for mercy.
misionar *s.m.* missionary.
misionarism *s.n. rel.* missionarism; missionary work.
misir *s.m. înv. ec., fin.* Turkish gold coin minted in Cairo (18th and 19th century).
misit *s.m.* **1.** intermediary. **2.** *(de moșii)* land agent, AE realtor.
misitie *s.f.* **1.** broking, brokerage. **2.** *(plată)* brokerage.
misiune *s.f.* **1.** mission. **2.** *(delegație)* deputation; *~ de conciliere* goodwill mission.
misivă *s.f.* letter, message.
misogin *s.m.* woman hater, misogynist.
misoneism *s.n. rar* misoneism.
mispichel *s.n. mineral.* mispickel, arsenical pyrite.
mistagog *s.m. ist. Greciei, rel.* mystagogue.
mistelă *s.f.* wine made of unfermented grape juice mixed with alcohol.
mister *s.n.* mistery.
misterios I. *adj.* mysterious. **II.** *adv.* mysteriously.
mistic I. *s.m.* mystical person. **II.** *adj.* mystic(al).
misticism *s.m.* mysticism.
mistifica *vt.* to mystify.
mistificare *s.f.* mystification; hoax.
mistificator *s.m.* mystifier, hoaxer.
mistificație *s.f.* mystification.
mistral *s.n.* mistral.
mistreț *s.m., adj. zool.* wild boar *(Sus scrofa).*
mistrie *s.f.* trowel.
mistui I. *vt.* **1.** to digest. **2.** *(a arde)* to consume. **II.** *vr.* **1.** to be digested. **2.** *fig.* to pine away (with longing).
mistuitor *adj.* consuming.
mișca I. *vt.* **1.** to (re)move. **2.** *fig.* to move, to touch. **II.** *vi.* **1.** to budge. **2.** *fig.* to do one's best; *a ~ din urechi* to grease the palm of; *(a cere mită)* to ask for bribe. **III.** *vr.* to move; to stir.
mișcare *s.f.* **1.** movement; motion. **2.** *(gest și) gesture.* **3.** *(activitate)* bustle. **4.** *(la șah și fig.)* move. **5.** *(revoluție)* rising; *~ de eliberare națională* national liberation movement; *~ de mase* mass movement.
mișcat *adj.* moved, touched, affected.
mișcător *adj.* moving.
mișel I. *s.m.* **1.** knave. **2.** *(laș)* caitiff. **II.** *adj.* **1.** rascally. **2.** *(laș)* cowardly.
mișelesc *adj.* **1.** vile. **2.** *(laș)* dastardly.
mișelește *adv.* meanly etc. v. m i ș e l e s c.
mișelie *s.f.* baseness.
mișmaș *s.n.* **1.** *fam.* v. ș p r i ț. **2.** *fig. (amestecătură) fam.* mishmash; medley; pell-mell; all sorts of things / stuff.
mișuna *vi. a ~ de* to swarm / to teem with.
mit *s.n.* myth.
mită *s.f.* bribe(ry).
mite *adv. (chiar)* even; *dar ~...* to say nothing of..., let alone...
mitenă *s.f.* mitten.
mithraism *s.n. rel.* Mithraism.
mitic *adj.* mythical.
miting *s.n.* meeting, rally; *~ de protest* protest meeting.
mititei *s.m. pl. cul.* grilled minced meat rolls.
mitocan *s.m.* cad.
mitocănesc *adj.* boorish, loutish, caddish.
mitocănie *s.f.* boorishness.
mitocondrie *s.f. biol.* mitochondrion.
mitologic *adj.* mythological.
mitologie *s.f.* mythology.
mitoman I. *s.m.* mythomaniac, fantast; liar; windbay, boaster. **II.** *adj.* mythomaniac, lying; boastful.
mitomanie *s.f. psih.* mendacity.
mitotic *adj.biol.* mitotic.
mitoză *s.f. biol.* mitosis.
mitral *adj. anat.* mitral.
mitralia *vt.* to machine-gun.
mitralie *s.f. mil.* case / canister / grape-shot; hail of bullets.
mitralieră *s.f.* machine-gun.
mitralior *s.m.* machine gunner.
mitră *s.f.* **1.** *bis.* mitre. **2.** *anat.* womb.
mitridatizare *s.f. med.* mithridatization; mithridatism.
mitropolie *s.f.* metropolitan seat / church.
mitropolit *s.m.* metropolitan bishop.
mitropolitan *adj.* metropolitan.
mitui *vt.* to bribe.
mituitor *s.m.* bribe giver, AE grafter.
miță *s.f.* wool of a lamb.
mițos *adj.* fleecy.
mițui *vt. pop.* to shear lambs.
miuon *s.m. fiz.* muon, mumeson.
mixa *vt. cin.* to mix.
mixaj *s.n. cin.* mixing.
mixedem *s.n. med.* myx(o)dema.
mixer *s.n. telec., tehn.* mixer.
mixomatoză *s.f. med. vet.* myxomatosis.
mixomicete *s.f. pl. bot.* Myxomycetes.
mixt *adj.* joint, mixed.
mixtură *s.f. (în diferite sensuri)* mixture.
miza I. *vt.* to stake. **II.** *vi.* to bank (on smth.).
mizantrop *s.m.* misanthrope.
mizantropic *adj.* misanthropic(al).
mizantropie *s.f.* misanthropy.
miză *s.f.* stake.
mizer *adj.* miserable, wretched.
mizerabil I. *adj.* miserable, wretched. **II.** *adv.* poorly, miserably.
mizericordie *s.f.* mercy, mercifulness.
mizericordios *adj.* merciful.

mizerie *s.f.* **1.** misery, poverty. **2.** *pl.* troubles; *de ~* miserable.
mizid *s.n. zool.* mysid, Mysis.
mizilic *s.n.* hors d'oeuvre.
mladă *s.f. bot.* shoot; young branch.
mlajă *s.f. bot.* basket osier, osier (willow) *(Salix viminalis).*
mlaștină *s.f.* **1.** marsh. **2.** *fig.* morass.
mlădia *vt., vr.* to ply.
mlădios *adj.* lithe, pliant.
mlădiță *s.f.* **1.** shoot. **2.** *fig.* offspring.
mlădiu *adj.* lithe, supple, slender, graceful.
mlăștiniță *s.f. bot.* Epipactis, orchid *(Epipactis).*
mlăștinos *adj.* swampy.
mleci *s.m. bot.* cicer(ita) *(Cicerita alpina).*
mnemotehnică *s.f.* mnemotechny, mnemonics.
moacă *s.f. argou* **1.** *(falcă)* jaw. **2.** *fam. (cap)* nut, pate, *(mutră)* mug, face.
moale I. *s.n. ~le capului* fontanelle. **II.** *adj.* **1.** soft. **2.** *(flasc)* flabby. **3.** *(mlădios)* flexible. **4.** *(dulce)* gentle. **5.** *(ușor)* light. **6.** *(d. ouă)* soft-boiled. **7.** *fig.* weak(ly). **III.** *adv.* gingerly, softly.
moar *s.n. text.* moire.
moară *s.f.* **1.** mill. **2.** *(țânțar)* nine-men's morris; *~ stricată / neferecată* chatterbox.
moare *s.f.* sauerkraut brine.
moarte *s.f.* **1.** death. **2.** *(deces)* demise; *~ bună* natural death; *cu ~ în suflet* with one's heart in one's mouth; *de ~* mortal(ly), deadly; *fără ~* immortal; *până la ~* to one's dying day.
moașă *s.f.* midwife.
moaște *s.f. pl.* relics.
moază *s.f. constr.* cross / binding piece, tie (beam), brace; nogging piece; wale piece.
mobil I. *s.n.* **1.** motive; reason. **2.** *fiz.* body on motion. **II.** *adj.* **1.** mobile, movable. **2.** *(schimbător)* versatile, changeable. **3.** *(vioi)* sprightly. **4.** *jur.* personal.
mobila *vt.* to furnish.
mobilă *s.f.* (piece of) furniture.
mobiliar *adj.* movable, personal.
mobilier *s.n.* furniture.
mobilitate *s.f.* mobility.
mobiliza *vt.* **1.** *mil.* to mobilize. **2.** *fig.* to rally, to muster.
mobilizabil *adj.* mobilizable.
mobilizare *s.f.* **1.** mobilization. **2.** *fig.* rally, summoning.
mobilizator *adj.* stimulating.
mocan *s.m.* **1.** shepherd. **2.** *(muntean)* highlander.
mocancă *s.f. pop.* **1.** shepherd's wife. **2.** highlander woman.
mocasini *s.m. pl.* moccassins.
mocăi *vr.* to (dilly) dally.
mocăit *adj.* slow-moving.
mocănaș *s.m.* **1.** diminutive of "mocan". **2.** popular pastoral dance in Moldavia and Dobrudja; the tune of this dance.
mocănesc *adj.* shepherd('s)...
mocăniță *s.f. pop.* **1.** v. m o c a n c ă. **2.** *reg.* cog railway / road (in Transylvania).
mocârțan *s.m. pop.* **1.** mountaineer. **2.** *fig., fam.* country bumpkin, land boor, churl.
mochetă *s.f. text.* moquette.
mocirlă *s.f.* **1.** marsh, swamp. **2.** *fig.* morass, mire.
mocirlos *adj.* swampy, marshy.
mocni *vi.* to smoulder.
mocnit *adj.* **1.** smouldering. **2.** hidden.
mocofan *s.m.* lout, country bumpkin.
mocoși *vr.* to do things slowly.
mod *s.n.* **1.** mode. **2.** *(fel)* manner, way. **3.** *gram.* mood; *~ de întrebuințare* usage (instructions); *~ de viață* way of life.
modal *adj.* modal.
modalitate *s.f.* **1.** modality. **2.** possibility.
modă *s.f.* **1.** fashion. **2.** *(obicei)* custom; *de ~* fashion; *la ~* fashionable.
model I. *s.n.* model; *după ~ul lui* following his example. **II.** *adj.* model, exemplary.
modela I. *vt.* **1.** to model. **2.** *(a da formă la)* to mould, to shape. **II.** *vr.* to be modelled; to follow the pattern (of).
modelaj *s.n.* modelling etc. v. m o d e l a.
modelare *s.f.* **1.** modelling, moulding. **2.** pattern-making. **3.** *geogr.* surface relief modelling.
modelator I. *s.m.* modeller. **II.** *s.n.* sculpturing chisel.
modeleu *s.n. artă* relief; moulding.
modelizare *s.f.* v. m o d e l a r e 2.
modelor *s.m.* pattern maker, modeller.
modenatură *s.f. arh.* outline of building.
modera *vt.* to moderate.
moderat *adj.* temperate.
moderato *adv. muz.* moderato.
moderator I. *s.n. tehn.* speed governor. **II.** *s.m.* moderator.
moderație *s.f.* moderation.
modern *adj.* **1.** modern. **2.** *(la zi)* up-to-date. **3.** *(la modă)* fashionable. **4.** classical.
modernism *s.n.*, **modernitate** *s.f.* modernism.
modernist *adj., s.m.* modernist.
moderniza *vt., vr.* to modernize (oneself).
modernizare *s.f.* modernization.
modern-style *s.n. artă* modern-style, art nouveau.
modest I. *adj.* modest, unassuming. **II.** *adv.* modestly; in a small way.
modestie *s.f.* modesty.
modic *adj.* slender, modest, (s)light.
modifica *vt.* to alter.
modificabil *adj.* modifiable.
modificare *s.f.* modification, alteration; *(schimbare)* change.
modificator *adj.* modifying.
modificație *s.f.* v. m o d i f i c a r e.
modilion *s.n. arh.* modillion; bracket; corbel.
modistă *s.f.* milliner.
modul *s.m. mat.* modulus.
modula *vt., vr.* to modulate.
modulare *s.f. constr.* modulation, the use of modules in building.
modulator *s.n. fiz.* modulator.
modulație *s.f.* modulation.
mofetă *s.f. geol.* mofette.
mofluz I. *adj.* **1.** *înv.* bankrupt. **2.** blasé, cloyed, discontent, sullen, sulky. **II.** *s.m. înv.* **1.** bankrupt. **2.** discontented chap; *a rămâne ~* to break, to fail, to become bankrupt; *fam.* to go (and) whistle for it.
moft *s.n.* **1.** caprice. **2.** *(fleac)* trifle.
moftangiu *s.m.* trifler; *(mincinos) fam.* humbug, teller of tall tales; *(flecar) fam.* cackler, gabbler.
mofturos *adj.* fastidious.
mogâldeață *s.f.* (small) indistinct shape.
mohair *s.n. text.* mohair.
mohican *s.m.* Mohican; *ultimul ~* the last of the Mohicans (often used jocularly); the last to resist.
mohor *s.n. bot.* bristle grass *(Setaria).*
mohorât *adj.* **1.** dark, gloomy. **2.** *(d. vreme și) overcast.*
mohorî vr. to cloud over.
moina *vi.* to thaw.
moină *s.f.* thaw.
moist *filoz.* disciple of the Chinese philosopher Mo-tze.
mojar *s.n.* mortar.
mojdrean *s.m. bot.* manna / flowering ash *(Fraxinus ornus).*
mojic *s.m.* cad, lout.
mojicesc *adj.* rude, coarse, boorish, loutish, churlish.

mojicește *adv.* rudely etc. v. m o j i c e s c.
mojicie *s.f.* rudeness.
mol *s.m.* **1.** *chim.* mol(e). **2.** *constr.* (harbour) breakwater; pier.
mola *s.m. înv.* Turkish judge.
molan *s.m. iht.* v. g r i n d e l.
molar I. *adj. dinte* ~ molar (tooth), *fam.* grinder. **II.** *s.m.* v. m o l a r I.
molasă *s.f. geol.* molasse, sandstone.
molatic *adj.* soft; slow.
molâu *adj.* soft(minded).
molcom *adj.* **1.** gentle, mild. **2.** *(tăcut)* silent.
molcomi *vt. pop.* **1.** to appease, to pacify, to quiet. **2.** to soften.
moldav *s.m., adj. înv. ist.* Moldavian.
moldovean *s.m., adj.*, **moldovenesc** *adj.* Moldavian.
moldoveancă *s.f.* Moldavian woman.
moldovenism *s.n.* Moldavian word / idiom.
molecular *adj.* molecular.
moleculă *s.f.* molecule.
molesta *vt.* to molest.
moleșeală *s.f.* **1.** enervation. **2.** *(toropeală)* drowsiness.
moleși I. *vt.* to enervate. **II.** *vr.* to become drowsy.
moleșit *adj.* torpid.
moleșitor *adj.* enervating.
molet I. *s.n. med. vet.* windgall. **II.** *s.m. entom.* larva of flour / meal beetle.
moletare *s.f. tehn.* knurling, milling.
moletă *s.f. tehn.* knurling tool.
molete *s.m. entom.* v. m o l e t II.
moletieră *s.f.* puttee.
molfăi *vt., vi.* **1.** to munch. **2.** *fig.* to mumble.
molhaș *subst. geogr.* v. t i n o v.
molibdat *s.m. chim.* molybdate.
molibden *s.n. chim.* molybdenum.
molibdenic *adj. chim.* molybdic (acid).
molibdenit *s.n. mineral.* molybdenite.
molibdit *s.n. mineral.* molybdite.
moliciune *s.f.* softness, flabbiness.
molid *s.m. bot.* spruce fir *(Picea excelsa).*
molidvenic v. m o l i t v e l n i c.
molie *s.f. entom.* moth *(Tinea).*
molift *s.m. bot.* spruce fir.
moliftă *s.f. bis.* Orthotox prayer read by a priest or a bishop.
molimă *s.f.* epidemic.
molinism *s.n. rel.* Molinism, Quietism.
molipsi I. *vt.* to contaminate. **II.** *vr.* to be infected (by smth.).
molipsire *s.f.* contagion.
molipsitor *adj.* catching.
molitfă *s.f.* v. m o l i f t ă.
molitfelnic v. m o l i t v e l n i c.
molitvă *s.f.* v. m o l i f t ă.
molitvelnic *s.n.* prayer book.
moll *adj. muz.* moll.
mollisol *s.n. geol.* mollisol.
moloh *s.n.* Moloch.
molon *s.n. constr.* quarry stone; rubble(stone), moellon.
molos *s.m. zool.* molossus, mastiff / bulldog bat.
moloz *s.n.* débris.
molton *s.n. text.* soft thick flannel, cotton; duffel.
molură *s.f. bot.* fennel *(Foeniculum vulgare).*
moluscă *s.f. zool.* shellfish, mollusc.
momâie *s.f.* **1.** scarecrow. **2.** *fig.* dummy.
momeală *s.f.* bait, lure.
moment *s.n.* moment; *de* ~ momentary, ephemeral; *din* ~ *ce* as; because; *din* ~ *în* ~ any minute now; *la* ~ at once; *la un* ~ *dat* after a time, at a given moment; *pentru* ~ for the time being.
momentan I. *adj.* momentary. **II.** *adv.* for the time being.
momi *vt.* to (al)lure.
momițe *s.f. pl.* sweetbread.
monadă *s.f. filoz.* monad.
monadnock *s.n. geol.* monadnock.
monah *s.m.* monk.
monahal *adj.* monastic.
monahie *s.f.* nun.
monahism *s.n.* monachism, monasticism.
monarh *s.m.* sovereign.
monarhic *adj.* monarchic.
monarhie *s.f.* **1.** monarchy. **2.** *fig.* throne.
monarhism *s.n. pol.* monarchism, royalism.
monarhist *s.m., adj.* monarchist.
monastic *adj.* monastic.
monazit *s.n. mineral.* monazite.
monden *adj.* fashionable, society...
mondenitate *s.f.* fashionableness, fashionable society; high life, mundaneness, mundanity; *pl.* social events.
mondial *adj.* world (wide); international.
mondoviziune *s.f.* mondovision.
monedă *s.f.* **1.** currency. **2.** *(gologan)* coin; ~ *măruntă* change.
moneră *s.f. biol.* moneron.
monetar I. *s.n.* account(s). **II.** *adj.* currency.
monetărie *s.f.* mint.
mongol *s.m., adj.* Mongolian.
mongolic *adj. geogr.* Mongolian.
mongolid *adj.* mongoloid.
mongolism *s.n. med.* mongolism, mongolianism.
mongoloid *s.m., s.f.* mongoloid.
monilioză *s.f. med.* monilia disease, brown rot (of fruit).
monism *s.n. filoz.* monism.
monist *adj., s.m. filoz.* monist.
monitor I. *s.m.* monitor, prefect. **II.** *s.n.* **1.** (Official) Gazette. **2.** *nav.* monitor.
mon-khmeric *adj. lingv.* Mon-Khmeric.
mono- *prefix* mon(o)-, single-, one-, uni-.
monoatomic *adj. chim.* monoatomic.
monobazic *adj. chim.* monobasic.
monobloc I. *adj.* cast / made in one piece. **II.** *s.n.* block.
monobrăzdar *s.n. agr.* single-bottom plough.
monocelular *adj.* unicellular.
monocilindric *adj. tehn.* single / one-cylinder (engine).
monocit *s.n. biol.* monocyte.
monocită *s.f.* v. m o n o c i t.
monoclamidee *s.f. pl. bot.* Monochlamydeae.
monoclinal *adj., s.n. geol.* monoclinal.
monoclinic *adj.* monoclinic.
monoclorbenzen *s.n. chim.* monochlorobenzene.
monoclu *s.n.* monocle.
monocord *muz.* **I.** *adj.* singlestring... **II.** *s.n.* monochord.
monocotiledonat *bot.* **I.** *adj.* monocotyledonous. **II.** *s.n.* monocotyledon.
monocristal *s.n.* monocrystal.
monocrom *adj.* monochromic, monochrome.
monocromatic *adj.* monochromatic.
monocromator *s.n. fiz.* monochromator.
monocromie *s.f.* monochrome.
monocultură *s.f. agr.* one-crop / single-crop system.
monodactil *adj. zool.* monodactyle, monodactylous.
monodie *s.f.* monody.
monofag *adj., s.m. biol.* monophagous (animal).
monofagie *s.f. biol.* monophagy.
monofazat *adj. fiz.* monophasic.
monofazic *adj. el., fiz.* monophasic.
monofizit, -ă *adj., s.m., s.f. rel.* Monophysite.
monofizitism *s.n. rel.* Monophysism, Monophysitism.
monofobie *s.f.* monophobia.

monofonematic *adj. lingv.* monophonemic.
monoftong *s.m. lingv.* monophtong.
monoftonga *vr. lingv.* to monophthongize.
monogam *adj.* monogamous.
monogamie *s.f.* monogamy.
monogenetic *adj. biol. etc.* monogenetic.
monogeneză *s.f. biol.* monogenesis.
monografic *adj.* monographic.
monografie *s.f.* monograph.
monogramă *s.f.* monogram.
monoic *adj. bot.* monoecious.
monoideism *s.n. filoz., med.* monoideism.
monolingv *adj.* monolingual.
monolit **I.** *s.m.* monolith. **II.** *adj.* monolithic, unitary.
monolitic *adj. și fig.* monolithic; *fig.* powerful, impressive, massive.
monolog *s.n.* monologue, soliloquy; ~ *interior* interior monologue.
monologa *vi.* to soliloquize, to talk to oneself.
monom *s.n. mat.* monomial, single term.
monomanie *s.f.* monomania.
monomer *s.m. chim.* monomer.
monometalism *s.n.* monometallism.
monometru *s.n. stil.* monometer.
monomotor *adj. av.* one- / single-engined (aircraft).
mononucleoză *s.f. med.* mononucleosis.
monopetal *adj. bot.* monopetalous.
monoplan *s.n.* monoplane.
monoplegie *s.f. med.* monoplegia.
monopodiu *s.n. bot.* monopodium.
monopol *s.n.* monopoly.
monopolist **I.** *s.m.* monopolist. **II.** *adj.* monopoly.
monopoliza *vt.* to monopolize.
monopter *arh.* **I.** *adj.* monopteral. **II.** *s.n.* monopteron, monopteros; *pl.* monoptera.
monorai *s.f.* monorail.
monorimă *adj. stil.* monorhyme.
monoscop *s.n. el.* monoscope.
monosemantic *adj. lingv.* monosemantic.
monosilab *lingv.* **I.** *adj.* monosyllabic. **II.** *s.n.* monosyllable.
monosilabă *s.f. lingv.* monosyllable.
monosilabic *adj.* one-syllabled, monosyllabic.
monostrofă *s.f. stil.* monostrophe, one-stanza poem.
monoșină *s.f.* v. m o n o r a i.
monoteism *s.n. rel.* monotheism.
monoteist *adj., s.m.* monotheist.
monotelit *s.m. ist. rel.* Monothelite, Monothelete.
monotip *s.n. poligr.* monotype (machine).
monotipist *s.m. poligr.* monotype operator.
monoton **I.** *adj.* monotonous; tedious. **II.** *adv.* monotonously.
monotonie *s.f.* monotony.
monotrem *s.n. zool.* monotreme *(Monotremata).*
monovalent *adj. chim.* monovalent.
monoxilă *s.f. nav.* one-trunk boat.
monozaharidă *s.f. chim.* monosaccharide.
monsenior *s.m.* monsignor(e).
monstru **I.** *s.m.* monster. **II.** *adj.* **1.** monstruous. **2.** *fig.* capital.
monstruos *adj.* monstrous; *(uriaș)* huge, colossal; *(îngrozitor)* awful, shocking.
monstruozitate *s.f.* monstrosity.
mont *s.n. anat.* knot, gnarl.
monta **I.** *vt.* **1.** to mount. **2.** *(a înrăma)* to frame. **3.** *(a potrivi)* to set. **4.** *teatru* to stage. **5.** *tehn.* to assemble. **6.** *fig.* *(a ațâța)* to set (against smb.). **II.** *vr.* **1.** to be mounted / set. **2.** *fig.* to warm up, to grow passionate.
montagnarzi *s.m. pl. ist.* members of the Montagne.
montagne russe *s.f.* switchback, roller coaster.
montaj *s.f.* **1.** mounting. **2.** *tehn.* assembly, fitting. **3.** *(radiofonic etc.)* montage. **4.** *cin.* editing.
montanism *s.n. ist.* Montanism.
montant **I.** *adj.* upright, high; *guler* ~ stand-up collar. **II.** *s.m.* pole, post, upright beam.
montare *s.f.* **1.** *tehn.* assembly. **2.** *teatru* staging, production.
montat *adj.* mounted.
montator *s.m.* fitter.
montă *s.f.* covering, horsing.
montmorillonit *s.n. mineral.* montmorillonite.
montor *s.m.* **1.** fitter. **2.** *cin.* editor.
montură *s.f.* setting.
monțian *s.n., adj. geol.* Montian.
monument *s.n.* monument.
monumental *adj.* monumental, impressive, colossal.
monumentalitate *s.f.* monumentality.
monumentalitate *s.f.* monumentality, monumental nature / proportions.
mops *s.m.* pug.
mor *interj.* *(a ursului)* grrr!
moracee *s.f. pl. bot.* Moraceae, the fig family.
moral **I.** *s.n.* morale, (high) spirits; ~ *scăzut* / *prost mil.* combat fatigue. **II.** *adj.* moral, spiritual.
morală *s.f.* **1.** *(etică)* morality, ethics. **2.** *(învățătură)* moral. **3.** *(reproșuri)* sermon.
moralist *sm., adj.* moralist.
moralitate *s.f.* **1.** morals, ethics. **2.** *teatru* morality (play).
moraliza *vt.* to lecture.
moralizator *adj.* moralizing.
moralmente *adv.* morally, from the moral point of view; ~ *obligat* in duty bound.
morar *s.m.* miller.
moratoriu **I.** *adj. jur.* moratory. **II.** *s.n.* *jur.* moratorium.
moravuri *s.n. pl.* **1.** manners, customs. **2.** *(moralitate)* morals.
morărească *s.f.* v. m o r ă r i ț ă.
morăresc *adj.* mill..., miller's...
morărit *s.n.* **1.** milling. **2.** *ist.* thril(age).
morăriță *s.f.* miller's wife.
morb *s.n.* disease; *fig.* (mono)mania; *med.* ~*ul lui Pott* Pott's disease.
morbid *adj.* morbid.
morbidețe *s.f. livr.* morbidezza.
morbiditate *s.f.* morbidity.
morcov *s.m.* carrot.
mordansare *s.f. ind. text.* mordanting.
mordant **I.** *s.m.* caustic. **II.** *adj.* biting.
morenă *s.f. geol.* moraine.
moresc *adj.* Moorish, Moresque.
morfem *s.m. gram.* morpheme.
morfină *s.f.* morphia.
morfinism *s.n. med.* morphinism, the morphine addiction / habit.
morfinoman *s.m.* drug addict.
morfinomanie *s.f.* morphinomania, drug habit.
morfofiziologic *adj. biol.* morphophysiological.
morfogeneză *s.f. biol.* morphogenesis, morphogeny.
morfogenie *s.f. geol.* morphogeny.
morfoleală *s.f.* munching.
morfoli *vt.* to munch.
morfologic *adj.* morphological.
morfologie *s.f.* morphology.
morfonologie *s.f. lingv.* morphophonemics.
morfopatologie *s.f. med.* pathological morphology.
morganatic *adj.* morganatic, *fam.* left-handed.
morganism *s.n. biol.* Morgan's theory.
morgă *s.f.* **1.** morgue. **2.** (*trufie*) pride.
morion *s.n. ist. mil., mineral.* morion.
morisci *s.m. pl. ist., geogr.* Morisco(e)s, Moors.

morișcă *s.f.* **1.** handmill. **2.** *(de vânt)* weather cock. **3.** *(gură)* chatter-box.
morman *s.n.* heap, pile.
mormăi *vt., vi.* to grumble.
mormăit *s.n.* grumbling.
mormânt *s.n.* **1.** grave; one's last home. **2.** *(monument)* tomb; *~ul eroului necunoscut* the grave of the unknown warrior.
mormântal *adj.* funeral; *(lugubru)* lugubrious.
mormoloc *s.m.* **1.** *zool.* tadpole. **2.** *(copil)* kid, chit. **3.** *(om moale)* milksop, mollycoddle.
mormon *s.m. rel.* Mormon, Latterday Saint.
mormonism *s.n. rel.* mormonism.
morocănos *adj.* peevish.
moroi *s.m.* ghost, phantom.
morsă *s.f. zool.* walrus, sea-cow *(Odobenus).*
morse *s.n.* Morse.
mort I. *s.m.* dead person; *pl. morții* the dead. **II.** *adj.* **1.** dead. **2.** *(defunct)* late, deceased. **3.** *fig.* lifeless, still; *~-copt* at all costs; *~ de oboseală* dead tired; *nici ~* on no acount.
mortal I. *adj.* mortal, fatal. **II.** *adv.* fatally.
mortalitate *s.f.* death rate; *~ infantilă* infant mortality.
mortar *s.n. constr.* mortar.
mortăciune *s.f.* carrion.
mortezare *s.f. tehn.* mortising, slotting.
mortezat *s.n. tehn. mașină de ~* mortising equipment.
morteză *s.f. tehn.* slotting machine.
mortier *s.n. mil.* mortar.
mortifica *vt., vr.* to mortify.
mortificat *adj.* **1.** mortified; humiliated. **2.** *med.* gangrened.
mortinatalitate *s.f.* rate of still-births.
mortuar *adj.* mortuary.
morțiș *adv.* obstinately.
morua *s.f. iht.* cod *(Gadus morrhua)*
morulă *s.f. biol.* morula.
morun *s.n. iht.* sturgeon *(Huso huso).*
morunaș *s.m. iht.* hake, codling *(Vimba vimba).*
morvă *s.f. med. vet.* glanders.
mosc *s.m., s.n.* musk; *de ~* musk.
moscat *adj.* musky, moschate; *zool. bou ~* musk ox *(Ovibus moschatus).*
moschee *s.f.* mosque.
moscovit I. *adj.* Moscow... **II.** *s.m.* Muscovite.
mosor *s.n.* spool.
mostră *s.f.* **1.** sample. **2.** *fig.* foretaste.
moș *s.m.* **1.** old man. **2.** *(strămoș)* forefather. **3.** *pl. (iarmaroc)* fair; *Moș Crăciun* Santa Claus; *Moș Ene* the dustman; *Moș Gerilă* Jack Frost.
moși I. *vt.* to act as a midwife to. **II.** *vr.* to dawdle.
moșie *s.f.* estate.
moșier *s.m.* landlord.
moșiereasă *s.f.* **1.** landowner. **2.** landowner's wife.
moșieresc *adj.* landowner('s).
moșierime *s.f.* landed gentry.
moșit *s.n.* midwifery; obstetrics, tocology, tokology.
moșmândi *vb.* v. m o ș m o l i.
moșmoană *s.f. bot.* medlar (apple) *(Mespillus germanica).*
moșmoane *s.f. pl.* charms.
moșmoli *vr.,* **moșmondi** *vr.* to potter about.
moșmon *s.m. bot.* medlar (tree) *(Mespilus germanica).*
moșmondi *vr.* v. m o ș m o l i.
moșneag *s.m.* **1.** old man. **2.** *peior.* old rotter.
moșnean *s.m. ist. României* freeholder.
moșnegesc *adj.* old man's...
moșteni I. *vt.* to inherit. **II.** *vr.* to be inherited.
moștenire *s.f.* inheritance, legacy; *~ literară* literary heritage.
moștenit *adj.* inherited.
moștenitoare *s.f.* heiress.
moștenitor *s.m.* heir; *~ prezumtiv* heir apparent.
motan *s.m.* **1.** tomcat. **2.** hypocrite. **3.** *(om ursuz)* morose man; *Motanul Încălțat* Puss-in-boots.
motel *s.n.* motel.
motet *s.n. muz.* motet.
motilitate *s.f. fiziol.* motility, contractility.
motiv *s.n.* **1.** reason, cause. **2.** *artă* motif. **3.** *muz.* theme; *fără ~* groundlessly.
motiva *vt.* to motivate.
motivație *s.f. psih. etc.* motivation.
moto *s.n.* motto.
motoblindat *s.n. mil.* armoured motor vehicle.
motocel *s.m.* clew; tassel.
motocicletă *s.f.* motorcycle; *~ cu ataș* (motorcycle) combination.
motociclism *s.n.* motor cyclism.
motociclist *s.m.* motorcyclist.
motocompresor *s.n.* motor aircompressor.
motocros *s.n. sport.* motocross.
motocultură *s.f.* power agriculture, motorized agriculture / farming.
motomecanizare *s.f.* mechanization.
motomecanizat *adj.* mechanized.
motomitralieră *s.f. mil.* machine-gun on a motorcycle.
motonautică *s.f. sport.* motorboat sports.
motonavă *s.f.* motorship.
motoplug *s.n.* motor plough.
motopompă *s.f. tehn.* (motor) pump.
motopropulsor *s.n. tehn.* power unit.
motor I. *s.n.* **1.** engine, motor. **2.** *fig.* motive, stimulus; *~ cu explozie* combustion engine; *~ electric* electric motor. **II.** *adj.* motive.
motoretă *s.f.* motor bicycle, moped.
motorină *s.f.* diesel oil.
motoriza *vt.* to fit with a motor, to motorize.
motorizat *adj.* motorized.
motorizate *s.n. pl. mil.* motorized force.
mototol I. *s.m.* mollycoddle, milksop. **II.** *adj.* weak, nerveless.
mototoli *vt.* to crumple.
mototricicletă *s.f.* motortricycle.
motrice *adj.* driving.
motricitate *s.f.* v. m o t i l i t a t e.
motto *s.n.* v. m o t o.
moț *s.n.* **1.** tuft (of hair). **2.** *zool.* crest. **3.** *pl.* curl papers. **4.** *bot.* com. **5.** *(ciucure)* tassel; *cu ~* tufted; *fig.* exceptional.
moțat *adj.* **1.** tufted. **2.** *fig.* exceptional.
moțăi *vi.* to doze (away).
moțăială *s.f.* doze; dozing.
moți *s.m. pl. geogr. României* inhabitants of the Apuseni mountains (West Transylvania).
moțional *adj. gram.* motional, kinetic.
moțiune *s.f.* motion.
mov *adj.* mauve.
movilă *s.f.* **1.** knoll, hillock. **2.** *(morman)* heap, pile.
moviolă *s.f. cin.* moviola.
mozaic I. *s.n.* mosaic. **II.** *adj. rel.* Mosaic.
mozaicar *s.m. constr.* mosaicist, mosaic-worker.
mozaism *s.n.* Mosaism.
mozambican, -ă *s.m., s.f., adj. geogr.* Mozambican.
mozarab *ist.* **I.** *adj.* Mozarabic. **II.** *subst.* Mozarab.
mozoli *vt.* **1.** v. m o r f o l i. **2.** v. m u r d ă r i.
mraniță *s.f. agr.* manure.
mreajă *s.f.* **1.** net trap. **2.** *fig.* net, meshes, toils; *a prinde în mreje*

to enmesh, to entice, to ensnare, to entrap.
mreană *s.f. iht.* barbel *(Barbus barbus).*
muc *s.n.* **1.** wick. **2.** *(de lumânare)* candle end. **3.** *(de țigară)* butt.
mucalit I. *s.m.* wag, wit. **II.** *adj.* waggish.
mucarniță *s.f.* snuffers.
mucava *s.f.* raw cardboard.
muced *adj.* (blue-)mouldy, musty, fusty, mildewy; *(d. pâine etc.)* mouldy, mildewed.
mucegai *s.n.* mould.
mucegăi *vi., vr.* to get musty / mouldy.
mucegăit *adj.* musty, mouldy.
mucenic *s.m.* **1.** martyr. **2.** *pl. rel. Mucenici* All Saints' Day.
mucenicie *s.f.* martyrdom.
muceniță *s.f. rel. înv.* martyr (woman).
mucezeală *s.f.* **1.** moulding. **2.** v. m u c e g a i.
mucezi *vi., vr.* to mould; to rot.
muchie *s.f.* **1.** edge. **2.** *(a acoperișului)* hip; *pe ~ de cuțit* on a razor's edge.
muchier *s.n. tehn.* fillister, rabbet plane.
muci *s.m. pl.* snot.
mucilaginos *adj.* mucilaginous.
mucilagiu *s.n.* mucilage, gum.
mucină *s.f. chim.* mucin.
mucles *interj. fam.* mum's the word, keep mum.
mucoasă *s.f.* mucous membrane.
mucopolizaharidă *s.f. chim.* mucopolysaccharide.
mucoproteide *s.f. pl. chim.* mucoproteids.
mucor *s.m. bot.* mucor, mould *(Rhizopus).*
mucoracee *s.f. pl. bot.* Mucoraceae.
mucos I. *s.m.* sniveller; child. **II.** *adj.* **1.** snotty, snivelling. **2.** *fig.* unfledged, raw.
mucozitate *s.f. fiziol.* mucus, mucosity.
mucus *s.n. fiziol.* mucus.
mudejar *subst., adj. rel.* Mudejar, *pl.* Mudejares.
muezin *s.m. rel.* muezzin.
mufă *s.f.* **1.** *tehn.* coupling. **2.** *(pt. fixarea capsei)* muff.
muflă *s.f. tehn.* muffle.
muflon *s.m. zool.* moufflon, wild sheep *(Ovis musimon).*
muftiu *s.m. rel.* mufti.
muget *s.n.* (bel)lowing, roar.
mugi *vi.* **1.** to (bel)low. **2.** *(d. mare etc.)* to roar.
mugilide *s.n. pl. iht.* Mugilidae.
mugur *s.m.* bud.
muia I. *vt.* **1.** to soak. **2.** *(a face mai moale)* to soften. **II.** *vr.* **1.** to dip. **2.** *(a se face mai moale)* to soften. **3.** *fig.* to relent.
muiant *s.m. ind. text.* softener, damp(en)er.
muiat *adj. lingv. (d. consoană)* mouillé, palatalized (consonant).
muieratic *adj.* **1.** *(efeminat)* effeminate, womanly. **2.** v. a f e m e i a t.
muiere *s.f.* woman.
muieresc *adj.* woman's...; womanly.
muierește *adv.* like a woman, in a feminine way.
muierușcă *s.f. peior.* baggage.
mujdei *s.n.* garlic juice.
mul *s.n. geol.* mull.
mula I. *vt.* to mould. **II.** *vr.* to fit closely.
mulaj *s.n.* cast(ing).
mulare *s.f.* moulding, casting.
mulatră *s.f.*, **mulatru** *s.m.* mulatto.
mulgătoare *s.f.* dairymaid.
mulgător *s.m.* milker; *~ul caprelor* whip-poor-will.
mulge *vt.* to milk.
mulge-capre *s.n. ornit.* whip-poor-will.
mulgere *s.f.*, **mulsoare** *s.f.* milking.
mulinare *s.f. ind. text.* throwing (of silk).
muline v. m u l i n e u.
mulinetă *s.f.* reel.
mulineu *s.n. text.* silk, cotton or wool thread used in embroidery.
muls *s.n.* milking.
mulsoare *s.f.* v. m u l s.
mult I. *adj.* **1.** much, a lot of. **2.** *fam.* bulky; *~ timp* a long time, long; *de ~e ori* often. **II.** *pron.* much, a lot. **III.** *adv.* **1.** much. **2.** *(îndelung)* long; *~ mai* far greater etc.; *~ și bine* for a long time; *cel ~* at the most; *cu ~* by far; *de ~* long ago; *mai ~* more(over); *mai ~ sau mai puțin* more or less.
multă I. *adj.* **1.** much, a lot of. **2.** *fam.* bulky. **II.** *pron.* much (of it), a large portion.
multe I. *adj.* many, a lot of. **II.** *pron.* **1.** many (of them). **2.** many things, much.
multi- *prefix* multi-.
multicolor *adj.* multi-coloured, many-colour.
multiform *adj.* multiform.
multilateral *adj.* many-sided, multilateral.
multilateralitate *s.f. rar* many-sidedness, multilaterality.
multimetru *s.n. el.* multimeter, electric meter.
multimilenar *adj.* multimillenary.
multimilionar *s.m.* multimillionaire.
multinațional *adj.* multinational.
multipar I. *adj.* multiparous. **II.** *s.f.* multipara.
multiplet *s.m. fiz.* multiplet.
multiplex *adj. telec.* multiplex.
multiplica I. *vt.* **1.** to multiply. **2.** *(un text)* to ditto, to mimeograph. **II.** *vr.* to multiply.
multiplicare *s.f.* multiplication.
multiplicativ *adj.* multiplicative.
multiplicator *s.n.* multiplier.
multiplicitate *s.f.* multiplicity.
multiplu *s.m., adj.* multiple.
multipol *s.m. el.* multipole.
multipolar *adj. el.* multipolar.
multisecular *adj. livr.* (many) centuries old.
multitudine *s.f. livr.* multitude.
multivibrator *s.n. telec.* multivibrator.
mulți I. *adj.* many, a lot of. **II.** *pron.* many, a lot (of people).
mulțime *s.f.* **1.** crowd. **2.** *(de obiecte)* lots of.
mulțumi I. *vt.* to satisfy, to content. **II.** *vi. a ~ (cuiva)* to thank (smb.). **III.** *vr.* to be content (with smth.).
mulțumire *s.f.* **1.** content. **2.** *(răsplată)* recompense. **3.** *pl.* thanks.
mulțumit *adj.* (de) content(ed) (with), pleased (with).
mulțumită I. *s.f.* gratitude. **II.** *prep.* thanks to.
mulțumitor *adj.* satisfactory.
mulură *s.f. arh.* moulding.
mumă *s.f.* v. m a m ă.
mumbașir *s.m. ist. României* clerk charged with fiscal operations.
mumie *s.f.* mummy.
mumifia *vt., vr.* v. m u m i f i c a.
mumifica I. *vt.* to mummify. **II.** *vr.* to become mummified.
mumifiere *s.f.* mummification.
muncă *s.f.* **1.** work. **2.** *(efort)* labour. **3.** *(trudă)* toil. **4.** *(osteneală)* pains, trouble. **5.** *(activitate)* activity; *munca câmpului* field work, tilling; *~ fizică* manual labour; *~ în acord* piecework, contract work; *~ obștească* public work.
muncel *s.n. geol.* eminence, hillock.
munci I. *vt.* **1.** to till (the ground). **2.** *fig.* to torment. **II.** *vi.* **1.** to work. **2.** *(a trudi)* to toil. **III.** *vr.* **1.** to try hard. **2.** *(cu gândurile)* to worry.
muncit *adj.* **1.** tired. **2.** (*de gânduri*) tormented, haunted.
muncitor I. *s.m.* **1.** worker; working man. **2.** *(necalificat)* labourer; *~ agricol* farm hand; *~ calificat*

skilled worker; ~ *feroviar* railway man. **II.** *adj.* (hard) working, industrious.

muncitoresc *adj.* workers'..., working class...

muncitorește *adv.* like a worker, in the workers' manner.

muncitorime *s.f.* workers.

municipal *adj.* municipal, city.

municipalitate *s.f.* municipality; municipal authority.

municipalizare *s.f.* municipalization.

municipiu *s.n.* city, municipality.

munificență *s.f. livr.* munificence, bounty.

muniție *s.f. (și pl.)* ammunition.

munte *s.m.* **1.** mountain. **2.** *(în denumiri)* Mount. **3.** *(masiv)* massif. **4.** *fig.* heap, pile; ~ *de gheață* iceberg; *un ~ de om* a hulking fellow; ~ *de pietate* pawnshop, pawnbroker's; *de ~* mountain...

muntean I. *s.m.* **1.** highlander, hillman. **2.** *(din Muntenia)* Wallachian. **II.** *adj.* **1.** mountain... **2.** *(din Muntenia)* Wallachian.

muntenesc *adj.* *v.* m u n t e a n II.

muntenește *adv.* **1.** like mountaineers. **2.** in the Wallachian fashion.

muntenism *s.n.* Wallachian word / idiom.

muntos *adj.* mountainous.

mur¹ *s.m. bot.* bramble, blackberry bush *(Rubus).*

mur² *s.m. livr.* v. z i d.

mura *vt.* to pickle.

murabiț *s.m. rel.* murabit, Marabout.

mural *adj.* mural, wall...

muralist *s.m.* mural artist.

mură *s.f.* **1.** blackberry; ~ *în gură* far too easy, like a windfall. **2.** *nav.* tack.

murătură *s.f.* pickle.

murdar I. *adj.* **1.** dirty, unclean. **2.** *fig. și* foul. **3.** *(obscen)* ribald. **4.** *(meschin)* mean. **II.** *adv.* basely, meanly.

murdări I. *vt.* **1.** to (make) dirty. **2.** *(a păta)* to stain. **3.** *fig.* to defile. **II.** *vr.* **1.** to get dirty. **2.** *fig.* to be defiled / sullied.

murdărie *s.f.* **1.** dirt, filth(iness). **2.** *(imoralitate)* loose morals, dissolution. **3.** *(meschinărie)* niggardliness; *murdăria oprită!* no litter (please)!

murex *s.m. zool.* Murex (mollusc) *(Murex).*

murg I. *s.m.* dark bay (horse). **II.** *adj.* dark bay.

murguleț 1. *s.m.* young dark bay horse. **2.** *s.n.* Romanian popular dance from Wallachia; tune of this dance.

muri I. *vi.* **1.** to die. **2.** *fig.* to die down; *a ~ de bătrânețe* to die of old age; *a ~ de boală* to die of illness; *a ~ de dorința de a...* to die with desire to..., to die to...; *a ~ de foame* to starve, to die of hunger; *a ~ de frig* to die with cold; *a ~ de mâna lui etc.* to die by one's own hand; *a ~ de moarte bună* to die in one's bed; *a ~ de pe urma unei răni* to die from a wound; *a ~ la datorie* to die in harness; *a ~ pe câmpul de luptă* to die in battle; *a nu ~ de moarte bună* to die in one's shoes.

muribund I. *s.m.* dying man. **II.** *adj.* dying.

muride *s.n. pl. zool.* Muridae.

muriș *s.n. pop.* field where blackberry trees grow.

muritor *s.m., adj.* mortal.

murmur *s.m.* **1.** murmur. **2.** *(al izvorului etc.)* purling.

murmura I. *vt.* to murmur. **II.** *vi.* **1.** to murmur. **2.** *(împotriva, cu gen.)* to grumble (at smth. etc.). **3.** *(a gâlgâi)* to babble.

murui *vt. pop.* **1.** to spread clay mixed with water on the walls of a house; to fill up cracks with a clayey material. **2.** to grease dough before baking. **3.** to sully.

muruială *s.f. pop.* **1.** clayey material. **2.** mixture of flour, eggs and oil for greasing dough.

mus *s.m.* cabin boy.

musaca *s.f. cul.* rich potato *sau* egg plant stew.

musafir *s.m.* guest, visitor; *pl.* company.

musai *adv.* by all means.

muscal *s.m. înv.* **1.** v. r u s. **2.** v. b i r j a r.

muscar *s.m. ornit.* flycatcher *(Muscicapa, Ficedula).*

muscardină *s.f. zool.* muscardine, calcino; silkworm rot.

muscarină *s.f. chim.* muscarine.

muscariță *s.f. bot.* Amanita *(Amanita muscaria).*

muscat *s.n., adj.* muscatel.

muscă *s.f.* fly.

muscărie *s.f.* swarm of flies.

muscel *s.n.* hillock.

muschetă *s.f. odin.* musket.

musconă *s.f. chim.* muscone, muskone.

muscovit *s.n. mineral.* muscovite.

muscular *adj.* muscular.

musculatură *s.f.* muscles.

musculiță *s.f. entom.* midge; ~ *de oțet* v. d r o s o f i l ă.

musculos *adj.* brawny, beefy.

muselină *s.f. text.* muslin.

music-hall *s.n.* music hall.

musiu *s.m. peior.* monsieur.

muson *s.n.* monsoon.

must *s.n.* must.

mustață *s.f.* **1.** moustache. **2.** *zool.* whiskers.

mustăci *vi.* **1.** to laugh stealthilly and mockingly. **2.** to be unsatisfied, to make a wry face.

mustăcios *adj.* mustached.

mustărie *s.f.* must-cellar / shop.

mustelide *s.n. pl. zool.* Mustelidae.

musti *vi.* **1.** to ooze. **2.** *fig.* to teem (with).

mustometru *s.n. ind. alim.* a device for measuring the quantity of sugar in must.

mustos *adj.* juicy.

mustra *vt.* **1.** to reprove. **2.** *(d. conștiință)* to torture.

mustrare *s.f.* reprimand, reproof, remonstrance, *fam.* wigging, talking to; *mustrări de conștiință* qualms of conscience, searchings of the heart.

mustrător I. *adj.* reproachful. **II.** *adv.* reproachfully.

mustui *vt.* to press grapes in order to obtain must.

mustuială *s.f.* **1.** pressing of grapes. **2.** mixture resulting after pressing.

mustuitor *s.n.* wooden tool for pressing grapes.

musulman *s.m., adj.* Moslem.

mușama *s.f.* oil cloth.

mușamaliza *vt.* to hush up, to cushion.

mușca *vt., vi.* **1.** to bite. **2.** *(d. insecte)* to sting. **3.** *(a ciuguli)* to nibble (at smth.).

mușcată *s.f. bot.* pelargonium *(Pelargonium).*

mușcător *adj.* biting.

mușcătură *s.f.* **1.** bite. **2.** *(de insectă)* sting.

mușchetar *s.m.* musketeer.

mușchi *s.m.* **1.** *anat.* muscle. **2.** *(aliment)* sirloin. **3.** *bot.* moss; ~ *țigănesc* smoked fillet.

mușețel *s.m. bot.* camomile *(Matricaria chamomilla).*

mușiță *s.f.* **1.** (swarm of) flies. **2.** heap of fly larvae.

muștar *s.n.* mustard.

mușteriu *s.m.* customer.

muștiuc *s.n.* mouthpiece.

muștrului *vt.* to take to task.

muștruluială *s.f.* **1.** drilling. **2.** v. u s t r a r e. **3.** *(bătaie) fam.* licking, drubbing.

mușuroi *s.n.* **1.** hill. **2.** *(de cârtiță)* mole hill. **3.** *(de furnici)* ant hill.
mușuroitor *s.n. agr.* hiller, ridger, butting plough.
mut I. *s.m.* dumb person. **II.** *adj.* **1.** dumb; speechless. **2.** *(amuțit)* tongue-tied. **3.** *fig.* mute. **4.** *(d. film)* silent.
muta I. *vt.* to (re)move, to displace. **II.** *vr.* to move (into a new house).
mutabil *adj.* changeable, mutable.
mutabilitate *s.f.* mutability, instability.
mutakallimi *s.m. pl. rel.* mutakallimun.
mutare *s.f.* **1.** removal. **2.** *(mișcare)* move.
mutat *s.n.* v. m u t a r e 1, 2.
mutator *s.n. el.* reversible rectifier.
mutație *s.f.* mutation.
mutaționism *s.n. biol.* mutationism.
mutază *s.f. chim.* mutase.
mutazilit *s.m. rel.* Mutazilite.
mutălău *s.m.* **1.** *(om tăcut) fam.* oyster. **2.** *(prost)* blockhead.
mutătoare *s.f. bot.* bryony *(Bryonia dioica).*
mutește *adv.* mutely, wordlessly; *pe ~* without a word; by gestures; by a dumbshow.
mutila *vt.* to maim.
mutilat I. *s.m.* maimed person. **II.** *adj.* maimed.
mutism *s.n.* **1.** v. m u ț e n i e. **2.** *fig.* stubborn silence.
mutră *s.f.* **1.** face, mug. **2.** *(strâmbătură)* grimace, wry face(s).
mutual *adj.* mutual.
mutul *s.m. arh.* mutule (of Doric order).
mutulică *s.m. fam.* v. m u t ă l ă u 1.
muțenie *s.f.* dumbness.
muțește *adv.* v. m u t e ș t e.
muțunache *s.m.* **1.** puppet. **2.** *fig. fam.* jackanapes, masher; *argou* la-di-da.
muză *s.f.* muse.
muzeal *adj.* referring to a museum.
muzeograf *s.m.* specialist in museography.
muzeografie *s.f.* museography.
muzeolog *s.m.* museologist.
muzeologic *adj.* museological.
muzeologie *s.f.* museology, museum science.
muzeu *s.n.* museum.
muzical *adj.* musical.
muzicalitate *s.f.* musicality.
muzicant *s.n.* musician.
muzică *s.f.* **1.** music. **2.** *(orchestră)* band; *~ de cameră* chamber music; *~ militară* fanfare; *~ populară* folk / traditional music; *~ de dans* dance music.
muzician *s.m.* musician.
muzicolog *s.m.* musicologist.
muzicologic *adj.* musicological.
muzicologie *s.f.* musicology, musical science.
muzicoterapie *s.f. med.* musicotherapy.
muzicuță *s.f.* mouth organ.

N

N, n *s.m.* N, n, the seventeenth letter of the Romanian alphabet.
n- *adv.* v. n u.
-n *prep.* v. î n.
na *interj.* **1.** here (you are)! **2.** *(vai de mine)* ah!, well I never!
nabab *s.m.* nabob.
nabiști *s.m. artă* Nabis.
nacelă *s.f.* gondola.
nacrit *s.n. mineral.* nacrite.
nacru *s.n. rar* v. s i d e f.
nadă *s.f.* lure.
nadir *s.n. astr.* nadir.
nadiral *adj. astr.* nadiral.
naftalen *s.n. chim.* naphthalene, naphthaline.
naftalină *s.f. chim.* naphthalene, moth balls; *la ~fig.* on the shelf.
naftenat *s.m. chim.* naphthenate.
naftenă *s.f. chim.* naphthene.
naftenic *adj. chim.* naphthenic (acid).
naftil *s.m. chim.* naphthyl.
naftilamină *s.f. chim.* naphthylamine.
naftol *s.m. chim.* naphthol.
nagâț *s.m. ornit.* lapwing, pe(e)wit, bastard plover *(Vanellus cristatus).*
nai *s.n. muz.* Pan's pipe, panpipe.
naiadă *s. f. mitol.* naiad, water nymph.
naiade *s.f. pl. mitol.* naiads.
naiba *s.f.* the devil, the dickens; *la ~ !* oh, Hell!
nailon *s.n.* text. nylon.
naingiu *s. m.* reed pipe player.
naiv I. *s.m.* simpleton. **II.** *adj.* **1.** naive, artless. **2.** *(găgăuță)* foolish.
naivitate *s.f.* **1.** naivete, artlessness. **2.** *(prostie)* foolishness.
nalbar *s.m. entom.* hedge butterfly *(Aporia crataegi).*
nalbă *s.f. bot.* **1.** mallow *(Malva silvestris).* **2.** *(de grădină)* hollyhock *(Althea rosea).*
namiază *s.f.* noon, midday; *ziua namiaza mare* in broad daylight.
namilă *s.f.* **1.** giant. **2.** bulky/ strapping fellow.
nană *s.f. pop.* respectful address to an older woman; governess.
nanchin *s.n. text.* nankeen.
nandu *s.m. ornit.* nandu, rhea.
nani *interj. fam.* lullaby, hush-a-by, bye-bye; *a face ~ fam.* to do bye-bye, to go to the land of nod; *a se duce să facă ~ fam.* to go to bye-bye.
nanism *s.n. med.* dwarfism, nanism.
nano- *prefix* nano-.
naos *s.n. arh. bis.* nave.
nap *s.m. bot.* turnip-rooted cabbage, underground kohlrabi *(Brassica napus esculenta)*; *~ de pământ* v. c a r t o f; *~ porcesc* Jerusalem artichoke *(Helianthus tuberosus).*
napalm *s.n. chim.* napalm.
napoleon *s.m. fin.* napoleon, gold coin.
napoleonian *adj.* Napoleonic.
nara *vt.* to narrate, to tell.
narativ *adj.* narrative.
narator *s.m.* narrator.
narațiune *s.f. stil., lit.* narrative; story.
nară *s.f.* nostril.
narcisă *s.f. bot.* **1.** narcissus *(Narcissus).* **2.** *(galbenă)* daffodil.
narcisism *s.n. med.* narcissism; self-love.
narcolepsie *s.f. med.* narcolepsy.
narcotic *s.n., adj. med.* narcotic.
narcotină *s.f. chim.* narcotin(e).
narcotiza *vt.* to narcotize, *fam.* to drug, to dope.
narcoză *s.f. med.* narcosis, anaesthesis; *sub ~* narcotized.
nard *s.n. bot.* nardus.
narghilea *s.f.* hookah.
narodnic *ist.* **I.** *adj.* narodnik. **II.** *s.m.* narodnik, Russian populist.
narodnicism *s.n. ist.* Narodism, populism.
nartex *s.n. arh.* narthex.
narval *s.m. zool.* narwhale *(Monodon monoceros).*
nas *s.n.* nose; *~ borcănat* bottle nose; *de ~ul cuiva* suited / fit for smb.
nascorniță *s.f. entom.* v. n a s i c o r n.
nasicorn *s.m. entom.* rhinoceros beetle *(Oryctes nasicornis).*
nasion *s.n. antrop.* nasion.
nastii *s.f. pl. bot.* nastic movements.
nasture *s.m.* button.
naș *s.m.* **1.** godfather. **2.** *(la cununie)* best man, sponsor.
nașă *s.f.* **1.** godmother. **2.** *(la cununie)* sponsor.
naște I. *vt.* **1.** to give birth to. **2.** *fig.* to give rise to. **II.** *vr.* **1.** to be born. **2.** *fig.* to originate (in smth.).
naștere *s.f.* **1.** birth. **2.** *(lăuzie)* confinement; *de ~* birth; *a da ~ la* v. n a ș t e l.
natal *adj.* native.
natalitate *s.f.* birth rate.
natație *s.f. sport* swimming, natation.
nativ *adj.* native.
natră *s.f. text.* chain, warp.
natriu *s.n. chim.* sodium.
natrolit *s.n. mineral.* natrolite.
natural I. *adj.* **1.** natural. **2.** *(veritabil)* genuine, true. **3.** *(pur)* pure. **II.** *adv.* naturally. **III.** *interj.* certainly!, of course!
naturalete *s.f.* naturalness.
naturalism *s.m. artă, lit.* naturalism.
naturalist *s.m., adj.* naturalist.
naturaliza *vt.* to naturalize.
naturalizare *s.f.* **1.** *jur.* naturalization. **2.** naturalizing, acclimatizing. **3.** taxidermy.
natură *s.f.* **1.** nature. **2.** *(caracter și)* character; *~ moartă* still-life; *în ~* in kind.
nație *s.f.* v. n a ț i u n e.
național *adj.* national.
naționalism *s.n.* nationalism.
naționalist I. *s.m.* nationalist. **II.** *adj.* și jingoistic.
naționalitate *s.f.* nationality.
naționaliza *vt.* to nationalize.
naționalizare *s.f.* nationalization.
național-socialism *s.n. ist.* National Socialism, Nazism.
națiune *s.f.* nation, people.
naufragia *vi.* to be shipwrecked.
naufragiat I. *s.m.* castaway, shipwrecked person. **II.** *adj.* shipwrecked.
naufragiu *s.n.* (ship)wreck.
nauplius *s.m. paleont.* nauplius.
nautic *adj.* **1.** nautical. **2.** *sport* aquatic.
nautil *s.m. zool.* nautilus *(Nautilus).*
nautiloide *s.n. zool.* nautiloids *(Nautiloidea).*
naval *adj.* naval.

navă *s.f.* vessel, ship; ~ *aeriană* airship; ~ *cosmică* space ship/craft; ~ *de război* man-of-war.
navetă *s.f.* commutation.
navetist *s.m.* commuter.
naviga *vi.* **1.** *mar. to sail* **2.** *av.* to fly.
navigabil *adj.* navigable; *canal* ~ shipping canal.
navigabilitate *s.f.* navigability.
navigant *adj.* **1.** *mar.* sailing (fleet etc.), sea-going. **2.** *av.* flying.
navigator *s.m.* navigator.
navigație *s.f.* navigation.
navlon *s.m. ist.* tax on transportation on the Danube.
navlosi *vt. mar.* to freight.
navlositor *s.m. mar.* freighter.
navlu *s.n. mar.* freight.
navomodel *s.n.* ship model.
navomodelism *s.n. sport* model ship sailing.
navomodelist, *s.m. sport* sailing-model constructor.
navrap *s.m. ist.* **1.** (irregular) Turkish foot soldier. **2.** mercenary.
nazal I. *adj.* nasal. **II.** *s.f. lingv.* nasal.
nazalitate *s.f. lingv.* nasality, twang.
nazaliza *vt., vi.* to twang.
nazareeni *s.m. pl. rel.* Nazarenes, Nazarites.
nazarineni *s.m.* v. n a z a r e e n i.
nazâr *s.m.* v. n a z i r.
nazir *s.m. ist.* high official.
nazism *s.n. ist., pol.* Nazism.
nazist *adj., s.m. ist, pol.* Nazi.
nazuri *s.n. pl.* smirk, fuss.
năbădăi *s.f. pl.* tantrums.
năbădăios *adj.* ill-tempered; *(iute la mânie)* peppery; *(capricios)* capricious; *(d. animale)* vicious.
năbuc *s.n.* newbuck.
năbușeală *s.f.* v. z ă p u ș e a l ă.
năbuși *vt.* v. î n ă b u ș i.
năclăi *vr.* to clot.
năclăit *adj. (cleios)* adhesive, *fam.* stocky; *(unsuros)* greasy.
nădăjdui *vt., vi.* to hope (for).
nădejde *s.f.* hope; *cu* ~ with a vengeance; *de* ~ reliable.
nădragi *s.m. pl. pop.* trousers, *fam.* breeches.
năduf *s.n. pop.* **1.** *(astmă)* asthma; *(sufocare)* asphyxia; *(respirație gâfâitoare)* short breath / wind. **2.** v. z ă p u ș e a l ă . **3.** *(ciudă)* spite; *(supărare)* anger; *(furie)* fury.
nădușeală *s.f.* sweat.
năduși *vi.* to sweat.
nădușitor *adj.* suffocating, stifling.
năframă *s.f.* (hand)kerchief; sash.
năfurică *s.f. bot.* artemisia *(Artemisia annua).*
năgară *s.f. bot.* feather grass *(Stipa).*
năglag *s.n. constr.* adobe.
năimi *vt.* to hire.
năimit I. *s.m.* hireling. **II.** *adj.* hired, paid.
nălbar *s.m.* v. n a l b a r.
nălucă *s.f.* phantom spirit, ghost.
năluci *vt.* v. n ă z ă r i.
nălucire *s.f.* phantom; hallucination.
nămeți *s.m. pl.* snow drifts.
nămiază *s.f.* v. n a m i a z ă.
nămol *s.n. (medicinal)* mud.
nămoli *vr., vt.* to (get) smear(ed) with mud, to get silted.
nămolos *adj.* muddy.
năpastă *s.f.* **1.** calamity. **2.** *(nedreptate)* wrong.
năpădi *vt.* to flood, to invade.
năpădire *s.f. (cotropire)* invasion; *(a apelor)* overflow; flood.
năpăstui *vt.* to wrong, to victimize.
năpăstuit I. *s.m. năpăstuiții soartei* the wronged, the oppressed. **II.** *adj.* wronged; unfortunate.
năpârcă *s.f. zool.* adder, viper *(Vipera).*
năpârli *vi.* to moult, to shed.
năpârlire *s.f.* mo(u)lting, shedding.
năpârstoc *s.m. fam.* hop-o'-my-thumb, a child knee-high to a grasshopper.
năprasnic I. *adj.* **1.** sudden, abrupt. **2.** *(violent)* violent. **II.** *adv.* suddenly, abruptly.
năprasnică *s.f. bot.* bird's eye *(Geranium robertianum).*
năpusti *vr.* to rush, to pounce (upon smb., etc.).
nărav *s.n.* bad habit; vice.
nărăvaș *adj.* **1.** vicious. **2.** *(d. cal)* balky, restive. **3.** *fig.* unmanageable.
nărăvi *vr.* to fall into bad habits.
nărăvit *adj.* inveterate.
nărui *vr.* to crumble.
năsădi *vt.* to build up sheaves in the field.
năsălie *s.f.* bier.
născare *s.f.* birth.
născând *adj.* nascent; *(d. zi etc.)* dawning; *(d. dragoste)* budding.
născoceală *s.f.* concoction, fabrication, invention, lie, fib.
născoci *vt.* **1.** to devise. **2.** *(minciuni etc.)* to concoct.
născocire *s.f.* **1.** invention. **2.** *(minciună)* lie.
născocitor I. *adj.* inventive. **II.** *s.m.* concocter.
născut *s.m., adj.* born; ~ *mort* still born; *fig. și abortive; nou-*~ new-born child.
năsos *adj.* nosey.
năstrușnic *adj.* **1.** extraordinary. **2.** *(ciudat)* extravagant.
năstrușnicie *s.f.* extravagance; curiosity, nine day's wonder.
năsturel *s.m. bot.* (common) water-cress *(Nasturtium officinale).*
nășí *vi.* to stand godfather / godmother.
nășie *s.f.* sponsorship.
nătăfleață *s.f. fam.* booby, duffer.
nătăfleț I. *s.m. fam.* dolt. **II.** *adj.* stupid.
nătărău *s.m. fam.* nincompoop.
nătâng fam. **I.** *s.m.* ninny. **II.** *adj.* **1.** calf- like. **2.** *(stângaci)* lubberly.
năuc fam. **I.** *s.m.* addle-brained fellow. **II.** *adj.* giddy.
năuceală *s.f.* bewilderment, confusion.
năuci *vt.* to bewilder.
năucitor *adj.* stunning, astounding, bewildering.
năut *s.n.* chick pea.
năvală *s.f.* invasion; rush.
năvalnic I. *adj.* impetuous. **II.** *adv.* tempestuously.
năvăli I. *vi.* **1.** to rush *(at),* to pounce (upon); to attack; to invade. **2.** *(a se revărsa)* to overflow. **II.** *vt.* to overwhelm.
năvălire *s.f.* invasion.
năvălitor I. *s.m.* invader. **II.** *adj.* invading.
năvod *s.n. mar.* trawl.
năvodar *s.m.mar.* trawler.
năvodi *vi.mar.* to (fish with a) trawl.
năvrap *s.m.* v. n a v r a p.
năzăreală *s.f.* hallucination, illusion.
năzări *vr. a i se* ~ *că* to fancy that; to occur (to smb.) that.
năzbâtie *s.f.* prank.
năzdrăvan *adj.* **1.** extraordinary. **2.** *(vrăjit)* enchanted. **3.** *(cu puteri nebănuite)* uncanny.
năzdrăvănie *s.f.* **1.** prodigy. **2.** *(năzbâtie)* frisk.
năzui *vi.* to endeavour *(to).*
năzuință *s.f.* aspiration.
năzuros *adj.* fastidious.
nea I. *s.m. pop., fam.* uncle. **II.** *s.f.* snow.
neabătut *adj.* **1.** unflinching. **2.** *(neslăbit)* undeterred. **3.** *(din cale)* undeviating.
neaccentuat *adj. lingv.* unstressed.
neacoperit *adj.* uncovered; *(expus)* exposed; *(neapărat)* unprotected.
neadecvat *adj.* inadequate.
neadevăr *s.n.* untruth.
neadevărat *adj.* untrue.
neadormit *adj.* **1.** wide awake. **2.** *(neobosit)* untiring.

neafectat *adj.* **1.** unaffected. **2.** *(de ceva)* unmoved.
neagă *s.f. pop. (încăpățânat)* stubborn person; *(om rău)* wicked creature; *(cobe) fam.* croaker.
neagresiune *s.f.* non-aggression.
neajuns I. *s.n.* **1.** drawback. **2.** *(supărare)* trouble. **II.** *adj.* **1.** unattainable; exceptional. **2.** poor, needy.
neajutat *adj. (neputincios)* helpless; *(stângaci)* awkward, clumsy.
neajutorat *adj.* **1.** helpless. **2.** *(nevoiaș)* needy.
nealiniere *s.f. pol.* non-alignment.
nealterat *adj.* **1.** unspoiled. **2.** *fig. și unmingled.*
neam *s.n.* **1.** people, nation. **2.** *(familie)* descent. **3.** *(rudă)* relative; ~ *prost* cad, churl.
neamestec *s.n.* non-interference; non-intervention.
neamestecat *adj.* unmixed; unmingled.
neamț *s.m. geogr.* German.
neangajare *s.f. pol.* non-alignment.
neangajat *adj.* **1.** unengaged. **2.** *fig.* uncommitted. **3.** *pol.* non-aligned. **4.** *(în slujbă)* unemployed.
neant *s.n.* nothingness, naught, nought; *(neființă)* non-being.
neantagonic *adj. filoz.* non-antagonistic (contradictions).
neaoș *adj.* true-born.
neaoșism *s.n.* vernacular word / tendency.
neapărat I. *adj.* indispensable. **II.** *adv.* at all costs; without fail.
nearticulat *adj.* **1.** inarticulate. **2.** *gram.* without an article.
neascultare *s.f.* insubordination.
neascultător *adj.* **1.** disobedient. **2.** *(d. un copil)* naughty.
neasemănat *adj.* incomparable, matchless, peerless.
neasemuit *adj.* incomparable.
neasortat *adj.* unsuited, unmatched.
neastâmpăr *s.n.* fretting.
neastâmpărat *adj.* **1.** unruly. **2.** *(d. un copil)* naughty.
neașteptat I. *s.n. pe ~e* out of the blue. **II.** *adj.* unexpected.
neatârnare *s.f.* independence.
neatârnat *adj.* independent.
neatent I. *adj.* **1.** inattentive, absent-minded. **2.** *(imprudent)* unmindful. **II.** *adv.* inattentively, absent-mindedly.
neatenție *s.f.* absent-mindedness.
neatins *adj.* **1.** unmolested, unimpaired. **2.** *(intact)* untouched.
neatrăgător *adj.* unattractive.
neauzit *adj.* **1.** unheard. **2.** *fig.* unheard of, extraordinary.
neavenit *adj. jur. nul și ~* null and void.
nebăgare *s.f. ~ de seamă* oversight.
nebăgat *adj. ~ de / în seamă* unheeded.
nebănuit *adj.* unsuspected.
nebănuitor *adj.* unsuspicious.
nebătut *adj.* **1.** undefeated. **2.** *(d. drumuri)* untrodden.
nebeligerant *adj. s.m. pol.* non-belligerent (country).
nebiruit *adj.* not defeated; invincible.
nebka *s.f. geogr.* Saharian dune.
nebular *adj. astr.* nebular.
nebuliu *s.n. astr.* Nebulium.
nebuloasă *s.f. astr.* nebula.
nebulos *adj.* **1.** nebulous, cloudy, hazy, misty. **2.** *fig.* unintelligible, obscure.
nebun I. *s.m.* **1.** lunatic, madman. **2.** *(prost)* fool. **3.** *(la șah)* bishop; *ca un ~* madly. **II.** *adj.* **1.** mad; insane. **2.** *(trăsnit)* crazy. **3.** *(prostesc)* foolish. **4.** *(turbat)* frantic, wild; ~ *de bucurie* beside oneself with joy; ~ *de legat* stark / raving mad.
nebunariță *s.f. bot.* v. m ă s e l a r i ț ă.
nebunatic *adj.* playful, frisky.
nebuneală *s.f. pop.* v. n e b u n i e.
nebunesc *adj.* mad, reckless.
nebunește *adv.* madly, foolishly.
nebunie *s.f.* **1.** lunacy, madness. **2.** *fig.* folly, extravagance; *la ~* to distraction.
necalificat *adj.* unskilled, unqualified.
necaz *s.n.* **1.** trouble, setback. **2.** *(ciudă)* spite, grudge.
necăji I. *vt.* **1.** to trouble, to annoy. **2.** *(a bate la cap)* to pester. **II.** *vr.* to be angry / sorrowful.
necăjit *adj.* **1.** worried, concerned. **2.** *(trist)* depressed.
necălcat *adj.* **1.** *(d. haine)* not ironed. **2.** *(d. drumuri)* untrodden.
necăsătorit *adj.* single.
necăutat *adj. fig.* simple, artless; unaffected.
necâștigător *adj. (d. un bilet)* that does not win a prize; *bilet ~* blank.
necercetat *adj.* unexplored.
necesar *s.n., adj.* necessary.
necesita *vt.* to require.
necesitate *s.f.* necessity, need.
nechemat I. *s.m.* incompetent person. **II.** *adj.* uninvited; uncalled for.
necheza *vi.* to neigh.
nechezat *s.n.* neighing.
nechibzuință *s.f.* rashness, recklessness.
nechibzuit *adj.* **1.** improvident, unwise. **2.** *(la bani)* thriftless.
necicatrizat *adj.* not healed / cicatrized.
necinste *s.f.* disgrace, dishonour; *(rușine)* shame; *(insultă)* insult.
necinsti *vt.* **1.** to dishonour. **2.** *(o femeie)* to rape.
necinstit I. *adj.* dishonest, shady. **II.** *adv.* dishonestly.
necioplit *adj.* unpolished, unrefined.
necioplit *adj.* **1.** uncarved. **2.** *fig.* rude, coarse, uneducated, unrefined, ill-mannered.
necitet *adj.* illegible.
necitit *adj. de ~* unreadable; *(necitet și)* illegible.
neck *s.n. geol.* neck.
neclar I. *adj.* hazy; indistinct. **II.** *adv.* indistinctly, obscurely.
neclaritate *s.f.* vagueness, dimness.
neclintire *s.f.* immobility, fixity, stilness.
neclintit *adj.* unflinching; *de ~* unshakeable.
necolorat *adj.* uncoloured.
necombatant *adj., s.m. mil.* non-combatant.
necompetent *adj.* unqualified.
neconceput *adj. de ~* inconceivable.
neconcludent *adj.* unconclusive.
necondiționat I. *adj.* unconditional. **II.** *adv.* unconditionally.
neconformist I. *s.m.* dissenter. **II.** *adj.* non-conformist.
neconsecvent *adj., adv.* v. i n c o n s e c v e n t.
neconsolat *adj.* comfortless.
neconstituțional *adj.* unconstitutional.
necontencios *adj. jur.* non-contentious.
necontenit I. *adj.* ceaseless. **II.** *adv.* permanently, ceaselessly.
necontestat *adj.* undisputed; *de ~* unquestionable.
necontractibilizare *s.f. text.* treatment against contraction of fabrics.
necontrolabil *adj.* uncontrollable, beyond control.
neconvenabil *adj.* **1.** unsuitable. **2.** *fig.* unseemly.
necopt *adj.* **1.** raw, unripe. **2.** *(d. alimente)* half-baked. **3.** *fig.* unfledged.
necorespunzător *adj.* **1.** unsuitable. **2.** *(prost)* inadequate. **3.** *(nepotrivit)* unfit.
necredincios I. *s.m.* **1.** atheist. **2.** *(păgân)* heathen. **II.** *adj.* faithless.
necredință *s.f.* disloyalty.
necrezut *adj. de ~* unbelievable.
necro- *prefix* necr(o)-.

necrofag *adj.* necrophagous.
necrofagie *s.f.* necrophagia.
necrofilie *s.f. med.* necrophilia, necrophily.
necrofob *s.m. med.* necrophobe.
necrofobie *s.f. med.* necrophobia.
necrofor *s.m. entom.* carrion beetle, necrophore *(Necrophorus germanicus)*.
necrolog *s.n.* obituary.
necrologic *adj.* necrologic(al).
necrologie *s.f.* necrology.
necromant *s.m.* necromancer.
necromanție *s.f.* necromancy.
necropolă *s.f. ist.* necropolis, necropole.
necropsie *s.f. med.* necropsy.
necrotomie *s.f. med.* necrotomy.
necroza *vt., vr. med., bot.* to necrose.
necroză *s.f. med., bot.* necrosis.
necruțător *adj.* merciless, unremitting.
nectar *s.n.* nectar.
nectarifer *adj.* nectariferous.
nectarii *s.n. pl. bot.* nectaries.
necton *s.n. zool.* nekton.
necugetat *adj.* thoughtless.
necultivat *adj.* uncultivated.
necum *adv.* all the less, so much the less.
necumpănit *adj.* unbalanced, intemperate, inconsiderate, hasty, rash.
necumpătare *s.f.* intemperance.
necumpătat *adj.* intemperate.
necunoaștere *s.f.* ignorance.
necunoscut **I.** *s.m.* stranger. **II.** *s.n.* *(și articulat)* the unknown. **III.** *adj.* **1.** unknown. **2.** *(obscur)* obscure.
necunoscută *s.f.* unknown (quantity, etc.)
necuprins **I.** *adj.* vast, boundless. **II.** *s.n.* boundlessness.
necurat **I.** *s.m.* *~ul* the devil. **II.** *adj.* unclean.
necurățenie *s.f.* **1.** dirtiness. **2.** *pl.* rubbish, litter; *fam.* mess.
necurmat *adj.* uninterrupted, ceaseless.
necuvântător *adj.* dumb.
necuviincios **I.** *adj.* **1.** disrespectful. **2.** *(indecent)* scurrilous. **II.** *adv.* disrespectfully, impolitely.
necuviință *s.f.* **1.** impropriety, indecency, unseemliness. **2.** *(ca act)* improper act / utterance, breach of manners.
nedecis *adj.* undecided.
nedecorticat *adj.* rough.
nedefinit *adj.* indefinite.
nedeie *s.f.* **1.** Romanian pastoral festival and fair. **2.** *geogr.* plateau.
nedelicat **I.** *adj.* indelicate, tactless. **II.** *adv.* indelicately, tactlessly.
nedelicatețe *s.f.* **1.** indelicacy; tactlessness. **2.** *(ca act)* indelicate / tactless action.
nedemn *adj.* **1.** unworthy *(of)*. **2.** *(rușinos)* undignified; ~ *de un gentleman* ungentlemanly.
nedemontabil *adj. tehn.* solid; in one part.
nedeprins *adj.* *(cu)* unaccustomed (to), unused (to).
nedesăvârșire *s.f.* imperfection.
nedescoperit *adj.* undiscovered.
nedescris *adj.* *de ~* indescribable.
nedescurcăreț *adj.* shiftless.
nedeslușit *adj.* **I.** indistinct. **II.** *adv.* indistinctly.
nedespărțit *adj.* inseparable.
nedestăinuit *adj.* undisclosed.
nedeterminare *s.f.* intedermination.
nedezlegat *adj.* **1.** (still) bound. **2.** *fig.* unsolved.
nedezlipit *adj.* inseparable.
nedezmințit *adj.* never-failing; consistent, constant.
nedibaci *adj.* clumsy.
nedisciplinat *adj.* unruly.
nediseminare *s.f. pol.* non-dissemination; non-proliferation.
nedomesticit *adj.* untamed, wild unbroken.
nedomolit *adj.* unabated, unquenched; fiery, ardent.
nedorit *adj.* undesirable; unwelcome.
nedormit *adj.* **1.** who has not slept enough, exhausted by lack of sleep. **2.** *(d. noapte etc.)* sleepless.
nedovedit *adj.* unproved.
nedrept **I.** *adj.* **1.** unfair; wrong. **2.** *(ilegal)* unlawful. **II.** *adv.* *pe ~* wrongly, unjustly.
nedreptate *s.f.* injustice.
nedreptăți *vt.* to wrong.
nedumeri **I.** *vt.* to surprise, to amaze. **II.** *vr.* to wonder.
nedumerire *s.f.* puzzle.
nedumerit *adj.* bewildered, perplexed.
nedumiri *vt.* v. n e d u m e r i.
nedureros *adj.* painless, acheless.
neechivalent *adj.* non-equivalent.
neegal *adj.* v. i n e g a l.
neeuclidian *adj. geom.* non-Euclidean.
neexecutare *s.f.* non-execution, non-performance.
neexploatat *adj.* unexploited; *(d. o mină)* unworked.
neexplorat *adj.* unexplored.
nefast *adj.* ill-fated, ominuous.
nefavorabil *adj.* unfavourable, inauspicious.
nefăcut *adj.* not done / made, unfinished, unperformed.
nefelin *s.n. mineral.* nephelite, nepheline.
nefelometrie *s.f. fiz.* nephelometry.
nefelometru *s.n. fiz.* nephelometer.
nefer *s.m. înv. ist. mil.* soldier in the Turkish army.
neferice *adj. înv.* v. n e f e r i c i t.
neferici *vt.* to make smb. unhappy, to sadden.
nefericire *s.f.* **1.** unhappiness. **2.** misfortune; *din ~* unfortunately.
nefericit *adj.* **1.** unhappy; miserable. **2.** *(nenorocos)* unlucky.
neferos *adj. chim.* non-ferrous.
nefiert *adj.* **1.** underboiled. **2.** *(crud)* raw.
neființă *s.f.* non-existence.
nefiresc *adj.* unnatural, preposterous.
nefolosire *s.f.* disuse.
nefolositor *adj.* useless.
nefondat *adj.* groundless, ungrounded, indefeasible.
nefrectomie *s.f. med.* nephrectomy.
nefridie *s.f. zool.* nephridium.
nefript *adj.* raw, underdone; uncooked.
nefrit *s.n. mineral.* nephrite.
nefrită *s.f. med.* nephritis, Bright's disease.
nefritic *adj., s.m. med.* nephritic.
nefron *s.m. anat.* nephron.
nefropatie *s.f. med.* nephropathy, kidney trouble.
nefropexie *s.f. med.* nephropexy.
nefroscleroză *s.f. med.* nephrosclerosis.
nefroză *s.f. med.* nephrosis.
nefumător **I.** *adj.* non-smoking. **II.** *s.m.* non-smoker.
neg *s.m. anat.* wart.
nega *vt., vi.* to deny.
negare *s.f.* denial, denying.
negativ **I.** *s.n.* negative. **II.** *adj.* negative. **III.** *adv.* in the negative.
negativare *s.f. el.* (negative grid) bias.
negativism *s.n.* negativism.
negativist *s.m., adj.* negativist.
negativizare *s.f.* v. n e g a t i v a r e.
negatoscop *s.n. tehn.* negatoscope.
negație *s.f.* negation.
negândit *adj.* *pe ~e* unexpectedly.
negel *s.m. anat.* wart.
negelariță *s.f. bot.* v. r o s t o p a s c ă.
neghină *s.f.* **1.** *bot.* (corn)cockle *(Agrostemma githago)*. **2.** *fig.* black sheep.
neghintuit *adj.* *cu țeavă ~ă* smoothbore.

neghiob I. *s.m.* lout. **II.** *adj.* clumsy.
neghiobie *s.f.* stupidity.
neglija *vt.* to neglect.
neglijabil *adj.* negligible.
neglijare *s.f.* neglect; slighting; omission.
neglijent *adj.* **1.** negligent. **2.** *(indolent)* remiss. **3.** *(ca aspect)* slipshod.
neglijență *s.f.* **1.** negligence, oversight. **2.** *(ca aspect)* slatternliness.
negocia *vt.* to negotiate.
negociabil *adj.* negotiable.
negociator *s.m.* negotiator.
negociere *s.f.* negotiation; *pl. și talks.*
negoț *s.n.* trade.
negrăit *adj.* unspoken.
negreală *s.f.* **1.** blackness. **2.** *(întuneric)* dark(ness). **3.** *(vacs)* shoe polish. **4.** *met.* mould facing.
negreață *s.f.* blackness.
negresă *s.f.* Negro woman.
negreșit *adv.* without fail.
negricios *adj.* swarthy, dark(-skinned).
negrid *adj., s.m.* Negroid(al).
negrilică *s.f. bot.* nigella, fennel-flower, love-in-a-mist, devil-in-the-bush *(Nigella sativa).*
negrito *subst. geogr.* negrito.
negroid *adj., s.m.* negroid.
negro-spirituals *s.n. muz.* Negro Spirituals.
negru I. *s.m.* **1.** Negro. **2.** *fig.* ghost writer; hack. **II.** *s.n.* **1.** black. **2.** *(doliu și)* mourning. **3.** *(de văduvă și)* weeds; ~ *de fum* lamp / soot black. **III.** *adj.* **1.** black. **2.** *(ca națiune)* Negro. **3.** *(negricios)* dark, swarthy. **4.** *(bronzat)* sunburnt. **5.** *(brun)* brown. **6.** *(murdar)* dirty. **7.** *(întunecat)* dark, gloomy.
negrușcă *s.f. bot.* black caraway, fennel flower *(Nigella arvensis).*
negură *s.f.* fog, mist.
neguros *adj.* **1.** foggy. **2.** *(întunecos)* dark; *(posomorât)* gloomy.
negus *s.m.* **1.** Negus (of Abyssinia). **2.** *(corn)* bun, fancy bread stick.
negustor *s.m.* **1.** merchant. **2.** *(mic)* shopkeeper. **3.** *(angrosist)* (wholesale) dealer. **4.** *(ambulant)* pedlar, hawker, frontsman. **5.** *(de zarzavaturi etc.)* costermonger.
negustoreasă *s.f.* woman merchant.
negustoresc *adj.* mercantile.
negustorie *s.f.* trade.
negustorime *s.f.* shopkeepers, merchants.
negustător *s.m.* v. n e g u s t o r.
nehotărâre *s.f.* hesitation.
nehotărât *adj.* **1.** irresolute. **2.** *gram.* indefinite.
neică *s.m. pop.* **1.** uncle. **2.** *(frate)* brother.
neiertat *adj. de* ~ unpardonable.
neiertător *adj.* **1.** unforgiving. **2.** *fig.* implacable.
neigienic *adj.* unhygienic.
neimitabil *adj.* inimitable, unique.
neimportant *adj.* insignificant.
neimpozabil *adj.* tax free.
neinerțial *adj. fiz.* not inertial.
neintenționat *adj.* unintentional.
neinteresant *adj.* **1.** uninteresting. **2.** *(d. viață etc.)* uneventful.
neintervenție *s.f.* non-interference.
neinvitat *adj.* uninvited.
neisprăvit I. *s.m.* **1.** ne'er-do-well. **2.** *(tâmpit)* half-wit. **II.** *adj.* **1.** unfinished. **2.** *(necopt)* unfledged.
neistovit *adj.* tireless.
neizbândă *s.f.* failure; *(înfrângere)* defeat; *(ghinion)* ill-luck.
neizbutit *adj.* unsuccessful; *fig.* failure.
neîmblânzit *adj.* savage, untamed, wild.
neîmpăcat *adj.* unremitting; *de* ~ irreconcilable.
neîmpărtășit *adj. (d. dragoste)* unrequited.
neîmplinit *adj.* **1.** unfulfilled. **2.** *(d. ani)* not yet reached.
neînarmat *adj.* unarmed.
neîncăpător *adj.* narrow.
neînceput *adj.* intact, whole
neîncetat I. *adj.* ceaseless. **II.** *adv.* continously.
neînchipuit *adj.* unimaginable; ~ *de* inconceivably, very; *de* ~ unthinkable, inconceivable.
neîncredere *s.f.* distrust, suspicion.
neîncrezător I. *adj.* mistrustful, suspicious *(of).* **II.** *adv.* tentatively.
neîndemânare *s.f.* want of skill; clumsiness, awkwardness.
neîndemânatic *adj.* awkward, clumsy.
neîndeplinire *s.f.* non-fulfillment; failure to execute / to carry out / to comply with.
neîndeplinit *s.f.* unfulfilled.
neîndestulare *s.f.* deficiency, shortage, scarcity; *(lipsuri)* want; *(sărăcie)* poverty.
neîndestulător *adj.* insufficient.
neîndoielnic *adj.* beyond doubt.
neîndoios I. *adj.* doubtless. **II.** *adv.* undoubtedly.
neînduplecat *adj.* unrelenting.
neîndurare *s.f.* ruthlessness.
neîndurător *adj.* ruthless, unmerciful.
neînfrânt *adj.* unvanquished; *de* ~ invincible.
neînfricat *adj.* undaunted, foursquare.
neîngăduit *adj.* inadmissible.
neîngrijit *adj.* **1.** neglected. **2.** *(ca aspect)* slatternly; uncouth, hirsute.
neînlăturat *adj. de* ~ unavoidable.
neînsemnat *adj.* **1.** unimportant. **2.** *(infim)* trifling.
neînsuflețit *adj.* inanimate.
neînsurat *adj. masculin* unmarried, single.
neîntârziat *adv.* without delay.
neîntemeiat *adj.* groundless.
neîntinat *adj.* pure, unspoiled.
neîntors I. *adj.* unturned. **II.** *adv. a dormi* ~ to sleep like a top / log.
neîntrecut *adj.* unsurpassed.
neîntrerupt I. *adj.* uninterrupted, unbroken. **II.** *adv.* ceaselessly.
neînțelegător *adj.* unsympathetic.
neînțelegere *s.f.* misunderstanding.
neînțeles *adj.* **1.** misunderstood. **2.** *(greu de înțeles)* incomprehensible; unreasonable. **3.** *(inexplicabil)* unaccountable.
neînvins *adj.* unconquered; *de* ~ indomitable.
nejust *adj.* unrighteous, unrightful.
nejustificat *adj.* unjustified, unwarranted; *în mod* ~ unduly.
nelămurire *s.f.* doubt, question.
nelămurit I. *adj.* **1.** dim, hazy. **2.** *(d. cineva)* doubtful, not clear. **II.** *adv.* indistinctly, obscurely.
nelegitim *adj.* illegitimate.
nelegiuire *s.f.* unlawfulness; *(impietate)* impiety; *(nedreptate)* iniquity; *(crimă)* crime.
nelegiuit I. *s.m.* evildoer. **II.** *adj.* unlawful, criminal.
nelegiuit I. *adj.* infamous, foul; *(ticălos)* villainous, wicked. **II.** *s.m.* scoundrel, villain.
nelimitat *adj.* boundless.
neliniște *s.f.* restlessness; anxiety.
neliniști I. *vt.* to worry, to make anxious; to distress; to alarm. **II.** *vr.* to worry; to be anxious; to take alarm.
neliniștit *adj.* **1.** restless; anxious, wary. **2.** *(agitat)* agitated.
nelipsit *adj.* permanent; unfailing; *(obișnuit)* habitual.
nelocuit *adj.* uninhabited.
nelogic I. *adj.* illogical. **II.** *adv.* illogically.
nelucrător *adj.* non-working.
nelustruit *adj.* unpolished.
nemaiauzit *adj.* **1.** unheared-of. **2.** *(strigător la cer și)* clamant.
nemaiîntâlnit *adj.* v. n e m a i p o m e n i t.

nemaipomenit *adj.* unprecedented.
nemaivăzut *adj.* unparalleled.
nemarxist *adj. pol.* un-Marxist, un-Marxian.
nematelmint *s.m. zool.* nemathelminth.
nematod *s.n. zool.* nematode, thread worm.
nemărginire *s.f.* vastness.
nemărginit *adj.* boundless.
nemăritată *adj., feminin* unmarried, single.
nemăsurat *adj.* measureless.
nemâncat I. *s.m.* starveling. **II.** *adj.* starved on short commons; *de ~* unpalatable; *pe ~e* on an empty stomach.
nemângâiat *adj.* comfortless.
nemeritat *adj.* undeserved.
nemernic I. *s.m.* rascal. **II.** *adj.* **1.** infamous; mean, base. **2.** *(care nu merită)* unworthy.
nemernicie *s.f.* **1.** knavery; *(josnicie)* meanness, baseness; *(infamie)* infamy. **2.** *(ca act)* mean / low-down action. **3.** *(mizerie)* misery, wretchedness.
nemeș *s.m. ist.* **1.** (in Moldavia) medieval landowner without a title. **2.** (in Transylvania) average nobleman.
nemetal *s.n. chim.* nonmetal, metaloid.
nemijlocire *s.f.* directness, immediacy.
nemijlocit I. *adj.* immediate. **II.** *adv.* directly.
nemilos *adj.* pitiless, unmerciful.
nemilostiv *adj.* merciless.
nemiluita *s.f. cu ~* in plenty, copiously, galore.
nemistuit *adj.* undigested.
nemișcare *s.f.* immobility.
nemișcat *adj.* motionless.
nemișcător *adj.* **1.** still. **2.** *jur.* immovable.
nemobilat *adj.* unfurnished.
nemotivat *adj.* **1.** unjustified. **2.** *(neautorizat)* unauthorized. **3.** *(d. absențe)* without leave.
nemțesc *adj.* German.
nemțește *adv.* (like a) German; *a plăti ~* to stand a Dutch treat.
nemțișor *s.m. bot.* larkspur *(Delphinium).*
nemțoaică *s.f.* **1.** German (woman). **2.** *fam.* governess, dry nurse.
nemulțumi *vt.* to displease.
nemulțumire *s.f.* **1.** dissatisfaction. **2.** *(plângere)* grievance.
nemulțumit I. *s.m.* discontented person. **II.** *adj.* **1.** dissatisfied (with smth.). **2.** *(decepționat)* frustrated.
nemulțumitor I. *adj.* **1.** *(nerecunoscător)* ungrateful. **2.** *(nesatisfăcător)* unsatisfying, unsatisfactory. **II.** *adv.* unsatisfactorily.
nemurire *s.f.* immortality.
nemuritor *adj.* immortal, undying.
nenatural *adj.* unnatural; *(afectat)* affected.
nenăscut *adj.* unborn.
nene *s.n. fam.* uncle.
nenișorule *s.m. voc. fam.* old man / chap, my boy.
nenoroc *s.n.* ill-luck.
nenoroci *vt.* to ruin.
nenorocire *s.f.* misfortune; *din ~* unfortunately.
nenorocit I. *s.m.* wretch, poor devil. **II.** *adj.* **1.** unhappy. **2.** *(d. un eveniment etc. și)* ill-fated. **3.** *(trist)* miserable.
nenorocos *adj.* **1.** *(d. o persoană)* unlucky. **2.** *(d. o inițiativă etc.)* ill-fated.
nenumărat *adj.* countless.
neo- *prefix* neo-.
neoantrop *s.m. antrop.* fossil hominid neoantropic being.
neoaristotelism *s.n. filoz.* neo-Aristotelianism.
neobișnuință *s.f. (de a)* unaccustomedness (to); want of habit; *din ~* for want of habit.
neobișnuit *adj.* **1.** unusual. **2.** *(ieșit din comun)* uncommon. **3.** *(nedeprins)* unused (to smth.).
neobosit I. *adj.* tireless, indefatigable. **II.** *adv.* untiringly.
neobrăzare *s.f.* cheek(iness).
neobrăzat *adj.* brazen.
neobservat *adj.* unobserved; *pe ~e* unnoticed.
neoclasic *adj. arh., artă, lit.* neoclassical.
neoclasicism *s.n. arh, artă, lit.* neoclassicism.
neocolonialism *s.m. pol.* neocolonialism.
neocolonialist *adj., s.m. pol.* neocolonialist.
neocomian *subst., adj. înv. geol.* Neocomian.
neocomunist pol. **I.** *s.m.* neo-communist. **II.** *adj.* neo-communist(ic).
neoconfucianism *s.n. filoz.* Neo-Confucianism.
neocortex *s.n. anat.* neocortex.
neocupat *adj.* unoccupied, vacant.
neodarvinism *s.n. biol.* Neo-Darwinism.
neodarvinist *s.m. biol.* Neo-Darwinist.
neodihnă *s.f.* restlessness; *(oboseală)* tiredness.
neodihnit *adj.* tireless; tired.
neodim *s.n. chim.* neodymium.
neofalină *s.f. chim.* benzine.
neofascism *s.n. pol.* neofascism.
neofascist *adj., s.m. pol.* neofascist.
neoficial I. *adj.* unofficial, off the record. **II.** *adv.* off the record.
neofit *s.m.* greenhorn.
neoformație *s.f. med.* neo-formation, tumo(u)r, neoplasm.
neogen *s.n., adj. geol.* neogene, neocene.
neogotic *s.n. arh., artă, lit.* neo-Gothic style / art / architecture.
neogramatic *s.m. lingv.* neogrammarian.
neogreacă *s.f. lingv.* Modern Greek, neo-Greek.
neogrec *adj. lingv.* neo-Greek.
neohegelianism *s.n. filoz.* neo-Hegelianism.
neoimpresionism *s.n. artă* neo-Impressionism.
neokantianism *s.n. filoz.* neo-Kantianism.
neokeynesism *s.n. ec.* neo-Keynesianism.
neolamarckism *s.n. biol.* neo-Lamarckism.
neolatin *adj. lingv.* neo-Latin.
neoliberalism *s.n. pol., rel.* neoliberalism.
neolitic *adj., subst. ist.* Neolithic.
neologic *adj. lingv.* neological, neologistic.
neologism *s.n. lingv.* neologism.
neologistic *adj. lingv.* neologistic.
neom *s.m.* **1.** monster. **2.** wretch.
neomalthusianism *s.n. sociol.* neo-Malthusianism.
neomenesc *adj.* inhuman.
neomenește *adv.* inhumanly.
neomenie *s.f.* inhumanity, brutality.
neomenos *adj.* heartless, callous.
neon *s.n. chim.* neon.
neonazism *s.n. pol.* neo-Nazism, neo-Fascism.
neonazist *adj., s.m. pol.* neo-Nazi(st), neo-Fascist.
neopitagoreism *s.n. filoz.* neo-Pythagoreanism.
neoplasm *s.n. med.* neoplasm, cancer.
neoplasticism *s.n. artă* neo-plasticism.
neoplatonic filoz. **I.** *adj.* neo-Platonic. **II.** *s.m.* neo-Platonist.
neoplatonism *s.n. filoz.* neo-Platonism.
neoplazie *s.f. med.* neoplasia.

neopozitivism *s.n. filoz.* neopositivism.
neopozitivist *adj. filoz.* neopositivist.
neopren *s.n. chim.* neoprene.
neoraționalism *s.n. filoz.* neo-rationalism.
neorânduială *s.f.* untidiness.
neorealism *s.n. filoz., cin.* neo-realism, new-realism.
neorealist *adj., s.m. filoz., cin.* neo-realist.
neorganic *adj. chim.* anorganic, inorganic.
neoromantic *adj., s.m. artă, lit.* neo-romantic.
neoromantism *s.n. artă, lit.* neo-romanticism.
neortodox *adj.* unorthodox.
neospitalier *adj.* inhospitable.
neostoit *adj.* tireless, untired.
neotectonic *adj. geol.* neotectonic.
neotectonică *s.f. geol.* neotectonics.
neotenie *s.f. biol.* neoteny, neoteinia.
neo-tomism *s.m. filoz.* neo-Thomism.
neozeelandez geogr. **I.** *s.m.* New-Zealander. **II.** *adj.* New-Zealand.
neozoic *subst., adj. geol.* Neozoic.
nepalez *s.m.* Nepalese.
neparolist *adj.* **1.** unpunctual. **2.** unreliable.
nepământean *adj.* unearth(l)y.
nepământesc *adj.* unearthl(e)y, weird.
nepărtinire *s.f.* impartiality, fair mindedness.
nepăsare *s.f.* unconcern, casualness; listlessness, indifference.
nepăsător **I.** *adj.* **1.** listless. **2.** *(degajat)* happy-go-lucky. **3.** *(rece)* unfeeling. **II.** *adv.* indifferently.
nepătat *adj.* **1.** spotless. **2.** și fig. unblemished.
nepătruns *adj.* impenetrable.
nepăzit *adj.* unguarded.
nepedepsit *adj.* scatheless.
nepentes *subst. mitol.* nepenthe(s).
neper *s.m. fiz.* neper.
nepereche *adj.* odd, uneven.
neperian *adj. mat.* Nap(i)erian (logarithm, etc.).
nepermetru *s.n. fiz.* hypsometer.
nepermis *adj.* impermissible; unforgivable.
nepieptănat *adj.* uncombed.
nepieritor *adj.* undying, immortal.
nepietruit *adj.* unpaved.
neplată *s.f. ec.* failure to pay.
neplatnic *s.m. ec.* insolvent.
neplăcere *s.f.* **1.** nuisance. **2.** *(silă)* displeasure; *cu ~* reluctantly.
nepoată *s.f.* **1.** niece. **2.** *(de bunic)* grand-daughter.
nepoftit **I.** *s.m.* intruder. **II.** *adj.* **1.** uninvited. **2.** *(indezirabil)* undesirable.
nepolar *adj. chim.* non-polar.
nepolitic *adj.* non-political.
nepoliticos *adj.* uncivil.
nepopular *adj.* unpopular.
nepot *s.m.* **1.** nephew. **2.** *(de bunic)* grandson; *pl. și grandchildren.*
nepotism *s.n.* nepotism.
nepotolit *adj.* unabated.
nepotrivire *s.f.* disagreement.
nepotrivit *adj.* **1.** unfit, unsuitable. **2.** *(deplasat)* out of place. **3.** *(inoportun)* unseasonable.
nepovestit *adj.* untold; unheard of.
nepractic *adj.* unpractical; unworkable.
neprecupețit *adj.* unstinted, stintless; unconditional, unrestrained; ungrudging.
nepregătit *adj.* **1.** unprepared. **2.** incompetent; *pe ~e* unawares.
neprelucrat *adj. tehn.* raw; crude; rough.
neprescurtat *adj.* unabriged.
nepretențios *adj.* unpretentious, simple.
neprețuit *adj.* inestimable, invaluable, priceless.
neprevăzător *adj.* improvident.
neprevăzut **I.** *s.n.* unforeseen situation; contingency; emergency. **II.** *adj.* **1.** unforeseen, unlooked-for. **2.** *(imprevizibil)* unforeseeable; *(neașteptat)* unexpected.
neprevedere *s.f.* improvidence.
neprezentare *s.f.* **1.** failure to appear, non appearance; *(absență)* absence. **2.** *jur.* default; contumacy.
nepricepere *s.f.* ignorance; incomprehension; incapacity, inability.
nepriceput **I.** *s.m.* **1.** colt. **2.** *(neîndemânatic)* blunderer. **II.** *adj.* **1.** unskilled. **2.** inexpert, skillless.
nepricopsit **I.** *adj.* homeless, penniless. **II.** *s.m.* good-for-nothing.
neprielnic *adj.* unpropitious.
neprieten *s.m. înv.* foe.
neprietenesc *adj.* unfriendly.
neprietenos *adj.* unfriendly; inhospitable.
neprihănire *s.f.* purity; chastity.
neprihănit *adj.* pure, untainted, spotless.
neprihănitor *adj.* fair(-minded).
neproductiv *adj.* unproductive.
neprofesionist *adj.* unprofessional.
neproliferare *s.f. pol.* non-proliferation, non-dissemination.
neptunian *adj. geol.* Neptunian.
neptunic *adj.* Neptunian.
neptunism *s.n. geol.* Neptunism.
neptuniu *s.n. chim.* neptunium.
nepublicat *adj.* unpublished.
nepunctual *adj.* unpunctual.
nepus *adj. pe ~ă masă* holus-bolus.
neputincios *adj.* **1.** helpless. **2.** impotent.
neputință *s.f.* **1.** incapacity. **2.** helplessness; *cu ~* out of the question.
nerăbdare *s.f.* **1.** anxiety. **2.** *(zel)* eagerness; *cu ~* impatiently.
nerăbdător *adj.* eager.
nerăspândire *s.f.* non-proliferation.
nerăsplătit *adj.* unrewarded.
nerăsuflat *s.n. pe ~e* all in one breath; at one go.
nerealizabil *adj.* unrealizable, unattainable.
nerealizare *s.f.* unfulfilment, failure (to fulfil smth.).
nerealizat *adj.* unfulfilled; *de ~* v. n e r e a l i z a b i l.
nerecunoaștere *s.f.* failure to recognize smb. / smth.; repudiation; *(a unei convenții etc.)* non-recognition.
nerecunoscător *adj.* ungrateful, undutiful.
nerecunoscut *s.n. de ~* unrecognizable.
nerecunoștință *s.f.* ingratitude.
neregularitate *s.f.* irregularity.
neregulat *adj.* **1.** irregular. **2.** *(d. viață)* disorderly. **3.** *tehn. etc.* uneven.
neregulă *s.f.* **1.** untidiness. **2.** *(financiară)* embezzlement; *în ~* in bad order.
nereidă *s.f. mitol.* nereid, sea nymph.
nerelevant *adj.* irrelevant, insignificant.
nerentabil *adj.* unprofitable; *e ~* it doesn't pay.
nerespectare *s.f.* non-observance.
nerespectuos *adj.* irreverent.
neretroactivitate *s.f. jur.* non-retroactivity.
nereușit *adj.* unsuccessful.
nereușită *s.f.* failure, ill success, set-back.
nerezolvat *adj.* unsettled; *de ~* insoluble.
neritic *adj. geol.* neritic (zone).
nerod **I.** *s.m.* simpleton. **II.** *adj.* foolish.
neroditor *adj.* fruitless.
nerotunjit *adj. lingv. etc.* unrounded.
nerozie *s.f.* stupidity.

nerușinare *s.f.* impudence.
nerușinat I. *s.m.* brazenface. **II.** *adj.* **1.** shameless. **2.** *(impertinent)* cheeky. **3.** *(fără pudoare)* immodest.
nerv *s.m.* **1.** nerve. **2.** *(energie)* pep. **3.** *pl.* tantrums.
nervatură *s.f. tehn.* nervature.
nervație *s.f.* **1.** *bot.* nervation. **2.** *tehn.* v. n e r v a t u r ă.
nervațiune *s.f. bot.* nervation.
nervos I. *adj.* **1.** short-tempered, impatient. **2.** *anat., med.* nervous. **II.** *adv.* irritably.
nervozitate *s.f.* **1.** nervousness, titubation. **2.** *(neliniște)* anxiety.
nervură *s.f.* **1.** *bot., entom.* nervure, rib, vein. **2.** *tehn., constr.* rib.
nesatisfăcător *adj.* unsatisfactory.
nesatisfăcut *adj.* frustrated.
nesaturat *adj.* unsaturated.
nesaț *s.n.* relish; *cu ~* lustily.
nesăbuință *s.f.* wildness v. n e s ă b u i r e.
nesăbuire *s.f.* **1.** inconsiderateness; rashness. **2.** rash / foolish deed, foolishness.
nesăbuit I. *adj.* reckless. **II.** *adv.* recklessly.
nesănătos *adj.* **1.** unhealthy. **2.** *fig.* unsound.
nesărat *adj.* **1.** unsalted. **2.** *fig.* vapid.
nesătul *adj.* hungry.
nesățios *adj.* insatiable.
neschimbat *adj.* unmodified; *de ~* unalterable.
neschimbător *adj.* unchanging, invariable, unalterable.
nescris *adj.* unwritten.
nesecat *adj.* inexhaustible.
neserios *adj.* **1.** frivolous, trivial. **2.** unreliable.
nesfârșit I. *s.n.* infinity; *la ~* endlessly. **II.** *adj.* boundless, endless, neverending, interminable. **III.** *adv. ~ de* extremely.
nesfie *s.f. ist. fin.* Turkish gold coin.
nesigur *adj.* **1.** uncertain. **2.** *(periculos)* unsafe. **3.** *(șovăielnic)* faltering; *~ pe picioare* unsteady.
nesiguranță *s.f.* uncertainty.
nesilit *adj.* free.
nesimțire *s.f.* **1.** insensitiveness. **2.** *(nerușinare)* shamelessness. **3.** *(leșin)* swoon; *în ~* unconscious.
nesimțit I. *s.m.* churl. **II.** *s.n. pe ~e* imperceptibly; *(pe furiș)* on the quiet. **III.** *adj.* thickskinned, unfeeling.
nesimțitor *adj.* unfeeling, hard-hearted.
nesincer I. *adj.* **1.** insincere. **2.** *(fățarnic)* smooth-faced. **II.** *adv.* insincerely.
neslăbit *adj.* unfailing; not loose.
nesociabil *adj.* unsociable, insociable; antisocial.
nesocoti *vt.* to overlook; not to heed.
nesocotință *s.f.* rashness.
nesocotire *s.f.* overlooking etc. v. n e s o c o t i.
nesocotit *adj.* **1.** unreasonable, rash v. n e c h i b z u i t. **2.** *(ignorat)* ignored; *(disprețuit)* scorned, disdained.
nesomn *s.n.* sleeplessness.
nespălat I. *s.m.* country bumpkin. **II.** *adj.* **1.** unwashed, filthy. **2.** *fig.* uncouth.
nesperat *adj.* unhoped for; *de ~* unhoped for.
nespornic *adj.* profitless, fruitless.
nesportiv *adj.* unsportsmanlike.
nespus *adj.* **1.** unsaid. **2.** *(de negrăit)* unutterable; *~ de* extremely.
nestabil *adj.* unstable.
nestatornic *adj.* inconstant, fickle.
nestatornicie *s.f.* inconstancy, fickleness; *(a caracterului)* flightiness.
nestăpânit *adj.* **1.** unrestrained. **2.** *(lipsit de calm)* uncollected; *de ~* unconquerable.
nestăvilit *adj.* uncurbed; *de ~* irrepressible.
nestânjenit *adj.* unhampered.
nestemată *s.f.* gem, precious stone.
nestingherit *adj.* unhindered; unabashed.
nestins *adj.* **1.** unextinguished. **2.** *(d. var)* quick.
nestorianism *s.n. rel.* Nestorianism.
nestrăbătut *adj.* untrodden; *de ~* impassable.
nestrămutat *adj.* unshaken; *de ~* unalterable.
nestricat *adj.* unbroken; *(întreg)* whole.
nesuferit I. *s.m.* public nuisance. **II.** *adj.* unbearable.
nesupunere *s.f.* insubordination.
nesupus *adj.* **1.** disobedient. **2.** *fig.* unbroken.
neșansă *s.f.* ill luck, bad luck.
neșifonabil *adj.* crease-proof.
neșlefuit *adj.* unpolished.
neșovăielnic *adj.*, **neșovăitor** *adj.* unhesitating.
neșters *adj.* ineffaceable, indelible; *de ~* indelible, unforgettable.
neștiință *s.f.* ignorance; *~ de carte* illiteracy.
neștirbit *adj.* untouched; whole, intact.
neștire *s.f. în ~ (lacom)* greedily; *(inconștient)* unconsciously.
neștiut I. *adj.* **1.** un(be)known, undiscovered. **2.** secret, abstruse, impenetrable; *(modest)* unobtrusive. **3.** *fig. (d. persoane)* anonimous, unknown, secluded, obscure. **II.** *s.n. pe ~e* secretely, mysteriously, furtively.
neștiutor I. *s.m.* ignorant. **II.** *adj.* **1.** ignorant, naive. **2.** illiterate. **3.** *(nevinovat)* innocent.
net I. *adj.* **1.** clear(cut). **2.** *(d. răspuns)* flat. **3.** *ec.* net. **II.** *adv.* plainly, clearly.
netăgăduit I. *adj.* incontestable; *de ~* undeniable. **II.** *adv.* undoubtedly.
neted I. *adj.* smooth, even. **II.** *adv.* smoothly, evenly.
netemeinicie *s.f.* groundlessness.
neterminat *adj.* unfinished.
netezi *vt.* to (make) smooth, to level.
netezime *s.f.* smoothness; smooth / flat surface.
netezire *s.f. tehn.* smoothing.
netezis *s.n.* smoothness.
netezitoare *s.f. constr.* smoother.
netezitor *s.n. met.* smoother.
netipărit *adj.* unprinted.
neto *adj.* net.
netot I. *s.m.* dolt, ninny. **II.** *adj.* silly, stupid.
netrebnic I. *s.m.* good-for-nothing. **II.** *adj.* worthless, bad.
netrebnicie *s.f.* baseness, wickedness; dastardly trick.
netrebuitor *adj.* useless, unnecessary.
netrecut *adj.* unsurpassed; *de ~ fig.* insurmountable.
netsucke *s.n.* netsuke, Japanese ornamental clasp.
netulburat *adj.* **1.** undisturbed. **2.** *(calm)* unruffled.
nețărmurit *adj.* illimited, boundless.
nețesălat *adj.* **1.** uncurried. **2.** *fig.* uncombed, dishevelled.
neuitat *adj.* unforgotten, alive (in one's memory); *de ~* unforgettable.
neumă *s.f. muz.* neum(e).
neumblat *adj.* **1.** unbeaten; *(neexplorat)* unexplored. **2.** *fig.* inexperienced.
neural *adj. anat.* neural.
neurastenic *adj., s.m. med.* neurasthenic.
neurastenie *s.f. med.* neurasthenia.
neurasteniza *vr.* **1.** *med.* to make neurasthenic, to become neurotic. **2.** *fig.* to exasperate.
neurastenizant *adj.* **1.** *med.* that causes neurasthenia. **2.** *fig.* exasperating.

neur(o)- *prefix* neur(o)-.
neurină *s.f. chim.* neurine.
neurit *s.m. anat.* neurite.
neurochirurgie *s.f. med.* neurosurgery.
neurocit *s.n. anat.* neurocyte.
neurocraniu *s.n. anat.* neurocranium.
neurofibrilie *s.f. pl. biochim.* neurofibril (la).
neurofibromatoză *s.f. med.* neurofibromatosis.
neuroleptic *s.n. med.* neuroleptic, (nerve) sedative.
neurolimfă *s.f. med.* cerebrospinal fluid, neurolimph.
neurolog *s.m. med.* neurologist.
neurologic *adj. med.* neurological.
neurologie *s.f. med.* neurology.
neuron *s.m. anat.* neuron.
neuronofagie *s.f. med.* neurophagia, neurophagy.
neuropatologie *s.f. med.* neuropathology.
neuroplegic *s.n. med.* neuroplegic substance.
neurosifilis *s.n. med.* neurosyphilis.
neurotrop *adj. med.* neurotropic.
neurulă *s.f. biol.* neurula.
neuston *s.m. biol.* neuston.
neutral *adj. rar* neutral.
neutralitate *s.f.* neutrality.
neutraliza I. *vt.* **1.** to neutralize; to compensate. **2.** *(a anihila)* to annihilate. **II.** *vr.* to neutralize each other.
neutralizant *adj.* neutralizing.
neutralizare *s.f.* neutralization.
neutrin *s.m. fiz.* neutrino.
neutrinic *adj. fiz.* of or relating to the neutrino.
neutrino *s.m. fiz.* neutrino.
neutrodinare *s.f. fiz.* applying the principle of the neutrodyne apparatus.
neutron *s.m. fiz.* neutron.
neutronic *adj. fiz.* neutron(ic), of or relating to neutrons.
neutru I. *s.m.* neutral (man, state etc.) **II.** *s.n.* neuter. **III.** *adj.* **1.** neutral. **2.** *gram.* neuter.
neuzitat *adj.* unwonted.
nev *s.m. med.* n(a)evus.
nevandabil *adj.* unsaleable, saleless.
nevascular *adj. med.* non-vascular.
nevastă *s.f.* **1.** wife. **2.** married woman.
nevăstuică *s.f. zool.* ferret, weasel *(Mustela vulgaris).*
nevătămat *adj., adv.* **1.** unharmed, unimpared. **2.** *(fără primejdie)* unmolested. **3.** *(fără pedeapsă)* scotfree.
nevăzut *adj.* unseen.
nevârstnic I. *adj.* under age, unfledged; **II.** *s.m.* minor; *jur.* infant.
neverosimil *adj.* unlikely.
nevertebrat *adj., s.n. zool.* invertebrate.
nevindecabil *adj. med.* incurable.
nevindecat *adj.* unhealed.
nevinovat I. *s.m.* innocent person. **II.** *adj.* **1.** innocent, blameless, guiltless, not guilty. **2.** *fig. (blând)* harmless.
nevinovăție *s.f.* **1.** innocence. **2.** *(puritate și)* purity, chastity.
nevisat *adj.* undreamt-of.
nevocarcinom *s.n. med.* nevocarcinoma.
nevoi *vt. înv., pop.* to strive, to make efforts.
nevoiaș I. *s.m.* pauper. **II.** *adj.* needy.
nevoie *s.f.* **1.** need. **2.** *(necesitate și)* necessity. **3.** *(dificultate)* difficulty. **4.** *(lipsă)* poverty. **5.** *(criză)* penury; ~ *mare* by all means; *de* ~ under stress of circumstances; *la* ~ in case of need, at a pinch.
nevoit *adj.* forced, compelled.
nevolnic *adj.* **1.** incapable. **2.** v. b e c i s n i c.
nevolnicie *s.f.* incapacity, helplessness.
nevralgic *adj.* **1.** *med.* neuralgic. **2.** *fig.* sore, raw.
nevralgie *s.f. med.* neuralgia.
nevrax *s.m. anat.* neuraxis, central nervous system, cerebrospinal axis.
nevr(o)- *prefix* neur(o)-.
nevrednic *adj.* unworthy, undeserving.
nevrednicie *s.f.* unworthiness.
nevricale *s.f. pl.* fit of nerves; *fam.* tantrums.
nevricos *adj. fam.* nervy.
nevrită *s.f. med.* neuritis.
nevroglie *s.f. anat.* neuroglia.
nevrom *s.n. med.* neuroma.
nevropat *med.* **I.** *s.m.* psychopath. **II.** *adj.* neuropathic.
nevropatie *s.f. med.* neuropathy.
nevroză *s.f.* **1.** *med.* neurosis; ~ *astenică* neuroasthenia. **2.** *mil.* combat fatigue.
Newton *s.m. fiz.* Newton.
newtonian *adj. fiz.* newtonian.
nezdruncinat *adj.* unshaken; *de* ~ unshakeable.
nicaraguan *s.m., adj. geogr.* Nicaraguan.
nicăieri *adv.* nowhere, not anywhere.
nichel *s.n. chim.* nickel.
nichela *vt. met.* to nickel(-plate).
nichelat *adj.* nikelled.
nichelină *s.f.* **1.** *mineral.* niccolite. **2.** *chim.* kupfer-nickel.
nici I. *adv.* not even; ~ *un,* ~ *o* none; *(din doi)* neither. **II.** *conj.* neither; nor; ~ ... ~ neither ... nor; ~ *cald* ~ *rece fig.* neither hay nor grass; ~ *prea-prea,* ~ *foarte-foarte* between hay and grass.
nicicând *adv.* never, at no time.
nicicum *adv.* not at all, not in the least.
nicidecum *adv.* v. n i c i c u m.
niciodată *adv.* never (more).
niciunde *adv. pop.* nowhere.
nicol *s.m. fiz.* Nicol (prism).
nicorete *s.m. bot.* St. George's agaric, edible mushroom *(Agaricus).*
nicotinamidă *s.f. farm.* nicotinamide.
nicotină *s.f. chim., farm.* nicotine.
nicotinic *adj.* nicotinic (acid).
nicotinism *s.n. med.* nicotinism.
nicovală *s.f.* **1.** anvil. **2.** *anat.* incus.
nicrom *s.n. met.* nichrome.
nictaginacee *s.f. pl. bot.* Nyctaginaceae.
nictalop *adj., s.m.* nyctalope, dayblind, hemeralopic.
nictalopie *s.f., med.* nyctalopia, day-blindness, hemeralopia.
nictemer *s.n. biol.* nychthemera.
nidicol *adj. ornit.* nidicolous, altricial.
nidifug *adj. ornit.* nidifugous, precocial.
nielat *adj. artă* nielloed, niellated, inlaid with niello.
nielură *s.f.* niello.
nife *s.n. geol.* nife.
nigranilină *s.f. chim.* nigraniline.
nigrozină *s.f. chim.* nigrosin(e).
nihilism *s.n.* nihilism.
nihilist *s.m., adj.* nihilist.
nilgau *s.m. zool.* nylghau, nilgau, nilgai; blue bull *(Baselaphus tragocamelus).*
niloți *s.m. pl. geogr.* Nilotes.
nimb *s.n.* nimbus, halo.
nimba *vt.* to halo.
nimbostratus *subst. meteo.* nimbostratus.
nimbus *s.m. meteo.* nimbus, rain cloud.
nimeni *pron.* nobody, no one, not anybody.
nimereală *s.f.* guess(work); *la* ~ at random.
nimeri I. *vt.* **1.** to hit (the nail on the head), to drive home. **2.** *(a ghici)* to guess (right). **II.** *vi.* to find oneself; *a* ~ *alături* to be wide off the

mark; *a ~ cu oiștea în gard* to hunt the wrong hare; *a ~ în* to hit. **III.** *vr.* **1.** to be, to find oneself. **2.** *(a se întîmpla)* to happen.
nimerit *adj.* fit; apt.
nimfă *s.f.* **1.** *mitol.* nymph. **2.** *entom.* nympha.
nimfeacee *s.f. pl. bot.* Nymphaeaceae.
nimfomană *s.f. med.* nymphomaniac.
nimfomanie *s.f. med.* nymphomania.
nimic I. *s.n.* **1.** trifle; *pl. și candle ends.* **2.** *(podoabă)* knick-knack. **3.** *(persoană)* cipher, a mere nobody. **II.** *pron.* nothing not anything; *de ~* worthless, unworthy; *cu~* by no means; *mai ~* next to nothing; *pe ~* dirt cheap; *pentru ~!* don't mention it!; *pentru ~ în lume* not for the world.
nimica *s.f.* trifle; *o ~ toată* a mere nothing.
nimici *vt.* to annihilate; to exterminate.
nimicire *s.f.* annihilation etc. v. n i m i c i.
nimicitor *adj.* destructive.
nimicnici *vt. înv.* to annihilate, to exterminate; *fig.* to degrade oneself.
nimicnicie *s.f.* **1.** nothing(ness). **2.** *(frivolitate)* vanity.
ninge *vi.* to snow.
nins *adj.* **1.** snowed (all over). **2.** *fig.* white.
ninsoare *s.f.* snow(fall).
niobit *s.n. mineral.* columbite, niobite.
niobiu *s.n. înv. chim.* niobium, columbium.
niplu *s.n. tehn.* nipple.
nipon *adj.* Japanese.
nipralā *s.f. bot.* lupin *(Lupinus luteus).*
nirvana *s.f. rel. orientale* Nirvana.
niscai, niscaiva *adj. nehot.* v. niște.
nisetru *s.m. iht.* sturgeon *(Acipenser sturio).*
nisip *s.n.* sand; *~uri mișcătoare* quick / shifting sand(s).
nisipar *s.n. ferov.* sanding device.
nisipariță *s.f. iht.* gudgeon, cobitis *(Cobitis caspia romanica).*
nisipărie *s.f.* much sand; sands.
nisipernită *s.f. înv.* sand box.
nisipiș *s.n.* sandy ground.
nisipos *adj.* sandy.
nistagmus *s.n. med.* nystagmus.
nișă *s.f. arh.* niche, recess.
niște *adj.* **1.** some. **2.** *(în prepoziții interogative)* any.
nit *s.n. tehn.* rivet.
nitam-nisam *adv. fam. (fără nici un rost)* without rhyme or reason; *(fără motiv)* for no reason at all; *(brusc)* suddenly, (all) of a sudden; *(pe neașteptate)* unexpectedly.
nitrare *s.f. chim.* nitration.
nitrat *s.m. chim.* nitrate.
nitratbacterii *s.f. pl. biol.* nitrate bacteria.
nitric *adj. chim.* nitric (acid).
nitrifica *vt. chim.* to nitrify.
nitrificare *s.f. chim.* nitrification.
nitril *s.m. chim.* nitryl, nitroxyl.
nitrit *s.m. chim.* nitrite.
nitritbacterii *s.f. pl. biol.* nitrite bacteria.
nitro *subst. chim.* nitro (compound).
nitroalcan *s.m. chim.* nitroparaffin.
nitrobacterii *s.f. pl. biol.* nitrobacteria.
nitrobenzen *s.m. chim.* nitrobenzene.
nitroceluloză *s.f. chim.* nitrocellulose, nitrocotton.
nitroderivat *s.m. chim.* nitrocompound.
nitrofoska *s.f. chim.* nitrophoska.
nitrogen *s.m. chim.* nitrogen.
nitroglicerină *s.f. chim.* nitroglycerine.
nitroguanidină *s.f. chim.* nitroguanidine.
nitrometan *s.m. chim.* nitromethane.
nitroparafină *s.f. chim.* nitroparaffin.
nitros *adj. chim.* nitrous.
nitrotoluen *s.m. chim.* nitrotoluene.
nitrozare *s.f. chim.* nitrosation.
nitrozo *subst. chim.* nitrosocompound.
nitrozoderivat *s.m. chim.* nitrosocompound.
nitrura *vt. met.* to nitride.
nitrurare *s.f. met.* nitriding, nitridation.
nitrură *s.f. chim.* nitride.
nitui *vt. tehn.* to rivet.
nituitor *s.m. tehn.* rivetter.
nițel *fam.* a little.
nivație *s.f. geol.* nivation.
nivel *s.n.* **1.** level. **2.** *fig. și standard; ~ de trai* living standard(s); *~ul apei* watermark; *~ mării* sea level; *la ~ înalt* summit, top-level. **3.** *tehn.* levelling instrument.
nivela *vt.* **1.** to level. **2.** *fig. și* to equalize.
nivelator I. *adj.* levelling. **II.** *s.n.* leveller, small harrow.
nivelă *s.f. tehn.* (water) level.
nivelment *s.n. tehn.* surveying, contouring.
nivelmetric *adj. tehn.* surveying.
nivelmetru *s.n.* v. n i v e l 3.
nivometru *s.n. tehn.* snow gauge.
niznai *s.m. a face pe ~ul* to feign innocence.
no *s.n. teatru* no, noh, nogaku.
noadă *s.f. anat. fam.* coccyx.
noapte *s.f.* **1.** night. **2.** *(întuneric)* dark, gloom. **3.** *(căderea nopții)* nightfall; *~ cu lună* moonlight night; *astă ~* last night; *la ~* tonight.
noaptea *adv.* **1.** at / by night. **2.** *(frecventativ)* nights.
noastră *adj. pos. feminin* our; *a ~* ours.
noastre *adj. pos. feminin pl.* our; *ale ~* ours.
noaten *s.m. zool. (miel)* hog, hogget; *(de doi ani)* two-year sheep.
nobeliu *s.n. chim.* nobelium.
nobil I. *s.m.* nobleman. **II.** *adj.* noble, aristocratic.
nobiliar *adj.* nobiliary.
nobilime *s.f.* nobility, aristocracy.
noblețe *s.f.* nobility, nobleness.
nociv *adj.* harmful.
nocivitate *s.f.* noxiousness.
noctambul *s.m.* somnambulist, sleep walker.
noctambulism *s.n. rar med.* noctambulism, somnambulism, sleep-walking.
noctiluca *s.f. zool.* noctiluca *(Noctiluca miliaris).*
nocturn *adj.* nocturnal, night.
nocturnă *s.f.* nocturne; *meci în ~* floodlit match.
nod *s.n.* **1.** knot. **2.** *ferov.* junction; *~ marinăresc* running-knot; *~ul gordian* the Gordian knot.
nodal *adj.* crucial.
nodos *adj. med.* nodose, knotty, knobbed.
nodozitate *s.f. med.* nodosity.
nodul *s.m. med.* nodule, small node.
noduleț 1. *s.n.* small knot. **2.** *text.* fault of fabrics.
noduros *adj.* knotty.
noemă *s.f. filoz.* noema.
noi *pron.* we; *la ~* with us; in this country; *pe ~* us.
noian *s.n. poetic* heap, lot.
noiembrie *s.m.* November.
noimă *s.f.* sense, meaning; *fără ~* without rhyme or reason.
noime *s.f.* ninth (part).
noiță *s.f.* nail spot, *fam.* gift.
nojiță *s.f.* leather lacing for peasant sandals.
nomad I. *s.m.* nomad. **II.** *adj.* vagrant.

nomadism *s.n.* nomadism.
nomarh *s.m. ist.* nomarch.
nomă *s.f.* **1.** *med.* noma, gangrenous stomatitis. **2.** *ist.* nome, administrative division in ancient Egypt. **3.** *muz.* musical composition (accompanying the recitation of epics).
nomenclator *s.n.* list, catalogue, classified list; ~ *de export* export list.
nomenclatură *s.f.* **1.** nomenclature, list, catalogue. **2.** system of classification. **3.** *pol. (comunistă)* Nomenklatura.
nomenclaturist *s.m. pol. (comunist)* high apparatchick, member of the Nomenklatura; high / privileged communist official.
nominal I. *adj.* **1.** nominal, face. **2.** *tehn.* rated. **II.** *adv.* nominally.
nominal I. *adj.* **1.** *(d. preț etc.)* nominal. **2.** *tehn.* rated; *apel* ~ roll call, call over; *preț* ~ nominal price, face value; *putere ~ă* rated power / capacity; *valoare ~ă* nominal cost. **II.** *adv.* nominally.
nominalism *s.n. filoz.* nominalism.
nominalist *s.m. filoz.* nominalist.
nominativ I. *s.n. gram.* nominative (case). **II.** *adj.* nominal.
nomocanon *s.n. rel.* nomocanon.
nomografie *s.f. mat.* nomography, nomogram, graph of parallel lines.
nomogramă *s.f. mat.* nomogram, nomograph.
nona *s.f. ist.* tithe (ninth part of peasant's produce).
nonagenar *s.m.* nonagenarian.
nonă *s.f. muz.* nona, nono.
noncontradicție *s.f. filoz.* noncontradiction.
nonet *s.n. muz.* nonet.
nonfigurativ *adj. artă* non-figurative.
nonius *s.m. zool.* breed of horses in Banat and Transylvania.
nonsens *s.n.* absurdity, nonsense.
nonșalant *adj. livr.* nonchalant.
nontronit *s.n. mineral.* nontronite.
nonviolență *s.f.* non-violence.
noocrație *s.f. filoz. pol.* noocracy, the rule of intellectuals (Platonic concept).
noologic *adj. filoz.* noological.
noosferă *s.f. filoz.* noosphere, spiritual layer of the Earth, mankind.
nopal *s.m. bot.* nopal.
noptatic *adj.* nocturnal; *(întunecat)* dark.
nopticoasă *s.f. bot.* rocket *(Hesperis).*
noptieră *s.f.* night table / commode.
noptiță *s.f. bot.* **1.** v. n o p t i c i c ă. **2.** marvel of Peru, AE pretty-by-night *(Mirabilis jalapa).*
nor *s.m.* cloud; ~ *de furtună* thundercloud; *fără ~i* unclouded.
noradrenalină *s.f. fiziol.* noradrenaline.
noră *s.f.* daughter-in-law.
nord *s.n.* north; *de* ~ north(ern); *în ~ul țării* in the north of the country; *la ~ de* (to the) north of; *spre* ~ northwards.
nord-est *s.n.* north-east.
nord-estic *adj.* north-east(ern).
nordic I. *s.m.* **1.** northerner. **2.** Scandinavian. **II.** *adj.* **1.** north(ern). **2.** *(d. vânt)* northerly.
nord-vest *s.n.* north-west.
nord-vestic *adj.* north-west(ern).
norea *s.f. bot.* v. n o p t i ț ă 2.
norit *s.n. geol.* norite.
noriță *s.f. zool.* v. n u r c ă.
norma *vt.* to standardize.
normal I. *s.n.* normal (situation, conditions). **II.** *adj.* normal, ordinary. **III.** *adv.* normally.
normalist *s.m. univ.* student in a (teacher's) training college.
normaliza *vt.* to normalize.
normalizare *s.f.* **1.** normalization. **2.** *(standardizare)* standardization.
normanzi *s.m. pl. ist.* Normans.
normare *s.f.* rate-setting; standardization.
normat *adj.* normalized, standardized.
normativ I. *s.n.* norm, standard. **II.** *adj.* normative.
normator *s.m.* rate-setter.
normă *s.f.* **1.** norm. **2.** *(standard și)* standard. **3.** *(de producție și)* quota, rate; *peste* ~ on top of the norm / quota.
normoblast *s.n. fiziol.* normoblast.
noroc I. *s.n.* **1.** luck. **2.** *(soartă bună)* good fortune. **3.** *(succes)* success. **4.** *(șansă)* chance; ~ *că* luckily; ~ *de el* he was a godsend; *la~* at hazard. **II.** *interj.* **1.** good luck! **2.** *(la toasturi)* your health!
noroci *vt.* to make happy.
norocos *adj.* **1.** lucky, fortunate. **2.** *(fericit)* happy.
norod *s.n. înv.* people.
noroi *s.n.* mud, mire.
noroi *vt., vr.* v. n ă m o l i.
noroios *adj.* muddy, oozy.
noros *adj.* **1.** cloudy, clouded. **2.** *(întunecat)* overcast, dull.
norvalină *s.f. biochim.* norvaline.
norvegian *s.m., adj. geogr.* Norwegian.
nosologie *s.f. med.* nosology.
nostalgic *adj.* nostalgic.
nostalgie *s.f.* **1.** nostalgia, homesickness. **2.** *(melancolie)* wishfulness.
nostim *adj.* **1.** funny, droll. **2.** *(atrăgător)* nice, comely.
nostimadă *s.f.* fun, funny thing.
nostrom *s.m. nav.* boatswain.
nostru *adj. pos. masculin* our; *al* ~ ours.
noștri *adj. pos. masculin pl.* our; *ai* ~ ours; our folk; *e de-ai* ~ *fam.* he is just up my street.
nota *vt.* **1.** to note. **2.** *(a scrie)* to put / write down. **3.** *(a observa)* to observe, to notice.
notabil *adj.* notable.
notabilitate *s.f.* notability.
notar *s.m.* notary (public).
notare *s.f.* **1.** noting; writing down. **2.** *(la școală)* marking, AE grading.
notariat *s.n.* public notary (office).
notatiță *s.f. ornit.* phalarope, AE northern phalarope; *(Phalarapus).*
notație *s.f.* notation.
notă *s.f.* **1.** note. **2.** *(însemnare)* comment. **3.** *(la școală)* mark, AE grade; ~ *de plată* bill, check; ~ *de protest* protest note; ~ *de subsol* footnote; *~marginală* marginal (note).
notătoare *s.f. bot.* v. b r o s c a r i ț ă.
notes *s.n.* jotter.
notifica *vt.* to notify.
notificare *s.f.* notification.
notițe *s.f. pl.* notes.
notocord *s.f. zool.* notochord.
notorietate *s.f.* notoriousness.
notoriu *adj.* **1.** notorious. **2.** *(celebru)* well-known, famous.
noțiune *s.f.* notion.
nou I. *s.n.* the new (elements). **II.** *adj.* **1.** new. **2.** *(recent)* recent, fresh. **3.** *(suplimentar)* further; (an)other. **4.** *(inedit)* novel. **5.** *(fără experiență)* inexperienced; *~-născut* new born (child); *~-nouț* brand-new; hot; *~ venit* newcomer; *din* ~ again, once more; new(ly).
nouă I. *s.m., adj., num. card.* nine. **II.** *pron.* (to) us.
nouălea *num. ord., adj.* the ninth.
nouăsprezece *s.m., adj., pron., num. card.* nineteen.
nouăsprezecelea *adj., num. ord.* the nineteenth.
nouăzeci *s.m., adj., pron., num. card.* ninety.
nouăzecilea *adj., num.ord.* the ninetieth.
nous *subst. filoz.* nous.

noutate *s.f.* **1.** novelty; innovation. **2.** *(știre)* piece / item of news.
nova *vt. jur.* to substitute.
novac *s.m. lit. pop.* hero, mythological name for a strong brave man.
novarsenobenzol *s.n. chim.* novarsenobenzol, novarsenobenzene.
novator I. *s.m.* innovator, inventor. **II.** *adj.* innovating.
novație *s.f. jur.* novation, substitution; renewal (of lease etc.).
novă *s.f. astr.* nova.
noveletă *s.f. lit.* short story.
novice I. *s.m.* novice, greenhorn. **II.** *adj.* green, raw.
noviciat *s.n.* noviciate; *(ucenicie)* apprenticeship.
novocaină *s.f. farm.* novocaine.
novolac *s.n. chim.* synthetic resin.
noxă *s.f.* noxa.
nozemoză *s.f. entom.* nosema disease.
nu *adv.* **1.** no. **2.** *(cu verbe)* not. **3.** *(deloc)* never, not at all; ~ *chiar* not exactly; ~ *numai* nuanța *vt.* to vary, to shade.
nuanțat *adj.* shaded, full of light and shade.
nuanță *s.f.* shade, nuance.
nubil *adj. livr.* marriageable, nubile.
nubilitate *s.f. rar* nubility, marriageable age.
nuc *s.m. bot.* (wal)nut tree *(Juglans regia).*
nucă *s.f. bot.* (wal)nut; ~ *de cocos* coconut.
nucelă *s.f. bot.* nucellus.
nucet *s.n. bot.* nut grove.
nuclear *adj.* nuclear; atom.
nucleație *s.f. fiz.* nucleation.
nuclează *s.f. biochim.* nuclease.
nucleic *adj. biochim.* nucleic.
nucleină *s.f. biochim.* nuclein.
nucleol *s.m. biochim.* nucleolus, nucleole.
nucleon *s.m. fiz.* nucleon.
nucleonică *s.f.* nucleonics.
nucleoproteide *s.f. pl. biochim.* nucleo-proteids.
nucleu *s.n.* **1.** nucleus. **2.** *(miez)* core, kernel.
nuclid *s.m. fiz.* nuclide.
nucșoară *s.f.* nutmeg.
nucșor *s.m. bot.* nutmeg tree *(Myristica fragrans).*
nuculă *s.f. bot.* nutlet.
nud *s.m., adj.* nude.
nudism *s.n.* nudism.
nudist *s.m.* nudist.
nuditate *s.f.* nudity.
nufăr *s.m. bot.* water lily *(Nymphaea alba, Nuphar luteum).*
nuga *s.f. cul.* nougat.
nuia *s.f.* **1.** rod. **2.** *pl. (împletitură)* wattle.
nuia *s.f.* **1.** *(rămurea)* twig, switch; *(de salcie)* osier / willow twig, withe; *(vergea)* rod. **2.** *(lovitură cu ~ua)* lash, cut with a rod; *gard de nuiele* wattle; *împletitură de nuiele* wattle, wattling, basketwork.
nul *adj.* **1.** null (and void). **2.** *(prost)* ignorant; *meci* ~ draw, drawn match.
nulă *s.f.* cipher.
nuligestă *s.f. med.* nulligravida.
nulipară *s.f. med.* **I.** *adj.* nulliparous. **II.** *s.f.* nullipara.
nulitate *s.f.* **1.** nullity. **2.** *(persoană)* cipher, nonentity.
numai *adv.* only, merely; alone; ~ *că* but; except that.
numaidecât *adv.* **1.** immediately, directly. **2.** by all means.
număr *s.n.* **1.** number. **2.** *(cifră și)* figure. **3.** *(de ziar etc. și)* issue. **4.** *(mulțime)* group. **5.** *(la un spectacol)* act; turn. **6.** *(măsură)* size; ~ *cu soț* even number; ~ *de atracție* sensational act; ~ *fără soț* odd number; ~ *senzațional* sensational act; *~ul unu* wonderful(ly); *un mare ~de* a lot of, many.
număra *vt., vi., vr.* to count.
numărat I. *adj.* counted; (verificat) checked (up). **II.** *s.n.* v. n u m ă r ă t o a r e 1.
numărătoare *s.f.* **1.** reckoning, counting. **2.** *(abacă)* abacus.
numărător *s.m.* numerator.
nu-mă-uita *s.f. bot.* forget-me-not *(Myosotis).*
nume *s.n.* **1.** name. **2.** *(substantiv)* noun. **3.** *(faimă și)* renown; ~ *de botez* Christian name; ~ *de familie* surname; ~ *de fată* maiden name; ~ *de împrumut* assumed name; ~ *propriu* proper name; *cu~le* for form's sake; *după* ~ by name; *în ~le* in the name of, on behalf of; *pentru ~le lui Dumnezeu* for God's sake.
numen *s.n. filoz.* noumenon.
numenal *adj. filoz.* noumenal.
numeral *s.n. gram.* numeral, number; ~ *cardinal* cardinal numeral; ~ *ordinal* ordinal numeral.
numerar *s.n. fin.* (hard) cash, specie.
numerație *s.f. mat.* numeration.
numeric I. *adj.* numerical. **II.** *adv.* numerically.
numericește *adv.* numerically.
numeros *adj.* numerous.
numerota *vt.* to number.
numerotator *s.n. poligr.* numbering machine.
numerotație *s.f.* numbering; paging.
numi I. *vt.* **1.** to name, to call. **2.** *(într-o slujbă)* to appoint. **II.** *vr.* to be named; *cum te numești?* what is your name?
numire *s.f.* **1.** *(nume)* term, word. **2.** *(într-un post)* appointment.
numismat *s.m.* numismatist.
numismatic *adj.* numismatic.
numismatică *s.f.* numismatics.
numit I. *s.m.* *~ul* the said, the above mentioned (person). **II.** *adj.* **1.** named. **2.** *(într-o funcție)* appointed.
numitor *s.m.* denominator.
numulit *s.m. geol.* nummulite.
numulitic *adj. geol.* nummulitic.
nun *s.m.*, **nună** *s.f.* wedding sponsor.
nunatak *subst. geol.* nunatak.
nunească *s.f.* Romanian traditional wedding dance.
nuntaș *s.m.* wedding guest.
nuntă *s.f.* wedding (party); ~ *de argint* silver wedding.
nunti I. *vi., vr. pop.* **1.** to get married, to wed. **2.** to participate in a wedding. **II.** *vt. rar* **1.** to marry away. **2.** to attend a wedding.
nunțiatură *s.f. bis.* **1.** nunciature. **2.** *(ca reședință)* nuncio's residence.
nunțiu *s.m. bis.* nuncio.
nupțial *adj.* nuptial.
nupțialitate *s.f.* marriage rate, nuptiality.
nur *s.m.* feminine charm, sex-appeal.
nurcă 1. *s.f. zool.* mink *(Mustela lutreola).* **2.** *(blană)* mink (fur).
nuri *s.m. pl.* sex appeal, glamour.
nurliu *adj.* attractive, comely.
nursă *s.f. rar elev.* governess, nurse.
nut *s.n.* v. c a n e l u r ă.
nutație *s.f. astr., bot.* nutation.
nutreț *s.n. agr.* fodder.
nutri I. *vt.* **1.** to feed, to nourish. **2.** *fig.* to harbour, to cherish. **II.** *vr.* to feed.
nutria *s.f.* **1.** *zool.* nutria; *(Myocastor coypus).* **2.** nutria fur.
nutritiv *adj.* nourishing; nutritive.
nutriție *s.f.* nutrition; nourishment.
nutui *vt. tehn.* to groove.
nutuire *s.f. tehn.* grooving.
nuvelă *s.f. lit.* short story.
nuvelist *s.m. lit.* short-story writer.
nuvelistică *s.f. lit.* short-stories.
nyaya *subst. filoz., rel. orientală* Nyaya.
nylon *s.n. text.* v. n a i l o n.

O

O, o *s.m.* O, o the eighteenth letter of the Romanian alphabet.
o I. *art. nehot.* a, an. **II.** *interj.* oh! **III.** *v. aux. fam., pop.* shall, will, 'll. **IV.** *num. card., adj.* one; a.
oac *interj.* croak.
oacheș *adj.* swarthy, dark(-skinned).
oaie *s.f.* **1.** sheep; *fem. și* ewe. **2.** *(carne)* mutton. **3.** *(blană)* sheepskin; ~ *râioasă fig.* black sheep; *de oi* sheep...; ewe's...
oală *s.f.* **1.** pot. **2.** *(conținutul)* potful; ~ *de flori* flower pot; ~ *de pământ* earthen pot; ~ *de noapte* chamber pot.
oară *s.f.* time; *de câte ori?* how many times?, how often?
oare *adv.* really (?), indeed (?).
oarecare I. *s.m.* nobody. **II.** *adj.* some; a little; *într-o ~ măsură* to a certain extent.
oarecând *adv. înv., reg.* some time.
oarecât *adv.* somewhat, to a certain extent.
oarece I. *pron. nehot. pop., fam., reg.* something. **II.** *adj.* some. **III.** *adv.* a little.
oarecine *pron. nehot. reg.* somebody.
oarecum *adv.* somehow.
oaspete *s.m.* guest.
oaste *s.f.* **1.** army. **2.** *fig.* host.
oază *s.f.* oasis.
obadă *s.f.* **1.** rim. **2.** *pl. ist.* stocks.
obăda *vt.* to rim, to provide with a felly / rim.
obădar *s.m.* jaunt / felly auger.
obârșie *s.f.* origin, starting point.
obcină *s.f. geogr.* long mountain range or high hill (1000-1500 m) with peaks.
obedient *adj.* **1.** obedient, obeying. **2.** subdued, submissive, gentle. **3.** obsequious, servile.
obediență *s.f.* obedience.
obelisc *s.n.* obelisk.
ober(chelner) *s.n.* headwaiter.
oberliht *s.n.* transom (window).
obez *adj.* obese, fat.
obezitate *s.f.* fatness, stoutness.
obială *s.f.* foot wrap.
obicei *s.n.* **1.** habit. **2.** *(datină)* custom; *~ul pământului* local custom; *de ~* usually, as a rule; *ca de ~* as usual.
obidă *s.f.* humiliation, affliction; *cu ~* bitterly.
obidi *vt.* to grind down.
obidit *adj.* humiliated.
obiect *s.n.* **1.** object. **2.** *(lucru și)* thing. **3.** *(materie)* subject (matter); ~ *fără stăpân* treasure trove.
obiecta I. *vt.* to object (that). **II.** *vi.* to object; *a ~ la* to object to.
obiectiv I. *s.n.* **1.** objective. **2.** *opt.* object lens; *~e turistice* sights (of the place etc.). **II.** *adj.* **1.** objective. **2.** *(imparțial și)* unbiassed. **III.** *adv.* fairly.
obiectiva *vt.* to objectify.
obiectivare *s.f.* **1.** objectivation. **2.** *filoz.* objectification.
obiectivat *adj.* objectified, materialized.
obiectivism *s.n.* fallacious objectiveness.
obiectivist *adj.* objectivistic, falsely impartial.
obiectivitate *s.f.* impartiality.
obiectiviza *rar.* **I.** *vr.* to become objective. **II.** *vt.* to objectify, to objectivize.
obiectual *adj. filoz.* **1.** objective. **2.** pertaining to things, objects.
obiecție *s.f.* objection.
obișnui I. *vt.* to accustom, to inure; *a ~ pe cineva cu ceva* to accustom smb. to smth.; *a ~ să* to be wont to. **II.** *vr. (cu / să)* to become inured (to); *se obișnuiește să... (impersonal)* it is usual to...
obișnuință *s.f.* usage; *din ~* out of habit.
obișnuit I. *s.n.* habitué. **II.** *adj.* **1.** usual, habitual. **2.** *(de rând)* ordinary; *~ cu* accustomed to. **III.** *adv.* usually.
oblădui I. *vt.* **1.** to rule, to sway, to govern, to manage, to administer. **2.** to protect, to defend. **II.** *vi.* to rule, to reign, to sway.
oblăduire *s.f.* **1.** rule. **2.** protection.
oblăduitor *adj.* **1.** ruling. **2.** protective.
oblânc *s.n.* saddle bow.
oblete, oblet *s.m. iht.* bleak *(Alburnus lucidus).*
oblic *adj.* **1.** oblique. **2.** *(pieziș)* slanting.
oblici *vt. pop.* **1.** *(a găsi)* to find (out), to discover. **2.** *(a afla)* to learn, to gather, to understand, to get wind of.
oblicitate *s.f.* obliquity, obliqueness.
obliga I. *vt.* **1.** to compel. **2.** *(a îndatora)* to oblige. **II.** *vr.* to commit *sau* pledge oneself.
obligat I. *s.m.* obligee. **II.** *adj.* **1.** obliged. **2.** *(silit)* forced.
obligativitate *s.f.* obligatory character, compulsoriness, coercitiveness.
obligatoriu *adj.* compulsory, obligatory.
obligație *s.f.* **1.** obligation. **2.** *(îndatorire și)* duty. **3.** *fin.* bond.
obligeană *s.f. bot.* sweet calamus / cane / flag / rush *(Acorus calamus).*
oblitera I. *vt.* **1.** *(a șterge)* to obliterate. **2.** *(a anula)* to cancel. **3.** *med.* to stop. **II.** *vr. pas.* **1.** *(a se șterge)* to be obliterated / effaced. **2.** *med.* to be stopped.
obliterare *s.f.* **1.** obliteration etc. v. o b l i t e r a. **2.** *med.* obstruction.
obliterație *s.f.* **1.** v. o b l i t e r a r e 1, 2. **2.** obnubilation.
oblojeală *s.f. fam.* poultice; cataplasm.
obloji *vt.* **1.** to poultice. **2.** *fig.* to nurse.
oblojire *s.f.* poulticing.
oblojit *adj.* **1.** poulticed. **2.** *fig. fam.* muffled up.
oblomovism *s.n. lit.* oblomovism, pathological passivity, incapacity to act (reference to Gonchearov's novel "Oblomov").
oblon *s.n.* (window) shutter.
oblong *adj. livr.* oblong.
oblu *reg.* **I.** *adj.* **1.** *(drept)* straight, direct. **2.** *(neted)* level, even, plane. **II.** *adv.* direct(ly), straight(ly).
obnubilat *adj. med.* obnubilated.
obnubilație *s.f.* obnubilation.
obod *s.n. tehn.* frame, rim.
oboi *s.n.* oboe.
oboist *s.m. muz.* oboe player, oboist.

obol *s.n.* mite, bit.
obor *s.n.* (cattle) market.
oboroc *s.n.* bushel.
oboseală *s.f.* tiredness.
obosi I. *vt., vi.* to tire, to weary. **II.** *vr.* to take much trouble, to tire (oneself).
obosit *adj.* **1.** tired, weary. **2.** *(istovit)* exhausted.
obositor *adj.* **1.** tiresome. **2.** *(plicticos)* tedious.
obot *s.n.* slat linking the runners of the sledge at the front.
obovat *adj. bot.* obovate, obovoid.
obrație *s.f.* small enclosed orchard at the foot of a hill in a wine growing region.
obraz *s.m.* **1.** cheek. **2.** *(față)* face.
obraznic I. *s.m.* cheeky fellow. **II.** *adj.* **1.** cheeky, contumelious. **2.** *(neastâmpărat)* naughty, mischievous. **III.** *adv.* cheekily, insolently.
obraznică *s.f.* hussy, minx, saucy girl.
obrăzar *s.n.* **1.** *apicultură* bee veil. **2.** *scrimă etc.* mask, helmet.
obrăznicătură *s.f. fam.* brazen / bold face, cheeky fellow; *fem.* hussy, minx.
obrăznici *vr.* **1.** to be cheeky. **2.** *(d. copii)* to become naughty.
obrăznicie *s.f.* **1.** (piece of) impudence. **2.** *(aroganță)* contumely. **3.** *(poznă)* mischief.
obrinteală *s.f. pop.* inflamation or swelling of a wound or of a part of the body.
obrinti *vt., vi. pop.* to swell, to become inflamed.
obrintitură *s.f. pop.* v. b r i n t e a l ă.
obroci *vt.* to bewitch, to charm, to cast a spell on.
obscen *adj.* obscene, unclean.
obscur *adj.* **1.** obscure. **2.** *(nedeslușit)* dim. **3.** *(întunecat)* gloomy. **4.** *(încurcat și)* entangled. **5.** *(modest și)* unobtrusive.
obscurantism *s.m.* obscurantism.
obscurantist *s.m., adj.* obscurantist.
obscuritate *s.f.* obscurity.
obsecvent *adj. geogr.* obsequent.
obsecvios *adj.* obsequious, servile.
obseda *vt.* to obsess.
obsedant *adj.* haunting.
observa I. *vt.* **1.** to observe. **2.** *(a remarca și)* to notice, to remark. **II.** *vr.* **1.** to be noticeable, to be seen. **2.** *(pe sine)* to control oneself.
observabil *adj.* noticeable, observable, to be noticed.
observare *s.f. mil.* observation.
observator I. *adj. jur.* observing, observant. **II.** *s.m.* observer. **III.** *s.n.* observatory.
observație *s.f.* **1.** observation. **2.** *(cercetare și)* examination. **3.** *(supraveghere și)* watch(ing). **4.** *(critică)* objection; *pl.* reproof.
obsesie *s.f.* obsession.
obsesiv *adj.* obsessive.
obsidian *s.n. geol.* obsidian.
obsigă *s.f. bot.* awnless, bromegrass *(Bromus inermis).*
obstacol *s.n.* **1.** obstacle. **2.** *sport* steeple.
obstetric *adj.* obstetrical.
obstetrical *adj. med.* obstetric(al).
obstetrică *s.f.* obstetrics.
obstetrician *s.m.* obstetrician.
obstinație *s.f. livr.* obstinacy, stubborness, persistency.
obstructiv *adj. med.* obstructive.
obstrucție *s.f.* obstruction.
obstrucționa *vt.* to obstruct.
obstrucționism *s.n.* obstructionism.
obstrucționist *s.n.* filibusterer.
obște *s.f.* community.
obștesc *adj.* public; *a-și da ~ul sfârșit* to depart this life.
obtura *vt.* to obturate, to stop up, to close.
obturator *s.n.* **1.** obturator. **2.** *foto.* shutter, cap (of lens).
obtuz *adj.* **1.** obtuse. **2.** *fig.* narrow-minded.
obtuzitate *s.f.* obtuseness, obtusity.
obtuzunghi *adj. geom.* obtuse-angled.
obține *vt.* to obtain, to get.
obuz *s.n.* shell.
obuzier *s.n.* mortar.
obversiune *s.f.* obversion.
oca *s.f. ist.* **1.** weight of about three pounds. **2.** liquid measure of about three pints.
ocară *s.f.* insult, abuse.
ocarină *s.f.* ocarine.
ocazie *s.f.* **1.** occasion, chance. **2.** *(favorabilă)* opportunity; *cu altă ~* some other time; *de ~ (vechi)* second hand; *(ocazional)* circumstantial.
ocaziona *vt.* to occasion, to give occasion to.
ocazional *adj.* circumstantial.
ocazionalism *s.n. filoz.* occasionalism.
ocărî I. *vt.* **1.** to reproach. **2.** *(a insulta)* to abuse, to insult. **II.** *vi.* to curse.
ocârmuire *s.f. înv. (conducere)* rule, sway, reign.
occident *s.n.* West.
occidental I. *s.m.* Western man. **II.** *adj.* West(ern).
occipital *anat.* **I.** *adj.* occipital. **II.** *s.n.* occiput, occipital bone.
occiput *s.n. anat.* occiput.
ocean *s.n.* **1.** ocean. **2.** *fig. și sea.*
oceanic *adj.* oceanic.
oceanografic *adj.* oceanographic(al).
oceanografie *s.f.* oceanography.
ocel *s.m. zool.* ocellus, simple eye, eyespot.
ocelot *s.m. zool.* ocelot *(Felis / Leopardus pardalis).*
ocheadă *s.f.* sidelong glance.
ochean *s.n.* **1.** field glass. **2.** *mar.* spy glass.
ocheană *s.f. iht.* v. b a b u ș c ă.
ochelari *s.m. pl.* spectacles, glasses; *~ de soare* sun glasses; *(atașabili)* clip-overs; *~ de cal* blinkers; *fig.* narrow-mindedness; *~ de protecție* goggles.
ochelarist *s.m. fam. ironic* (be)spectacled chap.
ochelariță *s.f. bot.* buckler's mustard *(Biscutella laevigata).*
ochete *s.n. nav.* thimble.
ochi[1] **I.** *s.m.* **1.** eye. **2.** *pl.* eyesight. **3.** *(priviri)* glances. **4.** *(de plasă și)* loop, mesh. **5.** *(de lanț)* link; *~ bulbucați* bulging eyes; *~ de pisică* cat's eye; *(auto și)* catadiopter; *~ul boului* aster; *cu ~i închiși* blindly; *cu ~i în gol* staring; *cu ~ și cu sprâncene* striking, glaring; *de ~* eye...; *între patru ~* between you and me (and the bedpost). **II.** *s.n.* **1.** *(de fereastră)* glasspane, windowpane. **2.** *(de apă)* puddle. **3.** *(de aragaz etc.)* ring. **4.** *pl. (ouă)* fried eggs; *~uri în apă* sau *românești* poached eggs. **III.** *adv.* (full) to the brim.
ochi[2] **I.** *vt.* **1.** to shoot / aim at. **2.** *(a dori)* to clap eyes on. **3.** *(a nimeri)* to hit. **4.** *(a zări)* to perceive. **II.** *vi.* to take aim.
ochiadă *s.f.* v. o c h e a d ă.
ochios *adj. pop.* **1.** large-eyed. **2.** pretty, handsome.
ochire *s.f.* **1.** aiming. **2.** *(privire)* glance.
ochișor *s.m. bot.* scarlet pimpernel *(Anagallis arvensis).*
ochitor *s.m.* marksman.
ochitură *s.f.* v. o c h i r e.
ocină *s.f. ist.* inheritable plot of land (in medieval Wallachian and Moldavia).
ocitocină *s.f. fiziol.* oxytocin.
oclusivă *adj. lingv.* occlusive (consonant).

ocluzie *s.f.* occlusion.
ocluzivă *v.* o c l u s i v ă.
ocnaș *s.m.* gaolbird.
ocnă *s.f.* **1.** jail. **2.** *(de sare)* salt mine. **3.** *(pedeapsă)* hard labour. **4.** *argou (mucalit)* sport, topper.
ocniță *s.f. pop.* **1.** *(firidă)* recess, niche, hole; *(ca ornament)* niche, hole. **2.** *(hrubă)* pit, cave, hole.
ocol *s.n.* **1.** way round, detour. **2.** *(îngrăditură)* fold. **3.** *(circumscripție)* ward. **4.** *(tur)* tour; *fără* ~ straight to the point, directly.
ocoli **I.** *vt.* **1.** to avoid. **2.** *(a înconjura)* to go around. **II.** *vi.* to make a detour.
ocolire *s.f.* rounding, avoidance etc. v. o c o l i II.
ocoliș *s.n.* roundabout way; *fără ~uri* directly; *fig.* straight to the point.
ocolit **I.** *s.n. pe ~e* beating about the bush. **II.** *adj.* devious.
ocroti *vt.* **1.** to protect, to defend. **2.** *(a adăposti)* to shelter.
ocrotire *s.f.* **1.** protection. **2.** *(adăpost)* shelter(ing); *~a sănătății* health care.
ocrotitor **I.** *adj.* protective. **II.** *adv.* shelteringly.
ocru *s.n., adj.* ochre.
octaedric *adj. geom.* octahedral.
octaedru *s.n. geom.* octahedron.
octal *adj. mat., el.* octal.
octan *s.m. chim.* octane.
octanic *adj. chim.* octanic (number / rating).
octant *s.n. geom.* octant.
octavă *s.f.* octave.
octet *s.n.* octet.
octo- *prefix* oct(o)-, octa-.
octocoralier *s.m. zool.* Octocorallia, Alcyonaria.
octodă *s.f. radio.* octode.
octogenar *s.m., adj.* octogenarian.
octogon *s.n. geom.* octagon.
octogonal *adj. geom.* octagonal, octangular.
octoih *s.n. bis.* **1.** hymn book. **2.** *(cântec)* (religious) hymn.
octombrie *s.m.* October.
octopod *zool.* **I.** *adj.* octopod(ous). **II.** *s.m.* octopod(an).
octosilabic *adj.* octosyllabic (word / verse).
ocular **I.** *s.n.* ocular. **II.** *adj.* ocular, eye...; *martor* ~ eye-witness.
oculist *s.m.* eye doctor.
ocult *adj.* occult, secret, hidden, obscure.
ocultație *s.f. astron.* occultation.
ocultism *s.n.* occultism.
ocultist *s.m.* occultist.

ocupa **I.** *vt.* **1.** to occupy. **2.** *(a cuceri și)* to conquer; *fig. și to absorb.* **3.** *(o locuință)* to dwell in. **II.** *vr.* *(de)* to deal (with).
ocupant **I.** *s.m.* occupant. **II.** *adj.* occupying.
ocupare *s.f.* occupancy.
ocupat *adj.* **1.** busy, engaged. **2.** *(d. cineva)* occupied.
ocupație *s.f.* **1.** occupation. **2.** *(profesie și)* work.
ocurent *adj.* occurring, occurrent (event / case).
ocurență *s.f. lingv.* occurence.
odagaci *s.m.* **1.** *bot.* soap wort *(Saponaria officinalis)* **2.** *bot.* cascarilla *(Croton eluteria).* **3.** *farm.* cascarilla bark.
odaie *s.f.* room, chamber.
odaliscă *s.f.* odalisque.
odată **I.** *adj.* true(born). **II.** *adv.* **1.** once (upon a time); one day. **2.** *(în viitor)* some day. **3.** *(deodată)* at once, suddenly. **4.** *(laolaltă)* at the same time.
odă *s.f.* ode.
odăjdii *s.f. pl.* surplice.
odgon *s.n.* cable, rope.
odicolon *s.n.* eau-de-Cologne.
odihnă *s.f.* **1.** rest, peace. **2.** *(răgaz)* leisure; respite; *fără* ~ restless(ly).
odihni **I.** *vt.* to repose. **II.** *vi., vr.* **1.** to (take) rest. **2.** *(a dormi)* to sleep.
odihnit *adj.* rested.
odihnitor *adj.* restful.
odinioară *adv.* formerly.
odios *adj.* hateful, horrid.
odisee *s.f.* **1.** odyssey. **2.** *fig.* tribulations.
odobaș *s.m. mil. ist. României* military rank, lower than that of a captain (18th-19th century Wallachia and Moldavia).
odogaci *s.m. bot.* croton *(Croton Cascarilla).*
odolean *s.m. bot.* allheal, valerian *(Valeriana officinalis).*
odometru *s.n. auto.* odometer.
odonat *s.n. entom.* dragonfly *(Odonata).*
odontoblast *s.n. anat.* odontoblast.
odontologie *s.f. med.* odontology.
odor *s.n.* jewel.
odorant *adj.* odoriferous, odorous, odorant.
odorizant *s.m. ind.* odorizer, strong-smelling additive.
odos *s.n. bot.* bastard oats *(Avena fatua).*
odraslă *s.f.* offspring.
odrăsli **I.** *vi. (a se naște)* to shoot, to sprout, to grow, to spring. **II.** *vt.* **1.** *(a se naște)* to bring forth, to give birth to. **2.** *(a produce)* to create, to produce, to breed, *înv.* to beget.
odrizi *s.m. pl. ist.* Odrydes.
oecologie *s.f. biol.* (o)ecology.
oecumenă *s.f.* v. o i c u m e n ă.
oenochoe *subst. ist., artă* oenochoë, wine-pitcher.
oenologie *s.f. agr.* oenology.
of **I.** *s.n.* **1.** sigh. **2.** *fig.* complaint. **II.** *interj.* oh!, alas!
ofensa **I.** *vt.* **1.** to offend. **2.** *(a jigni)* to hurt. **II.** *vr.* to take offence.
ofensat **I.** *adj.* offended. **II.** *s.m. pl.* the oppressed, the down-trodden.
ofensator *adj.* outrageous.
ofensă *s.f.* outrage.
ofensiv *adj.* offensive.
ofensivă *s.f.* offensive.
oferi **I.** *vt.* **1.** to offer. **2.** to propose. **II.** *vr.* **1.** to offer oneself. **2.** *(d. prilejuri)* to present itself.
ofertant **I.** *adj.* offering, bidding. **II.** *s.m.* offeror, bidder, offerer.
ofertă *s.f.* **1.** offer. **2.** tender. **3.** *ec.* supply; *oferte de serviciu* help / hands wanted.
oficia **I.** *vt.* to solemnize. **II.** *vi.* to officiate.
oficial **I.** *adj.* **1.** official. **2.** *(de stat)* state. **3.** *(ceremonios)* ceremonial. **II.** *adv.* **1.** officially. **2.** formally.
oficialitate *s.f.* **1.** official character. **2.** *pl.* officialdom, authorities.
oficializa *vt.* to officialize.
oficiant **I.** *s.m. (funcționar)* official; informal. **II.** *s.n.* semi-official organ.
oficinal *adj.* officinal, pharmaceutical.
oficină *s.f.* **1.** laboratory. **2.** *fig.* den.
oficios **I.** *s.n.* semi-official newspaper. **II.** *adj.* semi-official.
oficiu *s.n.* **1.** office. **2.** *(birou și)* agency. **3.** *(serviciu)* (good) turn, help; ~ *de plasare a brațelor de muncă* labour exchange; *~l de stare civilă* registrar's office; *din* ~ ex officio; *jur.* appointed by the judge *sau* court.
oficleid *s.n. muz.* ophicleid.
ofidian *s.m. zod.* ophidian *(Ophidia).*
ofili **I.** *vt.* to wither. **II.** *vr.* to droop.
ofilire *s.f. bot.* withering, drooping.
ofilit *adj.* **1.** withered, faded. **2.** *fig.* off-colour.
ofit *subst. mineral.* ophite.
ofitic *adj. mineral.* ophitic.
ofițer *s.m.* (comissioned) officer; ~ *al stării civile* registrar; ~ *de legătură* liaison officer; ~ *de serviciu* orderly officer; ~ *inferior* junior officer; ~ *superior* senior officer.

ofițerească *s.f. fam.* officer's wife.
ofițeresc *adj.* officer's.
ofițerește *adv.* like an officer.
ofițerime *s.f. pl.* corps / body of officers.
ofiurid *s.n. zool.* Ophiuroidea, Ophiurae.
ofrandă *s.f.* **1.** offering. **2.** *(omagiu)* homage.
ofsaid *s.n.* offside; *în ~* (on the) offside.
ofset *s.n. poligr.* offset.
ofta *vi.* **1.** to sigh. **2.** *fig.* to yearn (for smth).
oftalmic *adj. med.* ophthalmic, eye... (disease etc.).
oftalmie *s.f. med.* ophthalmia, inflammation, swelling of the eye.
oftalmolog *s.m.* eye doctor.
oftalmologic *adj. med.* ophthalmologic(al), eye... (affection etc.).
oftalmologie *s.f. med.* ophthalmology.
oftalmometru *s.n. med.* ophthalmometer.
oftalmoscop *s.n. med.* ophthalmoscope.
oftat *s.n.* sigh.
oftica I. vt. **1.** to render consumptive. **2.** fig. to envenam, to poison, to embitter. **II.** vr. **1.** to become consumptive / phthisical. **2.** fig. to put one's soul out, to be consumed with grief.
oftică *s.f. fam.* **1.** *(tuberculoză)* consumption, tb, decline. **2.** *(ciudă)* spite, grudge, fury, anger; *a avea ~ pe cineva fam.* to bear / owe smb. a grudge.
ofticos I. *s.m.* consumptive patient. **II.** *adj.* **1.** consumptive. **2.** (*slab*) lank(y).
ofusca *vr. rar.* v. o f e n s a.
ogar *s.m.* greyhound.
ogaș *s.m. geogr.* v. f ă g a ș.
ogârjit *adj. fam.* scraggy, skinny; emaciated.
ogeac *s.n.* v. h o g e a c.
ogival *adj. arhit.* ogival, pointed, Gothic.
ogivă *s.f. arh.* ogive, pointed arch.
oglindă *s.f.* mirror, looking glass; *~ retrovizoare auto.* driving mirror.
oglindi I. *vt.* to mirror. **II.** *vr.* **1.** to look at oneself in a mirror. **2.** *fig.* to be reflected.
oglindire *s.f.* reflection.
ogoi I. *vt.* **1.** *(a alina)* to soothe, to hush, to lull, to comfort, to assuage, to allay. **2.** *(a liniști)* to quiet, to calm, to pacify, to compose. **II.** *vr.* **1.** *(a se potoli)* to compose oneself, to be appeased / calmed / quieted. **2.** *(a se domoli)* to abate, to subside, to calm down.
ogor *s.n.* (cultivated) field.
ogorât *s.n.* ploughing, breaking up, upturning.
ogorî *vt.* to plough, to break / turn up.
ogradă *s.f.* courtyard.
ogrinji *s.m. pl.* ends and bits of straw and hay.
oh *interj.* oh!
ohabă *s.f. ist. României* **1.** inalienable (hereditary estate). **2.** immunity for the nobility and monasteries (in medieval Wallachia).
ohm *s.m. el.* ohm.
ohmic *adj. fiz.* ohmic.
ohmmetru *s.n. fiz.* ohmmeter.
oho *interj.* **1.** quite!, I see! **2.** and how!
oi *interj.* oh!, ah!, alas!, dear me!
oicumenă *s.f. geogr.* ecumene.
oidium *s.n. bot.* **1.** oidium *(Oidium)*. **2.** oidiomycosis.
oiem *s.n.* v. u i u m.
oier *s.m.* shepherd.
oierie *s.f.* **1.** *(stână)* sheep fold / pen / farm. **2.** *ist.* impost, tax in kind (on sheep).
oierie *s.f.* **1.** sheep fold / shed. **2.** sheep-breeding.
oierit *s.n.* **1.** sheep breeding. **2.** *ist.* tax on sheep.
oină *s.f.* (the game of) rounders.
oiște *s.f.* shaft.
oiță *s.f.* **1.** *zool.* little sheep. **2.** *bot.* wood-anemone *(Anemone silvestris)*.
ojoc *s.n.* baker's oven mop, malkin.
ok(o)umé *s.m. bot.* ok(o)ume, gaboon (mahogany) *(Au-coumea klaineanea)*.
ol *s.n. (oală)* pot.
olac I. *s.m.* **1.** *(curier) înv.* messenger, courier. **2.** *(cal de poștă) odin.* post horse. **II.** *s.n. (poștalion) odin.* mail / coach / cart, post chaise / coach.
olan *s.n. constr.* **1.** tile, shingle. **2.** burnt clay tube used for sewerage or chimneys.
olandă *s.f.* **1.** *text.* Holland. **2.** Dutch cheese.
olandez I. *s.m.* **1.** Dutchman. **2.** *pl.* the Dutch. **II.** *adj.* Dutch.
olandeză *s.f.* **1.** Dutch (woman). **2.** *(limba)* Dutch.
olandină *s.f. text.* hollanda.
olar *s.m.* potter.
olăcar *s.m. înv.* v. o l a c.
olănărie *s.f.* **1.** *(teren)* tile works, tilery. **2.** *(cuptor)* tile kiln / oven.
olărie *s.f.* **1.** *(ca meșteșug)* pottery (art). **2.** *(ca atelier)* pottery (shed). **3.** *(ca marfă)* pottery, pots; ceramics.
olărit *s.n.* **1.** pottery. **2.** *ind. lemnului* blunting of log ends.
oleacă *adv.* a little, a bit, a trifle, slightly; *~ de...* a little..., a bit of...
oleacee *s.f. bot.* oleaceae, oil-bearing plants.
oleaginos *adj.* **1.** *chim.* oily, oleaginous, fatty, greasy. **2.** *bot.* oleaginous; *plante oleaginoase* oil-bearing / producing plants.
oleandru *s.m. bot.* v. l e a n d r u.
oleat *s.m. chim.* oleate.
olefină *s.f. chim.* olefine.
olefinic *adj. chim.* olefinic, ethylenic.
oleic *adj. chim.* oleic.
oleină *s.f. chim.* olein(e).
olenellus *subst. paleont.* Olenellus.
olenus *subst. paleont.* Olenus.
oleografie *s.f. artă* oleography.
oleometru *s.n. chim.* oleometer.
oleum *s.n. chim.* oleum.
olfactiv *adj. anat., fiziol.* olfactory, olfactive; *simțul ~* olfaction, smell.
olfacție *s.f. fiziol.* olfaction.
oligarh *s.m.* oligarch.
oligarhic *adj.* oligarchic(al), oligarchal.
oligarhie *s.f.* oligarchy.
oligist *s.n. mineral.* hematite.
oligocen *s.n. geol.* Oligocene.
oligochet *s.n. zool.* Oligochaeta.
oligocitemie *s.f. med.* oligocythemia.
oligoclaz *s.n. mineral.* oligoclase.
oligofagie *s.f. biol., med.* oligophagy.
oligofrenie *s.f. med.* oligophrenia.
oligofrenopedagogie *s.f.* pedagogy of oligophrenes.
oligomenoree *s.f. med.* oligomenorrhea.
oligopol *s.n. ec.* oligopoly.
oligozaharidă *s.f. chim.* oligosaccharide.
oligurie *s.f. med.* oliguria.
olimpiadă *s.f.* olympiad.
olimpian *adj.* Olympian.
olimpic *adj.* olympic.
olivină *s.f. mineral.* olivine.
olmaz *s.n.* rosy diamond.
olog I. *s.m.* lame man, cripple. **II.** *adj.* lame, crippled.
ologeală *s.f.* lameness, crippledom; palsy.
ologi I. *vt.* **1.** *(oameni)* to (make) lame, to cripple, to maim. **2.** *(cai)* to founder, to make lame. **II.** *vi.* to become lame / crippled, to lose one's leg(s).
olograf *adj.* holograph.
olonom *adj. fiz.* holonomous.
oltean *s.m.* **1.** Oltenian. **2.** *înv.* *(vânzător)* costermonger.

olteancă *s.f. geogr.* Oltenian woman.
oltenesc *adj.* Oltenian.
oltenește *adv.* as (used / usual) in Oltenia; like in Oltenia.
om I. *s.m.* **1.** man; *pl.* people. **2.** *(ființă)* human being. **3.** *(omenirea)* mankind. **4.** *(cineva)* somebody. **5.** *(muritor)* mortal. **6.** *(soț și)* husband. **7.** *(muncitor și)* workman, worker; *oameni mărunți* small fry; *~ afiș* sandwichman; *~ cu cap* wise *sau* reasonable man; *~ cu stare* man of means / substance; *~ cu vază* great man; *~ cu ziua* day labourer; *~ de afaceri* business man; *~ de bine* doer of good; *un ~ de cuvânt* a man as good as his word; *~ de ispravă* worthy / efficient man; *~ de încredere* confidential man, agent, reliable person; *~ de litere* writer; *~ de lume* man of fashion; *~ de nimic* skunk; *~ de onoare* honest *sau* honourable man; *~ de paie* straw man, dummy; *~ul de rând* the man in the street; *pl.* the rank and file; *~ de stat* statesman, politician; *~ de știință* scientist; *un ~ dintr-o bucată* an uncompromising / intransigent character; *~ mare* great man; *(adult)* grow-up; *~ politic* politician; *ca ~ul, de!* (well,) as is but natural!; *la ~ biol.* in man; *e ~ul nostru sau meu* he is just up my street; *e un ~ fără inimă* he'd take a candy from a baby. **II.** *interj.* *~le!* my man!
omag *s.m. bot.* aconite, wolf's bane, monk's hood *(Aconitum napellus).*
omagia *vt.* to praise.
omagial *adj.* of homage; deferential, reverential.
omagiu *s.n.* **1.** homage. **2.** *pl.* respects.
omatidie *s.f. zool.* ommatidium.
omăt *s.n.* v. z ă p a d ă.
ombilic *s.n. anat.* navel; umbilical cord.
ombilical *adj. anat.* umbilical; *cordon ~* umbilical cord; navel.
omega *s.n.* omega.
omegatron *s.n. fiz.* omegatron.
omenesc I. *s.n.* human character / features. **II.** *adj.* **1.** human. **2.** *(ca lumea)* decent, proper.
omenește *adv.* **1.** humanly (possible). **2.** *(ca lumea)* decently, as is fit.
omeni I. *vt.* to entertain; to treat. **II.** *vr.* to have one's fill.
omenie *s.f.* humaneness, kindness; sympathy; *de ~* kind(-hearted), kindly; *lipsit de ~* inhuman, insensitive.
omenire *s.f.* **1.** mankind, humanity. **2.** *(mulțime)* crowd, throng.
omenos *adj.* kind-hearted, good-natured; *(îngăduitor)* lenient; (uman) humane.
omidă *s.f. entom.* caterpillar.
omiletică *s.f. bis.* homiletics.
omiliar *s.n. bis.* homiliary.
omilie *s.f. bis.* homily.
omisiune *s.f.* **1.** omission. **2.** *(lipsă)* gap.
omite *vt.* to omit, to overlook; *a ~ să* to fail to.
omletă *s.f.* omlette.
omni- *prefix* omn(i)-.
omnibus *s.n.* omnibus.
omnidirecțional *adj.* omnidirectional.
omnipotent *adj.* omnipotent, all-powerful, almighty.
omnipotență *s.f.* omnipotence, almightiness.
omniprezent *adj.* ubiquitous.
omniprezență *s.f.* omnipresence.
omnivor I. *s.n.* omnivorous animal. **II.** *adj.* omnivorous.
omocentric *adj. fiz.* homocentric(al).
omofon *lingv.* **I.** *adj.* homophonous. **II.** *s.n.* homophone.
omofonie *s.f. lingv., muz.* homophony.
omofor *s.n. bis.* omophorion, bishop's vestment (in the Eastern Church).
omogen *adj.* homogeneous.
omogenitate *s.f.* homogeneousness.
omogeniza *vt.* to homogenize.
omogenizare *s.f. met.* homogenization, homogenizing.
omograf *s.n., adj. lingv.* homograph.
omografică *adj. mat.* homographic (transformation), homography.
omolog I. *s.m.* **1.** homologue. **2.** *(persoană)* counterpart, opposite number. **II.** *adj.* homologous.
omologa *vt.* to homologate; to confirm.
omologie *s.f. biol.* homology.
omonim I. *s.m.* *(tiz)* namesake. **II.** *s.n.* homonym. **III.** *adj.* homonymous.
omonimie *s.f.* homonymy.
omoplat *s.m. anat.* shoulder blade.
omor *s.n.* **1.** murder. **2.** *(jur.)* manslaughter.
omorâtor *adj.* killing.
omorî I. *vt.* **1.** to kill. **2.** *(a asasina)* to murder. **3.** *(a distruge și)* to annihilate. **4.** *(a masacra)* to butcher. **5.** *(a obosi)* to exhaust. **6.** *(a pisa)* to pester; *a ~ vremea* to kill / while the time; *mă omori cu zile* you will be the death of me; *a ~ în bătăi* to pound to a jelly. **II.** *vr.* **1.** to kill oneself, to commit suicide. **2.** *fig.* to exhaust oneself.
omotetie *s.f. geom.* homothety.
omucidere *s.f.* homicide.
omuleț *s.m.* little man.
omușor *s.m.* **1.** little man, mannikin. **2.** *anat.* uvula.
onanie *s.f. med.* onanism, masturbation, self-gratification (of males).
onanism *s.n.* masturbation.
onanist *s.m.* self-abuser, masturbator.
oncologic *adj. med.* oncological.
oncologie *s.f.* oncology.
onctuos *rar* **I.** *adj. chim., fig.* unctuous, greasy. **II.** *adv.* unctuously.
onctuozitate *s.f.* **1.** unctuousness. **2.** *tehn.* lubricating capacity.
ondatra *s.f. zool.* ondatra, muskrat *(Ondatra fiber zibethica).*
ondină *s.f.* undine, water sprite.
ondograf *s.n. el.* ondograph.
ondula *vt., vi.* to wave.
ondulat *adj.* **1.** waved, wavy. **2.** *(d. tablă)* corrugated.
ondulator *s.n.* ondulator.
ondulatoriu *adj.* ondulatory, undulating; *teoria ondulatorie fiz.* the ondulatory / wave theory.
ondulație *s.f.* **1.** wave. **2.** *fiz.* undulation; *ondulații permanente* perm(anent wave).
ondulograf *s.n. tehn.* wavemeter, ondometer.
ondulor *s.n. el.* inverter.
oneros *adj.* onerous.
onest *adj.* honest(-minded).
onestitate *s.f.* honestity.
oniric *adj.* delirious, raving.
onirism *s.n.* delirium, raving.
oniromanție *s.f.* oneiromancy.
onix *s.n. mineral.* onyx.
onixis *s.n. med.* onyxis, ingrowing (of nail).
onoare *s.f.* **1.** honour. **2.** *(integritate și)* uprightness. **3.** *(renume și)* reputation. **4.** *(stimă și)* esteem; *de ~* honour(able), honest; *pe ~a mea* upon my word of honour.
onomasiologie *s.f. lingv.* onomasiology.
onomastic *adj.* name...
onomastică *s.f.* **1.** name day. **2.** *lingv.* onomatology, onomastics.
onomasticon *s.n.* **1.** onomasticon, index of personal proper names. **2.** onomasticon, lexicon, word book.
onomatopee *s.f.* **1.** onomatop(o)eia, echoism. **2.** *(cuvânt)* echo / mimetic word.

onomatopeic *adj.* onomatopoeic.
onor *s.n.* **1.** salute. **2.** *pl.* honours; *~ul la drapel* salute of the colours.
onora *vt.* **1.** to honour. **2.** *(a respecta și)* to revere, to respect. **3.** *(a plăti și)* to pay.
onorabil I. *adj.* **1.** honourable, respectable. **2.** *(cinstit)* honest. **II.** *adv.* honourably, respectably.
onorabilitate *s.f.* honourableness, worthiness, respectability.
onorar *adj. rar.* honorary.
onorariu *s.n.* **1.** fee. **2.** *(de avocat și)* retainer.
onorat *adj.* (much) honoured, worthy, respected, esteemed.
onorific *adj.* honorary.
ontic *adj. filoz.* ontic.
ontogenetic *adj. biol.* ontogenetic.
ontogeneză *s.f.* ontogenesis.
ontogenie *s.f. biol.* ontogeny.
ontologic *adj. filoz.* ontological.
ontologie *s.f. filoz.* ontology.
ontologist *s.m. filoz.* ontologist.
oogamie *s.f. bot.* oogamy.
oogon *s.n. bot.* oogonium.
oolit *s.n. geol.* oolite.
oolitic *adj. mineral.* oolitic.
oosferă *s.f. bot.* oosphere.
oospor *s.m. bot.* oospore.
op *s.n. livr.* literary or scientific work, book; opus.
opac *adj.* **1.** opaque. **2.** *(întunecos și)* dark, obscure. **3.** *fig. și stupid, dense.*
opacifia *vr.* to opacify.
opacitate *s.f.* opacity.
opaciza *vt.* to opacify.
opacizant *adj.* opacifying, which opacifies.
opaiț *s.n.* earthen lamp, rushlight.
opaiță *s.f. bot.* white campion *(Melandrium).*
opal *s.n.* opal.
opalescent *adj.* opalescent.
opalescență *s.f. fiz.* opalescence.
opalin *adj.* opalescent.
op-art *subst.* op-art.
opăreală *s.f. (iritație) pop.* scald; diaper rash.
opări I. *vt.* to scald. **II.** *vr.* **1.** to be scalded. **2.** *(a se irita)* to develop a rash.
opărit *adj.* **1.** with a rash. **2.** *fig.* crestfallen, downhearted.
opăritoare *s.f.* **1.** brake. **2.** *tehn.* cleat.
opăritură *s.f. pop.* v. o p ă r e a l ă.
opcină *s.f.* **1.** *geogr.* ridge(way), crest. **2.** estate *sau* land on the crest of a hill; *(moștenire)* legacy, land bequeathed.
opera I. *vt.* **1.** to operate. **2.** *(a face)* to perform. **3.** *med.* to operate upon (smb.). **II.** *vi.* **1.** to operate. **2.** *(d. hoți)* to be busy. **III.** *vr.* **1.** to be effected. **2.** *med.* to undergo an operation.
operabil *adj.* operable.
operant *adj.* operative.
operat *s.m.* person having undergone an operation.
operativ I. *adj.* operative, efficacious, effective. **II.** *adv.* operatively etc. v. o p e r a t i v I.
operativitate *s.f.* expeditiousness; promptness.
operator *s.m.* **1.** operator. **2.** *(la cinema și)* projectionist. **3.** *(de film)* cameraman.
operatoriu *adj.* operational.
operație *s.f.* operation.
operaționalism *filoz.* operationalism.
operă *s.f.* **1.** work; creation. **2.** *(acțiune și)* deed, action. **3.** *muz.* opera. **4.** *(teatru)* opera house; *~ bufă* comic opera; *opere caritabile / de binefacere* welfare work.
opercul *s.n. bot., iht.* operculum.
operetă *s.f.* **1.** operetta. **2.** *(modernă)* musical (comedy).
opiaceu *adj.* opiate.
opina I. *vt.* to opine. **II.** *vi.* to declare.
opincar *s.m.* **1.** peasant sandal maker. **2.** *fig.* peasant.
opincă *s.f.* peasant sandal.
opinie *s.f.* opinion.
opinteală *s.f.* **1.** *(efort)* strain, effort, push, exertion. **2.** *(ghiont)* nudge, jolt, jerk.
opinti *vr.* to strain oneself.
opintic *s.m. bot.* hawk weed *(Hieracium auricula).*
opintici *s.m. pl. bot.* clavaria, coral fungus *(Clavariacea family).*
opintire *s.f.* **1.** heaving etc. v. o p i n t i. **2.** effort, strain.
opis *s.n.* **1.** calendar. **2.** roll; register.
opistodom *s.n. arh.* opisthodome, opisthodomous, treasury room at the back of a Greek temple.
opistotonus *s.n. med.* opisthotonos.
opiu *s.n.* opium.
oplean *s.n.* each of the two transversal slats linking the sledge's runners.
oploși I. *vt.* **1.** *(a adăposti)* to shelter, to house; to bed. **2.** *(a ocroti)* to protect, to shield; to favour, to provide (a job) for. **II.** *vr.* **1.** to find / take refuge / shelter. **2.** *fig.* to worm one'sway (into); to find one's way (to a place).
oponent *s.m.* opponent, adversary, antagonist.
opoponax *s.n.* **1.** *bot.* opoponax *(Opoponax chironium).* **2.** *chim., farm.* opoponax.
oportun *adj.* timely, in season.
oportunism *s.n.* opportunism.
oportunist I. *s.m.* time-server. **II.** *adj.* time-serving.
oportunitate *s.f.* suitability, fitness.
oposum *s.m.* **1.** *zool.* opossum *(Didelphys virginiana).* **2.** opossum fur.
opoterapie *s.f. med.* opotherapy.
opozabil *adj.* **1.** opposable. **2.** *jur.* demurrable, repealable, revokable, opposable.
opozant *s.m.* **1.** *(adversar)* opponent, adversary, antagonist. **2.** *pol.* member of the opposition.
opoziție *s.f.* **1.** opposition. **2.** *jur. și* objection. **3.** *(împotrivire și)* resistance. **4.** *(contrast și)* antithesis, contrast.
oppidum *subst. ist., arh.* oppidum, fortified Roman settlement.
opreg *s.n.* skirt front, part of women's traditional costume, from which coloured threads hang.
opreliște *s.f.* **1.** hindrance. **2.** *(interdicție)* prohibition.
opresiune *s.f.* oppression, tyranny.
opresiv *adj.* oppressive.
opresor *s.m.* oppressor.
opri I. *vt.* **1.** to stop. **2.** *(a face să înceteze)* to end. **3.** *(a împiedica)* to prevent (from doing). **4.** *(a reține)* to keep back. **5.** *(bilete etc.)* to book. **6.** *(a interzice)* to forbid. **7.** *(a curma)* to stem. **II.** *vi.* **1.** to stop, to halt. **2.** *(d. trăsură etc.)* to draw up. **III.** *vr.* **1.** to stop, to halt. **2.** *(a înceta)* to cease. **3.** *(a se reține)* to abstain (from). **4.** *(a insista)* to dwell (upon smth.); *nu mă pot ~* I can't help it.
oprima *vt.* to oppress, to grind down.
oprimare *s.f.* oppression.
oprire *s.f.* **1.** stop(ping), halt. **2.** *(escală)* stopover. **3.** *(încetare)* cease. **4.** *(interdicție)* interdiction; *~ la intersecție auto.* stop; *fără ~* non stop, *(adverbial)* ceaselessly.
oprit *adj.* banned, forbidden; *fumatul etc. ~* no smoking etc.
opritor *s.n. tehn.* check.
opritură *s.f.* fenced-in district, preserve.
oprobriu *s.n. livr.* disgrace, shame, opprobrium, infamy.
opsonine *s.n. pl. fiziol.* opsonins.
opt I. *s.m., adj., num.* eight. **II.** *s.n.* curve, eight.
opta *vi.* to make one's option.

optant *s.m.* optant.
optativ *s.n., adj.* optative.
optic *adj.* optic.
optică *s.f.* **1.** optics. **2.** *fig.* angle, outlook.
optician *s.m.* optician.
optim *adj.* best; most propitious.
optime *s.f.* **1.** eighth. **2.** *muz. și* quaver.
optimetru *s.n. tehn.* optimeter.
optimism *s.n.* sanguineness.
optimist I. *s.m.* optimist. **II.** *adj.* optimistic.
optimiza *vt.* to perfect; to maximalize.
optimizare *s.f. ec.* optim(al)ization.
optometrie *s.f. med.* optometry.
optometru *s.n. tehn.* optometer.
optsprezece *s.m., adj., num.* eighteen.
optsprezecelea *adj., num.* the eighteenth.
optulea *adj., num.* the eighth.
optzeci *s.m., adj., num.* eighty.
optzecilea *adj., num.* the eightieth.
opțiune *s.f.* option.
opulent *adj.* opulent, rich, abundant.
opulență *s.f.* opulence, abundance, richness.
opune I. *vt.* **1.** to oppose. **2.** to contrast. **3.** *(rezistență și)* to put up. **II.** *vr.* **1.** to oppose *(cu acuz.).* **2.** to resist (smth.) *(cu acuz.).*
opunere *s.f.* opposition, contrasting etc. v. o p u n e.
opunția *s.f. bot.* opuntia *(Opuntia).*
opus[1] *s.n.* opus.
opus[2] *s.m., adj.* opposite, contrary.
opuscul *s.n.* pamphlet.
opust *s.n. constr.* rudimentary wooden and stone dam, built to increase mountain rivers' flow.
opușină *s.f.* thick rush where the fish winter, protected against fishing.
or *conj.* or, but.
oracol *s.n.* oracle.
oral I. *s.n.* viva voce. **II.** *adj.* **1.** oral. **2.** *(verbal și)* spoken. **3.** *(d. examene)* viva voce. **III.** *adv.* orally, by word of mouth.
oralitate *s.f.* **1.** orality. **2.** colloquial speech.
orangutan *s.m. zool.* ourang(o)utan(g) *(Pango pygmaeus).*
oraniță *s.f.* broad-bottomed fisherman's boat.
oranj *s.n., adj.* orange.
oranjadă *s.f.* orangeade.
orar I. *s.n.* **1.** time-table; (daily) programme. **2.** *(ac)* hour hand; ~ *de vară* summer time; *~ul magazinelor* shop hours. **II.** *adj.* hour(ly).
oraș *s.n.* **1.** town. **2.** *(municipiu)* city. **3.** *(populație și)* townsfolk; *de ~* town..., city...
orator *s.m.* speaker.
oratoric *adj.* rhetorical.
oratorie *s.f.* oratory.
oratoriu *s.n.* oratorio.
orație *s.f.* nuptial poem, epithalamium.
oră *s.f.* **1.** hour. **2.** *(cu cifre și)* o'clock. **3.** *(moment și)* time, moment. **4.** *(lecție și)* class; *ora închiderii* closing time; *ora mesei* lunch time; *~ oficială* standard time; *ore de serviciu* office hours; *ore de vârf* rush hours; *ore particulare* private lessons; *cu ora* by the hour; *din ~ în ~* every hour; *la ce ~?* at what time?; *la ora trei (precis)* at three o'clock (sharp); *ultima ~ (la ziar)* stop news.
orăcăi *vi.* to croak.
orăcăit *s.n.* croak(ing).
orăstică *s.f. bot.* bitter vetch *(Orbus niger).*
orășean *s.m.* townsman; *pl.* townsfolk.
orășeancă *s.f.* townswoman.
orășel *s.n.* provincial town, borough.
orășenesc *adj.* town..., city...
orășenește *adv.* after the town's / townspeople's fashion.
orăștică *s.f. bot.* black-eyed pea, everlasting pea *(Lathyrus niger).*
orătănii *s.f. pl.* poultry.
orând *s.m. pop.* husband appointed by Fate.
orândă *s.f. pop.* **1.** *(soartă)* destiny, fate, lot. **2.** *(datină)* custom.
orândui *vt.* **1.** to order. **2.** *(a aranja și)* to tidy (up). **3.** *(a hotărî)* to establish.
orânduială *s.f.* v. o r d i n e.
orânduire *s.f.* **1.** system, order. **2.** *(organizare și)* organization.
orb I. *s.m.* blind man; *pl.* the blind. **II.** *s.n.* ~ul găinilor night blindness. **III.** *adj.* **1.** blind. **2.** *(nebunesc)* blindfold, mad. **3.** *(d. cartuș)* dummy, blank.
orbalț *s.n. bot.* baneberry *(Actaea spicata).*
orbecăi *vi.* to grope (in the dark).
orbesc *adj.* **1.** blind, of or relating to blind people. **2.** *fig.* blind, unreasonable, lacking in reason and discrimination, unrestrained, rash.
orbește *adv.* **1.** blindly. **2.** *(nebunește)* madly. **3.** *(nechibzuit)* recklessly, unreasonably.
orbete *s.m. zool.* mole rat *(Spalax typhlus).*
orbeț I. *s.m.* blind man; *a se bate ca ~ii* to fight like Kilkenny cats. **II.** *adj.* blind.
orbi I. *vt.* **1.** to blind. **2.** *fig.* to dazzle. **3.** *(a înșela)* to blindfold. **II.** *vi.* to grow blind.
orbicular *anat.* **I.** *adj.* orbicular, circular. **II.** *s.m.* orbicular muscle.
orbire *s.f.* blindness.
orbital *adj.* orbit.
orbită *s.f.* **1.** orbit. **2.** *anat. și* (eye)socket.
orbitolină *subst. paleont.* Orbitolina.
orbitor *adj.* dazzling.
orcan *s.n. rar* hurricane.
orchestra *vt.* to orchestrate.
orchestral *adj.* orchestra(l).
orchestrant *s.m. muz.* member of an orchestra.
orchestrație *s.f.* instrumentation.
orchestră *s.f.* **1.** orchestra. **2.** ~ de muzică ușoară (jazz) band, combo; ~ *simfonică* symphony orchestra.
ordalie *s.f.* ordeal, crucible.
ordie *s.f. înv. (hoardă)* hoarde; *(oaste)* host.
ordin *s.n.* **1.** order. **2.** *(poruncă și)* command, direction, disposition; *~ de zi* order of the day; citation for a medal; *de ~ul sutelor* three figure...; *la ~ele cuiva* at smb.'s orders.
ordinal *adj.* ordinal.
ordinar *adj.* **1.** *(obișnuit, de rând)* ordinary, common (place), usual. **2.** *(grosolan)* coarse, vulgar, gross.
ordinator *s.n.* computer.
ordine *s.f.* **1.** order. **2.** *(orânduială și)* tidiness. **3.** *(disciplină și)* discipline. **4.** *(socială și)* system, regime; *~ de bătaie* battle order; *~ de zi* agenda, order of the day; *în aceeași ~ de idei* in the same connection; *la ~a zilei* topical.
ordona *vt.* **1.** to order. **2.** *(a porunci și)* to command. **3.** *(a orândui și)* to arrange; *~și!* orders!
ordonanța *vt.* to order.
ordonanță *s.f.* **1.** *jur.* decree, judge's order / decision / ruling. **2.** *arh.* ordinance, order, arrangement, disposition. **3.** *mil.* officer's servant.
ordonat *adj.* orderly, tidy.
ordonată *s.f. mat.* ordinate.
ordonator *s.m.* chief accountant.
ordovician *subst., adj. geol.* Ordovician.
oreadă *s.f. mitol.* oread, mountain nymph.
oreion *s.n. med.* mumps.

oreșniță *s.f. bot.* earthmouse *(Lathyrus tuberosus).*
orez *s.n. bot.* rice *(Oryza sativa).*
orezărie *s.f.* rice field.
orfan *s.m.* orphan.
orfelin *s.m.* orphan.
orfelinat *s.n.* orphanage.
orfevrărie *s.f.* **1.** goldsmith's trade / craft / work. **2.** (gold, silver) plate; jewelry.
orfic *ist., rel.* **1.** *adj.* Orphic, Orphean. **2.** *s.f. pl.* Orphic festivities.
orfism *s.n.* **1.** Orphism, religion of the Orphic mysteries. **2.** *artă* Orphism.
organ *s.n.* **1.** organ. **2.** *(de stat etc.)* body, authority. **3.** *(ziar și)* mouthpiece. **4.** *(mijloc și)* agency. **5.** *(de mașini)* mechanism; *~e de partid* party bodies; *~e de stat* state bodies / authorities; *~e genitale* genitals, pudenda; *~e superioare* higher bodies; *~ tutelar* higher body.
organdi *s.n. text.* organdie, clear / book muslin.
organic I. *adj.* **1.** organic. **2.** *(structural)* constitutional. **II.** *adv.* organically.
organicist *s.m. sociol.* organicist.
organicitate *s.f.* organic structure.
organigramă *s.f.* **1.** *ec.* administrative / organization chart. **2.** *cib.* (data) flow chart / diagram, process chart (of computer programme).
organism *s.n.* organism, body.
organist *s.m.* organ-player.
organit *s.n. biol.* organoid; organelle.
organiza I. *vt.* **1.** to organize. **2.** *(a înjgheba și)* to knock together, to set up. **II.** *vr.* to become *sau* to be organized.
organizare *s.f.* **1.** organization. **2.** structure, make-up;
organizat I. *adj.* **1.** (well-)organized. **2.** *(d. viață)* (well-)regulated. **II.** *adv.* systematically.
organizator *s.m.* organizer.
organizatoric *adj.* organization(al).
organizație *s.f.* **1.** organization. **2.** *(societate și)* association. **3.** *(structură și)* structure; *~ de bază* party branch; *~ de partid* party organization.
organogen *adj. chim.* organogenous.
organogeneză *s.f. biol.* organogenesis, organogeny.
organoleptic *adj. med., fiziol.* organoleptic.
organolit *s.n. geol.* biolith, biolite.
organosol *s.m. chim.* organosol.
organoterapie *s.f. med.* organotherapy.
organotrop *adj. med.* organotropic.
organtin *s.n. text.* v. o r g a n d i.
organum *subst. ist., muz.* organum.
orgasm *s.n. fiziol.* orgasm.
orgă *s.f.* organ.
orgiac *adj.* orgiastic.
orgie *s.f.* orgy.
orgolios *adj.* vain.
orgoliu *s.n.* vanity.
orhidee *s.f. bot.* orchid.
orhită *s.f. med.* orchitis.
ori *conj.* or; *~-~!* it's now or never!; *~ așa, ~ așa* either this way or the other.
oribil I. *adj.* horrible, repellent. **II.** *adv.* horribly.
oricare I. *adj.* any; *în ~ caz* in any case, anyhow; *cu ~ chip* at any rate / price. **II.** *pron.* anybody, anyone; anything.
oricând I. *adv.* at any time; always, ever. **II.** *conj.* whenever.
oricât I. *adv.* **1.** however (much etc.). **2.** as much / long as (one likes etc.); *~ de ...* however (much etc.). **II.** *conj.* however much.
oricine *pron.* **1.** anybody. **2.** *(acela care)* whoever.
oricum *adv.* **1.** anyhow, in any (possible) way. **2.** *(totuși și)* nevertheless, yet.
orie *s.f.* trammel / drag / trawling net.
orient *s.n.* East; *Orientul apropiat* the Near East; *Orientul mijlociu* the Middle East; *Extremul ~* the Far East.
orienta I. *vt.* **1.** to orient(ate). **2.** *(a îndruma)* to direct; *casa e ~tă spre răsărit* the house fronts east. **II.** *vr.* **1.** to find one's way (about). **2.** *fig.* to see the lie of the matter; *a se ~ după ceva* to take smth. as a guide.
oriental *s.m.* eastern.
orientalist *s.m.* orientalist.
orientalistică *s.f.* Oriental studies.
orientare *s.f.* **1.** orientation. **2.** *(a unei case și)* aspect.
orientat *adj.* orient(at)ed; *e un om ~* he knows his whereabouts, he knows all the ropes.
orietalism *s.n.* orientalism.
orificiu *s.n.* oriffice.
original I. *s.m.* eccentric person; *e un ~* he is quite a character. **II.** *s.n.* **1.** original; model. **2.** *text.* holograph; *în ~* in the original. **III.** *adj.* **1.** original. **2.** *(inițial și)* initial. **3.** *(autentic și)* genuine. **4.** *(deosebit)* exceptional. **5.** *(ingenios)* inventive. **6.** *(ciudat)* peculiar.
originalitate *s.f.* **1.** originality. **2.** *(ciudățenie)* eccentricity, oddity.
originar *adj.* **1.** native. **2.** *(înnăscut)* innate, inborn. **3.** *(inițial și)* original, fundamental.
origine *s.f.* **1.** origin. **2.** *(izvor și)* source. **3.** *(neam și)* descent. **4.** *(etimologie și)* etymology; *la ~* at the outset.
oriîncotro *adv.* no matter whither.
oripila *vt. fam.* to horrify; to disgust, to sicken.
oripilant *adj.* horrifying; disgusting, sickening.
orișicare *pron. nehot., adj. nehot.* v. o r i c a r e.
orișicând *adv.* v. o r i c â n d.
orișicât *adv.* v. o r i c â t I.
orișice *pron. nehot., adj. nehot.* v. o r i c e.
orișicine *pron. nehot.* v. o r i c i n e.
orișicum *adv.* v. o r i c u m.
oriunde I. *adv.* **1.** anywhere. **2.** *în prop. secundare* no matter where. **II.** *conj.* wherever.
orizont *s.n.* **1.** horizon. **2.** *(zare și)* sky(line). **3.** *fig.* sphere. **4.** *min.* level; *la ~* on the horizon; *fig.* in the offing.
orizontal I. *adj.* horizontal, level. **II.** *adv.* **1.** horizontally. **2.** *(la cuvinte încrucișate)* across.
orizontală *s.f.* horizontal (line); *la ~* reclining.
orizontaliza *vt. tehn.* to horizontalize.
orlon *s.n.* orlon.
orna *vt. (a împodobi)* to adorn, to ornament, to deck.
ornament *s.n.* ornament.
ornamenta *vt.* to ornament, to adorn, to decorate.
ornamental *adj.* decorative, ornamental.
ornamentație *s.f.* adornment.
ornamentică *s.f.* decoration, ornamentation.
ornant *adj.* ornamental, adorning.
ornic *s.n. înv.* (grandfather) clock.
ornito- *prefix.* ornith(o)-.
ornitofil *adj. bot.* ornithophilous.
ornitolog *s.m.* ornithologist.
ornitologic *adj.* ornithologic(al).
ornitologie *s.f.* ornithology.
ornitopter *s.n. ist., av.* ornithopter.
ornitorinc *s.m. zool.* ornithorhyncus.
ornitoză *s.f. med. vet.* ornithosis.
oroare *s.f.* **1.** horror, aversion. **2.** *(lucru îngrozitor)* eyesore.
orogen *s.n. geol.* orogen(e).
orogenetic *adj. geol.* orogenetic.
orogeneză *s.f. geol.* orogenesis.
orogenic *adj. geol.* orogenic, orogenetic.
orogenie *s.f. geol.* orogeny, orogenesis.

orograf *s.m. geol.* orographer, specialist in orography.
orografic *adj. geol.* orographic(al).
orografie *s.f. geol.* orography.
orologerie *s.f.* horology.
orologiu *s.n.* clock.
oropsi *vt.* **1.** to persecute. **2.** *(a nedreptăți)* to wrong.
oropsit **I.** *s.m.* oppressed man; *pl.* the oppressed. **II.** *adj.* **1.** persecuted. **2.** *(nenorocit)* wretched.
orotip *s.n. tehn.* kind of linotype.
orpiment *s.m. mineral., chim.* orpiment.
orpington *subst. zool.* Orpington (breed of hens).
orstein *s.n. geol.* ortstein, hardpan.
ort[1] *s.m. pop. a da ~ul popii* to kick the bucket, *argou* to drop off the hooks.
ort[2] *s.n. reg.* **1.** *ist., fin.* silver coin (in medieval Wallachia and Moldavia). **2.** *min.* working, stope.
ortac *s.m. pop.* bud(die), chum, marrow, fellow.
ortic *adj. geom.* orthic.
orticon *s.n. tehn.* orthicon.
orto- *prefix.* ortho-.
ortocentru *s.n. geom.* orthocentre.
ortoclaz *s.n. geol.* orthoclase.
ortocromatic *adj. foto.* orthochromatic.
ortodiagonal *adj. geom.* of or relating to an orthodiagonal or an orthoaxis.
ortodiagramă *s.f. med.* orthodiagram.
ortodox *adj.* **1.** orthodox. **2.** *rel. și Eastern.*
ortodoxie *s.f.* orthodoxy.
ortodoxism *s.n.* orthodoxism.
ortodromă *s.f.* orthodromy.
ortoedric *adj.* orthohedric.
ortoepic *adj. lingv.* orthoepic.
ortoepie *s.f. lingv.* orthoepy.
ortofonie *s.f. lingv.* orthophonia.
ortofosforic *adj. chim.* orthophoshoric (acid).
ortogonal *adj. geom.* orthogonal.
ortogonalitate *s.f. geom.* orthogonality.
ortografia *vt.* to spell (correctly).
ortografic **I.** *adj.* spelling..., orthographic(al). **II.** *adv.* orthographically.
ortografie *s.f.* spelling, orthography; *greșeli de ~* misspellings; *a face greșeli de ~* to misspell.
ortohidrogen *s.n. chim.* orthohydrogen.
ortolan *s.m. ornit.* ortolan *(Emberiza hortulana).*
ortoman *adj. înv., pop.* **1.** brave, handsome, lofty, strong, sturdy. **2.** *(d. cioban)* rich (in sheep herds). **3.** *(d. cai)* agile, fast, fiery.
ortopancromatic *adj. foto.* orthopanchromatic.
ortoped *s.m.* orthopaedist.
ortopedic *adj.* orthop(a)edic(al).
ortopedie *s.f. med.* orthop(a)edy, orthop(a)edics.
ortopedist *s.m. med.* orthop(a)edist.
ortopol *s.m. geom.* orthopole.
ortopter *entom.* **I.** *s.n.* **1.** orthopteran, orthopteron. **2.** *pl.* Orthoptera. **II.** *adj.* orthopterous.
ortoscopic *adj.* orthoscopic.
ortotonus *s.n. med.* orthotonus.
ortotropic *adj. fiz.* orthotropic.
ortoză *s.f. mineral.* orthose, orthoclase.
orz *s.n. bot.* barley *(Hordeum sativum).*
orzărie *s.f.* **1.** *(lan)* barley field. **2.** *(hambar)* barley barn.
orzișor *s.n.* **1.** *(arpacaș)* pearl barley. **2.** *bot.* fescue grass *(Festuca).*
orzoaică *s.f. bot.* two-row barley *(Hordeum distichum).*
orzoaie *s.f.* v. o r z o a i c ă.
os *s.n.* bone; *~ de balenă* whalebone; *~ de pește* fishbone; *~ domnesc* (crown) prince; *de ~* bone...
osana *s.f., interj.* hosanna.
osar *s.m. iht.* stickleback, tittlebat *(Gasterosteus platygaster).*
osatură *s.f.* **1.** skeleton. **2.** *fig. și* structure.
osândă *s.f.* punishment.
osândi *vt.* **1.** to sentence. **2.** *fig.* to doom, to damn.
osândit **I.** *s.m.* **1.** convict. **2.** *rel.* damned soul. **II.** *adj.* **1.** punished. **2.** *fig.* damned, doomed.
osânză *s.f.* **1.** lard. **2.** *fig.* welfare.
osârdie *s.f. înv. (zel)* zeal, fervour; *(sârguință)* endeavour, industry.
oscar *s.n. cin.* Oscar (prize / award).
oscila *vi.* **1.** to oscillate. **2.** *fig.* to vacillate.
oscilant *adj.* oscillating, oscillatory etc. v. o s c i l a.
oscilator *s.n. fiz.* oscillator.
oscilatoriu *adj.* oscillatory, oscillating; *mișcare oscilatorie* oscillating movement.
oscilație *s.f.* **1.** oscillation, fluctuation. **2.** *(șovăială)* hestiation.
oscilă *s.f. ist. Romană* small bronze or marble disc adorned with a prominent mask, hung under sacred trees or columns.
oscilograf *s.n. fiz.* oscillograph.
oscilogramă *s.f. fiz.* oscillogram.
oscilometru *s.n. tehn.* oscillometer.
osciloscop *s.n. tehn.* oscilloscope.
osculator *adj. mat.* osculatory, osculating (curve).
osculație *s.f. mar.* osculation.
osebi *vt., vr. înv., pop.* v. d e o s e b i.
osebire *s.f. pop.* v. d e o s e b i r e; *cu ~* especially, particularly; *fără ~* without exception / discrimination / regard, indiscriminately.
osebit *adv; ~ de... pop.* apart from..., besides..., as distinct from...
oseină *s.f. biol., chim.* ossein.
oseminte *s.n. pl.* bones.
osie *s.f.* axle; journal.
osifica *vt., vr.* to ossify.
osificare *s.f. anat., fiziol.* ossification, osteogenesis.
osificat *adj.* **1.** ossified. **2.** *fig. (slab)* raw-boned.
osificație *s.f.* ossification.
osmiridiu *s.n. met.* osm(i)iridium.
osmiu *s.n. met.* osmium.
osmometru *s.n. tehn.* osmometer.
osmoreglare *s.f. fiziol.* osmoregulation.
osmotic *adj.* osmotic.
osmoză *s.f.* osmose.
osos *adj.* bony.
ospăta **I.** *vt.* to dine; to entertain. **II.** *vi., vr.* to have a (hearty) meal.
ospătar *s.m.* waiter.
ospătare *s.f.* **1.** *(primire)* entertaining, boarding. **2.** *(mâncare)* food, meal.
ospătat *s.n. rar* v. o s p ă t a r e.
ospătărie *s.f.* eating house.
ospătăriță *s.f.* waitress.
ospăț *s.n.* feast, banquet; *~ homeric* Lucullan feast.
ospeție *s.f.* hospitality, hospitableness.
ospiciu *s.n.* lunatic asylum.
ospitalier *adj.* **1.** hospitable. **2.** *ist.* Hospitaller.
ospitalitate *s.f.* hospitality.
ostaș *s.m.* **1.** soldier. **2.** *(ca grad)* private.
ostatic *s.m.* hostage.
ostășește *adv.* like a soldier, militarily.
ostășie *s.f. înv.* **1.** military service. **2.** army. **3.** bravery, valiance.
ostășime *s.f. rar* army, body of soldiers.
osteită *s.f. med.* osteitis.
osteneală *s.f.* **1.** effort(s). **2.** *(oboseală)* tiredness; *a-și da ~* to take pains / *the trouble.*
osteni **I.** *vt.* to tire, to weary. **II.** *vi.* to be tired. **III.** *vr.* to exert oneself.
ostenit *adj.* tired, weary.
ostenitor *adj.* exhausting, tiring; difficult.

ostentativ I. *adj.* **1.** ostentatious. **2.** *(formal)* perfunctory. **II.** *adv.* **1.** ostentatiously. **2.** for form's sake.
ostentație *s.f.* vulgar display; *lipsit / ferit* de ~ unostentatious.
osteo- *prefix oste(o)-.*
osteoartrită *s.f. med.* osteoarthritis.
osteoblast *s.n. biol.* osteoblast.
osteocit *s.n. biol.* osteocyte.
osteofibroză *s.f. med. vet.* osteofibrosis.
osteofit *s.n. med.* osteophyte.
osteofon *s.n. tehn.* osteophone.
osteogen *adj. anat.* osteogen(et)ic, osteogenous.
osteogeneză *s.f. anat., fiziol.* osteogenesis, ossification.
osteolepis *subst. paleont.* Osteolepidae.
osteolit *s.m. geol.* osteolite.
osteolog *s.m. med.* osteologist.
osteologic *adj. med.* osteologic(al).
osteologie *s.f. med.* osteology.
osteom *s.n. med.* osteoma.
osteomalacie *s.f. med.* osteomalacia.
osteomielită *s.f. med.* osteomyelitis.
osteoplastie *s.f. med.* osteoplasty.
osteoporoză *s.f. med.* osteoporosis.
osteosarcom *s.n. med.* osteosarcoma.
osteosinteză *s.f. med.* osteosynthesis.
osteotomie *s.f. med.* osteotomy.
osteoză *s.f. med.* hyperparathyroidism.
ostie *s.f.* **1.** *bis.* nostia Eucharistic unleavened bread used in the Catholic or Lutheran rite. **2.** fishing fork / spear.
ostil *adj.* **1.** hostile, adverse. **2.** *(neprietenos)* unfriendly. **3.** *(nedorit)* unwilling.
ostilitate *s.f.* **1.** hostility. **2.** *pl. și open warfare.* **3.** *fig. și iciness.*
ostiolă *s.f. bot.* ostiole.
ostoi *pop.* **I.** *vt. (a potoli)* to quiet / calm (down), to soothe. **II.** *vr. (a se potoli)* to quiet / compose oneself.
ostracism *s.n. și fig.* ostracism, banishment, expulsion.
ostracită *s.f.* ostracite.
ostraciza *vt.* to ostracize.
ostracod *s.n. zool.* Ostracoda.
ostracodermi *subst. paleont.* Ostracodermi, ostracoderms.
ostreicultură *s.f.* oyster breeding.
ostreinos *s.m. iht.* gray mullet *(Mugil salienis).*
ostreț *s.n.* **1.** rail, bar. **2.** *pl. (gard)* fence, palisade.
ostrogot I. *s.m.* Ostrogoth. **II.** *adj.* Ostrogothic.
ostrogotic *adj.* Ostrogothic.
ostrogoți *s.m. pl. ist.* Ostrogoths, Eastern Goths.
ostropel *s.n.* **1.** garlic stew. **2.** *(de iepure)* jugged / stewed hare.
ostrov *s.n.* **1.** islet. **2.** *(pe râu și)* ait, eyot.
osuar *s.n.* ossuary, charnel house; bone urn.
oștean *s.m.* soldier.
oștire *s.f.* army.
ot- *prefix ot(o)-.*
otalgie *s.f. med.* otalgia, earache.
otarie *s.f. zool.* eared seal, otary *(Otaria jubala).*
otavă *s.f.* aftermath, after grass, fog.
otăvi *vi.* to grow again, to crop up.
otăvire *s.f. bot., agr.* **1.** regeneration, revigoration. **2.** seeing an aftermath, covering with green grass.
otic *s.n. agr.* plough raker / staff.
oticni *vi. pop.* **1.** v. o p i n t i. **2.** to fan.
otită *s.f. med.* otitis.
otocist *s.n. biol.* otocyst.
otolit *s.n. anat.* otolith.
otoman *s.m., adj.* Ottoman.
otomană *s.f. înv.* ottoman, sofa.
otoragie *s.f. med.* otorrhagia, haemorrhage of the ear.
otoree *s.f. med.* otorrh(o)ea.
otorinolaringolog *s.f. med.* otorhinolaryngologist.
otorinolaringologie *s.f. med.* otorhinolaryngology.
otoscop *s.n. med.* otoscope.
otoscopie *s.f. med.* otoscopy.
otova I. *adj.* uniform. **II.** *adv.* evenly.
otravă *s.f.* **1.** *(substanță)* poison. **2.** *fig.* poison, venom, bitterness.
otrățel *s.m. bot.* v. r o i b ă; ~ *de apă* bladder wort *(Utricularia vulgaris).*
otrăvi I. *vt.* **1.** to poison. **2.** *fig. și* to embitter. **II.** *vr.* to take poison.
otrăvire *s.f.* poisoning; ~ *cu plumb* lead poisoning.
otrăvit *adj.* **1.** poisoned. **2.** *fig.* embittered. **3.** *(veninos)* poisonous. **4.** *(dăunător)* noxious, harmful.
otrăvitor *adj.* **1.** poisonous. **2.** *(mortal)* fatal, killing.
otreapă *s.f. fig.* rag, human failure; characterless / spineless person.
otuzbir *s.n. înv. cu ~ul fam.* by force, forcibly.
oțărât I. *adj.* **1.** *(supărat)* angry, furious. **2.** *(morocănos)* sulky. **II.** *adv.* sulkily.
oțărî *vr.* to scowl.
oțel *s.n.* **1.** steel. **2.** *(la armă)* lock; ~ *inoxidabil* rustless / stainless steel; *de* ~ steel; *fig.* steely, (as) hard as steel.
oțelar *s.m.* steelworker.
oțelărie *s.f.* steelworks.
oțeli I. *vt.* to steel. **II.** *vr.* to harden.
oțelit *adj.* steeled etc.
oțet *s.n.* vinegar.
oțetar *s.m. bot.* tanner's sumach *(Rhus typhina).*
oțeti *vr.* to turn sour.
oțetit *adj.* turned sour.
oțios *adj.* **1.** *(d. persoane)* idle, lazy; ineffectual. **2.** *(d. activități / lucruri)* useless, redundant.
ou *s.n.* egg; *~ă clocite* addled eggs; *~ă jumări* scrambled eggs; *~ă moi* soft boiled eggs; *~ă răscoapte* hard boiled eggs; *~ă roșii* Eastereggs; *~stricat* bad / rotten egg.
oua *vt., vi. , vr.* to lay (eggs).
ouabaină *s.f. chim.* ouabain.
ouat I. *s.n.* egg laying, laying of eggs. **II.** *adj.* laid.
ouătoare I. *sf.* laver. **II.** *adj.* laying.
oușor *s.n. bot.* twisted stalk *(Streptopus amplexifolius).*
outsider *subst. sport* outsider.
oval *s.n., adj.* oval.
ovalbumină *s.f. biochim.* ovalbumin.
ovalizare *s.f. fiz.* ovalization, wearing out of round (of cylinders).
ovar *s.n.* ovary.
ovarian *adj.* ovarian.
ovarită *s.f. med.* ovaritis.
ovat *adj. bot.* ovate.
ovații *s.f., pl.* ovations, applause.
ovaționa *vt., vi.* to cheer, to acclaim.
ovă *s.f. arh.* ovum, *pl.* ovae.
ovăz *s.n. bot.* oat(s) *(Avena sativa).*
ovăzcior *s.n. bot.* oatgrass, French raygrass *(Arrhenatherum elatius).*
overlock *s.n. ind. text.* overlock.
oviduct *s.n. anat.* oviduct.
oviform *adj.* oviform, egg-shaped.
ovin *adj.* ovine, sheep...
ovină *s.f.* sheep.
ovipar *adj. zool.* oviparous.
ovipare *s.n. pl. zool.* ovipara.
ovipozitor *s.n. entom.* ovipositor; oviscapt.
oviscapt *s.n. zool.* v. o v i p o s i t o r.
ovogeneză *s.f. zool.* ovogenesis, oogenesis.
ovoid(al) *adj.* ovoid.
ovoscop *s.n. agr.* candler (for eggs).
ovovivipar *adj. zool.* ovoviviparous.
ovul *s.n.* ovule.
ovulație *s.f. anat.* ovulation.
oxalat *s.m. chim.* oxalate.
oxalic *adj. chim.* oxalic.
oxford *s.n. zool.* Oxford (breed of sheep).

oxfordian *subst., adj. geol.* Oxfordian.
oxiacid *s.m. chim.* oxyacid.
oxicefalie *s.f. med.* oxycephaly, acrocephaly.
oxid *s.m.* oxyde.
oxida *vt., vr.* to oxidize.
oxidabil *adj.* oxidable.
oxidant I. *adj.* oxidating, oxidizing. **II.** *s.m.* oxidizer.
oxidare, oxidaţie *s.f. chim.* oxidation.
oxidază *s.f. biochim.* oxidase.
oxidimetrie *s.f. chim.* oxidimetry.
oxidoreducere *s.f. chim.* oxidoreduction.
oxidril *s.m. chim.* hydroxyl.
oxigen *s.n.* oxygen.
oxigena I. *vt.* **1.** to oxygenate. **2.** (*a decolora*) to peroxide. **II.** *vr.* to peroxide one's hair.
oxigenare *s.f. chim.* oxygenation, oxidation.
oxigenat *adj.* **1.** oxygenated. **2.** *(d. păr)* peroxided. **3.** (*d. blonde*) peroxide.
oxigenoterapie *s.f. med.* oxygen treatment / therapy.
oxihemoglobină *s.f. fiziol.* oxyhaemoglobine.
oxilit *s.m. chim.* oxylith (for respiratory apparatus).
oximă *s.f. chim.* oxime.
oximoron *s.n. stil.* oxymoron.
oxiton *s.n. stil.* oxytone (word).
oxiur *s.m. zool.* oxiuris.
oxoniu *s.m. chim.* hydronium, oxonium.
oxosinteză *s.f.* oxosynthesis.
ozalid *s.n. foto.* Ozalid (paper).
ozenă *s.f. med.* oz(a)ena, ozona.
ozene(u) *s.n. lit.* UFO, Unidentified Flying Object.
o.z.n. *s.n.* v. o z e n e (u).
ozocherită *s.f. mineral.* ozocerite, ozokerit.
ozon *s.n.* ozone.
ozonat *adj. chim.* ozonic, ozonized.
ozonidă *s.f. chim.* ozonide.
ozoniza *vt. chim.* to ozonize.
ozonizare *s.f. chim.* ozonization.
ozonizor *s.n. chim.* ozonizer.

P

P, p *s.m.* P, p, the nineteenth letter of the Romanian alphabet.
pa *interj. fam. aprox.* bye-bye! so long! tata!
pac *interj.* poc.
pace *s.f.* **1.** peace. **2.** *(liniște și)* quiet. **3.** *(nimic)* nothing. ~ *trainică* lasting peace; *în* ~ at peace.
pacea *s.f. înv.* **1.** (fur on the) legs of animals used for lining coats. **2.** *cul.* meat jelly of animal legs.
paceaură *s.f.* **1.** cloth / rag for wiping; rubber; dish cloth / clout; (*de șters dușumeaua*) house flannel, *fam.* swab. **2.** *fig. fam.* sloven, slut, draggletail; *fam.* scold, shrew.
pacfong *s.n. met.* packfong, pakfong.
pachebot *s.n.* steamer; packetboat.
pacher *s.n. ind. extr.* packer.
pachet *s.n.* **1.** packet, package. **2.** *(ambalaj)* parcel. **3.** *(teanc)* bundle. **4.** *sport* pack.
pachiderm *s.m.* v. p a h i d e r m.
pacient *s.m.* patient.
pacientă *s.f.* patience.
pacific *adj.* pacific.
pacifica *vt.* to pacify.
pacificator *adj.* pacifying.
pacifism *s.n.* pacifism.
pacifist *s.m., adj.* pacifist.
pacioc *s.n. constr.* first coat(ing) of whitewashing.
paciulie *s.f. bot.* patchouli, patchouly *(Pogostemon patchouli).*
pack *s.n. geol.* (ice-) pack (of the polar seas).
pacoste *s.f.* **1.** calamity. **2.** *fig.* nuisance.
pact *s.n.* pact, compact, agreement, treaty; ~ *de neagresiune* non-aggression treaty.
pactiza *vi.* **1.** to make / enter into compact, to come to terms / to treat (with the enemy etc.) **2.** *fig.* to compound, to compromize.
pactiza *vi. a* ~ *cu* to collude with.
padelă *s.f.* (double-bladed) paddle.
padină *s.f.* tableland.
padișah *s.m.* Pad(i)shah.
padoc *s.n.* paddock.
paf *interj. a lăsa* ~ to nonplus, to flummox.
pafta *s.f.* buckle.
pag *adj.* skewbald.
pagae *s.f.* single paddle.
pagaie *s.f. nav.* paddle (for canoe).
pagal *s.f. sport* single paddle.
pagina *vt.* to page, to paginate.
paginator *s.n. poligr.* maker-up.
paginatură *s.f.* pagination, paging.
paginație *s.f.* paging.
pagină *s.f.* page.
pagodă *s.f.* pagoda.
pagubă *s.f.* damage; *atâta* ~ good riddance of a bad bargain.
pagur *s.m. zool.* hermit crab, pagurian.
pagus *s.n. ist. Romei* pagus, Roman village or rural area.
pahar *s.n.* **1.** glass. **2.** *(fără picior)* tumbler. **3.** *(conținutul)* glassful. **4.** *pl. (ventuze)* cupping glasses; *un* ~ *la botul calului* a stirrup cup, a doch and dorris.
paharnic *s.m.* cup-bearer.
pahiderm *s.m. zool.* pachyderm.
pahimeninge *s.n. anat.* dura mater, pachymenix.
pahimeningită *s.f. med.* pachymeningitis.
pahipleurită *s.f. med.* pachypleuritis.
pai *s.n. (și pl.)* straw; *de* ~ *e* straw; *(d. acoperiș)* thatched; *om de* ~*e* dummy.
paiantă *s.f.* trellis work.
paiață *s.f.* harlequin.
paieric *s.n. lingv.* sign in Cyrrilic alphabet, used to soften consonants.
paiet *s.n. nav.* mat, fender.
paietă *s.f.* spangle.
paiol *s.n. nav.* ceiling.
pair *s.m.* peer.
paisprezece *s.m., adj., pron., num. card.* fourteen.
paisprezecelea *adj., num. ord.* the fourteenth.
paj *s.m.* page.
pajiște *s.f.* meadow, grassland.
pajură *s.f.* **1.** *ornit.* (royal) eagle *(Aquila).* **2.** *(la monedă)* tails.
pal *adj.* pale, wan.
paladin *s.m. ist.* paladin; knight errant.
paladiu *s.n. chim.* palladium.
paladizare *s.f. met.* covering with palladium.
palafită *s.f. ist.* palafitte, lake dwelling.
palan *s.n. tehn.* pulley tackle / block.
palancă *s.f.* palisade, fence, paling; stockade.
palanchin *s.n.* palanquin, palankeen.
palat *s.n.* **1.** palace. **2.** *anat.* palate.
palatal *adj. lingv.* palatal.
palataliza *vt. lingv.* to palatalize.
palatalizat *adj. lingv.* palatalized.
palatin I. *s.m. ist.* Palatine. **II.** *adj. anat.* palatine.
palatinat *s.n. ist.* Palatinate.
palavrageală *s.f.* chatter(ing).
palavragi *vi.* to chatter, to tattle, to jabber.
palavragiu *s.m.* windbag.
palavre *s.f. pl.* **1.** idle talk, gas. **2.** *(bârfă)* gossip.
pală *s.f.* **1.** pitchforkful of hay etc. **2.** mount of corn etc. cut at one go. **3.** *tehn.* blade.
palee *s.f. constr.* pile work, pier.
paleo- *prefix* pal(a)eo-.
paleoantropologie *s.f.* pal(a)eoanthropology.
paleobotanică *s.f.* pal(a)eobotany.
paleocen *s.n. geol.* Pal(a)eocene.
paleoclimatologie *s.f.* pal(a)eoclimatology.
paleoclimă *s.f.* pal(a)eoclimate.
paleocreștină *adj. ist.* Pal(a)eo-Christian.
paleofitologie *s.f. bot.* pal(a)eophytology.
paleogen *s.n. geol.* Palaeogene.
paleogeofizică *s.f. geol., geogr.* pal(a)eogeographysics.
paleograf *s.m.* pal(a)eographer.
paleografic *adj.* pal(a)eographic.
paleografie *s.f.* pal(a)eography.
paleolitic *adj.* pal(a)eolithic.
paleontolog *s.m.* pal(a)eontologist.
paleontologic *adj.* pal(a)eontological.
paleontologie *s.f.* pal(a)eontology.
paleoslav *adj.* palaeoslavonic.
paleoteriu *s.m.* pal(a)eothere.
paleozoic *adj. geol.* Pal(a)eozoic.
paleozoologie *s.f.* pal(a)eozoology.

palestră *s.f. ist. Greciei* pal(a)estra.
paletă *s.f.* **1.** palette. **2.** *fig.* colours. **3.** *sport* bat.
paliativ *adj., s.n.* palliative.
palicar *s.m. ist.* palikar.
palid *adj.* **1.** pale. **2.** *fig. și* colourless.
paliditate *s.f.* pallor, paleness, pallidness.
palie *înv. s.f. înv. bis.* Pentateuch, the first five books of the Old Testament.
palier *s.n.* **1.** landing. **2.** *(etaj)* floor.
palimpsest *s.n.* palimpsest.
palincă *s.f. reg.* Transylvanian or Hungarian plum / apricot brandy.
palingeneză *s.f. geol.* palingenesis.
palingenezie *s.f. filoz., biol.* palingenesis.
palinodic *adj.* palinodic.
palinodie *s.f.* palinode.
palinologie *s.f.* palynology.
palisadă *s.f.* **1.** palisade; paling. **2.** *mil., ist.* stockade.
palisandru *s.m. bot.* Brazilian rosewood (*Jacaranda obtusifolia*).
palmac *s.n. ist. României* length measure unit used in Moldavia (about 1,5 inches).
palmar *adj. anat.* palmar (muscle).
palmares *s.n.* (fine) record.
palmat *adj. bot.* palmate.
palmă *s.f.* **1.** *anat.* palm. **2.** *(lovitură)* slap, box (on the ear); *o ~ de pământ* a plot of land; *fig.* (not) an inch; *~de bătut covoare* carpet beater; *ca în ~* even, clear; *cu palmele bătătorite* horn-handed.
palmer *s.n. tehn.* micrometer gauge.
palmetă *s.f.* **1.** *hort.* fan-shaped espalier. **2.** *arhit.* palmette.
palmier *s.m. bot.* palm tree.
palmiform *adj. bot.* palmiform.
palmiped I. *adj.* web-footed, palmiped. **II.** *s.n.* palmiped.
palmitat *s.m. chim.* palmitate.
palmitic *adj. chim. acid ~* palmitic acid.
palmitină *s.f. chim.* palmitin.
paloare *s.f.* pallor.
palograf *s.n.* pallograph.
palonier *s.n. av. , nav. , tehn.* rudder / swing bar.
paloș *s.n.* sword, blade.
palpa *vt.* to feel; *med.* to palpate.
palpabil *adj.* palpable, tangible.
palpare *s.f.* feeling; *med.* palpation.
palpator *s.n. tehn.* feeler (gauge); follower, testing spike.
palpebral *adj. anat.* palpebral.
palpita *vi.* to throb.
palpitant *adj.* thrilling.
palpitație *s.f.* **1.** palpitation. **2.** *fig.* excitement.
palplanșă *s.f. constr.* pile planck; sheeting pile.
paltin *s.m. bot.* sycamore maple *(Acer pseudoplatanus).*
palton *s.n.* great coat.
paludic *adj.* paludal.
paludism *s.n.* malaria.
paludrină *s.f.* Paludrine.
palustru *adj.* swamp...; paludous; *friguri palustre* malaria, swamp fever.
pamflet *s.n.* lampoon, skit.
pamfletar *s.m.* lampoonist.
pampas *s.n. geogr.* pampas.
pan- *prefix* pan(o)-.
pan *s.m. ist. Poloniei* pan, title of a nobleman.
panaceu *s.n.* panacea, all-heal.
panachidă *s.f. rel.* office for the dead, requiem.
panaghiar *s.n. bis.* **1.** icon of the Holy Virgin, small precious metal bowl for the holy bread. **2.** pyx.
panaghie *s.f.* Holy Virgin.
panahidă *s.f. bis.* **1.** prayer or requiem; service held 40 days after smb.'s death. **2.** part of the funeral service.
panama *s.f.* **1.** panama hat. **2.** *(escrocherie)* swindle.
panarițiu *s.n. med.* whitlow.
panaș *s.n.* plume.
panatenee *s.f. pl. ist. Greciei* Panathenaea.
pană *s.f.* **1.** feather. **2.** *(de gâscă)* pen, quill. **3.** *fig.* pen(manship). **4.** *(de lemn)* wedge. **5.** *(stricăciune)* breakdown; *~ de cauciuc* puncture; *în ~* broken down; *fig.* up a tree.
pancalism *s.n. filoz.* aestheticism.
pancartă *s.f.* placard.
pancrațiu *s.n. ist. Greciei* pancratium.
pancreas *s.n. anat.* pancreas.
pancreatic *adj.* pancreatic.
pancreatină *s.f. chim.* pancreatin.
pancreatită *s.f. med.* pancreatitis, inflammation of the pancreas.
pancromatic *adj. foto.* panchromatic.
pancronic *adj.* valid for any epoch.
pandalii *s.f. pl.* hysterics.
pandant *s.n.* counterpart.
pandantiv *s.n.* pendant.
pandecte *s.f. pl.* pandects.
pandemie *s.f. med.* pandemic (disease); pandemia.
pandemoniu *s.n.* pandemonium; abode of demons.
pandișpan *s.n.* pain d'Espagne.
pandit *s.m.* pundit, pandit (Indian title).
pandur *s.m.* pandour.
panegiric *s.n. și fig.* panegyric, eulogy; *fig.* encomium.
panegirist *s.m.* panegyrist.
panel *s.n.* plywood panel.
panenteism *s.n. rel.* panentheism.
paner *s.n.* basket, hamper.
pangar *s.n. bis.* table for selling candles.
pangeneză *s.f. biol.* pangenesis.
panglicar *s.m.* conjurer.
panglică *s.f.* **1.** ribbon. **2.** *(de pălărie)* hatband. **3.** *tehn.* band, tape. **4.** *med., zool.* tapeworm.
panglicărie *s.f.* **1.** juggling. **2.** *(cabotinism)* histrionics.
pangolin *s.m. zool.* pangolin, scaly anteater.
panicard I. *s.m.* panicmonger. **II.** *adj.* alarmist.
panică *s.f.* **1.** panic. **2.** *(zăpăceală)* stampede. **3.** *(groază)* terror.
paniculă *s.f. bot.* panicle.
panifica *vt.* to turn / convert into bread.
panificabil *adj.* bread...
panificație *s.f.* bakery.
panism *s.n.* Pandeanism.
panist *adj.* Pandean.
panlogism *s.n. filoz.* panlogism.
panmieloftizie *s.f med.* panmyelophthisis.
panoftalmie *s.f. med.* panophthalmisis.
panonian *s.n. geol.* Pannonian.
panoplie *s.f.* panoply.
panoptic(um) *s.n.* **1.** panopticon. **2.** waxworks exhibition / show.
panoramă *s.f.* panorama.
panoramic *adj.* panoramic.
panortodox *adj. rel.* panorthodox.
panou *s.n.* panel; poster (of honour etc.).
panpsihism *s.n. filoz.* panpsychism.
pansa *vt.* to dress.
pansament *s.n.* dressing.
pansea, panseluță *s.f. bot.* pansy, call-me-to-you.
panseu *s.n.* **1.** v. c u g e t a r e. **2.** v. m a x i m ă.
pansinuzită *s.f. med.* pansinusitis.
panslavism *s.n. ist.* pan-Slavism.
panspermie *s.f. biol.* panspermy, panspermia.
pantagruelic *adj.* Pantagruelic, Gargantuan (meal etc.).
pantalonași *s.m. pl.* knickers, knicker-bockers.
pantaloni *s.m. pl.* **1.** trousers. **2.** *(izmene)* pants. **3.** *(de călătorie)* breeches. **4.** *(scurți)* shorts; knickerbockers; *~ (de) golf* plusfours; *~ pescărești* Capri pants.

pantă *s.f.* slope; ~ *abruptă! auto.* steep incline!
panteist I. *adj.* pantheistic(al). **II.** *s.m.* pantheist.
panteistic *adj.* pantheistic.
panteon *s.n.* pantheon.
panteră *s.f. zool.* panther *(Felis pardus).*
pantocrator *s.m. bis.* (Christ) Pantocrator, Creator, Maker.
pantof *s.m.* **1.** shoe. **2.** *(de casă)* slipper; *~i cu cuie / ținte* spiked shoes; *~i de dans* pumps.
pantofar *s.m.* shoemaker.
pantofărie *s.f.* shoemaker's; (*ca magazin*) boot shop.
pantofior *s.m. zool.* v. p a r a m e c i.
pantograf *s.n. tehn., el.* pantograph.
pantografie *s.f. tehn.* pantography.
pantometru *s.n. geom.* pantometer.
pantomim *s.m.* pantomime (actor).
pantomimă *s.f.* dumbshow.
pantomimic *adj.* pantomimic.
pantopon *s.n. med.* (opium) analgezic, Pantopon.
pantrop *adj. biochim.* pantropic(al).
pantum *s.n. lit.* pantoum.
panțâr *s.m. ist. României* **1.** mercenary, frontier guard. **2.** soldier.
panzootie *s.f. med. vet.* panzootic disease.
paos *s.n. bis.* **1.** offering of wine and bread as alms for the dead. **2.** wine used by priests to throw over the corpse before burying it.
pap *s.n.* glue paste.
papa *s.m. fam.* papa, dad(dy).
papagal *s.m.* **1.** *ornit.* parrot. **2.** *fig.* glib tongue.
papagalicește *adv.* parrot-like.
papaină *s.f. farm.* papain.
papainoage *s.n. pl.* v. p i c i o r o a n g e.
papal *adj.* papal.
papalitate *s.f.* papacy.
papalugă *s.f.* **1.** *fam.* lamp post; (*sperietoare*) *fam.* (perfect) fright. **2.** (*stafie*) ghost, phantom.
papanaș *s.m.* **1.** cheese dumpling. **2.** *(cu mere)* apple fritter.
papară *s.f.* **1.** panada; bread pudding. **2.** *fig. fam.* thrashing, drubbing, hiding, jacketing; (*mustrare*) *fam.* dressing down.
paparudă *s.f.* rainmaker.
paparugă *s.f. entom.* v. b u b u r u z ă.
paparună *s.f. bot.* horn(ed) poppy (*Glaucium corniculatum*).
papaveracee *bot.* **I.** *adj.* papaveraceous. **II.** *s.f. pl.* papaveraceae.
papaverină *s.f. chim.* papaverine.
papă *s.m.* Pope.
papă-lapte *s.f.* milksop.
papetărie *s.f.* **1.** stationer's. **2.** *(marfă)* stationery.
papier collé *subst.* papier collé, collage.
papier mâché *subst.* papier maché.
papilar *adj. anat.* papillary.
papilă *s.f. anat.* papilla.
papilom *s.n. med.* papilloma.
papilonacee *s.f pl.* Papilionaceae.
papion *s.n.* butterfly bow, bow tie.
papiotă *s.f.* **1.** spool of sewing silk. **2.** (*de hârtie*) curl paper, papillote.
papirologie *s.f.* papyrology.
papirus *s.n.* papyrus.
papistaș *s.m.* popist; *pl.* popery.
papițoi *s.m. fam.* dude, fop, dandy, masher.
papornițā *s.f. rar.* bulrush basket.
papricaș *s.n.* paprika stew.
paprică *s.f.* paprika.
papșer *s.n.* scissors for cardboard.
papuaș *adj., s.m. geogr.* Papuan.
papuc *s.m.* **1.** slipper. **2.** *(pantof)* shoe; *sub ~* henpecked.
papugiu *s.m.* shirker, skulk.
papulă *s.f. med.* papula, papule.
papură *s.f. bot.* bulrush *(Typha).*
papus *s.n. bot.* pappus, *pl.* pappi.
par I. *s.m.* **1.** stake, pole. **2.** *(bâtă)* club, bludgeon. **II.** *adj.* even.
para- *prefix* par(a)-.
para I. *s.f.* **1.** little coin, penny; farthing. **2.** *pl.* money, spondulicks. **II.** *vt.* to parry, to ward off.
paraacetaldehidă *s.f.* paracetaldehyde.
paraaldehidă *s.f.* v. p a r a a c e t a l d e h i d ă.
paraaminobenzoic *adj. farm.* paraaminobenzoic (acid).
paraaminosalicilic *adj. farm.* paraaminosalicylic (acid).
parabază *s.f. lit.* parabasis.
parabolă *s.f.* **1.** parable. **2.** *geom.* parabole.
parabolic *adj. geom.* parabolic(al).
paraboloid *s.n. geom.* paraboloid.
paraboloidal *adj. geom.* paraboloidal.
paracăzător *s.n. min.* safety catch.
paracenteză *s.f. med.* paracentesis.
parachernițā *s.f. bot.* (wall) pellitory *(Parletaria officinalis).*
parachor *s.n. chim.* parachor.
paraclis *s.n.* chapel (of ease).
paracliser *s.m.* verger, sexton.
paradă *s.f.* **1.** parade. **2.** *fig. și* show, display. **3.** *mil. și muster; parada modei* fashion show; *de ~* full (dress); *fig.* showy.
paradentoză *s.f. med.* periodontosis, paradentosis, paradentisis.
paradiabet *s.n. med.* paradiabetes.
paradiafonie *s.f. telec.* conversation originating from crossed lines.
paradigmă *s.f. gram.* paradigm.
paradis *s.n.* paradise, eden.
paradiziac *adj.* paradisiac(al).
parados *s.n. mil.* parados.
paradox *s.n.* paradox.
paradoxal I. *adj.* paradoxical. **II.** *adv.* paradoxically.
parafa *vt.* **1.** to initial. **2.** *fig.* to sanction.
parafă *s.f.* (flourish of a) signature.
parafinare *s.f. chim.* paraffining, oiling with paraffin.
parafină *s.f.* paraffin.
parafinic *adj.* paraffinic.
parafinos *adj.* containing paraffine.
paraflacără *s.f. tehn.* screen.
paraflow *s.n. chim.* paraflow.
parafoc *s.n.* refractory material wall (for boilers); brick arch.
paraform *s.f. chim.* paraform, paraformaldehyde.
paraformaldehidă *s.f.* v. p a r a f o r m.
parafrastic *adj. lingv.* parafrastic.
parafraza *vt.* to paraphrase.
parafrază *s.f.* paraphrase.
parafulger *s.n. el.* lightning arrester.
paraganglion *s.m. anat.* paraganglion.
paragat *s.n.* long line (with baited hooks).
paragel *s.n. ind. petrol.* paraflow.
parageneză *s.f. geol.* paragenesis.
paragină *s.f.* **1.** dereliction. **2.** *(teren)* fallow (land).
paragogă *s.f. lingv.* paragoge.
paragraf *s.n.* paragraph.
paragrafie *s.f. med.* paragraphia.
paragramă *s.f.* paragram.
parahidrogen *s.n. chim.* parahydrogen.
paraimunitate *s.f. med.* paraimmunity.
paralactic *adj. astr.* parallactic.
paralaxă *s.f. astr.* parallax.
paralel I. *adj.* **1.** parallel. **2.** concomitant. **II.** *adv.* **1.** parallel. **2.** simultaneously.
paralelă *s.f.* **1.** parallel (line / bar). **2.** *(comparație și)* comparison.
paralelipiped *s.n. geom.* parallelepiped(on).
paralelipipedic *adj. geom.* parallelipipedal, parallelipipedic.
paralelism *s.n.* **1.** parallelism; symmetry. **2.** *ec.* reduplication.
paralelogram *s.n.* parallelogram.

paraleu *s.m.* **1.** big lion. **2.** *fig.* brave / courageous man; hero; *a se face leu ~* to fly into a rage / passion; to fret and fume.
paralitic *s.m., adj.* paralytic.
paraliza I. *vt.* to paralyse. **II.** *vi., vr.* to be paralysed.
paralizant *adj.* paralysing.
paralizare *s.f.* **1.** *med.* paralysis, paralysing. **2.** *fig.* immobilisation, hindering.
paralizat *adj.* **1.** *med.* paralysed. **2.** *fig.* hindered.
paralizie *s.f.* paralysis, *fam.* palsy.
paralogism *s.n. filoz.* paralogism, (formal) fallacy.
paramagnetic *adj. fiz.* paramagnetic.
paramagnetism *s.n. fiz.* paramagnetism.
parameci *s.m. zool.* Param(o)ecium.
parament *s.n. constr.* face (of a wall).
parametric *adj.* parametric(al), parametral.
parametron *s.n. fiz.* parametron.
parametru *s.m. mat.* parameter.
paramilitar *adj.* paramilitary.
paramnezie *s.f. med.* paramnesia.
paramorfoză *s.f. mineral.* paramorphism, paramorphosis.
paranoia *s.f. med.* paranoia.
paranoic *s.m. med.* paranoic.
paranteză *s.f.* **1.** bracket. **2.** *și fig.* parenthesis.
parapet *s.n.* **1.** parapet. **2.** *mar.* bulwark.
paraplegie *s.f. med.* paraplegia.
parapod *s.n. zool.* parapodium.
parapsihologie *s.f.* parapsihology.
parascânteie *s.f.* **1.** *met.* spark chamber. **2.** *ferov. etc.* spark arrester.
parascovenie *s.f.* v. n ă z b â t i e.
parasimpatic *adj. fiziol., med.* parasympathetic.
parasimpaticolitic *adj. med.* parasympatholitic.
parasimpaticomimetic *adj. med.* parasympathomimetic.
parasimpaticotonie *s.f. med.* vagotony, vagotonia.
parasintetic *adj. lingv.* parasynthetic.
parasol *s.n.* **1.** *av. parasol.* **2.** *(umbrelă)* parasol.
parasolar *s.n. foto.* lens shade / hood.
parastas *s.n.* requiem.
parașuta *vt.* to parachute.
parașută *s.f.* parachute.
parașutism *s.n.* parachutism.
parașutist *s.m.* **1.** parachutist. **2.** *mil.* paratrooper.
paratactic *adj. gram.* paratactic.
parataxă *s.f. gram.* parataxis.
paratific *adj. med.* paratyphoid.
paratifoidă *adj. med.* paratyphoid (gland).
paratifos *s.n. med.* paratyphoid (fever).
paratifoză *s.f. med. vet.* v. s a l m o n e l o z ă.
paratiroidă *adj. anat.* parathyroid (gland).
paratrăsnet *s.n.* lightning rod.
paravalanșă *s.f. constr.* avalanche barrier.
paravan *s.n.* screen.
paravânt *s.n. ferov.* wind protection device.
paravenos *adj. med.* paravenous.
paraxial *adj.* paraxial.
parazăpadă *s.f. constr.* snow fence.
parazit I. *s.m.* **1.** parasite. **2.** *fig. și* sponger. **3.** *el. pl.* statics, atmospherics. **II.** *adj.* parasite, parasitical.
parazitar *adj.* parasitical.
paraziticid *adj., s.n.* parasiticide.
parazitism *s.n.* parasitism.
parazitolog *s.m.* parasitologist.
parazitologie *s.f.* parasitology.
parazitotrop *adj. biochim.* parasitotropic.
parazitoză *s.f. med.* parasitosis.
pară *s.f.* **1.** *bot.* pear. **2.** *el.* switch. **3.** *min.* swage. **4.** *(foc)* flame, fire; *~ mălăiață fig.* windfall; *ca para focului* red-hot.
parâmă *s.f.* line, cable.
parbriz *s.n.* windscreen.
parc *s.n.* **1.** park. **2.** *(grădină)* garden; *~ de distracții* pleasure ground.
parca *vt.* to park.
parcaj *s.n.* parking lot, motor pool.
parcare *s.f.* **1.** parking. **2.** *(loc)* parking lot; *~a interzisă* no parking.
parcă *adv.* as it seems / seemed.
parce *s.f. pl.* **1.** the fates, the Parcal. **2.** *fig.* Fate.
parcea *s.f.* fishing tool consisting of a chain of hooks.
parcela *vt.* to divide.
parcelare *s.f.* plotting, dividing of lands into lots; parcelling (of land).
parcelă *s.f.* (house) lot, plot.
parcheriza *vt. met.* to phosphate a steel piece.
parcherizare *s.f. met.* parkerizing.
parchet *s.n.* **1.** parquet(ry). **2.** *jur.* prosecutor's office; *(în Anglia)* coroner's office. **3.** *(în pădure)* cut.
parcheta *vt.* to parquet.
parchetar *s.m.* parquet layer.
parcimonie *s.f.* parsimony, economicalness, excessive economy, stinginess, meanness.
parcimonios *adj.* parsimonious, mean, niggardly.
parcurge *vt.* **1.** to cross, to travel through, to go over, to traverse; (*o distanță*) to cover. **2.** to examine (curiously); to run one's eye over; (*o listă*) to look down; (*documente*) to scour, to go over, to run through; (*superficial*) to skim (over).
parcurs *s.n.* **1.** route, road (covered). **2.** *(itinerar și)* itinerary.
pardesiu *s.n.* **1.** topcoat. **2.** *(de ploaie)* raincoat.
pardon *interj.* (I beg your) pardon!
pardoseală *s.f.* floor.
pardosi *vt.* to floor.
paremie *s.f.* v. p a r i m i e.
paremiolog *s.m.* paremiologist.
paremiologic *adj.* paroemiological, refering to proverbs or their study.
paremiologie *s.f.* paroemiology.
parenchim *s.n. anat., bot.* parenchyma.
parenteral *med.* **I.** *adj.* parenteral. **II.** *adv. parenterally.*
parestezie *s.f. med.* paraesthesia.
pareză *s.f. med.* paresis.
parfeu *s.n.* parfait.
parfum *s.n.* perfume, scent.
parfuma I. *vt.* to scent. **II.** *vr.* to use scent.
parfumat *adj.* scented, perfumed; (*d. aer etc.*) balmy.
parfumerie *s.f.* **1.** *(industrie)* perfumery. **2.** *(magazin)* perfumer's shop.
parhelie *s.f. astr.* parhelion.
paria[1] *s.m.* pariah; outcast.
paria[2] *vi.* to bet.
paricid I. *s.n.* parricide, murder of an ancestor in direct line. **II.** *s.m.* parricide.
paricopitat *adj., s.n. zool.* v. a r t i o d a c t i l.
parietal *adj. anat.* parietal.
parimie *s.f. înv.* **1.** paroemia, maxim, proverb. **2.** teaching / paroemiological text from the Old Testament; parable, fable.
paripenat *adj. bot.* paripinnate.
parisilabic *adj. gram.* parisyllabic.
paritate *s.f.* parity; equality.
pariu *s.n.* bet, wager; *~ul austriac* cumulator.
parizer *s.n. cul.* spleen and lung sausage.
parizian *s.m., adj.* Parisian.
parlagiu *s.m. reg.* slaughterman, butcher.

parlament *s.n.* **1.** Parliament. **2.** *(în S.U.A.)* Congress.
parlamenta *vi.* to negotiate.
parlamentar I. *s.m.* **1.** Member of Parliament. **2.** *(în S.U.A.)* Congressman. **3.** *(delegat)* deputy. **II.** *adj.* parliamentary.
parlamentarism *s.n.* parliamentary government, parliamentarism.
parloar *s.n.* parlour.
parmac *s.m.* v. b a l u s t r u.
parmaclâc *s.n.* hand rail.
parmen *s.n.* (variety of) golden apples.
parmezan *s.n. cul.* Parmesan (cheese).
parnasian I. *adj.* Parnassian. **II.** *s.m.* member of the Parnassian school.
parnasianism *s.n. lit.* Parnassianism.
parodia *vt.* to parody, to burlesque.
parodie *s.f.* **1.** parody. **2.** *fig.* travesty.
paroh *s.m.* vicar, rector.
parohial *adj.* parish...
parohie *s.f.* **1.** parish. **2.** *(enoriași)* flock.
parol *interj.* upon my word (of honour)! I give you my word!; (*la cărți*) no bid!
parolă *s.f.* password, watchword.
parolist *s.m.* a man as good as his word.
paronim *s.n. lingv.* paronym.
paronimie *s.f. lingv.* paronimy.
paronomasie *s.f. înv. stil.* v. p a - r o n o m a z ă.
paronomază *s.f. stil.* paronomasia.
parosmie *s.f. med.* parosmia.
parotid *adj. glandă ~ă anat.* parotid gland.
parotidită *s.f. med.* parotiditis.
paroxism *s.n.* **1.** paroxysm; (*culme*) climax. **2.** *med.* culminating point.
paroxistic *adj.* paroxysmal.
paroxiton *adj., s.n. lingv.* paroxytone.
parpian *s.m. bot.* chaste weed, cat's foot *(Gnaphalium dioicum; Antenaria dioica).*
parsec *s.m. astr.* parsec.
parsism *s.n. rel.* Parseeism.
parși *s.m. pl. ist. rel.* Parsi, Parsee.
parșiv *adj.* lousy, worthless.
parți *s.m. pl. , adj. ist.* Parthian.
partaj *s.n.* partition.
parte *s.f.* **1.** part. **2.** *(cotă)* share, lot. **3.** *(fragment)* fragment. **4.** *(regiune)* region, district. **5.** *(loc)* place. **6.** *(latură)* side. **7.** *(soartă)* fate. **8.** *(la tratative etc.)* party; *~a leului* the lion's share; *~ integrantă* integral / essential part; *cea mai mare ~* most; *de o ~* aside; *din ~a mea* on my behalf; *(cât despre mine)* as for me; *în altă ~* elsewhere; *în ce parte?* where?; *în ~* partly, partially; *într-o ~* mistaken(ly); *la o ~* aside; *pe de o ~ ..., pe de altă ~* on the one hand ..., on the other hand.
partener *s.m.* partner.
partenocarpie *s.f. bot.* parthenocarpy.
partenogenetic *adj. biol.* parthenogenetic.
partenogeneză *s.f. biol.* parthenogenesis.
parter *s.n.* **1.** ground floor. **2.** *teatru* stalls. **3.** *(în fund)* pit; *la ~* on the ground floor; downstairs.
participa *vi.* to participate (in), to take part (in); to attend (smth.).
participant *s.m.* participant (in); partner.
participare *s.f.* **1.** *(la)* participation (in). **2.** *(cotă)* share. **3.** *fig.* feeling, warmth; *cu ~* warmly.
participație *s.f.* share, interest.
participial *adj. gram.* participial.
participiu *s.n.* participle.
particular I. *s.m.* private person. **II.** *adj.* **1.** private. **2.** *(deosebit)* peculiar. **3.** *(specific)* characteristic; *în ~* particularly; *(între patru ochi)* privately.
particularitate *s.f.* specific feature.
particulariza *vt.* **1.** to particularize (a case etc.). **2.** to specify (details); to give particulars / details (of smth.).
particulă *s.f.* **1.** particle, *fam.* atom. **2.** *gram.* particle.
partid *s.n.* party; *~e istorice* traditional parties; *de ~* party; *fără (de) ~* non-party.
partidă *s.f.* **1.** match. **2.** *(de șah)* game. **3.** *(persoană și)* partie.
partinic *adj.* party.
partinitate *s.f.* party spirit.
partită *s.f. muz.* partita.
partitiv *adj., s.n. gram.* partitive.
partitură *s.f.* score.
partiție *s.f. mat.* partition, division.
partizan *s.m.* **1.** partisan, gue(r)rilla. **2.** *(susținător)* supporter, advocate; *de ~i* gue(r)rilla.
parturiție *s.f. med.* parturition, child birth.
parțial I. *adj.* partial, part... **II.** *adv.* partly; to a certain extent.
parțialitate *s.f.* partiality, bias.
parură *s.f.* dress, finery; ornament; head-dress, coronet; set (of jewellery, collar etc.).
parveni I. *vt.* to manage. **II.** *vi.* **1.** to arrive. **2.** *(în viață)* to go up (in the world), to succeed (in life).
parvenit *s.m.* parvenu.
parvenitism *s.n.* upstartness.
pas I. *s.m.* **1.** step. **2.** *(mare)* stride. **3.** *(mers)* pace. **4.** *(zgomot)* footstep. **5.** *tehn.* length, pitch. **6.** *fig. și move. measure; ~ alergător* double time, quick march; *(ca interj.)* on the double!; *~ cu ~* step by step; gradually, closely; *un ~ greșit* a false step; *cu pași repezi* quickly; *la doi pași* close by; *la fiecare ~* at every turning; *la ~* slowly. **II.** *s.n.* **1.** mountain pass, gorge. **2.** *(defileu)* defile.
pasa *vt.* **1.** to pass. **2.** *(a strecura)* to strain.
pasabil *adj.* passable.
pasager *s.m.* passenger; traveller.
pasaj *s.n.* **1.** passage. **2.** *(fragment și)* excerpt.
pasametru *s.n. tehn.* passameter.
pasarelă *s.f.* gangway.
pasatrice *s.f. tehn.* pulper.
pasă *s.f.* pass; *în ~ bună* in luck; in good circumstances; *în ~ proastă* at a low ebb.
pasămite *adv. pop.* apparently, to all appearances, as it were; (*probabil*) probably, likely; (*se pare că*) it seems that...
pasăre *s.f.* bird; *~a furtunii* stormy petrel; *~a muscă* humming bird; *~ călătoare* bird of passage; *~ cântătoare* song bird; *~ de pradă* bird of prey; *păsări de curte* fowls, poultry.
pascal *adj.* Easter..., paschal.
pascalie *s.f.* **1.** calendar which establishes the Easter. **2.** future telling book.
pască *s.f.* **1.** Easter cake. **2.** *(mozaică)* matzos.
pas de deux *subst. (balet)* pas-de-deux.
pas de quatre *subst. (balet)* pas de quatre.
pas de trois *subst. (balet)* pas de trois.
paseism *s.n. lit.* addiction to the past.
paseist I. *adj.* past-ridden; addicted to the past. **II.** *s.m.* person addicted to the past; nostalgic.
paseriforme *s.n. pl. ornit.* Passeriformes.
pasibil *adj.* liable; *~ de pedeapsă* punishable (by law).
pasiență *s.f.* patience.
pasifloră *s.f. bot.* passion flower (*Passiflora*).
pasigrafie *s.f. lingv.* pasigraphy, artificial language.
pasimetru *s.n.* passimeter.
pasiona I. *vt.* to captivate. **II.** *vr. a se ~ de* to take a fancy to.

pasional *adj.* love...; jealousy...

pasionant *adj.* thrilling.

pasionat I. *s.m.* fan(atic). **II.** *adj.* ardent.

pasiune *s.f.* **1.** passion. **2.** *(dragoste)* infatuation; *cu ~* passionately; *fără ~* coldly.

pasiv I. *s.n.* **1.** *ec.* liabilities. **2.** *gram.* passive voice. **II.** *adj.* **1.** passive. **2.** *(apatic și)* listless. **III.** *adv.* passively.

pasivism *s.n.* passivism.

pasivitate *s.f.* passivity, apathy.

pasmanterie *s.f.* **1.** (making of) passementerie. **2.** passementerie; trimmings.

paspartu *s.n.* **1.** *(șperaclu)* master / pass key. **2.** *artă* slip(-in) mount; passe-partout (frame).

paspoal *s.n.* braid, piping.

passacaglia *s.f. muz.* passacaglia.

passim *adv. livr.* passim.

pastă *s.f.* paste; *~ de dinți* tooth paste; *paste alimentare* sau *făinoase* (Italian) pastes; macaroni.

pastel *s.n.* **1.** *artă* crayon; coloured chalk (picture). **2.** *lit.* descriptive poem, poem of nature.

pastelat *adj. artă* pastel(lated), delicate, light.

pastelist *s.m.* pastellist.

pasteureloză *s.f. med. vet.* pasteurellosis.

pasteuriza *vt.* to pasteurize, to sterilize.

pasteurizare *s.f.* pasteurization.

pasteurizator *s.n.* pasteurizer.

pastilă *s.f.* tablet, lozenge; *~ contra tusei* cough drop.

pastișa *vt.* to imitate, to copy.

pastișă *s.f.* imitation, skit.

pastor *s.m.* minister, vicar.

pastoral *adj.* pastoral, shepherd's.

pastorală *s.f.* **1.** *lit.* pastoral poem. **2.** *rel.* pastoral (letter).

pastramă *s.f.* salt meat; pémmican.

pasvangii *s.m. pl. ist.* Turkish soldiers under the command of Pasvan-Oglu.

pașalâc *s.n. ist.* pashalic, pashalik.

pașaport *s.n.* **1.** passport. **2.** *fig.* walking papers.

pașă *s.m.* pasha.

pași *s.m. pl. zool.* kind of caterpillar *(Hymernid).*

pașnic I. *adj.* **1.** peaceful, peace ... **2.** *(tihnit și)* quiet. **II.** *adv.* **1.** peaceably. **2.** *(tihnit)* quietly.

pașoptism *s.n. ist. României* revolutionary ideological mouvement during 1848.

pașoptist I. *s.m. ist. României* revolutionist from 1848. **II.** *adj.* from 1848.

paște I. *s.n.* v. P a ș t i. **II.** *vt.* **1.** to graze. **2.** *fig.* to wait for. **III.** *vi.* **1.** to graze, to feed (on). **2.** *fig.* to wait (for).

paște-vânt *s.m.* v. p i e r d e - v a r ă.

Paști *s.f. pl.* **1.** Easter. **2.** *(mozaic)* Passover; *la ~le cailor* when the hell freezes over; tomorrow come never.

paștu *subst. lingv.* Pashto, Pashtu, Pushtu, Pushto.

pat *s.n.* **1.** bed. **2.** *(mic)* cot. **3.** *(de pușcă)* butt. **4.** *(strat)* layer, mulch. **5.** *(la șah)* stalemate; *~ conjugal* marriage bed; *~ de campanie* camp bed; *cu două ~uri* double-bedded.

patagonez *s.m. geogr.* Patagonian.

patalama *s.f. ironic* diploma; certificate.

pataramă *s.f.* v. p ă t ă r a n i e; *a ști patarama cuiva fam.* to have got the hang of smb.

pată *s.f.* **1.** spot, stain. **2.** *fig. și* blemish; *o ~ pe reputația cuiva* a stain on one's character; *fără ~* spotless.

patefon *s.n.* gramophone.

patent I. *s.n.* patent. **II.** *adj.* **1.** patent. **2.** *(cras)* crass.

patenta *vt.* to patent.

patentare *s.f. tehn.* heat treatment of wires in order to plasticize them.

patentat *adj.* licensed; *(brevetat)* patent(ed).

patentă *s.f.* licence; certificate; *~ de sănătate nav.* bill of health.

pateră *s.f. ist. Romei* patera.

pateric *s.n. rel.* patristic text, the lives of sanctified monks.

pateriță *s.f. bis.* paterissa, bishop's crozier / crosier.

patern *adj.* paternal, father's...

paternalism *s.n. ec., pol.* paternalism.

paternitate *s.f.* **1.** paternity. **2.** *fig. și* authorship.

paternoster *s.n. tehn.* paternoster; bucket elevator.

patesi *s.m. ist.* patesi, priest-king.

patetic I. *adj.* pathetic, moving, touching. **II.** *adv.* pathetically.

patetism *s.n.* pathos.

pateu *s.n.* pie.

patimă *s.f.* **1.** passion. **2.** *(suferință și)* ordeal, suffering. **3.** *(părtinire)* bias.

patina *vi.* **1.** to skate. **2.** *(a aluneca)* to slid.

patinaj *s.n.* skating; *~ artistic* figure skating.

patinare *s.f.* **1.** skating. **2.** skidding, slipping (of wheel). **3.** *tehn.* patination.

patinator *s.m.* skater.

patină *s.f.* **1.** skate. **2.** *(de vechime)* patina; *patine cu rotile* roller skates.

patinoar *s.n.* skating rink.

patinsonare *s.f.* Pattinson process, pattinsonizing.

patio *s.n. arh.* patio.

patiserie *s.f.* pastry (shop); *de ~* pastry.

patogen *adj. med.* pathogenic.

patogenetic *adj. med.* pathogenetic.

patogenie *s.f. med.* pathogenesis.

patognomonic *adj. med.* pathognomonic.

patologic *adj.* pathological; abnormal.

patologie *s.f.* pathology.

patos *s.n.* pathos; passion.

patrafir *s.n.* stole.

patriarh *s.m.* Patriarch.

patriarhal *adj.* patriarchal.

patriarhat *s.n.* patriarchate.

patriarhie *s.f.* patriarchate.

patrician *s.m., adj.* patrician; *(cârnat)* sausage.

patrie *s.f.* **1.** homeland. **2.** *fig. și* home.

patrimonial *adj.* patrimonial.

patrimoniu *s.n.* patrimony, belongings.

patriot *s.m.* patriot.

patriotard I. *adj.* jingoistic, chauvinistic. **II.** *s.m.* blatant patriot, jingo(ist), chauvinist.

patriotic *adj.* patriotic.

patriotism *s.n.* patriotism; *~ local* parochialism.

patristică *s.f.* patristics.

patriță *s.f. met.* punch.

patrologie *s.f. bis.* patrology.

patron *s.m.* **1.** employer. **2.** *(stăpân)* master. **3.** *(sfânt)* patron (saint).

patrona *vt.* to sponsor.

patronaj *s.n.* patronage.

patronal *adj.* employers'...

patronare *s.f.* patronization, sponsoring, support.

patronat *s.n.* employers.

patronimic *adj.* patronymic.

patru *s.m., adj., pron., num. card.* four.

patrula *vi.* to patrol.

patrulare *s.f.* patrol(ling).

patrulater *s.n.* quadrilateral.

patrulateral *adj. geom.* quadrilateral.

patrulă *s.f.* patrol.

patrulea *num. ord., adj.* the fourth.

patruped I. *s.n.* quadruped. **II.** *adj.* four-footed.
patrusprezece *num. card., adj., s.m.* fourteen.
patrusprezecelea *num. ord., adj.* the fourteenth.
patruzeci *s.m., adj., pron., num. card.* forty.
patruzecilea *adj., num. ord.* fortieth.
patvagon *s.n. ferov.* luggage van / car.
paţachină *s.f.* **1.** *bot.* buckthorn, waythorn (*Rhamnus cathartica*). **2.** *bot.* black alder, alder buckthorn (*Rhamnus frangula*). **3.** *fam.* drab, strumpet.
pauper *adj.* poor, pauper.
pauperism *s.n.* pauperism.
pauperiza *vt.* to impoverish.
pauperizare *s.f.* pauperization, impoverishment.
paupertate *s.f. act de ~* means test certificate.
pauşal I. *adj.* contractual, global (sum, lump). **II.** *s.n.* (estimated) lump sum.
pauză *s.f.* **1.** pause. **2.** break. **3.** *teatru* interval.
pava *vt.* **1.** to pave. **2.** *(a pietrui)* to metal.
pavagiu *s.m.* paver.
pavaj *s.n.* pavement.
pavană *s.f. muz.* pavan(e).
pavat I. *adj.* paved, macadamized. **II.** *s.n.* paving.
pavator *s.m.* paver.
pavăză *s.f. şi fig.* shield.
pavea *s.f.* paving block.
pavian *s.m. zool.* baboon (*Cynocephalus*).
pavilion *s.n.* **1.** pavilion. **2.** *(chioşc)* kiosk. **3.** *(de grădină)* summer house. **4.** *(steag)* colours, flag.
pavlic(i)eni *s.m.pl. rel. ist.* Paulicians.
pavlovism *s.n. fiziol.* Pavlovian theory.
pavoaz *s.n. nav.* flags (for dressing a ship); *a ridica marele ~* to dress a ship over all.
pavoaza *vt.* to decorate.
pavoazare *s.f.* decking etc. v. p a - v o a z a.
pază *s.f.* **1.** guard. **2.** escort.
pazie *s.f. constr.* fascia board.
paznic *s.m.* watchman, guard; *~ de închisoare* turnkey; *~ de sclavi* slave driver.
păcală *s.m.* **1.** dupe, dullard. **2.** *(mucalit)* wag.
păcat I. *s.n.* **1.** sin; *rel. şi* trespass. **2.** *(nenorocire)* pity. **3.** *(vină)* guilt, blame; *~ capital* deadly sin; *~ că* a pity that; *~ul originar / strămoşesc* the original sin; *din ~e* unfortunately. **II.** *interj.* pity!
păcăleală *s.f.* hoax, cheat; *a face cuiva o ~ de 1 aprilie* to make an April fool of smb.
păcăli I. *vt.* to hoax. **II.** *vr.* **1.** to be taken in. **2.** to be mistaken.
păcălici *s.m.* practical joker; wag, joker; *~ul păcălit* the biter bit.
păcălit *s.n.*, **păcălitură** *s.f.* v. p ă c ă l e a l ă.
păcăni *vi.* to click, to rattle.
păcătos I. *s.m.* sinner; trespasser. **II.** *adj.* **1.** sinful, guilty. **2.** *(stricat)* dissolute. **3.** *(rău)* wicked, base. **4.** *(prăpădit)* miserable, wretched.
păcătoşenie *s.f.* misery, wretchedness.
păcătui *vi.* to sin, to trespass.
păcorniţă *s.f. reg.* wooden bowl for keeping crude / fuel oil.
păcurar *s.m. (cioban)* shepherd.
păcură *s.f.* fuel oil.
păcurăriţă *s.f.* **1.** (*ciobăniţă*) shepherdess. **2.** shepherd's wife.
păcuros *adj.* containing fuel oil; like crude / fuel oil.
păducel *s.m.* **1.** *bot.* hawthorn, hedgethorn (*Crataegus monogyna*). **2.** *entom.* harvest mite (*Leptus autumnalis*).
păduche *s.m.* **1.** *entom.* louse *(Pediculus)*. **2.** *(parazit)* cooty. **3.** *fig.* sponger; *~ de lemn* bed bug.
păduchios *adj.* lousy.
pădurar *s.m.* forester.
pădruatic *adj.* **1.** wood..., forest...; (*sălbatic*) wild. **2.** v. p ă d u r o s.
pădure *s.f.* wood, forest.
pădurean I. *adj.* **1.** wood..., forest... **2.** living in a wood / forest. **II.** *s.m.* forest dweller, woodsman.
pădureancă *s.f.* forest dweller.
păduret *adj.* **1.** wild. **2.** *(d. măr)* crab.
pădurice *s.f.* grove.
păduros *adj.* wooded.
păgân *s.m., adj.* heathen, pagan.
păgânătate *s.f.* heathendom.
păgânesc *adj.* heathen(ish); pagan.
păgâneşte *adv.* heathenishly, after the manner of heathens.
păgâni I. *vt.* to paganize, to heathenize. **II.** *vr.* to heathenize.
păgânime *s.f.* heathendom.
păgânism *s.n.* heathenism, paganism.
păgubaş *s.m.* **1.** loser. **2.** victim.
păgubi I. *vt.* to damage. **II.** *vi.* to be out of pocket.
păgubitor *adj.* damaging.
păhărel *s.n.* liqueur glass.
păhărnicie *s.f. ist. României* **1.** cup-bearer's office / rank. **2.** tax on wine.
păi *adv., interj.* well, why; *~ de!* (well) what did I tell you?
păianjen *s.m.* spider; *~ cu cruce* cross spider.
păienjeniş *s.n.* cobweb.
păinjinel *s.m. bot.* lily spiderwort (*Anthericum liliago*).
păioasă *s.f.* (straw) cereal.
păios *adj.* straw.
păiş *s.n.* straw.
păişiţă *s.f. bot.* v. ţ ă p o ş i c ă.
păiuş *s.n. bot.* hair grass (*Agrostis vulgaris*).
păiuşcă *s.f. bot.* sheep's / tall fescue, festuca *(Festuca pseudovina)*.
pălălaie *s.f.* blaze; glow.
pălămar *s.m.* v. p a r a c l i s e r.
pălămidă *s.f.* **1.** *iht.* pelamid, short-finned tunny (*Sarda sarda*). **2.** *bot.* horse thistle *(Cirsium arvense)*.
pălărie *s.f.* **1.** hat. **2.** *(de damă şi)* cap, bonnet. **3.** *(de paie)* boater. **4.** *(melon)* bowler.
pălărier *s.m.* hatter.
pălăvrăgeală *s.f.* babbling; empty talk.
pălăvrăgi *vi.* to chatter, to talk idly.
păli I. *vt.* to hit. **II.** *vi.* to grow pale.
pălimar *s.n.* **1.** rail, railing(s) **2.** v. p r i d v o r. **3.** cable, thick rope.
pălit *adj.* **1.** (*veştejit*) withered; (*de soare*) scorched, burnt; (*bronzat*) sun-burnt; (*decolorat*) washed-out. **2.** (*palid*) pale.
pălitură *s.f.* v. l o v i t u r ă.
păliur *s.m. bot.* Christ's thorn *(Paliurus spinachristi)*.
pălmar *s.n. tehn.* protection glove.
pălmaş *s.m.* farm hand; landless peassant.
pălmui *vt.* to box (smb.'s ears).
păltiniş *s.n.* sycamore-maple grove.
păltior *s.m. bot.* currant bush (*Rides petraeum*).
pămătuf *s.n.* **1.** (shaving) brush. **2.** *(smoc)* tuft.
pământ *s.n.* **1.** earth. **2.** *(uscat)* land. **3.** *(sol)* soil. **4.** *(agricol)* land. **5.** *(globul şi)* the globe, the world. **6.** *astr.* Terra; *~ul făgăduinţei* the land of promise; *ist., rel.* Canaan; *de ~* earthen; *la ~* on the ground.
pământean I. *s.m.* **1.** earthling. **2.** *(băştinaş)* native. **II.** *adj.* **1.** earthly, terrestrial. **2.** *(băştinaş)* native, local; autochthonous.
pământeancă *s.f.* native / local woman; trueborn (female) citizen.
pământesc *adj.* earthly; worldly.

pământiu *adj.* sallow.
pământos *adj.* earth-like, earthy, clayey.
pământel *s.n.* **1.** v. k i s e l g u r. **2.** v. l u t i ș o r.
pănură *s.f. reg.* **1.** v. d i m i e. **2.** kind, type, sort; *de aceeași* ~ of that / the same ilk.
pănușă *s.f.* corn husk; husk (of maize), AE corn husk.
păpa I. *vt.* **1.** to tuck in. **2.** *fig.* to squander. **II.** *vi.* to eat.
păpară *s.f.* v. p a p a r ă.
păpădie *s.f. bot.* dandelion *(Taraxacum officinale).*
păpălău *s.m. bot.* ground / winter cherry (*Physalis Alkekengi*).
păpăludă *s.f.* whip-poor-will *(Caprimulgus vociferus).*
păpuriș *s.n.* reeds.
păpușar *s.m.* puppetteer.
păpușă *s.f.* **1.** *(jucărie)* doll. **2.** *teatru* puppet; *(marionetă)* marionette. **3.** *fig.* tool.
păpușărie *s.f.* **1.** folk puppet show. **2.** v. m a i m u ț ă r e a l ă.
păpușoi *s.m. reg.* **1.** v. p o r u m b. **2.** *pl.* v. p o r u m b i ș t e.
păr *s.m.* **1.** hair *(și pl.).* **2.** *(de porc etc.)* bristles. **3.** *bot.* pear tree *(Pirus communis)*; *în* ~ every man jack; *în doi peri* crazy; ambiguous(ly); *tras de* ~ absurd, preposterous.
părangină *s.f. bot.* spring grass *(Anthroxanthum odoratum).*
părăgini *vr.* **1.** to lie fallow. **2.** *(d. o casă etc.)* to be ruined.
părăginire *s.f.* running wild.
părăginit *adj.* **1.** fallow; weedy. **2.** *(d. o casă etc.)* dilapidated.
părăluță *s.f. bot.* daisy *(Bellis perennis).*
părăsi *vt.* **1.** to abandon. **2.** *(a pleca din)* to leave. **3.** *(a scăpa de)* to get rid of.
părăsire *s.f.* abandonment; neglect.
părăsit *adj.* **1.** abandoned. **2.** *(pustiu)* lonely.
părcan *s.n.* **1.** dam. **2.** frame.
părea I. *vi.* to seem, to appear, to look; *îmi pare bine* I am glad; *îmi pare bine (de cunoștință)* glad to meet you; *îmi pare rău* I am sorry. **II.** *vr.* to seem, to appear; *după cum mi se pare* in my opinion, as I see it; *mi s-a părut că* it seemed to me that.
părelnic *adj.* **1.** imaginary, apparent. **2.** uncertain.
părere *s.f.* **1.** opinion, view. **2.** *(convingere)* conviction. **3.** *(nălucire)* fancy; ~ *de rău* regret; *după ~a mea* in my opinion.
păresimi *s.f. pl. reg.* Lent.
păretar *s.n.* wall rug.
părinte *s.m.* **1.** father. **2.** *pl.* parents. **3.** *(ctitor și)* founder. **4.** *(preot și)* priest.
părintesc *adj.* fatherly; parental.
părintește *adv.* like a father.
păros *adj.* hairy.
părtaș *s.m.* acolyte, accomplice; *a se face* ~ *la o ticăloșie* to hold a candle to the devil.
părtini *vt.* to favour; to abet.
părtinire *s.f.* bias, prejudice.
părtinitor *adj.* biassed, partial.
părui *vr.* to scuffle.
păruială *s.f.* brawl, fray, tussle, scuffle.
păs *s.n.* grievance.
păsa *vi. a-i* ~ *(de ceva etc.)* to care (for smth. etc.) *ce-ți pasă?* never mind.
păsat *s.n.* coarsely ground maize / millet.
păsărar *s.m.* **1.** bird catcher, fowler. **2.** (*vânzător*) bird seller, *fam.* bird man. **3.** (*crescător*) bird fancier.
păsăresc *adj. limbă păsărească fam.* gidderish, Double Dutch.
păsărește *adv. a vorbi* ~, *fam.* to talk gibberish, to jabber.
păsăret *s.n.* birds, fowls, feather.
păsărică *s.f.* **1.** little bird. **2.** *fig.* monomania; a bee in one's bonnet.
păsărime *s.f.* birds.
păsăruică *s.f.* v. p ă s ă r i c ă.
păscălie *s.f.* v. p a s c a l i e.
păscut *s.n.* grazing.
păscuță *s.f. bot.* (common) daisy (*Bellis perennis*).
păstaie *s.f.* pod.
păstârnac *s.m. bot.* parsnip *(Pastinaca sativa).*
păstor *s.m.* shepherd.
păstoresc *adj.* shepherd's...
păstori I. *vt.* to shepherd. **II.** *vi.* to be a shepherd.
păstorie *s.f.* **1.** pastoral condition / life. **2.** *fig.* pastorate, pastorship, pastoral office.
păstorit *s.n.* **1.** shepherding. **2.** *rel.* cure.
păstoriță *s.f.* shepherdess.
păstos *adj.* paste-like; soft.
păstra I. *vt.* **1.** to keep. **2.** to retain. **3.** *(a păzi)* to guard. **II.** *vr.* **1.** to remain. **2.** to reserve oneself.
păstrare *s.f.* keeping, custody.
păstrător *adj.* thrifty.
păstrăv *s.m. iht.* trout *(Salmo trutta).*
păstrugarniță *s.f.* double fishing net.
păstrugă *s.f. iht.* stor sturgeon *(Accipenser stellatus).*
păstură *s.f.* virgin / maiden wax.
păsui *vt.* to allow (smb.) a respite.
păsuială, păsuire *s.f.* delay, respite.
păsuit *adj.* well-fitted; adjusted.
păși I. *vt.* to step over. **II.** *vi.* **1.** to step, to stride. **2.** *fig.* to embark (upon a road).
pășit *s.n.* stepping etc. v. p ă ș i.
păștiță *s.f. bot.* yellow wood anemone (*Anemone ranunculoides*).
pășuna *vb.* v. p a ș t e III.
pășunat *s.n.* v. p ă s c u t.
pășune *s.f.* pasture (land), grassland.
păta *vt.* **1.** to stain. **2.** *fig.* to blemish.
pătare *s.f. bot.* spotting of fruit (infested with *Venturia inaegualis).*
pătat *adj.* spotted, speckled, mottled.
pătăranie *s.f.* predicament, trouble; adventure.
pătimaș I. *adj.* passionate; ardent. **II.** *adv.* passionately.
pătimi *vt., vi.* to suffer.
pătimire *s.f.* suffering(s); torture.
pătlagină *s.f. bot.* plantain *(Plantago).*
pătlăgea *s.f. bot.* tomato *(Solanum lycopersicum)*; ~ *vânătă* eggplant *(Solanum melongena).*
pătrar *s.n.* quarter.
pătrat *s.n., adj.* square.
pătratic *adj.* square.
pătrime *s.f.* **1.** fourth. **2.** *(sfert)* quarter. **3.** *muz.* crotchet.
pătrișor *s.n. poligr.* quad(rat).
pătrunde I. *vt.* **1.** to penetrate. **2.** *(a umple)* to pervade. **3.** *(a înțelege)* to gain insight into. **II.** *vi.* to penetrate. **III.** *vr. a se* ~ *de* to realize (fully).
pătrundere *s.f.* **1.** penetration. **2.** *fig.* insight. **3.** *(clarviziune)* clearsightedness.
pătrunjel *s.m. bot.* parsley *(Petroselinum sativum).*
pătruns *adj.* **1.** *(de)* imbued (with) pervaded (by). **2.** *fig.* moved, touched, impressed (by); *(de)* conscious (of).
pătrunzător *adj.* **1.** piercing. **2.** *fig.* sharp, keen. **3.** *(clarvăzător)* clear-sighted.
pătuiac *s.n.* v. p ă t u l 2.
pătul *s.n.* **1.** *(pt. porumb)* corn. **2.** *(pt. fân)* hayloft.
pătură *s.f.* **1.** blanket. **2.** *fig.* layer, stratum; *pături sociale* sections of the people.
pățanie *s.f.* **1.** adventure. **2.** *(neplăcută)* experience.
păți *vt.* to experience; *a o* ~ to land into trouble; *ce ai ~t?* what's wrong with you?

pățit *adj.* experienced.
păun *s.m. ornit.* peacock *(Pavo cristatus).*
păuniță *s.f. ornit.* peahen.
păzea *interj.* beware!
păzi I. *vt.* **1.** to guard. **2.** *(a apăra)* to shield. **3.** *(a păstra)* to treasure. **II.** *vr.* to be careful; *a se ~ de* to beware of.
păzit I. *adj.* guarded etc. v. p ă z i; *~ de...* safe from... **II.** *s.n.* guarding etc. v. p ă z i.
păzitor *s.m., adj.* guardian.
pâc *interj.* **1.** (*d. fumatul din lulea etc.*) puff! **2.** v. p o c.
pâcâi *vi.* to puff, to draw (at one's pipe).
pâclă *s.f.* mist, fog.
pâclos *adj.* foggy, misty.
pâine I. *s.f.* **1.** bread. **2.** *(franzelă)* (white) loaf. **3.** *fig. și* food; livelihood; job; *~ cu unt* bread and butter; *~ integrală* wholemeal bread; *~neagră* brown bread; *~ prăjită* toast; *~ rece* stale bread; *ca ~a caldă* good natured; *(adverbial)* like hot cakes.
pâinișoară *s.f.* **1.** roll, small loaf. **2.** *bot.* edible mushroom *(Russula).*
pâlc *s.n.* group, cluster.
pâlnie *s.f.* funnel.
pâlpâi *vi.* to flicker.
pâlpâială *s.f.* v. p â l p â i t.
pâlpâit *s.n.* **1.** flaring. **2.** (*ca act*) flare; flicker.
pâlpâitor *adj.* flaring.
pâlpâitură *s.f.* v. p â l p â i t 2.
până I. *prep.* till, until; *~ acum* till now, so far, to date; *~ la* until, till; *(în spațiu)* as far as; *~ la urmă* in the end, eventually; *~ și* even; *~ una alta* in the meantime, for the time being. **II.** *conj. (~ când, ~ ce)* till, until.
pândar *s.m.* guard.
pândă *s.f.* **1.** guard, watch. **2.** *(la vânătoare)* still-hunting.
pândi I. *vt.* **1.** to lie in wait for. **2.** *(vânatul)* to still-hunt. **II.** *vi.* to lurk, to lie in wait.
pândit *s.n.* v. p â n d ă.
pânditor *adj.* watching; eager.
pângări I. *vt.* **1.** to defile. **2.** *(a viola)* to ravish. **II.** *vr.* to be defiled *sau* polluted.
pângăritor *adj.* defiling, profaning.
pântecăraie *s.f. fam.* the runs.
pântece *s.n.* **1.** belly; stomach. **2.** *(al mamei)* womb. **3.** *fig.* entrails.
pântecos *adj.* pot-bellied.
pânzar *s.m.* draper.
pânzat *adj.* linen...
pânză *s.f.* **1.** cloth; tissue. **2.** *artă* canvas. **3.** *mar.* sail. **4.** *(tablou)* picture, canvas; *~ cerată* wax cloth; *~ de păianjen* cobweb.
pânzărie *s.f.* linen.
pânzătură *s.f.* piece of linen; (*prosop*) towel; (*șervet*) napkin.
pânzeturi *s.n. pl.* cloth(s) drapery; linen.
pânzică *s.f.* thin tissue of inferior quality.
pâr *interj.* crack!
pâră *s.f.* denunciation, *argou* squeal.
pâră *s.m. zool.* glis *(Glis).*
pârâi *vi.* to crack.
pârâiaș *s.n.* rivulet, stream.
pârâitoare *s.f.* rattle.
pârâitură *s.f.* crack.
pârâș *s.m. pop.* v. î m p r i c i n a t.
pârât *s.m.* defendant.
pârâtor *s.m.* delator, informer; squeaker.
pârâu *s.n.* **1.** brook, rivulet. **2.** *fig.* stream, flood.
pârcălab *s.m. ist.* chief magistrate of a district (in Moldavia).
pârcălăbie *s.f. ist. României* **1.** rank / function of a „pârcălab" (chief magistrate). **2.** district ruled by a „pârcălab".
pârdalnic *adj.* (ac)cursed, damned.
pârg *s.n. în ~* mellow, ripe; *a da în ~* to grow mellow.
pârgar *s.m. ist. României* **1.** town councillor. **2.** mayor, town's bailiff.
pârghie *s.f.* lever.
pârgui *vr.* to ripen, to colour.
pârguit *adj.* ripe, mellow.
pârî *s.m., vt.* to denounce, to tell on (smb.).
pârjoală *s.f.* minced meat croquette.
pârjol *s.n.* fire, conflagration.
pârjoli *vt.* to burn (down).
pârleală *s.f.* **1.** (slight) burn. **2.** *fig.* (*înșelătorie*) *fam.* swindle, cheating; *(pagubă) fam.* loss; *a-și scoate pârleala fam.* to make good one's loss, to recoup oneself.
pârleaz *s.n.* stile.
pârli I. *vt.* **1.** to singe. **2.** *(a usca)* to scorch. **3.** *fig.* to swindle. **II.** *vr.* **1.** to get burned *sau* singed. **2.** *fig.* to be cheated, to be out of pocket.
pârlit I. *s.m.* pauper. **II.** *adj.* **1.** singed. **2.** *fig.* pauper, poor devil, wretch.
pârlitură *s.f.* (slight) burn.
pârloagă *s.f.* fallow (ground).
pârlogi *vr.* v. p ă r ă g i n i.
pârnaie *s.f. reg.* **1.** large brimmed pot used for cooking. **2.** *pop.* prison, quod, pen.
pârpălac *s.n.* roast meat.
pârpăli I. *vt.* to roast, to grill. **II.** *vr.* to warm oneself, *fam.* to have / get a warm; to bask (in the sun).
pârpără *s.f.* **1.** heat, fire. **2.** *fig.* agitation. **3.** gust (of wind).
pârtie *s.f.* **1.** passage. **2.** *sport* track.
pârtag *s.n.* v. a r ț a g.
pâslari *s.m. pl.* (lumberman's) overs.
pâslă *s.f.* (thick) felt.
pâsli *vr.* v. î m p â s l i.
pâslos *adj.* thick (like felt).
pâș *s.m.* dormouse.
pe *prep.* **1.** on. **2.** *(dinamic și)* upon; onto. **3.** *(peste)* over. **4.** *(temporal)* for, during. **5.** *(în schimbul a)* in exchange for; *~ aici* this way; *~ alocuri* here and there; occasionally; *~ atunci* then; *~ când* while; *~ englezește etc.* in English etc.; *~ jos* on foot; *~ urmă* later; *~ viață și ~ moarte* tooth and nail.
pebrină *s.f. med.* pebrine.
peceneg *adj., s.m.* Petcheneg.
pecetar *s.m.* seal engraver.
pecete *s.f.* seal.
pecetlui *vt.* to seal.
pecetluit *adj.* **1.** sealed; stamped. **2.** *fig.* settled, established for good.
pechblendă *s.f. mineral.* pitchblende, pechblende.
pechinez *s.m. zool.* Pekingese.
pecingine *s.f. med.* ringworm.
pecinginos *adj. med.* dartrous, herpetic.
pecopteris *subst. paleont.* Pecopteris.
pectină *s.f. chim.* pectin(e).
pectoral *adj.* pectoral.
peculiu *s.n.* **1.** earnings of a convict (handed to him on discharge). **2.** *ist. Romei* peculium.
pecuniar *adj.* money...
pedagog *s.m.* educator.
pedagogic *adj.* pedagogic; teaching...
pedagogie *s.f.* pedagogy, pedagogics.
pedala *vi.* to pedal.
pedală *s.f.* pedal.
pedalier *s.n. muz.* pedal board (of organ), pedalier.
pedant I. *s.m.* prig. **II.** *adj.* pedantic, school-marmish.
pedantă *s.f.* priss, prig; prude.
pedanterie *s.f.* pedantry.
pedeapsă *s.f.* penalty; *de ~* punitive; *lovitură de ~ sport* penalty kick *sau* shot.
pedepsi *vt.* to punish; to chasten.
pedepsire *s.f.* punishment.
pedepsitor *adj.* punitive, inflicting punishment.

pederast *s.m.* sod(omite).
pederastie *s.f.* paederasty, sodomy.
pedestraș *s.m.* infantryman; *pl.* the foot.
pedestrime *s.f. înv.* infantry.
pedestru *s.m., adj.* pedestrian.
pediatrie *s.f.* pediatrics.
pediatru *s.m.* pediatrist.
pedicel *s.n. bot.* pedicel, pedicle.
pedichiură *s.f.* pedicure.
pedichiurist *s.m.* chiropodist.
pedicul *s.n. biol.* pedicle.
pediculat *adj. bot.* pediculate.
pediculoză *s.f. med.* pediculosis, phthiriasis, infestation with lice.
pedicuță *s.f. bot.* wolf's claw (*Lycopodium clavatum*).
pedigriu *s.n.* pedigree.
pediment *s.n. geol.* (rock) pediment.
pediplenă *s.f. geogr.* pediplain, pediplane.
pedogeneză *s.f. biol.* p(a)edogenesis.
pedolog *s.m.* **1.** *geol.* pedologist. **2.** *psihol.* p(a)edologist.
pedologic *adj.* **1.** *geol.* soil-cultivating..., pedological. **2.** *psih.* pedologic(al).
pedologie *s.f.* **1.** *geol.* pedology, soil science. **2.** pedology.
pedometru *s.n.* pedometer.
peduncul *s.m. bot., zool., anat.* peduncle.
pedunculat *adj. bot.* pedunculate.
pegamoid *s.n. poligr.* v. p e r g a m o i d.
Pegas *s.m. mit., astr., fig.* Pegasus.
pegmatită *s.f. mineral.* pegmatite.
pegmatitic *adj. geol.* pegmatitic.
pehblendă *s.f.* v. p e c h b l e n d ă.
pehlivan *s.m.* **1.** quack, charlatan, mountebank. **2.** wag, joker; practical joker.
pehlivănie *s.f.* quackery, charlatanism.
peiorativ *adj.* derogatory.
peisagist I. *adj.* landscape. **II.** *s.m.* landscape painter / artist, paysagist.
peisagistic *adj.* landscape...
peisagistică *s.f.* landscape (painting).
peisaj *s.n.* **1.** landscape. **2.** *(natural și)* scenery. **3.** *(marin)* seascape. **4.** *(urban)* townscape.
pejmă *s.f. bot.* musky sweet centaury (*Centaurea moschata*).
pekin(g) *subst.* **1.** *ornit.* Pekin(g) (duck). **2.** *text.* Pekin (fabric).
peladă *s.f. med.* alopecia, pelade.
pelagianism *s.n. rel.* Pelagianism.
pelagic *adj.* pelagic, pelagian.
pelagră *s.f. med.* pellagra.
pelagros *med.* **I.** *adj.* pellagrous. **II.** *s.m.* pellagrin.
pelagrozină *s.f. biochim.* pellagrosin.
pelargonie *s.f. bot.* v. m u ș c a t ă.
pelasgi *s.m. pl. ist. Greciei* Pelasgi(ans).
pelegrin *s.m.* v. p e l e r i n.
pelerin *s.m.* pilgrim.
pelerinaj *s.n.* pilgrimage.
pelerină *s.f.* **1.** mantle. **2.** raincoat.
peletă *s.f. met.* pellet.
peletic *s.n.* brush used in pottery.
peletizare *s.f. met.* pelletization.
pelican *s.m. omit.* pelican *(Pelecanus).*
pelicular *adj.* pellicular; *el. efect ~* skin / kelvin effect.
peliculă *s.f.* **1.** film. **2.** *(de vopsea)* coat.
peliculogen *tehn.* **I.** *adj.* able to form pellicles. **II.** *s.n.* lacquer, varnish that forms a pellicle.
pelin *s.n.* **1.** *bot.* wormwood *(Artemisia absintium).* **2.** wormwood wine.
pelinariță *s.f. bot.* motherwort (*Artemisia vulgaris*).
pelinița *s.f. bot.* artemisia, AE sagebrush *(Artemisia).*
pelit *s.n. geol.* pelite.
peltat *adj. bot.* peltate.
peltea *s.f.* **1.** fruit jelly. **2.** *fig.* cock and bull story.
peltic *adj.* lisping.
pelticeală *s.f.*, **pelticie** *s.f.* lisp, lisping pronunciation.
pelur *s.n.* pelure paper.
peluză *s.f.* **1.** lawn. **2.** *sport* grounds.
pelvian *adj. anat.* pelvic; *centură ~ă* pelvic / hip girdle.
pelviperitonită *s.f. med.* pelviperitonitis.
pelvis *s.n. anat.* pelvis.
pemfigus *s.n. med.* pemphigus.
penaj *s.n.* feathering, plumage.
penal *adj.* criminal.
penalist *s.m.* expert in criminal law.
penalitate *s.f.* penalty.
penaliza *vt.* **1.** to punish. **2.** *sport* to penalize.
penalizare *s.f.* **1.** *jur.* punishment. **2.** *sport* penalization.
penalti *s.n. sport* penalty, kick, shot.
penar *s.n.* pencil case.
penat *adj. bot.* pennate.
penatifid *adj. bot.* pennatifid.
penați *s.m. mitol. Romei* Penates.
pendel *s.n.* plying, shuttle.
pendentiv *s.n. arh.* pendentive.
pendinte *adj. (de)* dependent (on).
pendul *s.n.* pendulum.
pendula *vi.* **1.** to pendulate, to swing. **2.** *fig.* to vacillate.
pendular *adj.* swinging, pendulous.
pendulă *s.f.* grandfather clock.
penel *s.n.* (painter's) brush.
peneplenă *s.f. geol.* peneplain, peneplane.
penetra *vt.* to penetrate.
penetrabil *adj.* penetrable.
penetrabilitate *s.f.* penetrability.
penetrant *adj.* penetrating.
penetranță *s.f. el.* penetrance.
penetrație *s.f.* penetration.
penibil *adj.* painful; uncomfortable.
penicilic *adj. biochim.* penicillic (acid).
penicilinază *s.f. biochim.* penicillinase.
penicilină *s.f.* penicillin.
peninsular *adj. geogr.* peninsular.
peninsulă *s.f.* half-isle.
penis *s.n. anat.* penis, membrum virile.
penitenciar *s.n.* penitentiary.
penitent *s.m.* penitent, person doing penance.
penitență *s.f.* **1.** penance. **2.** (*căință*) penitence, repentance.
peniță *s.f.* nib; pen; ~ *blindată* hooded nib.
pennin *s.n. mineral.* penninite, pennine.
pensă *s.f.* **1.** clip. **2.** *(pliu)* pleat.
pensetă *s.f.* tweezers.
pensie *s.f.* pension; retired pay; ~ *alimentară* alimony; ~ *viageră* life annuity; *la ~* retired; *fig.* on the shelf.
pension *s.n.* academy for young ladies.
pensiona I. *vt.* to pension off. **II.** *vr.* to be pensioned off; to retire.
pensionar *s.m.* pensioner.
pensiune *s.f.* **1.** board and lodging. **2.** *(localul)* pension.
pensulație *s.f. med.* painting.
pensulă *s.f.* brush.
pentacord *s.n. muz.* pentachord.
pentadactil *adj. zool.* pentadactyl.
pentaedru *s.n. geom.* pentahedron.
pentagon *s.n.* pentagon.
pentagonal *adj. geom.* pentagonal.
pentagramă *s.f.* pentagram.
pentametru *s.m. metr.* pentameter.
pentan *s.n. chim.* pentane.
pentanol *s.n. chim.* pentanol.
pentateuh *s.n.* the Pentateuch.
pentatlon *s.n. sport* pentathlon.
pentatlonist *s.m. sport* an athlete practising pentathlon.
pentatonic *adj. muz.* pentatonic (scale).
pentatonică *s.f.* pentatonics.
pentavalent *adj. chim.* pentavalent, quinquivalent.
penteleu *s.n.* kind of cheese.

pentelică *adj. geol.* Pentelican (marble).
penticostal *rel.* **I.** *adj.* Pentecostal. **II.** *s.m.* Pentecostal(ist).
penticostalism *s.n. rel.* Pentecostalism.
penticostar *s.n. bis.* Pentecostarian, book of services and prayers from Easter to Pentecost.
pentodă *s.f. el.* three grid tube.
pentozani *s.m. pl. biochim.* pentosans.
pentoză *s.f. chim.* pentose.
pentru *prep.* **1.** for, (in order) to; in favour of; in defence of. **2.** *(de dragul cuiva)* for smb.'s sake. **3.** *(în loc de)* instead of; ~ *ca* in order that; ~ *că* because; ~ *ce?* why?; ~ *puțin* don't mention it; ~ *zile negre* against a rainy day.
penultim *adj.* last but one, penultimate.
penumbră *s.f.* semidarkness.
penurie *s.f.* penury, scarcity.
peon *s.m.* peon.
peonaj *s.n.* peonage.
pepenărie *s.f.* melonfield.
pepene *s.m. bot.* **1.** melon *(Cucumis melo).* **2.** *(verde)* water melon *(Citrullus vulgaris).*
pepenea *s.f. bot.* hare's foot *(Trifolium arvense).*
pepinieră *s.f.* nursery.
pepit *adj.* pepper and salt.
pepită *s.f.* nugget.
peplu *s.n. ist. antică* peplos, peplum.
peponidă *s.f. bot.* pepo.
pepsic *adj. chim.* pepsic.
pepsină *s.f. chim. etc.* pepsin.
peptide *s.f. pl. biochim.* peptides.
peptizare *s.f. chim.* peptization.
peptonă *s.f. biochim, fiziol.* peptone.
per- *prefix* per-.
peracid *s.m. chim.* peracid.
percal *s.n. text.* percale; cotton cambric.
percepe I. *vt.* **1.** to perceive. **2.** *(impozite etc.)* to levy, to collect. **II.** to be perceptible *sau* perceived.
percepere *s.f.* perception etc. v. p e r c e p e.
perceptibil *adj.* perceptible.
perceptibilitate *s.f. psih.* perceptibility.
perceptiv *adj.* perceptive.
perceptor *s.m.* tax collector.
percepție *s.f.* **1.** perception. **2.** *(financiară)* tax collector's office.
percheziție *s.f.* search; ~ *corporală* bodily search.
percheziționa *vt.* **1.** to search. **2.** *(o casă și)* to comb.
percide *s.n. pl. iht.* percids, perches, Percidae.
perciunat *adj.* with ringlets.
perciune *s.m.* **1.** side curl. **2.** *pl.* side whiskers.
perclorat *s.m. chim.* perchlorate.
percloric *adj. chim.* perchloric.
percolare *s.f. ind., chim., med.* percolation.
percuta *vt.* to percuss.
percutant *adj.* percussive; *obuz* ~ percussion-fuse shell.
percutor *s.n.* firing pin.
percuție *s.f.* percussion; *instrumente de* ~ the percussion.
perdaf *s.n.* **1.** close shave. **2.** *fig.* reprimand; *cu* ~ against the hair.
perdea *s.f.* **1.** curtain. **2.** *(de la altar)* riddel; ~ *de foc mil.* curtain fire; ~ *de fum* smoke screen; *cu* ~ decorous; *fără* ~ smutty; high-kilted.
perdelui *vt. poetic* to screen, to veil.
perditanță *s.f. el.* leakage conductance, leakance.
perdiție *s.f.* perdition.
pereche I. *s.f.* **1.** pair; couple. **2.** *(corespondent)* match, peer, counterpart; *o* ~ *de boi* a yoke of oxen; *o* ~ *de potârnichi* a brace of partridge; *fără* ~ peerless, unrivalled. **II.** *adj.* even.
peregrin *s.m.* pilgrim.
peregrina *vi.* to travel from one place to another.
peregrinaj *s.n. rar* **1.** peregrination, wandering. **2.** pilgrimage.
peregrinare *s.f.* wandering(s).
peregrinație *s.f. rar* v. p e r e g r i n a j.
peremptoriu *adj.* **1.** peremptory. **2.** *(de netăgăduit)* undeniable.
peren *adj.* **1.** *bot.* perennial; evergreen. **2.** *fig.* everlasting.
perenitate *s.f.* perenniality.
perete *s.m.* wall.
pereu *s.n. constr.* stone packing.
perfect I. *s.n.* perfect; *~ul simplu aprox.* the past tense. **II.** *adj.* **1.** perfect, consummate. **2.** irreproachable. **III.** *adv.* **1.** perfectly, faultlessly. **2.** wonderfully. **IV.** *interj.* capital!, excellent!
perfecta *vt.* **1.** to conclude. **2.** *(a perfecționa)* to improve.
perfectare *s.f.* concluding.
perfectibil *adj.* perfectible, improvable.
perfectibilitate *s.f.* perfectibility.
perfectiv *adj. gram.* perfective.
perfecție *s.f.* perfection; consummation; *la* ~ wonderfully.
perfecționa I. *vt.* **1.** to perfect, to improve. **2.** *(engleza etc.)* to brush up. **II.** *vr.* to be perfected, to improve; *s-a ~t la engleză* he has brushed up his English.
perfecționare *s.f.* perfecting; improvement.
perfecțiune *s.f.* perfection.
perfid I. *adj.* perfidious. **II.** *adv.* perfidiously.
perfidie *s.f.* perfidiousness.
perfora *vt.* **1.** *tehn.* to perforate. **2.** to punch; to clip (a ticket etc.).
perforaj *s.n.* boring, drilling, perforation.
perforant *adj.* perforating; (*d. un glonte*) penetrating.
perforare *s.f.* perforation, boring.
perforat *adj. med. etc.* perforated, punched.
perforator *s.n.* **1.** perforator; drilling machine, borer. **2.** *(pt. hârtie)* puncher, die, clippers.
perforație *s.f. și med.* perforation.
performanță *s.f.* performance, stunt; *de* ~ performance.
performer *s.m.* **1.** *sport* performer. **2.** *(artist)* entertainer.
perfuzie *s.f.* perfusion.
pergament *s.n.* parchment.
pergamentos *adj.* parchment-like.
pergamoid *s.n. poligr.* pergamoid, lacquered cloth.
pergamotă *s.f.* v. b e r g a m o t ă.
pergolă *s.f.* pergola.
perhidrol *s.n.* peroxide.
peri- *prefix* peri-.
peria I. *vt.* **1.** to brush. **2.** *fig.* to fawn upon. **II.** *vr.* to brush one's clothes.
periant *s.n. bot.* perianth.
periarterită *s.f. med.* periarteritis.
periartrită *s.f. med.* periarthritis.
periat *s.n.* brushing etc. v. p e r i a.
pericard *s.n. anat.* pericardium.
pericardită *s.f. med.* pericarditis.
pericarp *s.n. bot.* pericarp, seed vessel.
periciclu *s.n. bot.* pericycle.
periclaz *s.n. mineral.* periclase, periclasite.
periclita *vt.* to jeopardize.
pericol *s.n.* **1.** danger, peril. **2.** risk; ~ *de moarte* fatal danger.
pericopă *s.f. bis.* pericope.
periculos *adj.* **1.** dangerous; unsafe. **2.** *(dăunător)* noxious.
peridot *s.m. mineral.* peridot.
peridotit *s.n. mineral.* peridotite.
peridrom *s.n. arh.* peristyle.
perie *s.f.* brush; ~ *de dinți* tooth brush; ~ *de podele* scrubbing brush.
perier *s.m.* **1.** brush maker. **2.** (*vânzător*) brush seller.

periere *s.f.* brushing, arrangement of clothes before dressing.
periferic *adj.* **1.** peripherical. **2.** *fig.* unimportant; second class.
periferie *s.f.* purlieus; outlying district; *la ~* on the outskirts, in the purlieus.
perifiton *s.m. biol.* periphyton.
perifrastic *adj.* **1.** *gram.* periphrastic. **2.** expressed by a circumlocution / periphrasis.
perifrază *s.f.* circumlocution.
perigeu *s.n. astr.* perigee.
periglaciar *adj. geol.* periglacial.
perigon *s.n. bot.* perigone, perigonium.
periheliu *s.n. astr.* perihelion.
perila *s.f. bot.* perilla.
perilimfă *s.f. anat.* perilymph.
perima *vr.* to become obsolete.
perimat *adj.* superannuated.
perimetric *adj.* perimetric, peripheral.
perimetrită *s.f. med.* perimetritis.
perimetru *s.n.* perimeter.
perinda *vr.* to come by turns.
perindare *s.f.* succession; passing.
perinefrită *s.f. med.* perinephritis.
perineu *s.n. anat.* perineum.
perinită *s.f.* kissing dance.
perioadă *s.f.* **1.** period. **2.** *(epocă și)* age, era.
period *s.n.* period(s), courses, menses, monthlies.
periodic I. *s.n.* journal. **II.** *adj.* pori odical; recurrent. **III.** *adv.* recurrently.
periodicitate *s.f.* periodicity.
periodiza *vt.* to divide into periods.
periodizare *s.f.* division into periods.
periost *s.n. anat.* periosteum.
periostită *s.f. med.* periostitis.
peripatetic *adj. filoz.* peripatetic.
peripatetism *s.n.* peripateticism.
peripeție *s.f.* adventure.
periplu *s.n.* periplus.
peripter *arh.* **I.** *adj.* peripteral. **II.** *s.n.* peripteros, periptery.
perisabil *adj.* perishable.
perisabilitate *s.f.* perishableness, perishability.
periscop *s.n.* periscope.
perisodactil *s.n. zool.* perissodactyl.
peristaltism *s.n. fiziol.* peristalsis.
peristil *s.n.* cloister.
perișoare *s.f. pl.* minced meat balls (in soup).
perișor *s.m. bot.* **1.** enchanter's nightshade (*Circaea*). **2.** wintergreen (*Pirola*).
peritectic *s.n. met.* peritectic.
periterestru *adj.* circumterrestrial.
peritoneu *s.n. anat.* peritoneum.
peritonită *s.f. med.* peritonitis.
periuță *s.f.* **1.** (tooth) brush. **2.** *fig.* toady; *~ de unghii* hand scrub.
perlat *adj.* **1.** pearled, adorned with pearls. **2.** pearly, resembling pearls.
perlată *adj. grevă ~ă* ca'canny strike.
perlă *s.f.* **1.** pearl. **2.** *fig.* gem. **3.** *(glumă)* witticism.
perlingual *adj. farm.* perlingual.
perlit *s.n. miner.* perlite.
perlită *s.f. met.* pearlite.
perlon *s.n. text.* Perlon.
permalloy *s.n. met.* Permalloy.
permanent I. *s.n.* perm(anent wave). **II.** *adj.* permanent; perpetual. **III.** *adv.* permanently, perpetually.
permanentiza *vt.* to perpetuate.
permanență *s.f.* **1.** permanence. **2.** *(serviciu)* regular service, people on duty; *în ~* ceaselessly.
permanganat *s.m. chim.* permanganate.
permanganic *adj. chim.* permanganic.
permeabil *adj.* permeable.
permeabilitate *s.f.* permeability, perviousness.
permeametru *s.n. fiz.* permeameter.
permeanță *s.f. fiz.* permeance, permeation.
permian *s.n. geol.* Permian.
permis I. *s.n.* licence. **II.** *adj.* permitted, permissible.
permisie *s.f.* furlough.
permisiune *s.f.* permission, leave.
permite *vt.* **1.** to allow, to permit. **2.** *fig.* to enable (to do smth.); *își poate ~* he can afford it.
permitivitate *s.f. fiz.* permittivity, dielectric constant.
permuta *vt.* to transfer.
permutabil *adj. mat.* permutable, interchangeable.
permutare, permutație *s.f. mat.* permutation.
pernă *s.f.* **1.** *(de dormit)* pillow. **2.** *(de sprijinit)* cushion; bolster.
pernicios *adj.* pernicious, hurtful, injurious (to health), unwholesome.
perniță *s.f.* cushion.
peron *s.n.* platform.
peroneu *s.n. anat.* fibula, splint bone.
perora *vi.* to hold forth, to speechify.
perorație *s.f.* peroration.
peroxid *s.m. chim.* peroxide.
peroxidaze *s.f. biochim.* peroxidases.
perpeleală *s.f.* fret(ting), worry(ing).
perpeli *vr.* to be upset / anxious.
perpendicular I. *adj.* perpendicular. **II.** *adv.* perpendicularly.
perpendiculară *s.f.* perpendicular line.
perpendicularitate *s.f. geom.* perpendicularity.
perper *s.m. ist. fin.* perper (monetary unit in Montenegros).
perperit *s.n. ist. României* 15th-17th century tax.
perpetua I. *vt.* to perpetuate. **II.** *vr.* to be perpetuated.
perpetuare *s.f.* perpetuation.
perpetuitate *s.f.* perpetuity; endlessness.
perpetuu *adj.* perpetual.
perpetuum mobile *s.n. fiz.* perpetuum mobile.
perplex *adj.* perplexed.
perplexitate *s.f.* perplexity.
persan *s.m., adj.* Persian.
persecuta *vt.* to persecute.
persecuție *s.f.* persecution.
perseide *s.f. astr.* Perseids.
persevera *vi.* to persevere.
perseverent I. *adj.* persevering. **II.** *adv.* tenaciously.
perseverență *s.f.* perseverance.
persiană *s.f.* Venetian shutter, *pl. și persiennes.*
persifla *vt.* to taunt, to rail (at).
persiflaj *s.n.* (ill-natured) banter; persiflage, railley, derision.
persiflare *s.f.* **1.** bantering, rallying. **2.** *(ca act)* banter.
persista *vi.* to persist.
persistent *adj.* persistent.
persistență *s.f.* persistence, persistency.
persoană *s.f.* person; individual; *~ fizică* natural person; *~ hipersensibilă* sensitive plant; *~ juridică* corporate body, legal entity; *în ~* personally.
personaj *s.n.* character, personage.
personal I. *s.n.* **1.** personnel, staff. **2.** *ferov.* slow train. **II.** *adj.* **1.** personal. **2.** *(individual și)* individual, one-man, private. **III.** *adv.* personally, in person.
personalism *s.n.* **1.** subjectivism, personalism. **2.** *filoz.* personalism.
personalist *adj., s.m. filoz.* personalist.
personalitate *s.f.* personality.
personalizat *adj.* personalized.
persona non grata *subst. jur.* persona non grata.
personifica *vt.* to personify.

personificare *s.f.* personification.
persorbție *s.f.* absorbption on very porous materials.
perspectivă *s.f.* **1.** prospect, expectation. **2.** *(vedere)* view, vista. **3.** *artă* perspective; *de* ~ long-term; far-reaching.
perspicace *adj.* perspicacious.
perspicacitate *s.f.* perspicacity, clear-sightedness.
persuada *vt.* to persuade.
persuasiune *s.f.* persuasion.
persuasiv *adj.* persuasive.
persulfat *s.m. chim.* persulphate.
perși *s.m. pl. ist.* Persians.
pertinax *s.n. el.* pertinax.
pertinent *adj.* pertinent, apposite, relevant.
pertracta *vt. livr.* **1.** v. d e z b a t e. **2.** to negotiate, to discuss, to treat.
pertractare *s.f.* argument, discussion.
perturba *vt.* to disturb.
perturbare *s.f.* perturbation.
perturbație *s.f.* perturbation, disturbance; *perturbații atmosferice telec.* atmospherics.
perucă *s.f.* **1.** wig. **2.** *ist.* periwig.
peruchier *s.m.* wig maker.
peruvian *adj., s.m.* Peruvian.
peruzea *s.f.* turquoise.
pervaz *s.n.* (window) sash.
pervers I. *adj.* perverse; depraved. **II.** *adv. perversely.* **III.** *s.m.* pervert.
perversitate *s.f.* perversity; immorality.
perversiune *s.f.* perversity.
perverti *vt.* to corrupt.
pervertire *s.f.* perverting.
pervertit *adj.* perverted, corrupt(ed), vicious.
pescador *s.n. nav.* fishing ship.
pescaj *s.n. nav.* draught.
pescar *s.m.* **1.** fisher(man). **2.** *(amator)* angler.
pescărel *s.m. ornit.* ~ *albastru* kingfisher *(Alcedo atthis).*
pescăresc *adj.* fishing, fisherman('s).
pescărește *adv.* like a fisher(man).
pescărie *s.f.* **1.** fishing. **2.** *(magazin)* fishmonger's.
pescărime *s.f.* fish.
pescărit *s.n.* fishing; fish trade.
pescăriță *s.f. ornit.* tern (*Sterna*).
pescăruș *s.m. ornit.* seagull *(Larus).*
pescui *vt., vi.* **1.** to fish. **2.** *(cu undița)* to angle. **3.** *(păstrăvi)* to tickle (trout).
pescuit *s.n.* **1.** fishing, fishery. **2.** *(sportiv)* angling.
pescuitor *s.m.* ~ *de perle* pearl diver; ~ *de bureți* sponge diver.
pesemne *adv.* probably.
peseta *s.f. ec., fin.* peseta.
pesimism *s.n.* pessimism; low spirits.
pesimist I. *s.m.* pessimist. **II.** *adj.* pessimistic, dispirited.
pesmet *s.m.* **1.** biscuit. **2.** *(pâine uscată)* bread crumbs; pulled bread; *(dulce)* rusk.
peso *s.m. ec., fin.* peso.
pestă *s.f.* plague.
peste *prep.* **1.** over, above. **2.** *(dincolo)* across. **3.** *(mai presus de)* beyond; in excess of; ~ *tot* everywhere.
pestelcă *s.f. pop.* flowered apron.
pesticid *s.n.* pesticide, pestkiller.
pestilent *adj.* pestilent.
pestilențial *adj.* fetid, foul.
pestriț *adj.* variegated, motley; ~ *la mațe* cold-livered.
pestrițat *adj. pop.* v. î m p e s t r i ț a t.
peș *s.n. într-un* ~ on one side; aslant, aslope, slantwise.
peșcheș *s.n.* **1.** *ist. României* gift sent by rulers of Moldavia and Wallachia to the sultan. **2.** *fam.* v. c a d o u. **3.** v. m i t ă.
peșin *adj. bani* ~ hard cash, ready money.
pește *s.m.* **1.** fish. **2.** *fig.* fancyman, mackerel; *ca ~le pe uscat* ill at ease.
peșteră *s.f.* grotto, cave.
petală *s.f.* petal.
petardă *s.f.* (fire) cracker.
peteală *s.f.* v. b e t e a l ă.
peteșie *s.f. med.* petechiae.
petic *s.n.* **1.** patch. **2.** *(de hârtie)* scrap.
peticărie *s.f.* rags, shreds.
petici *vt.* to patch.
peticit *adj.* patched.
petit *s.n. poligr.* 8-point, brevier.
petitoriu *adj. jur.* petitory.
petiție *s.f.* petition; application.
petiționa *vi.* to petition.
petiționar *s.m.* petitioner.
petliță *s.f.* braid.
petrarchism *s.n. lit.* Petrarchianism, Petrarchism.
petrarchist *adj., s.m.* Petrarchist, Petrarch(i)an.
petrecanie *s.f.: a face cuiva de* ~ to do smb. in.
petrecăreț *adj.* jolly, gay.
petrece I. *vt.* to spend. **II.** *vi.* to have a good time, to enjoy oneself. **III.** *vr.* to take place, to occur.
petrecere *s.f.* **1.** merry-making. **2.** *(chef)* carousal, spree, blow-out. **3.** *(serată)* party, at home; ~ *de bărbați* stag party; ~ *de cucoane* hen party.
petrel *s.m. ornit.* petrel (*Larus canus*).
petrifica I. *vt.* to petrify. **II.** *vr.* to turn into stone, to petrify.
petrificare *s.f.* petrification, petrifaction; fossilization.
petrificat *adj.* **1.** petrified. **2.** *fig.* petrified, paralysed (with fear); transfixed (with admiration).
petrochimic *adj.* petrochemical.
petrochimie *s.f.* petrochemistry.
petroduroscop *s.n. tehn.* rock-hardness measuring instrument.
petroglifă *s.f.* petroglyph.
petrograf *s.m.* petrographer.
petrografie *s.f.* petrography.
petrol *s.n.* (crude) oil; ~ *lampant* kerosene.
petrolatum *s.n. chim.* petrolatum.
petrolier I. *s.n.* tanker. **II.** *adj.* oil petroleum.
petrolifer *adj.* oil(bearing).
petrolist *s.m.* **1.** oil engineer. **2.** oil magnate. **3.** oilfield worker.
petrologie *s.f.* petrology.
petromax *s.n.* kerosene lamp.
petunie *s.f. bot.* petunia *(Petunia).*
peți *vt.* to woo.
pețiol *s.n. bot.* petiole, leaf stalk.
pețiolat *adj. bot.* petiolate(d).
pețit *s.n.* **1.** asking in marriage; wooing. **2.** match-making.
pețitoare *s.f.* matchmaker.
pețitor *s.m.* suitor, wooer.
pezevenchi *s.m.* knave.
pfund *s.m.* pound.
phii *interj.* why!
ph-metru *subst.* pH-measuring instrument.
phylloceras *s.m. zool.* Phylloceras.
pi *s.m. mat. etc.* pi.
pia mater *subst. anat.* pia mater.
pian *s.n.* piano; ~ *cu coadă* concert grand.
pianină *s.f.* cottage piano.
pianissimo *adv. muz.* pianissimo.
pianist *s.m.* pianist.
pianistic *adj.* pianistic.
piano *adv. muz.* piano, softly.
pianolă *s.f. muz.* pianola.
piarist *adj. s.m. rel.* Piarist.
piastru *s.m.* piastre.
piatră *s.f.* **1.** stone. **2.** *(mică)* gravel. **3.** *med.* calculus, gravel. **4.** *(tartru)* tartar; ~ *acră* alum; ~ *de hotar* land mark; ~ *de încercare* touchstone, acid test; ~ *de moară* millstone; ~ *de mormânt* grave stone, tombstone; ~ *de pavaj* road metal; ~ *de temelie* head stone; ~ *de var* limestone; ~ *filozofală*

philosopher's stone; ~ *fundamentală* fundation stone; ~ *kilometrică* milestone; ~ *ponce* pumice stone; ~ *prețioasă* gem, jewel; ~ *unghiulară* corner stone; ~ *vânătă* blue vitriol; *ca piatra* stone hard; *de* ~ hard, stony.
piață *s.f.* **1.** market. **2.** *arh.* square; *pe* ~ in the market.
piațetă *s.f.* small square.
piază rea *s.f.* **1.** hoodoo. **2.** *(cobe)* calamity howler.
pic *s.n.* **1.** bit, drop. **2.** *nav.* peak.
pica I. *vt.* *(la examen)* to spin. **II.** *vi.* **1.** to fall, to drop. **2.** *(a veni)* to pop in. **3.** *(la examen)* to fail.
picador *s.m.* picador.
picaj *s.n.* diving.
picant *adj.* **1.** pungent. **2.** *(decoltat)* racy.
picaresc I. *adj. lit.* picaresque. **II.** *s.n.* the Picaresque.
pică *s.f.* **1.** *(dușmănie)* spite, grudge. **2.** *(la cărți)* spades.
picător *s.n.* pipette.
picătură *s.f.* drop; *picătura care umple paharul* the last straw (that breaks the camel's back); *printre picături* in between.
picățele *s.f.* spots; (polka) dots; *cu* ~ spotted.
picher *s.m.* *drumuri* overseer.
pichet[1] *s.n.* **1.** picket. **2.** *text.* piqué.
pichet[2] *s.m.* *(țăruș)* stake, post.
pichet[3] *s.n. mil. etc.* picquet, picket.
picheta *vt.* to stake / mark out.
pici *s.m.* urchin, brat.
picior *s.n.* **1.** leg. **2.** *(labă)* foot; ~ *peste* ~ crosslegged; *cu picioarele goale (adjectival)* barefooted; *(adverbial)* barefoot; *cu ~ul* on foot; *în picioare* on one's feet; *(drept)* upright, standing; *pe ~ de egalitate* on the same footing.
picioroange *s.f. pl.* stils.
piciorуș *s.n.* little leg (of bird, insect etc.).
piclare *s.f. ind. pielăriei* pickling (of hides).
picni *vt.* **1.** to hit; *(a cuprinde, a apuca)* to seize. **2.** *fig.* to sting.
picnic *s.n.* picnic.
picnometru *s.n. fiz.* pycnometer, picnometer.
pico- *prefix* pico-.
picofarad *s.m. el.* picofarad, micromicrofarad.
picoliță *s.f.* young waitress.
picolo *s.m.* young waiter.
picon *s.n. min.* picking drill.
picoteală *s.f.* doze, drowse.
picoti *vi.* to doze, to drowse; *(șezând)* to nod.
picrat *s.m. chim.* picrate.
picric *adj. chim.* picric.
picta *vt., vi.* to paint.
pictografie *s.f.* pictography.
pictor *s.m.* painter, artist; ~ *decorator* stage designer, scene painter; ~ *de firme* sign painter.
pictoriță *s.f.* paintress.
pictural *adj.* pictorial.
pictură *s.f.* **1.** painting. **2.** *(tablou și)* picture; ~ *în ulei* oil painting.
piculină *s.f.* piccolo.
picup *s.n.* (electric) gramophone.
picur *s.m.* **1.** v. picătură. **2.** *(picurare)* dripping. **3.** *fig.* chimes.
picura I. *vt.* to let drop. **II.** *vi.* to drip.
picurar *s.n. constr.* v. lăcrimar.
picurare *s.f.* dripping; pouring out drop by drop.
pidosnic I. *adj.* odd, queer. **II.** *s.n. bot.* honeywort (*Cerinthe minor*).
piedestal *s.n.* pedestal.
piedică *s.f.* **1.** obstacle, hindrance. **2.** *fig.* impediment. **3.** *(la pistol etc.)* sear. **4.** *(frână)* brake. **5.** *(pusă cuiva)* trip. **6.** *(pt. cal)* hobble.
piedicuță *s.f. bot.* wolf's claw (*Lycopodium clavatum*).
pieire *s.f.* destruction; death; fall, downfall.
pielar *s.m.* **1.** leather dresser. **2.** leather merchant.
pielărie *s.f.* leather goods.
pielcea *s.f.* skin of a young lamb.
piele *s.f.* **1.** skin. **2.** *(de animale)* hide. **3.** *(lucrată)* leather; ~ *de drac* velvet leather; ~ *de lac* patent leather; *de* ~ leather; *în ~a goală* in buff; *numai ~a și osul* raw-boned.
pielită *s.f. med.* pyelitis.
pieliță *s.f.* **1.** peel, film. **2.** *(la unghii)* hangnail.
pielografie *s.f. med.* pyelography.
pielonefrită *s.f. med.* pyelonephritis.
piemie *s.f. med.* pyaemia.
piemont *s.n. geol.* piedmont.
piept *s.n.* **1.** breast. **2.** *(sâni)* breasts, bust. **3.** *(coșul pieptului)* chest.
pieptar *s.n.* **1.** singlet. **2.** *(de cămașă)* shirt front.
pieptăna I. *vt.* **1.** to comb. **2.** *text. și to card.* **3.** *fig.* to brush up. **II.** *vr.* to comb one's hair.
pieptănar *s.m.* comb maker.
pieptănare *s.f. text.* combing.
pieptănariță *s.f. bot.* dog's-tail grass (*Cynosurus cristatus*).
pieptănat *s.n.* combing etc. v. pieptăna; hair-do.
pieptănătoare *s.f. text.* comber (machine).
pieptănătură *s.f.* hair-do.
pieptene *s.m.* comb; ~ *des* small-toothed comb.
pieptiș I. *adj.* **1.** (*d. munți etc.*) abrupt, steep. **2.** (*d. o luptă etc.*) hand-tohand. **II.** *adv.* **1.** abruptly. **2.** *fig.* openly, frankly; boldly. **3.** (*a lupta*) hand to hand.
pieptos *adj.* broad-chested.
pierde I. *vt.* **1.** to lose. **2.** *(a scăpa)* to miss. **3.** *(a irosi)* to waste. **4.** *(a ruina)* to destroy. **5.** *(o ființă dragă)* to be bereft of; *a-și* ~ *culoarea* to lose colour; *a* ~ *din vedere* to overlook, *(pe cineva)* to lose sight of. **II.** *vi.* to lose. **III.** *vr.* **1.** to be / get lost. **2.** *fig.* to lose one's nerve / head.
pierdere *s.f.* **1.** loss. **2.** *pl.* damage. **3.** *mil.* casualties; *în* ~ losing; at a loss.
pierde-vară *s.m.* loafer.
pierdut *adj.* lost (in thoughts etc.).
pieri *vi.* **1.** to perish, to die. **2.** *(a dispărea)* to vanish; *a* ~ *de sabie* to die by the sword.
pierit *adj.* **1.** sickly. **2.** *(speriat)* frightened (out of one's wits).
pieritor *adj.* perishable; transitory, frail.
pieritură *s.f. pop.* weakly / starving / sickly animal, cripple.
piersic *s.m. bot.* peach tree *(Prunus persica).*
piersică *s.f.* peach.
pierzanie *s.f.* **1.** loss. **2.** perdition; undoing.
pierzare *s.f.* v. pieire.
piesă *s.f.* **1.** piece. **2.** *(la șah și)* chessman. **3.** *(de teatru)* play; *pl.* drama. **4.** *(de mașină)* machine part; ~ *bulevardieră* low-brow drama; ~ *de concert* concert stück; ~ *de muzeu* curio; ~ *de rezervă / schimb* spare(part); ~ *de rezistență* pièce de résistance.
piesetă *s.f. teatru* short play.
pietà *s.f. artă* pietà.
pietate *s.f.* piety; reverence.
pietin *s.m. vet.* foot rot.
pietism *s.n. rel.* pietism.
pieton *s.m.* pedestrian; ~ *distrat* jay walker.
pietonal *adj.* pedestrian.
pietrar *s.m.* **1.** stone hewer. **2.** stone mason.
pietrărie *s.f.* **1.** (*carieră*) quarry. **2.** stones. **3.** (*meserie*) stonecutter's trade.
pietriș *s.n.* gravel.

pietroaică *s.f. ornit.* v. p i e t r o ș e l 1.
pietroi *s.m.* boulder.
pietros *adj.* **1.** full of stones, stony; (*d. o plajă*) flinty, pebbly, shingly. **2.** *fig.* (as) hard as stone, stone-hard.
pietroșel *s.m.* **1.** *ornit.* linnet, linwhite, lemon bird (*Linota-cannabina*). **2.** *iht.* v. p o r c u ș o r 1. **3.** *iht.* mud fish (*Umbra*).
pietrui *vt.* to metal.
pietruit *adj.* paved, metalled.
piez *s.m. fiz.* pieze.
pieziș I. *adj.* **1.** slanting. **2.** *(strâmb)* wry. **3.** *(d. privire)* scowling. **II.** *adv.* **1.** obliquely. **2.** *fig.* hostilely.
piezoelectric *adj.* piezoelectric.
piezoelectricitate *s.f. fiz.* piezoelectricity.
piezometru *s.n. fiz.* piezometer.
pifan *s.m. fam.* footslogger.
piftie *s.f.* **1.** pig's trotters. **2.** *fig.* jelly.
pigment *s.m.* pigment.
pigmenta *vt., vr.* to pigment.
pigmentat *adj.* pigmented.
pigmentație *s.f.* pigmentation.
pigmeu *s.m.* **1.** pigmy. **2.** *fig.* runt.
piguli *vt.* v. c i u g u l i.
pijama *s.f.* pyjamas.
pilaci *adj. fam.* boozer, guzzler.
pilaf *s.n.* **1.** pilaff. **2.** *fig.* jelly, pulp.
pilastru *s.m.* pilaster.
pilă *s.f. s.m.* **1.** file. **2.** *el.* battery. **3.** *fig.* wangle, prop. **4.** *(persoană)* wangler; ~ *atomică* atomic pile.
pildă *s.f.* example; *de* ~ for instance / example.
pildui *vt.* to teach by example(s).
pilduitor *adj.* **1.** exemplary, model. **2.** illustrative, eloquent, convincing.
pileală *s.f.* **1.** *fam.* guzzling. **2.** *fam.* the devil in solution, booze.
pileati *s.m.pl. ist.* v. t a r a b o s t e s.
pili I. *vt., vi.* **1.** to file. **2.** *(a bea)* to booze. **II.** *vr.* to be tipsy, to be lit up.
pilier *s.n.* **1.** *min.* cog, chock. **2.** *sport* (rugby) prop forward.
pilire *s.f. tehn.* filing.
pilit *adj.* tipsy, halfseas over.
pilitură *s.f.* filings.
pilocarpină *s.f. farm.* pilocarpine.
pilon *s.m.* **1.** pillar. **2.** *(de pod)* pier.
pilonare *s.f. constr.* pounding, ramming, punning, tamping.
pilor *s.m. anat., zool.* pylorus.
piloriză *s.f. bot.* pileorhiza, root cap.
pilos *adj.* **1.** pilose, pilous, hairy. **2.** *fam.* using / having props / furrows / wanglers.
pilot I. *s.m.* **1.** pilot; ~ *de încercare* test pilot. **2.** *constr.* pile. **II.** *adj.* pilot.
pilota *vt.* to pilot.
pilotaj *s.n.,* pilotare *s.f.* **1.** piloting; steering. **2.** *ferov.* handsignalling.
pilotă *s.f.* eiderdown.
pilotină *s.f. nav.* piloting boat.
pilozitate *s.f. anat.* pilosity; hairiness.
pilug *s.n.* pestle; *a tunde* ~ to crop close.
pilulă *s.f.* pill.
pin *s.m. bot.* pine *(Pinus).*
pinacee *s.f. pl. bot.* Pinaceae.
pinacotecă *s.f.* picture gallery.
pindaric *adj.* Pindaric.
pineal *adj. anat. glandă ~ă* pineal gland / body.
pinen *s.m. chim.* pinene.
pingea *s.f.* half-sole.
pingeli *vt.* to sole, AE to tap.
pingpong *s.m.* table tennis.
pinguin *s.m. ornit.* penguin *(Alca).*
pinion *s.n. tehn.* pinion.
pinolă *s.f. tehn.* tail spindle.
pinten *s.m.* spur.
pintenat I. *adj.* spurred. **II.** *s.m. cocoș* ~ spurred cock.
pintenog *adj.* with white-spotted legs.
pinulă *s.f. foto.* sight vane.
pinzgau *s.n. zool.* Pinzgau(er) (horse breed).
piodermită *s.f. med.* pyodermatitis.
piolet *s.m.* ice axe, piolet.
pion *s.m.* pawn.
pioneză *s.f.* v. p i u n e z ă.
pionier *s.m.* **1.** pioneer. **2.** *mil. și* engineer. **3.** *fig. și* trail blazer.
pionierat *s.n.* pioneer's work.
pionieresc *adj.* pioneer's...
pioree *s.f. med.* pyorrhea.
pios *adj.* pious.
piotorax *s.n. med.* pyothorax; empyema.
pipa *vi., vt. pop.* to smoke.
pipă *s.f.* pipe.
pipăi *vt.* **1.** to feel, to touch. **2.** *(a mângâia)* to fondle; to pet.
pipăială *s.f.* fondling; petting.
pipăibil *adj.* palpable; concrete; touchable.
pipăit *s.n.* touch.
pipăra v. p i p e r a.
pipe-line *s.n. tehn.* pipeline.
piper *s.n.* **1.** pepper. **2.** *bot.* pepper *(Piper nigrum).*
pipera *vt.* to pepper; to season.
piperacee *s.f. pl. bot.* Piperaceae.
piperat *adj.* **1.** hot, (highly) seasoned. **2.** *fig. (d. preț)* stiff. **3.** *(obscen)* ribald, randy.
piperazină *s.f. chim.* piperazine.
piperment *s.n.* peppermint beverage.
piperniceală *s.f.* stunted growth / development; dwindling.
pipernici *vr.* to be / become stunted in one's growth, to dwindle.
pipernicit *adj.* stunted.
pipernință *s.f.* pepper box / caster / castor.
piperonal *s.m. farm.* piperonal.
pipetă *s.f.* dropper.
pipirig *s.m. bot.* Dutch rush, pewter / shave grass (*Equisetum hiemale*).
pipotă *s.f.* gizzard.
pir *s.n. bot.* couch grass, twitch (*Agropyrum repens*).
piraia *s.f. iht.* piranha, caribe *(Rooseveltiella piraya).*
piramidal *adj.* pyramidal.
piramidă *s.f.* pyramid.
piramidon *s.n.* amidopyrin.
pirandă *s.f.* gypsy (woman / girl).
piranometru *s.n. astr.* pyranometer.
pirargirit *s.n. mineral.* pyrargyrite, argrythrose, dark-red silver ore.
pirat *s.m.* pirate, corsair.
pirateresc *adj.* piratical.
piraterie *s.f.* piracy.
piretoterapie *s.f. med.* pyretotherapy.
pireu *s.n.* purée; (*de cartofi*) mashed potatoes, potato mash.
pirexie *s.f. med.* pyrexia, fever.
pirheliograf *s.n. astr.* pyrheliometer.
pirheliometru *s.n. astr.* pyrheliometer.
piridină *s.f. chim.* pyridin(e).
piridoxină *s.f. biochim.* pyrodixin.
piriform *adj.* pyriform, pear-shaped.
pirită *s.f. geol.* pyrites.
piritos *adj.* pyritic.
piro- *prefix* pyr(o)-.
pirocatechină *s.f. chim., foto.* pyrocatechin, pyrocatech(in)ol.
piroclastic *adj. geol.* pyroclastic.
piroclastit *s.n. geol.* pyroclast.
piroelectricitate *s.f.* pyroelectricity.
pirofilit *s.n. min.* pyrophillite.
pirofor *s.m. chim.* pyrophorous.
piroforic *adj.* pyrophoric, pyrophorous.
pirogalic *adj. chim. acid* ~ pyrogallic acid.
pirogalol *s.n. chim.* pyrogallol.
pirogă *s.f.* canoe.
pirogenare *s.f. chim.* pyrogenation.
pirolignos *adj. chim.* pyrolign(e)ous.
pirognostie *s.f.* pyrognostics.
pirogravor *s.m.* pyrographer.
pirogravură *s.f.* pyrogravure, pyrography, poker work.
pirol *s.n. chim.* pyrrol(e).
pirolatrie *s.f. rel.* fire worship, pyrolatry.

piroliză *s.f. chim.* pyrolysis.
piroluzit *s.n. min.* pyrolusite; polianite.
piromanie *s.f.* pyromania, incendiarism.
pirometamorfism *s.n. geol.* pyrometamorphism.
pirometric *adj. fiz.* pyrometric.
pirometrie *s.f.* pyrometry.
pirometru *s.n. fiz.* pyrometer.
piron *s.n.* spike, nail.
pironi *vt.* to nail (down); to rivet.
pironit *adj.* rivet(t)ed; *fig.(d. oameni)* immobilized, fixed.
pirop *s.m. min.* pyrope.
piroplasmoză *s.f. med. vet.* piroplasmosis.
piroscaf *s.n. înv. nav.* steamship.
piroscop *s.n.* pyroscope, pyrometer.
piroscopic *adj.* pyrometric(al).
pirosferă *s.f.* pyrosphere.
pirostrii *s.f. pl.* wedding coronets.
piroșcă *s.f.* patty.
piroteală *s.f.* v. p i c o t e a l ă.
pirotehnic *adj.* pyrotechnic(al).
pirotehnician *s.m.* pyrotechnist.
pirotehnie *s.f.* pyrotechnics.
piroti *vi.* v. p i c o t i.
piroxen *s.m. min.* pyroxene.
piroxenit *s.n. min.* pyroxenite.
piroxilină *s.f. ind. chim.* pyroxyle, pyroxyline.
pirpiriu *adj.* thin; frail.
piruetă *s.f.* pirouette.
pirui *vi.* to trill; to twitter.
piruvic *adj. chim.* pyruvic (acid).
pis *interj. a nu zice nici ~ fam.* to keep mum.
pisa *vt.* **1.** to pound; to grind. **2.** *fig.* to pester.
pisanie *s.f. bis.* rotive in the church porch.
pisar *s.m. ist. României* ruler's secretary.
pisălog I. *s.m.* bore, bothering fool. **II.** *s.n.* pestle. **III.** *adj.* pestering, pernickety.
pisălogeală *s.f.* nagging.
pisălogi *vt.* v. p i s a.
pisc *s.n.* peak, summit.
piscicol *adj.* piscicultural.
piscicultură *s.f.* pisciculture, fish breeding.
piscină *s.f.* piscine.
piscoaie *s.f.*, **piscoi** *s.n.* **1.** millhopper spout. **2.** *muz.* pipe.
piscui *vi.* **1.** v. c i r i p i. **2.** v. p i u i.
pisic *s.n.* kitten.
pisică *s.f. zool.* cat; ~ *sălbatică* wild cat.
pisicesc *adj.* cat's..., catlike, cattish.
pisicește *adv. like a cat.*
pisicuță *s.f.* kitten.
pisoi *s.m.* kitten.
pisolit *s.n. geol.* pisolite.
pisolitic *adj. min.* pisolitic.
pistă *s.f.* **1.** track. **2.** *av.* runway; ~ *de zgură* dirt-track.
pistil *s.n. bot.* pistil.
pistol *s.n.* pistol, revolver; ~ *mitralieră* Bren gun.
pistolet *s.n.* pistol.
piston *s.n.* **1.** piston. **2.** *(de pompă)* plunger.
pistona *vt.* **1.** *min.* to swab. **2.** *fig. (a sonda)* to sound; *(a stărui pe lângă)* to urge.
pistonfon *s.n. el.* pistonphone.
pistrui *s.m.* freckle.
pistruiat *adj.* freckled.
pișa *pop. vulg.* **I.** *v.r.* to piss, to urinate, to relieve nature. **II.** *v.t.* to piss (on), to wet.
pișat *s.n. pop. vulg.* **1.** piss, urine. **2.** pissing, urination.
pișca I. *vt.* **1.** to pinch. **2.** *(a înțepa)* to sting, to bite. **II.** *vi.* to be sharp / pungent.
pișcător *adj.* pinching etc. v. p i ș c a.
pișcătură *s.f.* sting, bite.
pișcot *s.n.* sweet biscuit.
pișicher I. *adj.* crafty, sly, roguish. **II.** *s.m.* crafty person, *fam.* old fox, slyboots.
pișleag *s.n.* nail that connects the rims of a wheel.
pitac I. *s.m. fam.* farthing, penny. **II.** *ist.* decree, order.
pitagoreic *adj.* Pythagorean.
pitagoreism *s.n. filoz.* Pythagor(ean)ism.
pitagorician *s.m.* Pythagorean.
pitar *s.m. ist. României* baker who supplied the court with bread, purveyor.
pitarcă *s.f. bot.* rought boletus (*Boletus scaber*).
pită *s.f. reg.* v. p â i n e.
pitecantrop *s.m.* pithecanthrope.
piti *vt., vr.* to hide.
pitic I. *s.m.* **1.** dwarf. **2.** *fig.* midget, Lilliputian. **II.** *adj.* midget, Lilliputian.
pitice *adj. ist.* Pynthian (games etc.).
pitiriazis *s.n. med.* pityriasis.
piton I. *s.m. zool.* python *(Python).* **II.** *s.n.* piton, peg.
pitoresc I. *s.n.* picturesqueness. **II.** *adj.* picturesque.
pitpalac *s.m. ornit.* quail *(Coturnix coturnix).*
pitting *s.n. tehn.* pitting.
pituitrină *s.f. farm.* Pituitrin.
pitula *vr.* to crouch.
pitulice *s.f. ornit.* warbler *(Phylloscopus).*
pitura *vt. nav.* to paint (a ship).
pitură *s.f. nav.* ship paint.
pițigăia I. *vt.* to make (one's voice) shrill. **II.** *vr.* to speak in sharps and trebles.
pițigăiat *adj.* shrill, squeaky.
pițigoi *s.m. ornit.* tit *(Parus).*
pițulă *s.f.* **1.** *fam. ist.* Austro-Hungarian monetary unit. **2.** *fam.* farthing, penny.
piu *interj.* cheep!
piua *vt.* to felt, to full.
piuar *s.m. text.* felter, fuller.
piuare *s.f. ind. text.* milling.
piuă *s.f.* fulling mill; *piua întâi* I bag, bags I.
piui *vi.* to peep.
piuit *s.n.* peeping.
piuitură *s.f.* cheep, peep.
piuliță *s.f.* **1.** mortar. **2.** *(de șurub)* screw nut.
piuneză *s.f.* push / drawing pin.
pivnicer *s.m.* cellarman.
pivniță *s.f.* (wine) cellar.
pivot *s.n.* pivot.
pivota *vi.* to swivel.
pivotant *adj.* swivel.
pix *s.n.* push-button pencil.
pixidă *s.f. bot.* pyxidium, pyxis.
pizmaș *adj.* envious; covetous.
pizmă *s.f.* envy; covetousness.
pizmui *vt.* to envy; to covet.
pizzicato *s.n. muz.* pizzicato.
plac *s.n.* liking; *după bunul său ~* at one's will.
placa *vt. sport* to tackle; to collar.
placaj *s.n.* **1.** plywood. **2.** *(furnir)* veneer.
placardă *s.f.* placard, poster.
placare *s.f.* **1.** plating. **2.** veneering. **3.** *sport* tackle.
placă *s.f.* **1.** plate. **2.** *(disc)* (gramophone) record. **3.** *(pt. școală)* slate. **4.** *(comemorativă)* plaque; *plăci aglomerate* chipboard; *plăci fibroase* fibre board.
placentar *adj. anat.* placental.
placentație *s.f. bot.* placentation.
placentă *s.f.* placenta.
plachetă *s.f.* booklet.
placheu *s.n.* v. b l a c h e u.
plachie *s.f.* kind of fish meal (cooked with onion and oil).
placid I. *adj.* placid, unresponsive. **II.** *adv.* placidly, listlessly.
placiditate *s.f.* placidity, listlessness.
placodermi *s.m. pl. paleont.* Placodermi.
placodonta *s.n. pl. paleont.* Placodonitia.

plafon *s.n.* **1.** ceiling. **2.** *fig.* *și* limit.
plafona *vt.* to limit.
plafonieră *s.f.* ceiling light.
plagă *s.f.* **1.** wound. **2.** *fig.* scourge, canker.
plagia *vt.* to plagiarize.
plagiat *s.n.* plagiarism.
plagiator *s.m.* plagiarist.
plagioclaz *s.n.* *mineral.* plagioclase.
plagiostom *s.m.* *zool.* plagiostome.
plai *s.n.* **1.** table land. **2.** region.
plajă *s.f.* beach, sands.
plan I. *s.n.* **1.** *(suprafață)* plane. **2.** *(proiect)* plan, project; *(al unei instalații etc.)* layout. **3.** *(punctaj)* outline. **4.** *(schemă)* draft, blueprint; ~ *de învățământ* syllabus; ~ *de perspectivă* long term plan; *fig.* far-reaching plan; ~ *șesenal* sau *de șase ani* six-year plan; *pe* ~ *mondial* on the world plane; *pe* ~*ul al doilea* in the middle ground; *fig.* in the second place; *în prim* ~ in the foreground; *fig.* first and foremost. **II.** *adj.* **1.** plane. **2.** (neted) level.
plana *vi.* to glide, to hover.
planarie *s.f.* *zool.* Planaria (worm).
planat *adj.* *av.* *zbor* ~ volplane, gliding flight, glide; *a coborî în zbor* ~ to volplane.
planator *s.n.* **1.** *tehn.* plane set hammer. **2.** *met.* clamp for holding down plates.
plancton *s.n.* *biol.* plankton.
planeitate *s.f.* inherent flatness (of plane surface).
planetar *adj.* **1.** planetary. **2.** *tehn.* planet.
planetariu *s.n.* planetarium, orrery.
planetă *s.f.* planet.
planetoid *s.m.* *astr.* planetoid.
planeză *s.f.* *geogr.* planeze.
planic *adj.* planned, proportional.
planifica *vt.* to plan.
planificare *s.f.* planning.
planificat *adj.* planned.
planificator *s.n.* planner.
planiglob *s.n.* *geogr.* planisphere.
planimetra *vt.* to plot.
planimetrare *s.f.* plotting.
planimetric *adj.* planimetric(al).
planimetrie *s.f.* planimetry.
planimetru *s.n.* planimeter.
planisferă *s.f.* planisphere.
planisferic *adj.* planispheric(al).
planor *s.m.* *av.* glider, sail plane.
planorbis *s.m.* *zool.* planorbis (snail).
planorism *s.n.* gliding.
planorist *s.m.* glider pilot.
planșă *s.f.* **1.** drawing. **2.** *(poză)* plate. **3.** *(planșetă)* drawing board.
planșetă *s.f.* draughtsman's board.
planșeu *s.n.* (concrete) floor.
planta *vt.* **1.** to plant. **2.** *și fig.* to set.
plantaginacee *subst.* *bot.* Plantaginaceae.
plantat *s.n.* planting.
plantatoare *s.f.* planting machine.
plantator *s.m.* planter; farmer.
plantație *s.f.* plantation.
plantă *s.f.* plant; ~ *agățătoare* creeper, climber; ~ *medicinală* simple, medicinal herb; ~ *industrială* industrial / technical crop.
plantigrad *adj.* *zool.* plantigrade.
planton *s.n.* orderly duty; *de* ~ on duty.
plantulă *s.f.* *bot.* plantlet.
planturos *adj.* portly.
plapumă *s.f.* **1.** counterpane. **2.** *(pilotă)* eiderdown.
plasa I. *vt.* **1.** to place, to instal. **2.** *(bani)* to invest, to sink. **3.** *(mărfuri)* to sell; *n-am putut* ~ *nici două vorbe* I could not put in a word edgeways. **II.** *vr.* **1.** to be placed / situated. **2.** to take a stand. **3.** *(a se vinde)* to sell.
plasament *s.n.* **1.** investment. **2.** *(pt. cineva)* job, position.
plasat *adj., adv.* *placed; a fi* ~ to be placed.
plasatoare *s.f.* usherette.
plasator *s.m.* usher.
plasă[1] *s.f.* **1.** (fishing) net. **2.** *ferov.* rack. **3.** *fig.* failure, cheating.
plasă[2] *s.f.* *odin.* small rural district.
plasmagenă *s.f.* *biochim.* plasmagene.
plasmalemă *s.f.* *bot., biochim.* plasmalemma.
plasmatic *adj.* plasmatic, plasmic.
plasmă *s.f.* *biol.* plasma.
plasmochină *s.f.* *farm.* plasmoquine, pamaquin(e).
plasmodesmă *s.f.* *bot.* plasmodesm(a).
plasmoliză *s.f.* *bot.* plasmolysis.
plasmon *s.m.* *biochim.* plasmon, plasmone.
plastic I. *adj.* **1.** plastic. **2.** *fig.* eloquent, graphic. **3.** *(d. artă)* fine. **II.** *adv.* graphically.
plastică *s.f.* **1.** plasticity. **2.** *(arte)* fine arts.
plasticitate *s.f.* **1.** plasticity. **2.** *fig.* graphicalness.
plasticiza *vt.* **1.** to plasticize. **2.** *fig.* to make graphic(al) / suggestive.
plastide *s.f. pl.* *bot.* plastids.
plastidom *s.n.* *bot.* plastidome.
plastie *s.f.* *med.* plastic surgery.
plastifia *vt.* *chim.* to plasticize, to plastify.
plastifiant *s.m.* plasticizer.
plastifiere *s.f.* *chim.* plastification, plasticization.
plastilină *s.f.* plasticine.
plastograf *s.m.* forger (of documents).
plastografia *vt.* to forge.
plastografie *s.f.* forgery, fake.
plastomer *s.m.* *chim.* plastomer.
plastron *s.n.* shirt front.
plasture *s.m.* plaster.
plat *adj.* **1.** flat. **2.** *fig.* *și* dull, **trite.**
platan I. *s.m.* *bot.* planetree *(Platanus).* **II.** *s.n.* *(taler)* **1.** scale, pan. **2.** *(de picup)* turntable.
plată *s.f.* **1.** pay(ment). **2.** *(salariu)* wages. **3.** *(onorariu)* fee, charge. **4.** *fig.* punishment; ~ *în natură* payment in kind; *bun de* ~ reliable, as good as his word; *cu* ~ paid; *fără* ~ free, gratis.
platbandă *s.f.* **1.** *bot.* flower band. **2.** *arhit.* straight cap piece. **3.** *met.* universal iron.
platcă *s.f.* inset.
platelaj *s.n.* *constr.* floor(ing) (of bridge); planking.
platelminte *s.n.* *zool.* platyhelminthes, platelminthes.
platformă *s.f.* platform.
platina *vt.* to peroxide.
platinat *adj.* peroxided.
platină *s.f.* platinum.
platinit *s.n.* *met.* nickel-steel alloy.
platinoid *s.m.* *med.* platinoid.
platinotipie *s.f.* platinotype.
platirine *s.n.* *zool.* platyr(r)hine, *pl.* platyr(r)hina, platyr(r)hini.
platitudine *s.f.* cliché, platitude.
platnic *s.m.* payer.
platonic *adj.* **1.** Platonic. **2.** *(d. dragoste)* chaste.
platonician *filoz.* **I.** *adj.* Platonic. **II.** *s.m.* Platonist.
platonism *s.n.* Platonism.
platoșă *s.f.* breast plate.
platou *s.n.* **1.** plateau. **2.** *(tavă)* tray. **3.** *cin.* stage, floor.
plaur *s.m.* floating reed islet, bent; drift wood.
plauzibil *adj.* plausible; colourable.
plavie *s.f.* v. p l a u r.
playa *geogr.* playa.
plaz *s.n.* *agr.* socket rod.
plăcea I. *vt.* to like; to be fond of, to care for. **II.** *vi.* **1.** to be popular, to be a success. **2.** to be in favour (with smb.), to be to smb.'s liking; *îmi plac prăjiturile* I like cakes; *îmi place să citesc* I enjoy reading; *îi* ~ *Ion* she liked John.
plăcere *s.f.* **1.** pleasure. **2.** *(savurare)* enjoyment, relish; *plăcerile vieții*

cakes and ale; *cu* ~ gladly; *fără* ~ reluctantly, grudgingly; in spite of oneself.
plăcintar *s.m.* pastrycook.
plăcintă *s.f.* pie.
plăcintărie *s.f.* pastrycook's (shop), pastryshop.
plăcut I. *adj.* **1.** pleasant, enjoyable. **2.** *(simpatic)* nice. **II.** *adv.* pleasantly, agreeably.
plăieș *s.m.* **1.** *odin.* frontier / border guard. **2.** mountaineer.
plămadă *s.f.* **1.** dough. **2.** *(maia)* leaven.
plămădeală *s.f.* leaven, sourdough.
plămădi *vt.* **1.** to leaven. **2.** *fig.* *și to beget.* **3.** *(a modela)* to model.
plămădire *s.f.* **1.** leaving. **2.** *fig.* *(zămislire)* begetting. **3.** *(modelare)* moulding.
plămân *s.m.* *anat.* lung.
plămânărică *s.f.* *bot.* lungwort (*Pulmonaria officinalis*).
plănui *vt.* to plan.
plănuit *adj.* planned etc. v. p l ă n u i.
plăpând *adj.* delicate.
plăpumar *s.m.* blanket maker.
plăpumăreasă *s.f.* (woman) quilt maker.
plăpumărie *s.f.* quilt-maker's shop.
plăsea *s.f.* *(de cuțit)* knife handle; (*de sabie*) sword hilt.
plăsele *s.f. pl.* hilt, haft.
plăsmui *vt.* **1.** to create. **2.** *(a născoci)* to fabricate. **3.** *(a falsifica)* to fake.
plăsmuire *s.f.* **1.** creation. **2.** *(născocire)* concoction. **3.** *(fals)* forgery.
plăsmuitor *s.m.* forger, falsifier.
plăti I. *vt.* **1.** to pay. **2.** *(a răsplăti)* to reward, *peior.* to repay. **II.** *vi.* to pay. **III.** *vr.* to discharge *sau* repay one's debts.
plătibil *adj.* payable.
plătică *s.f.* *iht.* bream *(Abranis brama).*
plătitor *adj.* paying.
plăvai I. *adj.* *pop.* *zool.* whitish-yellow / grey. **II.** *s.f.* Romanian unflavoured vine with white grapes.
plăvan I. *adj.* whitish-grey, whitish-yellow. **II.** *s.m.* ox.
plăvit *adj.* *pop.* whitish-yellow; blond, fair-haired.
plângăcios I. *adj.* v. p l â n g ă r e ț. **II.** *s.m.* whiner, sniveller.
plângăreț *adj.* whining.
plângător *adj.* **1.** v. p l â n g ă r e ț. **2.** (*jalnic*) plaintive, doleful.
plânge I. *vt.* **1.** to deplore. **2.** *fig.* to pity. **II.** *vi.* **1.** to weep, to cry. **2.** *(a se lamenta)* to lament; *a ~ de bucurie* to cry with joy. **III.** *vr.* **1.** to complain. **2.** *(a murmura)* to grumble.
plângere *s.f.* **1.** complaint. **2.** *(cerere)* grievance.
plâns I. *s.n.* weeping, crying. **II.** *adj.* **1.** full of tears. **2.** *(ud de lacrimi)* tear-stained.
plânset *s.n.* v. p l â n s I.
plean *s.n.* *înv.* *ist.* *României* spoils of war, plunder etc. v. p r a d ă.
pleană *s.f.* wedge.
pleasnă *s.f.* **1.** whiplash. **2.** *pl.* *med.* v. a f t ă.
pleașcă *s.f.* v. c h i l i p i r.
pleată *s.f.* *pop.* long hair.
pleavă *s.f.* **1.** chaff. **2.** *fig.* riff-raff.
plebe *s.f.* **1.** *ist.* plebs. **2.** *fig.* the low people.
plebeian *adj.* plebeian.
plebeu *s.m.*, *adj.* plebeian.
plebiscit *s.m.* plebiscite.
plebiscitar *adj.* plebiscitary.
pleca I. *vt.* **1.** to bend. **2.** *(capul și)* to hang. **3.** *(ochii)* to lower; *a ~ steagul* to strike one's colours; *a nu ~ steagul* to nail one's colours to the mast. **II.** *vi.* **1.** to leave for a place. **2.** *(a porni)* to set out; *a ~ la* to leave for. **III.** *vr.* **1.** to bend, to bow. **2.** *(mult)* to stoop. **3.** *fig.* to yield.
plecare *s.f.* departure.
plecat *adj.* **1.** bent, stooping. **2.** *fig.* submissive.
plecăciune *s.f.* **1.** bow. **2.** *(umilă)* kow-tow.
plecoptere *s.n.* *entom.* plecopteran, plecopterid, *pl.* plecoptera.
plectru *s.n.* *muz.* plectrum.
pled *s.n.* **1.** plaid. **2.** *(pătură)* blanket.
pleda *vt.*, *vi.* to plead.
pledant *adj.* pleading.
pledoarie *s.f.* pleading.
pleiadă *s.f.* **1.** pleiad. **2.** *astr.* *Pleiada* the Seven Sisters.
plein air *subst.* *artă* plein air.
pleistocen *subst.*, *adj.* *geol.* Pleistocene.
plen *s.n.* plenum.
plenar *adj.* plenary.
plenară *s.f.* plenum; ~ *lărgită* enlarged plenum.
plenipotență *s.f.* plenipotence.
plenipotențiar *adj.* plenipotentiary.
plenitudine *s.f.* plenitude, fullness.
pleoapă *s.f.* (eye)lid.
pleocroism *s.n.* *fiz.* pleochroism.
pleonasm *s.n.* pleonasm, redundance.
pleonastic *adj.* pleonastic.
pleosc *interj.* splash!
pleoscăi *vi.* v. p l e s c ă i.
pleoștire *s.f.* **1.** droop(ing), sagging. **2.** *fig.* torpor, sulk(iness).
pleoștit *adj.* **1.** sagging. **2.** *(ofilit)* drooping. **3.** *fig.* dispirited.
plescăi *vi.* **1.** to splash. **2.** *(din buze)* to smack.
plescăit *s.n.* **1.** splashing, lap(ping). **2.** champ(ing).
plescăitură *s.f.* **1.** splash, lap. **2.** champ.
plesiozaur *s.m.* *paleont.* plesiosaurus.
plesnet *s.n.* snap.
plesni I. *vt.* to hit. **II.** *vi.* to burst; *a ~ din degete* to snap one's fingers.
plesnire *s.f.* bursting, crack(ing), split(ting).
plesnitoare *s.f.* **1.** v. p l e a s n ă. **2.** detonating ball. **3.** (*jucărie*) rattle. **4.** *bot.* squirting cucumber (*Ecballium elaterium*).
plesnitură *s.f.* **1.** break; crack. **2.** (*de bici*) snap.
pleșuv *adj.* bald(-headed).
pleșuvi *vi.* to grow bald.
pleșuvie *s.f.* baldness.
pleșuvire *s.f.* growing bald.
plete *s.f. pl.* locks.
pletină *s.f.* barge.
pletoră *s.f.* plethora; redundancy.
pletoric *adj.* plethoric.
pletos *adj.* **1.** long-haired. **2.** *(d. salcie)* weeping.
pleură *s.f.* *anat.* pleura.
pleurezie *s.f.* *med.* pleurisy.
pleurită *s.f.* *med.* pleuritis.
pleuritic *adj.* *anat.* *med.* pleuritic.
pleuropneumonie *s.f.* *med.* pleuropneumonia.
pleuston *s.n.* *biol.* pleuston.
plevaiță *s.f.* everlasting (flower); immortelle.
plevușcă *s.f.* **1.** *iht.* (fish) fry (*Leucaspius delineatus*). **2.** *fig.* small fish.
plex *s.n.* plexus.
plexiglas *s.n.* plexiglass.
plezanterie *s.f.* *livr.* joke, jest; joking, jesting; jocularness, jocularity.
pleziozaur *s.m.* *paleont.* Plesiosaurus.
plia *vt.* to fold.
pliabil *adj.* that may be folded.
pliaj *s.n.* *tehn.* bending.
pliant I. *s.n.* folder. **II.** *adj.* folding.
plic *s.n.* envelope.
plici *interj.* splash!
plicticos *adj.* tedious, dull.
plictis *s.n.* spleen.
plictiseală *s.f.* **1.** spleen, boredom. **2.** *(necaz)* nuisance.
plictisi I. *vt.* **1.** to bore (to death). **2.** *fig.* to bother. **II.** *vr.* to be bored.
plictisit *adj.* **1.** bored, sick (with smth. etc.). **2.** *(supărat)* annoyed.

plictisitor *adj.* tedious, dull.
pliere *s.f.* folding.
plimba I. *vt.* **1.** to take for a walk / drive. **2.** *(a muta)* to shift. **II.** *vr.* **1.** to (take a) walk / stroll. **2.** *(cu mașina)* to drive. **3.** *(cu bicicleta)* to go for a ride.
plimbare *s.f.* **1.** walk, stroll. **2.** *(cu un vehicul)* drive; ride.
plimbăreț *adj.* fond of walking.
plin I. *s.n.* full (supply); *din ~* fully; in abundance; *în ~* fully; *fig.* like greased lightning. **II.** *adj.* **1.** full (of), filled (with). **2.** *(complet)* complete, entire; *~ de praf etc.* covered with dust etc.; *~ până la refuz* full to capacity; *~ ochi* brimful; *în ~ sezon etc.* at the height of the season, etc.
plinătate *s.f.* fullness; plenitude.
plintă *s.f. arh.* plinth.
pliocen *s.n. geol.* Pliocene.
plisa *vt.* to pleat, to fold.
plisat *adj.* pleated.
plisc *s.n.* **1.** beak, bill. **2.** *fig. (gură)* potato trap.
pliseu *s.n. text.* pleat.
plită *s.f.* kitchen range.
pliu *s.n.* fold.
plivi *vt.* to weed.
plivit *s.n.* cultivation.
plivitor *s.m.* weeder.
plivitură *s.f.* heap of uprooted weeds.
ploaie *s.f.* **1.** rain. **2.** *(torențială)* downpour; shower. **3.** *(măruntă)* drizzle; *pe ~* in the rain.
plocon *s.n.* **1.** present. **2.** *(mită)* bribe.
ploconeală *s.f.* kow-towing, bowing (low).
ploconi *vr.* to bow *sau* kow-tow (to smb.).
ploconire *s.f.* kow-tow(ing) *(to smb.).*
plod *s.m. pop.* **1.** baby, babe in arms. **2.** *fam. glumeț* snipper-snapper, hop-o'-my-thumb, dandiprat; *peior.* scrub, atom, dot.
plodi *pop.* **1.** *vt.* to procreate. **II.** *vr.* *(a se naște)* to be born; (*a se înmulți*) to multiply, to breed; (*d. animale, plante și) to propagate; (d. pești, broaște*) to spawn.
ploier *s.m. ornit.* golden plover (*Charadrius pluvialis*).
ploios *adj.* rainy, wet.
ploiță *s.f.* shower, quick rain.
plomba *vt. med.* to stop.
plombagină *s.f.* **1.** *mineral.* black lead. **2.** (*pt. scris la mașină*) carbon paper.
plombă *s.f. med.* stopping.
plonja *vi.* **1.** to dive. **2.** *și sport* to plunge.
plonjeu *s.n. cin.* high angle shot; bird's eye view.
plonjon *s.n.* **1.** plunge. **2.** *(în apă)* dive, header.
plonjor *s.n. el.* transverse plate (of wave guide).
plop *s.m. bot.* **1.** poplar *(Populus).* **2.** *(tremurător)* asp(en tree) *(Populus tremula).*
plopiș *s.n.* poplar grove.
ploscă *s.f.* **1.** gourd; bottle. **2.** *(pt. bolnavi)* bedpan.
ploșniță *s.f. entom.* bed bug *(Cimex lectularius).*
plot *s.n. el.* (contact) stud.
ploua *vi.* **1.** to rain. **2.** *(mărunt)* to drizzle, to mizzle.
plouat *adj.* **1.** wet with rain. **2.** *fig.* crest-fallen.
plug *s.n.* **1.** *agr.* plough. **2.** *sport (la ski)* stem.
plugar *s.m.* ploughman.
plugăresc *adj.* ploughman's.
plugări *vi.* to plough.
plugărie *s.f.*, **plugărit** *s.n.* tillage, agriculture.
plugușor *s.n.* **1.** *agr.* small / little plough. **2.** (folclor) traditional procession with a decorated plough (in Romania on New Year's Day).
plumb *s.m.* **1.** *chim.* lead. **2.** *(creion)* pencil. **3.** *(glonț)* bullet.
plumbat *s.m. chim.* plumbate.
plumbui *vt. tehn.* to seal.
plumbuit *adj. tehn.* sealed.
plumburiu *adj.* leaden, grey.
plumieră *s.f.* pencil box.
plural *s.n., adj.* plural.
pluralism *s.n. filoz., sociol., pol.* pluralism.
pluralist *filoz., sociol., pol.* **I.** *adj.* pluralistic. **II.** *s.m.* pluralist.
pluralitate *s.f.* plurality.
pluri- *prefix* pluri-.
pluricelular *adj. biol.* pluricellular.
plurivoc *adj. lingv.* having several meanings, polysemantic, polysemous.
plus I. *s.n.* **1.** plus. **2.** *(adaos)* surplus; *în ~* moreover, besides. **II.** *conj.* plus, and.
plusa *vi.* to plus.
plusprodus *s.n. ec.* surplus product.
plusvaloare *s.f. ec.* surplus value.
pluș *s.n. text.* plush.
plușare *s.f. text.* raising.
plușat *adj.* plush.
plutaș *s.m.* rafter.
plută *s.f.* **1.** raft. **2.** *bot.* cork (tree).
plutări *vi.* to raft.
plutărie *s.f.* v. p l u t ă r i t.
plutărit *s.n.* rafting, cribbing.
pluti *vi.* **1.** to float. **2.** *(a naviga)* to sail.
plutică *s.f. bot.* marsh flower (*Limnanthemum nymphoides*).
plutire *s.f.* floating; sailing.
plutitor *adj.* floating.
plutniță *s.f. bot.* v. n u f ă r.
plutocrat *s.m. pol.* plutocrat.
plutocrație *s.f. pol.* plutocracy.
pluton *s.n.* **1.** *geol.* pluton. **2.** *mil.* platoon.
plutonic *adj. geol.* plutonian, plutonic.
plutonier *s.m. mil.* N.C.O., non-com; sergeant.
plutonism *s.n. geol.* plutonism.
plutoniu *s.n. chim.* plutonium.
plutuire *s.f. ind.* bruising, boarding, pommelling, graining.
pluvial *adj.* pluvial.
pluviograf *s.n. meteo.* recording rain gauge.
pluviometric *adj. meteo.* pluviometric.
pluviometru *s.n. meteo.* rain gauge.
pneu *s.n. auto* (pneumatic) tyre.
pneumatic *adj. auto* pneumatic; air.
pneumatolitic *adj. geol.* pneumatolytic.
pneumatoliză *s.f. geol.* pneumatolysis.
pneumococ *s.m. med.* pneumococcus.
pneumoconioză *s.f. med.* pneumoconiosis.
pneumogastric *s.m. anat.* pneumogastric.
pneumograf *s.n. med.* pneumograph, pneumatograph, stethograph.
pneumonie *s.f. med.* pneumonia; congestion.
pneumoperitoneu *s.n. med.* pneumoperitoneum.
pneumotorax *s.n. med.* pneumothorax.
pneumotrop *adj. biol.* pneumotropic.
poală *s.f.* **1.** hem. **2.** (*și pl.*) lap; *la poalele dealului* at the foot of the hill.
poamă *s.f.* **1.** fruit. **2.** *fig.* light woman; *argou* tart.
poanson *s.n.* **1.** *met.* stamp. **2.** (*pt. brodat*) piercer, pricker.
poansona *vt. tehn.* to punch; to stamp, to hallmark (metal objects).
poantă *s.f.* **1.** point, gist (of a story). **2.** (la balet) toe-dancing.
poanter *s.m. zool.* pointer.
poantou *s.n. tehn.* needle, float spindle (of carburettor).
poară *s.f.* v. c e a r t ă; *a se pune în ~ cu cineva* to stand up against smb.

poarcă *s.f.* **1.** v. s c r o a f ă. **2.** kind of children's game.
poartă *s.f.* **1.** gate(way). **2.** *sport* goal. **3.** *ist.* the (Sublime) Porte.
poc *interj.* pop!, bang!
pocal *s.n.* goblet.
pocăi *vr.* to be penitent.
pocăință *s.f.* repentance.
pocăit *s.m., adj.* penitent, repentant.
poceală *s.f.* ugliness.
pocher *s.n.* poker.
pochivnic *s.m. bot.* asarabacca *(Asarum europaeum).*
poci I. *vt.* **1.** to desfigure. **2.** *și fig.* to maim. **II.** *vr.* **1.** to make oneself ugly. **2.** to be disfigured.
pocinog *s.n.* nasty trick; *a face cuiva un* ~ to play smb. a nasty trick.
pocit *adj.* ugly, ungainly.
pocitanie *s.f.* monster, fright.
pociumb *s.m.* **1.** v. ț ă r u ș. **2.** v. s t e a j ă r.
pocladă *s.f.* (*de șa*) pillion; (*cioltar*) shabrack.
poclit *s.n.* top / outside of a coach; (*coviltir*) tilt, adjustable hood.
pocneală *s.f.*, **pocnet** *s.n.* crack, snap, burst (of an explosive); *(plesnitură)* snap.
pocnet *s.n.* crack, report.
pocni I. *vt.* to hit, to strike; *a ~ pe cineva* to slap smb. / smb.'s face. **II.** *vi.* to burst, to break.
pocnitoare *s.f.* craker.
pocnitură *s.f.* v. p o c n e t.
pod *s.n.* **1.** *(punte)* bridge. **2.** (*al casei*) garret, attic. **3.** (*la șură*) loft; ~ *basculant* draw bridge; ~ *de vase* pontoon bridge; ~ *rulant* travelling crane; *~ul palmei* the palm of one's hand.
podagră *s.f. înv. med.* gout.
podar *s.m.* **1.** bridge builder. **2.** *(măturător)* street / corner sweeper.
podărit *s.n.* bridge toll, ferry dues.
podbal *s.m. bot.* colt's foot (*Tussilago farfara*).
podea *s.f.* floor(ing).
podeț *s.n.* footbridge.
podgorean *s.m.* wine grower.
podgorie *s.f.* **1.** vineyard. **2.** wine-growing region.
podi *vt.* to floor.
podidi *vt.* to overcome, to seize; *m-au ~t lacrimile* tears welled from my eyes.
podină *s.f.* **1.** floor board. **2.** *constr.* flooring, planking.
podini *s.f. pl. ist. Moldovei* impost paid by the owners of carts used for repairing the streets.
podire *s.f.* flooring.
podiș *s.n.* plateau, tableland.
podișcă *s.f.* **1.** v. p o d e ț. **2.** platform.
podit *s.f.* flooring.
podium *s.n.* dais.
podmol *s.n. pop.* **1.** mud; alluvium, alluvial deposit. **2.** steep bank.
podoabă *s.f.* **1.** ornament, decoration. **2.** și fig. gem, jewel.
podometru *s.n. tehn.* pedometer.
poduț *s.m. iht.* chondrostean *(Chondrostoma nasus).*
podval *s.n.* (barrel) skid, stilling.
podvoade *s.f. pl. ist. României* peasants' labour obligations during war.
podzol *s.n. agr.* podsol, podzol.
podzolic *adj. agr. (d. sol)* podzol(-like).
podzolire *s.f. agr.* podzolization, podsolization.
poem *s.n.*, **poemă** *s.f.* **1.** poem. **2.** *fig.* gem, jewel.
poematic *adj. livr.* of or related to a poem.
poet *s.m.* poet.
poetastru, poetaș *s.m. peior.* poetaster, rhymer, versemonger.
poetă *s.f.*, **poetesă** *s.f.* poetess.
poetic I. *adj.* poetic(al). **II.** *adv.* poetically.
poetică *s.f.* poetics.
poetiza *vt.* to poet(ic)ize.
poezie *s.f.* **1.** poem. **2.** *(artă și fig.)* poetry. **3.** poetical atmosphere.
poezioară *s.f.* **1.** short poem. **2.** poem without any artistic value.
pofidă *s.f. în pofida* in spite of ; against the will of.
pofil *s.n.* crupper dock.
poftă *s.f.* **1.** appetite. **2.** *(puternică)* lust (for). **3.** *(chef)* (half a) mind, fancy; ~ *bună* bon appétit; *cu* ~ heartilly; *după pofta inimii* to one's heart content; *fără* ~ unwilling(ly); spiritless(ly).
pofti I. *vt.* **1.** to invite, to ask. **2.** *(a dori)* to covet. **3.** *(a îndrăzni)* to dare. **II.** *vi. a ~ la* to covet.
pofticios I. *adj.* **1.** greedy. **2.** *(lasciv)* lustful, randy. **II.** *adv.* covetously.
poftim *interj.* **1.** please. **2.** *(cum?)* I beg your pardon? sorry? **3.** *(na)* here you are! **4.** *(supărat)* that's the limit! ~ *înăuntru!* come in, please!
poghircă *s.f.* **1.** hop-o'my-thumb, dandiprat. **2.** hemp stubble.
pogon *s.n. agr.* acre, half a hectare.
pogonici *s.m. pop.* young oxdriver / cattle driver / ploughman.
pogonofore *s.n. pl. zool.* Pogonophora.
pogorî *vi. înv.* v. c o b o r î.
pogrom *s.n.* pogrom, butchery.
pohtă *s.f. înv.* **1.** will (power). **2.** v. p o f t ă.
poiană *s.f.* glade, clearing.
poiată *s.f. reg.* **1.** v. c o t e ț. **2.** v. g r a j d. **3.** v. ș o p r o n.
poichiloterm *zool.* **I.** *adj.* poikilothermic. **II.** *s.m.* poikilotherm, cold-blooded animal.
poichilotermie *s.f. zool.* poikilothermism.
poimâine *adv.* the day after tomorrow.
pointilism *s.n. artă* pointillilism(e).
poise *s.m. fiz.* poise.
pojar *s.n. med.* measles.
pojarniță *s.f. bot.* v. s u n ă t o a r e.
pojghiță *s.f.* (thin) crust; film.
pol *s.m.* **1.** *geogr., fiz.* pole. **2.** *(bani)* twenty lei.
polar *adj.* polar.
polarimetrie *s.f. fiz.* polarimetry.
polarimetru *s.n. fiz.* polarimeter.
polariscop *s.n. foto.* polariscope.
polaritate *s.f.* polarity.
polariza *vt.* **1.** to polarize. **2.** *fig.* to rally, to concentrate.
polarizabil *adj. fiz.* polarizable.
polarizant *adj.* polarizing.
polarizare *s.f. fiz.* polarisation, polarizing.
polarizat *adj. fiz.* polarized.
polarizator *adj.* polarizing.
polarizație *s.f.* polarization.
polarizor *s.n. opt.* polarizer.
polarograf *s.n. chim.* Polarograph.
polarografic *adj. chim.* polarographic.
polarografie *s.f. chim.* polarography.
polaroid *s.m. opt.* polaroid.
polaron *s.n. fiz.* polaron.
polcă *s.f.* polka.
polcovnic *s.n. înv. ist.mil.* colonel, commander.
polder *s.m.* v. m a r ș ă.
polei[1] *s.n.* glazed frost.
polei[2] *vt.* to gild.
poleială *s.f.* gild(ing).
poleit *adj.* gilt.
polemic *adj.* polemic; contentious.
polemică *s.f.* dispute, argument.
polemist *s.m.* polemi(ci)st, disputant, polemic, controversialist.
polemiza *vt.* to argue.
polen *s.n.* pollen.
poleniza *vt. bot.* to pollinate.
polenizare *s.f. bot.* pollination.
poli- *prefix* poly-.
poliacrilonitril *s.m. chim.* polyacrylonitrile.
polialcool *s.m. chim.* polyalcohol.
poliamidă *s.f. chim.* polyamide.

poliandrie *s.f.* polyandry.
poliarticular *adj. med.* polyarticular.
poliartrită *s.f. med.* polyarthritis.
poliatomic *adj. chim.* polyatomic.
policandru *s.n.* lustre, chandelier, candelabrum.
policar *s.m. anat.* thumb.
policer *s.n.* v. p o l i ț ă.
polichet *s.n. zool.* polych(a)ete.
policiclic *adj. chim.* polycyclic.
policioară *s.f.* **1.** shelf. **2.** the lower part of a yoke.
policitemie *s.f. med.* polycyth(a)emia.
policlinică *s.f.* polyclinic.
policlorură *s.f. chim.* polychloride.
policondensare *s.f. chim.* polycondensation.
policroism *s.n. fiz.* polychroism, pleochroism.
policrom *adj.* polychrome.
policromie *s.f.* polychromy.
polidactilie *s.f. med.* polydactyly, polydactylism.
polidipsie *s.f. med.* polydipsia.
poliedral *adj. geom.* polyhedral.
poliedric *adj. geom.* polyhedric, polyhedral.
poliedru *s.n. geom.* polyhedron.
polieleu *s.n. bis.* Orthodox hymn (interspersed in matin service).
poliester *s.m. chim.* polyester.
polietilenă *s.f. chim.* polyethylene, polythene.
polifag *adj. zool., med.* polyphagous.
polifagie *s.f. biol.* polyphagia.
polifazat *adj. el.* polyphase, multiphase.
polifenol *s.m. chim.* polyphenol.
polifonic *adj. muz.* polyphonic.
polifonie *s.f. muz.* polyphony.
polifuncționalism *s.n.* polyfunctionalism.
poligam I. *s.m.* polygamist. **II.** *adj.* polygamous.
poligamie *s.f.* polygamy.
poliglobulie *s.f. med.* polyglobulia.
poliglot *s.m., adj.* polyglot.
poligon *s.n.* **1.** *geom.* polygon. **2.** *(de tragere)* rifle / shooting range.
poligonal *adj. geom.* polygonal.
poligraf *s.m.* polygraph.
poligrafic *adj.* polygraphic.
poligrafie *s.f.* polygraphy; printing.
polihibridare *s.f. biol.* polyhybridism.
poliizobutilenă *s.f. chim.* polyisobutylene.
poliizopren *s.m. chim.* polyisopropene.
polileu *s.n.* v. p o l i e l e u.
polilogie *s.f.* long tale.
polimer *s.m. chim.* polymer.
polimeriza *vt. chim.* to polymerize.
polimerizare *s.f. chim.* polymerization.
polimetacrilat *s.m. chim.* polymettacrylate.
polimetalic *adj. (d. minereuri)* that contains several metals.
polimetrie *s.f. muz.* polymetry.
polimixine *s.f. pl. chim.* polymyxins.
polimorf *adj. chim.* polymorphous.
polimorfism *s.n. chim.* polymorphism.
polinevrită *s.f. med.* polyneuritis.
polinezian *s.m., adj. geogr.* Polynesian.
polinic *adj. bot.* pollinic.
polinom *s.n. mat.* polynominal.
polinomial *adj. mat.* polynomial.
polinuclear *s.n. biol.* polynuclear.
polinucleoză *s.f. med.* polynucleosis.
poliodă *s.f. el.* multiple(-grid) valve, multiple / multiunit tube.
poliomielită *s.f. med.* polio(myelitis).
polioximetilenă *s.f. chim.* polyoxymethylene.
polip *s.m.* **1.** *zool.* polyp. **2.** *med.* polypus.
polipeptidă *s.n. chim.* polypeptide.
poliploid *adj. biol.* polyploid.
poliploidie *s.f. biol.* polyploidy.
polipnee *s.f. med.* polypnoea.
polipod *adj. zool.* polypod.
poliporacee *subst. pl. bot.* Polyporaceae.
polipoză *s.f. med.* polyposis.
polipropenă *s.f. chim.* v. p o l i p r o p i l e n ă.
polipropilenă *s.f. chim.* polypropylene.
poliptic *s.n. artă* polyptych.
poliritmie *s.f. muz.* polyrhythm(icity).
polis *s.f. ist. Greciei* polis.
polisemantic *adj. lingv.* polysemantic.
polisemantism *s.n. lingv.* polysemy, polysemantism.
polisemie *s.f. lingv.* polysemy.
polisilabic *adj. gram.* multisyllable.
polisilogism *s.n.* polysyllogism.
polisportiv *adj. sport* many-sided (athlete / sportsman).
polistiren *s.m. chim.* polystyrene.
polisulfură *s.f. chim.* polysulphide.
politehnic *adj.* polytechnic.
politehnică *s.f.* polytechnic.
politehnician *s.m. fam.* polytechnist.
politehnizare *s.f.* polytechnization.
politeism *s.n. rel.* polytheism.
politeist *adj. rel.* polytheist(ic).
politereftalat *s.m. chim.* polyterephtalate, terylene.
politetrafluoretilenă *s.f. chim.* polytetrafluoroethylene.
politețe *s.f.* politeness, civility.
politic *adj.* political.
politică *s.f.* **1.** politics. **2.** *(atitudine etc.)* policy; ~ *de pace* peace(ful) policy; ~ *de forță* policy of the strong hand; ~ *externă* foreign policy; ~ *în pragul războiului* brinkmanship.
politicește *adv.* politically.
politician *s.m.* politician; statesman.
politicianism *s.n.* petty politics.
politicos I. *adj.* polite, civil. **II.** *adv.* politely, courteously.
politiza *vt.* to politicize.
politizare *s.f.* politicizing.
politologie *s.f. pol.* political theory.
politonalitate *s.f. muz.* polytonality.
politrop *adj. fiz.* polytropic.
polițai *s.m. odin.* **1.** chief commissioner of the police. **2.** *(sergent de stradă)* policeman, constable; *fam.* cop(per), bobby.
poliță *s.f.* **1.** *(raft)* shelf. **2.** *ec., fin.* *(la purtător)* note of hand, promisory note; *(cambie)* bill (of exchange); *(de asigurare)* policy.
poliție *s.f.* **1.** police. **2.** *(secție)* police station.
polițienesc *adj.* police.
polițist I. *s.m.* **1.** policeman. **2.** *(de stradă)* constable. **II.** *adj.* **1.** police. **2.** *(d. literatură, film etc.)* detective.
poliuretan *s.m. chim.* polyurethan(e).
poliurie *s.f. med.* polyuria.
polivalent *adj.* **1.** polyvalent. **2.** *fig.* versatile.
polivalență *s.f. chim.* polyvalency, multivalency.
polivinil *s.n. chim.* polyvinyl.
polivinilic *adj. chim.* polyvinyl.
polivitamină *s.f. farm.* polyvitamin.
polivoltin *s.m. (sericicultură)* polyvoltine.
poliza *vt. tehn.* to grind; to whet.
polizaharide *s.f. chim.* polysaccharide.
polizare *s.f. tehn.* buffing; polish(ing); rubbing.
polizor *s.n.* grinder.
polo *s.n. sport* polo; ~ *pe apă* water polo.
poloboc *s.n.* cask; water-butt.
polog *s.n.* **1.** *(de pat)* (bed) tester, canopy. **2.** v. p r e l a t ă.
polon *adj. geogr.* Polish.
polonă *s.f. lingv.* Polish, the Polish language.
polonez *geogr.* **I.** *s.m.* Pole. **II.** *adj.* Polish.
poloneză *s.f.* **1.** *geogr.* Polish (woman). **2.** *muz.* polonaise. **3.** *lingv.* Polish, the Polish language.

polonic *s.n.* ladle.
poloniu *s.n. chim.* polonium.
poltinic *s.n. ist.* Russian Silver coin.
poltron I. *s.m.* poltroon. **II.** *adj.* cowardly.
poltronerie *s.f.* poltroonery.
polturac *s.m. ist. fin.* generic name for some foreign coins.
polua *vt.* to pollute.
poluant *adj.* polluting; *agent ~ (lichid)* effluent.
poluare *s.f.* pollution.
polușcă *s.f. ist. fin.* Russian brass coin.
poluție *s.f. med.* pollution.
pomacee *s.f. pl. bot.* Pomaceae, Malaceae.
pomadă *s.f.* pomade.
pomanagiu *s.m.* cadger, beggar.
pomană *s.f.* **1.** alms, charity. **2.** *(lucru ieftin)* cheap thing. **3.** *fig.* good deed; *de ~* gratis, free; *(inutil)* useless(ly).
pomăda *vt., vr.* to pomade.
pomărit *s.n.* fruit growing.
pomelnic *s.n.* long list (of dead persons etc.).
pomeneală *s.f. nici ~* nothing of the kind.
pomeni I. *vt.* **1.** to mention, to cite. **2.** *(a-și aduce aminte)* to remember. **3.** *(a întâlni)* to meet, to see. **II.** *vi. a ~ de* to mention, to quote, to cite. **III.** *vr.* **1.** to be mentioned; to be known; to be heard of. **2.** *(a se întâmpla)* to happen. **3.** *(a se trezi)* to find oneself.
pomenire *s.f.* **1.** mentioning. **2.** *rel.* prayer (for the dead); requiem; *veșnica lui ~* may he rest in peace.
pomenit *adj.* **1.** mentioned, cited. **2.** remembered.
pomet *s.n.* **1.** orchard. **2.** *pl.* fruit(s).
pomeți *s.m. pl.* cheek bones.
pomicol *adj.* fruit-growing.
pomicultor *s.m.* fruit grower, orchardist.
pomicultură *s.f.* fruit (tree) growing.
pomină *s.f.* fame, celebrity; *de ~* famous, renowned; *(extraordinar)* unforgettable; *(ridicol)* ridiculous.
pomolog *s.m. bot.* pomologist.
pomologic *adj.* pomological.
pomologie *s.f.* pomology.
pompa *vt.* to pump (in / out).
pompagiu *s.m.* pumpman.
pompaj *s.n. tehn., fiz.* pumping (up/out); hunting.
pompă *s.f.* **1.** pump. **2.** *(ceremonie)* pomp, ceremony; *~ de uns* (squirt) oiler, oil can; *~e funebre* funeral furnishers; AE mortician; *cu toată pompa* with all due respect, in full pomp / attire.
pompier *s.m.* **1.** fireman. **2.** *pl.* fire brigade.
pompon *s.n.* tuft, plume.
pompos *adj.* **1.** pompous; emphatic. **2.** *(umflat)* high-flown.
ponce *adj. piatră ~* pumice stone.
poncif *s.n. lit., artă etc.* **1.** stereotypye, cliché, hackneyed motif. **2.** conventional / stereotyped work, lacking in originality.
ponciș I. *adj.* **1.** cross-eyed. **2.** hostile. **II.** *adv.* askance.
pondera *vt.* to moderate; to balance.
ponderabil *adj.* ponderable, weighable.
ponderabilitate *s.f.* ponderability, ponderableness.
ponderal *adj.* ponderal.
ponderare *s.f. (statistică)* weighting (of index).
ponderat *adj.* well-balanced.
ponderator *adj.* balancing, moderating.
ponderație *s.f.* balance, ponderation, moderation.
pondere *s.f.* weight.
ponderitate *s.f.* specific weight.
ponegri *vt.* to backbite, to blacken.
ponegritor *adj.* slanderous, defamatory.
ponei *s.m. zool.* poney, Shetland horse.
ponor *s.n. geogr.* steepness; *(povârniș)* slope.
ponos *s.n.* blame; damage.
ponosi *vt.* to make shabby.
ponosit *adj.* shabby.
pont *s.n.* tip, cue, hint; *argou* cinch.
ponta I. *vt.* to clock. **II.** *vi.* **1.** to clock in / out. **2.** *(la cărți)* to stake.
pontaj *s.n.* clocking; *foaie de ~* time / check sheet.
pontare *s.f.* clocking.
pontator *s.m.* **1.** timekeeper. **2.** player (in fortune games).
pontă *s.f. zool.* laying (of eggs).
pontic *adj.* Pontic.
pontif *s.m. bis.* **1.** pontiff. **2.** *fig.* pundit.
pontifical *adj. bis.* pontifical.
pontificat *s.n. bis.* pontificate.
pontifice *s.m. bis.* pontiff.
pontil *s.n. nav.* pillar, stanchion.
pontilare *s.f. nav.* use of pillars.
ponton *s.n. nav.* pontoon.
pontonier *s.m. mil.* pontoneer.
pontian *subst., adj. geol.* Pontian.
pool *subst. ec. pol.* pool.
pop *s.m. constr.* prop, stay.
pop-art *subst. artă* pop-art.
popas *s.n.* halt, stop(over).
popaz *s.m.* **1.** *bot.* sabadilla *(Schoenocaulan officinale)*. **2.** *farm.* sabadilla seeds used as an insecticide.
popă *s.m.* **1.** *bis.* pope, parson. **2.** *(la jocuri)* king.
popândac *s.m. bot.* islet of mush thicket, reed bush.
popândău *s.m. zool.* ground squirrel *(Citellus citellus)*.
popenchi *s.m. bot.* species of agaric (*Coprinus atramentarius / comatus*).
popesc *adj. fam.* parson's.
popi *bis.* **I.** *vt.* to ordain. **II.** *vr.* to be ordained a priest.
popic *s.n. sport* **1.** skittle. **2.** *pl. și* ninepins; AE bowls.
popicar *s.m. sport* one who plays (at) skittles.
popicărie *s.f. sport* skittle / bowling alley.
popie *s.f. bis.* priesthood.
popime *s.f. peior.* priestly rabble, shavelings.
popină *s.f. geogr.* v. g r ă d i ș t e.
poplin *s.n. text.* poplin.
popo(u) *s.n. anat. fam.* bottom, buttocks.
poponeț *s.m.* **1.** *zool.* field mouse (*Apodemus sylvaticus*). **2.** v. o p a i ț. **3.** *anat. fam.* bottom, behind, rump.
popor *s.n.* **1.** people, nation. **2.** *(mulțime)* crowd; *din ~* of the people; folk.
poporan *adj.* popular.
poporanism *s.n.* populism.
poporanist *adj.* populist.
poposi *vi.* to halt; to put up (at an inn, etc.).
popotă *s.f.* **1.** *mil.* officers' mess. **2.** *(bufet)* canteen.
popreală *s.f. înv.* **1.** stopping, arresting. **2.** (arestare) arrest, custody.
popri *vt.* to garnishee.
poprire *s.f.* **1.** stopping. **2.** *(reținere)* garnishment.
poprit *adj.* **1.** stopped; forbidden. **2.** *jur.* taken in custody (of a person). **3.** *jur.* sequestrated, confiscated.
popritor *adj.* **1.** who stops, forbids. **2.** who arrests.
popul *s.m. înv.* v. p o p o r.
popula *vt.* to people.
popular *adj.* **1.** *(din popor)* folk, popular. **2.** *(al poporului)* people's. **3.** *(simpatizat)* popular, in great favour with the public.
popularitate *s.f.* popularity.
populariza *vt.* **1.** to popularize; to vulgarize. **2.** *(a răspândi)* to disseminate.

popularizare *s.f.* **1.** popularization. **2.** *(răspândire)* spreading.
populat *adj.* **1.** populated; inhabited. **2.** *(aglomerat)* populous.
populație *s.f.* population; ~ *de culoare* coloured people.
por *s.m.* pore.
porc *s.m.* **1.** *zool.* pig *(Sus scrofa)*; *pl.* swine; *(îngrășat)* hog(ger); *(vier)* boar. **2.** *(carne)* pork. **3.** *fig.* swine; ~ *mistreț* wild boar; *~ule!* git!
porcan *s.m. fig. fam.* swine.
porcar *s.m.* swineherd.
porcărie *s.f.* **1.** *(murdărie)* filth. **2.** *(ticăloșie)* foul trick. **3.** *pl. (pornografie)* ordure, bawdy. **4.** *(lături)* pigwash.
porcesc *adj.* **1.** swinish. **2.** *(d. noroc)* devilish.
porci I. *vt. fam.* to call smb. names. **II.** *vr.* to become coarse.
porcin *adj.* pig(-like).
porcine *s.f. pl.* swine.
porcos *adj.* **1.** smutty, ribald. **2.** *(d. cineva)* foul-mouthed.
porcușor *s.m.* **1.** *iht.* gudgeon *(Gobio gobio)*. **2.** *ornit.* dott(e)rel *(Charadrius, Endromios, Morinella)*.
poreclă *s.f.* nickname.
porecli *vt.* to nickname, to dub.
poreclit *adj.* nicknamed.
porfir *s.n. mineral.* porphyry.
porfiric *adj. mineral.* porphyritic.
porfirie *s.f. med.* porphyria.
porfirină *s.f. chim.* porphyrin.
porfirit *s.n. mineral.* porphyrite.
porfiriu *s.f.* purple.
porfiroblastic *adj. mineral.* porphyroblast.
porfirogenet *s.m. ist.* porphyrogenitus.
porifer *adj.* poriferous.
porigi *s.n. cul.* porridge.
porneală *s.f. pop.* **1.** starting; leaving. **2.** pasture (land) for milk ewes.
porni I. *vt.* **1.** to start, to set (moving / going). **2.** *(a dezlănțui)* to unleash, to set in motion. **II.** *vi., vr.* to start, to set (out / off); *a se ~ pe* to start, to embark upon.
pornire *s.f.* **1.** starting. **2.** *(avânt)* impulse. **3.** *(înclinație)* bent, ply. **4.** *(părtinire)* bias. **5.** *(patimă)* passion.
pornitor *s.n. tehn.* v. d e m a r o r.
pornograf *s.m.* pornographer.
pornografic *adj.* scurrillous, bawdy.
pornografie *s.f.* pornography, coprology.
poroinic *s.m. bot.* orchis, cuckoo flower *(Orchis)*.
poroplaste *s.n. pl. ind.* foam plastics.
poros *adj.* porous.
porozimetru *s.n. tehn.* porosimeter.
porozitate *s.f.* porosity, porousness.
porridge *s.n.* v. p o r i g i.
port *s.n.* **1.** port, harbour. **2.** *(costum)* costume, garb. **3.** *(purtare)* conduct. **4.** *(ținută)* deport(ment).
portabil *adj.* portable.
portal *s.n.* **1.** portal, principal door. **2.** *constr.* portal, tunnel front.
portaltoi *s.n. bot.* mother / father (plant).
portant *adj.* carrying, bearing; *av. suprafață ~ă* v. p o r t a n ț ă.
portanță *s.f. av. lift.*
portar *s.m.* **1.** janitor. **2.** *sport* goalkeeper.
portarmă *s.f. permis de ~* gun licence.
portativ I. *s.n. muz.* staves. **II.** *adj.* portable, hand, pocket.
portavion *s.n. av.* aircraft carrier.
portavoce *s.n. nav.* speaking trumpet.
portăreasă *s.f.* janitress.
portărel *s.m.* bailiff.
portbagaj *s.n.* **1.** (car) trunk. **2.** *(de bicicletă)* carrier.
portbaionetă *s.f. mil.* bayonet frog.
portchei *s.n.* key ring.
portcuțit *s.n. tehn.* knife rest.
portdrapel *s.n. mil.* standard bearer.
porthartă *s.f. mil.* map case / holder.
portic *s.n.* portico, porch.
portieră *s.f.* (carriage) door.
portiță *s.f.* **1.** (wicket) gate. **2.** *(de la sobă)* damper. **3.** *fig.* way out, issue.
portjartier *s.n.* (suspender) girdle / belt.
portmoneu *s.n.* purse.
porto *s.n. (vin)* port.
portocal *s.m. bot.* orange tree *(Citrus aurantium)*.
portocală *s.f.* orange; ~ *roșie* blood orange.
portocaliu *s.n., adj.* orange.
portofel *s.n.* wallet.
portofoliu *s.n.* portofolio; ministry.
porto-franco *s.n.* free-port.
portor *s.n. nav.* (dredger's) mud barge; hopper (barge).
portperie *s.f. el.* brush-holder.
portret *s.n.* portrait.
portretist *s.m.* portraitist.
portretistică *s.f. artă* portrait painting.
portretiza *vt.* to portray.
portretizare *s.f.* portrayal.
portsculă *s.f.* v. p o r t u n e a l t ă.
porttigaret *s.n.* **1.** cigarette holder. **2.** *(tabacheră)* cigarette box / case.
portuar *adj.* harbour.
portughez *s.m., adj. geogr.* Portuguese.
portugheză *s.f.* **1.** *geogr.* Portuguese (woman). **2.** *lingv.* Portuguese (language).
portulacă *s.f. bot.* portulaca *(Portulaca)*.
portulan *s.n. nav.* portolano, portulan.
portunealtă *s.f. tehn.* tool holder (of machine tool); brace chuck.
portvizit *s.n.* pocketbook.
porțelan *s.n.* china.
porție *s.f.* **1.** helping. **2.** *și fig.* portion.
porțiune *s.f.* section, portion.
porumb *s.m. bot.* maize, (Indian) corn *(Zea mays)*; AE corn.
porumbac *adj.* greyish-white.
porumbar I. *s.m. bot.* sloe tree, blackthorn *(Prunus spinosa)*. **II.** *s.n.* **1.** *(coșar)* granary, corncrib. **2.** *(coteț pt. porumbei)* dovecot, pigeon house.
porumbă *s.f.* **1.** *bot.* sloe. **2.** *ornit.* v. p o r u m b i ț ă.
porumbel *s.m. ornit.* pigeon, dove *(Columba)*; ~ *călător* homer; ~ *mesager* carier / homing pigeon.
porumbin *s.n. cul.* diet food obtained by mixing maize, semolina and potato amidon.
porumbiște *s.f.* field of (Indian) corn, AE corn land.
porumbiță *s.f. ornit.* (turtle) dove.
poruncă *s.f.* **1.** order, command. **2.** *rel.* commandment.
porunci I. *vt.* to order, to command. **II.** *vi.* to order people about.
poruncitor I. *adj.* imperative, authoritative; *(d. ton)* imperious, peremptory, high. **II.** *adv.* imperatively *etc.* *v.* ~ I.
posac *adj.* sullen, sulking.
posadă *s.f. înv., pop.* **1.** mountain pass. **2.** *ist. României* obligation of peasants to guard the passes.
poseda *vt.* **1.** to possess, to have. **2.** *(a stăpâni)* to own. **3.** *fig.* to master.
posedant *adj.* possesional, propertied, possessing.
posedat I. *adj.* frenzied, possessed. **II.** *s.m.* one possessed, demoniac.
posesie *s.f.* **1.** possession. **2.** *(proprietate)* ownership.
posesiune *s.f.* possession.
posesiv *s.n., adj.* possessive.
posesor *s.m.* owner, master.
posesoriu *adj. jur.* possessory.
poseur *s.m.* poseur, swank, fake(r), affected person who poses.
posibil I. *s.n., adj.* possible; feasible. **II.** *adv.* possibly.

posibilitate *s.f.* **1.** possibility; feasibleness. **2.** *pl.* means.
poslușnic *s.m. înv.* **1.** (boyar's) servant. **2.** (medical) attendant; medical officer.
posmag *s.m. cul.* pulled bread; crumbled bread; (*dulce*) rusk.
posomorât *adj.* **1.** dull, gloomy. **2.** *(d. cineva)* morose, sullen.
posomoreală *s.f.* **1.** v. t r i s t e ț e. **2.** bad weather.
posomorî *vr.* to darken, to cloud over.
pospai *s.n.* **1.** flour dust. **2.** (*strat subțire*) thin layer. **3.** *fig.* smattering.
pospăi *vt.* **1.** to paint with a thin layer. **2.** *fig.* to bungle, to do things superficially, v. r a s o l i.
pospăială *s.f.* **1.** painting with a thin layer. **2.** *fig.* smattering of knowledge. **3.** *fig.* bungling etc. v. r a s o l (e a l ă).
post *s.n.* **1.** post. **2.** *(slujbă)* job, position. **3.** *rel.* fast; ~ *de depanare* breakdown service; ~ *de prim ajutor* first-aid station; ~ *înaintat* outpost; ~*ul mare, ~ul Paștelui* Lent; ~*ul Crăciunului* Advent.
posta **I.** *vt.* to set, to install. **II.** *vr.* to install oneself.
postabdomen *s.n. zool.* postabdomen.
postament *s.n. constr., arh.* pedestal, base.
postaș *s.m.* v. p o ș t a ș.
postată *s.f.* **1.** *agr.* amount of corn etc. cut in a certain space of time. **2.** (*strat*) bed. **3.** length of (the) way; (*distanță*) distance.
postav *s.n. text.* (thick) cloth.
postăvar *s.m.* drapier, (thick) cloth manufacturer / merchant.
postăvărie *s.f.* **1.** cloth manufactory / mill. **2.** (*ca magazin*) draper's shop.
postbelic *adj.* postwar.
postdata *vt.* to post-date.
postdiluvian *adj. geol.* post-diluvial.
postelnic *s.m. ist.* seneschal, court marshal; *României* Minister of / for Foreign Affairs.
posterior *adj.* **1.** hind(er). **2.** *(ulterior)* subsequent, later. **3.** *anat. și* posterior.
posterioritate *s.f.* posteriority.
posteritate *s.f.* posterity.
postfață *s.f. lit.* afterword, postface.
posti *vi.* to fast.
postludiu *s.n. muz., rel. fig.* postlude, postludium.
postmeridian *adj.* postmeridian, p.m.
post-mortem *adv.* post-mortem.
postnominal *s.n. lingv.* derivative, back-formation (from a noun).
postoperatoriu *adj. med.* postoperative.
postpalatal *adj. lingv.* postpalatal.
post-partum *subst., adj. med.* post-partum.
postpune *vt. lingv.* to place at the end of a word.
postpunere *s.f. lingv.* postposition.
postpus *adj. lingv.* placed at the end of a word.
post-restant *s.n., adj., adv.* poste restante.
postscriptum *s.n.* postscript.
post-sincronizare *s.f. cin.* postsynchronization.
posttonic *adj. lingv.* posttonic.
postula *vt.* to postulate.
postulant *s.m.* applicant.
postulat *s.n.* postulate, assumption.
postum **I.** *adj.* posthumous. **II.** *adv.* posthumously.
postură *s.f.* position, situation.
postverbal *s.n. lingv.* back-formation (from a verb).
poș *s.n.* grain of shot used in big game hunting.
poșetă *s.f.* (hand)bag, AE purse.
poșircă *s.f.* crab wine; *fam.* rot-gut.
poșoar *s.n.* stencil(-plate).
poșovoaică *s.f.* **1.** Romanian folk dance of Caransebeș county. **2.** dance of Făgăraș area. **3.** *muz.* tune of these dances.
poștal *adj.* post(al).
poștalion *s.f. odin.* mail coach.
poștar *s.m.* v. p o ș t a ș.
poștaș *s.m.* postman.
poștă *s.f.* **1.** post. **2.** *(curier și)* mail. **3.** *(oficiu)* post office; *prin poșta aeriană* by airmail.
pot *s.n.* sweepstakes.
potabil *adj.* drinking.
potaie *s.f.* **1.** cur, tike, vile dog. **2.** (*haită*) pack. **3.** *fig.* vile dog, cur, scoundrel, rascal.
potamolog *s.m. geogr.* potamologist, specialist in rivers.
potamologie *s.f. geogr.* potamology, the study of rivers.
potasă *s.f.* potash, potassium carbonate.
potasic *adj. chim.* potassic, potassium.
potasiu *s.n. chim.* potassium.
potârniche *s.f. ornit.* partridge *(Perdix perdix).*
potcap *s.n. bis.* kamelavkion.
potcă *s.f. pop.* **1.** trouble; *fam.* scrape. **2.** enmity. **3.** v. p o c i t a n i e, evil eye (illness).
potcoavă *s.f.* **1.** horseshoe. **2.** *(de bocanc)* clout.
potcovar *s.m.* blacksmith.
potcovărie *s.f.* farriery.
potcovi *vt.* to shoe.
potcovire *s.f.* shoeing.
potcovit *s.n.* shoeing.
potecă *s.f.* path; *poteca edecului* towpath.
potent *adj.* potent, vigorous.
potentat *s.m.* magnate; *fam.* big shot.
potența *vt.* to intensify.
potență *s.f.* potency; virility.
potențial *s.n., adj.* potential.
potențialitate *s.f.* potentiality.
potențiometrie *s.f. el.* potentiometry.
potențiometru *s.n. el.* potentiometer.
poteraș *s.m. ist.României* thief catcher.
poteră *s.f. ist.României* posse.
poticneală *s.f.* v. p o t i c n i r e.
poticni *vr.* to stumble; to halt.
poticnire *s.f.* stumbling, stumble.
potir *s.n.* **1.** *bis., bot.* chalice. **2.** goblet.
potlog *s.n.* shoe patch.
potlogar *s.m.* humbug, fraud.
potlogărie *s.f.* cheat, fraud.
potnog *s.m.* pedal on a weaving machine.
potnogi *s.m. pl. text.* treadles.
potoli **I.** *vt.* **1.** to soothe, to calm. **2.** *(setea)* to quench. **3.** *(durerea și)* to assuage. **II.** *vr.* **1.** to calm, to quiet (down). **2.** *(d. furtună etc.)* to abate.
potolire *s.f.* relieving etc. v. p o t o l i.
potolit *adj.* **1.** calm, quiet. **2.** *(cuminte)* even-tempered, equable.
potolitor *adj.* calming, soothing; pacifying.
potop **I.** *s.n.* flood. **II.** *adv.* in a torrent.
potopi *vt.* **1.** to flood; (*a acoperi cu apă*) to submerge. **2.** *fig.* to invade; (*a pustii*) to ravage, to lay waste, to destroy.
potopitor *adj.* overwhelming.
potou *s.n.* winning post.
potpuriu *s.n. muz.* medley.
potricală *s.f. tehn.* hollow punch.
potricăli *vt.* to punch (holes into).
potrivă *s.f.* likeness; *de o* ~ similar, matching.
potriveală *s.f.* dovetailing, correspondence.
potrivi **I.** *vt.* **1.** to arrange. **2.** *(a pune la punct)* to adjust. **3.** *(a pune de acord)* to match, to suit. **4.** *(a armoniza)* to accord. **5.** *(ceasul)* to set; *a o ~ bine* to hit it off; to hit the (right) nail on the head. **II.** *vr.*

1. to agree, to dovetail; to coincide. 2. *(pentru)* to suit, to fit *(cu acuz.)*; *a se ~ la vorbele cuiva* to take smb.'s advice; *se potrivesc de minune* they are suited for each other; *se potrivește bine* it is perfectly suited, it is very much in season.
potrivire *s.f.* 1. dovetailing, correspondence. 2. *(ajustare)* arrangement, adjustment. 3. *(ca timp)* timeliness, opportuneness.
potrivit I. *adj.* 1. adequate, suited. 2. *(moderat)* moderate. II. *adv.* not too much, moderately; *~ cu* in keeping with; *a fi ~ pentru* to be suited for; to yield to.
potrivnic I. *s.m.* opponent. II. *adj.* adverse.
potrivnicie *s.f.* opposition; *(piedică)* hindrance, obstacle(s); *(ostilitate)* hostility; *(greutate)* hardship.
potroace *s.f. pl. cul.* giblets (soup).
potronic *s.m. ist.fin.* Polish silver coin.
poturi *s.m. pl.* 1. *odin.* trunk breeches. 2. peasant's tight trousers.
poțiune *s.f. med.* potion, draught.
povară *s.f.* burden, load.
povarnă *s.f.* (brandy) distiller.
povață *s.f.* counsel; *pl.* advice.
povățui *vt.* to counsel.
povățuire *s.f.* 1. advising. 2. v. p o v a ț ă.
povățuitor *s.m.* advisor.
povârni *vr.* to slope, to slant.
povârniș *s.n. geogr.* slope, inclination.
povârnit *adj.* sloping; *(abrupt)* steep, abrupt, precipitous.
poveste *s.f.* 1. story, tale. 2. *(basm)* fairy tale. 3. *(minciună)* concoction; *nici ~* nothing of the kind.
povesti I. *vt.* to tell, to relate. II. *vr.* to be said / told.
povestire *s.f.* story.
povestitor *s.m.* 1. narrator. 2. *(literat)* story teller.
poza *vi.* 1. to sit (for a painter). 2. *fig.* to attitudinize; *a ~ în* to give oneself out as, to pose as.
poză *s.f.* 1. picture. 2. *(fotografie)* photo(graph). 3. *fig.* pose, imposture.
pozitiv *s.n., adj.* positive.
pozitivism *s.n.* positivism.
pozitivist *s.m., adj.* positivist.
pozitron *s.m. fiz.* positron.
pozitroniu *s.m. fiz.* positronium.
poziție *s.f.* 1. position. 2. *(așezare)* situation. 3. *(postură și)* posture, carriage. 4. *(atitudine și)* attitude, stand(point); *~ avantajoasă / dominantă* vantage ground; *în ~ interesantă* in the family way.
poziționare *s.f. tehn.* positioning.
poznaș I. *s.m.* wag, wit; scapegrace. II. *adj.* waggish, tricky.
poznă *s.f.* 1. foolishness, folly. 2. *(farsă)* practical trick, merry prank.
pozologie *s.f. med.* posology; dos(i)ology; dosage (of drug).
practic I. *adj.* 1. practical. 2. *(util și)* useful. 3. *fig. și* matter-of-fact, sound. II. *adv.* virtually, actually.
practica *vt.* 1. to practise. 2. *(a aplica și)* to apply, to employ.
practicabil *adj.* 1. practicable, feasible. 2. *(d. drumuri)* passable.
practicant *s.m.* tyro, probationist.
practică *s.f.* 1. practice. 2. *(tradiție și)* tradition, usage. 3. *(a studenților etc.)* practical (period).
practician *s.m.* practitioner.
practicism *s.n.* pragmatism.
pradă *s.f.* 1. prey. 2. *(prin jaf)* booty. 3. *(de război)* spoils. 4. *(a pescarilor)* haul.
praf I. *s.n.* 1. dust. 2. *(pudră)* powder; *~ de copt* baking soda; *~ de pușcă* gunpowder; ~ și pulbere smithereens; smoke. II. *adj.* powder.
praftoriță *s.f.* sprinkle, brush.
praftură *s.f.* v. p r a f t o r i ț ă; *a face pe cineva ~, a da / trage cuiva o ~* to berate smb., to take smb. to task.
prag *s.n.* 1. threshold. 2. *fig. și* limit; *în ~ul* on the brink of.
pragmatic I. *adj.* pragmatic. II. *adv.* *pragmatically.*
pragmatism *s.n. filoz.* pragmatism.
pragmatist *s.m.* pragmatist.
pralină *s.f. cul.* burnt / crisp almond.
pramatie *s.f.* rascal.
prao *s.n. nav.* proa.
prapur *s.m.* 1. *anat.* midriff. 2. *rel.* vexillum.
praseodism *s.n. chim.* praseo(di)dymium.
prașilă *s.f. agr.* weeding, hoeing.
praștie *s.f.* sling.
pravilă *s.f. înv.* 1. *(lege)* law. 2. *(cod)* code of laws; *după ~* according to law.
pravoslavnic *s.m., adj.* orthodox.
pravoslavnicie *s.f. înv.* v. o r t o d o x i s m.
praxeologie *s.f. filoz.* praxeology, praxiology.
praxiologie *s.f.* v. p r a x e o l o g i e.
praxiu *s.n. rel.* Acts (of the Apostles).
praz *s.m. bot.* leek *(Allium porrum).*
praznic *s.n.* 1. (funeral) feast. 2. *(la un sfânt)* wake.
prăbuși *vt.* 1. to break down. 2. *(d. clădiri etc.)* to crumble, to cave in. 3. *(d. visuri etc.)* to fall through.
prăbușire *s.f.* 1. collapse. 2. *(a unei clădiri)* crumbling.
prăbușitură *s.f.* 1. v. s u r p ă t u r ă. 2. v. d ă r â m ă t u r ă.
prăda *vt.* to plunder, to ransack.
prădalnic *adj.* predatory, plunderous.
prădăciune *s.f.* plunder(ing); robbery; *(furt)* theft.
prăfărie *s.f.* (much) dust.
prăfos *adj.* dusty.
prăfui *vt., vr.* to cover with dust.
prăfuire *s.f.* covering with dust, making dusty.
prăfuit *adj.* 1. dusty. 2. *fig. și* stale; old-fashioned.
prăjeală *s.f. cul.* 1. frying. 2. roasted flour.
prăji I. *vt.* 1. to fry. 2. *(a arde)* to burn. II. *vr.* 1. to fry. 2. *fig.* to make a bad bargain; *a se ~ la soare* to bask in the sun.
prăjină *s.f.* 1. pole, staff. 2. *fig.* hobbledehoy. 3. *agr.* rod.
prăjit *adj.* fried etc. v. p r ă j i; *pâine ~ă* toast.
prăjitură *s.f. cul.* cake.
prăpastie *s.f.* precipice, gulf.
prăpăd *s.n.* disaster.
prăpădenie *s.f.* 1. destruction, ruin; *(pagubă)* damage, harm. 2. *fig.* danger, peril, jeopardy.
prăpădi I. *vt.* to destroy. II. *vr.* 1. to be ruined / destroyed. 2. *(a pieri)* to die.
prăpădit *adj.* wretched.
prăpăstios *adj.* 1. steep. 2. *(panicard)* panic-mongering.
prăsea *s.f.* v. p l ă s e a.
prăsi I. *vt.* to breed, to rear; *(plante)* to cultivate, to grow. II. *vr.* to propagate, to reproduce; *(d. broaște, pești)* to spawn.
prăsilă *s.f.* reproduction; *de ~* breeding; stud.
prăsitor *adj.* prolific.
prăși *vt.* to hoe.
prășit *s.n.* weeding.
prășitoare *s.f.* 1. *agr.* cultivator. 2. v. p r ă ș i t o r II.
prășitor I. *adj.* hoeing, weeding. II. *s.m.* weeder (out).
prășitură *s.f.* weeding, hoeing.
prăval *s.n. geogr.* v. p r i v a l.
prăvăli I. *vt.* to upset, to overturn. II. *vr.* to fall / crumble down.
prăvăliaș *s.m.* shopman, shopkeeper.

prăvălie *s.f.* shop; ~ *de mărunțișuri* haberdashery; AE notions counter.
prăvălire *s.f.* **1.** falling down etc. v. p r ă v ă l i. **2.** downfall, collapse.
prăvăliș *s.n.* steepness; slope.
prăznui *vt.* to celebrate.
prăznuire *s.f.* celebration.
prânz *s.n.* **1.** lunch; *(substanțial)* dinner. **2.** *(amiază)* noon.
prânzi *vi.* to lunch; to dine.
prânzișor *s.n.* **1.** breakfast. **2.** breakfast time.
prâslea *s.m.* **1.** the last-born child, *fam.* pin basket; youngest child, cosset. **2.** v. p r i c h i n d e l.
prâsnel *s.n.* v. t i t i r e z.
pre- *prefix* pr(a)e-; fore-; ante-.
prea *adj.* too; quite; *e ~ de tot!* it's too much! it beats the devil! it's over the top!
preabun *adj. înv.* very good; very kind.
preacinstit *adj.* most honourable.
preacurat *rel. adj.* all immaculate.
Preacurata *s.f. rel.* the Holy Virgin.
preacurvi *vi. înv. rel.* **1.** to commit adultery. **2.** to fornicate.
preacuvios *adj. rel.* allpious.
preadolescent *adj., s.m.* preadolescent.
preadolescență *s.f.* preadolescence.
preafericit *adj. rel.* all-happy, saint.
preaînalt *adj. rel.* all-high.
preajmă *s.f.* vicinity, closeness; *în preajma cuiva* around smb., close to smb.; *în preajma unui eveniment* on the eve of an event.
prealabil *adj.* preliminary; *în ~* beforehand.
prealuminat *adj. înv.* **1.** *(și fig.)* very bright / luminous; shining, bright. **2.** *fig.* wise, reasonable. **3.** (in all senses) gloried, glorious, enlightened.
preamări *vt.* to extol.
preamărit *adj.* all-glorious.
preambul *s.n.* preamble.
preamplificator *s.n. telec.* first-stage (sound) amplifier; preamplifier.
preaplin *s.n.* superabundance.
preaprindere *s.f. tehn.* preignition.
preaputernic *adj.* omnipotent, all-mighty, all-powerful.
preasfânt *adj. rel.* all-holy.
preasfinția *s.f. ~sa* His Holiness.
preasfințit *adj. rel.* very reverend, all holy / saintly (respectful title for bishops, holymen).
preatcă *s.f.* one of the little sticks on which bees build up the honey comb.
preaviz *s.n.* notice (to quit).
precalculat *adj.* **1.** calculated / reckoned beforehand. **2.** *ec.* estimated in advance.
precambrian *adj. s.n. geol.* Precambrian.
precapitalist *adj. ec. pol.* precapitalist(ic).
precar *adj.* precarious.
precaria *s.f. ist., jur., ec.* precaria.
precaut *adj.* cautious.
precauție *s.f.* caution, prudence; *ca ~* to be on the safe side; *cu ~* cautiously.
precădere *s.f.* priority; *cu ~* priority; preeminently.
preceda *vt.* to precede.
precedent **I.** *s.n.* precedent; *fără ~* unprecedented. **II.** *adj.* previous.
precedență *s.f.* precedence.
precept *s.n.* precept.
preceptor *s.m. înv.* private teacher.
precesiune *s.f. astr.* precession.
precipita **I.** *vt.* to hasten, to hurry. **II.** *vi. chim.* to precipitate. **III.** *vr.* **1.** to rush. **2.** *chim.* to precipitate.
precipitant *s.n. chim.* precipitant.
precipitare *s.f.* hurrying etc. v. p r e c i p i t a.
precipitat *adj.* hurried.
precipitații *s.f. pl.* **1.** rainfall. **2.** *(radioactive)* fall-out.
precipitină *s.f. biol.* precipitin.
precipitron *s.n. fiz.* precipitron.
precis **I.** *adj.* **1.** certain. **2.** precise. **II.** *adv.* **1.** accurately; exactly. **2.** *(sigur)* definitely. **3.** *(d. oră)* sharp.
Precista *adj. rel. Maica ~* v. p r e a c u r a t a.
preciza **I.** *vt.* to specify. **II.** *vr.* to become precise.
precizare *s.f.* **1.** explanatory note, explanation. **2.** *(declarație)* statement, declaration.
precizie *s.f.* accuracy, precision.
preclasic *adj. muz., arta, lit.* preclassical.
precoce *adj.* precocious.
precocitate *s.f.* precociousness.
precolumbian *adj. artă* pre-Columbian.
precomprimare *s.f. constr.* prestress(ing).
precomprimat *adj. constr.* prestressed.
preconcentrare *s.f. tehn.* mechanical operation through which mineral substances are improved.
preconceput *adj.* preconceived; cut and dried.
preconiza *vt.* **1.** to foresee. **2.** *(a propune)* to recommend, to suggest. **3.** to stipulate, to provide for.
precum *conj.* as; ~ *și* as well as; no less than; ~ *urmează* as follows; as listed below.
precumpăni *vi.* to prevail.
precumpănitor *adj.* prevailing, predominant.
precupeți *vt.* to spare, to stint.
precursor *s.m.* forerunner.
precuvântare *s.f. înv.* **1.** foreword, preface. **2.** (introductory) speech.
preda **I.** *vt.* **1.** to deliver, to hand over. **2.** *(învățătură)* to teach. **II.** *vr.* to surrender.
predare *s.f.* **1.** delivery; handing. **2.** *(în învățământ)* teaching. **3.** *(capitulare)* capitulation.
predecesor *s.m.* predecessor.
predestina *vt.* to destine.
predestinare *s.f.* predestination, foredooming.
predestinat *adj.* fated, foredoomed.
predestinație *s.f.* predestination.
predetermina *vt.* to predetermine.
predica *vt., vi.* to preach.
predicat *s.n. gram.* predicate.
predicativ *adj. gram.* predicative.
predicator *s.m.* preacher.
predicație *s.f. gram.* predication.
predică *s.f.* sermon.
predicțiune *s.f. livr.* prediction, foretelling.
predilect *adj.* favourite.
predilecție *s.f.* **1.** predilection. **2.** *(înclinație)* inclination, bent; *de ~* favourite; preferably.
predispoziție *s.f.* propensity, proclivity.
predispune *vt.* to predispose.
predispus *adj.* liable (to).
predomina *vi.* to prevail.
predominant *adj.* prevalent, predominant.
predominanță, predominare *s.f.* prevalence, predominance.
predominație *s.f.* predominance, prevalence.
predoslovie *s.f. înv.* v. p r e f a ț ă.
preducea *s.f. tehn.* punch.
preeminență *s.f.* pre-eminence.
preemțiune *s.f. jur.* pre-emption, option.
preexista *vi.* to pre-exist.
preexistent *adj.* pre-existent, pre-existing.
preexistență *s.f.* pre-existence.
prefabrica *vt. ind.* to prefab(ricate).
prefabricare *s.f. ind.* prefabrication.
prefabricat *s.n. ind.* prefab.
preface **I.** *vt.* to transform, to change (into smth). **II.** *vr.* **1.** to change, to turn (into smth.). **2.** *(a simula)* to

pretend; *a se ~ bolnav* to malinger, to feign illness.
prefacere *s.f.* transformation, change.
prefață *s.f.* preface, foreword, introduction.
prefăcătorie *s.f.* **1.** simulation. **2.** *(ipocrizie)* cant.
prefăcut *adj.* **1.** falsified, fake(d) **2.** *(ipocrit)* hypocritical.
prefect *s.m.* prefect.
prefectură *s.f.* prefecture.
prefera *vt.* to prefer; *aș ~ să plec* I'd rather go.
preferabil I. *adj.* preferable. **II.** *adv.* rather.
preferat *s.m., adj.* favourite, pet.
preferențial *adj.* preferential.
preferință *s.f.* preference; *de ~* preferably, better.
prefeudal *adj. ist.* prefeudal.
prefigura *vt.* to prefigure, to foreshadow.
prefigurare *s.f.* premonition, foreshadowing, prediction.
prefiltru *s.n. tehn.* prefilter.
prefira I. *vt.* **1.** to look over / through. **2.** v. r ă s f o i. **3.** to strew. **II.** *vr.* **1.** to steal, to creep, to slip. **2.** v. p e r i n d a. **3.** to spread.
prefix *s.n. gram.* prefix.
prefixa *vt. gram.* to prefix.
preflorație *s.f. bot.* prefloration.
preforjare *s.f. tehn.* preliminary forging.
preformism *s.n. biol.* preformism.
pregăti I. *vt.* **1.** to prepare, to make ready. **2.** *(a instrui)* to coach. **3.** *(masa)* to cook; *a ~ terenul pentru* to pave the way for. **II.** *vr.* **1.** to prepare, to make ready. **2.** *(pentru un examen)* to study.
pregătire *s.f.* **1.** preparation. **2.** *(predare)* coaching. **3.** *(nivel, stare)* preparedness. **4.** *(instructaj)* briefing.
pregătit *adj.* **1.** prepared. **2.** *(gata)* ready. **3.** *(instruit)* well-trained; expert.
pregătitor *adj.* preparatory.
preget *s.n.* stint; *fără ~* ungrudgingly.
pregeta *vi.* to shrink.
pregnant I. *adj.* substantival, pithy. **II.** *adv.* significantly.
pregnanță *s.f.* poignancy, pithiness.
prehensil *adj.* prehensile (tail etc.).
preimperialist *adj. ist., pol.* preimperialist.
preistoric *adj.* prehistoric.
preistorie *s.f.* prehistory.
preîncălzi *vt. tehn.* to preheat.
preîncălzire *s.f. tehn.* preheating.
preîncălzitor *s.n. tehn.* preheater.
preîntâmpina *vt.* to avert; to forestall.
preîntâmpinare *s.f.* forestalling.
prejos *adv. mai ~ de* below, behind.
prejudecată *s.f.* prejudice; prepossession; bias; *fără prejudecăți* unprejudiced.
prejudicia *vt.* to harm.
prejudiciabil *adj.* prejudicial; harmful.
prejudiciu *s.n.* damage, harm.
prelat *s.m.* prelate.
prelată *s.f.* tarpaulin.
prelegere *s.f.* university lecture.
preleva *vt.* to draw.
prelevare *s.f.* drawing.
preliminar I. *s.n.* preliminary. **II.** *adj.* preliminary; exploratory.
preliminare *s.f.* estimation.
prelinge *vr.* to trickle.
prelua *vt.* to take (over), to assume.
preluare *s.f.* taking over.
prelucra *vt.* **1.** to process. **2.** *(o problemă)* to analyse, to discuss. **3.** *(pe cineva)* to bring matters home to (smb.).
prelucrare *s.f.* **1.** processing. **2.** *(instructaj)* briefing.
prelucrător *adj.* processing.
preluda *vi.* to prelude.
preludiu *s.n.* prelude.
prelung *adj.* long.
prelungi I. *vt.* to prolong. **II.** *vr.* to be prolonged, to last, to linger.
prelungire *s.f.* prolongation.
prelungitor *s.n.* pencil holder / lengthener.
premarxist *s.m., adj.* pre-Marxian.
prematur I. *s.m.* prematurely born child. **II.** *adj.* premature.
premedita *vt.* to premeditate.
premeditare *s.f.* intention; *cu ~* deliberate(ly).
premeditat *adj.* delibarate, intentional.
premergător I. *s.m.* forerunner. **II.** *adj.* preliminary.
premerge *vi. a ~ (cu dat.)* to precede *(cu acuz.)*.
premia *vt.* to award a prize / bonus to.
premial *adj.* premium, bonus; *fond ~* bonus funds; *sistem ~* bonus system.
premiant *s.m.* prize-winning pupil.
premiat *adj.* that has been awarded a prize / a bonus.
premier *s.m. pol.* premmier, prime minister.
premieră *s.f. teatru, cin. etc.* première, first night, first performance.
premiere *s.f.* awarding of prizes.
premilitar *adj.* refering to "premilitărie".
premilitărie *s.f.* para-military training of youngmen.
premisă *s.f. log.* premise, premiss; *pl.* pre-requisites.
premiu *s.n.* prize.
premolar *s.m. anat.* premolar (tooth), bicuspid.
premonopolist *adj.* pre-monopolistic.
prenatal *adj.* antenatal.
prenume *s.n.* Christian / first name.
preocupa I. *vt.* to concern. **II.** *vr.* to concern oneself (with).
preocupare *s.f.* concern, preoccupation.
preocupat *adj.* engrossed (in thought); *~ de* concerned in, interested in.
preopinent *s.m.* previous speaker.
preot *s.m.* priest, clergyman.
preoteasă *s.f.* **1.** priestess. **2.** *(soție)* priest's wife.
preoțesc *adj.* priestly.
preoți I. *vt.* to ordain. **II.** *vr.* to take / receive holy orders.
preoție *s.f.* priesthood; holy orders.
preoțime *s.f.* clergy, priesthood.
prepalatal *adj. lingv.* antepalatal, bladepoint... blade- and-point...
prepara *vt.* **1.** to prepare. **2.** *(mâncare)* to cook.
preparandie *s.f. ist.* teacher training school / college.
preparat *s.n.* preparation.
preparative *s.f. pl.* preparations.
preparator *s.m. aprox.* preparator, tutor.
preparație *s.f.* preparation.
prepeleac *s.m.* **1.** pot-peg, peg on which the pots are put up for drying. **2.** stick for hay cocks.
prepelicar *s.m. zool.* spaniel.
prepeliță *s.f. ornit.* quail *(Coturnix coturnix)*.
preponderent *adj.* prevalent.
preponderență *s.f.* preponderance.
prepotrivire *s.f. poligr.* first making-ready.
prepoziție *s.f.* preposition.
prepozițional *adj. gram.* prepositional.
prepune *vt. pop.* to suppose, to presume.
prepus I. *adj. lingv., jur. etc.* **1.** pre-posed, anteposed. **2.** in a dominant position. **3.** *jur.* suspected. **II.** *s.n.* suspicion, supposition. **III.** *s.m.* **1.** delegate. **2.** attorney mandatee.
prepuț(iu) *s.n. anat.* prepuce, foreskin.
prerafaelism *s.n.* v. p r e r a f a e l i t i s m.

prerafaelitism *s.n. artă* Pre-Raphae(lit)ism.
prerevoluționar *adj.* pre-revolutionary.
prerie *s.f. geogr.* prairie.
prerogativă *s.f.* prerogative.
preromantic *adj.* pre-romantic.
preromantism *s.n.* pre-romanticism, pre-Romantic period.
presa *vt.* **1.** to press. **2.** *(a zori)* to urge.
presant *adj.* pressing, urgent.
presare *s.f.* **1.** pressing. **2.** *tehn.* pressing.
presat *adj.* pressed etc. v. p r e s a.
presă *s.f.* press.
presăra *vt.* to (be)sprinkle.
presbitism *s.n.* long-sightedness.
preschimba I. *vt.* to transform; to (ex)change. **II.** *vr.* to turn (into).
preschimbare *s.f.* transformation.
prescrie I. *vt.* to prescribe. **II.** *vr.* to be banned by limitation.
prescriptibil *adj. jur.* prescriptible.
prescripție *s.f.* **1.** indication. **2.** *jur.* limitation.
prescură *s.f.* wafer.
prescurta *vt.*, *vr.* to abbreviate.
prescurtare *s.f.* abbreviation.
preselector *s.n. tehn.* preselector.
presen *s.n.* belt put under the breast of a horse.
presentiment *s.n.* foreboding.
preselupă *s.f. tehn.* stuffing box / gland, packing box / gland.
presgarnitură *s.f.* v. p r e s e t u p ă.
presimți *vt.* to feel, to have a misgiving.
presimțire *s.f.* misgiving, foreboding.
presing *s.n. sport* pressing.
presinterizare *s.f. tehn.* preliminary sinter.
presiune *s.f.* **1.** pressure. **2.** *fig. și* urge, insistence.
presocialist *adj.* pre-socialist...
presocratici *s.m. pl. filoz.* pre-Socratics.
presor I. *s.m.* presser. **II.** *s.n.* presser foot.
presoreceptor *s.n. fiziol.* pressoreceptor.
presostat *s.n. tehn.* pressure controller.
prespapier *s.n.* paper weight.
presta *vt.* to perform; *a ~ jurământ* to be sworn in.
prestabilit *adj.* pre-established, settled before hand; *fig.* cut and dried.
prestanță *s.f.* stateliness, dignified deportment.
prestare *s.f.* carrying out; service; *sub ~ de jurământ jur.* under oath.
prestație *s.f.* catering, service.
prestidigitator *s.m.* conjurer; trickster.
prestidigitație *s.f.* sleight of hand, legerdemain.
prestigios *adj.* impressive, imposing.
prestigiu *s.n.* prestige; *de ~* prestigious.
prestissimo *adv. muz.* prestissimo.
presto *adv. muz.* presto.
presupune *vt.* **1.** to suppose, to assume. **2.** *(a necesita)* to require, to presuppose.
presupunere *s.f.* supposition.
presupus *adj.* supposed.
presură *s.f. ornit.* bunting (*Emberiza*).
presuriza *vt.* to pressurize.
presus *adj. mai ~ de* above, beyond.
preș *s.n.* doormat.
preșcolar *adj.* preschool...
președintă *s.f.* chairwoman.
președinte *s.m.* **1.** chairman. **2.** *(de republică)* president. **3.** *(în Camera Comunelor)* speaker.
președințial *adj.* presidential.
președinție *s.f.* presidency.
prespan *s.n. tehn.* pressboard, press-spahn.
preștiință *s.f. rel.* prescience.
preta *vr.* **1.** to lend oneself (to smth.). **2.** *peior.* to demean oneself. **3.** *fig.* *(d. lucruri)* to yield (to smth.).
pretcă *s.f.* v. p r e a t c ă.
pretendent *s.m.* **1.** claimant. **2.** *(pețitor)* suitor.
pretensionare *s.f. constr.* pretension.
pretensionat *adj. constr.* pre-stressed.
pretenție *s.f.* **1.** pretension. **2.** *(revendicare și)* claim, revendication; *cu pretenții* pretentious; *(afectat)* highbrow; *fără pretenții* unassuming, lowbrow.
pretențios *adj.* exacting; *peior.* finical.
preterit *s.n. gram.* preterite; *(în gram. engleză)* past tense.
preterițiune *s.f.* preterition, pretermission.
pretermisie *s.f.* v. preterițiune.
pretext *s.n.* pretext; excuse; *sub ~ul că* under colour / pretext of.
pretexta *vt.* to pretend.
pretimpuriu I. *adj.* untimely, premature. **II.** *adv.* untimely, prematurely.
pretinde I. *vt.* **1.** to claim. **2.** *(a cere)* to claim. **3.** *(a necesita)* to require, to imply. **4.** *(a susține și)* to allege. **II.** *vr.* to claim to be.
pretins *adj.* self-styled.
pretor *s.m.* **1.** *ist. Romei* praetor. **2.** *odin.* county chief.
pretorian *adj. ist.* Praetorian.
pretoriu *s.n. ist. Romei* praetorium.
pretort *s.n. text.* roping.
pretură *s.f. ist. României* county chief's job.
pretutindeni *adj.* everywhere.
preț *s.n.* **1.** price. **2.** *(cost și)* cost. **3.** *(valoare și)* value, work; *~ de cost* cost price; *cu ~ul vieții* at the risk of one's life; *cu orice ~* by hook or by crook; *de ~* valuable; *fără ~* priceless, invaluable.
prețios *adj.* **1.** (in)valuable. **2.** *(afectat)* stilted; *piatră prețioasă* precious stone, gem.
prețiozitate *s.f.* **1.** affectation, mannerism. **2.** *lit.* euphuism.
prețui I. *vt.* **1.** to value. **2.** *(a aprecia și)* to prize. **II.** *vi.* to cost, to be worth.
prețuire *s.f.* appreciation.
prețuitor *s.m.* valuer, AE appraiser.
prevala I. *vi.* to prevail. **II.** *vr.* to avail oneself (of an opportunity etc.).
prevăzător *adj.* cautious; clearsighted.
prevedea I. *vt.* **1.** to foresee. **2.** *(fonduri)* to earmark. **3.** *(d. o lege)* to stipulate (for); *a ~ că* to stipulate that; *a ~ cu* to endow / equip with. **II.** *vr.* to be foreseen.
prevedere *s.f.* **1.** foresight. **2.** *(meteorologică etc.)* forecast. **3.** *pl.* provisions, stipulations.
preveni *vt.* **1.** to (fore)warn. **2.** *(a preîntâmpina)* to forestall.
prevenire *s.f.* **1.** prevention. **2.** (*gentilețe*) engaging manner.
prevenit *s.m.* **1.** forewarned, warned beforehand. **2.** prisoner, accused.
prevenitor I. *adj.* obliging, amiable, polite. **II.** *adv.* amiably, politely.
preventiv *adj.* preventive, prophylactic.
preventoriu *s.n.* prophylactic sanatorium.
prevenție *s.f.* preventive custody.
prevesti *vt.* **1.** to forecast. **2.** *(a vesti)* to harbinger.
prevestire *s.f.* forecast.
prevestitor *adj.* foreboding.
previzibil *adj.* predictable, foreseeable.
previziune *s.f.* foreseeing.
prezbit I. *s.m.* long-sighted person. **II.** *adj.* long-sighted.
prezbiterian *s.m.*, *adj.* presbyterian.
prezbiterianism *s.n.* presbyterianism.
prezbiteriu *s.n.* presbytery.

prezent *s.n., adj.* present; *în ~* at present, at the moment; *până în ~* so far.
prezenta I. *vt.* **1.** to present. **2.** *(a da)* to give, to offer. **3.** *(a înfățișa și)* to depict. **4.** *(a arăta)* to show, to perform (a play). **5.** *(pe cineva, cuiva)* to introduce (smb. to smb. else); *a ~ într-o lumină falsă* to put a false colour on. **II.** *vr.* **1.** to offer / present oneself. **2.** *(cuiva)* to introduce oneself (to smb.). **3.** *(d. un candidat)* to stand (for an examination, for the elections etc.). **4.** *(a se ivi)* to appear.
prezentabil *adj.* engaging, comely.
prezentare *s.f.* presentation; introduction; *~ grafică* make-up.
prezentator *s.m.* entertainer, announcer, presenter, presentor.
prezență *s.f.* **1.** presence. **2.** *(a elevilor etc.)* attendance; *~ de spirit* presence of mind, alertness.
prezerva *vt.* to preserve.
prezervativ *s.n.* condom, contraceptive sheath.
prezicător *s.m.* fortune teller, soothsayer.
prezice *vt.* to predict; *a ~ viitorul* to tell fortunes.
prezicere *s.f.* prediction, forecast.
prezida I. *vt.* to chair. **II.** *vi.* to be in the chair.
prezident *s.m.* president, chairman.
prezidențial *adj.* presidential.
prezidenție *s.f.* v. p r e ș e d i n ț i e.
prezidiu *s.n.* presidium.
preziuă *s.f.* eve; *în preziua...* on the eve of...
prezon *s.n. tehn.* (stud)bolt.
prezumptiv *adj.* presumptive.
prezumție *s.f.* **1.** (*presupunere*) assumption, suspicion. **2.** (*îndrăzneală*) presumption.
prezumțios *adj.* presumptuous, overweening.
pribeag I. *s.m.* exile, outcast. **II.** *adj.* vagrant.
pribegi *vi.* to go into the wide world.
pribegie *s.f.* **1.** exile. **2.** *(rătăcire)* wandering.
priboi *s.n. tehn.* punch.
pricăjit *adj. reg.* v. p i p e r n i c i t.
price *s.f. înv.* **1.** v. c e a r t ă. **2.** v. s u p ă r a r e 1.
priceasnă *s.f. bis.* prayer sung in Orthodox churches while the priest receives the Eucharist.
pricepe I. *vt.* to understand. **II.** *vr.* **1.** to be understandable / clear. **2.** *(d. cineva)* to be competent; *a se ~ la ceva* to be conversant with a subject; to be an expert hand at smth.
pricepere *s.f.* **1.** knowledge. **2.** *(îndemânare)* ability, skill.
priceput *adj.* skilful, expert.
prichici *s.n.* **1.** ledge. **2.** *(la cuptor)* mantel piece. **3.** window sill / sash.
prichindel *s.m.* **1.** midget. **2.** *(copil)* chit, brat.
prici *s.n.* bunk, cot.
pricinaș *adj., s.m.* **1.** v. g â l c e v i t o r. **2.** v. î m p r i c i n a t.
pricină *s.f.* **1.** reson, cause. **2.** *(râcă)* grudge, spite; *din pricina cuiva* because of smb.
pricinui *vt.* to cause; to determine.
pricolici *s.m.* wer(e)wolf, wolf man.
pricomigdală *s.f.* macaroon.
pricopsi *vt., vr.* v. p r o c o p s i.
priculici *s.m.* sprite, elf; spook.
pridìdi *vi.* to manage; *a nu mai ~* not to cope with.
pridvor *s.n.* porch.
prielnic *adj.* favourable, propitious.
prier *s.m. pop.* April.
prieten *s.m.* friend, pal; *~ bun* bosom friend.
prietenesc *adj.* friendly.
prietenește *adj.* like / as a friend.
prietenie *s.f.* friendship.
prietenos *adj.* friendly.
prigoană *s.f.* persecution.
prigoare *s.f.* v. p r i g o r.
prigoni *vt.* to victimize.
prigonire *s.f.* v. p r i g o a n ă.
prigonitor *s.m.* persecutor, oppressor.
prigor *s.m.*, **prigorie** *s.f. ornit.* bee eater (*Merops apiaster*).
prihană *s.f.* blemish; *fără ~* spotless, unblemished.
prihăni *vt.* **1.** to spoil, to smear, to stain, to blemish. **2.** (*o fată*) to s(p)oil, to undo, to violate.
prihănit *adj.* unclean; unchaste.
prii *vi. a ~ cuiva* to suit smb., to agree with smb.
priință *s.f. (folos)* use, benefit; *de ~* useful.
prilej *s.n.* (favourable) occasion; *~ bun* opportunity.
prilejui *vt.* to occasion.
prim I. *adj.* **1.** first. **2.** *mat., pol.* prime; *de ~a calitate* first-class. **II.** *num. ord.* first.
prima *vi.* to have the precedence.
primadonă *s.f.* primadonna.
primar I. *s.m.* mayor. **II.** *adj.* primary; elementary.
primat I. *s.n.* pre-eminence. **II.** *adj. mitropolit ~ odin. aprox.* Primate.
primate *s.f. pl. zool.* primates.
primă *s.f.* bonus, premium.
primărie *s.f.* **1.** mayoralty. **2.** *(local)* town hall.
primăriță *s.f. odin.* mayor's wife; (village) magistrate's wife.
primăvara *adv.* in spring(time).
primăvară *s.f.* spring; *la ~* next spring.
primăvăratic *adj.* **1.** spring.... **2.** youthful, juvenile.
primejdie *s.f.* danger, peril; *~ de moarte* mortal danger; *ferit de ~* safe.
primejdios *adj.* dangerous, perilous.
primejdui *vt.* to endanger, to jeopardize.
primeneală *s.f.* **1.** changing of clothes. **2.** *pl.* changes of linen.
primeni I. *vt.* to change; to renew. **II.** *vr.* **1.** to change (one's linen / clothes). **2.** *fig.* to be renewed.
primenire *s.f.* **1.** changing of linen. **2.** renewal, renovation.
primi I. *vt.* **1.** to receive. **2.** *(a accepta)* to accept. **II.** *vi.* to consent, to accept.
primigestă I. *adj.* primigravid. **II.** *s.f.* primigravida.
primipară I. *adj.* primiparous (woman). **II.** *s.f.* primipara.
primire *s.f.* reception.
primitiv I. *s.m.* primitive man. **II.** *adj.* **1.** primitive; crude. **2.** *(barbar și)* barbarian.
primitivism *s.n.* primitiveness.
primitivitate *s.f.* primitiveness.
primitor *adj.* hospitable.
primo *adv.* first(ly), in the first place.
primogenitură *s.f.* primogeniture.
primordial *adj.* primordial.
primordialitate *s.f.* primordiality.
primulacee *s.f. pl. bot.* Primulaceae.
primulă *s.f. bot.* primula, primrose (*Primula*).
primus *s.n.* primus (stove).
prin *prep.* **1.** through. **2.** *(pe la)* about, around. **3.** *(în)* in; *~ urmare* therefore, then.
princeps *adj. ediție ~* first edition.
princiar *adj.* **1.** princely. **2.** *fig.* royal.
principal *adj.* main, principal.
principat *s.n.* principality.
principe *s.m.* prince.
principesă *s.f.* princess.
principial I. *adj.* **1.** of principle. **2.** *(d. cineva)* principled. **II.** *adv.* in principle.
principialitate *s.f.* principledness.
principiu *s.n.* **1.** principle. **2.** (basic) element; *din ~* on principle; *în ~* in principle; theoretically.
prinde I. *vt.* **1.** to catch. **2.** *(a apuca)* to grasp, to grip. **3.** *(repede)* to

snatch. **4.** *(prizonieri etc.)* to take, to seize; to capture. **5.** *(din urmă)* to catch up with. **6.** *(a cuprinde)* to encompass, to embrace. **7.** *(a înțelege și)* to get, to understand. **8.** *(a fixa)* to attach, to fasten. **9.** *(a lega)* to tie, to bind. **10.** *(a căpăta)* to acquire, to obtain; *a ~ asupra faptului* to catch red-handed; *a ~ cu arcanul (la oaste)* to crimp; *a ~ culoare* to colour (up); *a ~ curaj* to take heart; *a ~ glas* to find one's tongue; *a~ minte* to become wise; *a ~ pește* to fish; *a ~ puteri* to pick up strength; *a ~ rădăcini* to strike root(s); *a ~ o vorbă din zbor* to overhear a conversation etc. **II.** *vi.* **1.** to meet with success. **2.** *(a merge)* to work off, to go down. **3.** *(d. plante)* to strike root; *a ~ de veste* to learn (of / that). **III.** *vr.* **1.** to catch (at smth.). **2.** *fig.* to pledge, to give a pledge. **3.** *(a paria)* to bet, to wager. **4.** *(a se întări)* to set. **5.** *(d. lapte)* to catch; *a se ~ de* to catch at; to cling to; *a se ~ în cursă etc. to fall in a trap etc.*; *nu se ~ la mine! fam.* it won't go down with me!, it's no go! *te-ai prins? argou* did you get it?; savvy?

prindere *s.f.* **1.** catching. **2.** *tehn. etc.* attachment, fixing, holding, nip pinning, setting; clasping. **3.** *constr.* gripping. **4.** *met.* dogging. **5.** *poligr.* clamping-on.

prinos *s.n.* **1.** sacrifice. **2.** *(omagiu)* tribute, homage, praise.

prins I. *adj.* caught etc. v. p r i n d e. **II.** *s.n.* catching etc. v. p r i n d e. **III.** *s.m.* captive, prisoner.

prinsoare *s.f.* bet, wager.

printre *prep.* among, amidst; *~ altele* among other things, inter alia.

prinț *s.m.* prince.

prințesă *s.f.* princess.

prințișor *s.m.* princeling, princelet.

prioritate *s.f.* **1.** priority. **2.** *(la circulație)* right of way.

pripas *s.n. de ~* stray.

pripă *s.f.* haste; *în ~* hastily.

pripăși *vr.* to take shelter / refuge.

pripeală *s.f.* **1.** v. p r i p i r e. **2.** quick baking (about food).

pripi *vr.* **1.** to hurry; to be rash. **2.** to jump to conclusions.

pripire *s.f.* hurry, haste, rashness, thoughtlessness.

pripit *adj.* hasty, rash.

pripon *s.n.* **1.** *(funie)* tether; *(țăruș)* stake, peg. **2.** row of fishing lines.

priponi *vt.* to tether.

pripor *s.n.* slope, descent.

prisacă *s.f.* apiary.

prisăcar *s.m.* hiver, beekeeper.

prisăcărie *s.f.* beekeeping, beekeeper's / master's trade.

prisăcărit *s.n.* **1.** v. p r i s ă c ă r i e. **2.** *ist. României* 18th century tax on apiaries.

prislop *s.n. geogr.* high mountain pass.

prismatic *adj.* prismatic.

prismă *s.f.* **1.** prism. **2.** *fig.* angle, viewpoint.

prisnar *s.n.* v. p r â s n e l.

prisos *s.n.* surplus; redundance; *~ul inimii* abundance of the heart; *de ~* useless; redundant.

prisosi *vi.* to be in excess / surplus.

prisosință *s.f. cu ~* abundantly; *fig.* with a vengeance.

prispă *s.f.* verandah, porch.

pristav *s.m. ist. României* **1.** herald, town / village crier, announcer of news. **2.** bailiff on a boyar's estate.

pristol *s.n.* altar, communion table.

pristoleancă *s.f.* Romanian folk dance.

pristolnic[1] *s.m. bot.* Abutilon d'Avicenne; *(Abutilon theophrasti).*

pristolnic[2] *s.n.* wooden or stone seal used to mark the wafers with Jesus's initials.

pristornic v. p r i s t o l n i c 2.

prișniț *s.n.*, **prișniță** *s.f. med.* (Priessnitz) bandage / compress.

pritan *s.m. ist.* prytanis, *pl.* prytanes.

pritaneu *s.n.* prytaneum.

pritoacă *s.f.* wooden pot for vintage.

pritoc *s.n.* v. p r i t o c i r e.

pritoci *vt.* **1.** to rack (from the lees); to decant, to pour from one barrel into another; to transfuse, to pour off (wine or pickles). **2.** *fig.* to thrift.

pritocire *s.f.* decanting.

priva I. *vt.* to deprive (of). **II.** *vr. a se ~ de* to do / go without.

prival *s.n.* stream in the Danube flood land connecting its branches.

privat *adj.* private, personal.

privată *s.f.* privy, closet.

privativ *adj.* privative.

privațiune *s.f.* **1.** (de)privation. **2.** want, need.

priveghea I. *vi.* to watch; *(a fi treaz)* to be awake; to keep awake / vigil; *a ~ la căpătâiul...* to watch at the bedside of..., to sit up with... **II.** *vt.* **1.** to watch; *(a îngriji)* to look after. **2.** *(un mort)* to wake (a dead body).

priveghere *s.f.* **1.** watching. **2.** *(pază)* watch, death watch, wake. **3.** *rel.* vigil.

priveghi *s.n.* **1.** death watch, wake. **2.** *rel.* vigil.

priveliște *s.f.* **1.** view. **2.** *(peisaj și)* landscape, scenery.

privi I. *vt.* **1.** to watch, to look at. **2.** *(a interesa)* to concern, to regard. **3.** *(a considera)* to consider, to view; *a ~ lacom* sau *cu lăcomie* to gloat over; *în ceea ce mă privește* as for me, as far as I am concerned; *nu te privește* it is none of your business; *pe mine nu mă privește* it's not my funeral. **II.** *vi.* **1.** to look. **2.** *(fix)* to stare. **3.** *(pătrunzător)* to peer; *a ~ la* to watch, to look at. **III.** *vr.* to look at each other; *a se ~ în oglindă* to (take a) look at oneself in the mirror.

privighetoare *s.f. ornit.* nightingale *(Luscinia).*

privilegia *vt.* to favour.

privilegiat *adj.* privileged.

privilegiu *s.n.* privilege, favour.

privință *s.f.* respect; *în privința (cu gen.)* as concerns / regards.

privire *s.f.* look, glance; *~ semnificativă* meaningful glance; *cu ~ la* as for / to, as concerns / regards.

privitor I. *s.m.* onlooker. **II.** *adj. ~ la* concerning, regarding.

priza *vt.* to snuff.

priză *s.f.* **1.** plug. **2.** *fig.* hold, pull (on the public etc.); *în ~* plugged (in); *scos din ~* unplugged.

prizărit *adj.* v. p i p e r n i c i t.

prizon *s.n. tehn.* (stud) bolt.

prizonier *s.m.* prisoner (of war), POW.

prizonierat *s.n.* captivity.

pro *prep.* pro.

proaspăt *adj.* **1.** fresh. **2.** *(d. aer și)* bracing. **3.** *(nou și)* new. **4.** *(d. pâine)* newly-baked. **5.** *(fig. viu)* alive.

prob *adj.* honest(-minded), fair(-minded).

proba *vt.* **1.** *(a dovedi)* to prove. **2.** *(a încerca)* to test, to try (out). **3.** *(o rochie etc.)* to try on.

probabil I. *adj.* probable, likely; *puțin ~* unlikely. **II.** *adv.* probably; *foarte ~* most likely.

probabilism *s.n. log.* probabilism.

probabilitate *s.f.* probability; *după toate probabilitățile* in all likelihood.

probar *s.n. poligr.* album with models of figures and letters.

probator *adj.* conclusive, probative.

probatoriu *jur.* **I.** *adj.* v. p r o b a t o r. **II.** *s.n.* evidence, probation, demonstration.

probă *s.f.* **1.** test. **2.** *(dovadă)* proof, *pl.* evidence. **3.** *(mostră)* specimen, sample. **4.** *(examen)* exam(ination). **5.** *(la croitor)* fitting. **6.** *sport* event; *de ~* trial..., test..., specimen...
probitate *s.f.* uprightness, probity, integrity.
problematic *adj.* doubtful.
problematică *s.f.* problems.
problemă *s.f.* problem, question; issue; *~ arzătoare* challenge; *~ litigioasă* outstanding issue.
proboscidian *adj., s.m. zool.* proboscidean.
procaină *s.f. farm.* procaine.
proceda *vi. (la)* to proceed (to).
procedeu *s.f.* proceeding, method.
procedural *adj.* procedural.
procedură *s.f.* procedure.
procedurist *s.m. jur.* expert in procedural law.
procent(aj) *s.n.* percentage; rate.
procentual *adj.* per cent; percentage.
proces *s.n.* **1.** process, evolution. **2.** *(curs)* course. **3.** *jur. (penal)* trial; *(civil)* lawsuit; *~ de conștiință* searchings of the heart; *~ de divorț* action for divorce; *~ verbal* report; *(minută)* proceedings, minute.
procesiune *s.f.* procession.
procesual *adj. jur.* processual (law); related to legal procedure.
prochimen *s.n. rel.* verses from the psalms sung before reading from the Bible.
proclama *vt.* to proclaim, to announce.
proclamare *s.f.* proclamation.
proclamație *s.f.* proclamation.
proclet *adj.* **1.** (ac)cused, damned, *fig. și confounded.* **2.** terrible, awful.
proclitic *adj. gram.* proclitic.
procliză *s.f. lingv., lit.* proclisis.
proconsul *s.m. ist. Romei* proconsul.
proconsular *adj.* proconsular.
proconsulat *s.n.* proconsulate.
procopseală *s.f.* profit, advantage.
procopsi **I.** *vt.* to endow. **II.** *vr.* to enrich oneself.
procopsit *adj.* **1.** rich, well-to-do. **2.** *fig.* scapegrace.
procrea *vi.* to procreate.
procreare, procreație *s.f.* procreation.
procura *vt.* to secure.
procurator *s.m.* **1.** *ist. Romei* procurator. **2.** (*mandatar*) procurator, proxy.
procuratură *s.f.* prosecutor's office.
procură *s.f.* mandate.
procurist *s.m.* (head) clerk, proxy; buyer.
procuror *s.m.* **1.** public prosecutor. **2.** *(în Anglia și S.U.A.)* attorney; *~ general* Attorney General.
prodecan *s.m.* deputy dean.
prodig *adj.* prodigal, lavish, unsparing.
prodigios *adj.* prodigious, remarkable.
prodrom *s.n.* **1.** prodrome introduction. **2.** *med.* prodrome, prodrama, premonitory simptom (of disease).
producător **I.** *adj.* productive; producing. **II.** *s.m.* producer.
produce **I.** *vt.* **1.** to produce, to yield. **2.** to make, to create. **3.** to cause, to determine. **II.** *vi.* to be lucrative. **III.** *vr.* **1.** to take place. **2.** *(a da reprezentații)* to perform (in public).
productiv *adj.* **1.** productive. **2.** remunerative.
productivitate *s.f.* productivity; efficiency.
productometru *s.n. tehn.* productivity meter.
producție *s.f.* **1.** production. **2.** *(produse)* output. **3.** *(agricolă și)* yield. **4.** *(film)* release; *~ în serie* serial manufacture; *~ marfă* marketable output; *mica ~ de mărfuri* small-scale commodity production.
produs *s.n.* **1.** product. **2.** *(natural)* produce. **3.** *fig. și* result, fruits; *~e agricole* farm produce.
proeminent *adj.* **1.** prominent. **2.** *fig. și outstanding.*
proeminență *s.f.* prominence.
profan **I.** *s.m.* layman. **II.** *adj.* **1.** profane; unholy. **2.** *(laic)* lay. **3.** *(nepriceput)* inexpert.
profana *vt.* to profane.
profanator *s.m.* profaner; defiler.
profascist *adj.* pro-fascist.
profera *vt.* to utter; *a ~ injurii contra cuiva* to revile (against) smb.
profesa *vt., vi. și fig.* to profess.
profesie *s.f.* profession, calling; *de ~* professional; by profession.
profesional *s.n.* **1.** professional. **2.** *(d. învățământ)* vocational. **3.** *(d. boală)* occupational.
profesionist **I.** *s.m.* professional (man). **II.** *adj.* professional; *liberii profesioniști* people of the profession.
profesiune *s.f.* **1.** profession. **2.** *(confesiune și)* confession; *~ de credință* profession of faith.
profesoară *s.f.* **1.** teacher. **2.** *(învățătoare)* schoolmistress.
profesor *s.m.* **1.** teacher. **2.** *(universitar și)* professor. **3.** *(învățător)* schoolmaster; *~ doctor docent* Professor, D.Sc.; *~ titular* professor in ordinary.
profesoral *adj.* professorial.
profesorat *s.n.* professorship.
profesorime *s.f.* professorate.
profet *s.m.* prophet.
profetic *adj.* prophetic(al).
profetiza *vt.* to prophesy.
profeți *vt.* to prophesy.
profeție *s.f.* prophecy, prediction.
profil *s.n.* **1.** profile. **2.** *fig.* structure; *din ~* in profile.
profila *vr.* **1.** to loom, to be outlined. **2.** *fig. (pentru)* to specialize (in).
profilactic *adj.* prophylactic.
profilat *adj.* shaped, form...; *cuțit ~ tehn.* form cutter.
profilaxie *s.f.* prophylaxis.
profilograf *s.n. tehn.* profilograph.
profilogramă *s.f. tehn.* graphic representation of the roughness of a processed piece.
profilometru *s.n. tehn.* profilometer, profilograph, contour follower.
profiriu *adj.* light red, pink(-coloured), rosy.
profit *s.n.* profit, benefit; *~ net* clear profit.
profita *vi.* to profit, to benefit; *~ de prilej* to seize the opportunity, to improve the occasion.
profitabil *adj.* lucrative, rewarding.
profitor *s.m.* profiteer.
profund **I.** *adj.* **1.** deep, profound. **2.** *(d. somn și)* sound. **3.** *(serios și)* thorough(going). **II.** *adv.* deeply, profoundly; thoroughly.
profundor *s.n. av.* elevator.
profunzime *s.f.* depth, profoundness.
profuziune *s.f.* profusion.
progenitură *s.f.* progeny, offspring.
progesteron *s.n. biochim.* progesterone.
proglotă *s.f. zool.* proglottid, proglottis.
prognatism *s.n. med.* prognathism, marked projection of the jaw.
prognostic *s.n.* **1.** *med.* prognosis. **2.** forecast.
prognostica *vt.* to prognose, to forecast.
prognoză *s.f.* forecast, prognostication, anticipation.
progradare *s.f. geol.* progradation.
program *s.n.* **1.** programme. **2.** *(afiș)* playbill. **3.** *pol. și platform.* **4.**

(orar) time table. **5.** *(de studii)* syllabus; ~ *comun radio* hook-up.
programa *vt.* to program(me); *(a anunța)* to bill, to announce; to schedule.
programare *s.f.* programming, planning.
programatic I. *adj.* programmatic, programme. **II.** *adv.* as a programme.
programator *s.m. el.* (computer) programmer.
programă *s.f.* syllabus; curriculum.
progres *s.n.* progress, headway.
progresa *vi.* to make progress / headway.
progresie *s.f. mat.* progression.
progresist *s.m., adj.* progressive, radical.
progresiv I. *adj.* gradual. **II.** *adv.* gradually.
prohab *s.n.* fly (opening).
prohibi *vt.* to prohibit, to interdict, to ban.
prohibitiv *adj.* **1.** vetative. **2.** *(d. preț)* prohibitive.
prohibitoriu *adj.* v. p r o h i b i t i v.
prohibiție *s.f.* prohibition.
prohibiționism *s.n. pol.* prohibition(ism).
prohibiționist *s.m., s.f., adj. pol.* prohibitionist.
prohod *s.n.* funeral service.
prohodi *vt.* to say prayers for the dead.
proiect *s.n.* **1.** plan, project. **2.** *tehn.* design. **3.** *(ciornă etc.)* draft; ~ *de lege* bill, draft law; ~ *de rezoluție* draft resolution.
proiecta I. *vt.* **1.** to cast. **2.** *(a plănui)* to plan. **3.** *tehn.* to blueprint. **II.** *vr.* to be projected.
proiectant *s.m.* designer.
proiectare *s.f.* projection etc. v. p r o i e c t a.
proiectat *adj.* planned, contemplated.
proiectil *s.n.* **1.** missile. **2.** *(glonț)* bullet. **3.** *(obuz)* shell; ~ teleghidat guided missile.
proiectiv *adj.* projective.
proiector *s.n.* spotlight.
proiecție *s.f.* projection.
prolactină *s.f. biochim.* prolactin (hormone).
prolan *s.m. biochim.* prolan.
prolaps *s.n. med.* prolapse, prolapsus.
prolegomene *s.n. pl.* prolegomena.
prolepsă *s.f. geom., rel.,* prolepsis.
proletar I. *s.m.* proletarian. **II.** *adj.* proletarian.
proletariat *s.n.* proletariat.
proletariza *vt., vr.* to proletarianize.
proletarizare *s.f.* proletarianization.
proletcultism *s.n.* proletcult, proletkult.
proletcultist *adj., s.m.* proletcultist, proletkultist.
prolifera *vt.* to proliferate, to disseminate.
proliferare *s.f.* proliferation, dissemination.
prolific *adj.* prolific, fertile.
prolificitate *s.f.* prolification.
prolix *adj.* **1.** prolix. **2.** *(d. stil și)* verbose.
prolixitate *s.f.* prolixity, verbosity.
prolog *s.n.* prologue.
promenadă *s.f.* **1.** promenade. **2.** *(plimbare)* walk.
prometazină *s.f. farm.* promethazine.
prometeic *adj.* Promethean.
prometiu *s.n. chim.* promethium.
promilă *s.n.* pro mille.
promiscuitate *s.f.* promiscuousness.
promiscuu *adj.* promiscuous.
promisiune *s.f.* promise; pledge; *promisiuni goale* lip service.
promite *vt., vi.* to promise.
promițător *adj.* **1.** promising. **2.** *(d. cineva)* coming.
promontoriu *s.n.* promontory, headland.
promoroacă *s.f.* white frost.
promoție *s.f.* **1.** graduates (of one year). **2.** *(de studenți)* class.
promova I. *vt.* to promote. **II.** *vi.* to be promoted (to the next class etc.).
promovare *s.f.* promotion.
promovat I. *s.m.* promoted pupil / student. **II.** *adj.* promoted.
prompt I. *adj.* **1.** prompt. **2.** *fig.* eager. **II.** *adv.* **1.** promptly. **2.** *fig.* eagerly.
promptitudine *s.f.* **1.** promptness. **2.** eagerness.
promulga *vt.* to promulgate.
promulgare *s.f. jur.* promulgation, proclamation (of law), publication.
pronaos *s.n.* pronaos, ante-temple; narthex.
pronație *s.f.* pronation, prone position.
pronie *s.f.* (divine) Providence.
pronominal *gram.* **I.** *adj.* pronominal. **II.** *adv.* pronominally.
pronosport *s.n.* football pool.
pronostic *s.n.* forecast.
pronostica *vt.* to forecast, to prognoze.
pronume *s.n.* pronoun.
pronunța I. *vt.* **1.** to pronounce. **2.** *(a rosti)* to utter. **3.** *jur.* to pass. **II.** *vr.* to give one's opinion.
pronunțare *s.f.* **1.** pronunciation. **2.** *(a sentinței)* passing, meting out.
pronunțat *adj.* **1.** pronounced. **2.** marked, strong.
pronunție *s.f.* pronunciation.
propaga *vt., vr.* to propagate, to spread.
propagandă *s.f.* propaganda.
propagandist *s.m.* propagandist.
propagandistic *adj.* propaganda...
propagare *s.f.* propagation; conduction.
propagator I. *adj.* propagating. **II.** *s.m.* propagator, spreader.
propan *s.n. chim.* propane.
propanol *s.n. chim.* propanol, propyl, alcohol.
proparoxiton *s.n. lingv.* proparoxytone.
propăși *vi.* to thrive.
propășire *s.f.* thriving, advancement.
propedeutică *s.f.* pedagogics, propaedeutics.
propenal *s.n.* v. a c r o l e i n ă.
propenă *s.n. chim.* propene, propylene.
propice *adj.* propitious, favourable.
propilee *s.f. pl. ist. arh.* propylaea.
propilenă *s.f. chim.* v. p r o p e n ă.
propilic *adj. chim.* propylic; *alcool* ~ propyl alcohol, propanol.
propionic *adj. chim.* propionic (acid).
propolis *s.n.* propolis, bee glue.
proporție *s.f.* **1.** proportion. **2.** *fig.* *și harmony.* **3.** *pl.* size, scope, amplitude; *de proporții* ample.
proporțional I. *adj.* proportional (to). **II.** *adv.* proportionally.
proporționalitate *s.f.* proportionality, proportionalness.
proporționare *s.f.* proportioning, adjustment.
proporționat *adj.* **1.** well proportioned *sau* balanced. **2.** *(d. corp)* clean-limbed.
propovădui *vt.* to preach.
propovăduitor *s.m.* preacher, sermonizer, propagator.
propoziție *s.f.* **1.** sentence. **2.** *(într-o frază)* clause; ~ *principală* main clause; ~ *secundară* subordinate clause.
proprietar *s.m.* **1.** owner, proprietor. **2.** *(de casă / teren)* landlord. **3.** *(moșier)* landowner.
proprietate *s.f.* **1.** property. **2.** *(funciară și)* estate. **3.** *(drept)* ownership. **4.** *(însușire)* feature, quality.
proprietăreasă *s.f.* landlady.

propriu *adj.* **1.** personal, one's own. **2.** *(potrivit)* proper, suitable; *al meu* ~ my own; ~*-zis* proper.
proptar *s.n.* brake on a peasant loom.
proptea *s.f.* **1.** prop, support. **2.** *fig. și wangler.*
propti I. *vt.* to prop up. **II.** *vr.* **1.** to take a fixed stand. **2.** lean (against smth.).
proptitor *adj.* propping, supporting.
propulsa *vt.* to propel, to impel.
propulsare *s.f.* v. p r o p u l s i e.
propulsie *s.f.* propulsion; impulsion.
propulsor I. *adj.* propelling, propulsive. **II.** *s.n.* propeller.
propune *vt.* to propose, to suggest.
propunere *s.f.* proposal.
proră *s.f. nav.* prow, bows.
prorector *s.m.* pro-rector, vicepresident.
proroc *s.m.* prophet.
proroci *vt.* to prophesy, to presage.
prorocire *s.f.* prediction, prophecy.
proroga *vt.* to prorogue.
prorogare *s.f.* prorogation.
prosceniu *s.n. artă* proscenium.
proscomidie *s.f. bis.* **1.** (*slujbă*) Anaphora. **2.** (*masă*) altar.
proscrie *vt.* to proscribe.
proscripție *subst. înv.* proscription, outlawry, banishment.
proscris I. *s.m.* outcast, exile. **II.** *adj.* proscribed, banned.
prosector *s.m.* prosector.
prosectură *s.f.* morgue, mortuary.
prosilogism *s.n.* prosyllogism.
prosimieni *s.m. zool., paleont.* Prosimii.
proslăvi *vt.* v. p r e a m ă r i.
prosodic *adj.* prosodic(al).
prosodie *s.f. stil.* prosody.
prosop *s.n.* towel.
prosopopee *s.f. stil.* prosopopoeia, personification.
prospătură *s.f.* fresh food merchandise.
prospect *s.n.* prospectus.
prospecta *vt. min.* to prospect.
prospectivă *s.f.* reasearch into the future evolution of humanity; futurology, forecasting the future.
prospector *s.m. min.* prospector.
prospecție *s.f.* prospection.
prospecțiune *s.f. min.* prospecting.
prosper *adj.* prosperous.
prospera *vi.* to thrive.
prosperitate *s.f.* flowering.
prospețime *s.f.* freshness.
prost I. *s.m.* fool, dullard. **II.** *adj.* **1.** silly, stupid. **2.** *(de proastă calitate)* bad, poor. **3.** *(ignorant)* ignorant. **III.** *adv.* badly; poorly; ~ *crescut* ill-bred, unmannerly.
prostată *s.f. anat.* prostate (gland).
prostatită *s.f. med.* prostatitis.
prostălău *s.m. fam.* tomfool, thundering fool, lout, bumpkin.
prostănac I. *s.m.* ninny, fool. **II.** *adj.* stupid.
prosterna *vr.* to kow-tow (to smb.).
prostesc *adj.* foolish, stupid.
prostește *adv. foolishly.*
prosti I. *vt.* **1.** to stultify. **2.** *fig.* to hoodwink. **II.** *vr.* to become foolish.
prostie *s.f.* **1.** folly, foolishness. **2.** *pl.* rubbish, rot.
prostigmină *s.f. farm.* Prostigmin.
prostil *s.n., adj. arh.* prostyle.
prostime *s.f.* rabble.
prostitua *vt., vr.* to prostitute (oneself).
prostituată *s.f.* prostitute, harlot; AE call girl, dame.
prostituție *s.f.* prostitution.
prostovan *adj., s.m.* v. p r o s t I II.
prostovol *s.n.* cast net.
prostrație *s.f.* prostration, stupour, torpor.
protactiniu *s.n. chim.* prot(o)actinium.
protagonist *s.m.* protagonist.
protal *s.n. bot.* prothallium.
protamină *s.f. biochim.* protamine.
protargol *s.n. farm.* protargol.
protază *s.f. gram.* protasis.
protector I. *s.m.* protector. **II.** *adj.* protective.
protectorat *s.n.* protectorate.
protecție *s.f.* protection; *protecția muncii* labour protection; *de* ~ protective.
protecționism *s.n.* protectionism.
protecționist *adj. ec.* protective, protectionist; *tarif* ~ protective tariff; *taxe* ~*e* protective duties.
protegui *vt. rar* v. p r o t e j a.
proteguitor *adj. rar* v. p r o t e c t o r.
proteic *adj.* **1.** protean. **2.** *chim.* proteinic.
proteidă *s.f. biochim.* proteid.
proteină *s.f. chim.* protein.
proteinoterapie *s.f. med.* protein therapy.
proteja *vt.* **1.** to protect. **2.** *(a sprijini)* to support.
protejat *s.m.* protégé.
protejată *s.f.* protégée.
proterozoic *subst., adj. geol.* Proterozoic.
protest *s.n.* protest.
protesta *vt., vi.* to protest.
protestant *s.m., adj. rel.* Protestant.
protestantism *s.n. rel.* Protestantism.
protestare *s.f.* protesting; ~*a unei polițe ec.* protest of a promissory note.
protestatar I. *adj.* protesting. **II.** *s.m.* protester.
protetic *adj.* **1.** *med.* prosthetic. **2.** *lingv. prothetic.*
Proteu *s.m.* Proteus.
proteză *s.m.* **1.** prothesis. **2.** *(dentară)* denture.
protidă *s.f. biochim.* protide.
protipendadă *s.f.* upper crust.
protist *s.n. biol.* protist, unicellular organism.
protistologie *s.f. biol.* protistology.
proto- *prefix* prot-, proto-.
protobitumen *s.n. geol., chim.* protobitumen.
protocol *s.n.* **1.** protocol. **2.** *(etichetă)* etiquette.
protocolar *adj.* **1.** pertaining to State etiquette. **2.** (*d. cineva*) punctilious.
protodiacon *s.m.* v. a r h i d i a c o n.
protodoric *s.n. arh.* proto-Doric.
protoiereu *s.m.* v. p r o t o p o p.
protoierie *s.f.* rank, residence / district of an archpriest.
protoistorie *s.f.* protohistory.
proton *s.n. fiz.* proton.
protonemă *s.f. bot.* protonema.
protonic *adj. lingv.* protonic.
protoplasmă *s.f. biol.* protoplasm, cell body.
protoplasmic *adj. biol.* protoplasmic.
protopop *s.m.* rector.
protopopiat *s.n.* v. p r o t o i e r i e.
protopopie *s.f.* rank / district of an archpriest.
protoprezbiter *s.m.* v. p r o t o p o p.
protorace *s.n. entom.* prothorax.
protosinghel *s.m. bis.* rank superior to a "singhel" and inferior to an archimandrite; person having this rank.
protostea *s.f. astr.* protostar.
prototip *s.m.* prototype.
protoxid *s.m. chim.* protoxide, monoxide.
protozoar *s.n. zool.* **1.** protozoan. **2.** *pl.* Protozoa.
protrombină *s.f. med.* prothombin.
protuberant *adj.* protuberant.
protuberanță *s.f.* protuberance.
proture *s.f. entom.* Protura.
protap *s.n.* **1.** shaft. **2.** *(frigare)* spit; *la* ~ spitted.
protăpi I. *vt. fam.* to hit, to strike. **II.** *vr.* **1.** *fam.* to take up a position. **2.** *fig. fam.* to give oneself airs.

protăpit *adj.* **1.** (*țeapăn*) *fam.* stiff. **2.** (*îngâmfat*) *fam.* conceited.
provă *s.f. nav.* prow; bows.
proveni *vi.* to proceed (from).
provenieță *s.f.* origin, source.
provensal *adj.* Provençal.
provensală *s.f. lingv.* Provençal.
proverb *s.n.* proverb.
proverbial *adj.* proverbial.
providență *s.f.* providence.
providențial *adj.* providential.
providențialism *s.n. rel.* providentialism.
provincial *s.m., adj.* provincial.
provincialism *s.n.* provincialism.
provincie *s.f.* province; *de* ~ country, provincial; *în* ~ in the provinces.
provitamină *s.f. biochim.* provitamin.
provizie *s.f.* provision.
provizion *s.n. ec.* commission (paid to an agent).
provizorat *s.n.* provisional state / character.
provizoriu I. *adj.* provisional. **II.** *adv.* for the time being.
provoca *vt.* **1.** to challenge. **2.** *(a cauza)* to bring about. **3.** *(a stârni)* to arouse. **4.** *(a instiga)* to incite.
provocare *s.f.* **1.** provocation. **2.** *(la întrecere, duel)* challenge.
provocator I. *s.m.* agent provocateur. **II.** *adj.* provocative.
proxenet *s.m.* procurer.
proxenetism *s.n.* whoremongering; procuring, pomping.
proxim *adj.* proximate.
proximitate *s.f.* vicinity.
prozaic *adj.* **1.** prosaic, workaday. **2.** *(materialist)* unromantic.
prozaism *s.n.* prosaism; (*banalitate*) commonplace.
prozator *s.m.* prose /fiction writer.
proză *s.f.* **1.** prose. **2.** *(epică și)* fiction. **3.** *(bucată)* prose piece.
prozelit *s.m.* proselyte, disciple.
prozelitism *s.n.* proselytism.
prozodic *adj.* v. p r o s o d i c.
prozodie *s.f.* v. p r o s o d i e.
prozopopee *s.f. stil.* prosopopeea, personification.
prudent *adj.* cautious, wary.
prudență *s.f.* prudence, cautiousness.
pruină *s.f. bot.* bloom (on fruit).
prun *s.m. bot.* plum tree *(Prunus domestica).*
prună *s.f.* plum.
prunărie *s.f.* orchard of plum trees.
prunc *s.m.* infant, new-born babe.
pruncă *s.f.* **1.** little girl. **2.** young girl.
pruncie *s.f.* babyhood, babyship.
pruncucidere *s.f. jur.* infanticide.
pruncucigaș *s.m.* infanticide.
prund *s.n.* **1.** gravel, grit, shingle. **2.** gravel ground; bank.
prundaș *s.m. omit.* wagtail (*Motacilla*).
prundăraș *s.m. ornit.* plover *(Charadrius).*
prundiș *adj.* gravel.
prurigo *s.n. med.* prurigo.
prurit *s.n. med.* pruritus, itching.
prusac *s.m., adj.* Prussian.
prusic *adj. chim. acid* ~ prussic acid.
pruși *s.m. pl. ist.* Prussian.
psalm *s.m.* psalm.
psalmic *adj.* psalmic.
psalmist *s.m.* psalmist.
psalmodia *vt.* **1.** to psalmodize. **2.** *fig.* to recite in a singsong manner, *fam.* to drone out.
psalmodic *adj.* psalmodic.
psalmodie *s.f.* **1.** psalm reading; intoned psalm. **2.** *fig.* singsong, droning.
psalmodiere *s.f.* intoning; singsong, droning.
psalt *s.m.* psalm singer.
psalterion *s.n. muz.* psaltery.
psaltichie *s.f.* psalm book.
psaltire *s.f.* Psalter, psalm book.
psamit *s.n. mineral.* psammite.
psefit *s.n. mineral.* psephite.
pseudartroză *s.f. med.* pseudoarthrosis.
pseudo- *prefix* pseud(o)-.
pseudobacă *s.f. bot.* false berry / bacca of cucurbitaceae.
pseudohermafroditism *s.n. med.* pseudohermaphroditism.
pseudomembrană *s.f. med.* pseudo-membrane.
pseudomorfoză *s.f. mineral.* pseudo-morphosis.
pseudonim *s.n.* **1.** pseudonym. **2.** *(literar și)* pen name.
pseudoperipter *s.n. ist. arh.* pseudoperipteral temple.
pseudopod *s.n. biol.* pseudopod(ium).
pseudoprefix *s.n. lingv.* pseudoprefix.
pseudosavant *s.m.* would-be / self-styled scholar.
pseudoștiință *s.f.* pseudoscience.
psihanalist *s.m.* (psycho)analyst.
psihanalitic *adj.* psycho-analytical.
psihanaliză *s.f.* psycho-analysis.
psihastenie *s.f. med.* neurasthenia.
psih(o)- *prefix* psych(o)-.
psihiatric *adj.* psychiatric.
psihiatrie *s.f.* psychiatry.
psihiatru *s.m.* psychiatrist; alienist.
psihic I. *s.n.* psychology. **II.** *adj.* psychic, mental.
psihism *s.n.* psychism.
psihodramă *s.f. med.* psychodrama.
psihofarmacologie *s.f. med.* psychopharmacology.
psihofizic *adj. psih.* psychophysical.
psihofizică *s.f. psih.* psycho-physics.
psihofiziologic *adj.* psycho-physiological.
psihofiziologie *s.f.* psychophysiology.
psihogen *adj. med.* psychogenic.
psihogeneză *s.f.* psychogenesis.
psiholingvistic *adj.* psycholinguistic.
psiholingvistică *s.f.* psycholinguistics.
psiholog *s.m.* psychologist.
psihologic *adj.* psychological.
psihologicește *adv.* psychologically.
psihologie *s.f.* psychology.
psihologism *s.n.* psychologism.
psihologizant *adj.* psychologizing.
psihomanție *s.f.* psychomachy.
psihomotor *adj.* psychomotor.
psihonevroză *med.s.f.* psychoneurosis.
psihopat *s.m.* psychopath, neurotic patient, *fam.* crank.
psihopatic *adj. med.* psychopathic.
psihopatie *s.f.* psychopathy.
psihopatologie *s.f.* psychopathology, abnormal psychology.
psihosomatică *s.f. med.* psychosomathic.
psihotehnică *s.f. med.* psychotechnology, psychotechnics.
psihoterapic *adj. med.* psychoterapeutic.
psihoterapie *s.f.* psychotherapy.
psihotonic *adj. med.* mood elevating.
psihotrop *adj. med.* psychotropic.
psihoză *s.f.* psychosis.
psihrofil *biol.* **I.** *adj.* psychrophilic. **II.** *s.m.* psychrophile.
psihrometru *s.n. meteo.* psychrometer.
psilofiton *subst. paleont.* Psilophyton.
psilomelan *s.n. chim.* psilomelane.
psoas *s.m. anat.* psoas, psoatic muscle.
psofometru *s.n. telec.* psophometer.
psoriazis *s.n. med.* psoriasis.
pst *interj.* hey!
pteridofite *s.f. pl. bot.* Pteridophyta.
pterigote *s.f. pl. entom.* pterygodes, pterygodums.
pterodactil *s.m. paleont.* pterodactyl.
pteroilglutamic *adj. chim.* pteroylglutamic (acid).
pterozaurieni *s.m. pl. paleont.* pterosaurians, Pterosauria.

ptialagog *adj.* ptyalagogic, sialagogic.
ptialină *s.f. biochim.* ptyalin.
ptialism *s.n. med.* ptyalism.
ptiu *interj.* pah! (*la naiba*) damn!
ptolemeic *adj.* Ptolemaic.
ptomaină *s.f. chim.* ptomaine.
ptoză *s.f. med.* ptosis.
puber *adj.* pubescent.
pubertate *s.f.* puberty.
pubescent *adj. bot.* pubescent.
pubian *adj. anat.* pubian.
pubis *s.n. anat.* pubis.
public I. *adj.* public; (*spectatori*) attendance, audience. **II.** *adv. publicly.* **III.** *s.n.* public *în ~* in public.
publica *vt.* to publish.
publicabil *adj.* publishable.
publicare *s.f.* publication, publishing.
publicație *s.f.* **1.** publication, work. **2.** *(periodic)* periodical.
publicist *s.m.* journalist.
publicistic *adj.* publicistic.
publicistică *s.f.* journalism.
publicitar *adj.* (pertaining to) publicity / advertising.
publicitate *s.f.* publicity, advertising; *mica ~* classified ads.
puc *s.n. sport* puck.
puci *s.n.pol. putsch.*
pucioasă *s.f.* sulphur.
pucios *adj.* ill-smelling, foul.
pud *s.n.* pood (16,38 kg).
pudel *s.m.* poodle.
pudic *adj.* bashful.
pudicitate *s.f.* pudency, chastity, modesty.
puding *s.n. cul.* pudding.
pudlaj *s.n. met.* puddling.
pudlare *s.f. met.* puddling.
pudler *s.n.* puddler.
pudoare *s.f.* bashfulness, modesty; *lipsă de ~* immodesty.
pudra *vt., vr.* to powder (oneself).
pudră I. *s.f.* powder. **II.** *adj.* powdered...
pudrieră *s.f.* powder case.
pueblo *s.m. ist., geogr.* pueblo.
puericultură *s.f.* rearing of children, infant care.
pueril *adj.* childish.
puerperal *adj. med. febră ~ă* puerperal fever.
puf *s.n.* **1.** down. **2.** *(pt. pudră)* puff.
pufăi *vi.* to puff.
pufăit *s.n.* puffing.
pufni *vi.* to snort; *a ~ în râs* to burst out laughing.
pufnitură *s.f.* sniff; snoot.
pufoaică *s.f.* padded coat.
pufos *adj.* fluffy.
pufuliță *s.f. bot.* epilobium, willowherb *(Epilobium).*
pugilat *s.n.* **1.** *sport* pugilism, boxing. **2.** fight.
pugilism *s.n.* pugilism, boxing, *fam.* fisticuffs.
pugilist *s.m.* pugilist, boxer, *argou* pug.
pugilistic *adj.* pugilistic, *fam.* fisticular.
pugilistică *f.* pugilism, boxing.
puhav *adj.* flabby.
puhăvi *vr.* **1.** v. b u h ă i. **2.** v. u m f l a ll.
puhoi *s.n.* torrent.
puhoier *s.m. ornit.* forktail, milvin (*Milvus regalis*).
pui *s.m.* **1.** young one. **2.** *(de găină)* chicken. **3.** *(de pasăre mică)* chick. **4.** *(de animal)* cub, whelp. **5.** *(de gâscă)* gosling. **6.** *(de rață)* duckling; *~de somn* nap; *~ule!* my dear!, my son!; *~ul mamei fig.* home child.
puia *vt. pop.* to give birth.
puian *s.m.* v. c ă ț e l a n d r u.
puiandră *s.f.* **1.** pullet. **2.** *fig.* v. f e t i ș c a n ă.
puiandru *s.m.* **1.** v. p u i. **2.** *bot.* sapling.
puică *s.f.* **1.** young hen. **2.** *fig.* sweetheart.
puierniță *s.f.* **1.** wooden installation used in trout nursery pond. **2.** installation for breeding fowl till the age of 1-2 months old.
puiet *s.m. bot.* sapling.
puișor *s.m.* **1.** chick(en). **2.** *fig.* little one.
puitor I. *s.m. poligr.* feeder, layer-on. **II.** *s.n. ~ de mine* mine layer.
pul *s.n. (la table)* man, piece; (*la jocul de dame*) draughtsman.
pulberărie *s.f.* **1.** (*fabrică*) gunpowder works, powder mill. **2.** (*depozit*) powder magazine.
pulbere *s.f.* **1.** powder. **2.** *(pt. pușcă)* gun powder. **3.** *fig.* dust.
pulmon *s.m. anat.* v. p l ă m â n.
pulmonar *adj.* lung..., pulmonary.
pulover *s.n.* pull-over.
pulpană *s.f.* hem of coat.
pulpă *s.f.* **1.** pulp. **2.** *anat.* calf of the leg. **3.** *(coapsă)* thigh. **4.** *(mâncare)* joint.
puls *s.n.* pulse.
pulsa *vi.* to pulse.
pulsant *adj. rar* v. p u l s a t o r.
pulsar *s.n. astr.* pulsar.
pulsatil *adj.* pulsatile.
pulsator *adj.* pulsatory.
pulsație *s.f.* throb.
pulsometru *s.n. tehn.* pulsometer.
pulsoreactor *s.n. av.* aeropulse, aero-resonator, pulso-jet; reso-jet.
pulveriza I. *vt.* **1.** to pulverize. **2.** *(a stropi)* to spray. **II.** *vr.* to be pulverized.
pulverizabil *adj.* pulverizable (substance).
pulverizare *s.f.* spraying.
pulverizator *s.n.* sprayer.
pulverizație *s.f.* v. p u l v e r i z a r e.
pulverulent *adj.* pulverulent, powdery.
puma *s.f. zool.* puma, cougar, American panther *(Felis concolor).*
pumn *s.m.* **1.** (blow with the) fist, punch. **2.** *anat.* fist. **3.** *(conținutul)* handful.
pumnal *s.n.* dagger, poniard.
punci *s.n.* punch.
punct I. *s.n.* **1.** point. **2.** *(pe i)* dot. **3.** *(oprire)* full stop, period. **4.** *(chestiune și)* item, issue. **5.** *(pe program)* act, number; *~ culminant* climax, acme; *~cu ~* in great detail; *~ de atracție turistică* beauty spot, lion of the town; *~ de plecare* starting point; *~ de reper* datum point; *~ de sprijin* fulcrum; *~ de vedere* standpoint, viewpoint; *~e cardinale* points of the compass; *~e-~e* dots; *~ mort* deadlock; *un ~negru în activitatea cuiva* a hole in smb.'s coat; *~ și virgulă* semicolon; *din ~ de vedere al* from the viewpoint of, in point of; *două ~e* colon; *la ~* perfect; *pe ~ul de a* about to; *până la un ~* to a certain extent. **II.** *adv.* sharp, exactly.
puncta *vt.* to punctuate.
punctaj *s.n.* **1.** score, points. **2.** *(rezumat)* outline.
punctare *s.f.* marking by dots.
punctat *adj.* dotted.
punctator *s.n. tehn.* centre punch.
punctiform *adj.* punctiform.
punctual I. *adj.* punctual. **II.** *adv.* punctually, on the minute /dot.
punctualitate *s.f.* punctuality.
punctuație *s.f.* punctuation.
puncție *s.f. med.* puncture.
pune I. *vt.* **1.** to put; to set, to place. **2.** *(a așterne)* to lay, to spread. **3.** *(a aplica)* to apply. **4.** *(a depozita)* to store, to deposit. **5.** *(a îmbrăca)* to put on. **6.** *(a sili)* to make, to determine; *a-și ~ amprenta pe* to leave one's mark on; *a-și ~ ochii pe* to clap eyes on; *a ~ la inimă* to take to heart; *a ~ bine* to lay by; *a~ în discuție* to moot, to raise; *a ~ în funcțiune* to bring into operation; *a ~ în scenă* to stage; *a ~ o*

întrebare to ask a question. **II.** *vr.* **1.** to be put, laid / set. **2.** *(a se așeza)* to sit down; *a se ~ bine cu cineva* to appease smb.; *a se ~ rău cu cineva* to incur smb.'s displeasure.
punere *s.f.* putting, placing etc v. p u n e; *~ în pagină* layout, mise en page; *~ la punct* finishing; precision; reprimand, rebuff.
pungaș *s.m.* **1.** thief; *(de buzunare)* pickpocket. **2.** *fig.* knave, cheat.
pungă *s.f.* **1.** purse. **2.** *(sac)* bag; pouch. **3.** *(de hârtie)* paper bag. **4.** *mil.* pocket.
pungășesc *adj.* pickpocket's; rogue's... etc. v. p u n g a ș.
pungăși *vt.* **1.** to pickpocket; to rob. **2.** to swindle.
pungășie *s.f.* **1.** theft. **2.** *(înșelăciune)* swindle, cheating.
pungi *vt. a-și ~ gura* to purse (up) one's mouth.
pungit *adj.* pursed (up).
pungoci *s.n.* big purse.
pungulită *s.f.* **1.** little bag, pouch; purse. **2.** *bot.* pennycress, fan weed, penny grass *(Thalspi arvense)*.
puni *s.m. pl. ist.* Punic / Carthaginian people.
punic *adj. ist.* Punic.
punte *s.f.* **1.** bridge. **2.** *mar.* deck.
pupa *vt.* **1.** to kiss. **2.** *fig.* to get, to see.
pupat *s.n.* kiss(ing).
pupă *s.f.* **1.** *mar.* poop, stern. **2.** *entom.* pupa.
pupăcios *adj. fam.* fond of kissing.
pupătură *s.f.* v. p u p a t.
pupăză *s.f.* **1.** *ornit.* hoopoo *(Upupa epops)*. **2.** *fig.* dowdy.
pupezele *s.f. bot.* wood pea / vetch (*Orobus vernus*).
pupil *s.m. jur.* ward.
pupilă *s.f.* **1.** *anat.* eye ball, pupil. **2.** *jur.* ward.
pupinizare *s.f. telec.* loading (of line) with inductance, pupinization.
pupitru *s.n.* **1.** (music) desk. **2.** *(masă de scris)* writing-desk.
pu-pu-pup *interj.* hoopoo!
pur *adj.* **1.** pure. **2.** *(veritabil și)* genuine. **3.** *(simplu și)* mere. **4.** *(curat și)* clean. **5.** *(cast și)* chaste; *~ și* simplu clean; simply, merely.
puradel *s.m.* **1.** *fam.* gipsy boy. **2.** *fam.* child; *fam.* urchin; *peior.* brat.
purcea *s.f.* sow; young sow.
purcede *vi.* to set out.
purcel *s.m.* sucking pig.
purcică *s.f.* v. p u r c e a.
purcoi *s.n.* **1.** v. c ă p i ț ă. **2.** heap pile.
purga **I.** *vt.* to purge, to scour; to clean. **II.** *vr.* to take a purgative.
purgativ *s.n. farm.* purgative.
purgatoriu *s.n.* purgatory.
purgație *s.f.* purgation.
purica *vt.* **1.** to flea. **2.** *fig.* to comb, to examine minutely.
puricar *s.m. pop.* v. p o l i c a r.
puricariță *s.f. bot.* pulicaria, fleabane *(Pulicaria vulgaris)*.
purice *s.m. entom.* flea, *argou* sharp *(Pulex irritans)*.
puricos *adj.* fleay, full of fleas.
purifica **I.** *vt.* to purify. **II.** *vr.* to be cleansed.
purificare *s.f.* purification.
purificator *adj.* purifying.
purim *subst. rel.* Purim.
purină *s.f. biochim.* purin(e).
purism *s.n.* purism.
purist **I.** *s.m.* purist. **II.** *adj.* puristic.
puritan **I.** *s.m.* **1.** puritan. **2.** *fig.* square toes. **II.** *adj.* **1.** puritanic. **2.** *fig.* square-toed.
puritanism *s.n.* puritanism.
puritate *s.f.* purity.
purja *vt. tehn.* to drain, to blow off / out / through.
purjare *s.f. tehn.* purging, blow.
puroi *s.n.* pus.
puroia *vi.* to suppurate; to fester; to discharge matter.
purpură *s.f.* purple.
purpurină *s.f.* **1.** *chim.* purpurin. **2.** (*în vopsitorie*) madder purple.
purpuriu *adj.* purple.
pursânge **I.** *s.m.* pedigree horse. **II.** *adj.* **1.** thoroughbred. **2.** *fig.* true born.
purta **I.** *vt.* **1.** to carry. **2.** *(în spinare, a îndura)* to bear. **3.** *(a mâna)* to drive. **4.** *(îmbrăcăminte etc.)* to wear. **II.** *vr.* **1.** to behave. **2.** *(d. haine)* to wear. **3.** *(a fi la modă)* to be in.
purtare *s.f.* **1.** behaviour. **2.** *(ducere)* carrying.
purtat *adj.* **1.** carried, borne. **2.** *(d. haine)* worn.
purtată *s.f.* Romanian folk dance from Transylvania.
purtător **I.** *s.m.* bearer; *~ de cuvânt* spokesman. **II.** *adj.* carrier, carrying.
purulent *adj.* purulent; festering, suppurative.
pururea *adv.* v. p u r u r i.
pururi *adv.* always, (for) ever.
puseu *s.n.* **1.** *med.* fit, acces, thurst. **2.** *fig.* outbreak, impetus.
pustă *s.f.* Hungarian steppe.
pustie *s.f.* **1.** desert, waste, wilderness. **2.** v. n a i b a.
pustietate *s.f.* desert, wilderness.
pustii *vt.* to lay waste.
pustiitor *adj.* devastating.
pustiu *s.n.* **I.** desert, wilderness; *a face cuiva un ~ de bine* to do smb. a damned good turn. **II.** *adj.* **1.** desert, waste. **2.** *(sălbatic)* wild. **3.** *(nelocuit)* uninhabited.
pustnic *s.m.* hermit.
pustnici **I.** *vi.* to lead the life of a recluse. **II.** *vr.* to become a recluse.
pustnicie *s.f.* **1.** life of a hermit / an anchorite. **2.** *fig.* solitude, reclusion, isolation.
pustulă *s.f. med.* pustule, *fam.* pimple.
pustulos *adj. med.* pustulous.
pușcaș *s.m.* gunman.
pușcă **I.** *s.f.* **1.** gun. **2.** *(carabină)* rifle. **3.** *(de vânătoare)* shotgun; *(ușoară)* fowling piece; *~ mitralieră* sten gun. **II.** *adv. gol ~* stark naked.
pușcăriaș *s.m.* jailbird.
pușcărie *s.f.* prison.
pușchea *s.f. pop.* little swelling on the tongue; ulcer on the tongue, aphta.
pușcoaie *s.f.*, pușcoi *s.n.* pop gun.
pușcoci *s.n.* **1.** (old) gun / rifle. **2.** toy rifle / gun.
pușculiță *s.f.* piggy.
pușlama *s.f.* rogue, scamp.
puștan *s.m. fam.* v. p u ș t i.
puștancă *s.f.* v. p u ș t o a i c ă.
puști *s.m.* kid.
puștoaică *s.f.* **1.** brat; flapper. **2.** *(aproape o domnișoară)* flapper.
puștu v. p a ș t u.
putea **I.** *vt.* **1.** can, to be able to. **2.** *(a avea posibilitate)* to be in a position (to); can afford. **3.** *(a avea voie)* may; to be allowed (to); *a nu ~ să* to be unable to; *nu pot să nu râd* I can't help laughing; *a nu mai ~ de oboseală* to be fagged out; *pot să iau cartea?* may I take the book?. **II.** *vr.* may, can, to be possible; *se (prea) poate* it may be, quite possibly.
putere *s.f.* **1.** strength. **2.** *(energie) și pol.* power. **3.** *(forță)* force. **4.** *(vigoare)* vim, nerve. **5.** *(autoritate și)* authority. **6.** *(a unui motor etc.)* output; *~ de cumpărare* purchasing power; ~ de stat state power; *cu toată ~a* with might and main; *în ~a nopții* in the dead of night; *marile puteri* the great / big powers; *puteri depline* full powers.
puternic **I.** *adj.* **1.** strong. **2.** *(energic)* powerful. **3.** *(intens)* intense. **4.**

(greu) heavy; hard. **5.** *(mare)* great; important. **6.** *(robust)* robust. **II.** *adv.* **1.** strongly, powerfully. **2.** intensely, violently.

putină *s.f.* barrel.

putinei *s.n.* churn.

putință *s.f.* possibility; capacity; *nu e cu* ~ it's impossible.

putoare *s.f.* **1.** stench, pong. **2.** *fig.* sluggard, lazybones.

putred *adj.* rotten; ~ *de bogat* rolling (in money).

putrefacție *s.f.* putrefaction, decay.

putrefia vr. to putrefy; to become putrid.

putregai *s.n.* rot(tenness).

putrezi *vi.* **1.** to rot, to decay. **2.** *(d. cânepă)* to ret.

putreziciune *s.f.* putrefaction; decay.

putrezire *s.f.* rottenness, putrefaction, decay.

putto *s.m. artă* putto, *pl.* putti.

puturos I. *s.m.* lazybones. **II.** *adj.* **1.** stinking, fetid. **2.** *(leneș)* stolid, sluggish.

puturoșenie *s.f.* **1.** stink, stench. **2.** *fam.* laziness. **3.** *fam.* v. p u t u r o s I.

puț *s.n.* **1.** well. **2.** *min. și shaft pit;* ~ *petrolifer* oil well *sau* derrick.

puți *vi.* *(a ceva)* to stink (of smth.).

puțin I. *s.n.* little. **II.** *adj.* **1.** a little. **2.** *(prea ~)* (too) little. **3.** *(slab)* poor, small; *mai* ~ less; *peste* ~ *(timp)* before long. **III.** *pron. mai* ~ a little less; *(prea ~)* little. **VI.** *adv.* **1.** a little. **2.** *(cam)* rather, somehow. **3.** *(prea ~)* (too) little; ~ *câte* ~ gradually; *cel* ~ at least; *mai* ~ less

puțină *adj., pron.* **1.** a few. **2.** *(prea~)* few.

puținătate *s.f.* **1.** scarcity. **2.** smallness.

puține, puțini *adj., pron.* **1.** a few. **2.** *(prea ~)* few.

puzderie *s.f.* **1.** dust. **2.** *fig.* heaps, lots (of).

puzzolană *s.f. constr.* puzzolan(a), pozzolana.

R

R, r *s.m.* R, r, the twentieth letter of the Romanian alphabet.
rabana *s.f. text.* raffia matting.
rabat *s.n.* rebate.
rabata *adj.* to fold
rabatabil *adj.* **1.** collapsible. **2.** *auto.* folding.
rabatare *s.f.* folding.
rabate *vt. mat.* to rabatte, to rotate (pane).
rabator *s.n. agr.* pick-up.
rabic *adj. med.* rabic.
rabie *s.f. med.* rabies.
rabin *s.m.* Rabbi.
rabiț *s.n. constr.* Rabitz plastering.
rablagi *vr.* **1.** *fam.* to deteriorate; *fam.* to run to seed. **2.** *fam.* to soften; to grow decrepit; *fam.* to get soft(-witted).
rablagit *adj.* **1.** *fam.* deteriorated; dilapidated. **2.** *fam.* decrepit; *fam.* soft(-witted).
rablă *s.f.* old crock, jalopy.
rabota *vt.* to plane, to shave.
rabotaj *s.n. tehn.* planing; shaping.
rabotare *s.f. tehn.* planing; shaping.
rabotat *s.n. tehn.* planing; shaping; *mașină de* ~ planing machine, planer.
raboteză *s.f.* **1.** *met.* planing machine. **2.** *(pt. lemn)* overplaner.
rabotor *s.m.* planer.
rac *s.m.* **1.** *zool.* crayfish; crab. **2.** *med., pop.* cancer.
racemază *biochim.* racemase.
raceme *s.n. bot.* raceme.
racemic *s.n.* racemic (acid).
racemiform *adj. bot.* racemiform.
racemizare *s.f. chim.* racemization.
rachetă *s.f.* **1.** rocket. **2.** *(pt. zăpadă)* snowshoe. **3.** *sport* racket; ~ *cosmică* space rocket; ~ *teleghidată* guided missile.
rachetodrom *s.n. av.* rocket launching pads / installations, cosmodrome, astrodrome.
rachiu *s.n.* brandy.
racilă *s.f.* evil, ill.
racla *vt. med.* to curette.
raclaj *s.n.* curettage.
raclă *s.f.* **1.** *(sicriu)* coffin. **2.** *(ladă)* chest; box.
racletă *s.f. tehn.* scraper, wiper, scratcher, rabble(r), paddle, skimmer; *poligr.* blade, doctor (blade).
raclor *s.n.* scraper, scraping tool.
racord *s.n.* coupling; hook-up.
racorda *vt.* to connect.
racordare *s.f. tehn.* connection, joining.
racursi *s.n. artă* foreshortening.
radar *s.n.* radar.
radă *s.f. nav.* roadstead, roadway.
rade I. *vt.* **1.** to scrape *sau* rub out; to erase. **2.** *(pe răzătoare)* to grate. **3.** *(cu rașpila)* to rasp. **4.** *(de la pământ)* to raze (from the ground). **5.** *(a bărbieri)* to shave. **6.** *(a distruge)* to do for (smb.). **II.** *vr.* to (get a) shave.
radia I. *vt.* **1.** to erase. **2.** *(a iradia)* to radiate. **II.** *vi.* to beam.
radial I. *adj.* radial. **II.** *adv.* radially.
radian *s.m. mat.* radian.
radiant *s.n., adj.* radiant.
radianță *s.f.* radiance.
radiar *adj.* radial.
radiativ *adj. fiz., meteo.* radiative.
radiator *s.n.* radiator.
radiație *s.f.* radiation.
radical I. *s.m.* radical. **II.** *s.n.* radical, root. **III.** *adj.* **1.** radical. **2.** thoroughgoing. **IV.** *adv.* radically, completely.
radicalism *s.n.* radicalism.
radicelă *s.f. bot.* radicel, rootlet.
radiciform *adj. bot.* radiciform.
radiculă *s.f. bot.* radicle.
radier *s.n. constr.* foundation plate.
radieră *s.f.* India rubber, eraser.
radiere *s.f. jur.* to erase, to cross off.
radio *s.n.* **1.** broadcasting. **2.** *(aparatul)* radio (set), wireless (set); ~ *cu tranzistori* tranzistor radio; *la* ~ on the radio; *prin* ~ by radio.
radioactiv *adj.* radioactive.
radioactivitate *s.f.* radioactivity.
radioaltimetru *s.n. av.* radio altimeter, radar altimeter.
radioamator *s.m.* radio amateur.
radioamatorism *s.n. telec.* activity of radio amateurs.
radioamplificare *s.f.* v. r a d i o f i c a r e.
radioastronomie *s.f.* radioastronomy.
radiobaliză *s.f.* radio / marker beacon.
radiobiologie *s.f.* radiobiology.
radiochimie *s.f.* radiochemistry.
radiocomandă *s.f. telec.* radio control.
radiocompas *s.n. av.* radio compass.
radiocomunicație *s.f.* wireless / radio communication.
radiodetecție *s.f.* radiodetection, radiolocation.
radiodifuza *vt.* to broadcast.
radiodifuziune *s.f.* broadcasting stations.
radiodistribuție *s.f.* (cable) broadcasting.
radioelectric *adj.* radioelectric.
radioelectricitate *s.f.* radioelectricity.
radioelement *s.n.* radioelement.
radioemisi(un)e *s.f.* broadcast.
radioemisie *s.f.* broadcast(ing).
radioemițător *s.n.* (radio) transmitter.
radiofar *s.n.* radio(-range) beacon, radiophare.
radiofica *vt.* to provide with a wire broadcasting system.
radioficare *s.f.* broadcasting.
radiofonic *adj.* radio..., broadcasting..., wireless...
radiofrecvență *s.f. telec.* radio frequency.
radiogenetică *s.f. biol.* radiogenetics.
radiogenic *adj.* radiogenic.
radioghidaj *s.n. av., nav.* radio control, radio direction, radio guidance.
radiogoniometrie *s.f.* location, direction finding (or wireless), radlo homing.
radiogoniometru *s.n.* wireless / radio direction finder, directional receiving-aparatus, radiogoniometer.
radiografia *vt.* to X-ray.
radiografic *adj.* radiographic.
radiografie *s.f.* **1.** radiography, skiagraphy. **2.** *(placă)* X-ray photograph.
radiogramă *s.f.* radiogram.
radioizotop *s.f. fiz.* radioisotope, radioactive isotope.
radiojurnal *s.n.* news (on the radio).
radiolară *s.f. zool.* radiolarian, *pl.* radiolaria.

radiolarit *s.n. geol.* radiolarite, radiolarian ooze.
radiolocator *s.n. mil., nav., av.* radiolocator, radar.
radiolocație *s.f.* radar, radiolocation.
radiolog *s.m.* radiologist.
radiologic *adj. med.* radiological, X-ray.
radiologie *s.f.* radiology.
radiometalografie *s.f. tehn.* radiometallography.
radiometric *adj. telec.* radiometric.
radiometru *s.n. tehn.* radiometer.
radiomontaj *s.n.* radio review, (radio) montage.
radionavigație *s.f. av., nav.* radionavigation.
radioreceptor *s.n.* radio / wireless receiver / set.
radiorecepție *s.f.* radioreception.
radioreleu *s.n. telec.* radio relay.
radioreperaj *s.n. telec., mil.* radiolocation.
radioreporter *s.m.* radio reporter.
radios I. *adj.* beaming, radiant. **II.** *adv.* gladly.
radioscopic *adj.* X-ray..., fluoroscopic.
radioscopie *s.f.* X-ray (examination).
radiosondă *s.f.* **1.** *meteo.* radiosonde, rawin. **2.** *meteo., telec.* radiometeograph, radiowind flight. **3.** *telec.* radio balloon.
radiostațiune *s.f.* radio station.
radiosursă *s.f. astr.* radio source.
radiotehnică *s.f.* radiotechnics, radio engineering.
radiotelefon *s.n.* radiotelephone.
radiotelefonie *s.f.* wireless / radio telephony.
radiotelegrafic *adj.* wireless..., radiotelegraphic.
radiotelegrafie *s.f.* wireless / radio telegraphy.
radiotelegrafist *s.m.* wireless telegraphist / operator, radio man / operator
radiotelegramă *s.f.* wireless telegram, radiogram.
radiotelemetrie *s.f. telec.* radiorange finding.
radiotelescop *s.n. astr.* radio telescope.
radioterapie *s.f.* X-ray treatment, radiotheraphy.
radiotransmisiune *s.f.* radiobroadcasting.
radiu *s.n.* radium.
radiumterapie *s.f. med.* radiumtherapy.
radius *s.n. anat.* radius.
radom *s.n. tehn.* radome.
radon *s.n. chim.* radon.
radulă *s.f. zool.* radula.
rafală *s.f.* **1.** gust of wind. **2.** *(de mitralieră)* volley of shots.
rafie *s.f.* raffia.
rafina I. *vt.* **1.** to refine. **2.** *fig. și* to polish. **3.** *tehn.* to clean. **II.** *vr.* to become refined.
rafinament *s.n.* refinement.
rafinare *s.f. ind.* refining.
rafinat *adj.* **1.** refined. **2.** *fig. și* sophisticated, subtle.
rafinator *s.m.* v. r a f i n o r.
rafinărie *s.f.* refinery.
rafinor *s.m.* distiller.
rafinoză *s.f. chim.* raffinose.
raft *s.n.* shelf.
rage *vi.* **1.** to (bel)low. **2.** *(d. leu)* to roar.
ragilă *s.f.* **1.** *(darac)* card. **2.** *(zgardă)* (spiked) dog-collar.
raglan *s.n.* raglan.
rahagiu *s.m.* seller *sau* maker of Turkish delight.
rahat I. *s.n.* rahat lakoum. **II.** *interj.* bunkum!, rot!
rahialgie *s.f. med.* rachialgia.
rahianestezice *s.n. pl. farm.* rachianaesthetics.
rahianestezie *s.f. med.* rachianalgesia, rachian(a)esthesia.
rahicenteză *s.f. med.* rachicentesis, lumbar puncture.
rahidian *adj.* rachidian.
rahis *s.n. anat., bot.* rachis.
rahitic *adj.* rickety.
rahitism *s.n.* rickets.
rai *s.n.* paradise, eden.
raia *s.f. ist.* raya(h), territory subject to the Ottoman Empire.
raid *s.n.* (air) raid.
raigras *s.n. bot.* **1.** raygrass, perennial ryegrass *(Lolium perenne)*. **2.** Italian ryegrass *(Lolium multiflorum)*.
raion *s.n.* department; ~ *cu autoservire* help-yourself counter.
raional *adj.* district...
raionare *s.f.* division into districts.
raită *s.f.* **1.** round, visit. **2.** *(rond)* beat.
rajah *s.m.* raja(h).
ral *s.n. med.* rattle; rhonchus.
ralenti *s.n.* slow motion; idle(ing); idle / slow running.
ralia *vr. a se ~ la* to join; to rally to.
ralide *s.f. pl. ornit.* Rallidae.
raliu *s.n. sport* rallye.
rama *vi. rar* v. v â s l i.
ramazan *s.n.* Ramadan.
ramă *s.f.* **1.** frame. **2.** *(de tablou și)* mat. **3.** *(de pantofi)* welt. **4.** *(la parchet)* skirting board. **5.** *(vâslă)* oar. **6.** *(de ochelari)* rim.
rambleia *vt.* to fill (up), to pack; *(o șosea)* to (em)bank, to bank up.
rambleiaj *s.n.* packing, stowing, filling.
rambleu *s.n.* **1.** *min.* waste. **2.** *(de șosea etc.)* embankment, mound.
ramburs *s.n.* (re)payment; *contra ~* cash on delivery, COD.
rambursa *vt.* to reimburse.
rambursabil *adj.* repayable, reimbursable.
rambursare *s.f.* reimbursement, repayment.
ramcă *s.f. tehn.* iron frame of a typewriter.
ramia *s.f.* ramie, ramee, china grass, grass cloth plant *(Boehmeria nirea)*.
ramifica *vr.* to branch out.
ramificație *s.f.* ramification.
ramoleală *s.f.* soft-mindedness, doddering old age.
ramoli *vr.* to grow soft in one's mind.
ramolire *s.f.* growing decrepit, soft-mindedness, softening of the brain.
ramolisment *s.n. med.* softening (of the mind), aging, going soft in the mind.
ramolit I. *s.m.* old fogey *sau* dodderer. **II.** *adj.* soft-minded, doddering.
rampă *s.f.* **1.** platform; grade. **2.** *min.* landing. **3.** *(mobilă)* groundrow; ~ *de lansare* rocket launcher; *luminile rampei* limelight.
ramură *s.f.* **1.** și fig. branch. **2.** *(crenguță)* bouth, twig.
rană *s.f.* wound.
ranchiună *s.f.* spite.
ranchiunos *adj.* vindictive.
rand *s.m. fin.* rand (monetary unit in South Africa).
randalinare *s.f. tehn.* knurling.
randalină *s.f. tehn.* v. m o l e t ă.
randament *s.n.* **1.** efficiency. **2.** *tehn.* output.
ranfluare *s.f. nav.* ship salvage.
ranforsare *s.f. tehn.* reinforcement.
ranfort *s.n. constr.* strengthening piece.
rang *s.n.* rank; position, order.
rangă *s.f.* crowbar.
raniță *s.f.* **1.** knapsack. **2.** *mil.* kitbag, pack.
rantie *s.f. bis.* long, loose coat, part of an Eastern Orthodox priest's vestment.
ranunculacee *s.f. pl. zool.* ranunculaceae.

ranversare *s.f. av.* reversement, reversal.
rapace *adj.* grasping, greedy, rapacious.
rapacitate *s.f.* rapaciousness.
rapakivi *subst. geol.* rapakivi.
rapăn *s.n.* **1.** scurf, scab. **2.** v. j e g.
rapel *s.n.* **1.** *tehn.* bringing back. **2.** *med.* revaccination. **3.** *(alpinism)* rappel, doubled rope, roping down.
rapid I. *s.n.* fast *sau* express train. **II.** *adj.* rapid; hasty. **III.** *adv.* fast(ly).
rapiditate *s.f.* rapidity.
rapiță *s.f. bot.* rape(seed) *(Brassica).*
raport *s.n.* **1.** report. **2.** *(dare de seamă și)* account. **3.** *(legătură)* relation. **4.** *pl.* terms, intercourse. **5.** *(proporție)* ratio. **6.** *(comparație)* comparison. **7.** *(privință)* respect, regard. **8.** *mil.* orderly hour / call, report; daily parade for the issue of orders; *a ieși la ~ mil.* to come out at ordely hour.
raporta I. *vt.* **1.** to report. **2.** *(a lega)* to relate. **3.** *(profituri etc.)* to bring in. **II.** *vr.* to refer, to relate.
raportare *s.f.* reference (to).
raportor I. *s.m.* rapporteur. **II.** *s.n. geom.* protractor.
rapsod *s.m.* rhapsode, rhapsodist; *(bard)* bard.
rapsodie *s.f.* rhapsody.
rapt *s.n.* rape.
rar I. *adj.* **1.** rare. **2.** *(neîndestulător)* scarce; little. **3.** *(neobișnuit și)* uncommon. **4.** exceptional, matchless. **5.** *(lent)* slow. **II.** *adv.* **1.** rarely, seldom. **2.** *(lent)* slowly.
rarefacție *s.f.* rarefaction.
rarefia *vt., vr.* to rarefy.
rarefiere *s.f.* rarefaction.
rareori *adv.* **1.** seldom, rarely. **2.** exceptionally.
rarisim *adj. livr.* exceedingly / extremely rare.
rariște *s.f.* glade.
raritate *s.f.* **1.** rarity. **2.** *(lipsă)* dearth, scarcity.
rariță *s.f. agr.* beataxe, butting plough.
ras I. *s.n.* shave. **II.** *adj.* **1.** shaven. **2.** *(d. linguriță etc.)* brimful.
rasat *adj.* **1.** thoroughbred. **2.** refined.
rasă *s.f.* **1.** race. **2.** *zool.* breed. **3.** *(de călugăr)* frock; *de ~ (d. animale)* pedigree...; *fig.* remarkable, wonderful.
rascolnic *s.m. ist., bis.* raskolnik.
raseologie *s.f.* branch of anthropology studying the human races.
rasial *adj.* racial.
rasism *s.n.* **1.** racialism; AE rac(ial)ism. **2.** racial discrimination.
rasist *s.m.* racialist.
rasol *s.n.* **1.** boiled meat. **2.** *(rasoleală)* scamping, mucking.
rasoleală *s.f. fam.* bungling, botching.
rasoli *vt.* to botch, to bungle.
rast *s.n. med. pop.* splentis.
rastel *s.n.* gunrack.
raster *s.n. tehn.* screen.
rastru *s.n. tehn.* raster.
rașcheta *vt. tehn.* to scrape.
rașchetă *s.f. tehn., nav., constr.* scraper.
rașel *s.n. ind. text.* rectilinear knitting machine.
rașpel *s.n.* rasp.
rata I. *vt.* to miss. **II.** *vi.* **1.** to miss fire. **2.** to fail. **III.** *vr.* to become a human failure; to get nowhere.
ratare *s.f.* failing (in an enterprise etc.); unfulfilment.
ratat I. *s.m.* human failure, wash out, *fam.* flop. **II.** *adj.* **1.** failing, miscarried. **2.** *(d. oameni)* washed out.
ratatinare *s.f. med. rar* shrivelling up, dwindling.
rată *s.f.* instalment; *în rate* by instalments.
rateu *s.n. mil.* hang fire.
raticid I. *adj.* rat-killing, anti-rat. **II.** *s.n.* rat poison, raticide.
ratieră *s.f. text.* dobby.
ratifica *vt.* to ratify.
ratificare *s.f.* ratification.
ratinare *s.f. text.* rateening.
ratită *s.f. ornit.* ratite (bird), *pl.* Ratitae.
rață *s.f.* duck.
rațcă *s.f. zool.* **1.** sheep breed in Banat. **2.** the wool of this sheep.
rație *s.f.* ration; portion.
raționa I. *vt.* to ration. **II.** *vi.* to reason.
rațional *adj.* rational, reasonable.
raționalism *s.n.* rationalism.
raționalist *adj.* rationalist.
raționaliza *vt.* to rationalize.
raționalizare *s.f.* **1.** *mat., fiz.* rationalization. **2.** *(a alimentelor)* rationing.
raționament *s.n.* reasoning, judg(e)ment.
raționare *s.f.* **1.** reasoning. **2.** judgement. **3.** rationing.
rațiune *s.f.* **1.** reason. **2.** *(motiv și)* cause; *fără ~* unreasonable.
ravac *s.n.* must obtained without pressing the grapes.
ravagiu *s.n.* și pl. havoc.
ravenă *s.f. geol.* ravine.
rayonnant *adj. arh.* rayonnant (crown, window tracery).
raz *s.n. tehn.* drilling iron rod.
razachie *s.f.* variety of long-berried grapes.
razant *adj.* skimming the ground; *(d. tir)* grazing.
razanță *s.f.* flatness.
rază *s.f.* **1.** ray, beam; streak of light. **2.** *(licărire)* gleam. **3.** *geom.* radius; *~ de soare* sunbeam, sunray; *~ de lună* moonbeam; *raze cosmice* cosmic rays.
razie *s.f.* (police) raid.
razmot *s.n. av.* very low flying, skimming, rase-motte.
razna *s.f. a o lua razna* to go astray; *(în vorbire)* to ramble.
raznocinți *s.m. pl. ist.* revolutionary Russian intellectuals, of humble origin (in the 18th century).
răbda I. *vt.* **1.** to bear, to suffer. **2.** *(a tolera și)* to tolerate, to accept. **II.** *vi.* to suffer, to endure; *a ~ de foame* to go hungry.
răbdare *s.f.* patience, endurance.
răbdător I. *adj.* patient, suffering. **II.** *adj.* patiently.
răboj *s.n.* **1.** tally. **2.** *fig.* score.
răboji *vt.* to tally, to score.
răbufneală *s.f.* outbreak.
răbufni *vi.* to break *sau* burst out.
răbufnire *s.f.* v. r ă b u f n e a l ă.
răcan *s.m. mil. fam.* rookie, rooky, war baby, AE *argou* big John.
răcar *s.m.* catcher of crayfish.
răcănel *s.m. zool.* v. b r o t a c.
răceală *s.f.* **1.** cold. **2.** *fig.* coldness, chillness.
răchitan *s.m. bot.* loosestrife, lytrhrum *(Lythrium).*
răchită *s.f.* **1.** *bot.* osier *(Salix fragilis).* **2.** *(împletitură și)* wickerwork; *de ~* wickerwork...
răchitiș *s.n.* osier plot.
răchițele *s.f. pl. bot.* moor / moss berry *(Vaccinium oxycoccus).*
răchițică *s.f. bot.* **1.** goumi, Russian olive, silverberry *(Elaeagnaceae fam.).* **2.** balsam, jewelweed *(Balsaminaceae).* **3.** knotgrass, persicaria *(Polygonaceae fam.).*
răci I. *vt.* to cool. **II.** *vi.* to catch cold. **III.** *vr.* to grow cold *sau* cool.
răcilă *s.f.* crayfish dipping net.
răcire *s.f.* cooling; refrigeration.
răcit *adj.* down with a cold.
răcitor *s.n.* **1.** ice-box, fridge. **2.** *tehn.* cooler, refrigerator.
răcituri *s.f. pl.* pig's trotters, meat jelly.
răcnet *s.n.* roar; *(zbierăt)* yell.
răcni *vt., vi.* to yell, to roar.
răcoare *s.f.* **1.** coolness. **2.** *pl.* shiver, shudder. **3.** *argou (închisoare)* stone jug.

răcoreală *s.f.* **1.** cooling down. **2.** cool breeze.
răcori I. *vt.* to cool (down), to refresh. **II.** *vr.* to cool (down).
răcoritoare *s.f. pl.* cooling drinks.
răcoritor *adj.* cooling, refreshing.
răcoros *adj.* cool, bracing.
rădașcă *s.f. entom.* stag beetle / fly *(Lucanus cervus).*
rădăcină *s.f.* root.
rădăciniș *s.n.* roots.
rădăcinos I. *adj.* having big or long roots. **II.** *s.f. pl. bot.* root crops; radiculaceae.
rădvan *s.n. odin.* barouche.
răfui *vr.* to settle accounts.
răfuială *s.f.* quarrel, scuffle.
răgace *s.f. entom.* v. r ă d a ș c ă.
răgaz *s.n.* respite, leisure.
răgălie *s.f. pop. bot.* thicket made up of tree roots on the banks of running waters.
răget *s.n.* roar.
răgila *vt.* v. dărăci.
răgușeală *s.f.* **1.** hoarseness. **2.** *med.* sore throat.
răguși *vi.* to get hoarse.
răgușit *adj.* hoarse.
rămas I. *s.n.* ~ *bun* farewell; leave. **II.** *adj.* left, remaining.
rămășag *s.n.* wager, bet.
rămășiță *s.f.* remnant, remainder; *rămășițe ale trecutului* vestiges of the past, carryover; *rămășițe pământești* mortal remains.
rămâne *vi.* **1.** to remain. **2.** *(a sta)* to stay. **3.** *(a continua)* to continue, to last; *a ~ credincios principiilor sale* to stick to one's colours; *a ~ dator* to get into debt.
rămânere *s.f.* remaining; ~ *în urmă* lagg(ing behind).
rămuriș *s.n.* branches.
rămuriște *s.f.* thicket, branches.
rămuros *adj.* branchy, ramose.
răni *vt.* to wound, to hurt.
răpăi *vi.* *(de ploaie)* to patter; *(d. grindină, mitralieră)* to rattle.
răpăială *s.f.* pattering, rattle.
răpăit *s.n.* v. r ă p ă i a l ă.
răpănos *adj.* **1.** scabby, mangy. **2.** v. j e g o s.
răpciugă *s.f.* **1.** *vet.* glanders. **2.** *(mârțoagă)* jade.
răpciugos 1. *vet.* glandered. **2.** *fig.* jaded, scaly, mangy.
răpciune *s.m. pop. înv.* (popular name of the month of) September.
răpi *vt.* **1.** to ravish. **2.** *(pt. răscumpărare)* to kidnap. **3.** *fig.* to snatch away, to steal. **4.** *(o femeie)* to elope with; *a ~ drepturile cuiva* to deprive smb. of his rights.
răpire *s.f.* **1.** ravishment. **2.** *(a unei femei)* elopement. **3.** *(pt. răscumpărare)* kidnapping.
răpit *adj.* ravished.
răpitor I. *s.m.* kidnapper; abductor. **II.** *adj.* **1.** predatory. **2.** *(d. frumusețe)* ravishing.
răposa *vi.* to pass away.
răposat I. *s.m.* the late (lamented). **II.** *adj.* late, dead.
răpune *vt.* to defeat, to worst.
rări I. *vt.* **1.** to thin (out). **2.** *agr.* to weed out. **3.** *fig.* to space out. **II.** *vr.* **1.** to thin out. **2.** to grow rarer.
răriș *s.n.* glade.
răritură *s.f.* **1.** interval. **2.** a place with sparce vegetation. **3.** thinning.
rărița *vt.* to till the land with a plough.
rărunchi *s.m.* **1.** *pop.* v. r i n i c h i. **2.** *fig.* depth(s), inside; *a ofta din ~* to have a deep sigh.
răsad *s.n.* transplant.
răsadniță *s.f.* hotbed.
răsalaltăieri *adv.* three days ago.
răsădi *vt.* to transplant.
răsări *vi.* **1.** to rise. **2.** *(a se ivi și)* to heave in sight. **3.** *agr.* to spring.
răsărit I. *s.n.* **1.** sunrise; rising. **2.** *(punct cardinal)* east; *~ul soarelui* sunrise, sun-up. **II.** *adj.* **1.** risen. **2.** *(mare)* tall(ish); high. **3.** *(deosebit)* outstanding, remarkable.
răsăritean *adj.* Eastern.
răsătură *s.f.* **1.** razing etc. v. r a d e. **2.** *(de lemn etc.)* scrapings. **3.** *(ras)* shave.
răsciti *vt.* to read several times.
răscoace *vt. și vr.* to overbake.
răscoage *s.f. bot.* v. r ă c h i ț i c ă.
răscoală *s.f.* (up)rising, revolt.
răscoli *vt.* **1.** to rummage. **2.** *fig.* to stir (up).
răscolitor *adj.* disturbing; *(mișcător)* moving.
răscopt *adj.* **1.** overripe. **2.** *(d. ou)* hardboiled.
răscrăcăra I. *vt.* to move / plant apart; to spread one's legs out. **II.** *vr.* to stand *sau* to sit with legs apart; to spread one's legs out.
răscrăcărat *adj.* straddling, with legs wide apart.
răscroi *vt.* to cut out.
răscroială *s.f.* cut.
răscroitură *s.f.* v. r ă s c r o i a l ă.
răscruce *s.f.* **1.** crossroad(s). **2.** *fig. și* moment of choice.
răscula *vr.* to rise in arms.
răsculat *s.m.* rebel; mutineer.
răscumpăra *vt.* **1.** to redeem. **2.** *fig.* to atone for; to compensate. **3.** *(un captiv)* to ransom.
răscumpărare *s.f.* **1.** redemption. **2.** compensation. **3.** *(plată)* ransom.
răscunoscut *adj.* perfectly well-known; notorious.
răsfăț *s.n.* **1.** spoiling, pampering, overindulgence. **2.** *(nazuri)* whims, caprices; *ferit de ~* unspoiled.
răsfăța I. *vt.* **1.** to spoil, to pamper. **2.** *fig.* to pet, to fondle. **II.** *vr.* **1.** to play the spoilt child. **2.** to lead an easy life.
răsfățat *adj.* spoilt, pampered.
răsfira *vt., vr.* to scatter; to disperse.
răsfirat *adj.* **1.** separated etc. v. r ă s f i r a. **2.** *(d. crengi etc.)* spreading. **3.** diffuse.
răsfoi *vt.* to skim *sau* look through; to turn over.
răsfoială *s.f. rar.* skimming through (newspaper, books).
răsfrânge I. *vt.* to reflect. **II.** *vt.* **1.** to be reflect. **2.** to have an impact (upon).
răsfrângere *s.f.* **1.** reflection etc. v. r ă s f r â n g e. **2.** light; sheen; brightness.
răsfrânt *adj.* reflected; *(d. guler etc.)* turned down.
răsfug *s.n.* **1.** v. a n t r a x. **2.** *bot.* gum succory, wall lettuce *(Chondrilla juncea).*
răspăr *s.n.* *în ~* against the hair; *fig.* against the grain.
răspândi I. *vt.* **1.** to spread. **2.** *(a împrăștia)* to scatter. **3.** *(a propaga și)* to float, to circulate. **II.** *vr.* **1.** to spread, to get abroad. **2.** *(a se împrăștia)* to disperse.
răspândire *s.f.* **1.** spreading, dissemination. **2.** *(arie)* area, extent.
răspândit *adj.* (wide)spread; prevalent.
răspânditor *s.m.* spreader.
răspântie *s.f.* **1.** crossroad(s). **2.** *fig. și* turning point.
răspica *vt. înv.* **1.** to pierce, to split. **2.** to analyse. **3.** to speak plainly / outright about, to give a frank opinion on.
răspicat I. *adj.* plain, outspoken. **II.** *adv.* plainly; clearly.
răsplată *s.f.* **1.** reward, recompense. **2.** *(pedeapsă)* penalty.
răsplăti *vt.* **1.** to reward, to recompense. **2.** *(a pedepsi)* to punish.
răspoimâine *adv.* in two days, in a couple of days.
răspopi *vt.* to unfrock.
răspunde I. *vt.* **1.** to answer, to reply. **2.** *(a riposta)* to retort. **II.** *vi.* **1.** to

answer. **2.** *(cuiva și)* to reply (to). **3.** *(a fi responsabil și)* to be responsible *sau* answerable. **4.** *fig.* to respond.
răspundere *s.f.* responsibility.
răspuns *s.n.* **1.** answer; reply. **2.** *(replică)* retort.
răspunzător *adj.* responsible, answerable.
răsputeri *s.f. pl. din ~* mightily, forcibly; with might and main.
răstav *s.n. poligrafic* quoin.
răstălmăci *vt.* to misconstrue, to put a false colour on.
răsti *vr.* to bluster, to shout; *a se ~ la* to give (smb.) roughhouse.
răstigni *vt.* to crucify.
răstignire *s.f.* crucifixion.
răstimp *s.n.* interval, (lapse of) time.
răstit I. *adj.* harsh, rude. **II.** *adv.* harshly, roughly.
răstoacă *s.f.* backwater.
răstoci *vt.* to drain certain parts of a running water, in order to catch fish with the hand.
răsturna I. *vt.* **1.** to upset, to overturn. **2.** *pol.* to overthrow. **II.** *vr.* **1.** to capsize, to overturn, to be upset. **2.** *(a cădea)* to be upset.
răsturnare *s.f.* upsetting; overthrow; upheaval.
răsturnător *s.n.* **1.** *met.* hook tilter. **2.** *ind. extr.* tipping plant.
răsturniș *s.n.* slope.
răsuc *s.n. ind. text.* large wooden spindle.
răsuci *vt., vr.* to twist, to turn.
răsucire *s.f.* **1.** *fiz.* torsion. **2.** *bot.* curly leaf.
răsucitură *s.f.* twisting.
răsufla I. *vi.* **1.** to breathe (freely). **2.** *(a-și trage sufletul)* to catch one's breath. **3.** *(a ofta)* to heave a sigh. **4.** *(a se afla)* to leak (out). **II.** *vr.* to become stale.
răsuflare *s.f.* breath(ing); *cu ~a întretăiată* with bated breath; excitedly.
răsuflat *adj.* flat; stale.
răsuflătoare *s.f.* air hole / way.
răsuflătură *s.f.* breath.
răsuflet *s.n.* **1.** v. r ă s u f l a r e. **2.** *fig.* breeze.
răsuflu *s.n.* breath, wind.
răsuna *vi.* to (re)sound.
răsunător *adj.* **1.** resounding, sonorous. **2.** *fig.* thundering.
răsunet *s.n.* **1.** sound, echo. **2.** *fig. și response.*
răsură *s.f. bot.* wild rose / brier, dog rose / brier, apple rose *(Rosa canina).*
răsuriu *adj.* rosy.
rășchia *vt.* to reel the threads from the spindle on the reeling device.
rășchira *vb.* **1.** v. r ă s c r ă c ă r a. **2.** v. r ă s f i r a.
rășchirat *adj.* **1.** v. r ă s c r ă c ă r a t. **2.** v. r ă s f i r a t.
rășchitor *s.n.* reeling device.
rășină *s.f.* resin.
rășinos *adj.* resinous.
rășlui *vt.* **1.** to tear off. **2.** v. d e s c o j i. **3.** to waste, to squander. **4.** to seize. **5.** *(de pe fața pământului)* to raze.
rășpălui *vt.* **1.** *mec.* to grate. **2.** *tehn.* to rasp.
rătăci I. *vt.* **1.** lose (one's way). **2.** *(un lucru)* to mislay. **II.** *vi.* to stray, to ramble. **III.** *vr.* to lose one's way, to get lost.
rătăcire *s.f.* **1.** straying. **2.** *fig.* error, mistake. **3.** *(nebunie)* distraction.
rătăcit *adj.* **1.** lost, stray. **2.** *fig.* wild, mad.
rătăcitor *adj.* wandering.
rățișoară *s.f.* **1.** duckling. **2.** *entom.* genus of beetle *(Tanymecus).* **3.** *bot.* bearded iris *(Iris pumila).*
rățoi[1] *s.m.* drake.
rățoi[2] *vr.* to bluster, to swash buckle; *a se ~ la* to go for, to jay (smb.).
rățoială *s.f.* blowing-up.
rățușcă *s.f.* duckling.
rău I. *s.m.* scoundrel. **II.** *s.n.* **1.** evil, ill. **2.** *(necaz)* harm, wrong. **3.** *(boală)* sickness, indisposition; *~ de aer* airsickness; *~ de mare* seasickness. **III.** *adj.* **1.** bad. **2.** *(necorespunzător)* poor, worthless. **3.** *(ticălos)* evil, wicked. **4.** *(aspru)* unkind, ill(-natured). **5.** *(dificil)* vicious, naughty. **6.** *(stricat)* depraved; *cel mai ~* worst; *mai ~* worse. **IV.** *adv.* **1.** badly. **2.** *(cu răutate)* wickedly. **3.** *(prost)* poorly, miserably.
răufăcător *s.m.* evildoer, malefactor.
răutate *s.f.* **1.** ill-will, wickedness. **2.** *(faptă)* misdeed; *cu ~* wickedly, viciously.
răutăcios *adj.* **1.** malignant. **2.** *(malițios)* malicious, acrimonious.
răuvoitor I. *adj.* **1.** malevolent, ill-willed. **2.** hostile. **II.** *adv.* malevolently, unkindly.
răvaș *s.n.* letter; *~ de drum fig.* walking papers *sau* orders.
răvășeală *s.f.* disorder.
răvăși *vt.* to rummage, to turn upside down.
răvășit *adj.* **1.** rummaged, helter-skelter. **2.** *fig.* upset. **3.** *(d. păr)* dishevelled.
răzășesc *adj.* v. r ă z e ș e s c.
răzătoare *s.f.* **1.** grate, rasp. **2.** *(la ușă)* shoe scraper.
răzătură *s.f.* v. r ă s ă t u r ă 2.
răzbate *vi.* **1.** to penetrate. **2.** to come through; to make one's way.
răzbătător *adj.* tenacious, undefeatable, persevering.
răzbi I. *vt.* **1.** to beat, to worst. **2.** și fig. to overcome. **II.** *vi.* **1.** to penetrate, to come through. **2.** *fig.* to manage.
război[1] *s.n.* **1.** war. **2.** *(ostilități)* warfare, hostilities. **3.** *(de țesut)* loom; *~ de hărțuială* sau *uzură* war of attrition; *~ de partizani* guerilla war; *~ mondial* World War; *~ total* total warfare.
război[2] *vr.* **1.** to be at war. **2.** *fig.* to war.
războinic I. *s.m.* warrior, soldier. **II.** *adj.* war(like).
răzbuna I. *vt.* to avenge. **II.** *vr.* *(pe cineva)* to take one's revenge (on smb.).
răzbunare *s.f.* revenge; vengeance.
răzbunat *adj.* avenged.
răzbunător I. *s.m.* avenger. **II.** *adj.* vindicative, revengeful.
răzeș *s.m.* freeholder, yeoman; *pl. și* yeomanry.
răzeșesc *adj.* freeholder's...
răzeșie *s.f.* freeholder's land.
răzeșime *s.f.* freeholders.
răzgâia *vt.* to spoil, to pamper.
răzgâială *s.f.* spoiling, pampering (of children). v. r ă s f ă ț.
răzgâiat *adj.* spoiled, pampered. v. r ă s f ă ț a t.
răzgândi *vr.* to change one's mind.
răzleț *adj.* **1.** stray. **2.** sporadic.
răzleți *vt., vr.* to scatter.
răzmeriță *s.f.* uprising, rebellion.
răzor *s.n.* **1.** baulk, boundary. **2.** *(de flori)* flower bed.
răzui *vt.* to scrape.
răzuială *s.f. tehn.* scraping.
răzuire *s.f. tehn.* scraping.
răzuitoare *s.f.* **1.** v. r ă z ă t o a r e 1. **2.** *tehn.* scraper.
răzuș *s.n.* **1.** point tool, chisel. **2.** scraper.
răzvrăti *vr.* to rebel.
răzvrătire *s.f.* insubordination, mutiny.
răzvrătitor I. *adj.* instigating. **II.** *s.m.* instigator, *fam.* firebrand.
râcă *s.f.* ill-blood, feud; *a căuta râcă cuiva* to owe smb. a grudge.
râcâi *vt.* **1.** to scrape. **2.** *fig.* to gnaw at, to torment
râde *vi.* **1.** to laugh. **2.** *(în sinea lui)* to chuckle. **3.** *(a chicoti)* to titter, to

snigger; *a ~ de cineva etc.* to scoff at smb. etc.
râgâi *vi.* to belch (wind).
râgâială *s.f.*, belching, retching, eructation.
râgâit *s.n.* belch.
râie *s.f.* itch, scab.
râios *adj.* **1.** scabby, mangy. **2.** *fig.* haughty.
râma *vt., vi.* to rout.
râmă *s.f. zool.* earthworm.
râmător *s.m.* v. p o r c.
râmlean *s.m. înv. ist.* Roman.
râmnic *s.n.* fishpond, pool; backwater.
rână *s.f.* hip; *într-o ~* sideways; *a ședea într-o ~* to recline on one side.
rânced *adj.* rancid.
râncezeală *s.f.* mustiness; rancidity.
râncezi *vi., vr.* to become rancid.
rânchéza *vi.* to neigh.
rând *s.n.* **1.** *(de scaune etc.)* row. **2.** *(șir)* file. **3.** *(serie)* series, range. **4.** *(ordine)* turn. **5.** *(dată)* time. **6.** *(de litere)* line. **7.** *(de haine)* suit;*~pe ~* one after the other; *de ~* common, ordinary; everyday; *în primul ~* first of all; first and foremost; *la ~* in succession; *(fără alegere)* indiscriminately; *pe ~* in turn; by turns; *la ~ul lui* in his turn; *e ~ul tău* it's your play *sau* turn.
rândaș *s.m.* **1.** servant. **2.** *(grăjdar)* ostler.
rândui *vt.* to arrange, to order.
rânduială *s.f.* order; system.
rândunea, rândunică *s.f. ornit.* swallow *(Hirundo rustica).*
rândunel *s.m.* he-swallow.
râni *vt.* to clean.
rânjet *s.n.* grin.
rânji *vi.* **1.** to grin. **2.** *(agresiv)* to snarl.
rânjit *adj.* grinning etc. v. r â n j i.
rântaș *s.n.* roasted flour.
rânză *s.f.* **1.** *reg.* v. p i p o t ă. **2.** *fam.* v. s t o m a c.
râpă *s.f.* cliff; gully.
râpos *adj.* steep; full of precipices, arduous.
râs **I.** *s.m. zool.* lynx. **II.** *s.n.* **1.** laugh(ter). **2.** *(satisfăcut)* chuckle. **3.** *(grosolan)* hee haw. **4.** *(chicot)* snigger, titter. **5.** *(hohot)* peal of laughter.
râset *s.n.* v. r â s.
râșcov *s.m.* orange agaric *(Lactarius deliciosus).*
râșni *vt.* to grind.
râșniță *s.f.* **1.** coffee mill *sau* grinder. **2.** *(rablă)* jalopy.
rât *s.n.* snout.
râtan *s.m.* v. p o r c.
râura **I.** *vi.* **1.** to flow (like a river). **2.** to wave. **II.** *vt.* to embroid a traditional blouse with a certain pattern.
râvnă *s.f.* ardour; ambition.
râvni *vi. a ~ la* to covet; to strive for.
râvnit *adj.* wished-for, coveted.
râvnitor *adj.* covetous.
râzător *adj.* laughing; merry, joyous.
re *s.m. muz.* D, re.
re- *prefix* re-.
reabilita *vt., vr.* to rehabilitate (oneself).
reabilitare *s.f.* rehabilitation; recovery of civil rights; retrieval.
reabona *vt. (la)* to renew smb's subscription (to).
reacoperi *vt.* to re-cover.
reacredință *s.f.* dishonesty; *de ~* dishonest, unprincipled.
reactant *s.m. chim.* reactant.
reactanță *s.f. fiz.* reactance.
reactiv *s.m.* reagent.
reactiva **I.** *vt.* to reactivate; to quicken anew. **II.** *vr.* **1.** *mil.* to come back for active service. **2.** *chim.* to be reactivated.
reactivare *s.f. med. etc.* reactivation.
reactivitate *s.f. chim.* reactivity.
reactopropulsor *s.n.* turbopropeller engine.
reactor *s.n.* **1.** reactor. **2.** *(avion)* jet(plane); *~ atomic* atomic pile.
reactualiza *vt.* to make actual again; putting up-to-date.
reactualizare *s.f.* making actual again; to put up-to-date.
reacție *s.f.* **1.** reaction; *~ inversă* feedback. **2.** *fig. și* response; *cu ~* jet...
reacționa *vi. (la ceva)* to react (upon smth.), to respond (to smth.).
reacționar *s.m., adj.* reactionary; retrogressive.
reacționarism *s.n.* reactionarism, reactionism, die-hard conservatism.
reacțiune *s.f.* reaction.
readucător *s.n. tehn.* rectifier.
readuce *vt.* to bring back.
readucere *s.f.* bringing back.
reafirma *vt.* to reassert, to reaffirm.
reafirmare *s.f.* reassertion; emphasis (upon a point).
reajusta *vt.* to readjust; to set to rights.
reajustare *s.f.* readjustment.
real *adj.* real; actual.
realege *vt.* to reelect.
realegere *s.f.* re-election.
realgar *s.n. mineral.* realgar.
realimenta *vt.* to re-feed.
realiniere *s.f. tehn.* realignment, realinement.
realism *s.n.* realism.
realist **I.** *s.m.* realist. **II.** *adj.* realistic.
realitate *s.f.* reality; *~a* the facts; *în ~* in (actual) fact.
realiza **I.** *vt.* **1.** to achieve. **2.** *(a îndeplini)* to implement. **II.** *vr.* **1.** to be achieved *sau* fulfilled. **2.** to come true, to materialize. **3.** *(d. cineva)* to achieve one's personality.
realizabil *adj.* feasible, possible.
realizant *s.m. mat.* discriminant.
realizare *s.f.* achievement; accomplishment.
realizat *adj.* **1.** fulfilled, achieved. **2.** *(d. persoane)* successful.
realizator **I.** *adj.* accomplishing. **II.** *s.m.* producer, organizer (of concerts, TV programmes etc.).
realmente *adv.* actually, truly.
reaminti *vt., vi.* to recall; *a ~ cuiva (de) ceva* to remind (smb. of smth.); *a-și ~* to remember.
reanaliza *vt.* to reconsider.
reanclanșare *s.f. tehn.* automatic reset.
reangajat *mil.* **I.** *adj.* re-enlisted. **II.** *s.m.* re-enlisted man / non-com.
reanima *vt.* to reanimate.
reanimare *s.f.* reanimation.
reapariție *s.f.* reappearance.
reapărea *vi.* to reappear.
rearbitra *vt. jur.* to rearbitrate.
reasigura *vt.* to reinsure; to reasure.
reasigurare *s.f.* reinsurance.
reașeza *vt.* to put / set smth. back (again).
reavăn *adj.* moist, wet.
reavoință *s.f.* ill-will; wickedness.
reazem *s.n.* (main)stay, support.
rebarbativ *adj.* grim, forbidding, unprepossessing; surly, crabbed.
rebec *s.n. muz.* rebec(k).
rebegeală *s.f.* numbness (caused by cold).
rebegit *adj.* shrunken (with cold, etc.).
rebegit *adj.* stiff with cold, chilled to the marrow.
rebel **I.** *s.m.* rebel. **II.** *adj.* **1.** mutinous. **2.** *(dificil)* obdurate.
rebeliune *s.f.* rebellion; subversion.
rebobina *vt.* to rewind.
rebrusment *s.n.* graining, boarding of leather, napping (of cloth).
rebus *s.n.* rebus.
rebut *s.n.* reject; *pl. și* waste, scrap.
rebuta *vt.* to throw away, to scrap, to reject.
recalcitrant *adj.* refractory, hard to manage.

recalcitranță *s.f.* recalcitrance, refractoriness, stubborness.
recalcula *vt.* to calculate again, to make a fresh computation of.
recalculare *s.f.* fresh calculation.
recalescență *s.f. met.* recalescence.
recalibrare *s.f. tehn.* recalibration.
recalifica *vt. și vr.* to re-qualify.
recalificare *s.f.* re-qualification; re-adjustment.
recapitula *vt.* to summarize.
recapitulare *s.f.* recapitulation, summing up.
recapitulativ *adj.* recapitulative.
recarbura *vt. met.* to recarburize, to recarbonize (steel).
recarburare *s.f. met.* recarburization, recarbonization, recementation.
recădea *vi.* to relapse, to fall again.
recădere *s.f. și med.* relapse, *fig.* backslide.
recăpăta *vt.* to recover, to regain.
recăsători *vr.* to remarry.
recâștiga *vt.* to regain, to recover.
rece I. *s.n. la ~* in a cool place; *fig.* coolly, calmly. **II.** *adj.* **1.** cold. **2.** *(răcoros)* cool. **3.** *(și umed)* chill(y). **4.** *fig. (neînțelegător)* unsympathetic, unresponsive. **5.** *(de piatră)* unmoved, unemotional. **6.** *(glacial)* icy; unfriendly. **7.** *(d. pâine)* stale. **II.** *adv.* **1.** coldly. **2.** *(calm)* coolly, calmly. **3.** *(glacial)* icily.
recensământ *s.n.* census.
recent I. *adj.* recent, latest. **II.** *adv.* recently, lately.
recenza *vt.* to review.
recenzent *s.m.* reviewer.
recenzie *s.f.* (book) review.
recenzor *s.m.* **1.** census taker. **2.** *(al unei cărți etc.)* reviewer.
recepare *s.f.* cutting back (trees).
recepta *vt.* to pick up; to intercept.
receptacul *s.n. bot.* receptacle, torus.
receptiv *adj.* responsive.
receptivitate *s.f.* receptivity, responsiveness.
receptivitate *s.f.* receptivity.
receptor *s.n.* receiver.
recepție *s.f.* **1.** reception. **2.** acceptance, checking (on delivery).
recepționa *vt.* **1.** to receive. **2.** to check (on delivery).
recepționar *s.n.* receiver, consignee.
recepționer *s.m.* **1.** receptionist; reception desk attendant. **2.** controller.
recesiune *s.f. ec.* recession.
rechema *vt.* to recall.
rechemare *s.f.* recall.
rechie *s.f. bot.* weld, dyer's weed *(Reseda lutea).*
rechin *s.m. iht.* shark.
rechizite *s.f. pl.* **1.** stationery; writing materials. **2.** *(școlare)* school supplies.
rechizitoriu *s.n.* (bill of) indictment.
rechiziție *s.f.* requisition.
rechiziționa *vt.* to requisition.
reciclare *s.f.* **1.** *tehn.* recycling, recuperation, recirculation of refuse. **2.** *(a personalului)* training / refresher courses; professional re-training.
recidiva *vi.* to relapse.
recidivă *s.f.* **1.** relapse. **2.** *jur. și* second offence.
recidivist *s.m.* recidivist.
recif *s.n.* reef.
recipient *s.n.* container.
recipisă *s.f.* receipt.
reciproc I. *adj.* mutual, reciprocal. **II.** *adv.* mutually, reciprocally.
reciprocitate *s.f.* reciprocity.
recirculație *s.f.* recirculation, recycling.
recita *vt.* to recite.
recital *s.n.* recital.
recitare *s.f.* **1.** recitation. **2.** *(intonare)* intonation.
recitativ *s.n. muz.* recitative.
recitator *s.m.* reciter.
reciti *vt.* to read again, to re-read.
reclama *vt.* **1.** *(pe cineva)* to denounce. **2.** *(jur.)* to sue at law. **3.** *fig. (a cere)* to claim; to require.
reclamant *s.m.* plaintiff.
reclamat *adj.* **I.** *adj.* claimed, demanded. **II.** *s.m.* defendant.
reclamație *s.f.* complaint, denunciation.
reclamă *s.f.* **1.** advertising. **2.** *(deșănțată)* puffery. **3.** *(anunț)* advertisment, ad. **4.** *(firmă)* (neon) sign.
reclasa *vt.* to regroup, to rearange, to redistribute.
reclădi *vt.* to rebuild, to reconstruct.
recluziune *s.f. jur.* confinement.
recoace *vt. met.* to anneal.
recoacere *s.f. met.* annealing.
recolta *vt.* to harvest.
recoltat *s.n.* harvesting, reaping, cropping.
recoltă *s.f.* **1.** harvest, crop. **2.** *(pe hectar)* yield (per hectare); *~ bogată* bumper crop.
recomanda I. *vt.* **1.** to recommend. **2.** *(a sugera)* to suggest, to advise. **3.** *(a prezenta)* to introduce. **II.** *vr.* to introduce oneself.
recomandabil *adj.* advisable, recommendable.
recomandare *s.f.* **1.** recommendation. **2.** (letter of) introduction.
recomandat *adj.* **1.** recommended. **2.** *(d. o scrisoare)* registered.
recomandată *s.f.* registered letter.
recomandație *s.f.* **1.** recommendation, piece of advice. **2.** (letter of) introduction.
recombina *vt.* to recombine.
recombinare *s.f. fiz.* recombination.
recompensa *vt.* to recompense, to reward.
recompensă *s.f.* reward; *drept ~* as a reward.
recomprimare *s.f. tehn.* recompression.
recompune *vt.* to recompose.
reconcilia *vt.* to reconcile.
reconciliabil *adj.* reconcilable.
reconciliere *s.f.* reconciliation.
recondiționa *vt.* to recondition.
recondiționare *s.f.* reconditioning.
reconducție *s.f. jur.* renewal (of lease).
reconforta *vt.* to strengthen, to fortify.
reconfortant *adj.* bracing, tonic.
reconsidera *vt.* to reconsider, to reappraise.
reconsiderare *s.f.* reappraisal, reassessment.
reconstituant *s.n. med.* reconstituent.
reconstitui *vt.* to reconstitute.
reconstituire *s.f.* **1.** reconstitution. **2.** *jur.* reconstruction.
reconstrucție *s.f.* **1.** reconstruction, rehabilitation. **2.** *(a orașelor)* urban renewal.
reconstrui *vt.* to reconstruct, to rebuild.
reconvențională *adj. jur. (d. cerere)* counter (claim).
reconvențiune *s.f. jur.* counter-claim.
reconversiune *s.f.* reconversion, redeployment (of workers).
recopia *vt.* to recopy.
record I. *s.n.* record. **II.** *adj.* record, peak.
recordman *s.m.* record holder.
recrea I. *vt.* **1.** to recreate. **2.** *(a distra)* to recreate, to entertain. **II.** *vr.* to amuse oneself, to take a rest.
recreare *s.f.* (taking a) rest; recreation.
recreativ *adj.* entertaining, amusing.
recreație *s.f.* **1.** break, interval. **2.** *(odihnă)* rest, recreation.
recrimina *vt.* to recriminate.
recriminare *s.f.* recrimination.
recristalizare *s.f. chim.* recrystallization.
recrudescență *s.f.* recrudescence.

recrut *s.m.* recruit.
recruta *vt.* to recruit.
recrutare *s.f.* recruitment.
rect *s.n. anat.* rectum, *fam.* passage.
rectal *adj. anat.* rectal.
rectangular *adj.* rectangular.
rectifica *vt.* to rectify.
rectificabil *adj. mat.* rectifiable.
rectificare *s.f.* rectification etc. v. r e c t i f i c a.
rectificator *tehn.* **I.** *s.m.* grinder. **II.** *s.n.* grinding machine. **III.** *adj.* rectifying.
rectilinear *adj.* orthoscopic.
rectiliniu *adj. (d. mișcare)* linear; *mat.* rectilinear.
rectiliniu *adj. mat.* rectilineal, rectilinear.
rectitudine *s.f.* rectitude.
recto *s.n.* recto.
rector *s.m.* rector, *(în Anglia și S.U.A.)* president.
rectorat *s.n.* rector's office.
rectrice *s.f. ornit.* retrix.
recțiune *s.f. gram.* government, regimen.
recuceri *vt.* to reconquer, to regain.
recul *s.n.* recoil.
recula *vi. (d. tun)* to recoil; *(d. pușcă)* to kick.
reculege *vt.* to collect one's thoughts, to meditate.
reculegere *s.f.* (solitary) meditation.
recunoaște **I.** *vt.* **1.** *(pe cineva)* to recognize. **2.** *(meritele etc. și)* to acknowdlege. **3.** *(a mărturisi)* to admit, to own (up). **4.** *mil.* to reconnoitre. **II.** *vr. a se ~învins etc.* to admit oneself defeated etc., to acknowledge defeat etc.
recunoaștere *s.f.* **1.** recognition, acknowledgement. **2.** *(mărturisire)* admission, confession. **3.** *mil.* reconnaissance.
recunoscător *adj.* grateful, thankful.
recunoscut *adj.* (well-)established, recognized.
recunoștință *s.f.* gratitude; *cu ~* gratefully.
recupera *vt.* to retrieve, to recover.
recuperabil *adj.* recoverable.
recuperare *s.f.* recovery, redeeming.
recuperator *s.n. tehn.* recuperator.
recurent *adj.* recurrent.
recurență *s.f. med.* recurrence.
recurge *vi.* to resort (to).
recurs *s.n.* (last) appeal.
recursivă *adj. mat.* recursive (definition).
recuza *vt. jur.* to challenge, to take exception to.
recuzabil *adj. jur.* challengeable.
recuzare *s.f. jur.* challenge.
recuzită *s.f.* **1.** (stage) props. **2.** *fig.* arsenal.
recuziter *s.m.* property man / master.
recuzitor *s.m.* prop(erty) man.
recviem *s.n.* requiem.
reda *vt.* **1.** to restore, to return. **2.** *fig.* to reproduce, to render, to convey.
redacta *vt.* **1.** to elaborate, to draw up. **2.** *(a exprima)* to word, to couch.
redactare *s.f.* **1.** elaboration, drafting. **2.** *(formulare)* wording.
redactor *s.m.* **1.** (sub) editor. **2.** *(de film)* continuity man; *~ șef* editor (in chief).
redacție *s.f.* **1.** editorial staff *sau* board. **2.** *(local)* editorial office.
redacțional *adj.* editorial.
redan *s.n.* **1.** *mil.* redan. **2.** *arh.* skewback.
redare *s.f.* **1.** giving *sau* rendering back. **2.** *muz.* rendition. **3.** *artă etc.* conveyance, expression.
redeschide *vt.* to reopen.
redescoperi *vt.* to rediscover; to find again.
redeștepta *vt., vr.* to reawake(n).
redeșteptare *s.f.* reawakening, resurgence, revival.
redeveni *vi.* to become again.
redevență *s.f.* due.
redie *s.f. zool.* redia.
redingotă *s.f.* cutaway.
redistribui *vt.* **1.** to redistribute, to re-allocate. **2.** to redeal, to deal again (playing cards).
redistribuire *s.f.* redistribution, re-allocation.
redobândi *vt.* to recover.
redresa **I.** *vt.* **1.** to reestablish. **2.** *el.* to rectify. **II.** *vr.* to recover, to pick up again.
redresare *s.f.* straightening (out) etc. v. r e d r e s a.
redresor *s.n. tehn., el.* rectifier; *~ în punte* bridge rectifier.
reduce **I.** *vt.* **1.** to reduce. **2.** *(a micșora și)* to cut (down); *a ~ la tăcere* to silence, to clamour down; *~și viteza!* (go) slow!. **II.** *vr.* **1.** to be reduced, to decrease. **2.** *(a scădea și)* to abate; *a se ~ la* to come *sau* boil down to.
reducere *s.f.* **1.** reduction; cut (in prices). **2.** diminution, decrease.
reductibil *adj.* reductible.
reductibilitate *s.f.* reductibility.
reductor **I.** *adj.* reducing. **II.** *s.n.* reduction gear. **III.** *s.m. chim.* reducer.
reducție *s.f.* **1.** v. r e d u c e r e. **2.** *tehn.* reducing socket, adapter, reducing piece.
reducțiune *s.f. jur.* reduction, restriction.
redundanță *s.f.* redundance.
reduplica *vt.* to reduplicate.
reduplicare *s.f.* reduplication.
redus *adj.* **1.** reduced; small. **2.** *(mărginit)* narrow-minded, stupid.
redutabil *adj.* **1.** redoubtable, strong. **2.** dreaded, dangerous, redoubtable.
redută *s.f.* redoubt, keep.
reechilibrare *s.f.* restoring of the balance, re-balancing, re-equilibration.
reedita **I.** *vt.* **1.** to republish, to reprint. **2.** *fig.* to repeat. **II.** *vr.* **1.** to be republished *sau* reprinted. **2.** *fig.* to repeat (oneself), to recur.
reeditare *s.f.* republication.
reeduca *vt.* to re-educate, to readjust.
reeducare *s.f.* re-education; *centru de ~* profesională rehabilitation centre.
reeligibil *adj.* re-eligible.
reescont *s.n. fin.* rediscount.
reesconta *vt. fin.* to rediscount, to discount again.
reevalua *vt.* to revalue, to reappraise, to estimate anew.
reevaluare *s.f.* revaluation, new appraisement.
reexamina *vt.* to re-examine.
reexaminare *s.f.* re-examination.
reexport *s.n.* re-exportation.
reexporta *vt.* to re-export.
reface **I.** *vt.* **1.** to remake. **2.** to rewrite. **II.** *vr.* to recover (one's health).
refacere *s.f.* **1.** remaking, restoration. **2.** *(însănătoșire)* recovery. **3.** *ec.* rehabilitation, reconstruction.
refacție *s.f.* renewing of the track.
refec *s.n.* **1.** hem(stitch). **2.** *fig.* reprimand; *a lua la ~* to give (smb.) a good dressing down.
refeca *vt.* to hemstitch.
referat *s.n.* **1.** paper, essay. **2.** *(raport)* invited paper, report.
referendum *s.n.* referendum.
referent *s.m.* **1.** reviewer. **2.** *(raportor)* reporter; *~ tehnic* adviser, expert.
referențial **I.** *s.n.* reference system. **II.** *adj.* referential.
referi **I.** *vi. (asupra)* to report (on). **II.** *vr. (la)* to refer (to); to dwell (on).
referință *s.f.* **1.** reference. **2.** *(recomandație)* recommendation, character.

referire *s.f.* reference; *cu ~ la* regarding.
referitor *adj.* ~ *la* concerning, as concerns.
reflecta I. *vt.* to reflect. **2.** *(a oglindi și)* to mirror. **II.** *vi.* to consider. **III.** *vr.* to be reflected *sau* mirrored.
reflectant *adj. fiz.* reflective, reflecting.
reflectare *s.f.* reflection.
reflectător *adj. fiz.* reflecting.
reflectometru *s.n. fiz.* reflectometer.
reflector *s.n.* **1.** spotlight. **2.** *mil.* searchlight.
reflectorizant *adj.* reflecting, reflective; *ochi ~* cat's eye.
reflecție *s.f.* **1.** reflection; mirroring. **2.** *(gând)* remark, thought, meditation.
reflex I. *s.n.* reflex; ~ *condiționat* conditioned reflex. **II.** *adj.* reflex.
reflexie *s.f.* reflection.
reflexiv I. *s.n.* reflexive voice. **II.** *adj.* reflexive.
reflexivitate *s.f. mat.* reflexivity; reflexiveness.
reflux *s.n.* ebb(ing).
reforma *vt.* **1.** to reform. **2.** *(a arunca)* to dispose of, to reject.
reformare *s.f.* **1.** *chim.* reforming, reformation. **2.** *fig.* reformation, remoulding, renewal.
reformat I. *s.m. rel.* Calvinist, Lutheran. **II.** *adj.* **1.** reformed. **2.** *mil.* rejected.
reformator I. *s.m.* reformer. **II.** *adj.* reforming.
reformă *s.f.* **1.** reform. **2.** *rel.* Reformation. **3.** *mil.* discharge; ~ *agrară* land *sau* agrarian reform; ~ *bănească* currency reform.
reformism *s.n* reformism.
reformist *adj., s.m.* reformist.
refracta I. *vt.* to refract, to bend. **II.** *vr. pas.* to be refracted, to suffer refraction.
refractar *adj.* **1.** refractory; unmanageable. **2.** *(nedoritor)* reluctant, unwilling.
refractometrie *s.f. fiz.* refractometry.
refractometru *s.n. fiz.* refractometer.
refractor *s.n.* **1.** *fiz.* refractor. **2.** *astr.* refracting telescope.
refracție *s.f.* refraction.
refrangibil *adj.* refrangible.
refren *s.n.* refrain; chorus.
refrigera *vt.* to refrigerate, to cool.
refrigerator *s.n.* refrigerator; cooling service.
refrigerație *s.f.* refrigeration, cooling.
refrigerent I. *adj.* refrigerating. **II.** *s.n.* refrigerator.
refringent *adj. fiz.* refringent, refractive, refracting.
refringență *s.f. fiz.* refringency, refractivity.
refugia *vr.* to take refuge *sau* shelter.
refugiat *s.m.* refugee.
refugiu *s.n.* **1.** refuge. **2.** *(adăpost)* shelter. **3.** *(liman)* haven. **4.** *(pt. pietoni)* island; kerb.
refula *vt.* to supress, to repress.
refulant *adj.* pressing.
refulare *s.f.* repression.
refulat *adj.* pent-up, repressed.
refutabil *vt. livr.* refutable, confutable; controversial.
refuz *s.n.* refusal.
refuza *vt.* **1.** to refuse, to decline. **2.** *(a respinge)* to reject.
regal I. *s.n. poligr.* rack, frame. **II.** *adj.* **1.** royal, kingly. **2.** *rar* regal. **III.** *s.n. cul.* feast, treat, delight.
regalism *s.n.* royalism.
regalist *s.m., adj.* royalist, monarchist.
regalitate *s.f.* royalty, kingship.
regat *s.n.* kingdom.
regată *s.f.* regatta.
regăsi I. *vt.* to find again, to recover. **II.** *vr.* to be oneself again.
regățean *adj., s.m. înv.* **1.** Walachian. **2.** Moldavian.
rege *s.m.* king.
regeal *s.m. ist.* high official of the Porte.
regenera *vt.* to regenerate.
regenerare *s.f.* regeneration.
regenerator I. *adj.* regenerating, regenerative. **II.** *s.n. tehn.* regenerator.
regent I. *s.m.* regent. **II.** *adj.* **1.** ruling. **2.** *gram.* governing.
regentă *adj. fem. gram.* to which another clause is subordinate.
regență *s.f.* regency.
regesc *adj.* **1.** royal. **2.** *și fig.* imperial, lavish.
regește *adv.* royally.
regicid I. *adj.* regicidal. **II.** *s.m., s.n.* regicide.
regie *s.f.* **1.** administration. **2.** *(cheltuieli)* overhead, oncost. **3.** *teatru* direction, production.
regim *s.n.* **1.** *pol.* system, regime, social order. **2.** *(guvern)* guvernment. **3.** *(condiții)* conditions. **4.** *(dietă)* diet. **5.** *gram.* government.
regiment *s.n.* regiment.
regimentar *adj.* regimental.
regină *s.f.* queen; *regina balului* the reine of the ball; *regina nopții bot.* flowering tobacco, nicotiana *(Nicotiana affinis).*
regional *adj.* regional.
regionalism *s.n.* regionalism.
regionare *s.f. geogr.* regionalization.
registrator *s.m.* registrar, registering clerk.
registratură *s.f.* registry (office).
registru *s.n.* **1.** register. **2.** *ec. și* (account) book; *(mare)* ledger. **3.** *muz., fig.* register.
regiune *s.f.* region.
regiza *vt.* **1.** to direct. **2.** *teatru și* to stage.
regizor *s.m.* **1.** director. **2.** *teatru și* producer; ~ *secund* stage manager
regizoral *adj.* director's.
regizorat *s.n.* stage-managing.
regla *vt.* to regulate.
reglabil *adj.* adjustable.
reglaj *s.n.*, **reglare** *s.f.* adjustment etc. v. r e g l a.
reglare *s.f.* adjustment; control, regulation, governing, setting.
reglementa *vt.* to settle, to regulate.
reglementar *adj.* regular; prescribed.
reglementare *s.f.* settlement.
reglet *s.n. poligr.* reglet.
regletă *s.f. tehn.* reglet.
reglor *s.m. tehn.* setter.
regn *s.n.* kingdom.
regosol *s.n. geol.* regosol.
regres *s.n.* regress.
regresa *vi.* to regress.
regresiune *s.f.* regression.
regresiv *adj.* regressive.
regret *s.n.* **1.** regret. **2.** *(remușcare)* compunction. **3.** *pl.* searchings of the heart; *cu ~* regretfully.
regreta *vt., vi.* to regret.
regretabil *adj.* regrettable; unfortunate.
regretat *adj.* **1.** regretted. **2.** *(d. un mort)* lamented.
regrupa *vt., vr.* to regroup.
regrupare *s.f.* regrouping, reshuffling.
regula *vt.* to regulate.
regulament *s.m.* regulations, rules.
regulamentar *adj., adv.* v. r e g l e m e n t a r.
regulare *s.f.* regulation.
regularitate *s.f.* regularity.
regulariza *vt.* to regularize.
regularizare *s.f.* regularization.
regulat I. *adj.* **1.** regular, steady. **2.** *(armonios)* even. **II.** *adv.* regularly, steadily.
regulator *s.n. tehn.* regulator, governor.
regulă *s.f.* **1.** rule. **2.** *pl. med.* courses, menses; ~ *de trei compusă* chain rule; ~ *de trei simplă* rule of three; *de ~* as a rule; *în ~* allright, O.K.

regurgitație *s.f. fiziol.* regurgitation.
reiat *adj.* striped; ribbed.
reieși *vi.* to result.
reificare *s.f. filoz.* reification.
reimprima *vt.* to reprint, to re-impress.
reincarna *vt., vr.* to reincarnate.
reincarnare *s.f.* reincarnation.
reinstala *vt.* to reinstall.
reintegra *vt.* to reinstate.
reintegrare *s.f.* reinstatement.
reintra *vi.* to re-enter, to come in *sau* to go in again.
reintroduce *vt.* to reintroduce.
reionism *s.n. artă* rayonism.
reîmpăduri *vt.* to afforest.
reîmpădurire *s.f.* (re)afforestation, retimbering.
reîmpărți *vt.* to redivide.
reîmpărțire *s.f.* redivision.
reîmprospăta *vt.* to refresh.
reînarma *vt., vr.* to rearm.
reînarmare *s.f.* rearming, rearmament.
reînălța *vt.* to raise again; *fig.* to promote again; *(un steag)* to hoist again.
reîncadra *vt.* to reappoint.
reîncadrare *s.f.* v. r e i n t e g r a r e.
reîncarna *vt., vr.* to reincarnate.
reîncarnare *s.f.* reincarnation.
reîncălzi *vt.* to reheat.
reîncepe *vt.* to resume.
reîncepere *s.f.* recommencing, resumption etc. v. r e î n c e p e.
reînchide *vt.* to reclose, to shut / close again; *(d. o rană)* to close up, to heal.
reînființa *vt.* to re-establish.
reînființare *s.f.* re-establishment.
reînflori *vi.* to flower / blossom, *fig.* to flourish again.
reînnoi *vt.* to renew; to reaffirm.
reînnoire *s.f.* renewal; resumption.
reînsufleți *vt.* to revive.
reîntâlni *vt. și vr.* to meet again.
reîntineri *vi.* to rejuvenate.
reîntinerire *s.f.* rejuvenation.
reîntoarce *vr.* to come back (again).
reîntoarcere *s.f.* return, coming back.
reîntregi *vt.* to (re)unify, to (re)unite.
reîntrema *vr.* to pick up strength again, to be revigorated, to recover.
reînverzi *vi.* to grow green again.
reînvia *vt., vi.* to resurrect.
reînviere *s.f.* revival.
rejecție *s.f. telec. etc.* rejection.
rejet *s.n. stil., lit.* rejambment.
rejudecare *s.f. jur.* trial on review.
relansa *vi.* to raise the bid.
relaș *s.n.* **1.** day off. **2.** *(ca afiș)* no performance.
relata *vt.* to relate; to describe.
relatare *s.f.* account; narration.
relativ I. *adj.* relative. **II.** *adv.* relatively, comparatively.
relativism *s.n.* relativism.
relativist *adj., s.m.* relativist.
relativitate *s.f.* relativity.
relație *s.f.* **1.** relation(ship). **2.** *pl.* relation, intercourse. **3.** *pl. (proptele)* protection. **4.** *pl. (informații)* information.
relaxa *vr.* to become relaxed; *(d. cineva)* to (have a) rest.
relaxare *s.f.* relaxation.
relaxație *s.f. fiz.* relaxation.
relega *vt. înv.* to relegate.
releu *s.n.* relay.
releva *vt.* **1.** to point out; to emphasize. **2.** to notice.
relevabil *adj.* worth mentioning.
relevant *adj.* **1.** relevant (to smth.). **2.** significant, important, relevant.
releveu *s.n.* **1.** *geogr.* survey, surveying. **2.** *arh.* rise, upsweep.
relevment *s.n. nav., av.* bearing (by compass), position.
relict *adj. s.n. biol.* relic(t).
relicvariu *s.n.* reliquary, shrine.
relicvă *s.f.* relic.
relief *s.n.* relief.
reliefa I. *vt.* to underline; to throw *sau* bring out into bold relief. **II.** *vr.* to be outlined.
reliefare *s.f.* **1.** throwing into relief etc. v. r e l i e f a. **2.** *el.* relieving.
religie *s.f.* religion; faith.
religios *adj.* religious; believing.
religiozitate *s.f.* religiosity; devoutness.
relua *vt.* **1.** to take back. **2.** *(a reîncepe)* to resume.
reluare *s.f.* resumption.
reluctanță *s.f. el.* reluctance.
reluctivitate *s.f.* reluctivity.
remaia *vt.* to ladder (up).
remaieză *s.f.* ladder-mender.
remake *subst. cin.* remake.
remanent *adj. fiz.* remanent, residual.
remanență *s.f.* remanence.
remania *vt.* to reshuffle.
remaniere *s.f. pol.* (cabinet) reshuffle.
remarca I. *vt.* to notice, to remark. **II.** *vr.* to become conspicuous.
remarcabil *adj. (prin, pentru)* remarkable (for).
remărita *vr.* to remarry, to marry again.
remedia I. *vt.* to remedy; to rectify. **II.** *vr.* to be remedied *sau* mended.
remediabil *adj.* remediable, redeemable.
remediu *s.n.* remedy; cure.
rememora *vt.* to remember, to recall.
remi *s.n.* v. r u m m y.
remige *s.f. ornit.* remex, wing quill.
remilitariza *vt.* to remilitarize.
reminiscență *s.f.* reminiscence.
remisiune *s.f. med.* recovery, improvement.
remite *vt.* to deliver.
remitent *s.m. rar* v. g i r a n t.
remitere *s.f.* delivery, handing; giving.
remiza *vt., vi.* to draw (a match).
remiză *s.f.* **1.** commission. **2.** *sport* drawn game *sau* match.
remizier *s.m.* half-commission man.
remonta *vt.* **1.** to invigorate. **2.** *(a recupera)* to recoup.
remontă *s.f. mil.* remount.
remontoar *s.n.* winder, button (of a watch).
remora *s.f. iht.* remora, sucking fish *(Ecenenis remora / naucrates).*
remorca *vt.* to tug, to tow.
remorcaj *s.n. rar* v. r e m o r c a r e.
remorcare *s.f.* towage, haulage, towing.
remorcă *s.f.* **1.** trailer. **2.** *(remorcare)* towing, tugging.
remorcher *s.n.* tug(boat).
remu(u) *s.n. meteo.* backwater.
remunera *vt.* to pay, to remunerate.
remunerativ *adj.* remunerative, rewarding.
remuneratoriu *adj.* v. r e n t a b i l.
remunerație *s.f.* **1.** pay(ment). **2.** *fig.* emolument.
remușcare *s.f.* remorse; *pl.* searching of the heart.
ren *s.m. zool.* reindeer *(Hippelaphus).*
renal *adj. anat.* renal.
renan *adj.* Rhenish.
renascentist *adj. ist. artelor* (of the) Renaissance.
renaște *vi.* to revive, to rise (again).
renaștere *s.f.* **1.** rebirth. **2.** *ist.* Renaissance.
renăscător *adj. livr.* renascent, reviving.
renăscut *adj.* reborn, born again.
renci *s.n. text.* experimental fabric out of which samples are selected.
rendzină *s.f. geol.* rendsina, rendzina.
renega *vt.* to deny, to abjure.
renegat *s.m.* renegade, apostate.
renet *subst. bot.* rennet, pippin (apple).
renghi *s.n.* foul trick, farce.
renglotă *s.f. bot.* greengage (tree or fruit).

renie *s.f. geogr.* gravel.
renină *s.f. biochim.* renin.
reniu *s.n. chim.* rhenium.
renova *vt.* to renovate.
renovare *s.f.* renovation.
renovator I. *adj.* renovating. **II.** *s.m.* renovator.
renta *vi.* to be profitable *sau* lucrative.
rentabil *adj.* **1.** lucrative, rewarding. **2.** *ec.* profitable; moneymaking.
rentabilitate *s.f.* profitableness, lucrativeness.
rentă *s.f.* **1.** rent. **2.** *(viageră)* life annuity; ~ *în natură* rent in kind.
rentier *s.m.* fund holder.
renume *s.n.* renown, (good) name.
renumit *adj.* famous, renowned.
renunța *vi.* to give it up, to abandon; *a ~ la* to renounce, to give up, to abandon.
renunțare *s.f.* renunciation.
renură *s.f. tehn.* flute, slot, groove, notch, riffler, spline.
reobază *s.f. fiziol.* rheobase.
reobișnui *vr.* to reaccustom oneself, to get reaccustomed.
reologie *s.f.* rheology.
reometru *s.n.* rheometer.
reorganiza *vt.* to reorganize.
reorganizare *s.f.* reorganization.
reospălător *s.n. ind.* rheowasher, rheolaveur, rheowashery.
reostat *s.n. el.* rheostat, variable resistance.
reostricțiune *s.f. fiz.* rheostriction, pinch effect.
reotropism *s.n. biol.* rheotropism.
repara *vt.* **1.** to repair, to mend. **2.** *(o greșeală)* to set to rights. **3.** *(a compensa)* to redress, to compensate. **4.** *(a cârpi)* to darn.
reparabil *adj.* reparable; *(d. o greșeală)* that can be rectified, amendable, redressable, retrievable.
reparat *s.n.* reparation etc. v. r e p a r a.
reparator *adj.* repairing, restoring.
reparație *s.f.* **1.** repair, reparation. **2.** *(revizie)* overhauling; ~ *la minut* while-you-wait repair; ~ *capitală* major overhaul; ~ *generală* complete overhaul; *în* ~ on the stocks.
repartitor *s.n. telec.* distributing frame.
repartiție *s.f.* **1.** repartion. **2.** *(pt. locuință etc.)* repartion deed.
repartiza *vt.* **1.** to distribute. **2.** *(a aloca)* to earmark.
repartizare *s.f.* distribution, repartition.
repasare *s.f. ind. text.* finishing.
repatria *vt., vr.* to repatriate.
repatriere *s.f. jur.* repatriation.
repaus *s.n.* **1.** rest, repose. **2.** *(răgaz)* respite; *în* ~ at rest; *pe loc ~! mil.* place, rest!
repauza *vt.* to (take a) rest.
repauzat *s.m. livr.* deceased.
repede I. *adj.* **1.** quick, fast, rapid. **2.** *(ager și)* agile, nimble. **3.** *(furtunos)* tempestuous; hurried. **II.** *adv.* **1.** quickly, rapidly. **2.** *(curând)* soon, shortly (afterwards).
repent *adj. bot.* creeping, repent.
reper *s.n.* **1.** mark; reference point. **2.** *(piesă)* piece, part.
repera *vt.* to locate.
repercusiune *s.f.* repercussion; impact.
repercuta *vr.* to reverberate; *a se ~ asupra...(cu gen.)* to have repercussions on...
repertoriu *s.n.* **1.** repertory, repertoire. **2.** *(catalog)* calalogue.
repeta I. *vt.* **1.** to repeat, to reiterate. **2.** *teatru etc.* to rehearse. **II.** *vi.* **1.** to repeat. **2.** *teatru etc.* to rehearse. **III.** *vr.* **1.** to recur (again), to be recurrent. **2.** *(în vorbe)* to repeat oneself.
repetabil *adj.* repeatable.
repetare *s.f.* **1.** repetition, reiteration. **2.** *(a unui eveniment)* recurrence; ~ *în cor școlar* choral work.
repetent *s.m.* twicer, non-promoted pupil.
repetenție *s.f.* a pupil's failure to get his remove.
repetitor I. *s.n.* study. **II.** *s.m.* private tutor, coach.
repetiție *s.f.* **1.** repetition. **2.** *teatru etc.* rehearsal; ~ *generală* dress rehearsal; *(la școală)* general revision.
repetor *s.n. telec.* cathode follower, two-wire repeater.
repezeală *s.f.* hurry, haste; *la* ~ in a hurry; carelessly.
repezI I. *vt.* **1.** to thrust. **2.** *(pe cineva)* to snub; to shout at (smb.). **II.** *vr.* to run, to hurry; *a se ~ la* to prey *sau* swoop upon.
repeziciune *s.f.* swiftness; speed
repeziș *s.n.* **1.** steepness; steep slope. **2.** *pl.* rapids.
repezit *adj.* **1.** rash, hasty. **2.** *(ca fire)* hot-blooded, quicktempered.
repicare *s.f. agr.* pricking out, planting out.
replanta *vt.* to replant.
replia *vt. mil.* to fall back, to yield, to give ground, to retreat, to withdraw.
replica *vt.* to retort.
replică *s.f.* **1.** retort; repartee. **2.** *teatru* speech. **3.** *fig.* rebuff. **4.** *artă* replica.
repliere *s.f. mil.* falling back, withdrawal / retreat (of troops).
repopula *vt.(o țară)* to repopulate; *(un râu)* to restock.
report *s.n.* carry-forward / -over.
reporta *vt.* to carry forward / over.
reportaj *s.n.* (feature) report, reportage.
reporter *s.m.* reporter, correspondent.
reportericesc *adj.* reportorial.
repovesti *vt.* to retell.
reprehensibil *adj. livr.* reprehensible.
reprehensiune *s.f. livr.* reprehension.
represalii *s.f. pl.* reprisals.
represiune *s.f.* repression.
represiv *adj.* repressive.
reprezenta I. *vt.* **1.** to represent. **2.** *(a înfățișa și)* to describe. **3.** *teatru* to perform, to give. **4.** *(pe cineva)* to act for. **5.** *(a însemna și)* to mean. **6.** *(grafic)* to plot. **II.** *vr.* **1.** to be represented. **2.** *teatru* to be performed.
reprezentant *s.m.* **1.** representative. **2.** *fig.* spokesman.
reprezentanță *s.f.* representation.
reprezentare *s.f.* **1.** representation. **2.** *(grafică)* plotting.
reprezentativ *adj.* representative.
reprezentativă *s.f. sport* picked team, contingent.
reprezentație *s.f.* performance; *artist care joacă în* ~ guest star.
reprima *vt.* to repress, to suppress.
reprimi *vt.* **1.** to take back. **2.** *(a recăpăta)* to recover; to reappoint.
reprimire *s.f.* **1.** getting back. **2.** re-engaging.
reprivatiza *vt.* to convert a nationalized property into a private property, to re-privatize.
reprivatizare *s.f.* conversion of a nationalized property into a private property, re-privatization.
repriză *s.f.* **1.** half (of match). **2.** *(la box)* round.
reproba *vt.* to reprove, to reprimand, to reject, to deprecate, to blame.
reprobabil *adj.* blamable, blameworthy.
reproducător I. *adj.* reproductive; reproducing. **II.** *s.m. zool.* sire.
reproduce I. *vt.* **1.** to reproduce. **2.** *(a imita)* to mimic, to ape. **II.** *vr.* to reproduce, to multiply.
reproducere *s.f.*, **reproducție** *s.f.* reproduction; copy.
reproductibil *adj.* reproducible.

reprofila I. *vt.* to reshape. **II.** *vr.* to (re)adjust oneself.
reprofilare *s.f.* readjustement, (re)adaptation, shifting, reshaping.
reproș *s.n.* reproach, reproof.
reproșa *vt.* to reproach (smb. with smth.)
reproșabil *adj.* reproachable, reprovable, blamable.
reptilă *s.f.* reptile.
republica *vt.* to republish.
republican I. *s.m.* republican. **II.** *adj.* **1.** republican. **2.** *(național)* all-country, national.
republicanism *s.n.* republicanism.
republicare *s.f.* republication.
republică *s.f.* republic; ~ *populară* people's repubilc.
repudia *vt.* to repudiate.
repudiere *s.f. jur.* repudiation, rejection.
repugna *vt. îmi repugnă...* I hate..., I abhor...
repugnant *adj.* repugnant, repellant.
repugnanță *s.f.* repugnance, repulsion, repugnancy.
repulsie *s.f.* repulsion, abhorrence.
repulsiv *adj.* repellent, repulsive.
repune *vt.* to put back, to restore.
repunere *s.f.* restoring, restoration; ~ *în drepturi* reinstatement.
repurta *vt.* to score.
reputat *adj.* reputed, well-known; famous.
reputație *s.f.* reputation, fame.
resac *s.f.* surf.
resciziune *s.f. jur.* rescission.
resecventă *adj. geol.* resequent (valley).
resemna *vr.* to resign oneself, to submit (to one's fate).
resemnare *s.f.* resignation.
resemnat *adj.* resigned.
resentiment *s.n.* resentment, abhorrence.
resimți I. *vt.* to feel, to experience. **II.** *vr.* to be felt; *a se ~ de pe urma unui efort etc.* to suffer the consequences of an effort etc.
resorbabil *adj. med.* resorptive.
resorbi *vr. med.* to be resorbed / reabsorbed.
resorbție *s.f. med.* resorption.
resort *s.n.* **1.** spring. **2.** *(sector)* sector, section; department; *de ~ul cuiva* within smb.'s competence *sau* province.
resortisant *s.m. jur.* citizen of a state, under the jurisdiction of another.
respect *s.n.* **1.** respect, esteem, reverence. **2.** *pl.* respects, homage, compliments; *cu ~*respectfully; *lipsit de ~* irreverent.
respecta I. *vt.* **1.** *(pe cineva)* to respect; to honour, to revere. **2.** *(ceva)* to observe, to abide by; to comply with. **II.** *vr.* **1.** to respect oneself. **2.** *(reciproc)* to respect each other. **3.** *fig.* to indulge oneself.
respectabil *adv.* honourable, respectable.
respectare *s.f.* respecting etc. v. r e s p e c t a; *(a legii)* observance.
respectiv I. *adj.* respective. **II.** *adv.* respectively.
respectuos I. *adj.* respectful. **II.** *adv.* respectfully.
respingător *adj.* repellent, hateful.
respinge *vt.* **1.** to repel. **2.** *(cu dispreț)* to spurn. **3.** *(a refuza)* to reject, to refuse.
respingere *s.f. fiz.* rejection, repulsion.
respira *vt., vi.* to breathe (in).
respirabil *adj.* breath(e)able.
respirator *adj.* respiratory, breathing.
respirație *s.f.* breathing, respiration.
responsabil I. *s.m.* **1.** chief, head. **2.** manager. **II.** *adj.* responsible.
responsabilitate *s.f.* responsibility.
rest *s.n.* **1.** rest. **2.** *(la o bancnotă etc.)* change. **3.** *(rămășiță și)* remainder.
restabili I. *vt.* to restore, to re-establish. **II.** *vr.* to recover; to get over an illness.
restabilire *s.f.* **1.** restoration; reestablishment. **2.** *(a unui bolnav)* recovery.
restant *adj.* outstanding; remaining.
restanță *s.f.* arrears, debt; *în ~* behind(hand).
restanțier *s.m.* **1.** debtor, with arrears. **2.** student who is behind in his exams.
restaura *vt.* to restore; to repair.
restaurant *s.n.* **1.** restaurant. **2.** *(bufet)* refreshment room.
restaurator *s.m.* restaurant keeper, keeper of a restaurant.
restaurație *s.f.* restoration.
resteu *s.n.* yoke bolt.
restitui *vt.* **1.** to restore, to return. **2.** *fig. (o partitură)* to render.
restituție I. *s.f.* restitution. **II.** *s.f. jur.* restitution.
restrânge I. *vt.* to restrict, to limit. **II.** *vr.* to stint, to scrounge.
restrângere *s.f.* restriction etc. v. r e s t r â n g e.
restrâns *adj.* limited.
restrictiv *adj.* restrictive.
restricție *s.f.* restriction; limitation.
restriște *s.f.* affliction, distress.
restructura *vt.* **1.** to reshape. **2.** *(personalul)* to dismiss.
restructurare *s.f.* reorganization.
resurecție *s.f. rar* resurrection; awakening.
resursă *s.f.* **1.** resource. **2.** *pl. și* means. **3.** *fig.* resourcefulness.
resuscita *vt. med.* to resuscitate; to restore to life.
reședință *s.f.* residence.
reșou *s.n.* electric boiling ring.
retard *adj. farm.* having a retardatory effect.
retasură *s.f. met.* shrink hole, pipe.
retăbăcire *s.f. ind. pielăriei* retanning, retawing.
retenție *s.f.* **1.** *med., chim.* retention. **2.** *jur.* reservation.
retevei *s.n.* cudgel.
reteza *vt.* **1.** to cut (off); to chop off. **2.** *(a scurta)* to shorten.
reticent *adj.* reticent, reserved.
reticență *s.f.* reticence.
reticul *s.n. opt.* reticle, spider lines.
reticular *adj.* reticular.
reticulat *adj.* reticulate(d).
reticulină *s.f. fiziol.* reticulin.
reticuloză *s.f. med.* reticulosis.
retină *s.f. anat.* retina.
retinită *s.f. med.* retinitis.
retipări *vt.* to reprint.
retipărire *s.f.* **1.** reprinting; republication. **2.** reprint.
retopi *vt.* to remelt.
retor *s.m.* rhetor.
retoric I. *adj.* rhetorical. **II.** *adv.* rhetorically.
retorică *s.f.* rhetoric; oratory.
retorism *s.n. stil., lit.* rhetorism, rhetoricity, pomposity, precious and pretentious eloquence.
retoroman I. *s.m. geogr.* Rhaeto-Roman. **II.** *adj. lingv.* Rhaeto-Romanic, Romansh.
retorsiune *s.f.* **1.** retort. **2.** *(pedepsire)* retaliation.
retortă *s.f.* retort, muffle.
retracta I. *vt.* to retract, to take back (one's word). **II.** *vi.* to recant.
retractil *adj.* retractile.
retracție *s.f. med.* retraction.
retraduce *vt.* to retranslate.
retrage I. *vt.* withdraw; to take back. **II.** *vr.* **1.** to withdraw; to retire. **2.** *mil. și to retreat.*
retragere *s.f.* **1.** withdrawal. **2.** *mil. și retreat.* **3.** *(izolare)* seclusion; ~ *cu torțe* torch (light) procession.

retransmisi(un)e *s.f. telec.* retransmission.
retransmite *vt.* to retransmit.
retransmitere *s.f.* retransmission.
retranșa *vr. mil.* to entrench oneself.
retranșament *s.n. mil.* retrenchment; fortification.
retras I. *adj.* **1.** retired. **2.** lonely. **II.** *adv.* in loneliness *sau* solitude.
retrăi *vt.* to live again.
retribui *vt.* to pay, to remunerate.
retribuire *s.f.* remuneration, payment.
retribuție *s.f.* **1.** remuneration, pay; wages. **2.** *ec.* distribution (according to work etc.).
retrimite *vt.* to send / mail / post again.
retro- *prefix* retro-.
retroactiv *adj.* retroactive.
retroactivitate *s.f.* retroactivity.
retroceda *vt.* to retrocede; to give back.
retrocedare *s.f.* retrocession.
retrocesiune *s.f. jur.* retrocession.
retrograd *s.m., adj.* retrograde; stick-in-the-mud.
retrograda *vt.* to demote; *mil.* to reduce to a lower rank; *a fi ~t* to retrograde.
retrogradare *s.f.* demoting; *mil.* reduction to a lower rank.
retroracheta *s.f. av., astr.* retrorocket.
retrospectiv I. *adj.* retrospective. **II.** *adj.* retrospectively, looking back.
retrospectivă *s.f.* **1.** retrospect(ion). **2.** *artă* retrospective exhibition.
retroversiune *s.f.* version.
retrovizor *s.n.* driving / rearview mirror, AE rearvision mirror.
retur I. *s.n.* return. **II.** *adv.* back.
retuș *s.n. arte* retouch.
retușa *vt.* to retouch.
rețea *s.f.* net(work).
rețetă *s.f.* **1.** *med.* prescription. **2.** *(culinară etc.)* recipe. **3.** *(încasări)* (box office) returns.
reținător *s.n. tehn.* check valve; box for the check valves.
reține I. *vt.* **1.** to hold (back), to arrest. **2.** *(a întârzia)* to detain. **3.** *(a opri)* to stop; to curb. **4.** *(a împiedica)* to hinder. **5.** *(a memora)* to memorize. **6.** *(un bilet etc.)* to book. **7.** *(a stăpâni)* to restrain. **II.** *vr.* to control oneself, to keep a good hold of oneself.
reținere *s.f.* **1.** restraint. **2.** holding back. **3.** *(bani etc.)* money (etc.) held back.
reținut *adj.* reserved.
reumatic *adj. s.m.* rheumatic.
reumatism *s.n.* rheumatism.
reumatismal *adj.* rheumatic
reumatologie *s.f. med.* rheumatology.
reumple *vt.* to refill.
reuni I. *vt.* **1.** to (re)unite, to bring together. **2.** to combine. **II.** *vr.* to gather.
reuniune *s.f.* **1.** reunion. **2.** *(adunare)* meeting. **3.** *(petrecere)* party; dance. **4.** *sport* meet; contest.
reuși *vt., vi.* to manage (to do smth.); to succeed (in doing smth.); *a nu ~* to fail (to do smth.).
reușit *adj.* **1.** successful, welldone. **2.** *(potrivit)* fit, apt.
reușită *s.f.* success.
reutila *vt.* to re-equip.
reutilare *s.f.* re-equipment.
revaccina *vt.* to revaccinate.
revalorifica *vt.* to revalue, to reappraise.
revalorificare *s.f.* revaluation, reappraisal...
revaloriza *vt. fin.* to revalorize.
revanșa *vr.* to take one's revenge.
revanșard *s.m., adj.* revanchist.
revanșă *s.f.* **1.** revenge. **2.** *sport* return match.
revanșism *s.n. pol.* revanchism, spirit of revenge / revanche; expansion policy; irredentism.
revărsa I. *vt.* to pour (out), to shed; *a-și ~ mânia asupra cuiva* to vent one's fury on smb. **II.** *vr.* to overflow; to flood.
revărsare *s.f.* overflowing.
revărsat *s.n.* overflow(ing) etc. v. r e v ă r s a; *~ul zorilor* break of day, daybreak, dawn.
revăzut *adj.* revised.
revedea I. *vt.* **1.** to see *sau* meet again. **2.** *(a revizui)* to revise. **II.** *vr.* to meet again.
revedere *s.f.* **1.** seeing (each other) again. **2.** *(revizie)* checking; *la ~* good-bye; see you later.
revela *vt., vr.* to reveal (oneself).
revelator I. *adj.* revealing. **II.** *s.n. foto.* developer.
revelație *s.f.* revelation.
revelion *s.n.* **1.** New Year's Eve. **2.** New Year's Eve party.
revendica *vt.* to claim, to demand.
revendicare *s.f.* claim, demand.
revendicativ *adj.* vindicative.
reveneală *s.f.* **1.** dampness, humidity. **2.** breeze. **3.** fragrance, freshness.
reveni I. *vi.* **1.** to come back *sau* again. **2.** *(a se întâmpla)* to occur (again), to return. **3.** *(a costa)* to cost. **4.** *(a incumba)* to devolve, to be incumbent (upon smb.) *a-și~* to recover (one's health, one's senses); to come to (one's senses); *a ~* asupra unei păreri, hotărâri to take back one's words, to go back on one's proposal; *a ~ la* to revert to; to amount to (a sum); *care revine adesea* recurrent; *ne revine prea scump* it is too expensive for either of us.
revenire *s.f.* **1.** return. **2.** change of mind etc.
revent *s.n. bot.* rhubarb, rheum *(Rheum officinale)*.
rever *s.n.* **1.** lapel. **2.** *sport* backhand (stroke).
reverberație *s.f.* reverberation.
reverend *s.m. bis.* reverend (father).
reverendă *s.f. bis.* lawn.
reverență *s.f.* curtsey, bow.
reverențios *adj.* respectful, dutiful.
reverie *s.f.* reverie; *(visare)* (day) dreaming.
revers *s.n.* reverse (face), back; *~ul medaliei* the other side of the coin.
reversibil *adj.* reversible.
reversibilitate *s.f.* **1.** reversibility. **2.** *jur.* revertibility.
reversiune *s.f. fiz.* reversion.
reversiv *adj. tehn.* reversible, reversive.
revinde *vt.* to sell again.
reviriment *s.n.* sudden change (for the better).
revistă *s.f.* **1.** review; *(ilustrată)* magazine. **2.** *teatru* revue.
reviviscent *adj.* reviviscent.
reviviscență *s.f. biol.* reviviscence, reviviscency.
revizie *s.f.* **1.** revision; (re)examination. **2.** *tehn. și overhauling.*
revizionism *s.n.* revisionism.
revizionist *s.m., adj.* revisionist.
revizor *s.m.* **1.** inspector (general). **2.** *(contabil)* auditor.
revizorat *s.n. ist.* **1.** inspectorship. **2.** county educatlon inspectorate.
revizui *vt.* **1.** to revise; to check (again). **2.** *(conturi)* to audit.
revizuire *s.f.* revision etc. v. r e v i z u i.
revoca *vt.* **1.** to revoke. **2.** *(a anula și)* to cancel.
revocabil *adj.* revocable.
revocare *s.f.* **1.** cancellation, countermanding. **2.** dismissal; recalling.
revolta *vt., vr.* to revolt.
revoltat I. *adj.* revolted, indignant. **II.** *adv.* in revolt.
revoltă *s.f.* **1.** revolt. **2.** *(răscoală și)* rebellion, rising. **3.** *fig. și* indignation.

revoltător *adj.* revolting, clamant.
revolut *adj.* **1.** *bot.* revolute. **2.** *(trecut)* passive, absolute, of the past, outdated.
revoluție *s.f.* revolution.
revoluționa *vt.* to revolutionize.
revoluționar I. *s.m.* revolutionist. **II.** *adj.* revolutionary; radical.
revoluționare *s.f.* revolutionizing.
revoluționarism *s.n.* revolutionism.
revolver *s.n.* pistol; ~ *automat* repeater.
revuistic *adj.* (of or relating to a) revue; vaudeville.
revulsie *s.f. med.* revulsion.
rezalit *s.n. arh., constr.* jutty.
rezecție *s.f. med.* resection.
rezeda *s.f. bot.* mignonette, reseda *(Reseda odorata).*
rezema I. *vt.* to prop (up), to lean. **II.** *vr.* **1.** to lean (against smth.). **2.** *fig.* to rely (on).
rezemătoare *s.f.* **1.** *(de scaun etc.)* back. **2.** *(balustradă)* (hand) rail.
rezerpină *s.f. biochim.* reserpine.
rezerva *vt.* **1.** to reserve, to save. **2.** *(bilete etc.)* to book. **3.** *(d. viitor)* to have in store.
rezervat *adj.* **1.** reserved. **2.** moderate.
rezervatar *jur.* **I.** *s.m.* heir who cannot be totally disinherited. **II.** *adj.* *(d. moștenitor)* entitled to a definite part of the inheritance.
rezervație *s.f.* reservation.
rezervă *s.f.* **1.** reserve. **2.** *(de creion, pix)* refill. **3.** *(de spital)* side-room. **4.** *(reținere și)* limitation; condition; *de* ~ spare; *fără rezerve* unreserved; unhesitating; *sub rezerva ratificării etc.* pending ratification etc.
rezervist *s.m.* reservist.
rezervor *s.n.* reservoir; tank.
rezida *vi. a* ~ *în...* to lie / consist in...
rezident *s.m.* resident.
rezidi *vt.* to rebuild, to reconstruct.
rezidual *adj.* residual.
reziduu *s.n.* residue.
rezilia *vt.* to cancel.
reziliență *s.f. tehn.* resilience, impact / notch value.
reziliere *s.f.* cancellation, annulment.
rezinare *s.f. ind.* resin-tapping.
rezinat *s.m. chim.* resinate.
rezinifica *s.f. chim.* to resinify.
rezinificare *s.f. chim.* resinification.
rezista *vi. a* ~ *la* to resist (smth.); to withstand (smth.).
rezistent *adj.* **1.** resisting. **2.** *(tare)* hardy. **3.** *(durabil)* lasting; *(d. culori)* ~ *la lumină* colour fast.
rezistență *s.f.* **1.** resistance. **2.** *(opoziție și)* opposition. **3.** *fig. și* stamina, endurance. **4.** *tehn.* strength; *rezistența materialelor* strength of materials.
rezistibilitate *s.f.el.* resistivity.
rezistivitate *s.f. fiz.* resistivity, specific resistance.
rezistor *s.n. el.* resistor.
rezită *s.n. chim.* resite.
rezolut *adj.* decided, firm.
rezolutoriu *adj. jur.* resolutive.
rezoluție *s.f.* **1.** resolution, motion. **2.** *fiz.* resolution (power).
rezoluțiune s.f. v. r e z o l u ț i e 1.
rezolva *vt.* to solve; to settle.
rezolvabil *adj.* solvable, resolvable; that can be settled etc. v. r e z o l v a.
rezolvantă *adj. mat.* resolvent (ecuation).
rezolvare *s.f.* **1.** solution; settement. **2.** *(cheie)* key, answer.
rezon *s.n.* **1.** reason. **2.** *interjecțional fam.* you're (perfectly) right! that's it!
rezonabil *adj.* **1.** reasonable. **2.** acceptable. **3.** *(înțelept și)* wise.
rezonant *adj.* resounding.
rezonanță *s.f.* resonance.
rezonator *s.m. fiz.* resonator.
rezorcină *s.f. chim.* resorcin.
rezulta *vi.* to result.
rezultantă *s.f. tehn., mat.* resultant.
rezultat *s.n.* result, outcome; *fără* ~ useless(ly).
rezuma I. *vt.* to summarize, to sum up. **II.** *vr. a se* ~ *la* to confine oneself to.
rezumat *s.n.* summary, epitome, résumé.
rezumativ *adj.* summary; terse.
rhode-island *subst. omit.* Rhode-Island Red (breed of hens).
rhyton *s.n. ist., artă, rel.* rhyton.
rial *s.m. fin.* rial, riyal (monetary unit in Arab countries).
rias *s.n. geol.* ria.
riboflavină *s.f. chim.* riboflavin(e).
ribonuclează *s.f. biochim.* ribonuclease.
ribonucleic *adj. biochim.* ribonucleic (acid).
riboză *s.f. biochim.* ribosis.
ricana *vi.* to sneer, to snicker; to chuckle.
ricercar *s.m. muz.* ricercar(e).
ricin *s.m. bot.* castor-oil plant *(Ricinus communis).*
ricină *s.f.* castor-oil.
ricketsii *s.f. pl. biol., med.* Rickettsia.
ricketsioză *s.f. med.* rickettsiosis.
ricoșa *vi.* **1.** to ricochet. **2.** *și fig.* to rebound.
ricoșeu *s.n.* rebound; *(al glontelui)* ricochet.
ricșă *s.f.* ricksha(w), jinrick(i)sha.
rictus *s.n.* rictus.
rid *s.n.* **1.** wrinkle. **2.** *(cută)* furrow; *fără ~uri* smooth(-faced).
rida *vr.* to become wrinkled, crinkled.
ridger *s.n. agr.* ridger.
ridica I. *vt.* **1.** to raise. **2.** *(a desprinde)* to lift; to pick up. **3.** *(steagul)* to hoist. **4.** *(a aresta)* to arrest. **5.** *(o pedeapsă)* to suspend. **6.** *(bani)* to cash, to touch. **7.** *(a spori)* to increase; *fig.* to enhance. **8.** *(o clădire)* to build, to erect; *a* ~ *tabăra* to break camp. **II.** *vr.* **1.** to rise. **2.** *(în picioare)* to stand up. **3.** *(la luptă)* to rise in arms. **4.** *(a crește)* to grow, to increase; *a se* ~ *la (suma de)* to amount to (the sum of).
ridicare *s.f.* **1.** raising, erection. **2.** *(creștere)* increase. **3.** *(sporire și)* enhancement; *prin~ de mâini* by show of hands.
ridicat *adj.* **1.** raised. **2.** *(înalt)* high, lofty. **3.** *(d. voce)* loud; harsh. **4.** *fig.* cultured; advanced.
ridicata *s.f. cu* ~ wholesale.
ridicător *s.n. agr.* lifter.
ridicătură *s.f.* elevation.
ridiche *s.f.* radish; ~ *de lună* early radish.
ridichioară *s.f. bot.* charlock *(Sinapsis arvensis).*
ridicol I. *s.n.* ridicule. **II.** *adj.* ludicrous.
ridiculiza *vt.* to ridicule.
riebechit *s.n. mineral.* riebeckite.
riflu *s.n. tehn.* notch.
rifluire *s.f. tehn.* cutting notches.
rigaudon *s.n.* rigadoon.
rigă *s.m. înv.* king.
rigid *adj.* **1.** rigid, stiff. **2.** *fig.* illiberal.
rigiditate *s.f.* rigidity.
rigidizare *s.f. tehn.* stiffening.
riglat *adj. mat.* described (surface).
riglă *s.f.* rule(r); ~ *de calcul* slide *sau* sliding rule.
rigletă *s.f.* scale; slider (of a slide rule).
rigoare *s.f.* rigour; *la* ~ at a pinch.
rigodon *s.n.* v. r i g a u d o n.
rigolă *s.f.* gutter.
rigorism *s.n.* **1.** *filoz.* rigorism. **2.** *fig.* rigorousness, rigidity.
riguros I. *adj.* rigorous, strict. **II.** *adv.* rigorously, strictly.
rigurozitate *s.f.* **1.** strictness, sternness. **2.** *(exactitate)* accuracy.
rihtui *vt.* to cut leather.

rihtuitor *s.m.* leather dresser.
riksmal *subst. lingv.* Riksmäl, Riksmaal.
rima *vt., vi.* to rhyme.
rimă *s.f.* rhyme.
rimel *s.n.* mascara.
rincocefali *s.n. pl. paleont., zool.* Rhynchocephalia.
rindea *s.f.* plane.
rindela *vt.* v. r i n d e l u i.
rindelui *vt.* to plane, to shave.
rindeluit *s.n. tehn.* planing.
rinencefal *s.m. anat.* rhincephalon.
ring *s.n.* **1.** ring. **2.** *(de dans)* dancing floor. **3.** *sport (de box)* rink.
rinichi *s.m.* kidney.
rinită *s.n. med.* rhinitis.
rinocer *s.m. zool.* rhinoceros.
rinoplastie *s.f. med.* rhinoplasty.
rinoscopie *s.f. med.* rhinoscopy.
riolit *s.n. geol.* rhyolite.
ripare *s.f. tehn.* shifting (of the track).
ripidă *s.f. bis.* rhipidium.
ripieno *subst. muz.* ripieno.
riposta I. *vt.* to retort. **II.** *vi.* to give a rebuff (to smb.).
ripostă *s.f.* **1.** retort, riposte. **2.** *fig.* counterstroke.
rips *s.n. text.* rep(p), reps, dimity.
ripsat *adj. text.* with rep(p)s.
risbermă *s.f. constr.* rear apron.
risc *s.n.* risk; hazard; *cu ~ul de a...* at the risk of
risca I. *vt.* to risk, to venture. **II.** *vi.* to take risks *sau* chances.
riscant *adj.* risky, dare-devil.
risipă *s.f.* waste, thriftlessness.
risipi I. *vt.* **1.** to waste, to squander. **2.** *(a împrăștia)* to scatter, to disperse. **3.** *fig.* to dispel. **II.** *vr.* to dispel.
risipitor I. *s.m.* squander, spendthrift. **II.** *adj.* wasteful.
risling *s.n.* hock.
ristic *s.n.* oak apple.
rișcă *s.f.* pitch and toss.
rit *s.n.* **1.** rite; ritual. **2.** *(credință)* faith, persuasion.
ritidom *s.n. bot.* rhytidome, scale bark, shell bark.
ritm *s.n.* **1.** rhythm. **2.** *(viteză și)* rate, tempo; *într-un ~ rapid* at a rapid pace.
ritmat *adj.* rhythmic.
ritmic I. *adj.* **1.** rhythmic. **2.** regular. **II.** *adv.* **1.** rhythmically. **2.** regularly.
ritmică *s.f.* rhythmic(s).
ritmicitate *s.f.* **1.** rhythmicalness. **2.** regularity.
ritornelă *s.f. muz., lit.* ritornello, ritornel(e).
ritos *adv.* categorically; openly.
ritual I. *s.n.* ritual; rite. **II.** *adj.* ritual.
riț *s.n. tehn.* scratch.
rițui *vt. tehn.* to scratch.
rival *s.m., adj.* rival.
rivalitate *s.f.* rivalry.
rivaliza *vi.* to vie, to rival.
riveran I. *adj.* riparian, river(-side)... **II.** s.m. riverside rezident.
riyal *s.m. fin.* ri(y)al (monetary unit in Saudi Arabia).
riz *s.n. tehn.* scratch.
rizafcă *s.f.* v. r i z e a f c ă.
rizat *adj. tehn.* scratched (of parts).
rizeafcă *s.f. iht.* shad *(Alosa caspia normanni).*
rizibil *adj. rar* ridiculous, risible.
riziculturǎ *s.f. bot.* rice growing.
rizoctonioză *s.f. bot.* rhizoctoniose.
rizodermă *s.f. bot.* rhizodermis.
rizom *s.m. bot.* rhizome.
rizopode *s.n. pl. zool.* Rhizopoda.
rizosferă *s.f. bot.* rhizosphere.
rizoto *subst.* rizot(t)o.
roabă *s.f.* **1.** slave, drudge. **2.** *(tărăboanță)* wheelbarrow.
roade I. *vt.* **1.** to gnaw (at). **2.** *(a mânca și)* to bite, to nibble (at). **3.** *(a uza)* to wear (out). **4.** *(d. rugină)* to eat away. **II.** *vr.* to wear (out).
roată I. *s.f.* **1.** wheel. **2.** *(cerc)* circle, roundabout; *~ de rezervă* spare wheel; *~ dințată* sprocket wheel. **II.** *adv.* roundabout.
rob *s.m.* slave, thrall.
robă *s.f.* robe, gown.
robi I. *vt.* to enslave, to enthral. **II.** *vi.* to drudge, to slave.
robie *s.f.* **1.** slavery; bondage. **2.** *(trudă și)* drudgery.
robinet *s.n.* tap, cock.
robit *adj.* **1.** enslaved, enthralled. **2.** *fig.* enchanted, enthralled.
robot *s.m.* robot.
robotă *s.f. ist.* toil obligation of serfs (in medieval Transylvania).
roboteală *s.f.* toil and moil.
roboti *vi.* to toil and moil; to do odd jobs (around the house).
robotit *s.n.* working hard; hard work, toil.
robust *adj.* robust, sturdy.
robustețe *s.f.* robustness, sturdiness.
rocadă *s.f.* castling.
rocaille *adj. arh.* rock work, grotto work.
rocă *s.f.* rock.
rochie *s.f.* dress, gown; *(de vară și)* frock; *~ de seară* evening dress.
rochiță *s.f.* frock; *rochița rândunicii bot.* bindweed.
rococo *adj.* **1.** rococo. **2.** *fig.* baroque.
rocoină *s.f. bot.* chickweed *(Stellaria media).*
rocoțea *s.f. bot.* stellaria, starwort *(Stellaria graminea).*
rod *s.n.* **1.** fruit. **2.** *agr. și* crop. **3.** *fig. și pl.* fruit(s).
roda *vt.* to run in.
rodaj *s.n.* running in.
rodan *s.n.* v. s u c a l ă.
rodanhidric *adj. chim.* thiocyanic acid.
rodanură *s.f. chim.* thiocyanate.
rodare *s.f. tehn.* lapping.
rodenticid *s.n. chim., agr.* rodenticide.
rodi *vi.* to bear fruit.
rodie *s.f.* pomegranate.
rodire *s.f.* fruit-bearing.
roditor *adj.* **1.** fruit-bearing. **2.** fertile.
rodiu I. *s.m. bot.* pomegranete (tree) *(Punica granatum).* **II.** *s.n. chim.* rhodium.
rodnic *adj.* fruitful; productive.
rodnicie *s.f.* **1.** fruitfullness. **2.** fertility, fecundity.
rodocrozit *s.n. geol.* rhodo-chrosite.
rododendru *s.m. bot.* v. s m â r d a r 1.
rodomontadă *s.f.* rodomontade.
rodonit *s.n. mineral.* rhodonite.
roentgen *s.m. fiz.* roentgen.
roentgenterapie *s.f.* v. r a d i o t e r a p i e.
rogatorie *adj. jur.* rogatory.
rogojină *s.f.* mat.
rogoz *s.n. bot.* sedge *(Carex)*; (bul)rush *(Scirpus).*
roi[1] *s.n.* swarm.
roi[2] *vi.* to swarm, to teem (with).
roib I. *s.m.* chesnut, sorrel horse. **II.** *adj.* sorrel, chestnut.
roibă *s.f. bot.* (dyer's) madder *(Rubia tinctorum).*
roiniță *s.f. bot.* (garden) balm, balm mint *(Melissa officinalis).*
roire *s.f.*, roit *s.n.* swarming.
roitor *adj.* swarming.
rojdanic *s.n. ist., lit.* **1.** popular divination book, of Chaldeean or Assyrian origin. **2.** zodiac.
rol *s.n.* role, part; *~ principal* lead(ing part); *~ secundar* minor part; *~ titular* title role, name part.
rolare *s.f.* **1.** *tehn.* rolling. **2.** *constr.* finishing (of walls or floors).
rolă *s.f.* **1.** roll. **2.** *(de magnetofon etc.)* reel.
rolfilm *s.n. foto.* roll film.
rolgang *s.n. tehn.* roll(er) conveyor, roller bed, roll train.
rom I. *s.m.* Rom(any), Gypsy. **II.** *s.n.* rum.

rrom *s.m.* v. r o m I.
romaică *adj. lingv.* Romaic (language).
roman I. *s.m.* Roman. **II.** *s.n.* **1.** novel. **2.** *(scurt)* novelette. **3.** *(foileton)* serial; ~ *de aventuri* romance, tale of adventure; ~ *senzațional* yellow back.
romancero *s.f. ist., lit.* romancero, Spanish collection of romances.
romancier *s.m.* novelist; fiction writer
romanesc *adj.* **1.** romantic. **2.** novelistic.
romanic *adj.* Romance, Romanic.
romanist *s.m.* **1.** *lingv.* Romanist. **2.** Roman scholar.
romanistică *s.f.* Romanics.
romanitate *s.f.* **1.** the Roman world. **2.** Roman origin.
romaniță *s.f. bot.* camomile *(Anthemis).*
romaniza *vt. și vr.* to Romanize.
romanizare *s.f.* Romanization.
romanță *s.f. lingv.* Romanche, Romans(c)h.
romantic I. *s.m.* romanticist. **II.** *adj.* romantic.
romantism *s.n.* romanticism; *lipsit de* ~ unromantic.
romanța *vt.* to describe in the form of fiction / a novel.
romanțare *s.f.* fictionization.
romanțat *adj.* fictionalized.
romanță *s.f.* romance.
romanțios *adj.* **1.** romantic; sentimental. **2.** *(dulceag)* mawkish.
român I. *s.m.* Romanian. **II.** *adj.* Romanian.
română *s.f.* Romanian, the Romanian language.
româncă *s.f.* Romanian (woman).
românesc *adj.* Romanian.
românește *adv.* **1.** Romanian. **2.** (like a) Romanian. **3.** *(răspicat)* straightforwardly.
românime *s.f.* Romanians.
românism *s.n.* **1.** Romanian spirit. **2.** *lingv.* Romanian idiom; peculiar Romanian word.
româniza *vt.* to make Romanian.
romb *s.n.* rhombus, lozenge.
rombic *adj.* rhombic.
romboedric *adj.* rhombohedral.
romboedru *s.n.* rhombohedron.
romboid *adj., s.n.* rhomboid.
romboidal *adj.* rhomboidal.
romney-marsh *subst. zool.* romney-marsh (breed of sheep).
rond *s.n.* **1.** flower bed. **2.** *(al polițistului etc.)* round, beat.
rondă *adj.* roundhand.
rondea *s.f.* v. r o n d e l ă.
ronde-bosse *s.n. artă* (sculpture in) the round.
rondel *s.n.* rondel.
rondelă *s.f.* **1.** *tehn.* washer. **2.** *(de carton)* small round disc.
rondo *s.n.* rondo.
rondou *s.n.* **1.** round lawn. **2.** *nav.* putting about.
ronjant *s.m. text.* corrosion reactive.
ronjare *s.f. text.* corrosion.
ronțăi *vt.* to crunch, to nibble.
ronțăială *s.f.*, **ronțăit** *s.n.* crunching; nibbling.
ropot *s.n.* **1.** *(de pește)* tramping. **2.** *(de copite)* clatter (of hoofs). **3.** *(de ploaie)* shower. **4.** *(de aplauze)* peal, burst (of applause).
ropoti *vi.* **1.** to tramp; to clatter. **2.** to rattle. **3.** to burst (into applause).
ropotitor *adj.* tramping; clattering; rattling.
ros *adj.* **1.** gnawed; worn (out). **2.** *(d. haine)* shabby, threadbare; ~ *de molii* motheaten; *fig.* worm-eaten.
rosătură *s.f.* sore.
rosbif *s.n.* roast beef.
rosbrat *s.n.* roast joint / beef.
roshar *s.n. text.* horse hair and cotton fabric.
rost *s.n.* **1.** sense, meaning. **2.** *(scop)* purpose, aim. **3.** *(utilitate)* use(fulness); *fără* ~ *(adjectival)* useless, idle; *(adverbial)* without avail, uselessly.
rosti *vt.* to utter, to say.
rostire *s.f.* pronunciation.
rostogol *s.n. de-a ~ul* turning somersaults.
rostogoli *vt., vr.* to roll (down), to turn.
rostopască *s.f. bot.* common celandine *(Chelidonium majus).*
rostral *adj. arh.* rostral.
rostru *s.n. zool.* rostrum.
rostui *vt.* **1.** to arrange; to put in (good) order. **2.** to get, to procure, to obtain. **3.** *constr.* to joint.
roșcat *adj.* reddish; russet.
roșcov *s.m. bot.* carob(tree) *(Ceratonia siliqua).*
roșcovan *adj.* v. r o ș c a t.
roșcovă *s.f.* carob (beans).
roșeală *s.f. pop.* **1.** red dye. **2.** red ink. **3.** blush (make-up).
roșeață *s.f.* redness.
roși I. *vt.* to redden. **II.** *vi.* **1.** to redden; to colour (up). **2.** *(de emoție etc.)* to blush, to flush.
roșiatic *adj.* reddish.
roșie *s.f. bot.* v. p ă t l ă g e a.
roșioară *s.f.* **1.** *bot.* local vine variety. **2.** *iht.* species of fish *(Scardinius erythrophthalmus).*
roșior I. *adj.* reddish. **II.** *s.m. ist., mil.* cavalry man in the Romanian army.
roșu I. *s.n.* red; ~ *de buze* lipstick; *încălzit până la* ~ redhot. **II.** *adj.* **1.** red. **2.** *(aprins)* scarlet, crimson. **3.** *(emoționat)* flushed.
rotacism *s.n.* r(h)otacism.
rotaciza *vi.* to r(h)otacize, to pronounce the letter *r* viciously.
rotacizant *adj. lingv.* which produces rhotacism, rhotacizing.
rotalit *s.n. tehn.* bull's eye glass.
rotametru *s.n. tehn.* rotameter.
rotaprint *s.n. tehn.* rotary press.
rotar *s.m.* wheelwright.
rotare *s.f.* v. r o t a ț i e.
rotary *subst. ind.* rotary.
rotaș *s.m.* wheelhorse, wheeler.
rotat *adj.* **1.** round. **2.** *(d. cai)* dappled.
rotativ *adj. tehn.* rotative.
rotativă *s.f.* rotary press.
rotatoriu *adj.* of or relating to rotation.
rotație *s.f.* rotation; *prin* ~ by turns.
rotărie *s.f.* **1.** wheelwright's work *sau* trade. **2.** *(atelier)* wheelwright's shop.
rotărit *s.n.* wheelwright's trade.
roti I. *vt.* to turn (round), to roll. **II.** *vr.* **1.** to turn, to revolve. **2.** *(prin aer)* to circle.
rotifer *s.n. zool.* rotifer.
rotile *s.f. pl.* forecarriage (of a plough).
rotire *s.f.* turning (round) etc. v. r o t i.
rotit *s.n.* **1.** rotation. **2.** song and dance of the capercaillie during mating period.
rotitor *adj.* turning etc. v. r o t i.
rotocol *s.n.* wreath; roll.
rotofei *adj.* plump, dumpy.
rotondă *s.f. arh.* rotunda, circular hall.
rotor *s.n.* rotor.
rotoțele *s.f. pl. bot.* sneezewort, achillea *(Achillea ptarmica).*
rotulă *s.f.* knee pan.
rotund *adj.* round; circular.
rotungioare *s.f. pl. bot.* homogyne *(Homogyne alpina).*
rotunji I. *vt.* to round off. **II.** *vr.* to be rounded; *a se* ~ *la față* to grow round in the face.
rotunjime *s.f.* roundness; curve.
rotunjire *s.f.* rounding (off) etc. v. r o t u n j i.
rotunjit *adj. lingv.* rounded.

rotunjitor *s.n. tehn.* rounding tool.
rouă *s.f.* dew.
roura I. *vi. rourează* the dew falls. **II.** *vt.* to bedew.
rourică *s.f. bot.* sweet grass *(Glyceria fluitans).*
rouros *adj.* dewy.
rovină *s.f.* **1.** pit; precipice. **2.** mire.
roxolani *s.m. pl. ist.* Roxolanae, Scythians.
roz I. *s.n.* rose, pink. **II.** *adj.* pink, rosy.
rozacee *s.f. pl. bot.* rosaceae.
rozalb *adj.* very pale shade of pink.
rozasă *s.f. arh.* v. r o z e t ă.
roză *s.f.* **1.** *bot.* rose. **2.** *arh.* Catherine wheel; *roza vânturilor* wind *sau* compass rose.
rozător *s.n., adj.* rodent.
rozeolă *s.f. med.* roseola.
rozetă *s.f.* **1.** rosette. **2.** *arh.* Catherine wheel.
rozmarin *s.m. bot.* rosemary *(Rosmarinus officinalis).*
rubai *subst. stil.* ruba'i, *pl.* rubaiyat (of Omar Khayyam).
rubarbă *s.f.* v. r e v e n t.
rubato *s.n. muz.* rubato.
rubedenie *s.f.* relative, relation
rubefiant *s.n.* rubefiant, rubefacient.
rubelit *s.n. mineral.* rubellite.
rubeolă *s.f. med.* rubella, German measles.
ruberoid *s.n. constr.* ruberoid.
rubia *s.f. fin.* small 19th century Turkish gold coin.
rubiacee *s.f. pl. bot.* Rubiaceae.
rubicond *adj.* ruddy, blushing, red (in the face).
rubidiu *s.n. chim.* rubidium.
rubin *s.n.* ruby.
rubiniu *adj.* ruby-coloured.
rublă *s.f.* rouble.
rubrică *s.f.* heading; column.
rucsac *s.n.* knapsack.
rudar *s.m.* gipsy woodworker (making wooden vessels).
rudă *s.f.* **1.** relative, relation. **2.** *(prin alianță)* in-law. **3.** *pl.* *și* kin(sfolk).
rudenie *s.f.* relationship, kinship.
rudimentar *adj.* **1.** *(d. organe)* atrophied, rudimentary. **2.** *(primitiv)* crude, barbarous.
rudimente *s.m. pl.* rudiments, elements.
rudiști *s.m. pl. paleont.* Rudista.
ruf *s.n. nav.* roof.
rufă *s.f.* **1.** underwear. **2.** *pl.* (body) linen, (under)clothes.
rufărie *s.f.* v. r u f ă.
rufet *s.n.* v. b r e a s l ă.
rufos *adj.* ragged, tattered.
rug *s.n.* **1.** stake, pyre. **2.** *(pt. cărți etc.)* bonfire.
ruga I. *vt.* **1.** to ask, to beg. **2.** *(a implora)* to beseech, to entreat. **3.** *(a pofti)* to invite. **II.** *vr.* to pray; *a se ~ de cineva* to entreat smb.
rugă *s.f.* **1.** prayer. **2.** *(rugăminte)* request, entreaty.
rugăciune *s.f.* prayer.
rugăminte *s.f.* request, entreaty.
rugător *adj.* entreating, beseeching.
rugbi *s.n.* rugby, rugger; AE football.
rugbist *s.m. sport* rugby player.
ruget *s.n.* v. r u j e t.
ruginare *s.f. bot.* andromeda, moorwort, bog rosemary *(Andromeda polifolia).*
rugină *s.f.* **1.** rust. **2.** *bot.* blight.
rugini *vi., vr.* to rust; to be corroded.
ruginit *adj.* **1.** rusty; corroded. **2.** *fig.* backward, stick-in-the-mud.
ruginiță *s.f. bot.* tentwort, wall rue *(Ruta montana / muricota).*
ruginiu *adj.* rust-coloured.
rugos *adj.* rugged.
rugozitate *s.f.* rugosity, ruggedness.
ruin *s.n. bot.* devil's bit *(Scabiosa succisa).*
ruina I. *vt.* to ruin, to destroy. **II.** *vr.* to be ruined; to fall into ruin.
ruinat *adj.* **1.** ruined. **2.** *(d. case și)* dilapidated.
ruină *s.f.* ruin.
ruinător *adj.* ruinous, disastrous.
ruj *s.n.* **1.** rouge. **2.** *(de buze și)* lipstick.
ruja I. *vt.* to paint. **II.** *vr.* to make up.
rujă *s.f. reg.* v. m ă c i e ș.
rujeolă *s.f.* v. p o j a r.
rujet *s.n. med. vet.* ronged.
rula I. *vt.* **1.** to roll (up). **2.** *(bani)* to employ. **3.** *cin.* to show. **II.** *vi.* **1.** to roll. **2.** *cin.* to be on.
ruladă *s.f.* jam roll.
rulaj *s.n. tehn.* hauling time.
rulant *adj.* rolling.
ruletă *s.f.* **1.** roulette. **2.** *(pt. măsurat)* tape measure.
ruliu *s.n. nav.* rolling (motion).
rulment *s.m.* bearing.
rulotă *s.n.* trailer.
rulou *s.n.* **1.** roll. **2.** *(jaluzea)* roller blind.
rumân *s.m. ist.* serf, villein, peasant dependent on a feudal land (in medieval Wallachia).
rumânie *s.f. ist.* serfdom, villenage, peasant dependency on feudal lands (in medieval Wallachia).
rumb *s.n. nav.* rhumb, rhomb.
rumba *s.f. muz.* rumba.
rumega *vt., vi.* to chew, to ruminate.
rumegător *s.n., adj.* ruminant.
rumegătură *s.f.* **1.** cud, chew. **2.** v. r u m e g u ș.
rumeguș *s.n.* sawdust.
rumeioară *s.f.* v. c â r m â z.
rumen *adj.* **1.** ruddy, red (in the face). **2.** *(fript)* well roasted.
rumeneală *s.f.* **1.** v. r o ș e a ț ă. **2.** *pl.* v. d r e s.
rumeni I. *vt.* **1.** to redden. **2.** *(a frige)* to roast *sau* to do a turn. **II.** *vr.* **1.** to gain colour, to colour (up). **2.** *(a se frige)* to be well roasted.
rumenit *adj.* done to a turn.
rumeniu *adj.* v. r o ș i a t i c.
rummy *s.n.* rummy.
rumoare *s.f.* commotion, hubbub.
runc *s.n.* man-made clearing in a forest for cultivation purposes.
rundă *s.f.* round.
rune *s.f. pl.* runes.
runic *adj.* runic.
rupe I. *vt.* **1.** to break. **2.** *(a sfâșia)* to tear, to rend. **3.** *(a culege)* to pick, to pluck. **4.** *(a întrerupe)* to break off; *a o ~ pe franțuzește* to speak a little French; *a o ~ cu cineva* to part company with smb. **II.** *vr.* **1.** to break. **2.** *(a se sfâșia)* to tear; to wear out.
rupere I. *s.f.* **1.** breaking. **2.** *(sfâșiere)* tearing; *~ de nori* cloud burst. **II.** *adj. argou* ripping, scrumptious.
rupestru *adj.* **1.** *bot.* rupestral, rupestrine, rupicolous. **2.** *artă* cave (art / paintings).
rupiah *s.m. fin.* rupiah (monetary unit).
rupie *s.f.* rupee.
rupt I. *s.n. nici în ~ul capului* on no account, by no means; *pe ~e* root and branch, hammer and tongs. **II.** *adj.* **1.** broken. **2.** *(sfâșiat)* torn. **3.** *(zdrențuit)* tattered, ragged.
ruptaș *s.m. ist.* tax-payer, participant in an agreement with the treasury (in medieval Wallachia and Moldavia).
ruptă *s.f. ist., ec.* agreement between a tax-paying category and the treasury (in medieval Wallachia and Moldavia).
ruptor *s.n. el.* circuit breaker.
ruptură *s.f.* **1.** break, breach. **2.** *(sfâșiere)* tear, rent. **3.** *fig.* breaking off; falling out.
rural *adj.* rural, village
rurigen *adj.* rurigenous, rural.
rus *s.m., adj.* Russian.
rusalcă *s.f. mitol.* Slavic fairy of rivers, lakes, woods, imagined as a young girl dressed in white.

Rusalii *s.f. pl.* Whitsuntide; *Duminica ~lor* Whit Sunday.
rusă *s.f.* Russian.
ruscuță *s.f. bot.* adonis, pheasant's eye *(Adonis).*
rusesc *adj.* Russian.
rusește *adv.* **1.** Russian. **2.** like a Russian.
rusism *s.n.* Russism.
rusoaică *s.f.* Russian (woman).
rustemul *s.n.* **1.** lively Romanian folk dance. **2.** tune of this dance.
rustic *adj.* rustic, countryside.
rusticitate *s.f.* rusticity.
rușală *s.f. ist., ec.* tax paid by court attendants (in medieval Wallachia).
rușfet *s.n. ist.* peasant supplementary toil or nature obligation to feudal lord.
rușina I. *vt.* to shame. **II.** *vr.* to be ashamed *sau* shy.
rușinare *s.f.* shamefacedness; shyness, bashfulness.
rușinat I. *adj.* ashamed, shamefaced. **II.** *adv.* shamefacedly.
rușine *s.f.* **1.** shame, disgrace. **2.** *(timiditate)* shyness, bashfulness; *fără ~* shameless(ly).
rușinos *adj.* **1.** shameful. **2.** ungentlemanly, undignified. **3.** *(nepotrivit)* unbecoming, unseemly. **4.** *(timid)* shy, coy.
rușuliță *s.f. bot.* hawkweed *(Hieracium).*
rut *s.n. biol.* mating / rutting period, rut.
rută *s.f.* route, itinerary.
rutean *s.m., adj.* Carpatho-Russian.
ruteniu *s.n. chim.* ruthenium.
rutherford *s.m. fiz.* rutherford.
rutier *adj.* road.
rutil *s.n. mineral.* rutile.
rutinar *s.m.* routinist, *fam.* stick-in-the-mud.
rutinat *adj.* experienced, expert.
rutină *s.f.* routine, experience.
rutinier *adj.* routine, humdrum.
rutișor *s.n. bot.* **1.** meadow rue *(Thalictrum aquilegifolium).* **2.** lesser meadow rue *(Thalictrum minus)*; *~ galben* fenrue, false rhubarb *(Thalictrum flavum).*

S

S, s *s.m.* S, s the twenty first letter of the Romanian alphabet.

s- **I.** *pron. reflexiv. contras din* se. **II.** *conj. contras din* să.

sa **I.** *adj.* **1.** his. **2.** *fem.* her. **3.** *(pt. lucruri, animale și abstracțiuni)* its; *a ~* his, hers. **II.** *interj.* hoicks.

sabat **1.** *(la evrei)* Sabbath. **2.** *~ al vrăjitoarelor* witches' sabbath / vigil.

sabie *s.f.* sword.

sabină *s.f. ist. Romei* **1.** Sabine (woman); *Răpirea Sabinelor ist., artă* the Rape of the Sabines. **2.** *lingv.* sabine.

sabini *s.m. pl. ist. Romei* Sabines.

sabiță *s.f. iht.* species of fish *(Peleus cultratus).*

sabla *vt.* **1.** *tehn.* to sand. **2.** to blast.

sablaj *s.n.*, **sablare** *s.f. tehn.* **1.** sanding. **2.** blasting.

sablat *adj. tehn.* **1.** sanded. **2.** blasted.

sabord *s.n. nav.* porthole; *~ de tun* bridle port.

saborda *vt. nav.* to scuttle.

sabordaj *s.n.*, **sabordare** *s.f. nav.* scuttling.

sabot *s.m.* **1.** clog. **2.** *și tehn.* sabot.

sabota *vt.* to sabotage.

sabotaj *s.n.* sabotage.

sabotor *s.m.* wrecker.

sabretaș *s.n. mil. odin.* sabretache.

sabur *s.n. farm.* aloin; aloes.

sac *s.m.* **1.** sack, bag. **2.** *(desagă)* knapsack. **3.** *(conținutul)* sackful, bagful; *~ de sport* carry-all; *~ fără fund (lacom)* glutton, *(risipitor)* spendthrift.

saca *s.f.* water-cart.

sacadat *adj.* jerky; *voce sacadată* staccato voice.

sacadă *s.f. rar* jerk; jerky / abrupt movement.

sacagiu *s.m.* water-carrier.

sacâz *s.n.* rosin.

sacerdot *s.m. elev.* priest.

sacerdotal *adj.* sacerdotal; priestly.

sacerdoțiu *s.n.* **1.** *(sistem sau spirit preoțesc) elev.* sacerdotalism, sacerdocy. **2.** *(preoție) elev.* priesthood. **3.** *(preoțime) elev.* priests, the clergy. **4.** *elev. fig.* mission; *(chemare)* calling, vocation.

sachelar *s.m. înv., bis.* **1.** church rank. **2.** priest who has been granted this rank.

sacos *s.n. bis.* sakkos, saccos, liturgical attire of Eastern Orthodox priests.

sacoșă *s.f.* bag, satchel.

sacou *s.n.* (sack) coat; lounge coat.

sacral *adj. anat.* sacral.

sacrament *s.n.* sacrament.

sacramental *adj.* sacramental.

sacrariu *s.n. (la romani)* sacrarium.

sacrifica **I.** *vt.* **1.** to sacrifice. **2.** *(animale)* to slaughter. **3.** *rel. și* to immolate. **II.** *vr.* **1.** to sacrifice oneself. **2.** to lay down one's life.

sacrificare *s.f.* **1.** (act of) sacrificing, sacrifice, *elev.* immolation, oblation. **2.** *fig.* sacrificing of, sacrifice of; *(renunțare la)* giving up of, renunciation / renouncement of.

sacrificat **I.** *adj.* **1.** sacrificed, offered as a victim, *elev.* immolated. **2.** *(d. animale)* killed. **3.** *fig.* sacrificed. **II.** *s.m.* victim, martyr.

sacrificator *s.m. (la romani)* sacrificer.

sacrificiu *s.n.* **1.** sacrifice. **2.** *rel. și* offering, oblation. **3.** *(ucidere și)* immolation.

sacrileg *adj.* sacrilegious.

sacrilegiu *s.n.* sacrilege, profanation.

sacristie *s.f. bis.* vestry, sacristy.

sacrosanct *adj.* sacrosanct; untouchable.

sacru *adj.* **1.** sacred, consecrated. **2.** *fig.* venerable; *foc ~* sacred fire.

sacrum *s.n. anat.* sacrum.

sacsnasiu *s.n. odin.* **1.** oriel (in a boyar's house). **2.** waiting room (in a boyar's house).

sacsie *s.f.* flower pot.

sad *s.n. înv.* **1.** kitchen / vegetable garden. **2.** nursery transplant; young plant; seedling. **3.** orchard, fruit garden.

sadă *s.f. bot.* willow slip / cutting.

sadea **I.** *adj.* **1.** sheer, mere. **2.** *(adevărat)* genuine, true-born. **3.** *(total)* complete. **II.** *adv.* really, truly.

sadic *s.m.* sadist.

sadină *s.f.* **1.** v. p e p i n i e r ă. **2.** *bot.* beard grass *(Andropogon scoparius).* **3.** *bot.* andropogon *(Andropogon gryllus).*

sadism *s.n.* sadism.

saduceism *s.n. ist., rel.* Sadduceeism.

saducheu *s.m. ist., rel.* Sadducee.

safe *s.n.* v. s e i f.

safeu *s.n.* v. s e i f.

safian *s.n.* v. s a f t i a n.

safic *adj. stil.* Sapphic.

safir *s.n.* sapphire.

safism *s.n. med., psih.* sapphism, lesbianism, tribadism, feminine homosexuality.

safran *s.n. nav.* after- / backpiece.

safru *s.n. mineral.* saffre, zaffre.

saftea *s.f.* handsel.

safterea *s.f. bot.* fumitory *(Fumaria officinalis).*

saftian *s.n.* saffian, morocco (leather).

saga *s.f. lit.* saga.

sagace *adj.* sagacious, acute, discerning.

sagacitate *s.f.* sagacity, acumen, discernment, keen perception, penetration.

sagital *adj. anat., fiz.* sagittal.

sagitar *s.m. ist. Romei, mil.* archer.

sagitat *adj. bot.* sagittate(d).

sagnă *s.f.* saddle gall / sore; wound.

sago *s.n.* v. s a g u.

sagotier *s.m. bot.* sago palm / tree *(Metroxylon).*

sagu *s.n.* **1.** sago (flour, starch). **2.** *bot. (arborele)* sago (palm) *(Metroxylon laere / numphii).*

sahan *s.n. reg.* dish; plate.

saia *s.f.* **1.** loose stitch, tick. **2.** *(pt. vite)* cow house; sheep fold.

saint-bernard *s.m. zool.* Saint Bernard (breed of dogs).

saitoc *s.n.* high *sau* wide jump.

saivan *s.n.* **1.** sheep fold; cattle pen. **2.** *(cort)* tent.

sal *s.n.* big raft; raft row.

salahor *s.m.* **1.** day labourer; unskilled worker. **2.** *fig.* hack (worker).

salahori *vi.* **1.** to be a day labourer, to do journey work. **2.** și fig. to do hack work. **3.** *fig.* to drudge; to toil (and moil).

salahorie *s.f.* hard *sau* hack work, drudgery.
salam *s.n.* salame.
salamalec *s.n. (salut al mahomedanilor)* salaam.
salamandră *s.f. zool.* salamander *(Salamandra)*.
salamastră *s.f. nav.* sennet, sennit.
salar *s.n.* v. s a l a r i u.
salaria *vt.* to pay, to remunerate.
salariat I. *s.m.* wage-earner. **II.** *adj.* **1.** paid. **2.** *(angajat)* hired; employed.
salariu *s.n.* **1.** wage(s). **2.** *(lunar și)* salary.
salariza *vt.* to pay.
salarizare *s.f. ec.* wages, pay, *(pt. funcționari mulți)* salary; payment of salaries.
salată *s.f.* **1.** salad. **2.** *bot.* (cos) lettuce *(Lactuca sativa)*.
salatieră *s.f.* salad dish / bowl.
sală *s.f.* **1.** hall; room. **2.** *(de spectacol)* house. **3.** *(publicul)* audience. **4.** *(coridor)* corridor; ~ *arhiplină* full house; ~ *de așteptare* waiting-room; ~ *de lectură* reading-room; ~ *de sport* sports hall, gym.
salbandă *s.f. geol.* salband.
salbă *s.f.* **1.** necklace. **2.** *fig.* row, chain.
salcă *s.f. bot.* v. s a l c i e 2.
salcâm *s.m. bot.* acacia *(Robinia pseudacacia)*.
salce *s.f.* **1.** *bot., farm.* sarsaparilla *(Smilax officinalis)*. **2.** *înv.* v. s a l ț ă 1. **3.** *înv. reg.* v. s a l c i e.
salcie *s.f.* **1.** *bot., farm.* v. s a l c e 1. **2.** *bot.* white / silky willow *(Salix alba)*. **3.** *bot.* willow (tree) *(Salix triandra)*. **4.** *bot.* sweet willow *(Salix pentandra)*. **5.** *(răchită)* osier (willow) *(Salix fragilis)*; ~ *alburie* v. ~ 1; ~ *pletoasă / plângătoare* weeping / drooping willow *(Salix babylonica)*.
saldo *s.n. ec.* (amount of) balance; *(rest)* remainder, rest.
sale *adj.* **1.** his. **2.** *fem.* her. **3.** *(pt. lucruri, animale și abstracțiuni)* its; *ale* ~ his; hers.
salep *s.n.* **1.** *bot., farm.* salep, salo(o)p. **2.** *(băutură orientală)* saloop.
saleu *s.n. cul.* salt stick.
salic *adj.* Salic, Salique.
salicacee *s.f. pl. bot.* Salicaceae.
salicilamidă *s.f. farm.* salicylamide.
salicilat *s.m. chim.* **1.** salicylate. **2.** salicylic acid.
salicilic *adj. chim.* salicylic.
salicilină *s.f. farm.* salicylic (acid).
salieni *s.m. pl. ist. Romei* Salii, priests of the god Mars.
salifer *adj. geol.* saliferous.
salifiere *s.f. chim.* salting out.
salii *s.m. pl. odin.* Salii, Salian priests.
salin *adj.* saline, salt...
salină *s.f.* salt works *sau* mine.
salinitate *s.f.* salinity, saltness.
salinizare *s.f. chim.* salinization.
salinometru *s.n. chim.* salinometer.
salipirină *s.f. farm.* salipyrine, salipyrazolone.
saliva *vi.* to salivate; to secrete saliva.
salivar *adj. fiziol.* salivary.
salivație *s.f.* salivation.
salivă *s.f.* saliva, spittle.
salmastră *adj. apă* ~ saltish / brinish water.
salmastricol *adj. biol.* living in brackish / saltish waters.
salmiac *s.n. chim.* sal-ammoniac.
salmonelă *s.f. bot.* salmonella *(Salmonella)*.
salmoneloză *s.f. med.* salmonellosis.
salmonide *s.n. pl. iht.* salmonoids.
salol *s.n. farm.* salol.
salon *s.n.* **1.** drawing-room, parlour. **2.** *(în spital)* ward. **3.** *(expoziție)* show room; art exhibition. **4.** *(de dans, coafură)* saloon; *de* ~ fashionable.
salonard *s.m.* society person, person moving in fashionable circles.
salonaș *s.n.* morning-room, small drawing-room.
salopetă *s.f.* overall(s).
salpetru *s.n.* saltpetre.
salpingită *s.f. med.* salpingitis.
salpinx *s.n. anat.* salpinx.
salt *s.n.* **1.** jump. **2.** *(de pe loc)* leap. **3.** *(țopăială)* hop; ~ *calitativ* qualitative leap; *triplu* ~ hop, step and jump.
saltanat *s.n. înv.* pomp; train.
saltarello *subst.* saltarello.
saltație *s.f. (la romani)* saltation.
saltea *s.f.* **1.** mattress. **2.** *(cu arcuri)* spring *sau* box mattress.
saltigrad *adj. biol.* saltigrade.
saltimbanc *s.m.* **1.** rope walker. **2.** *fig.* mountebank.
salță *s.f.* **1.** *odin.* kind of sourish gravy. **2.** *geol.* mud volcano.
salubritate *s.f.* **1.** salubrity. **2.** sanitation (service).
salubru *adj.* wholesome, healthy.
salut I. *s.n.* **1.** greeting(s), salute. **2.** *(cuvântare)* welcome, address. **II.** *interj.* **1.** hallo! **2.** *(la revedere)* good bye!
saluta I. *vt.* **1.** to greet, to salute. **2.** *(a se înclina)* to bow to (smb.). **3.** *(din cap)* to nod. **4.** *(cu mâna)* to wave to (smb.). **5.** *fig.* to welcome, to hail. **II.** *vi.* to salute, to bow (to the company). **III.** *vr. (a se cunoaște)* to be on nodding terms (with smb.).
salutar *adj.* **1.** beneficial, salutary. **2.** *(sănătos)* wholesome, healthy.
salutare *s.f.* **1.** salutation. **2.** *pl.* greetings.
salutație *s.f.* salutation.
salva *vt.* to save, to rescue; *a ~ aparențele* to keep up appearances.
salvare *s.f.* **1.** rescue, delivery. **2.** *mar. și* salvage, salving (of ship goods). **3.** *med.* emergency service; ~ *miraculoasă* hairbreadth's escape; *de ~ mar.* life....
salvarsan *s.n. chim.* salvarsan.
salvator I. *s.m.* rescuer. **II.** *adj.* saving.
salvă *s.f.* salvo, volley.
salve *interj.* hail! salve! *(la revedere)* farewell! good-bye! *fam.* so long! *(ca încheiere a unei scrisori)* I am / remain yours very truly.
salvgarda *vt.* to safeguard.
salvgardare *s.f.* safeguarding, protection; watching over.
salvie *s.f. bot.* common / garden sage *(Salvia officinalis)*; ~ *de câmpuri* meadow sage *(Salvia pratensis)*.
sama *s.f. ind. pielăriei* bate.
samaniu *adj.* straw-coloured, stramineous.
samar *s.n.* **1.** pack-saddle. **2.** *constr.* roof-batten.
samaragiu *s.m. rar* pack-saddle maker.
samară *s.f. bot.* samara.
samaritean (samarinean) *s.m. ist.* Samaritean.
samariu *s.n. chim.* samarium.
samavolnic *adj.* arbitrary, despotic.
samavolnicie *s.f.* **1.** arbitrariness. **2.** arbitrary deed.
samă *s.f. ist. României, ec.* **1.** census for the estimation of taxes (in medieval Wallachia and Moldavia). **2.** aggregate taxes and imposts.
samba *s.f.* samba.
sambo *s.m. ist.* Sambo, Zambo, Mullatto.
sambuc *s.n. mil. odin.* sambuca.
samcă *s.f. reg.* wicked imaginary being killing or harming people.
sameș *s.m.* **1.** *înv.* cashier; treasurer. **2.** *reg.* bailiff.
samniți *s.m. pl. ist.* Samnites.

samoed I. *adj.* Samoyed(ic). **II.** Samoyed(e).
samovar *s.n.* samovar.
samsar *s.m.* **1.** agent, go-between. **2.** *(de bursă etc.)* broker, jobber.
samsarlâc *s.n.* **1.** business. **2.** *(meserie)* brokerage.
samulastră *s.f. bot.* v. s a m u r a s l ă.
samur *s.m. zool.* sable *(Mustela zibelina).*
samurai *s.m.* samurai.
samuraslă *s.f. bot.* self-sown plant.
sanatorial *adj.* sanatorial.
sanatoriu *s.n.* sanatorium.
sanche, sanchi I. *interj. (aiurea) fam.* I'll be hanged first!, I'll see you far enough!, not bloody likely!, not if I know it!, not at all!, *(prostii)* rubbish!, fiddle-sticks! **II.** *adv. fam.* in a way, so to speak, as it were.
sanchiu *adj.* sulky, surly; grumpy.
sanctifica *vt. rel.* to sanctify, to consecrate, to canonize.
sanctitate *s.f.* **1.** sanctity, holiness. **2.** *(ca titlu, cu un adj. pos.)* (His *sau* Your) Holiness.
sanctuar *s.n.* sanctuary, altar.
sancționa *vt.* **1.** to sanction. **2.** *(a aproba și)* to approve. **3.** *(a pedepsi și)* to punish.
sancționare *s.f.* **1.** *(ca acțiune)* penalization, penalizing; punishment, punishing; sanctioning. **2.** *(ca rezultat)* penalization; punishment, sanction.
sancțiune *s.f.* **1.** sanction. **2.** *(aprobare și)* confirmation. **3.** *(pedeapsă și)* penalty.
sanculoți *s.m. ist. Franței* sanscullotes, sanscullotists, extreme republicans.
sanda *s.f.* v. s a n d a l ă.
sandal I. *s.m.* v. s a n t a l. **II.** *s.n. odin.* kind of silk cloth (of which garments were made).
sandală *s.f.* sandal.
sandarac *s.n.* **1.** *bot.* sandarac, arar tree *(Callistris quadrivalvis).* **2.** *farm.* (gum) sandarac. **3.** *mineral.* sandarac, red orpiment.
sandomircă *s.f. bot.* variety of white Moldavian wheat.
sandou *s.n. tehn.* rubber shockabsorber.
sandre *s.f. pl. geol.* sandr, sandur.
sandviș *s.n.* sandwich.
Sanepid *s.n. prescurtare* Health and Antiepidemic Centre (in Romania).
sangeac *s.n. ist.* **1.** territorial subdivision of a pashalik. **2.** green and crescent flag sent by the Sublime Port when a new ruler was elected in medieval Wallachia and Moldavia.
sanghin *adj.* v. s a n g u i n.
sanghinolent *adj. rar* sanguinolent, tinged with blood.
sangiac *odin.* **I.** *s.n.* **1.** sanjak, sangiac (subdivision of a vilayet or Turkish province). **2.** Turkish banner (with the crescent at the top). **II.** *s.m.* governor of a sanjak.
sanguin *adj.* **1.** blood. **2.** *(d. oameni)* sanguine, fullblooded.
sanguină *s.f. mineral.* sanguine.
sanguinic *adj.* v. s a n g u i n 2.
sangulie *s.f. pop.* **1.** very thin silk cloth. **2.** headkerchief made of ~.
sangvin *adj.* v. s a n g u i n.
sangvinic *adj.* v. s a n g u i n i c.
sanhedrin *s.n. odin.* Sanhedrin, Sanhedrim.
sanidin *s.n.* v. s a n i d i n ă.
sanidină *s.f. mineral.* sanidine.
sanie *s.f.* **1.** sledge, sleigh. **2.** *(de concurs)* luge.
sanitar I. *s.m.* medical orderly. **II.** *adj.* sanitary; medical.
sankhya *s.f. filoz.* Sankhya.
sanscrit *adj.*, sanscrită *s.f., adj.* Sanskrit, Sanscrit.
sanscritolog *s.m.* Sanskritist, Sanskrit scholar.
santal *s.m.* **1.** *bot.* white sandal *(Santalum album).* **2.** *lemn de ~* sandal wood.
santinelă *s.f.* sentry, sentinel; *de ~* on duty.
santonină *s.f. farm.* santonin(e).
sapă *s.f.* **1.** hoe. **2.** *min.* bit. **3.** *(săpare)* hoeing.
saponifica *vt. și vr.* to saponify.
saponificare *s.f.* saponification.
saponină *s.f. biochim.* saponin.
sapotier *s.m. bot.* sapotilla, sapodilla *(Achras sapota).*
saprofită I. *adj. fem.* saprophytic. **II.** *s.f.* saprophyte.
saprogen *adj.* saprogenic.
sapropel *s.n. geol.* sapropel.
sarabandă *s.f.* **1.** saraband. **2.** *fig. (agitație)* agitation; *(vârtej)* whirligig.
sarafan *s.n.* sleevless frock like overalls (worn over blouse).
sarai *s.n.* v. s e r a i.
sarailie *s.f.* almond cake dipped in syrup.
saramură *s.f.* **1.** (pickling) brine, pickle. **2.** pickled fish.
sarazin *s.m. ist.* Saracen.
sarcasm *s.n.* sarcasm; malice.
sarcastic *adj.* sarcastic, lashing.
sarce *s.f. bot.* v. s a l c e 1.
sarcină *s.f.* **1.** load, charge. **2.** *(de lemne)* faggot, bundle. **3.** *fig.* task; obligation. **4.** *(graviditate)* pregnancy.
sarcocel *s.n. med.* sarcocele.
sarcofag *s.n.* sarcophagus.
sarcom *s.n. med.* sarcoma.
sarcoplasmă *s.f. biol.* sarcoplasm(a).
sarcopt *s.m. entom.* sarcoptes.
sarcosină *s.f. chim.* sarcosine.
sard I. *adj.* Sardinian. **II.** *s.m.* Sardinian.
sardanapalic *adj.* Sardanapalian.
sardă *s.f.* Sardinian, the Sardinian language.
sardea *s.f. iht.* sardine; anchovy *(Clupea); ca sardelele* packed like sardines.
sardiu *s.n. mineral* sard.
sardonic *adj.* sardonic, sneering.
sardonix *s.n. mineral.* sardonyx.
sare *s.f.* **1.** salt. **2.** *fig.* spice; pep. **3.** *pl.* smelling salts; *~ amară* magnesium salts; *~ de lămâie* lemon salt.
sare-garduri *s.m.* dangler after women *I, fam.* petticoats.
sargasă *s.f. bot.* gulfweed; sargassum; sargasso.
sari *s.n.* sari, saree.
saric *s.n. înv.* thin jewel-studded veil, used for adorning a turban.
sarică *s.f.* long-haired shepherd's coat.
sarigă *s.f. zool.* v. o p o s u m 1.
sarmale *s.f. pl.* force-meat rolls in cabbage or in vine leaves.
sarmatic *adj.* Sarmatian, Sarmatic.
sarmați *s.m. pl.* Sarmatians.
sarmațian *adj. geol.* Sarmatian.
sarniță *s.f. reg.* salt-cellar.
sarong *s.n.* sarong.
saros *s.n. astr.* saros.
Sarsailă *s.m. pop. (diavolul) fam.* Old Gooseberry.
sart *s.n. nav.* shroud.
sas I. *s.n.* **1.** *ind.* chamber, coffer. **2.** *nav.* air lock (of boiler room); flooding chamber (of a submarine). **II.** *s.m. geogr.* Saxon (living in Transylvania).
saschiu *s.m. bot.* periwinkle *(Vinca).*
sastisi *înv.* **I.** *vt.* **1.** to confuse smb.'s mind, to muddle smb.'s brains. **2.** to bother, to annoy. **II.** *vr.* **1.** to become flustered, to lose one's bearings, to get confused. **2.** *(a se plictisi)* to be bored; *(a se sătura)* to be fed up (with it), to be sick of it.
sastisit *adj.* bored, fed up.

sașeu *s.n.* sachet.
sașiu I. *adj.* cross-eyed; swivel-eyed. **II.** *adv.* asquint.
sat *s.n.* **1.** village; countryside. **2.** villagers.
Satan *s.m.* v. s a t a n ă.
satană *s.f.* devil; fiend.
satanic *adj.* satanic, fiendish.
satanism *s.n.* Satanism.
satara *s.f.* **1.** *reg. fam.* scrape, mess; calamity; burden. **2.** *(înv.)* extra tax.
satâr *s.n.* (meat) chopper.
satârgii *s.m. pl. ist.* mercenaries armed with choppers (in the Turkish army).
satelit *s.n.* satellite; ~ *al pământului* earth's satellite, sputnik.
satin *s.n.* satin.
satina I. *vt. poligr.* to calender, to satinize; *poligr., text.* to glaze. **II.** *vr. pas.* to be calendered, satinized *sau* glazed.
satinaj *s.n. ind.* hot pressing, surfacing (of paper).
satinare *s.f. text.* satining (of ribbon, cloth).
satinat *adj.* calendered, satinized; glazed.
satinet *s.n. text.* satinet(te).
satir *s.m.* și fig. satyr.
satiră *s.f.* satire; skit.
satiric I. *s.m.* satirist; lampoonist. **II.** *adj.* satiric(al), mocking.III. *adv.* satirically.
satiriza *vt.* to satirize, to deride.
satirizare *s.f.* satirizing.
satisface *vt.* **1.** to satisfy, to give satisfaction to. **2.** *fig.* to gratify. **3.** *(necesități)* to meet, to answer. **4.** *(o condiție)* to fulfil.
satisfacere *s.f.* satisfaction.
satisfacție *s.f.* satisfaction, gratification.
satisfăcător *adj.* satisfying, satisfactory.
satisfăcut *adj.* **1.** satisfied, content(ed). **2.** pleased, gratified.
satrap *s.m.* satrap.
satrapic *adj.* of or related to a satrap; cruel, tyrannical.
satrapie *s.f. ist.* satrapy.
satura *vt.* to saturate.
saturant *adj. chim. etc.* saturating, saturant.
saturare *s.f. chim. etc.* saturation.
saturat *adj. chim., fiz.* saturated.
saturator *s.m. chim.* saturator, saturater.
saturație *s.f.* **1.** saturation. **2.** *fig. și* cloying, surfeit; *până la* ~ *fig.* up to the teeth.
Saturn *mit., astr.* Saturn.
saturnale, saturnalii *s.f. pl. odin.* Saturnalia.
saturnin *adj.* **1.** saturnine, lead... **2.** *astr.* Saturnian. **3.** *fig.* saturnine, gloomy.
saturnism *s.n. med.* saturnism, lead poisoning.
saț *s.n.* satiety, surfeit; *fără* ~ insatiable, *(adverbial)* insatiably.
sațietate *s.f.* repletion, satiety.
sațiu *s.n.* v. s a ț.
sau *conj.* **1.** or. **2.** *(altfel)* or else; ~ ... ~ either ... or.
saulă *s.f. nav.* line, (tow) rope, hawser.
sauna *s.f.* sauna.
saurieni *s.m. pl. zool.* saurians.
sauvignon *s.n. bot.* (variety of) white grape yielding the (Cabernet) Sauvignon French wine.
savană *s.f.* savanna(h).
savant I. *s.m.* scientist, scholar. **II.** *adj.* **1.** scholarly, erudite. **2.** *(expert)* clever, expert. **III.** *adv.* skilfully, cleverly.
savantlâc *s.n.* **1.** erudition. **2.** *peior.* priggishness.
savarină *s.f.* savarin.
savoare *s.f.* **1.** savour, flavour. **2.** *fig. și* charm, taste.
savonieră *s.f.* soap box.
savor *s.m. pop.* v. s a m u r.
savur *s.m. bot. reg.* v. s o v â r f.
savura *vt.* și fig. to relish, to enjoy.
savură *s.f. constr.* ballast, grit.
savuros *adj.* **1.** savoury; tasty. **2.** *fig.* pleasant, charming. **3.** *(picant)* racy, piquant.
saxatil *adj.* saxatile.
saxaul *s.m. bot.* saxaul *(Haloxylon ammondendron).*
saxhorn *s.n. muz.* saxhorn.
saxofon *s.n.* saxophone.
saxofonist *s.m.* saxophonist, saxophone player.
saxon *s.m., adj.* Saxon.
saxotrombă *s.f. muz.* saxotromba.
să I. *conj.* **1.** (so) that. **2.** *(dacă)* if. **3.** *(pt. imperativ)* let; *ca* ~ in order that, so that; *măcar* ~ if at least; *numai* ~ ... if only ...; *până* ~ ... until, by the time ...; *pentru ca* ~ ... in order that ..., (in order) to ..., only to .... **II.** *particulă* to.
săbărel *s.n.* name of a Romanian folk dance.
săbău *s.m. reg.* tailor.
săbia *vt. înv.* to kill with a sword to put to the sword.
săbier *s.m.* sword cutler, blade-smith.
săbioară *s.f.* v. s ă b i u ț ă.
săbioi *s.n.* big sword.
săbiuță *s.f.* **1.** little sword. **2.** *bot.* gladiole, corn flag, sword lily *(Gladiolus).*
săblazně *s.f. înv. (necaz)* trouble; *(ispitire)* ordeal.
săcălaș *s.n. ist.* small cannon.
săcăluș *s.n. mil. odin.* falconet (gun).
săcărimbit *s.n. mineral.* nagyagite.
săceală *s.f. reg.* v. ț e s a l ă.
săcela *vt. reg.* v. ț e s ă l a.
săcoi *s.n.* big bag, sack.
săcos *adj. rar* bag-like; sack-like; bag...; sack ...
săcotei *s.n. reg.* v. s ă c u l e ț 1, 2, 3.
săcret *adj. pop.* **1.** deserted; uninhabited; wild. **2.** lonely; isolated.
săcui *s.n.* **1.** little neck bag *sau* pouch. **2.** little bag *sau* pouch.
săculeț *s.n.* **1.** little bag *sau* pouch. **2.** small bag; *(pungă)* pounch, purse. **3.** ~ *de mână* handbag. **4.** *bot., anat.* saccule; *(sac) zool. etc.* pounch; *cu lichid* sac; ~ *de polen bot.* anther.
săcultеț *s.n.* **1.** v. s ă c u l e ț 1, 2, 3. **2.** long, narrow sack.
săcușor *s.n.* **1.** v. s ă c u l e ț 2. **2.** *entom. reg.* ant nymph.
sădi I. *vt.* **1.** to plant. **2.** *fig.* to implant. **II.** *vt.* to be planted.
sădire, sădit *s.f.* planting.
săditor *bot.* **I.** *adj.* **1.** planting... **2.** *(de sădit)* for planting. **II.** *s.n.* planting stick, planter peg. **III.** *s.m.* planter.
săditură *s.f.* plantation.
săftiele *s.f. pl. pop.* v. s a f t i a n.
săgeată *s.f.* **1.** arrow; dart. **2.** *fig. și sting, lash.*
săgeta *vt.* **1.** to shoot (with an arrow). **2.** *fig.* to pierce.
săgetar *s.m. înv.* archer.
săgetare *s.f.* **1.** shooting *sau* killing with an arrow etc. (v. s ă g e t a); *(tragere cu arcul)* archery. **2.** v. s ă g e t ă t u r ă 1, 2, 3. **3.** *(mișcare rapidă)* rush.
săgetaș *s.m. înv.* archer.
săgetător *s.m.* **1.** bow-man. **2.** *astr. Săgetătorul* Sagittarius.
săgetătură *s.f.* **1.** arrow shot. **2.** *fig.* stitch (in the side); twinge; *v. și* s ă g e a t ă 2. **3.** *med. pop.* apoplectic fit / stroke.
săgeţică *s.f.* **1.** little arrow. **2.** *bot.* crane's bill *(Geranium pratense).* **3.** *bot.* v. s ă b i u ț ă 2.
săgni I. *vt.* to (mark with a) brand. **II.** to develop a (saddle etc.) gall.
săhăidac *s.n. reg.* **1.** quiver. **2.** knapsack in which mothers carry their babies.

săi I. *adj.* **1.** his. **2.** *fem.* her. **3.** *(pt. lucruri și abstracțiuni)* its; *ai săi* his *sau* her folk; his; hers.
săidăcar *s.m. înv.* saddler.
săivan *s.n.* v. s a i v a n.
sălaș *s.n.* **1.** dwelling, abode. **2.** *(adăpost)* shelter. **3.** *(pt. animale)* stable.
sălăgea *s.f. bot.* figwort *(Ranunculus ficaria).*
sălămâzdră *s.f. zool.* v. s a l a m a n d r ă.
sălășlui *vi.* to live, to dwell.
sălășluință *s.f. rar* v. s ă l a ș 1.
sălășluire *s.f.* **1.** *rar* living; dwelling; *(ședere)* sojourn. **2.** *rar (găzduire)* lodging; *(ospitalitate)* hospitality. **3.** *rar* v. s ă l a ș 1, 3.
sălățea *s.f. bot.* v. s ă l ă g e a.
sălbatic I. *s.m.* **1.** savage. **2.** wild *sau* uncouth man. **II.** *adj.* **1.** wild. **2.** *(d. oameni și)* savage, primitive. **3.** *(crud)* cruel, inhuman. **4.** *(nesociabil)* unsociable.
sălbătici I. *vt.* to make savage, to turn wild. **II.** *vr.* to become savage, morose *sau* unsociable.
sălbăticie *s.f.* **1.** savagery, cruelty. **2.** *(pustiu)* wilderness; *cu ~* savagely, cruelly.
sălbăticime *s.f.* **1.** v. s ă l b ă t i c i e. **2.** savage people, savages.
sălbăticire *s.f.* brutalization etc. v. s ă l b ă t i c i.
sălbăticit *adj.* (grown) wild, unsociable.
sălbăticiune *s.f.* **1.** wild animal *sau* beast. **2.** *(pustiu)* wilderness.
sălbăție *s.f. bot.* darnel (grass) *(Lolium temulentum).*
sălbuliță *s.f.* necklet.
sălciniș *s.n.* willow grove.
sălcioară *s.f. bot.* **1.** small willow tree. **2.** v. r ă c h i ț i c ă.
sălciu *adj.* **1.** brackish. **2.** *fig.* vapid.
săliță *s.f.* **1.** vestibule. **2.** corridor.
sălta I. *vt.* **1.** to heave (up). **2.** to help (smb.) up. **II.** *vi.* to jump, to hop.
sălta I. *s.n.* hopping, jumping. **II.** *adj.* jaunty.
săltăreț *adj.* **1.** jaunty, sprightly. **2.** *(d. muzică)* lively.
săltătură *s.f.* v. s a l t.
sămăluire *s.f. ind. pielăriei* bating.
Sămănătorism *s.n. ist. României* "Disseminationism", democratic populist current in the early turn of the 20th century.
sămănătorist I. *s.m.* disseminationist member / supporter of "Sămănătorism". **II.** *adj.* "disseminationist" in the spirit of popular culture.
sămânță *s.f.* **1.** seed. **2.** *(neam)* species. **3.** *fig.* trace; germ. **4.** *(spermă)* sperm, semen.
sămânțos *adj.* seed...; with many seeds.
sănătate *s.f.* **1.** health. **2.** *(caracter normal)* soundness.
sănătoasă *s.f. a o lua la sănătoasa* to take to one's heels.
sănătos I. *adj.* **1.** sound. **2.** *(la trup și)* healthy, hale. **3.** *(voinic și)* strong; sound. **4.** *(salubru și)* wholesome. **5.** *fig. și* wise, sagacious. **II.** *adv.* healthily, heartily.
sănicioară *s.f. bot.* sanicle, wood march *(Sanicula europaea).*
săniuș *s.n.* **1.** sledging. **2.** slope for sledging.
săniuță *s.f.* sled(ge), toboggan; bob(sleigh).
săpa *vt.* **1.** to dig (up). **2.** to delve, to shovel up. **3.** *(a grava)* to engrave. **4.** *(d. animale)* to burrow. **5.** *(a excava)* to excavate. **6.** *(a submina)* to sap.
săpat *s.n.* digging; delving.
săpăligă *s.f.* weed hook.
săpător *s.m.* digger.
săpătură *s.f.* **1.** digging. **2.** *pl.* excavations.
săpoi *s.n. reg.* prong hoe.
săponele *s.f. pl. bot.* v. o d a g a c i.
săptămânal *s.n., adj., adv.* weekly.
săptămână *s.f.* week, *de lucru* working week; *săptămâni întregi* for weeks on end; *două săptămâni* a fortnight.
săpun *s.n.* **1.** soap. **2.** *(bucată)* cake of soap; *~ de ras* shaving soap; *~ lichid* soft soap.
săpunar *s.m.* soap boiler / maker.
săpunărie *s.f.* soap manufactory / works.
săpunărit *subst. ist.* tax on soap-making.
săpunăriță *s.f. bot.* v. o d a g a c i.
săpuneală *s.f.* **1.** soaping, lathering. **2.** *fig.* dressing-down.
săpunel *s.n.* **1.** *med.* suppository (of soap). **2.** *bot.* soapwort, fuller's herb *(Saponaria officinalis).*
săpuni I. *vt.* **1.** to soap; to lather. **2.** *fig.* to comb (smb.); to haul (smb.) over the coals. **II.** *vr.* **1.** to soap oneself. **2.** *(pt. bărbierit)* to lather one's face.
săpunieră *s.f.* soap-dish.
săra *vt.* **1.** to salt. **2.** *(în saramură)* to pickle, to brine; *a-și ~ sufletul* to gratify oneself.
sărac I. *s.m.* pauper, poor man; *pl.* the poor; *săracul de mine!* poor me! **II.** *adj.* **1.** poor. **2.** *(nevoiaș și)* destitute, needy. **3.** *(arid și)* barren. **4.** *fig.* meagre. **5.** *(biet și)* wretched; *~ cu duhul* poor in spirit, stupid; *~ în oxigen etc.* lacking oxygen etc.; *~ lipit pământului* poverty-stricken, as poor as a church mouse.
sărar *s.m.* salter, salt maker, briner.
sărare *s.f.* salting, brining.
sărat *adj.* **1.** salt(y). **2.** *fig.* pungent. **3.** *(d. prețuri)* high, stiff.
sărăcan *s.m. ~ de mine!* ah / woe me!
sărăcăcios *adj.* **1.** poor(ly), miserable. **2.** *(d. hrană)* meagre, frugal. **3.** *fig.* stinted.
sărăci I. *vt.* to impoverish, to pauperize. **II.** *vi.* to grow poor.
sărăcie *s.f.* **1.** poverty, destitution, indigence. **2.** *(lipsă)* scarcity, penury; *~ cu lustru* shabby gentility; *~ lucie* dire poverty.
sărăcilă *s.m. fam.* poor devil, starveling.
sărăcime *s.f.* the poor (and needy); the paupers.
sărăcire *s.f.* impoverishment, pauperization.
sărăcuț I. *s.m.* poor devil. **II.** *adj.* poor(ly). beggarly.
sărăntoc *s.m.* pauper.
sărărie *s.f.* salt shed (for big game) in the forest.
sărărit *s.n.* salt-duty
sărător *s.m.* salter.
sărătură *s.f.* **1.** salted food, corned (beef). **2.** *agr.* salty pasture-land, saltings.
sărbătoare *s.f.* **1.** holiday. **2.** red-letter day, feast. **3.** *(petrecere și)* festivity; *în zi de ~ on holidays; ~ națională* national holiday; *de ~* festive.
sărbătoresc *adj.* festive, solemn.
sărbătorește *adv.* festively.
sărbători *vt.* to celebrate, to fête.
sărbătorire *s.f.* celebration.
sărbătorit *s.m.* fêted person.
sărbezeală *s.f.* **1.** tastelessness. **2.** *fig.* insipidity.
sărbezi *vr.* to become dull etc. v. s e a r b ă d.
sărciner *s.n. pop.* peg.
sări I. *vt.* **1.** to jump (over); to clear. **2.** *(a omite)* to skip; to leave out. **II.** *vi.* **1.** to jump; to leap. **2.** *(a țopăi)* to skip, to hop; to frolic, to dance. **3.** *(în sus)* to spring. **4.** *(a țâșni)* to dash (away); to spring up. **5.** *(în apă)* to dive; *a ~ cu gura* to jaw; *(pe cineva)* to scold (smb.) *a-i ~ de gât cuiva* to embrace

smb., to fling one's arms around smb.; *a ~ de la un subiect la altul* to hedge-hop; *a ~ în aer* to blow up, to explode; *a ~ în ajutorul cuiva* to come to smb.'s rescue; *a ~ în ochi* to be striking; *îi ~ inima din loc* his heart jumped with fright, he was scared stiff; *a-i ~ muștarul* sau *șandăra* to lose patience, to go into a rage; *a ~ peste un obstacol etc.* to clear a fence etc.
săricică *s.f. bot.* barrila, saltwort *(Salsola kali)*.
sărindar *s.n. rel.* number of masses for the dead etc.
sărit I. *s.n. pe sărite* by hops and skips; here and there. **II.** *adj.* daft, dotty.
săriță *s.f.* **1.** *(săritură)* leap, jump. **2.** *fig.* self-command / control / possession / composure, calmness; *a-și ieși din sărite* to lose one's self-command / temper, to be in a passion; a scoate pe cineva din sărite to drive smb. out of his wits, to put smb. beside himself; to exasperate smb., to put smb. into a passion.
săritoare *s.f.* waterfall.
săritor *adj.* obliging.
săritură *s.f.* jump, leap; *~ cu prăjina* pole vault; *~ de la trambulină* (swan) dive; *~ în înălțime* high jump; *~ în lungime* long jump.
sărman I. *s.m.* **1.** pauper. **2.** poor devil. **II.** *adj.* poor, needy; *~ul!* poor thing!, poor man!
sărpun(el) *s.m. bot.* thyme *(Thymus)*.
sărut *s.n.* kiss.
săruta I. *vt.* to kiss; *glumeț* to peck; *sărut mâna* how do you do? **II.** *vi.* to kiss. **III.** *vr.* to kiss (one another).
sărutare *s.f.*, sărutat *s.n.* kiss(ing).
săsesc *adj.* Saxon, of the Transylvanian Saxons.
săsește *adv.* in the manner or language of the Transylvanian Saxons.
săsime *s.f.* Transylvanian Saxons.
săsoaică *s.f.* Saxon woman of Transylvania.
sătean *s.m.* villager.
săteancă *s.f.* village woman.
sătesc *adj.* rural; village...
sătesc *adj.* village..., *rar* villatic; *(școală sătească)* village school.
sătuc(ean) *s.n.* small village, little village; hamlet.
sătul *adj.* **1.** satiate(d), (chock) full. **2.** *fig.* bored, (sick and) tired.
sătura I. *vt.* to satiate. **II.** *vr.* **1.** to eat one's fill. **2.** *(a fi mulțumit)* to be satisfied *sau* content. **3.** *fig.* to have enough (of smth.).
săturat *s.n. pe ~e* to one's heart's content.
sățios *adj.* nourishing, filling.
său *adj.* **1.** his. **2.** *fem.* her. **3.** *(pt. lucruri, animale și abstracțiuni)* its; *al ~* his; hers.
săvârși I. *vt.* **1.** to commit, to perpetrate. **2.** *(a executa)* to implement. **II.** *vr.* to be done *sau* performed; *a se ~ din viață* to depart this life.
săvârșire *s.f.* commiting, perpetration; *~ din viață* demise, passing away.
sâc *interj.* serve(s) you right! sold again!
sâcâi *vt.* to bother, to plague.
sâcâială *s.f.* nagging, teasing etc. v. s â c â i.
sâcâitor *adj.* pestering, plaguing.
sâmbăta *adj.* on Saturday(s).
sâmbătă *s.f.* Saturday.
sâmbovină *s.f. bot.* nettle tree, honey berry *(Celtis australis)*.
sâmbră *s.f. înv., reg.* association, partnership (of shepherds etc.).
sâmburar *s.m. ornit.* gros(s) beak, gros(s) beck, hardbill *(Coccothraustes vulgaris)*.
sâmbure *s.m.* **1.** kernel. **2.** *(mare)* stone. **3.** *(mic)* pip. **4.** *(miez și)* core. **5.** *fig. și* gist, pith; *un ~ de adevăr* a grain of truth.
sâmburoase *s.n. pl.* stone fruits.
sân *s.m.* **1.** breast. **2.** *pl. fig. și* bosom. **3.** *(inimă)* heart; *~ de mare* cove, gulf; *în ~* in one's bosom.
sânge *s.n.* **1.** blood. **2.** *fig. și* birth, descent. **3.** *(închegat)* gore; *cu ~ rece* cold-blooded; *(adverbial)* in cold blood.
sânger *s.m. bot.* cornel (tree), bloody twing *(Cornus mascula)*.
sângera *vi.* to bleed.
sângerare *s.f.* bleeding; *(vărsare de sânge)* bloodshed.
sângerat *adj.* bloody, blood-stained, gory.
sângerând *adj.* bleeding.
sângeriu *adj.* (as) red as blood, blood-red, *poetic* purple.
sângeros *adj.* **1.** sanguinary, bloody. **2.** *(criminal și)* murderous.
sânziană *s.f.* **1.** fairy. **2.** *pl.* Midsummer day.
sârb *s.m., adj.* Serbian.
sârbă *s.f.* **1.** Serbian, the Serbian language. **2.** Romanian folk dance.
sârbesc *adj.* Serbian.
sârbește *adv.* (in) Serbian.
sârbism *s.n. lingv.* word or expression borrowed from Serbian.
sârboaică *s.f.* Serbian (girl / woman).
sârbo-croat *adj.* Serbo-Croatian.
sârbo-croată *s.f.* Serbo-Croatian.
sârg *s.n. cu ~* promptly.
sârgui *vr.* v. s t r ă d u i.
sârguincios *adj.* industrious, sedulous.
sârguință *s.f.* diligence, industry.
sârguitor I. *adj. (silitor)* industrious, diligent. **II.** *adv.* industriously, diligently.
sârmă *s.f.* wire.
sârmos *adj.* wiry.
sârmuliță *s.f. bot.* Vallisneria *(Vallisneria spiralis)*.
sâsâi *vi.* **1.** to hiss. **2.** *(a vorbi peltic)* to lisp.
sâsâit *s.n.* **1.** hissing. **2.** hiss. **3.** lisp.
sâsâitură *s.f.* hiss.
scabie *s.f. med.* scab, itch.
scabios *adj.* scabby, scabious.
scabros *adj.* scabrous, nauseating.
scabrozitate *s.f.* salaciousness, scabrousness.
scadent *adj.* (falling) due.
scadențar *s.n.* bills payable book.
scadență *s.f.* settling day.
scafandrier *s.m.* diver.
scafandru I. *s.m.* **1.** diver. **2.** *(cu costum ușor)* frogman. **II.** *s.n. (costum)* diving-suit.
scafă *s.f.* **1.** v. g ă v a n. **2.** *arh.* gorge.
scai *s.m.*, scaiete *s.m. bot.* thistle *(Cirsium lanceolatum)*.
scalar I. *s.m.* **1.** *iht.* scalare, (Brazilian) angel fish *(Pterophyllus scalare)*. **2.** *mat.* scalar. **II.** *adj. mat.* scalar.
scală *s.f.* tuning dial *sau* plate.
scald *s.m.* skald.
scaldă *s.f.* v. s c ă l d ă t o a r e.
scalen *adj. geom.* scalene.
scalogramă *s.f.* scalogram.
scalp *s.n.* scalp.
scalpa *vt.* to scalp.
scalpare *s.f.* scalping.
scalpel *s.n. med.* scalpel.
scamator *s.m.* conjurer, juggler.
scamatorie *s.f.* **1.** jugglery, sleight-of-hand. **2.** *fig.* (juggling) trick.
scamă *s.f.* **1.** lint. **2.** *înv.* caddis.
scanda *vt.* **1.** to scan. **2.** to shout (slogans).
scandal *s.n.* **1.** row, shindy. **2.** *(gălăgie)* noise, hubbub. **3.** *fig.* scandal, shame; *~ public* public exposure *sau* scandal.
scandalagioaică *s.f.* spitfire, virago.
scandalagiu *s.m.* rowdy, rough customer.

scandaliza I. *vt.* to scandalize, to revolt. **II.** *vr. (de ceva)* to be scandalized *sau* indignant (at smth.).
scandalos *adj.* scandalous, shameful.
scandare *s.f.* scansion, scanning.
scandinav *s.m., adj. geogr.* Scandinavian.
scandiu *s.n. chim.* scandium.
scapăt *s.n.* **1.** sunset. **2.** *(povârniș)* slope.
scapet *s.m.* **1.** skopets. **2.** castrated person.
scapolit *s.m. mineral.* scapolite.
scapular *adj. anat.* scapular.
scapulă *s.f. anat.* scapula.
scarabeu *s.m. entom.* beetle, scarab(aeus) *(Scarabaeus sacer).*
Scaraoțchi *s.m. fam.* Old Gooseberry.
scară *s.f.* **1.** staircase. **2.** *(treaptă)* step. **3.** *(mobilă)* ladder. **4.** *(rulantă)* escalator. **5.** *(de frânghie)* rope ladder. **6.** *(la cal)* stirrup. **7.** *(de mașină)* footboard. **8.** *(de vagon)* running board. **9.** *muz., geogr.* scale; ~ *ierarhică* chain of command; *pe ~ mare* (on a) large scale.
scarifica *vt.* to scarify.
scarificare *s.f. constr., med.* scarification, scarifying.
scarificator *s.n.* **1.** *med.* scarificator. **2.** *agr.* scarifier.
scarlatină *s.f. med.* scarlet fever.
scatiu *s.m. ornit.* siskin *(Carduelis spinus).*
scatoalcă *s.f. fam.* slap in the face; box on the ears; a thick ear.
scatol *s.n. chim.* skatol(e).
scatologic *adj.* scatological.
scatologie *s.f.* coprology, scatology, smut / dirty speech or writings.
scaun *s.n.* **1.** chair. **2.** *(fără spetează)* stool. **3.** *med.* stool; ~ *pliant* folding *sau* camp stool; *cu ~ la cap* wise, shrewd; *Sfântul ~* the Holy See.
scădea I. *vt.* **1.** to subtract, to deduct. **2.** *(a coborî)* to lower, to diminish. **II.** *vi.* **1.** to diminish, to decline. **2.** *(a da înapoi)* to ebb, to recede. **3.** *fig.* to wane, to subside. **4.** *(ca număr)* to dwindle, to decrease. **5.** *(d. glas)* to fade.
scădere *s.f.* **1.** subtraction, deduction. **2.** diminution, lessening. **3.** *(defect)* deficiency, shortcoming; defect. **4.** *(declin)* waning, ebbing.
scăfârlie *s.f.* skull, head.
scăiuș *s.m. bot.* teasel, shepherd's rod *(Dipsacus pilosus).*
scălâmb *adj.* deformed; distorted.
scălâmba I. *vt.* to deform; to distort. **II.** *vr.* v. s c ă l â m b ă i a.
scălâmbăia *vr.* to make a wry face.
scălâmbăială *s.f.* contortion; grimace.
scălda I. *vt.* **1.** to bathe. **2.** *(a spăla)* to give (smb.) a bath. **3.** *(a uda)* to wet, to soak; *a o ~* to give an elusive answer, to blow hot and cold. **II.** *vr.* to bathe, to take a dip.
scăldat *s.n.* bathing.
scăldătoare *s.f.* **1.** bathing place; bathing. **2.** *(cadă)* tub, bath.
scămos *adj.* fibrous.
scămoșa I. *vt.* to shred. **II.** *vr.* to fray, to fluff.
scămoșat *adj.* ravelled, frayed.
scăpa I. *vt.* **1.** to save; to rid (of). **2.** *(din mână etc.)* to drop, to let slip. **3.** *(a pierde)* to miss, to fail. **4.** *(a omite)* to slip, to omit; *a ~ din vedere* to neglect, to overlook; *a ~ o vorbă* to let slip a word. **II.** *vi.* **1.** *(din)* to escape (from), to break free (from). **2.** *fig.* to filter (through), to leak; *a ~ ca prin urechile acului* to escape by the skin of one's teeth; to make a hairbreadth escape; *a ~ de* to get rid of; *a ~ ieftin* to get off cheaply; *a ~ nepedepsit* to get off scatheless; *a ~ teafăr* to get away safe and sound.
scăpare *s.f.* **1.** escape, liberation, rescue; way out. **2.** *(omisiune)* omission.
scăpat *adj.* escaped; ~ *cu bine* unscathed.
scăpăra I. *vt.* **1.** to strike (a match etc.). **2.** to send out (sparks). **II.** *vi.* **1.** to flash. **2.** *(a scânteia)* to sparkle, to gleam.
scăpărătoare *s.f. pl.* flint and steel; tinder-box.
scăpărător *adj.* sparkling, scintillating.
scăpăta *vi.* **1.** *(d. soare)* to set. **2.** *fig.* to go down in the world.
scăpătare *s.f.* impoverishment; reduced circumstances.
scăpătat I. *s.n. pop.* v. a s f i n ț i t. **II.** *adj. (d. nobil etc.)* **1.** gone doom(ed) in life, impoverished. **2.** declining, on the wane.
scăriță *s.f.* **1.** small ladder. **2.** narrow staircase. **3.** *anat.* stirrup, stapes.
scărmăna *vt.* **1.** to card. **2.** *(a scămoșa)* to teasel, to raise (the cloth). **3.** *fig.* to thrash.
scărmănare *s.f. text.* carding, teaseling, raising.
scărmănat *s.n.* carding, v. s c ă r m ă n a.
scărmăneală *s.f.* **1.** hustle, brawl. **2.** *(papară)* whacking.
scărpina *vt., vr.* to scratch; *a se ~ în cap* to scratch one's head.
scărpinat *s.n.* scratching etc.
scăunaș *s.n.*, **scăunel** *s.n.* stool.
scăzământ *s.n.* **1.** deduction. **2.** *(rabat)* rebate, discount.
scăzător *s.m.* subtrahend.
scăzut *adj.* **1.** low. **2.** *(în scădere)* falling, sinking. **3.** *(d. ape)* ebbing.
scâlcia *vt.* to deform.
scâlciat *adj.* down at heel.
scâncet *s.n.* whimper(ing), whine.
scânci *vi., vr.* to whimper, to whine.
scâncitor *adj.* whining, whimpering.
scâncitură *s.f.* whine, whimper.
scândură *s.f.* **1.** board, plank. **2.** *(de brad)* deal board.
scânteia *vi.* to sparkle; to scintillate.
scânteie *s.f.* spark.
scânteiere *s.f.* **1.** sparkle. **2.** *(sclipire)* scintillation.
scânteietor *adj.* sparkling, glittering.
scânteioară *s.f. bot.* v. s c â n t e i u ț ă.
scânteios *adj. pop.* bright, sparkling.
scânteiuță *s.f. bot.* (red) pimpernel, cure-all *(Anagallis arvensis).*
scârbavnic *adj.* disgusting, loathing, hateful.
scârbă *s.f.* **1.** disgust, repulsion. **2.** *(ticălos)* rip, cur.
scârbi I. *vt.* to disgust. **II.** *vr.* to be sickened (by).
scârbit *adj.* disgusted, nauseated.
scârbos *adj.* **1.** disgusting, nauseating. **2.** repulsive, nasty. **3.** *(detestabil)* loathsom.
scârboșenie *s.f.* filthy / foul / repulsive / disgusting (action, deed, thing); horror.
scârnav *adj.* **1.** filthy, foul. **2.** *(obscen)* lewd, smutty. **3.** *fig.* infamous.
scârnă *s.f.* dung, excrements.
scârnăvie *s.f.* **1.** foul person. **2.** filthy thing.
scârț I. *s.m.* creaking leather. **II.** *interj.* **1.** creak! crack! **2.** *(vax!)* fiddlesticks!, nonsense!
scârța-scârța *s.m.* ~ *pe hârtie fam.* scribbler, scrawler, quilldriver.
scârțăială *s.f.*, **scârțâit** *s.n.* creaking, squeaking.
scârțâi *vi.* **1.** to creak. **2.** *(d. toc)* to scratch. **3.** *fig.* to grate, to grind. **4.** *(d. instrumente)* to scrape.
scârțâietoare *s.f.* rattle.
scârțâit *s.n.* squeak, creak; crunch.
scelerat I. *s.m.* scoundrel; criminal. **II.** *adj.* criminal, desperate.

scenarist *s.m.* scenario-writer, script-writer.
scenariu *s.n.* scenario; (film)script; ~ *radiofonic* radio play.
scenă *s.f.* **1.** scene. **2.** *(estradă)* stage. **3.** *(ceartă și)* tiff, quarrel; ~ *de gen artă* conversation (piece).
scenetă *s.f.* **1.** sketch. **2.** one-act play; curtain raiser.
scenic *adj.* scenic, theatrical, stage ...
scenograf *s.m.* scene-painter.
scenografie *s.f.* scenography, scene painting / designing.
scenotehnică *s.f.* stagecraft.
sceptic I. *s.m.* sceptical person. **II.** *adj.* sceptic. **III.** *adv.* sceptically.
scepticism *s.n.* scepticism.
sceptru *s.n.* **1.** sceptre. **2.** *fig.* *și* power, authority.
scheci *s.n.* sketch.
scheelit *subst. mineral.* scheelite.
schelă *s.f.* **1.** scaffolding; wooden platform. **2.** *min.* oilfield. **3.** *(sondă)* oil-well.
schelălăi vi. v. c h e l ă l ă i.
schelărie *s.f.* scaffolding(s).
schelet *s.n.* **1.** skeleton. **2.** *fig.* *și* framework.
scheletic *adj.* skeleton-like, spare.
scheleton *s.n.* *sport* skeleton (sledge).
schematic *adj.* **1.** schematic; diagrammatic. **2.** *peior.* oversimplified.
schematism *s.n.* schematism; oversimplification.
schematiza *vt.* to schematize.
schemă *s.f.* **1.** scheme. **2.** draft; chart. **3.** *(de personal)* staff list; *pe* ~ on the staff.
schepsis *s.n.* *fam.* gumption, cuteness, nous; *cu* ~ *fam.* cutely.
scherzando *adv. muz.* scherzando.
scherzo *s.n.* scherzo.
scheuna *vt.* *(d. câine)* to yelp, to yap.
scheunat *s.n.* yelp(ing), yap(ping).
scheunătură *s.f.* yelp, yap.
schi *s.n.* **1.** ski(ing). **2.** *(pe apă)* aquaplane.
schia *vi.* to ski.
schif *s.n.* skiff.
schifist *s.m.* skiff oarsman.
schijă *s.f.* (schell) splinter.
schilav *adj.* v. s c h i l o d.
schiler *s.m.* *ist.* customs officer (in the Middle Ages).
schilift *s.n.* ski lift.
schilling *s.m.* *fin.* schilling (Austrian monetary unit).
schilod I. *s.m.* cripple. **II.** *adj.* **1.** maimed, mutilated. **2.** *fig.* puny.
schilodi *vt.* to cripple, to mutilate.
schimă *s.f.* grimace; contortion.
schimb *s.n.* **1.** exchange. **2.** *(schimbare)* change. **3.** *(de lucrători)* shift. **4.** *pl.* clean linen; *cu ~ul* by turns; *în* ~ on the other hand; in exchange; *în ~ul* (cu gen.) in exchange for; instead of.
schimba I. *vt.* **1.** *(a înnoi)* to change. **2.** *(a modifica)* to alter, to transform, to modify. **3.** *(unul cu altul)* to exchange. **4.** *fig.* *(cursul unui lucru)* to avert. **5.** *(a înlocui)* to replace; *a* ~ *fețe-fețe* to change colour; *a* ~ *vorba* to switch to another subject. **II.** *vr.* **1.** to change; to be altered. **2.** *(în bine)* to change for the better, to improve.
schimbare *s.f.* **1.** change; transformation. **2.** *(schimb)* exchange.
schimbat *adj.* changed etc. v. s c h i m b a.
schimbăcios *adj.* fickle, shifty, inconstant, versatile.
schimbător *s.n.* **1.** *tehn.* switch. **2.** *auto.* gearshift.
schimnic *s.m.* hermit.
schimnici I. *vi.* to live like a hermit. **II.** to become a hermit.
schimnicie *s.f.* asceticism; life of a hermit.
schimonoseală *s.f.* grimace, wry face.
schimonosi I. *vt.* **1.** to desfigure, to contort. **2.** *(a strâmba)* to writhe, to twist. **II.** *vr.* to grimace, to pull faces.
schimonositură *s.f.* wry face, grimace.
schinduc *s.m. bot.* hemlock parsley *(Conioselium vaginatum).*
schinduf *s.n. bot.* fenugreek *(Trigonella foenum graecum).*
schinel *s.n. bot.* benedicta *(Cnicus benedictus).*
schingiui *vt.* to torture, to rack.
schingiuire *s.f.* torturing; torture.
schior *s.n.* skier.
schip *s.n.* *tehn.* skip.
schipetar *s.m.* Albanian.
schiros *s.n.* *med.* scirrhoid tumour.
schismatic *adj., s.m.* schismatic.
schismă *s.f.* **1.** schism. **2.** *fig.* split.
schit *s.n.* hermitage.
schița *vt.* **1.** to sketch. **2.** *(a plănui)* to design, to plan; *a* ~ *un zâmbet* to give the ghost of a smile.
schiță *s.f.* **1.** sketch. **2.** *(proiect și)* draft, (rough) plan.
schizofite *s.f. pl. bot.* Schizophyta.
schizofrenic *adj., s.m.* schizophrenic.
schizofrenie *s.f.* *med.* schizophrenia.
schizoid *adj., s.m.* schizoid.
schizopode *s.n.* *zool.* Schizopoda.
schizotimie *s.f.* *med.* schizothymia.
schwyz *subst. zool.* Brown Swiss.
sciatic *adj.* sciatic.
sciatică *s.f.* *med.* sciatica.
scientică *s.f.* v. s c i e n t i s m.
scientism *s.n.* *filoz.* scientism.
scientologie *s.f.* v. s c i e n t i s m.
scifozoare *s.n. pl. zool.* Syphozoa.
scinda I. *vt.* to divide, to split up. **II.** *vr.* to divide, to split.
scindare *s.f.* splitting, scission.
scintilator *s.m.* *fiz.* scintillation counter, scintillator.
scintilație *s.f.* scintillation.
scit *s.m., adj.* *ist.* Scythian.
scit(ic) *adj.* Scythian.
sciziona I. *vt.* to split, to divide. **II.** *vr.* to secede, to split.
scizionist I. *s.m.* splitter. **II.** *adj.* splitting; seceding.
sciziparitate *s.f.* *biol.* scissiparity.
sciziune *s.f.* scission, division.
scizură *s.f.* *med.* fissure, cleavage, cleft.
sclav *s.m.* **1.** slave. **2.** *fig.* *și* thrall, drudge.
sclavagism *s.n.* slavery, slave system.
sclavagist *adj.* slave.
sclavaj *s.n.*, sclavie *s.f.* *și fig.* slavery, servitude, thraldom.
sclavă *s.f.* slave (woman).
sclavie *s.f.* slavery; thraldom, drudgery.
sclereidă *s.f.* *bot.* sclereid.
sclerenchim *subst. bot.* sclerenchyma, scleroderm.
sclerodermie *s.f.* *bot.* sclerodem(i)a.
sclerometru *s.n.* *tehn.* sclerometer.
scleroproteină *s.f.* *biochim.* scleroprotein.
scleroscop *s.n.* *tehn.* ballhardness tester.
sclerot *s.m. pl. bot.* sclerotium, sclerote.
sclerotic *adj.* sclerotic.
sclerotică *s.f.* sclerotic, sclera.
scleroza *vr.* to sclerose.
sclerozat *adj.* **1.** *med.* sclerosed. **2.** *fig.* soft-minded, aged, v. r a m o l i t.
scleroză *s.f.* **1.** *med.* sclerosis. **2.** *fig.* soft mindedness, v. r a m o l i s m e n t.
sclifoseală *s.f.* **1.** *(plânset)* whining; whimpering. **2.** *(afectare)* simpering.
sclifosi *vr.* **1.** *(a se miorlăi)* to wimper, to snivel. **2.** *(a se preface)* to simper; to gush.
sclifosit *adj.* **1.** freakish. **2.** mincing, finical, finicking, finicky.
sclipeală *s.f.* v. s c l i p i r e.
sclipeț *s.m. bot.* **1.** blood wort / root *(Potentilla tormentilla).* **2.** germander *(Teucrium chamaedrys).*

sclipi *vi.* to glimmer, to gleam.
sclipire *s.f.*, sclipit *s.n.* sparkle, twinkling.
sclipitor I. *adj.* **1.** shining etc. v. s c l i p i; bright, brilliant. **2.** *fig.* brilliant. **II.** *adv.* brilliantly.
sclipitură *s.f.* glitter, sparkle.
scliviseală *s.f.* **1.** polishing. **2.** *constr.* plastering.
sclivisi I. *vt.* to polish. **II.** *vr.* to titivate, to smarten oneself up.
sclivisit *adj.* **1.** titivated, squoo. **2.** *(elegant)* dapper, spick and span.
scoabă *s.f.* clamp, cramp-iron.
scoarță *s.f.* **1.** *bot.* bark. **2.** *anat.* cortex. **3.** *geogr. etc.* crust. **4.** *(covor)* rug. **5.** *(de carte)* (book) cover; *din ~ în ~* from title-page to colophon, from A to Izzard.
scoate I. *vt.* **1.** to pull *sau* draw out. **2.** *(a îndepărta)* to take out, to remove. **3.** *(la iveală)* to produce; *fig.* to reveal. **4.** *(a dezbrăca)* to take *sau* pull off. **5.** *fig.* to obtain, to get; *(cu de-a sila)* to extort. **6.** *(a izgoni)* to chase *sau* drive away, to expel. **7.** *(a concedia)* to dismiss, to discharge. **8.** *(a salva)* to save. **9.** *(a publica)* to publish, to bring out. **10.** *(a arunca)* to send *sau* throw out. **11.** *(a rosti)* to utter, to give out. **12.** *(a scorni)* to concoct, to fabricate. **13.** *(pui)* to hatch. **14.** *(d. plante)* to put out (shoots etc.) ; *a ~ ochii cuiva* to put out smb.'s eyes; *fig.* to reproach smb. (with smth.).
scoatere *s.f.* **1.** pulling, drawing out. **2.** *(îndepărtare)* removal; extraction.
scobar *s.m. iht.* broad snout *(Chondrostoma nasus).*
scobi I. *vt.* **1.** to hollow (out); to dig (up). **2.** *(dinții)* to pick. **II.** *vi.* to dig, to rummage. **III.** *vr. a se ~ în dinți etc.* to pick one's teeth etc.
scobit *adj.* **1.** hollowed out. **2.** *(cu scobitură)* hollow.
scobitoare *s.f.* tooth-pick.
scobitură *s.f.* **1.** hollow; excavation. **2.** *tehn.* groove.
scoc *s.n.* **1.** trough. **2.** *(jgheab)* gutter, drain. **3.** *(de moară)* mill race.
scociorî I. *vt.* **1.** v. s c o t o c i i. **2.** *(a alunga)* to drive away / out. **3.** *(a scruta)* to take a good look at. **II.** *vi.* v. r â c â i.
scofală *s.f.* feet; benefit, profit; *mare ~!* (it's) nothing to write home about; (it's) no great shakes.
scofâlci *vr.* to become emaciated *sau* haggard.
scofâlcit *adj.* **1.** emaciated, gaunt; haggard. **2.** *(d. obraji)* hollow, sunken.
scoică *s.f.* **1.** shell. **2.** *(stridie)* oyster. **3.** *(cu înghețată)* ice-cream cone.
scolast *s.m.* schoolman, scholastic.
scolastic *adj.* **1.** scholastic. **2.** pedantic; dogmatic.
scolastică *s.f.* scholasticism.
scolex *s.n. zool.* scolex, head (of tapeworm).
scoliast *s.m. livr.* scholiast.
scolie *s.f.* scholium, scholion.
scolioză *s.f. med.* scoliosis.
scolopendră *s.f. entom.* scolopendra *(Scolopendra cingulata).*
sconcs *s.m. zool.* skunk *(Mephitis).*
scont *s.n.* discount.
sconta *vt.* **1.** *fin.* to discount. **2.** *fig.* to anticipate, to bank on.
scop *s.n.* aim, goal, purpose; *în ~ul ...* with a view to ... *(cu subst. sau forme în -ing)* .
scopi *vt.*; to castrate, to emasculate; *(animale)* to geld.
scopit I. *s.m.* skopets. **II.** *adj.* gelded, castrated.
scopolamină *s.f. farm.* scopolamine, hyoscine.
scor *s.n.* score; *~ alb* love all; *~ egal* draw.
scorbură *s.f.* hollow.
scorburos *adj.* hollow.
scorbut *s.n. med.* scurvy.
scorbutic *adj. med.* scurvied, scorbutic.
scorer *s.n.* score board.
scorie *s.f.* v. z g u r ă.
scormoni I. *vt.* **1.** to rummage, to ransack. **2.** *(trecutul etc.)* to dig (up), to stir up; *de ce să scormonim trecutul?* let sleeping dogs lie; let bygones be bygones. **II.** *vi.* to rummage; to burrow.
scormonitor *adj.* rummaging; *fig.* inquisitive.
scorneli *s.f. pl.* figments, fabrications.
scorni *vt.* to concoct, to fig.
scornire *s.f.* invention etc. v. s c o r n i.
scornit *adj.* concocted, invented.
scorniturі *s.f. pl.* v. s c o r n e l i.
scoroji *vr.* to shrivel; to be dried.
scorojit *adj.* shrivelled, shrimped, dried up.
scorpie *s.f.* **1.** *zool.* scorpion. **2.** *fig.* shrew, termagant.
scorpion *s.m.* **1.** scorpion. **2.** *astr. Scorpionul* Scorpio.
scorțar *s.m. ornit.* nut hatch / jobber *(Sitta).*
scorțăraș *s.m.*, scorțărel *s.m. ornit.* tree creeper *(Certhia).*
scorțișoară *s.f.* cinnamon.
scorțișor *s.m. bot.* cinnamon *(Cinnamomum zeylanicum).*
scorțoneră *s.f. bot.* scorzonera *(Scorzonera hispanica).*
scorțos *adj.* **1.** stiff, hard. **2.** *(aspru)* rough, rugged.
scoruț *s.m. bot.* service tree *(Sorbus domestica)*; *~ de munte* rowan tree, fowler's pear *(Sorbus / Pinus aucuparia).*
scoruță *s.f. bot.* rowan berry.
scotă *s.f. nav.* sheet.
scotoceală *s.f.* rummaging, minute search.
scotoci I. *vt.* to rummage, to ransack. **II.** *vi., vr.* to search; to fumble (in one's pocket etc.).
scotocitor *adj.* rummaging.
scotom *s.n. med.* scotoma, scotomy.
scoți *s.m. pl. ist. Scoției* Scots.
scoțian I. *s.m.* Scotchman, Scot. **II.** *adj.* Scottish, Scotch.
scoțiană *s.f.* **1.** Scotch (woman). **2.** Scottish, the Scottish dialect.
scovardă *s.f. pop.* **1.** *cul.* cheese pancake; v. m i n c i u n e l e. **2.** thin / emaciated person.
scovergă *s.f.* v. s c o v a r d ă.
scrânciob *s.n.* swing.
scrânteală *s.f.* craziness, craze.
scrânti I. *vi.* to sprain, to dislocate; *a-și ~ gâtul* to (w)rick one's neck; *a o ~* to put one's foot in it. **II.** *vr.* to go off one's chump, to grow potty.
scrântit *adj.* **1.** *(d. picioare etc.)* sprained. **2.** *(nebun)* crazy, wrong in the upper storey.
scrântitoare *s.f. bot.* **1.** silvery cinquefoil *(Potentilla argentea).* **2.** goose grass *(Potentilla anserina).*
scrântitură *s.f.* v. e n t o r s ă.
scrâșnet *s.n.* gnashing / gritting of teeth.
scrâșni *vi.* to gnash *sau* grind one's teeth.
screme *vr.* to strain (hard).
screper *s.n.* scraper.
scrib *s.m.* **1.** scribe. **2.** *fig.* quill driver. **3.** corrupt journalist.
scrie I. *vt., vi.* to write; *a ~ cu creionul* to (write in) pencil; *a ~ la mașină* to type; *a ~ pe curat* to make a clean copy (of). **II.** *vr.* to be spelt, to spell.
scriere *s.f.* **1.** writing. **2.** *(caligrafie și)* hand(writing). **3.** *(operă și)* work; *~ frumoasă* fine hand; clerkship; *~ rondă* round hand.

scriitor *s.m.* writer, author.
scriitoraș *s.m. fam.* scribbler, penny-a-liner.
scriitură *s.f.* writing.
scriitoricesc *adj.* writer's...
scriitorime *s.f.* writing.
scrijeli *vt.* to scratch, to notch.
scrimă *s.f.* fencing.
scrimer *s.m. sport* fencer, swordsman.
scrin *s.n.* chest of drawers, tallboy.
scripcar *s.m.* fiddler.
scripcă *s.f.* fiddle.
scripete *s.m.* pulley, windlass.
scripte *s.f. pl.* records, papers.
scriptic *adj.* on the staff, staff ...
scriptolog *s.m.* red tapist, consequential clerk.
scriptologie *s.f.* red tape(ry) / tapism.
scriptomanie *s.f. peior.* **1.** red tape (collection), bureaucracy. **2.** graphomania.
scriptură *s.f.* the Holy Scriptures.
scris I. *s.n.* **1.** (hand)writing; alphabet. **2.** *(caligrafie și)* hand. **II.** *adj.* **1.** written. **2.** *pop.* painted. **III.** *s.f.* fate, lot.
scrisoare *s.f.* letter, epistle; ~ *recomandată* registered letter; *scrisori de acreditare* credentials.
scrisorică *s.f.* note; *(de dragoste)* billet doux.
scroafă *s.f.* **1.** sow. **2.** *fig.* foul woman.
scrob *s.n. cul.* scrambled eggs, omelette.
scrobeală *s.f.* starch.
scrobi *vt.* to (clear-)starch.
scrofiță *s.f.* gilt, young sow.
scrofulariacee *s.f. pl.* Scrophulariaceae.
scrofulă *s.f. med.* scrofula.
scrofulos *adj.* scrofulous.
scrofuloză *s.f. med. fam.* scrofula; *fam.* King's evil.
scrot *s.n anat.* scrotum.
scrub *subst. bot.* scrub.
scruber *s.n. tehn.* scrubber.
scrum *s.n.* ashes.
scrumbie *s.f.* **1.** *iht.* herring, mackerel. **2.** *(afumată și)* bloater. **3.** *(sărată și)* kipper.
scrumbioară *s.f. iht.* v. g i n g i r i c ă.
scrumieră *s.f.* ash tray.
scrupul *s.n.* scruple; compunction; *fără ~e* unscrupulous(ly).
scrupulos I. *adj.* **1.** scrupulous. **2.** punctilious, meticulous. **II.** *adv.* **1.** scrupulous. **2.** meticulously, carefully.
scrupulozitate *s.f.* scrupulosity, scrupulousness.
scruta *vt.* scrutinize, to scan, to peer into.
scrutător *adj.* searching, inquisitive; scrutinizing.
scrutin *s.n.* ballot (count), poll.
scuamă *s.f. med.* squama, scale (of skin), exfoliation (of bone).
scuar *s.n.* square.
scud *s.m. ist., fin.* scudo (Spanish monetary unit).
scufă, scufie *s.f.* night cap.
scufiță *s.f.* hood, cap; *Scufița Roșie* Little Red Riding Hood.
scufunda I. *vt.* **1.** to sink. **2.** *(a înmuia)* to dip, to soak. **II.** *vr.* **1.** to sink. **2.** *(a se îneca)* to be drowned.
scufundător I. *adj.* diving. **II.** *s.m.* diver.
scufundătură *s.f.* **1.** diving. **2.** *geol.* sinking, subsidence.
scuipa *vt., vi.* to spit.
scuipat *s.n.* spit(tle).
scuipătoare *s.f.* spittoon.
scuipătură *s.f.* v. s c u i p a t.
scul *s.n.* skein, hank.
scula I. *vt.* to awaken, to rouse (from one's sleep). **II.** *vr.* **1.** to rise, to get up. **2.** *(în picioare)* to stand up, to rise to one's feet.
sculare *s.f.* waking, rising.
sculat *adj.* **1.** awake, up, about. **2.** erect.
sculă *s.f.* tool; instrument.
sculărie *s.f.* toolhouse, toolshed.
sculer *s.m.* toolman, toolroom clerk.
sculpta *vt.* **1.** to sculpture, to carve. **2.** *(a modela)* to mould.
sculptor *s.m.* sculptor; wood carver.
sculptoriță *s.f.* sculptress.
sculptural *adj.* sculptural.
sculptură *s.f.* **1.** sculpture. **2.** *(statuie și)* statue.
scump I. *adj.* **1.** dear. **2.** *(drag și)* beloved. **3.** *(costisitor și)* expensive. **4.** *(prețios)* valuable, precious. **5.** *(zgârcit)* miserly. **II.** *adv.* dearly; expensively; ~ *la vorbă* chary of words; *de ce ești așa ~ la vedere?* where have you been hiding?
scumpete *s.f.* **1.** dearness, dearth. **2.** *(persoană)* gem; peach (of a girl).
scumpi I. *vt.* to raise the price of. **II.** *vr.* to grow dearer *sau* more expensive; *a se ~ la un lucru* to stint *sau* grudge the expense of a thing.
scumpie *s.f. bot.* smoke / wig tree *(Rhus cotinus)*
scumpire *s.f.* rise in the price (of).
scună *s.f. nav.* schooner.
scund *adj.* low; *(de statură)* short, of short stature; undersized.
scurge I. *vt.* **1.** to drain. **2.** *(a filtra)* to strain, to let out. **II.** *vr.* **1.** to flow. **2.** *(câte puțin)* to trickle. **3.** *(picătură cu picătură)* to drip. **4.** *(d. vreme)* to elapse, to pass, to fly (by).
scurgere *s.f.* **1.** trickling, leaking. **2.** *(a timpului)* lapse, passage.
scurma *vt., vi.* to root, to (g)rout.
scurmătură *s.f.* rooting.
scursoare *s.f.* **1.** trickle, sweepings of the gutter. **2.** *și pl. fig.* scum, riff-raff.
scursură *s.f.* **1.** v. s c u r s o a r e. **2.** *(vale)* valley. **3.** *(canal)* sewer. **4.** *fig.* scum, dregs, riff-raff.
scurt I. *adj.* **1.** short. **2.** *(ca timp și)* brief. **3.** *(puțin)* little. **4.** *(d. fustă etc.)* skimpy; *din ~* tightly, sternly; *în ~ă vreme* soon afterwards; *pe ~* in short, briefly. **II.** *adv.* briefly.
scurta I. *vt.* **1.** to shorten, to cut short *sau* down. **2.** *(un text etc.)* to abridge. **II.** *vr.* to draw *sau* grow shorter.
scurtă *s.f.* parka (jacket).
scurtătură *s.f.* short cut.
scurtcircuit *s.n.* short circuit.
scurtcircuita *vt., vr. el.* to short-circuit.
scurteică *s.f.* knee-long (fur-lined) coat, pelisse.
scurtime *s.f.* shortness, briefness.
scurtmetraj *s.n. cin.* short reel (film).
scut *s.n.* **1.** shield. **2.** *(rotund și)* buckler. **3.** *fig. și support.*
scutar *s.m.* first shepherd.
scuteală *s.f.* **1.** *(adăpost)* shelter, refuge. **2.** v. s c u t i r e.
scutec *s.n.* diaper.
scutella *subst. zool.* Scutella.
scutelnic *s.m. ist.* tax-exempted peasant.
scuter *s.n.* (motor) scooter.
scuti *vt.* **1.** to spare, to save. **2.** *(de ceva)* to exempt from; *scutește-mă!* leave me alone!, get yourself lost!
scutier *s.m.* shield bearer.
scutire *s.f.* **1.** sparing; saving. **2.** *(de impozite etc.)* exemption (from taxes etc.).
scutit *adj.* exempted, free; ~ *de impozite* tax-free, duty free.
scutura I. *vt.* **1.** to shake. **2.** *(covoare și)* to haul dust. **3.** *(a critica)* to haul over the coals. **II.** *vi.* to do the room(s), to tidy up. **III.** *vr.* to shake; to be shaken.
scuturător *s.n.* **1.** *text.* shaker. **2.** *agr.* straw shaker.
scuturătură *s.n.* **1.** shake; jolt, jerk. **2.** *fig.* a good dressing down.

scuza I. *vt.* to excuse, to pardon; *scuzați(-mă)* I beg your pardon!, I apologize! **II.** *vr.* to apologize, to excuse oneself.
scuzabil *adj.* excusable, pardonable.
scuză *s.f.* **1.** excuse. **2.** *(pretext și)* pretext.
scvamă *s.f. bot.* squama.
se *pron.* **1.** *(reflexiv)* oneself; himself, herself, itself; themselves. **2.** *(reciproc)* each other, one another. **3.** *(impersonal)* it, one; they.
seamă *s.f.* **1.** account. **2.** *(cantitate)* number, amount; *o ~ de* many; a lot of; *de ~* remarkable, outstanding; *de bună ~* of course, naturally; *de o ~* of the same age *sau* type; *nebăgat în ~* unheeded, unnoticed.
seamăn *s.m.* neighbour; human being; *fără ~* beyond compare, matchless.
seara *adv.* in the evening; of an evening.
seară *s.f.* **1.** evening. **2.** *(târzie)* night. **3.** *(înserare)* nightfall, dusk; *de ~* evening ...; night ...; *într-o ~* one evening; *~ de ~* night after night.
searbăd *adj.* **1.** tasteless, vapid, insipid. **2.** *fig.* dull, cagmag.
sebaceu *adj. anat.* sebaceous.
seboree *s.f. med.* seborrhoea.
sebum *s.n. fiziol., med.* sebum.
sec I. *s.n.* fast; *în ~* to no avail, uselessly. **II.** *adj.* **1.** dry, dried up. **2.** *(arid)* barren. **3.** *(gol)* empty. **4.** *(d. băuturi alcoolice)* dry. **5.** *(fără sifon)* neat. **6.** *(prost)* dull, stupid. **7.** *(rece)* cold, glacial. **III.** *adv.* drily, harshly.
seca I. *vt.* **1.** to drain. **2.** *(a usca)* to dray. **3.** *(a slei și)* to exhaust. **II.** *vi.* **1.** to run dry. **2.** *fig.* to be exhausted.
secantă *s.f. geom.* secant.
secară *s.f. bot.* rye *(Secale cereale)*.
secăciune *s.f.* v. s e c e t ă.
secărică *s.f.* rye brandy.
secătui *vt.* to exhaust, to drain.
secătură *s.f.* good-for-nothing, ne'er-do-well.
secera *vt.* **1.** *(a tăia)* to cut down; *(a recolta)* to reap, to harvest, to crop, to cut. **2.** *fig.* to carry / cut off / away.
secerar *s.m. pop.* v. a u g u s t 1.
secerat *s.n.* **1.** cutting etc. v. s e c e r a. **2.** v. s e c e r i ș.
seceră *s.f.* sickle; *secera și ciocanul* the hammer and the sickle.
secerătoare *s.f.* **1.** reaper. **2.** *(mașină)* harvester (binder).
secerător *s.m.* reaper.
seceriș *s.n.* **1.** reaping. **2.** *(recoltare și)* harvest.
secesionist *s.m.* secessionist.
secesiune *s.f.* secession; segregation.
secession *s.f. artă* Secession (Austrian / German art-nouveau).
secetă *s.f.* drought; dryness.
secetos *adj.* droughty, dry, drought-afflicted; arid.
sechestra *vt.* to sequester.
sechestrare *s.f.* sequestration, putting under distraint.
sechestru *s.n.* sequester, distraint, execution; *a pune ~ pe...* to levy a distraint up(on)...
secol *s.n.* **1.** century. **2.** *(epocă)* age, period.
secret I. *s.n.* secret; *în ~* secretly, in secrecy. **II.** *adj.* **1.** secret. **2.** *(nedezvăluit)* undisclosed. **3.** hidden. **4.** untold, unspoken. **III.** *adv.* secretly, in secret.
secreta *vt.* to secrete.
secretar *s.m.* secretary; *~ de stat* State Secretary; *~ general* general secretary, secretary general.
secretară *s.f.* secretary, amanuensis.
secretariat *s.n.* secretariate.
secretină *s.f. fiziol.* secretin.
secretor *adj. fiziol.* secretive, secretory.
secretos *adj.* secretive, reticent.
secreție *s.f.* secretion.
secrétaire *s.n.* secretaire, secretary, escritoire.
sectant *s.m.* sectarian.
sectar I. *s.m.* sectarian, illiberal person. **II.** *adj.* **1.** illiberal, clannish. **2.** sectarian. **III.** *adv.* in a sectarian way.
sectarism *s.n.* **1.** clannishness, clanship. **2.** *pol.* sectarianism.
sectat *adj. bot.* sectional.
sectă *s.f.* sect, denomination.
sector *s.n.* **1.** sector. **2.** *fig.* sphere, province.
secție *s.f.* section, department; *~ de poliție* police station.
secționa I. *vt.* to section; to divide into sections; to divide. **II.** *vr. pas.* to be sectioned.
secționabil *adj. tehn.* apt to be sectioned.
secționare *s.f.* division into sections.
secțiune *s.f.* section; *~ transversală* cross section.
secui *s.m.* Szekler.
secuiesc *adj.* Szekler('s)...
secular *adj.* **1.** secular, lay. **2.** *(vechi)* age-old, century-old.
seculariza *vt.* to secularize.
secularizare *s.f.* secularization.
secund I. *s.m.* **1.** second. **2.** *mar.* first mate. **II.** *adj.* second(ary).
secunda *vt.* to second; to back up, to support.
secundant *s.m.* **1.** *(într-un duel)* second. **2.** *(sprijinitor)* supporter, backer.
secundar I. *s.n.* seconds hand; *~ central* centre seconds hand. **II.** *adj.* secondary; subordinate, minor.
secundă *s.f.* second; *fam.* jiffy, moment.
secundo *adv. livr.* secondly, in the second place.
secure *s.f.* axe, hatchet.
securit *s.m. tehn.* safety glass.
securitate *s.f.* **1.** security. **2.** *(siguranță și)* safety; *~a muncii* labour safety.
securizare *s.f. tehn.* method of obtaining sekurit / shatter-proof glass.
secvență *s.f.* **1.** *(de film)* still. **2.** *fig.* snapshot.
sedativ *s.n., adj.* sedative.
sedentar *adj.* sedentary.
sedentarism *s.n.* sedentariness, sedentary life.
sedilă *s.f.* cedilla.
sediment *s.n.* sediment, deposit.
sedimenta *vt., vr.* to deposit.
sedimentar *adj.* sedimentary.
sedimentare *s.f.* sedimentation.
sedimentație *s.f.* v. s e d i m e n t a r e.
sedimentologie *s.f.* sedimentology.
sedițios *adj.* seditious; rebellious, mutinous.
sedițiune *s.f.* sedition.
sediu *s.n.* headquarters, premises.
seducător I. *s.m.* seducer, seductor. **II.** *adj.* **1.** seducing, seductive. **2.** *(fascinant)* fascinating, entrancing. **III.** *adv.* seductively, entrancingly.
seduce *vt.* to seduce.
seducție *s.f.* **1.** seduction. **2.** *fig.* charm, magic.
sefard I. *s.m.* Sephard, *pl.* Sephardim. **II.** *adj.* Sephardic.
sefardit *adj.* Sephardic; *(ca limbă)* Ladino Spanish.
seger *s.m. tehn.* Seger (cone), pyrometric cone.
segment I. *s.m. tehn.* piston ring. **II.** *s.n.* segment.
segmenta *vt.* to segment.
segmentar *adj.* segmentary.
segmentare *s.f.* **1.** segmentation. **2.** *biol.* cleavage of cells.

segrega *vt.* to segregate.
segregare *s.f.*, segregație *s.f.* **1.** segregation, colour bar. **2.** *(în Africa de Sud)* apartheid.
segregaționism *s.n.* segregation, Jim Crow.
seguidilla *s.f.* seguidilla.
seif *s.n.* strong box, safe.
seignettoelectricitate *s.f.* seignetto-electricity.
seim *s.n.* Seim.
seimă *s.f. zool.* sand-crack (on horse's hoof).
seimeni *s.m. pl. ist.* (in Wallachia and Moldavia) body pedestrian mercenaries, guarding the court.
sein *adj.* grey, gray.
seiner *s.n. nav.* seiner.
seism *s.n.* earthquake, seism.
seismic *adj.* seismic.
seismicitate *s.f.* seismicity.
seismograf *s.n.* seismograph, seismometer.
seismografic *adj.* seismographic.
seismogramă *s.f.* seismogram.
seismolog *s.m.* seismologist.
seismologic *adj.* seismological.
seismologie *s.f.* seismology.
seismometrie *s.f.* seismometry.
seismometru *s.n.* seismometer.
seismonastie *s.f. bot.* seismonasty.
seismoscop *s.n.* seismoscope.
seișe *s.f. pl.* seiche, tidal wave.
selacieni *s.m. pl. iht.* Selachii.
select *adj.* select, choice...
selecta *vt.* to select, to pick out.
selectiv *adj.* selective.
selectivitate *s.f.* selectivity.
selector *s.n.* **1.** *tehn.* selector. **2.** *agr.* separator, sorter.
selecție *s.f.* selection, choice.
selecționa *vt.* **1.** to select, to choose. **2.** *sport* to spot.
selecționabil *adj.* choos(e)able, eligible.
selecționare *s.f.* selection, selecting; sorting.
selecționată *s.f.* picked team.
selecționer *s.m. sport* spotter, picker.
selenar *adj.* selenary, lunar.
selenit *s.m.* **1.** selenite, inhabitant of the moon. **2.** *mineral.* selenite.
seleniu *s.m. chim.* selenium.
selenodezie *s.f. astr.* selenodesy.
selenografie *s.f. astr.* selenography.
selfactor *s.n. text.* self-acting machine.
selfinducție *s.f. el.* self-induction
selsin *s.n.* selsyn.
selvas *s.f. pl.* evergreen Amazonian tropical forests.

semafor *adj.* **1.** semaphore. **2.** *(pe stradă)* traffic light(s).
semantem *s.n. lingv.* semanteme.
semantic *adj.* semantic.
semantică *s.f.* semantics.
semantician *s.m. lingv.* semantician, semanticist.
semantism *s.n. lingv.* area of meaning.
semasiolog *s.m.* v. s e m a n t i c i a n.
semasiologic *adj. lingv.* semasiological.
semasiologie *s.f. lingv.* semasiology.
semăna I. *vt.* **1.** to sow, to seed. **2.** *fig.* *și* to spread. **II.** *vi.* **1.** to sow. **2.** *(cu cineva)* to look like (smb.); to resemble (smb.). **3.** *(între ei)* to be alike.
semănat *s.n.* **1.** sowing, seeding. **2.** sowing time.
semănătoare *s.f.* sower, seeder.
semănător *s.m.* sower.
Semănătorism *s.n.* idyllicism, idyllical enlightenment (in Romanian literature). v. S ă m ă n ă t o r i s m.
semănătură *s.f.* **1.** sown field. **2.** *pl.* crops.
semen *s.m.* neighbour; fellow creature.
semestrial *adj., adv.* half-yearly.
semestru *s.n.* **1.** half-year. **2.** *univ.* *și* term.
semeț I. *adj.* **1.** haughty, proud. **2.** *(falnic)* stately, lofty. **II.** *adv.* haughtily.
semeți *vr.* **1.** to put on airs (and frills), to behave naughtily. **2.** to boast, to show off. **3.** to brace up.
semeție *s.f.* **1.** haughtiness. **2.** *(măreție)* stateliness.
semi- *prefix* semi-.
semiautomat *adj.* semi-automatic.
semiaxă *s.f. mat.* semiaxis.
semicarbonizare *s.f.* **1.** *ind., chim., min.* low-temperature carbonization. **2.** *met.* partial carbonization.
semicerc *s.n.* semicircle.
semicircular *adj.* semicircular, half-round.
semicocs *s.n. ind.* semi-coke.
semicocsificare *s.f.* v. s e m i c a r b o n i z a r e.
semicolonial *adj.* semi-colonial.
semicolonie *s.f.* semi-colony.
semiconductor *s.m.* semi-conductor.
semiconservă *s.f.* half-prepared preserve.
semiconsoană *s.f.* semiconsonant.
semiconștient *adj.* semiconscious.

semicristalin *adj.* semi-crystalline, hemicrystalline.
semideșert *s.n. geogr.* semidesert.
semidoct I. *s.m.* half-scholar, dabbler, wiseacre. **II.** *adj.* half-learned.
semidreaptă *s.f. mat.* half-line.
semifabricat I. *adj.* semi-finished... **II.** *s.n.* half-finished / semi-finished product; ~*e* semi-manufactured goods, semi-products.
semifeudal *adj.* semi-feudal.
semifinală *s.f.* semifinal(s).
semifinalist *s.m. sport* semifinalist.
semifond *s.n.* middle-distance race.
semifondist *s.m. sport* middle-distance runner.
semiîntuneric *s.n.* half darkness.
semilună *s.f.* half moon, crescent.
semimetal *s.n. chim.* semimetal.
seminal *adj.* seminal.
seminar *s.n.* **1.** seminar. **2.** *rel.* seminary.
seminarist *s.m.* seminarian, seminarist.
semincer *s.m.* seed tree.
seminție *s.f.* tribe, race.
semințiș *s.n. agr.* sapling-covered area.
semiobscur *adj.* dim, gloomy, murky, dusky.
semiobscuritate *s.f.* semiobscurity, dimness, dusk.
semioficial I. *adj.* semi-official. **II.** *adv.* semi-officially.
semiologie *s.f. med.* sem(e)iology.
semiotică *s.f. lingv., filoz., artă* semiotics.
semiparazit *s.m. biol.* **I.** *s.m.* semiparasite. **II.** *adj.* semiparasitor.
semiparazitism *s.n. biol.* hemi-parasitism, semiparasitism.
semipastă *s.f.* half-stuff, first-stuff.
semipermeabil *adj.* semipermeable.
semiplan *s.n. mat.* half-plane, semi-plane.
semiprofil *s.n.* half-section.
semiproletar *adj.* semi-proletarian.
semiremorcă *s.f. auto.* semi-trailer.
semison *adj. lingv.* semisonorous, without syllabic value.
semit *s.m., adj.* Semite.
semitic *adj.* Semitic.
semitolog *s.m.* Semiti(ci)st.
semitologie *s.f.* Semitics, Semitic studies.
semiton *s.n.* semitone.
semitort *s.n. text.* rove.
semitransparent *adj.* semi-transparent, translucent.
semivocală *s.f. lingv.* semivowel.
semizeu *s.m.* demigod.

semn *s.n.* **1.** sign. **2.** *(simbol)* token, symbol. **3.** *(simptom)* symptom. **4.** *(urmă și)* mark, trace. **5.** *(semnal)* signal; ~ *bun* good omen *sau* auspices; ~ *de exclamație* exclamation mark; *~e de punctuație* punctuation marks; ~ *de întrebare* note of interrogation, question mark; *~e particulare* peculiarities; *~ele citării* quotation marks; ~ *rău* bad omen; *în ~ de (protest etc.)* in token of (protest etc.); *pe ~e* probably, in all likelihood.
semna *vt.* to sign; to conclude (a treaty, etc.).
semnal *s.n.* **1.** signal. **2.** *(semn)* sign. **3.** *(gest)* gesture. **4.** *(exemplar)* pre-print; ~ *de alarmă* alarm *sau* emergency signal.
semnala **I.** *vt.* **1.** to point out, to signal. **2.** *(a înregistra)* to note, to record. **II.** *vr.* to be recorded.
semnaliza *vi.* to signal; to gesture.
semnalizare *s.f.* signalization.
semnalizator **I.** *s.m.* **1.** *mil. etc.* signaller, sender of signals; *ferov.* signalman. **2.** *tehn.* signalling device / apparatus. **3.** *lingv.; mat.* mark. **II.** *adj.* signalling.
semnalmente *s.n. pl.* personal description.
semnare *s.f.* signing; conclusion (of a treaty etc.).
semnatar *s.m.* signatory (to a treaty).
semnătură *s.f.* signature.
semnifica *vt.* to signify, to mean.
semnificativ **I.** *adj.* **1.** meaningful, telling. **2.** *(important)* important, considerable. **II.** *adv.* significantly, meaningfully.
semnificație *s.f.* **1.** significance. **2.** *(înțeles și)* signification, meaning. **3.** *(importanță și)* importance. **4.** *(valoare)* value.
semperviréscent *adj. bot.* semperviirent.
sempitern *adj.* eternal, sempiternal, permanent.
sena *s.n. bot.* senna; senna tea.
senar *adj. stil.* senary (verse).
senat *s.n.* senate (house).
senator *s.m.* senator.
senatorial *adj.* senatorial.
senil **I.** *s.m.* dotard. **II.** *adj.* senile, doddering.
senilitate *s.f.* senility, doting old age.
senin **I.** *s.n.* **1.** clear sky; azure, blue. **2.** *fig.* serenity; peace; *din ~* out of the blue; unwarranted. **II.** *adj.* **1.** serene. **2.** *(d. cer și fig.)* clear, cloudless. **3.** *(fig. și)* happy, carefree.
seninătate *s.f.* serenity, candour.
senior **I.** *s.m.* feudal lord. **II.** *adj.* senior.
seniorial *adj. ist.* seigniorial, manorial.
seniorie *s.f.* **1.** seniority. **2.** *ist.* senior's / lordly estate.
senonian *subst., adj. geol.* Senonian.
sens *s.n.* **1.** meaning, sense. **2.** *(înțeles și)* signification. **3.** *(rost și)* value, use. **4.** *(direcție)* direction, way; ~ *giratoriu* rotary, merry-go-round; ~ *interzis* no entry; ~ *propriu* literal sense; ~ *unic* one-way traffic; *fără ~* useless; idiotic.
sensibil **I.** *s.n.* 1. sensitive. **II.** *adj.* *(impresionabil)* impressionable, responsive, *(considerabil)* palpable, considerable. **III.** *adv.* appreciably, considerably.
sensibilitate *s.f.* sensitiveness, sensibility.
sensibiliza **I.** *vt.* **1.** to render / make sensitize. **2.** *foto. etc.* to sensitize. **II.** *vr.* to become sensitive.
sensibilizare *s.f. biol., tehn.* sensitizing.
sensibilizator *s.m. foto.* sensitizer.
sensitometric *adj.* sensitometric.
sensitometrie *s.f. foto.* sensitometry.
sensitometru *s.n. foto.* sensitometer.
sentență *s.f.* sentence; maxim; aphorism.
sentențios **I.** *adj.* sententious. **II.** *adv.* sententiously.
sentiment *s.n.* feeling, sentiment; *fără ~* insensible, unresponsive.
sentimental **I.** *s.m.* **1.** sentimentalist. **2.** *peior.* milksop. **II.** *s.n.* **1.** sentimental, soft *sau* tender hearted. **2.** *(dulceag)* soppy, mellow. **III.** *adv.* sentimentally, tenderly.
sentimentalism *s.n.* **1.** sentimentalism. **2.** *peior.* mawkishness, soppiness.
sentimentalitate *s.f.* sentimentality.
sentimentaliza *vi.* to sentimentalize.
sentinelă *s.f.* v. s a n t i n e l ă.
sentință *s.f.* sentence, verdict; ~ *capitală* death *sau* capital sentence.
senzație *s.f.* sensation, feeling; *de ~* sensational, amazing.
senzațional *adj.* sensational, amazing, lurid.
senzitiv *adj.* **1.** sensitive. **2.** *(senzorial)* sensory, sensorial.
senzitivă *s.f. bot.* sensitive plant *(Mimosa pudica).*
senzorial *adj.* sensory, sensorial, sense..; *percepție ~ă psih.* sense perception.
senzual **I.** *s.m.* sensualist, man of pleasures. **II.** *adj.* **1.** sensual. **2.** *(senzorial și)* sensuous. **3.** carnal, voluptuous.
senzualism *s.n. și filoz.* sensualism, sensationalism.
senzualist **I.** *adj. filoz.* sensual. **II.** *s.m.* sensualist.
senzualitate *s.f.* sensuousness, carnality.
sepală *s.f. bot.* sepal.
separa **I.** *vt.* **1.** to separate. **2.** to divide, to divorce. **II.** *vr.* **1.** to separate (from), to part (with). **2.** to divorce.
separabil *adj.* separable.
separare *s.f.* separation, severance, parting.
separat **I.** *adj.* **1.** separate(d). **2.** divided, distinct. **II.** *adv.* separately, apart.
separatism *s.n.* separatism.
separatist *s.m.* separatist; secessionist.
separator *s.n.* **1.** *el.* separating / isolation switch. **2.** *tehn.* separator.
separație *s.f.* separation; divorce.
separeu *s.n.* snug, cabinet particulier.
sepia *s.f.* sepia (drawing).
sepie *s.f. zool.* cuttle fish *(Sepia).*
sepion *s.m. zool.* cuttlebone.
sepsie *s.f. med.* sepsis.
sept *s.n. anat., bot.* septum, *pl.* septa.
septembrie *s.m.* September.
septemvir *s.m. ist. Romei* septemvir.
septemvirat *s.n. ist.* septemvirate.
septentrional *adj.* septentrional, northern.
septet *s.n. muz.* septet(te).
septic *adj. med.* septic.
septimă *s.f.* **1.** *muz.* seventh. **2.** *(scrimă)* septime.
septimicie *s.f. med.* septicaemia.
septuagenar *adj., s.m.* septuagenarian.
sepulcral *adj.* sepulchral.
sequedilla *s.f.* v. s e g u i d i l l a.
sequoia *subst. bot.* sequoia *(Sequoia gigantea).*
ser *s.n.* serum.
seradela *s.f. bot.* serradilla, serradella *(Orinthopus sativa).*
serafic *adj.* seraphic, angelic.
serafim *s.m.* seraph.
serai *s.n.* seraglio.
seral *adj.* evening.
serasch(i)er *s.m. ist.* army commander and defence minister (in the Ottoman Empire).

serat *adj. bot.* serrate.
serată *s.f.* evening party, soirée.
seră *s.f.* hot house, greenhouse.
serba I. *vt.* to celebrate, to fête. **II.** *vr.* to be celebrated *sau* held.
serbare *s.f.* **1.** celebration. **2.** festival, feast; fête; festivity, gaiety, merry-making.
sercicultură *s.f.* seri(ci)culture.
serdar *s.m. odin.* cavalry commander.
serenadă *s.f.* serenade.
serenisim *adj.* (his / her) Serenissimo, Supreme / Serene Highness.
sergent *s.m.* **1.** *mil.* non-com. **2.** *înv.* policeman; ~ *major* senior sergeant.
serhat *s.n. înv. ist.* Turkish fortress on the border of Moldavia and Wallachia.
seria *vt.* to seriate, to arrange in series.
serial I. *adj.* serial. **II.** *s.n. cin., lit.* series; serial novel / story.
serialism *s.n.* serialism.
seric *adj. fiziol.* serumal.
sericicol *adj.* seri(ci)cultural.
sericicultor *s.m.* seri(ci)culturist.
sericină *s.f. chim.* sericin.
sericit *s.n. mineral.* sericite.
serie *s.f.* **1.** series; succession. **2.** *cin.* part; *în* ~ serial, serially.
serină *s.f. biochim.* serine.
seringă *s.f.* syringe.
serios I. *s.n.* seriousness; *în* ~ seriously. **II.** *adj.* **1.** earnest, serious, minded. **2.** (grav) serious, grave. **III.** *adv.* **1.** earnestly. **2.** *(grav)* gravely, seriously.
seriozitate *s.f.* **1.** earnestness, responsibleness. **2.** *(gravitate)* seriousness.
serj *s.n. text.* cotton serge.
seroasă *s.f. anat.* serous (membrane etc.).
serodiagnostic *s.n. med.* serodiagnosis.
serologic *adj.* serologic(al).
serologie *s.f.* serology.
seroprofilaxie *s.f. med.* serum prophylaxis.
seros *adj.* serous, whey-like.
seroterapie *s.f. med.* serotherapy.
serotonină *s.f. biochim.* serotonin.
serozitate *s.f.* serosity.
serpasil *s.n. farm.* reserpine.
serpentin *s.n. mineral* serpentine.
serpentină *s.f.* **1.** winding (road). **2.** *tehn.* coil; ~ *de răcire* cooling coil; *în* ~ winding, meandering.
sertar *s.n.* drawer.
sertâo *subst. geogr.* draughty region with scarce vegetation (in the North-East of Brazil).
sertiza *vt. tehn.* **1.** to set (precious stone) in a bezel. **2.** *ind.* to set panes (in lead). **3.** *met.* to crimp.
sertizare *s.f. tehn.* **1.** setting (in a bezel, in lead). **2.** *met.* crimping.
serumalbumină *s.f. fiziol.* serum albumin.
serumglobulină *s.f. fiziol.* serum globulin.
serv *s.m.* **1.** *ist. (şerb)* serf. **2.** *înv. (rob)* slave.
servaj *s.n. ist.* serfdom.
servant *s.m.* **1.** servant. **2.** *mil.* gunner.
servantă *s.f.* **1.** sideboard. **2.** *(pe roate)* dumb waiter; tea trolley. **3.** *(servitoare)* maid (servant).
servi I. *vt.* **1.** to serve (for). **2.** *(la masă)* to wait on; *(dintr-o mâncare)* to help (to a dish). **3.** *(un câine şi)* to attend to. **II.** *vi.* **1.** to serve. **2.** to be useful *sau* helpful. **III.** *vr.* to help oneself; *a se ~ de* to use, to resort to.
serviabil *adj.* obliging.
serviabilitate *s.f.* obligingness.
serviciu I. *s.n.* **1.** service. **2.** *(slujbă şi)* job, position. **3.** *(chelner etc.)* attendance. **4.** *(adus cuiva şi)* (good) turn. **5.** *(birou)* department, office. **6.** *(d. obiecte şi)* set. ~ *combatant mil.* combat service; ~ *contra* ~ claw me and I will claw thee; ~ *de salată* cruet stand; ~ *interurban* long distance; *de* ~ on duty; professional; *fig.* routine, perfunctory; *(d. scară etc.)* back; *în ~l cuiva* at smb.'s service.
servietă *s.f.* briefcase, bag.
servil I. *adj.* servile, cringing. **II.** *adv.* servilely, obsequiously.
servilism *s.n.* obsequiousness, timeserving.
servire *s.f.* servicing.
servitoare *s.f.* maid (servant); *(cu ziua)* daily; *(la toate)* char.
servitor *s.m.* man-servant; footman.
servitute *s.f.* **1.** servitude. **2.** *ist.* colonate.
servo- *prefix* servo-.
servocomandă *s.f. av.* servocontrol, servotab.
servomecanism *s.n. tehn.* servomechanism.
servomotor *s.n. tehn.* servomotor.
servoreglare *s.f. tehn.* servocontrol.
servus *interj.* hello! **2.** good bye!
sesamoid *adj.* sesamoid.
sescviplan *s.n. av.* sesquiplane.
sescviterpene *s.f. chim.* sesquiterpens.
sesie *s.f. ist. României* plot of land rented from the feudal lord, sometimes hereditary (in medieval Transylvania).
sesil *s.f. bot.* sessile.
sesiune *s.f.* session.
sesiza I. *vt.* **1.** to grasp, to realize. **2.** *(a remarca)* to note, to perceive. **3.** *(pe cineva)* to inform, to intimate to. **II.** *vr.* **1.** to take notice. **2.** *(de ceva)* to realize, to notice.
sesizabil *adj.* perceptible.
sesizare *s.f.* **1.** realization, understanding. **2.** *(informare)* intimation, notification.
sesizor *s.n. tehn.* sensor.
sesteră *s.m. ist. Romei* sestertius.
seston *s.n. biol.* seston.
set *s.n.* **1.** set. **2.** *(de pulovere)* twin set.
setaveraj *s.n. sport* set score / average.
sete *s.f.* **1.** thirst. **2.** *fig. şi* craving (for); *cu* ~ thirstily; *fig.* eagerly; *(cu ciudă)* spitefully.
setos *adj.* **1.** thirsty. **2.** *fig. şi eager;* ~ *de sânge* bloodthirsty.
seu *s.n.* suet, tallow.
sevă *s.f.* **1.** sap. **2.** *fig. şi* vigour, go.
sever I. *adj.* **1.** hard. **2.** *(aspru şi)* severe, harsh. **3.** *(rigid şi)* strict, rigid. **4.** *(neînduplecat)* unrelenting. **II.** *adv.* **1.** hard. **2.** *(aspru)* severely, sternly.
severitate *s.f.* **1.** severity. **2.** *(stricteţe)* strictness. **3.** *(asprime)* sternness, harshness.
sex *s.n.* sex; *~ul frumos / slab* the fair / gentle sex.
sexagenar *adj., s.m.* sexagenarian.
sexagesimal *adj.* sexagesimal.
sextant *s.n.* sextant.
sextă *s.f. muz.* sixth.
sextet *s.n.* sextet.
sextilion *s.n. mat.* sextillion, decillion (AE).
sextolet *s.m. muz.* sextuplet.
sexual *adj.* sexual, sex...
sexualitate *s.f.* sex.
sexuat *adj.* sexed.
seymouria *subst. paleont.* Seymouriamorpha.
sezisa *vt., vr.* v. s e s i z a.
sezon *s.n.* season; ~ *mort* slack time; *de* ~ in season.
sezonier *adj.* seasonal; temporary.
sezonist *s.m.* visitor (at a resort).
sfacel *s.n. biol.* sphacelus.
sfadă *s.f.* quarrel, tiff, row.
sfalerit *s.n. mineral.* sphalerite.

sfană *s.m.* penny, farthing, groat.
sfară *s.f.* smoke; *a da ~ în țară* to set a roumour afloat, to raise a hue and cry.
sfarog *s.n.* dried / burnt-up food.
sfarogi *vr.* to be burnt / dried up.
sfarogit *adj.* dried-up.
sfat *s.n.* **1.** counsel, piece of advice. **2.** *(consfătuire)* conference, consultation. **3.** *(consiliu)* council; *~ popular ist.* people's council.
sfădi *vt.* to quarrel.
sfănțui *vt.* **1.** *(a mitui) fam.* to grease the palm of, to bribe. **2.** *(a înșela) fam.* to take in, to swindle.
sfănțuială *s.f. fam.* bribing etc. v. s f ă n ț u i.
sfărâma I. *vt.* **1.** to crush, to smash. **2.** *fig.* to destroy. **II.** *vr.* to break (into pieces), to be smashed.
sfărâmător *s.n. tehn.* pile driver, headwork.
sfărâmătură *s.f.* **1.** fragment. **2.** *pl.* débris.
sfărâmicios *adj.* brittle, friable.
sfătos *adj.* **1.** loquacious, talkative. **2.** glib(-tongued), *fam.* tonguey. **3.** clever with one's tongue; wise.
sfătoșenie *s.f.* **1.** talkativeness, chattiness, volubility, glibness; loquaciousness. **2.** sagacity, wisdom.
sfătui I. *vt.* to advise, to counsel. **II.** *vr.* to put heads together, to confer; *a se ~ cu* to consult, to take counsel with.
sfătuitor *s.m.* adviser, counsellor.
sfânt I. *s.m.* **1.** saint. **2.** *fig. și holy man.* **II.** *adj.* holy.
sfântă *s.f.* **1.** saint. **2.** *fig.* virtuous woman; *Sfânta Sfintelor* the Holy of Holies.
sfâr *interj.* whir!
sfârâi *vi.* to sizzle.
sfârâit *s.n.* sizzling.
sfârc *s.n.* **1.** nipple, teat. **2.** *(al urechii)* lobe. **3.** *(al biciului)* lash.
sfârlă *s.f.* fillip.
sfârlează *s.f.* **1.** whirligig, spinning top. **2.** *fig.* eel.
sfârlogi *vr.* to dry up; to be stunted.
sfârșeală *s.f.* exhaustion.
sfârși I. *vt.* **1.** to (bring to an) end, to finish. **2.** to conclude, to complete. **3.** *(a înceta)* to stop, to cease. **II.** *vi.* to (come to an) end; *a ~ cu ceva* to put an end to smth.; *a ~ cu cineva* to break off with smb. **III.** *vr.* to cease.
sfârșit I. *s.n.* **1.** end, close. **2.** *(moarte)* death, decease; *~ de prioritate auto.* end of main road; *fără ~* endless(ly), continuous; *în ~* at last, finally; *la ~* in the end; *la ~ul...* at the end *sau* close of...; *pe ~e* nearly over; *a fi pe ~e* to peter (out). **II.** *adj.* tired out, exhausted.
sfârteca *vt.* to mangle, to slash.
sfârtecat *adj.* mangled, slashed.
sfâșia *vt.* **1.** to tear, to rend. **2.** *(a bârfi)* to backbite, to slash; *a ~ inima cuiva* to break smb.'s heart.
sfâșiat *adj.* torn, rent, ripped.
sfâșietor *adj.* (heart-)rending; heart-breaking.
sfâșietură *s.f.* tear (in clothes, fabric etc.), tearing.
sfeclă *s.f. bot.* beet *(Beta vulgaris)*; *~ de zahăr* sugar beet.
sfecli *vt. a o ~* to be done for, to be in a blue funk.
sfen *s.n. mineral.* sphene.
sfenoid *adj., s.n. anat.* sphenoid.
sfenoidal *adj. anat.* sphenoid(al).
sferă *s.f.* sphere.
sferic *adj.* spherical.
sfericitate *s.f.* sphericity.
sferoid *s.n.* spheroid.
sferoidal *adj.* spheroid(al).
sferoidizare *s.f. met.* spheroidization.
sferometru *s.n.* spherometer.
sfert *s.n.* quarter.
sfeșnic *s.n.* candlestick.
sfeștanie *s.f. bis.* consecration, inauguration (ceremony).
sfeștoc *s.n.* aspergillum, aspergillus, sprinkler.
sfeterisi *vt. fam.* to prig.
sfetnic *s.m.* counsellor, adviser.
sfială *s.f.* shyness, bashfulness.
sfida I. *vt.* to defy, to challenge. **II.** *vi.* to be defiant.
sfidare *s.f.* defiance, provocation.
sfidător *adj.* defiant, challenging.
sfielnic *adj.* v. s f i o s.
sfigmograf *s.n. tehn., med.* sphygmograph.
sfii *vr.* to be timid *sau* shy; *a se ~ să* not to find it in oneself to (do smth.).
sfiicios *adj.* v. s f i o s.
sfiiciune *s.f.* v. s f i a l ă.
sfincter *s.n. anat.* sphincter.
sfineac *subst. bot.* Carpinus *(Carpinus Orientalis)*.
sfingomielină *s.f. pl. fiziol.* sphingomyelin.
sfințenie *s.f.* holiness, sanctity; *cu ~* piously; *(exact)* scrupulously.
sfinți *vt.* **1.** to hallow, to sanctify. **2.** *(a binecuvânta)* to bless.
sfinție *s.f.* holiness, reverence; *Sfinția Sa* His Holiness *sau* Reverence.
sfințișor *s.m.* eight-shaped honeycake *sau* bretzel (baked on Martyrs' Day).
sfințit *adj.* hallowed; holy.
sfinx *s.m. mitol., fig.* sphinx.
sfios *adj.* coy, modest.
sfită *s.f. rel.* cope.
sfoară *s.f.* string; cord; *~ de moșie* plot of land.
sfoiag *s.m.* **1.** *entom.* larva of darkling beetle / mealworm *(Tenebrius molitor)*. **2.** *reg.* mould.
sfor I. *interj.* snore. **II. 1.** *s.n.* main stream of a running water. **2.** muddy spring.
sforar *s.m.* **1.** twine manufacturer. **2.** *fig.* plotter, intriguer.
sforăi *vi.* **1.** *(în somn)* to snore, *fam.* to drive one's pigs to market. **2.** *(d. cai)* to snort.
sforăială *s.f.*, **sforăit** *s.n.* **1.** snoring, snore. **2.** *(al calului)* snort(ing).
sforăitor *adj.* **1.** snor(t)ing. **2.** *fig.* blatant, emphatic.
sforărie *s.f.* plotting, intrigue.
sforța *vr.* to make an effort, to strain (oneself).
sforțare *s.f.* effort, exertion, strain.
sfragistică *s.f.* sphragistics.
sfrancioc *s.m. ornit.* shrike, butcher bird *(Lanius)*.
sfrâncioc *s.m. omit.* v. s f r a n c i o c.
sfredel *s.n.* gimlet, drill.
sfredeli *vt.* **1.** to drill, to bore. **2.** *fig.* to pierce.
sfredelitor *adj.* piercing; penetrating, searching.
sfredeluș *s.m. ornit.* wren *(Troglodytes parvulus)*.
sfrenț(i)e *s.f. med. pop.* syphilis, lues; *pop.* pox.
sfriji *vr.* to shrivel up, to become wizened.
sfrijit *adj.* scraggy, scrawny.
sfrunta *vt. rar* v. î n f r u n t a.
sfruntare *s.f.* defiance, brazenness.
sfruntat *adj.* shameless, brazen.
sfumato *s.n. artă* sfumato.
sgraffito *s.n. artă* (s)graffito.
shakespearian *adj.* Shakespearian.
shelterdeck *s.n. nav.* shelter deck.
shetland *s.n. text.* shetland wool.
shilling *s.m. fin.* shilling, old English coin and monetary unit.
shoddy *s.n. text.* shoddy.
shogun *s.m. ist. Japoniei* shogun.
shoran *s.n. nav.* shoran, short range navigation.
shortening *subst.* shortening.
shorthorn *subst. zool.* Shorthorn, Durham (breed of cows).
show *s.n. teatru* (variety) show.

si *s.m., muz.* B, si; ~ *bemol major* B flat major.
siaj *s.n. nav.* shipwake.
sial *subst. geol.* sial.
sialoree *s.f. med.* sialorrh(o)ea, salivation.
siamez *s.m., adj.* Siamese.
sibarit *s.m.* Sybarite, sensualist, voluptuary.
siberian *s.m., adj.* Siberian.
sibilant *adj.* sibilant.
sibilantă *s.f.* sibilant.
sibilă *s.f.* sibyl.
sibilic *adj.* sibylline.
sibilin(ic) *adj. elev.* sibillyne, sybilline.
sibir *s.n.* fustian.
sicativ *adj., s.n.* siccative.
sică *s.f. bot.* marsh beet *(Statice Gmelini).*
sichi *s.m.* v. s i k h i.
sicilian *adj., s.m.* Sicilian.
siciliana *s.f. artă* Siciliano, Siciliana, Sicilienne.
sicofant *s.m.* sycophant, *fam.* lickspittle.
sicomor *s.m. bot.* sycamore *(Ficus sycomorus).*
sicriu *s.n.* coffin; AE casket.
sictir *argou* **I.** *interog.* scram / fuck off! **II.** *s.n.* spleen, boredom, idleness.
sictiri *argou vt.* **1.** to send off (packing). **2.** to swear at, to curse.
siculi *s.m. pl. ist.* Siculi.
sidef *s.n.* mother-of-pearl.
sidefat *adj.* **1.** nacreous, nacré. **2.** the colour of nacré. **3.** initially nacré / mother-of-pearl.
sidefiu *adj.* nacreous.
sideral *adj.* sidereal.
siderat *adj. elev.* flabbergasted, astounded, stunned.
siderit *s.n. mineral.* siderite.
siderofil *adj. chim.* siderophile.
siderolit *s.m. mineral.* siderolite, sideraerolite.
siderostat *s.n. astr.* siderostat.
sideroză *s.f.* **1.** *mineral.* siderite. **2.** *med.* siderosis.
siderurgic *adj.* iron and steel...
siderurgie *s.f.* metallurgy.
sic *adv.* sic.
siemens *s.n. fiz.* mho, reciprocal ohm.
sienit *s.n. mineral.* syenite.
siestă *s.f.* siesta, mid-day rest.
sieși *pron.* to oneself.
sifilidă *s.f. med.* syphilide.
sifilis *s.n. med.* syphilis.
sifilitic *adj.* **1.** syphilitic, *fam.* pox-ridden. **2.** *(nebun)* daft, potty.
sifilom *s.n. med.* syphiloma.
siflant *adj.* hissing, sibilant.
siflantă *s.f.* sibilant; hiss.
sifon *s.n.* **1.** siphon-(bottle). **2.** *(apă gazoasă)* soda (water). **3.** *(la canalizare)* trap.
sifona *vt.* to siphon.
sifonare *s.f.* siphoning.
sifonofor *s.n. zool.* siphonophore, *pl.* siphonophora.
sigă *s.f. mineral.* sandstone, freestone.
sigila *vt.* to seal (up).
sigiliu *s.n.* **1.** seal. **2.** *(la inel)* signet. **3.** *fig.* stamp, mark.
sigillaria *subst. paleont.* Sigillaria.
sigilografie *s.f.* sigillography.
siglă *s.f.* sigle.
sigmatic *adj.* sigmatic.
sigmoid *adj. anat.* sigmoid.
signal *s.n.* sign(al); whistle.
signatură *s.f. poligr.* signature (mark).
signătoare *s.f. poligr.* gripper.
signorie *s.f. ist.* signory, signoria.
sigur **I.** *s.n.* *la ~ fam.* to be sure. **II.** *adj.* **1.** sure **2.** positive, definite. **3.** *(convins)* assured, confident. **4.** *(de încredere)* reliable, trustworthy. **5.** *(în afară de pericol)* safe; secure; ~ *de sine* self-assured, sure-footed. **III.** *adv.* for sure, for certain.
siguranță *s.f.* **1.** safety, security. **2.** *(convingere)* conviction, assurance. **3.** *(poliție)* security police. **4.** *el.* fuse; *cu ~* doubtlessly, positively; *(cu hotărâre)* resolutely, firmly; *de ~* safety; *în ~* safe(ly).
sihastru **I.** *s.m.* recluse. **II.** *adj.* recondite, lonely.
sihăstri **I.** *vi.* to lead the life of an anchorite / a recluse. **II.** *vr.* to become an anchorite / a recluse.
sihăstrie *s.f.* hermitage.
sihlă *s.f.* thick young wood.
sikhi *s.m. pl. rel.* Sikh.
silabă *s.f.* syllable.
silabic *adj.* syllabic.
silabisi *vt.* to syllabify.
silabisire *s.f.* syllabification.
silabo-tonică *adj. lingv.* syllabotonic.
silan *s.m. chim.* silane.
silă *s.f.* **1.** aversion, loathing. **2.** *(rea-voință)* reluctance, unwillingness. **3.** *(constrângere)* constraint, coercion; *cu de-a sila* by force, forcibly; *în ~* reluctantly.
silen *s.m. mitol.* Silenus.
silepsă *s.f. lingv.* syllepsis.
silex *s.n. mineral.* silex, flint.
silezian *adj., s.m.* Silesian.
silf *s.m.* sylph.
silfă, silfidă *s.f.* sylphid.
silhui *adj.* *(sălbatic)* wild; *(pustiu)* desert; *(de nepătruns)* thick, dense.
sili **I.** *vt.* **1.** to force, to compel. **2.** to determine. **II.** *vr.* to take pains, to force oneself; to do one's best *sau* utmost.
silicagel *s.n. chim.* silica gel.
silicatare *s.f. constr.* sili(fi)cation, silicating.
silică *s.f. constr.* silica.
silice *s.f. chim.* silica.
silicic *adj. chim.* silicic (acid).
silicicolă *adj. bot.* silicolous.
siliciere *s.f. met.* silicating, silicidization.
silicifiere *s.f. constr.* silicification.
silicios *adj. chim.* siliceous, silicious.
siliciu *s.n. chim.* silicon, silicium.
silicon *s.m. chim.* silicon.
silicotermie *s.f. met.* silicothermy.
silicoză *s.f. med.* silicosis.
siliculă *s.f. bot.* silicle, silicula.
silicvă *s.f. bot.* siliqua, pod.
silimanit *s.n. mineral.* sillimanite.
silință *s.f.* **1.** effort. **2.** *(hărnicie)* diligence, assiduity; *a-și da toată silința* to try hard.
silire *s.f.* obliging etc. v. s i l i.
siliște *s.f. înv. ist.* **1.** village area (in medieval Moldavia and Wallachia). **2.** village common (pasture).
silit *adj.* **1.** forcible, constrained. **2.** *(fals)* insincere, forced.
silitor *adj.* diligent.
silitră *s.f. pop.* **1.** *mineral.* salpetre. **2.** *înv.* gunpowder.
silnic *adj.* **1.** forcible, forced. **2.** *(d. muncă)* hard.
silnic **I.** *adj.* compulsory, forcibly. **II.** *s.m. bot.* Glec(h)oma *(Glechoma hederaceum / hirsutum).*
silnici *vt. rar* to force, to compel.
silnicie *s.f.* violence, compulsion; oppression.
silogism *s.n.* syllogism.
silogistic *adj.* syllogistic.
siloz *s.n.* silo; ~ *de ciment* cement bin.
siluetă *s.f.* **1.** silhouette, outline. **2.** *(corp)* figure.
silui *vt.* to rape, to violate.
siluire *s.f.* rape, violation.
silumin *s.n. met.* silumin.
silur *s.m. bot.* eyebright *(Euphrasia stricta).*
silurian *s.n., adj. geol.* Silurian.
siluric *adj. geol.* silurian.
silvaner *s.m. bot.* German variety of vine.

silvanit *s.n. mineral.* sylvanite, silvanite.
silvic *adj.* forest.
silvicol *adj. bot.* silvicolous.
silvicultor *s.m.* sylviculturist.
silvicultură *s.f.* forestry.
silvină *s.f. chim.* sylvite.
silvoameliorație *s.f.* forest management and improvement programme.
silvostepă *s.f.* forest steppe.
sima *subst. geol.* sima.
simandicos *adj. peior.* fine; genteel; *persoane simandicoase fam.* big-wigs, nobs, toffs.
simbiont *s.m. biol.* symbiont, symbiote.
simbiotic *adj.* symbiotic.
simbioză *s.f., biol.* colony.
simbol *s.n.* symbol, token.
simbolic I. *adj.* symbolic(al). **II.** *adv.* symbolically.
simbolism *s.n.* symbolism.
simbolist I. *adj.* symbolistic(al). **II.** *s.m.* symbolist.
simbolistic *adj.* symbolistic.
simbolistică *s.f. lit., artă* symbology.
simboliza *vt.* to epitomize; to stand for, to spell.
simbriaș *s.m.* hireling.
simbrie *s.f.* pay.
simediană *s.f. mat.* symediane.
simering *s.n. tehn.* oil-retainer / oil-seal(ing) ring.
simetric I. *adj.* symmetrical. **II.** *adv.* simmetrically.
simetrie *s.f.* symmetry; harmony.
simeză *s.f.* cyma; line.
simfonic *adj.* symphonic, symphony.
simfonie *s.f.* symphony.
simfonietă *s.f. muz.* symphonette.
simfonism *s.n.* symphonism.
simfonist *s.m. muz.* symphonist.
simian *s.n.* simian.
simigerie *s.f.* shop where cracknels are sold, *v. și* plăcintărie.
simigiu *s.m.* baker of cracknels.
similar *adj.* alike; *(cu)* similar (to), allied / analogous (to / with).
simili- *prefix* imitation, artificial.
similigravură *s.f.* process engraving; half tone.
similipiatră *s.f. constr.* imitation stone.
similitudine *s.f.* similitude.
siminichie *s.f. farm., bot.* senna *(Cassia acutifolia / angustifolia).*
siminoc *s.m. bot.* xeranthemum, everlasting flower *(Gnaphalium / Halichrysum arenarium).*
simmenthal *s.n. zool.* Simment(h)al (Swiss breed of cattle).
simonie *s.f. rel.* simony, preferement by corruption.
simpatetic *adj.* sympathetic, akin; suggestive.
simpatic *adj.* **1.** nice, likable. **2.** *(atrăgător)* lovable, attractive. **3.** *anat., chim.* sympathetic; *cerneală ~ă* invisible ink.
simpaticolitic *adj.* sympatheticolytic.
simpaticomimetic *adj., s.n. med.* sympatheticomimetic.
simpaticotomie *s.f. med.* sympathectomy.
simpaticotonie *s.f. med.* sympath(et)icotonia.
simpatie *s.f.* **1.** liking; attraction. **2.** *(înțelegere)* understanding; sympathy. **3.** *(persoană)* (one's) sweetheart.
simpatină *s.f. fiziol.* sympathin.
simpatiza *vt.* to like, to take a fancy to.
simpatizant *s.m.* follower.
simplectic *adj. mat.* symplectic.
simplex *s.n. telec.* simplex.
simplicitate *s.f.* simplicity; plainness.
simplifica I. *vt.* to simplify. **II.** *vr.* to become simple.
simplificare *s.f.* simplification.
simplificator *adj.* simplifying.
simplism *s.n.* narrow-mindedness.
simplist *adj.* simplistic, oversimplified.
simplitate *s.f.* **1.** simplicity. **2.** *(naivitate)* simple-mindedness.
simplu I. *adj.* **1.** simple; *(fără altceva)* mere, bare. **2.** elementary. **3.** *(obișnuit)* ordinary, common. **4.** *(modest)* unobtrusive, unostentatious. **5.** *(ușor)* easy. **6.** *(candid)* artless. **7.** *(fără pretenții)* unaffected, unsophisticated. **II.** *adv.* **1.** simply, merely. **2.** *(fără afectare)* naturally.
simpodiu *s.n. bot.* sympodium.
simpozion *s.n.* symposium.
simptom *s.n.* **1.** symptom. **2.** *fig.* sign, indication.
simptomatic *adj.* symptomatic.
simptomatologic *adj.* symptomatologic(al), semiologic(al).
simptomatologie *s.f. med.* symptomatology.
simț *s.n.* sense; *~ dramatic* stage craft; *~ul ridicolului* sense of humour *sau* of the ridicule; *bun ~* decency; decorum; *(înțelepciune)* common sense, mother wit.
simțământ *s.n.* **1.** feeling. **2.** sensation.
simți I. *vt.* **1.** to feel. **2.** *(a adulmeca)* to sense; to scent. **II.** *vr.* to feel; to be (felt); *a se ~ bine* to feel all right; *cum te mai simți?* how are you?
simțire *s.f.* **1.** feeling, sentiment. **2.** *(conștiință)* conciousness. **3.** *(bun simț)* good breeding; common sense; *fără ~* unconscious; unmannerly.
simțit *adj.* **1.** felt, sensed. **2.** *(manierat)* well-bred, mannerly. **3.** *(cu bun simț)* common sensical.
simțitor *adj.* sensitive, delicate.
simula *vt., vi.* to feign, to sham, to simulate.
simulacru *s.n.* semblance, mockery.
simulant *s.m.* malingerer.
simulator *s.n. tehn.* simulator.
simulație *s.f. jur.* simulation, pretense, malingering.
simultan I. *s.n.* simultaneous match. **II.** *adj.* simultaneous, concomitant. **III.** *adv.* simultaneously, concomitantly.
simultaneitate *s.f.* concomitance, simultaneousness.
simun *s.n. meteo.* simoom.
sinagogă *s.f.* synagogue.
sinalagmatic *adj. jur. (d. contract)* synalagmatic, sinalagmatic, bilateral.
sinalefă *s.f. lingv.* synal(o)epha.
sinantrop *s.m. paleont.* Sinanthropus, Peking man.
sinapism *s.n. med.* mustard plaster; sinapism.
sinapsă *s.f. anat., fiziol.* synapse.
sinartroză *s.f. anat.* synarthrosis.
sinaxar *s.n. bis.* synaxarion, synaxary, synaxarium.
sincer I. *adj.* **1.** sincere, frank, open-hearted. **2.** *(adevărat și)* heart-felt; undisguised, unaffected. **II.** *adv.* sincerely, frankly.
sincerică *s.f. bot.* perennial knawel *(Scleranthus perennis).*
sinceritate *s.f.* sincerity, frankness.
sinchiseală *s.f.* care, trouble.
sinchisi *vr.* to care; *a se ~ de* to mind, to heed.
sincipital *adj. anat.* sincipital.
sinciput *s.n. anat.* sinciput.
sincițiu *s.n. fiziol.* syncytium.
sinclinal *s.n. geol.* synclinal, syncline.
sinclinoriu *s.n. geol.* synclinorium.
sincopat *adj.* syncopated.
sincopă *s.f.* syncope. **2.** *muz.* syncopation.
sincretic *adj.* syncretic.
sincretism *s.n.* syncretism.
sincro- *prefix* synchro-.
sincrociclotron *s.n. fiz.* synchrocyclotron.

sincrofazotron *s.n. fiz.* synchrophasotron.
sincron *adj.* synchronous.
sincronic *adj.* synchronic.
sincronie *s.f. lingv., lit.* synchrony, synchronism.
sincronism *s.n.* synchronism.
sincronistic *adj.* synchronistic(al), synchronous.
sincroniza *vt.* to synchronize.
sincronizator *s.n. cin.* synchronizer.
sincronoscop *s.n.* synchro(no)scope.
sincrotron *s.n.* synchrotron.
sindactilie *s.f. med.* syndactylia, syndactylism.
sindic *s.m. înv.* syndic.
sindical *adj.* trade union...
sindicalism *s.n.* **1.** trade-unionism. **2.** *(patronal)* syndicalism.
sindicalist *s.m.* trade unionist.
sindicaliza *vr.* to form *sau* join a trade union.
sindicat *s.n.* (trade) union; ~ *patronal* syndicate, combine.
sindrofie *s.f. fam.* spree, frolic.
sindrom *s.n. med.* syndrome.
sine I. *s.f.* ego, self; *în ~a mea* inwardly. **II.** *pron.* oneself; *de la ~* naturally.
sinea *s.f.* the self; *în ~ mea* in my one self; to myself; *(lăuntric)* inwardly; *râdea în ~ lui* he laughed in his sleeve / beard.
sineală *s.f.* blue, AE blueing.
sinecdocă *s.f. stil.* synecdoche.
sinechie *s.f. med.* synechia.
sinecură *s.f.* cushy job, safe berth.
sinecurist *s.m.* sinecurist.
sinedriu *s.n.* Sanhedrim, Synedrion.
sinereză *s.f. lingv.* syn(a)eresis.
sinergidă *s.f. bot.* Synergidae.
sinergie *s.f. fiziol.* synergy.
sinestezie *s.f.* synaesthaesis.
sinfazic *adj. el.* cophasal (state), equal-phase; inphase.
singalez *s.m., s.f. geogr.* Singhalese.
singamie *s.f. biol.* syngamy.
singenetic *adj. geol.* syngen(et)ic.
singeneză *s.f. geol.* syngenesis.
singhel *s.m. bis.* priestly rank (below the "protosinghel").
singlet *s.m. fiz.* singlet.
singspiel *s.n. artă* Sing spiel.
singular I. *s.n.* singular. **II.** *adj.* singular. **2.** *(ciudat și)* odd, queer; *la ~* in the singular.
singularitate *s.f. rar* singularity, peculiarity, special feature.
singulariza *vt.* to make conspicuous; *(a distinge)* to distinguish, to single out.
singur *adj.* **1.** only. **2.** *(izolat)* lonely, isolated, solitary. **3.** *(folosit numai predicativ)* alone. **4.** *(unic)* single, sole. **5.** *(însuși etc.)* (by) oneself.
singuratic *adj.* lonely, solitary.
singurătate *s.f.* loneliness, solitude.
sinie *s.f.* tray.
siniliu *adj.* bluish; *(albastru închis)* dark / deep blue.
sinistrat I. *s.m.* victim (of calamity). **II.** *adj.* suffering from calamity.
sinistru I. *s.n.* calamity, catastrophe. **II.** *adj.* **1.** sinister, lugubrious. **2.** *(înfiorător)* gruesome, dreary. **III.** *adv.* lugubriously, dismally.
sinod *s.n. bis.* synod.
sinodal, sinodic *adj. rel.* synodic(al).
sinolog *s.m.* sinologue, sinologist.
sinologic *adj.* sinological.
sinologie *s.f.* synology.
sinonim I. *s.n.* synonym. **II.** *adj.* synonymous.
sinonimic I. *adj.* synonymic. **II.** *s.f.* synonymics, synonymy.
sinonimie *s.f.* synonymy.
sinoptic *adj.* synoptic.
sinostoză *s.f. anat.* synostosis, ankylosis.
sinovial *adj. anat.* synovial (gland etc.).
sinovie *s.f. anat.* synovia.
sinovită *s.f. med.* synovitis.
sintactic I. *adj.* syntactical. **II.** *adv.* syntactically.
sintagmatic syntagmatic.
sintagmă *s.f.* syntagm.
sintaxă *s.f.* syntax.
sinteaze *s.f. pl. biochim.* synthetase.
sinteriza *vt. tehn.* to sinter.
sinterizare *s.f. tehn.* sintering.
sintetic I. *adj.* synthetic. **II.** *adv.* synthetically.
sintetiza *vt.* to synthesize.
sintetizare *s.f.* synthesizing, synthetizing.
sinteză *s.f.* synthesis.
sintoism *s.n. rel.* shintoism.
sintonie *s.f. fiz.* syntony.
sintoniza *vt. fiz.* to syntonize; to tune in (set).
sinucide *vr.* to commit suicide.
sinucidere *s.f.* suicide, self-slaughter.
sinucigaș *s.m.* suicide.
sinuos *adj.* devious, sinuous.
sinuozitate *s.f.* sinousity, winding.
sinus *s.n.* **1.** sinus. **2.** *mat.* sine.
sinusoidal *adj. mat.* sinusoidal.
sinusoidă *s.f. mat.* sinusoid.
sinuzal *adj. anat.* sinusal, sinus...
sinuzită *s.f. med.* sinusitis.
sionism *s.n.* Zionism.
sionist *adj., s.m.* Zionist.
sioux *s.n. ist., geogr., lingv.* Sioux (man, tribe, language).
sipet *s.n.* trunk, chest.
sipică *s.f. bot.* scabious *(Scabiosa ochroleuca).*
sir *s.m.* lord, sir.
sire *s.m.* sire.
sireap *adj.* untamed, uncurbed.
sirenă *s.f.* **1.** siren. **2.** *mitol. și* mermaid. **3.** *(semnal și)* hooter.
sirenieni *s.m. pl. zool.* Sirenia.
sirian *adj., s.m.* Syrian.
siroco *s.n.* sirocco (wind).
sirop *s.n.* **1.** syrup. **2.** *fig.* slop, sob stuff; ~ *de tuse* linctus.
siropa *vt.* to (imbue with) syrup.
siropos *adj.* **1.** syrupy; saccharine. **2.** *fig.* sloppy, slip-slop; *literatură siropoasă* sob stuff.
sisal *s.m. bot.* sisal hemp *(Agave sisalana).*
sisinei *s.m. pl. bot.* anemone (European), pasque flower, pulsatilla *(Anemone pulsatilla).*
sista *vt.* **1.** to cease. **2.** to suspend.
sistem *s.m.* **1.** system. **2.** *(metodă și)* method, *fam.* device.
sistematic I. *adj.* systematic; methodical. **II.** *adv.* systematically, methodically.
sistematiza *vt.* to system(at)ize.
sistematizare *s.f.* systematization.
sistolă *s.f. fiziol.* systole.
sistolic *adj. anat.* systolic.
sitar *s.m. ornit.* woodcock *(Scolapax rusticola).*
sită *s.f.* sieve; *(mare)* screen.
sitronadă *s.f.* lemon squash.
situa I. *vt.* to place, to situate. **II.** *vr.* **1.** to take a place. **2.** to take an attitude.
situat *adj.* placed, situated; lying (somewhere); *bine ~* comfortably off, in easy circumstances.
situație *s.f.* **1.** situation. **2.** *(așezare și)* position, site. **3.** *(stare și)* condition, state (of affairs). **4.** *(raport)* report, account; ~ *dificilă* sau *proastă* sorry plight.
siv *adj.* grey, gray; *(cărunt)* hoary.
sixtă *s.f. sport* sixte.
sizigie *s.f. astr.* syzygy.
skarn *s.n. geol.* skarn.
skating *s.n. sport* roller-skating.
skeleton *s.n. sport skeleton, luge.*
skilift *s.n.* ski lift / hoist.
skip *s.n. tehn., min.* skip.
slab I. *adj.* **1.** weak. **2.** *(subțire)* thin. **3.** *(fără vlagă)* faint, feeble. **4.** *(prost)* poor, insufficient. **5.** *(fără grăsime)* lean. **6.** *(deșirat)* lanky. **7.** *(lejer)* loose, slack; ~ *de înger*

fainthearted, craven, weakly; *~ de minte* weak minded; *~ dezvoltat* un(der)developed. **II.** *adv.* **1.** weakly, feebly. **2.** poorly, insufficiently.
slad *s.n.* v. m a l ă.
slai *s.n.* **1.** each of the two slats that keep the sledge runners apart and sustain the load. **2.** slat on the upper edge of the boat.
slalom *s.n.* slalom.
slatină *s.f.* **1.** salt marsh. **2.** salt (water) spring. **3.** salt dish.
slav I. *s.m.* Slav. **II.** *adj.* **1.** Slav. **2.** *(d. limbă şi)* Slavonic.
slavă *s.f.* **1.** glory, fame. **2.** reverence. **3.** splendour; *~ Domnului!* thank God.
slavism *s.n.* Slavism.
slavist *s.m.* specialist of Slav(onic) languages and literature.
slavistică *s.f.* Slavonic studies.
slavon *adj.* **1.** Slavonic. **2.** *(d. alfabet)* Cyrillic.
slavonă *s.f.* Paleoslavonic, Church Slavonic.
slavonesc *adj.* Slavonic; Paleoslavonic.
slavoneşte *adv.* in Paleoslavonic.
slavonism *s.n.* Paleoslavonic term / idiom.
slăbănoagă *s.f. bot.* balsam, touch-menot *(Impatiens nolitangere).*
slăbănog I. *s.m.* weakling. **II.** *adj.* weedy; *(d. vite)* hidebound.
slăbănogi *vi., vr.* to weaken, to grow weak *sau* weaker.
slăbi I. *vt.* **1.** to loosen, to slacken. **2.** *(pe cineva)* to leave *sau* let alone; *a nu ~ din ochi* to watch closely. **II.** *vi.* **1.** to grow thin, to lose flesh. **2.** *(prin tratament)* to reduce. **3.** *(a scădea)* to abate.
slăbiciune *s.f.* **1.** weakness; feebleness, debility. **2.** *(cusur)* shortcoming, defect, weakness; *(punct slab)* weak point / side, blind side. **3.** *(pentru)* weakness (for), soft side (to); *a avea o ~ pentru cineva* to have a soft / warm spot in one's heart for smb.
slăbire *s.f.* **1.** weakening; growing thin. **2.** *(cură)* reducing.
slăbit *adj.* weak(ened), sickly.
slădărie *s.f.* malt-house.
slănină *s.f.* **1.** *(grasă)* lard. **2.** *(slabă)* bacon.
slăvi *vt.* to glorify, to extol.
slăvit *adj.* exalted; celebrated.
slei I. *vt.* **1.** to freeze. **2.** *(de puteri)* to exhaust, to drain. **II.** *vr.* **1.** to freeze, to jelly; to thicken. **2.** *(a se epuiza)* to be exhausted, to peter (out).
sleit *adj.* **1.** frozen, cold. **2.** *(îngroşat)* thickened. **3.** *(istovit)* exhausted, drained.
slin *s.n.* v. j e g.
slinos *adj.* greasy, filthy.
slip *s.n.* **1.** bathing-suit, trunks. **2.** *nav., av.* slip.
sloată *s.f.* sleet.
slobod *adj.* free; loose.
slobozenie *s.f. pop.* **1.** freedom. **2.** permission. **3.** *rel.* remission / forgiveness of sins, absolution (of sins).
slobozi *vt.* **1.** to release. **2.** *(a elibera)* to free, to unfetter. **3.** *(a arunca)* to cast. **4.** *(o exclamaţie)* to utter.
slobozie *s.f. ist.* **1.** rebuilt village belonging to a monastery or to a squire, and enjoying certain privileges (in medieval Wallachia and Moldavia). **2.** tax-exempted village that is to be repopulated.
slogan *s.n.* catch phrase, slogan.
sloi *s.n.* **1.** ice floe / *pack.* **2.** *(ţurţur)* icicle.
slomni I. *vt.* v. î n g ă i m a. **II.** *vi.* *(a se ivi)* to appear.
slovac *s.m., adj.* Slovak(ian).
slovă *s.f.* **1.** letter; word. **2.** *(scris)* hand(writting).
sloven I. *s.m.* Slovene. **II.** *adj.* Slovenian.
sloveneşte *adv.* **1.** after the manner of the Slovenes. **2.** *(în limba slovenă)* Slovenian.
slow *s.n. muz.* slow dance tune, slow fox.
slugarnic *adj.* menial, cringing.
slugă *s.f.* **1.** servant; menial. **2.** *peior.* flunkey.
slugări *vi.* **1.** v. s l u j i. **2.** to cringe, to kowtow.
slugărnicie *s.f.* servility, obsequiousness.
sluger *s.m. ist.* purveyor.
sluis *s.n. tehn.* sluice.
sluj *s.n. a sta ~* to sit up (on one's hind legs); *fig.* to cringe.
slujbaş *s.m.* clerk, *(la stat)* civil servant.
slujbă *s.f.* **1.** service. **2.** *(funcţie şi)* job, post; *fără ~* out of a job, unemployed.
sluji I. *vt.* to serve. **II.** *vi.* **1.** to serve. **2.** to be employed / hired; *a ~ la masă* to wait at table; *a ~ la doi stăpâni* to hunt with the hare and run with the hounds. **III.** *vr. a se ~ de* to use, to employ, to resort to.
slujitoare *s.f.* (maid-)servant, (house-)maid.
slujitor *s.m.* servant; menial.
slujitorime *s.f.* servants.
slujnică *s.f.* maid servant, sweeny.
slut *adj.* ugly, ungainly.
sluţenie *s.f.* ugliness, hideousness.
sluţi I. *vt.* **1.** to make ugly. **2.** *(a mutila)* to disfigure, to maim. **II.** *vr.* to grow ugly.
sluţit *adj.* **1.** crippled. **2.** *(urât)* ugly.
sluţitură *s.f.* (perfect) fright.
smaltină *s.f. mineral.* smaltine, smaltite.
smală *s.n.* enamel.
smaragd *s.n.,* smarald *s.n.* emerald.
smălţa *vt.* to mottle.
smălţui *vt.* **1.** to enamel. **2.** *fig.* to fleck (with flowers etc.).
smălţuitor *s.m.* enameller.
smântână *s.f.* cream.
smântâni *vt.* to cream.
smântânică *s.f. bot.* mugweed, crosswort *(Gallium cruciatum).*
smântânos *adj.* of or relating to (sour-)cream.
smârc *s.n.* swamp, marsh.
smârcâi *vr.* to snivel; to pule.
smârcâială *s.f.* v. s m i o r c ă i a l ă.
smead[1] *adj.* swarthy.
smead[2] *s.n.* v. m o m e a l ă.
smeci *s.n. sport* smash.
smerenie *s.f.* **1.** meekness. **2.** *(evlavie)* devoutness.
smeri *vr.* **1.** to humble oneself, to eat humble pie. **2.** *(a se căi)* to repent.
smerit I. *adj.* **1.** humble, meek. **2.** *(pios)* pious **II.** *adv.* humbly, meekly.
smicea *s.f.* v. m l ă d i ţ ă.
smid *s.n.* v. s m i d ă.
smidar *s.n.* a place with groves of young thorny trees or shrubs.
smidă *s.f.* grove of young throny trees or shrubs.
sminteală *s.f.* **1.** madness; folly. **2.** defect, shortcoming; mistake. **3.** hindrance. **4.** loss; damage.
sminti I. *vt.* **1.** to spoil, to impair; *(a vătăma)* to harm; *(a împiedica)* to hinder; *(a opri)* to stop. **2.** *(a înşela)* to deceive; *(a induce în eroare)* to mislead; *(a înnebuni)* to turn smb.'s head / brain; *a ~ în bătaie pe cineva* to beat smb. within an inch of his life. **II.** *vr.* **1.** *pas.* to be disarranged etc. v. ~ I. **2.** *(a înnebuni)* to go mad, to go off one's head.
smintit *adj.* **1.** mad, crazy, *fam.* batty, cracked. **2.** foolish.

smiorcăi *vr.* **1.** to whimper. **2.** *(a se smârcâi)* to snivel.
smiorcăială *s.f.* whimper(ing).
smirdar *s.m. bot.* **1.** rose bay *(Rhododendron).* **2.** v. m e r i ș o r.
smirna *adv.* **1.** rigidly. **2.** *mil.* to attention.
smirnă *s.f.* myrrh.
smoală *s.f.* pitch, tar; *negru ca smoala* as dark as pitch.
smoc *s.n.* tuft.
smochin *s.m. bot.* fig(-tree) *(Ficus carica).*
smochină *s.f.* fig.
smoching *s.n.* dinner jacket.
smochini *vr.* to shrivel.
smog *s.n.* smog.
smoli *vt.* to tar, to pitch.
smolit *adj.* **1.** tarred, pitched. **2.** *(la față)* swarthy, dark(-skined).
smotoceală *s.f.* thrashing, pommelling, whacking.
smotoci *vt. fam.* to drub, to whack, to pommel.
smuci I. *vt.* to jerk; to snatch. **II.** *vr.* to tear oneself away.
smucit *adj.* **1.** snatched. **2.** *fig.* rash, foolish.
smucitură *s.f.* jerk.
smulge I. *vt.* **1.** to pull out. **2.** *(a smuci)* to snatch. **3.** *fig.* to wrest. **4.** *(a dezrădăcina)* to uproot, to eradicate. **5.** *(bani, etc.)* to extort. **II.** *vr.* to tear oneself away; to break loose, to escape.
smulgere *s.f.* **1.** snatching. **2.** *fig.* wresting. **3.** uprooting, eradication, pulling out. **4.** extortion (of money).
smuls *s.n.* v. s m u l g e r e.
snoavă *s.f.* anecdote, story.
snob *s.m.* snob.
snobism *s.m.* snobbishness, snobbery.
snop *s.m.* sheaf.
snopeală *s.f. fam.* good licking / thrashing.
snopi *vt.* to thrash.
soacră *s.f.* mother-in-law.
soarbă *s.f. bot.* wild service berry, june berry.
soare *s.m.* sun; ~ *apune* West; sunset; ~ *răsare* East; sunrise.
soartă *s.f.* **1.** fate, destiny. **2.** *(a cuiva)* lot, portion.
soață *s.f.* **1.** *(tovarășă)* mate. **2.** wife.
sobar *s.m.* stove fitter; one who puts up ovens.
sobă *s.f.* **1.** stove. **2.** *(cuptor)* oven. **3.** *(cămin)* fireplace, hearth.
sobol *s.m. zool.* mole(warp) *(Talpa europaea).*
sobor *s.n.* **1.** *înv.* council; assembly. **2.** *rel.* synod; group of priests. **3.** prayer, service, mass.
sobornic *adj. bis.* synodial, (o)ecumenical.
sobrietate *s.f.* **1.** sobriety, seriousness. **2.** *(cumpătare)* temperance.
sobru I. *adj.* **1.** sober; temperate **2.** *(solemn)* solemn, austere. **3.** *(d. haine)* classic. **II.** *adv.* soberly, temperately.
soc *s.m. bot.* elder tree *(Sambucus).*
sociabil *adj.* sociable, convivial.
sociabilitatate *s.f.* sociability, sociableness.
social *adj.* social; ~ *cultural* socio-cultural; ~ *democrat* social democrat.
social-darvinism *s.n.* Social-Darwinism.
social-democrat *pol.* **I.** *adj.* Social Democratic. **II.** *s.m.* Social Democrat.
social-democrație *s.f. pol.* social democracy.
socialism *s.n.* socialism; socialist system.
socialist *s.m., adj.* socialist.
socializa *vt.* to socialize; to nationalize.
socializare *s.f.* socialization.
socialmente *adj.* socially.
sociativ *adj. lingv.* (as)sociative, of association.
societar *s.m.* (full) member, associate.
societate *s.f.* **1.** society. **2.** *pol. și (social) system.* **3.** *(asociație și)* association; club. **4.** *com.* (joint-stock) company; ~ *în comandită* sleeping partnership.
socinianism *s.n. rel.* Socinianism.
socinieni *s.m. pl. ist. rel.* Socinians.
sociografie *s.f.* sociography.
sociogramă *s.f.* sociogram.
sociolog *s.m.* sociologist.
sociologic *adj.* sociological.
sociologie *s.f.* sociology.
sociologism *s.n.* sociologism.
sociologizant *adj.* sociologizing.
sociometrie *s.f.* sociometry.
soclu *s.n.* socle, pedestal.
socoteală *s.f.* **1.** reckoning. **2.** *com.* bill, addition. **3.** *(chibzuință)* consideration, thinking. **4.** *(economie)* thrift; *cu* ~ thoughtful(ly), careful(ly); moderate(ly); *după socotelile mele* in my opinion; *fără* ~ thoughtless(ly), inconsiderate(ly); *pe socoteala cuiva* at smb.'s expense.
socoti I. *vt.* **1.** to reckon, to calculate. **2.** *fig.* to consider; to deem; *a ~ greșit* to miscalculate. **II.** *vi.* to reckon, to compute. **III.** *vr.* **1.** to consider / think oneself (better etc.). **2.** to settle accounts (with smb.).
socotință *s.f. înv.* **1.** judgement; consideration. **2.** intention.
socotit *adj.* **1.** considered. **2.** *(econom)* economical. **3.** *(chibzuit)* moderate, austere.
socotitor *s.m.* accountant.
socratic *adj.* Socratic.
socri *vt. fam.* v. c i c ă l i.
socru *s.m.* father-in-law; *pl.* parents-in-law.
sodalit *s.n. mineral.* sodalite.
sodar *s.n. tehn.* sodar.
sodă *s.f.* (washing) soda; ~ *caustică* sodium hydroxide.
sodiu *s.n. chim.* sodium.
sodom *s.n. pop., fam.* legion, no end (of).
sodomi *pop.* **I.** *vt.* to lay waste, to ravage. **II.** *vr.* to perish; *(a se sinucide)* to commit suicide.
sodomie *s.f. med.* sodomy.
sofa *s.f.* sofa, settee.
soffioni *s.n. geol.* soffione.
sofism *s.n.* sophism; fallacy.
sofist *s.m.* sophist; casuist.
sofistic *adj.* sophistical.
sofisticat *adj.* sophisticated.
sofistică *s.f.* sophistry, casuistry.
sofisticărie *s.f.* sophistry.
sofită *s.f. arh.* soffit.
soframicină *s.f. farm.* antibiotic drug extracted from *Streptomyces decaris.*
soft *s.n.* **1.** *text.* soft fiber. **2.** *cib.* soft (ware).
softist *s.n. cib.* software expert.
soi *s.n.* **1.** kind, sort. **2.** *bot.* variety. **3.** *(rasă)* race, breed; ~ *bun* a fine character; ~ *rău* a bad lot / egg; *de* ~ remarkable, fine, good.
soia *s.f.* soy (bean).
soios *adj.* filthy, dirty.
soitar *s.m. înv. ist.* Phanariot court fool / jestler.
sol I. *s.m.* **1.** *(mesager)* messenger; herald. **2.** *muz.* G, sol. **3.** *fin.* sol. **II.** *s.n.* **1.** soil. **2.** *(pământ și)* earth; *la ~, pe ~* on the ground. **3.** *chim.* sol, colloidal solution.
solan(ac)ee *s.f. pl. bot.* solanaceae.
solanină *s.f. biochim.* solanine.
solar I. *s.n.* solarium. **II.** *adj.* solar, sun...
solarigraf *s.n. astr.* sunshine / sunlight recorder.

solarimetru *s.n. astr.* sunshine / sunlight recorder.
solariu *s.n.* solarium.
solarizare *s.f. foto.* solarization.
solă *s.f.* field; *sistem de agricultură cu trei sole* three-field system of agriculture.
solbanc *s.n. constr.* window ledge / sill.
sold *s.n.* **1.** *ec.* balance. **2.** *(vânzare și pl.)* clearance (sale); ~ *creditor* credit balance; ~ *debitor* debit.
solda I. *vt.* to sell off, to clear. **II.** *vr. a se ~ cu* to end / result in.
soldare *s.f.* clearance (sale).
soldat I. *s.m.* **1.** soldier. **2.** *(ca grad)* private. **3.** *fig.* champion, defender. **II.** *adj. fin. (d. cont)* balanced, settled, discharged.
soldă *s.f.* pay.
soldățesc *adj.* soldierly, military.
soldățește *adv.* **1.** soldierly, like a soldier. **2.** *peior.* in barrackroom fashion.
soldătoi *s.m. fam.* martinet.
solecism *s.n. lingv.* solecism.
solemn I. *adj.* **1.** solemn. **2.** *(grav)* serious, grave. **II.** *adv.* solemnly, gravely.
solemnitate *s.f.* solemnity, ceremony.
solemniza *vt.* to solemnize, to celebrate.
solenoid *s.m. el.* solenoid.
solenoidal *adj. fiz.* solenoidal.
solfatare *s.f. pl. geol.* solfataras.
solfegia *vi.* to (sing) sol-fa, to solmizate.
solfegiere *s.f. muz.* sol-faing, solmization.
solfegiu *s.n.* sol-fa.
solicita *vt.* **1.** to request, to solicit. **2.** *(puterile etc.)* to challenge. **3.** *(a necesita)* to entail.
solicitant *s.m.* petitioner, applicant.
solicitare *s.f.* **1.** requirement, challenge. **2.** *(efort)* stress.
solicitator *s.m.* v. s o l i c i t a n t.
solicitudine *s.f.* solicitude, concern.
solid[1] **I.** *s.n.* **1.** solid (body). **2.** *pl.* solid food. **II.** *adj.* **1.** solid. **2.** *(tare și)* hard, firm. **3.** *(puternic și)* strong. **4.** *fig. și* sound, thorough(going). **5.** *(trainic)* lasting, durable. **III.** *adv.* **1.** solidly, firmly. **2.** *fig.* thoroughly, deeply, soundly.
solid[2] *s.m. ist. fin.* **1.** gold coin (in the Roman Empire). **2.** small silver or bronze coin in the 17th century Wallachia and Moldavia.
solidar I. *adj.* solidary, united. **II.** *adv.* jointly, in solidarity.
solidarism *s.n. pol.* solidarism.
solidaritate *s.f.* solidarity, fellowship.
solidariza *vr.* to join together in responsibility / liability; *(cu)* to make common cause (with); to solidarize.
solidarizare *s.f.* making common cause.
solidifica *vt., vr.* to solidify.
solidificare *s.f. fiz.* solidification.
soliditate *s.f.* **1.** solidity. **2.** *fig.* soundness, wisdom.
solidus *s.n. met.* solidus line.
solie *s.f.* **1.** mission, deputation. **2.** message.
soliflucțiune *s.f. geol.* soil running.
soliloc *s.n.* soliloquy, monologue.
soliped *zool.* **I.** *adj.* solidungulate. **II.** *s.n.* soliped.
solipsism *s.n. filoz.* solipsism.
solipsist I. *s.m.* solipsist. **II.** *adj.* solipsistic.
solist *s.m.* soloist.
solistic *adj.* (of or relating to a) solo.
solitar I. *s.m.* recluse. **II.** *s.n.* solitaire (diamond). **III.** *adj.* solitary, lonesome.
solitarism *s.n. livr.* propensy for solitude.
solitudine *s.f. (singurătate)* solitude.
solmizație *s.f. ist. muz.* solmization.
solniță *s.f.* salt cellar.
solo *s.m.* solo.
solodiu *s.n. geol.* solod, soloth.
solomâzdră *s.f. zool. pop.* v. s a l a m a n d r ă.
solomonar *s.m. pop.* **1.** wizard, magus. **2.** astronomer, calendar maker, forecaster.
solomonie *s.f. pop.* witchcraft, magic.
solstițial *adj., astr.* solstitial.
solstițiu *s.n.* solstice.
solubil *adj.* soluble.
solubilitate *s.f.* solubility.
solubiliza *vt.* to render soluble.
solubilizare *s.f. chim.* solubilization.
soluție *s.f.* **1.** solution. **2.** *fig. și* key.
soluționa I. *vt.* to solve. **II.** *vr.* to be solved.
solvabil *adj.* solvent.
solvabilitate *s.f.* solvency.
solvatare *s.f. chim.* solvation.
solvent *s.m. chim.* solvent.
solvență *s.f.* v. s o l v a b i l i t a t e.
solvi *vt.* to dissolve.
solz *s.m.* scale.
solzos *adj.* scaled, scaly.
soma *vt.* to summon.
somalez *s.m., adj.* Somal(i), Somalian.
somatic *adj.* somatic(al).
somatologie *s.f. med.* somatology.
somatometrie *s.f.* somatometry.
somatotrop *adj. biochim.* somatotropic, somatotropin.
somație *s.f.* **1.** summons. **2.** *mil.* challenge.
sombrero *s.f.* sombrero.
someșana *s.f.* name of a Transylvanian folk dance.
somieră *s.f.* spring / box mattress.
somitate *s.f.* authority, celebrity.
somn I. *s.m. iht.* sheat fish *(Silurus glanis).* **II.** *s.n.* **1.** sleep; *(scurt)* nap, snooze. **2.** *(odihnă)* rest, repose. **3.** *(toropeală)* slumber; ~ *letargic* coma; *~ul de veci* the sleep of the brave; ~ *ușor!* sweet dreams!
somnambul *s.m.*, somnambulă *s.f.* sleep walker.
somnambulic *adj.* somnambuli(sti)c, somnambular.
somnambulism *s.n.* somnambulism.
somnifer I. *s.n.* soporific; sleep pill. **II.** *adj.* soporific.
somnișor *s.n.* nap, short sleep, (light) slumber.
somnolent *adj.* drowsy, sleepy.
somnolență *s.f.* drowsiness, slumber.
somnoroasă *s.f. bot.* white gentian, hartwort *(Laserpitium).*
somnoros I. *s.m.* sleepy person. **II.** *adj.* sleepy, drowsy. **III.** *adv.* sleepily, in a sleepy voice.
somnoterapie *s.f. med.* sleep therapy.
somon *s.m. iht.* salmon *(Salmo).*
somptuar *adj.* sumptuary.
somptuos *adj.* somptuous, luxurious.
somptuozitate *s.f.* sumptuousness.
son *s.m. fiz.* son.
sonantă *s.f. lingv.* sonant.
sonar *subst. telec.* sonar.
sonată *s.f.* sonata.
sonatină *s.f.* sonatina.
sonda *vt.* **1.** to sound. **2.** *mar. fig. și* to fathom.
sondaj *s.n.* test, poll.
sondare *s.f.* **1.** *nav.* taking bearings / soundings. **2.** *nav. etc.* fathoming, plumbing, sounding. **3.** *fig.* testing, poll, census, plebiscite.
sondă *s.f.* **1.** *(de petrol)* derrick, well. **2.** *mar.* sounding line / lead. **3.** *med.* probe.
sondeză *s.f. min.* borer, drill(er).
sondor *s.m.* oilworker.
sonerie *s.f.* (electric) bell.
sonet *s.n.* sonnet.
sonetă *s.f. constr.* pile driver, drop hammer.

sonetist *s.m. lit.* sonnet writer, sonneteer.
sonic *adj.* sonic.
sonicitate *s.f. fiz.* sonicity.
sonoluminescență *s.f. fiz.* sonoluminescence.
sonometru *s.n. fiz., telec.* sonometer, audiometer.
sonor I. *adj.* **1.** sonorous. **2.** *(tare)* loud, resounding. **3.** *(d. voce și)* full. **4.** *(d. consoane și)* voiced. **II.** *adv.* sonorously.
sonoritate *s.f.* sonorousness.
sonoriza *vt.* to render sonorous; *(un film)* to add (the) sound effects to.
sonorizare *s.f. cin.* sound recording / editing.
soporific I. *adj.* soporific, soporiferous, sleep-inducing. **II.** *s.n.* soporific.
sopran *s.n. muz.* soprano.
soprană *s.f muz..* soprano; ~ *de coloratură* coloratura soprano.
soră *s.f.* **1.** sister. **2.** *(călugăriță și)* nun. **3.** *(de caritate)* (medical) nurse; ~ *consanguină* half blood by mother's / father's side; ~ *de lapte* foster sister; ~ *șefă* matron, head nurse; ~ *vitregă* step / half sister.
sorb I. *s.m. bot.* **1.** wild service tree *(Sorbus / Pirus torminalis).* **2.** v. s c o r u ș d e m u n t e. **II.** *s.n.* **1.** whirlpool. **2.** *tehn.* strainer.
sorbestrea *s.f. bot.* great / wild burnet *(Sanguisorba officinalis).*
sorbi *vt.* **1.** to drink. **2.** *(câte o gură)* to sip; *a ~ cuvintele cuiva* to hang on smb.'s lips; *a ~ din ochi* to feast one's eyes upon.
sorbită *s.f. metal.* sorbite.
sorbitol *s.n. chim.* sorbitol.
sorbitură *s.f.* draught, sip.
sorboză *s.f. chim., farm.* sorbose.
sorbție *s.f. chim.* sorption.
sorcovă *s.f.* bouquet used for New Year's wishes.
sorcovăț *s.m.* v. s f a n ă.
sorcovi *vt.* **1.** to wish smb. a happy New Year, while touching him lightly with the *„sorcova"* **2.** *fam.* to pommel, to drub, to lick.
sordid *adj.* sordid, squalid.
sorean *s.m. iht.* v. o b l e ț.
sorete *s.m. iht.* sunfish, bluegill *(Lepomis gibbosus).*
sorg *s.n.* sorghum.
sorginte *s.f.* source, origin.
sori *vr.* to bask in the sun.
sorit *s.n. log.* sorites.
soroc *s.n.* **1.** term. **2.** *(menstruație)* monthlies, turns.
soroceală *s.f.* predestination, prediction.
soroci *vt.* to destine, to fate.
sorocit *adj.* destined; predestined, foredoomed.
sort *s.n.* sort, kind.
sorta *vt.* to sort (out).
sortator *s.m.* sorter (of manufactured articles).
sorti *vt.* to (pre)destine, to fate.
sortiment *s.n.* assortment, range (of goods etc.).
sortit *adj.* v. s o r o c i t.
sorți *s.m., pl.* odds, chances.
sos *s.n.* **1.** sauce. **2.** *(de friptură)* gravy; ~ *picant* sharp chilli sauce; ketchup.
s.o.s. *s.n.* SOS, save our souls.
sosi *vt.* to arrive, to come.
sosie *s.f.* double, counterpart, the very image of.
sosieră *s.f.* sauce boat; gravy boat.
sosire *s.f.* **1.** arrival, coming. **2.** *sport* finish.
sosit I. *s.n. bun* ~ welcome **II.** *un nou-~* a newcomer.
sostenuto *adv. muz.* sostenuto, sostenente, sostinente.
sote *s.n.* sauté, food fried quickly in a little grease or oil.
soteriologie *s.f.* soteriology.
sotnic *s.m. ist., mil.* leader / commander of a Cossack cavalry unit / troop.
sotnie *s.f. ist., mil.* Cossack cavalry unit (100 men).
soț *s.m.* **1.** *(bărbat)* husband, man. **2.** *(unul din parteneri)* spouse; *pl.* couple; *cu ~* even; *fără ~* odd.
soție *s.f.* wife.
soțioară *s.f. fam.* wifie, (dear) old girl, better half.
soțior *s.m. fam.* hub(by).
southdown *subst. zool.* Southdown (breed of sheep).
sovârf *s.m. bot.* common marjoram.
sovârvariță *s.f. bot.* hardhay, St. Peter's wort *(Hypericum quadrangulum).*
sovhoz *s.n.* sovkhoz, state farm.
soviet *s.n.* Soviet.
sovietic I. *s.m.* Soviet citizen. **II.** *adj.* Soviet.
sovon *s.n.* **1.** bridal veil. **2.** v. g i u l g i u.
sovpren *chim.* v. n e o p r e n.
spadasin *s.m.* **1.** swordsman. **2.** *(ucigaș)* desperado, bravo.
spadă *s.f.* sword.
spadice *s.n. bot.* spadix.
spadiciflore *s.f. pl. bot.* spadiciflores, Spadiciflorae *(Arales).*
spadix *s.n.* v. s p a d i c e.
spagat *s.n.* **1.** thick plaited rope. **2.** *sport* (forward, backward or side) splits.
spaghete *s.f. pl.* spaghetti.
spahiu *s.m. mil.* spahi.
spaimă *s.f.* fright; *de ~* frightful, terrible.
spalier *s.n.* **1.** *hort.* trellis, espalier. **2.** *(șir dublu)* double row. **3.** *(aparat de gimnastică)* rib stall.
spanac *s.n.* **1.** *bot.* spinach *(Spinacia oleracea).* **2.** *fig.* rubbish, nonsense.
spancă *s.f. zool.* local breed of sheep.
spaniol I. *s.m.* Spaniard. **II.** *adj.* Spanish.
spaniolă *s.f. (limba)* Spanish; v. s p a n i o l o a i c ă.
spaniolesc *adj.* Spanish.
spaniolește *adv.* Spanish.
spanioloaică *s.f.* Spaniard, Spanish woman.
sparanghel *s.n. bot.* asparagus *(Asparagus officinalis).*
sparcetă *s.f. bot.* sa(i)nfoin, esparcet *(Onobrychis sativa / viciaefolia).*
spardec *s.n. nav.* spar deck.
sparge I. *vt.* **1.** to break. **2.** *(a zdrobi)* to smash, to dash to pieces. **3.** *(lemne)* to split, to chop. **4.** *(nuci etc.)* to crack; *a-și ~ capul* to get one's head broken; *fig.* to rack one's brains (about smth.); *a ~ casa cuiva* to break into smb.'s house; *fig.* to wreck smb.'s marriage; *a-și ~ pieptul* to waste one's breath. **II.** *vi.* to break open. **III.** *vr.* to break, to burst.
spargere *s.f.* **1.** breaking; smashing. **2.** *(furt)* housebreaking, burglary.
sparghet *s.n. constr.* iceguard.
sparingpartener *s.m. sport* sparring partner.
spart I. *s.n.* **1.** breaking. **2.** *(al lemnelor)* chopping; *la ~ul târgului* after the feast / fair. **II.** *adj.* **1.** broken. **2.** *(răgușit și)* hoarse, harsh.
spartachiadă *s.f. sport* Spartakiad, Spartacus games.
spartan *s.m., adj.* Spartan.
sparteină *s.f. farm.* spartein.
spasm *s.n.* spasm; colic.
spasmodic *adj.* spasmodic.
spasmofilie *s.f. med.* spasmophilia.
spasmolitic *adj., s.n. med.* spasmolytic (agent).
spastic *adj. med.* spastic; spasmodic.
spat *s.n. mineral.* spar.
spată *s.f.* **1.** *anat.* shoulder blade; *pl.* shoulders. **2.** *(carne)* sparerib. **3.** *text.* reed, comb.

spate *s.n.* **1.** back. **2.** *(umeri)* shoulders. **3.** *mil.* logistics. **4.** *fig.* support, prop; ~ *în* ~ back to back; *~le frontului* hinterland; *în~le...* at the back of..., behind...; *tactica / tehnica ~lui* v. 3.
spatulat *adj.* spatulate.
spatulă *s.f. farm.* spatula.
spația *vt.* to space (out).
spațial *adj.* spacial.
spațialitate *s.f.* spatiality.
spațiat *adj.* spaced out.
spațios *adj.* roomy, spacious.
spațiu *s.n.* **1.** space. **2.** *(loc)* room. **3.** distance. **4.** *(gol)* void, gap; ~ *locativ* floor space; *(serviciu)* housing office; ~ *cosmic* outer space; ~ *verde* verdure spot, green lung.
spavan *s.n. med. vet.* spavin(e).
spăimos *adj.* **1.** v. s p e r i o s. **2.** v. î n f r i c o ș ă t o r.
spăla I. *vt.* **1.** to wash. **2.** *(vasele)* to wash up. **3.** *(a îndepărta)* to wash away. **4.** *(rufe și)* to launder. **II.** *vi.* to wash. **III.** *vr.* **1.** to wash (oneself). **2.** *(d. rufe etc.)* to launder (well, etc.); *a se ~ pe mâini etc.* to wash one's hands, etc.
spălare *s.f. geogr.* washing, water erosion.
spălat I. *s.n.* washing; laundering. **II.** *adj.* **1.** washed. **2.** *(curat)* clean, neat. **3.** *fig.* well-bred, civilized.
spălăci *vr.* to fade, to lose colour.
spălăcioasă *s.f. bot.* groundsel *(Senecio vernalis).*
spălăcit *adj.* watery, colourless.
spălător *s.n.* **1.** washstand. **2.** *(cameră)* lavatory. **3.** *tehn.* washer.
spălătoreasă *s.f.* laundress, washerwoman.
spălătorie *s.f.* laundry, washhouse.
spălătură *s.f.* **1.** washing. **2.** *med.* lavage. **3.** *fig. fam.* combing, dressing down.
spărgător I. *s.m.* housebreaker, burglar; ~ *de grevă* strike breaker, scab. **II.** *s.n.* breaker, cracker; ~ *de gheață* icebreaker; ~ *de nuci* nut cracker.
spărtură *s.f.* **1.** breach. **2.** *fig.* și dissension, split.
spătar I. *s.m. ist.* sword bearer. **II.** *s.n.* back.
spătos *adj.* broad-shouldered.
spân I. *s.m.* glabrous man. **II.** *adj.* glabrous.
spânatic *adj.* *(d. bărbat)* having scarce beard and moustaches.
spânz *s.m. bot.* hellebore *(Helleborus).*
spânzura I. *vt.* to hang. **II.** *vi.* to hang (from). **III.** *vr.* to hang oneself.
spânzurat I. *s.m. fam.* **1.** gallows bird. **2.** *fig.* scapegrace. **II.** *adj.* hanged.
spânzurătoare *s.f.* gallows.
spârc *s.m. fam.* **1.** v. pici. **2.** v. m u c o s II.
special I. *adj.* special, particular; *în* ~ especially, particularly. **II.** *adv.* specially, purpose(ful)ly.
specialist *s.m., adj.* specialist, expert.
specialitate *s.f.* **1.** speciality, specialization. **2.** *(branșă)* speciality, special subject. **3.** *(a studenților)* main subject, major (subject).
specializa *vt., vr.* to specialize.
specializare *s.f.* specialization.
specializat *adj.* *(în)* specialized (in).
speciație *s.f. biol.* speciation.
specie *s.f.* **1.** species. **2.** *(fel)* kind, type.
specific I. *s.n.* specific character / nature; essential feature(s). **II.** *adj.* *(pentru)* specific (to), typical (of). **III.** *adv.* specifically.
specifica *vt.* **1.** to specify. **2.** to detail, to particularize.
specificare *s.f.* v. s p e c i f i c a ț i e.
specificație *s.f.* specification.
specificitate *s.f.* specificity, peculiarity.
specimen *s.n.* **1.** specimen. **2.** example, sample.
specios *adj.* spurious, specious.
spectacol *s.n.* **1.** performance; show. **2.** *fig.* și spectacle; ~ *de binefacere* charity performance; ~ *de bâlci* low down scene.
spectacular *adj. livr.* v. s p e c t a c u l o s.
spectaculos *adj.* spectacular.
spectator *s.m.* **1.** spectator. **2.** *pl.* și audience, public. **3.** *(martor și)* onlooker, bystander.
spectral *adj.* spectral.
spectrofotometric *adj. fiz.* spectrophotometric.
spectrofotometrie *s.f. fot.* spectrophotometry.
spectrofotometru *s.n. fot.* spectrophotometer.
spectrograf *s.n. opt.* spectrograph.
spectrografic *adj. fiz.* spectrographic.
spectrogramă *s.f. fiz.* spectrogram(me).
spectroheliograf *s.n. foto.* spectroheliograph.
spectrohelioscop *s.n. astr.* spectrohelioscope.
spectrometric *adj. opt.* spectrometric.
spectrometrie *s.f. fiz.* spectrometry.
spectrometru *s.n. opt.* spectrometer.
spectroscop *s.n. opt.* spectroscope.
spectroscopic *adj. fiz.* spectroscopic.
spectroscopie *s.f. opt.* spectroscopy.
spectru *s.n.* **1.** spectrum. **2.** *(fantomă)* spectre, ghost.
specul *s.n. med.* speculum.
specula *vt.* to speculate.
speculant *s.m.* racketeer, speculator.
speculativ *adj.* speculative, contemplative.
speculație *s.f.* **1.** speculation. **2.** *(bănuială și)* conjecture, supposition.
speculă *s.f.* speculation, racket.
speculum *s.n. med.* speculum.
spelb *adj.* **1.** colourless, pale. **2.** insipid, dull, flat.
speluncă *s.f.* honkey-tonk, hell on earth.
speolog *s.m.* spel(a)eologist.
speologie *s.f.* spel(a)eology, *fam.* pot-holing.
speos *subst. ist. Egiptului* speos.
spera *vt., vi.* to hope for.
speranță *s.f.* **1.** hope. **2.** *(încredere)* trust, confidence; *fără* ~ desperate(ly), without hope.
speria I. *vt.* to frighten, to scare. **II.** *vr.* to be frightened / scared, to get in a funk.
sperietoare *s.f.* fright, scarecrow.
sperietură *s.f.* scare, fright.
sperieți *s.m. pl. a băga pe cineva în* ~ to put smb. in great fright, to strike smb. with terror.
sperios *adj.* frightened, cowardly.
sperjur I. *s.m.* perjurer. **II.** *s.n.* perjury.
spermanțet *s.n. farm.* spermaceti.
spermatic *adj. fiziol.* spermatic.
spermatist *s.m. biol.* sperm(at)ist.
spermatofită *s.f. bot.* spermatophyte, seed plant.
spermatofor *s.m. biol.* spermatophore.
spermatogeneză *s.f. biol.* spermatogenesis.
spermatozoid *s.m. fiziol.* spermatozoon.
spermă *s.f.* sperm, semen.
speteală *s.f.* **1.** *vet.* strain. **2.** fatigue, pain in the back, strain.
spetează *s.f.* **1.** back (of a chair). **2.** *text.* crossbeam.
speti I. *vt.* to break the back of; to exhaust. **II.** *vr.* to break one's back.

spetit *adj.* **1.** lame in the hip / back, brokenbacked; *(d. cai)* hip-shot, stained, *pop.* hopper-breeched. **2.** *(de bătrânețe)* bent with age, time-stricken. **3.** *(obosit)* tired to death, dragged (out).
speță *s.f.* **1.** *jur.* case. **2.** *(instanță)* example.
speze *s.f. pl.* expense(s).
spic *s.n.* ear; *în* ~ herring-bone.
spiccato *adv. muz.* spiccato.
spicher *s.m.* announcer.
spicheriță *s.f.* woman announcer.
spichinat *s.n. bot.* spike (lavender) *(Lavandula spica).*
spiciform *adj. bot.* spiciform, spike-shaped.
spicui *vt.* **1.** to glean, to pick. **2.** *fig.* și to cull.
spicuială *s.f.* v. s p i c u i r e.
spicuire *s.f.* **1.** gleaning. **2.** *pl.* și quotations.
spicuitor *s.m.* gleaner, *rar* leaser.
spicul *s.n. bot.* spicule.
spiculeț *s.n. bot.* **1.** little ear. **2.** kernels forming a conn-ear.
spilcui *vt., vr.* to dress up, to titivate.
spilcuit *adj.* dressed up to the nines, just out of a bandbox.
spin *s.m.* **1.** thorn, prickle. **2.** *(scai)* thistle. **3.** *mat., fiz.* spin.
spinal *adj. anat.* spinal.
spinare *s.f.* back; *în* ~ pick-a-back; *fig. pe ~a cuiva* at smb.'s expense.
spină *s.f. anat.* sharp point of a bone, spine.
spinărie *s.f.* v. s p i n i ș.
spinel *s.m. mineral.* spinel.
spinetă *s.f. muz.* spinet.
spiniș *s.n.* brushwood, thornbrake.
spinor *s.n. fiz.* spinor.
spinorial *adj. fiz.* of or relating to a spinor.
spinos *adj.* **1.** thorny, pricky. **2.** *fig.* hard, difficult; delicate, ticklish.
spintariscop *s.n. fiz.* spinthariscope.
spinteca *vt.* to rip, to cut.
spintecător *adj.* ripping, cutting.
spintecătură *s.f.* cut.
spinterometru *s.n. el.* spark meter.
spinuță *s.f. bot.* v. b ă n i c ă.
spion *s.m.* **1.** spy. **2.** *tehn.* feeler gauge.
spiona I. *vt.* to spy upon. **II.** *vi.* to spy.
spionaj *s.n.* espionage, spying.
spirai *s.n. nav.* skylight.
spiral *adj.* spiral(ly curved).
spiralat *adj.* spiral.
spirală *s.f.* spiral; voulte; *în* ~ winding.
spirant *lingv. adj.* spirant.
spirantă *s.f. spirant.*
spiră *s.f.* **1.** whirl, single turn. **2.** *el.* helix.
spirea *s.f. bot.* spiraea *(Spiraea vanhouttei).*
spiriduș *s.m.* elf, goblin.
spirifer *s.n. paleont.* spirifer.
spiril *s.m. biochim.* spirillum; thread-shaped bacterium.
spirit *s.n.* **1.** spirit. **2.** *(suflet și)* soul. **3.** *(minte)* mind, intellect, wits. **4.** *(glumă)* joke, witticism. **5.** *(umor)* wit, brilliancy. **6.** *(strigoi și)* ghost, apparition. **7.** *(geniu)* genius; ~ *de inițiativă* initiative; ~ *practic* gumption; *plin de* ~ ingenious, resourceful; *(amuzant)* witty, brilliant.
spiritism *s.n.* spiritism; necromancy.
spiritist I. *s.m.* spiritualist. **II.** *adj.* spiritualistic.
spiritual *adj.* **1.** spiritual. **2.** immaterial. **3.** *(cu haz)* witty, humorous. **4.** *(deștept)* clever, bright. **5.** *(mintal)* mental, intellectual.
spiritualicește *adv.* spiritually.
spiritualism *s.n.* spiritualism.
spiritualist I. *adj.* spiritualist(ic). **II.** *s.m.* spiritualist.
spiritualitate *s.f.* **1.** spirituality, spiritualness. **2.** intellectual / moral nature, *filoz.* intellectuality, intellectualness.
spiritualiza *vt.* to spiritualize.
spirobacterii *s.f. pl.* spirobacteria.
spirochet *s.m. biol.* spirochaeta.
spirochetoză *s.f. med.* spirochetosis.
spirocid *s.m. farm.* v. a n t i l u e t i c.
spirometrie *s.f.* spirometry.
spirometru *s.n.* spirometer.
spirt I. *s.n.* alcohol, spirits; ~ *denaturat* methylated spirits. **II.** *adj.* quick, nimble, agile.
spirtieră *s.f.* spirit lamp.
spirtoase *s.f. pl.* spirits, liquor.
spirtos *adj.* alcoholic.
spital *s.n.* hospital.
spitalicesc *adj.* hospital...
spitaliza *vt.* to hospitalize.
spitalizare *s.f.* hospitalization.
spiță *s.f.* **1.** spoke. **2.** *(neam)* kin.
spițelnic *s.n.* auger.
spițer *s.m. înv.* apothecary, druggist, chemist.
spițerie *s.f. înv.* druggist's / chemist's (shop).
splai *s.n.* embankment; road.
splanhnic *s.m. anat.* splanchnic (nerve).
splanhnologie *s.f. anat.* splanchnology.
splanhnoptoză *s.f. med.* splanchnoptosis.
spleen *s.n. livr.* spleen, depression, lowness of spirits.
splendid I. *adj.* **1.** splendid. **2.** *(strălucitor)* glorious, gorgeous. **3.** *(minunat)* wonderful; excellent. **II.** *adv.* **1.** splendidly. **2.** wonderfully.
splendoare *s.f.* splendour, grandeur.
splenic *adj. anat.* splenic (artery / disease).
splin *s.n.* spleen, boredom.
splină *s.f.* **1.** spleen. **2.** *(ca mâncare)* beefbread.
splint *s.n. tehn.* splint.
splinuță *s.f. bot.* golden saxifrage *(Chrysosplenium alternifolium).*
spodumen *s.n. mineral.* spodumene, triphane.
spoi *vt.* **1.** to paint. **2.** *(a vărui)* to whitewash. **3.** *(a cositori)* to tin.
spoială *s.f.* **1.** painting. **2.** *(văruit)* whitewashing. **3.** *fig.* varnish, gloss, smattering.
spoitor *s.m.* tinsmith, tinman.
spoitoreasă *s.f.* whitewasher.
spolia *vt. (de)* to rob (of), to despoil (of).
spoliator I. *s.m.* despoiler. **II.** *adj.* rapacious; predatory.
spoliație *s.f.* spoliation; despoiling, robbing, plundering.
spoliere *s.f.* spoliation, robbing.
sponcă *s.f. pe sponci fam.* from hand to mouth, stingily, thriftily.
spondaic *adj. stil.* spondaic.
spondeu *s.n. stil.* spondee.
spondilită *s.f. med.* spondylitis.
spondiloză *s.f. med.* spondylosis.
spondylus *subst. zool.* spondylus, spiny oyster *(Spondylus).*
spongie *s.f. zool.* sponge, porifer *(Spongia).*
spongieri *s.m. pl. zool.* spongiae.
spongios *adj.* spongy; foamy.
spongiozitate *s.f.* sponginess.
spontan I. *adj.* spontaneous. **II.** *adv.* spontaneously.
spontaneitate *s.f.* spontaneity.
spontaneu *adj. generație spontanee* spontaneous generation.
spor I. *s.m. bot.* spore. **II.** *s.n.* **1.** efficiency, output. **2.** *(progres)* headway, progress. **3.** *(folos)* use, profit, benefit.
sporadic I. *adj.* sporadic. **II.** *adv.* sporadically.
sporange *s.n. bot.* sporangium.
spori I. *vt.* **1.** to increase, to enhance. **2.** *(a înmulți)* to multiply. **II.** *vi.* **1.** to grow, to increase. **2.** *(a se înmulți)* to multiply.
sporifer *adj. bot.* sporiferous.
sporire *s.f.* **1.** increase, growth. **2.** intensification, enhancement.

sporiș *s.m. bot.* holy herb, herb of the cross *(Verbena officinalis)*.
spornic *adj.* **1.** efficient, productive. **2.** *(economic)* economical, advantageous.
sporocist *s.m. zool.* sporocyst.
sporofilă *s.f. bot.* sporophyl(l).
sporofit *s.m. bot.* sporophyte.
sporogon *s.m. bot.* sporogonium.
sporovăi *vi.* to prate, to prattle.
sporovăială *s.f.* prating, prattle.
sporozoare *s.n. pl. zool.* Sporozoa.
sport *s.n.* sport(s); *~uri de iarnă* winter sports; *~uri nautice* aquatic sports.
sportiv I. *s.m.* sportsman. **II.** *adj.* sport(ing), sportive.
sportivă *s.f.* sportswoman.
sportivitate *s.f.* sportsmanship, sporting / sportive spirit, fair play.
sportsman *s.m.* sportsman.
sporulat *adj. bot.* sporulated.
sporulație *s.f. bot.* sporulation.
spot *s.n.* light spot.
spovedanie *s.f.* confession.
spovedi *vr.* **1.** to confess (oneself). **2.** *fig.* și to open one's bosom.
sprânceană *s.f.* (eye)brow; *ales pe ~* chosen, select.
sprâncenat *adj.* with bushy eyebrows; *călătorie ~ă! ironic* good riddance!
spre *prep.* **1.** towards; to. **2.** *(temporal și)* against. **3.** *(pe la)* about. **4.** *(pentru)* with a view to.
sprijin *s.n.* **1.** support. **2.** *(ajutor și)* help, assistance.
sprijini I. *vt.* **1.** to support. **2.** *(a propti și)* to prop up. **3.** *fig.* și to back; to encourage. **II.** *vr.* to support each other; *a se ~ pe* to rely on.
sprijinire *s.f. constr.* lining, reinforcing.
sprijinitoare *s.f.* v. r e z e m ă t o a r e.
sprijinitor *s.m.* supporter; backer; protector.
sprinkler *s.n. tehn.* (fire) sprinkler.
sprint *s.n.* sprint.
sprinta *vi. sport* to sprint.
sprinten I. *adj.* **1.** agile, nimble. **2.** *fam.* clean, clever. **II.** *adv.* quickly, nimbly.
sprinteneală *s.f.* agility, nimbleness; *(a pasului etc.)* jauntiness; quickness; liveliness, sprightliness.
sprinter *s.m. sport* sprinter.
sprințar *adj.* sprightly.
spulber *s.n. (viscol)* blizzard.
spulbera I. *vt.* **1.** to sweep (away). **2.** *fig.* to dispel, to dissipate. **3.** *(visuri)* to shatter. **II.** *vr.* to end in smoke, to be shattered.
spulberatic *adj.* fickle; *(ușuratic)* light, wanton.
spuma *vi.* **1.** to foam. **2.** to make foam.
spumant *s.m. ind. chim.* foaming agent.
spumă *s.f.* **1.** foam; *(albă și)* froth. **2.** *(de supă)* scum; *~ de mare* meerschaum; *~ de săpun* soap suds; *(pt. bărbierit)* lather.
spumega *vi.* to foam.
spumegător *adj.* foaming.
spumogen *s.m.* v. s p u m a n t.
spumos *adj.* **1.** foamy. **2.** *(d. vin)* frothy.
spune I. *vt.* **1.** to say. **2.** *(a relata)* to tell. **3.** *(a rosti și)* to utter. **4.** *(a numi)* to name, to call; *a ~ adevărul* to tell the truth; *a ~ baliverne* to draw the long bow; *a ~ bazaconii* to talk through one's hat; *a ~ ghidușii* to crack jokes; *a nu ~ nimic* to say nothing; *ce spui de asta?* what do you make of it?; *în treacăt fie spus* incidentally; *între noi fie spus* between me and you and the gatepost; *mie nu-mi spune nimic* it doesn't appeal to me, I don't find anything in it. **II.** *vi.* to say, to speak; *ca să spunem așa* so to speak; *cum ~ proverbul* as the saying goes; *mie îmi spui?* whom are you telling?; *~ și dumneata* judge for yourself; *nu mai ~!* you don't say so! **III.** *vr.* to be said; *se ~ că e plecat* he is said / reported to be out of town; *mi s-a spus că...* I was told that...
spurca I. *vt.* **1.** to defile, to profane. **2.** *(a murdări)* to soil, to pollute. **II.** *vr.* to be defiled, to defile oneself.
spurcaci *s.m. ornit.* bustard *(Otis tetrax)*.
spurcat *adj.* **1.** filthy, foul. **2.** *(blestemat)* accursed; *~ la gură / la vorbă* foulmouthed.
spurcăciune *s.f.* **1.** filth, dirt. **2.** *(excremente)* excrements, droppings. **3.** *(ticălos)* skunk, stinkaroo.
spusă *s.f.* statement; *după spusele lui* according to him.
spuză *s.f.* ashes.
spuzeală *s.f.*, **spuzitură** *s.f. med.* cold sore; *(pe față)* head spot.
spuzi *vr. med.* to develop a herpes.
sst *interj.* hush!, hist!
sta *vi.* **1.** to stay, to remain. **2.** *(în picioare)* to stand, to be about. **3.** *(pe scaun)* to sit. **4.** *(a zăcea)* to lie. **5.** *(a locui)* to live. **6.** *(a fi)* to be. **7.** *(a se opri)* to stop; *a ~ pe capul cuiva* to importune smb.; *a ~ bine* to be on velvet; *a ~ bine cuiva* to suit smb.; to sit well (to smb.); *cum stai cu sănătatea?* how are you?, are you in good health?; *a ~ în picioare* to stand (on one's legs); *fig.* to hold good, *fam.* to hold water; *a ~ la baza (cu gen.)* to lie at the basis of; *a ~ la dispoziția cuiva* to be at smb.'s beck and call; *a ~ la îndoială* to be in two minds (about smth.); *a ~ la o parte* to keep aloof; *a ~ la taifas / taclale* to chat, to colloque; *a ~ pe roze* to be in the pink.
stabil *adj.* **1.** stable, steady. **2.** *(durabil și)* lasting.
stabili I. *vt.* **1.** to establish. **2.** *(a afla)* to find out. **3.** *(a fixa)* to settle, to fix. **4.** *(a hotărî și)* to decree, to decide upon; *a ~ o legătură / corelație între* to colligate. **II.** *vr.* to settle down; to establish oneself.
stabiliment *s.n.* establishment.
stabilit *adj.* settled, established; fixed.
stabilitate *s.f.* **1.** stability. **2.** *fig.* steadfastness, steadiness.
stabilivolt *s.m. tehn.* stabilovolt.
stabiliza I. *vt.* to stabilize. **II.** *vr.* to be stabilized.
stabilizare *s.f.* **1.** stabilization. **2.** *fin.* currency reform.
stabilizator *s.n. av. etc.* stabilizer; *tehn.* balancer.
stabulație *s.f.* keeping (cattle) in sheds; stalling (of cattle); stabling (of horses).
stacană *s.f.* tanckard; mug.
staccato *s.n., adj., adv. muz.* staccato.
stacoj *s.m. zool.* lobster, homarine *(Homarus vulgaris)*.
stacojiu *adj.* scarlet.
stadial *adj.* stage...
stadie *s.f.* stadia, stadium.
stadimetrie *s.f. stadimetry.*
stadimetru *s.n.* stadimeter.
stadion *s.n.* stadium.
stadiu *s.n.* stage, phase.
stafidă *s.f.* **1.** raisin, sultana. **2.** *(mică)* currant, plum.
stafidi *vr.* to shrivel, to dry.
stafidit *adj. fam.* shrivelled, shrunken, dwindling; *un bătrân ~ fam.* an old shrivel, a dwindling / shrunken old man.
stafie *s.f.* ghost, phantom.
stafilococ *s.m. med.* staphylococcus.
stafilococic *adj. med.* staphylococcic.
stafilococie *s.f. med.* staphylococcia.
stagiar I. *s.m.* probationist. **II.** *adj.* (on) probation.

stagiu *s.n.* **1.** probation (period). **2.** *(vechime)* seniority; length of service.
stagiune *s.f.* (theatrical) season
stagna *vi.* **1.** to stagnate. **2.** *fig.* to flag.
stagnant *adj.* stagnant.
stagnare *s.f.* **1.** stagnation, slack time. **2.** *(încetare)* cessation.
stai *interj.* **1.** stop, hold hard! **2.** *mil.* halt!
stal *s.n.* stalls; *~ul doi* pit.
stalactită *s.f. geol.* stalactite.
stalagmită *s.f. geol.* stalagmite.
stalagmometru *s.n. fiz.* stalactometer, stalagmometer.
stambă *s.f. text.* (printed) calico.
stamboli *s.m. ist. României* Turkish gold coin.
stamină *s.f. bot.* stamen.
staminifer *adj. bot.* stamineous, stamineal, staminiferous.
staminodiu *s.n. bot.* staminode, staminodium.
stampa *vt.* to stamp, to punch.
stampare *s.f. tehn.* hall-marking, striking, stamping.
stampă *s.f.* print, engraving.
stampian *adj. geol.* stampian.
stană *s.f.* (stone) block; *(lespede)* slab; *(stâncă)* rock; *a rămâne ~ de piatră* to be petrified / stunned.
stancă *s.f. ornit.* v. s t ă n c u ț ă.
stand *s.n.* stall, stand.
standard I. *s.n.* standard, norm. **II.** *adj.* standard(ized).
standardiza *vt.* to standardize.
standardizare *s.f.* standardization, normalization.
standardizat *adj.* standardized.
stanifer *adj. mineral.* staniferous.
stanină *s.f. mineral.* stannite.
staniol *s.n.* tinfoil.
staniște *s.f. înv.* v. z ă c ă t o a r e.
staniță *s.f.* stanitsa, Cossack village.
staniu *s.n. chim.* tin.
stanța v. ș t a n ț a.
stanță *s.f.* stil. stanza.
star *s.n.* **1.** *cin., sport etc.* star. **2.** *nav.* two-seat sports boat.
stare *s.f.* **1.** situation, state. **2.** *(avere)* wealth, circumstances. **3.** *(ședere)* remaining, staying; *~ civilă* civil status; *(ca serviciu)* registrar's office; *~ de asediu* state of emergency; *~ de spirit* frame of mind; *~ pe loc* immobility; *~ proastă* bad condition *sau* plight; *~ sufletească* mood; disposition; *în ~ bună* in good repair; good; *în ~ proastă* in bad repair; *în perfectă ~* undamaged.
stareț *s.m.* abbot.
stareță *s.f.* abbess.
staroste *s.m. înv.* chief, head.
start *s.n.* start.
starter *s.m. sport, tehn.* starter.
stas *s.n.* state standard, norm.
stat *s.n.* **1.** *pol.* state; *AE și government.* **2.** *(listă)* list. **3.** *(statură)* height, stature; *~ de plată* pay list / roll; *~ major* general staff; *~ personal* personal record; *de ~* state...; *mic de ~* small.
statal *adj.* state; government.
stater *s.m. ist. Greciei, fin.* stater.
stathuder *s.m. ist.* stad(t) holder.
static *adj.* static; *natură ~ă* still life.
statică *s.f. fiz.* statics.
statism *s.n. tehn.* statism.
statistic *adj.* statistical.
statistică *s.f.* statistics.
statistician *s.m.* statistician.
stativ *s.n.* stand.
stative *s.f. pl. text.* weaving loom, (weaver's) loom.
stat-major *s.n.* (general) staff; *ofițer de ~* staff officer.
stator *s.n. tehn.* stator.
statoreactor *s.n. av.* ramjet (engine).
statornic I. *adj.* **1.** constant, steadfast. **2.** *(stabil și)* durable, lasting. **II.** *adv.* consistently, steadily.
statornici I. *vt.* to settle, to fix. **II.** *vr.* to settle, to take one's abode.
statornicie *s.f.* steadiness, stability.
statoscop *s.n. av.* statoscope.
statua *vt. rar* to statute, to decree, to enact (a law).
statuar *adj.* statuary.
statuetă *s.f.* statuette.
statuie *s.f.* statue.
statu-quo *s.n.* status quo.
statură *s.f.* stature, height.
statut *s.n.* **1.** statute, rule. **2.** *(situație)* status, condition.
statutar *adj.* statutory.
stație *s.f.* **1.** station. **2.** *(de tramvai, autobuz etc.)* stop; *~ de benzină* filling station; *~ (de taxiuri)* taxi rank, cab stand.
staționa *vi.* to be stationed.
staționar *adj.* constant, stationary.
stațiune *s.f.* station; *~ balneară* spa, watering place; *~ de cercetări* research / experiment station; *~ de mașini și tractoare* machine and tractor station.
staul *s.n.* cow house, stable.
staurolit *s.n. mineral.* staurolite.
stavă *s.f.* **1.** stud, (farm) haras. **2.** stud fold or pasture.
stavilă *s.f.* obstacle, hindrance.
stavrid *s.m. iht.* horse mackerel, scad *(Trachurus trachurus).*
stavrofor *s.m. bis.* Christian Orthodox high priest or archimandrite.
stavropighie *s.f. bis.* monastery that is directly dependent on the patriarchate.
stază *s.f. med.* stasis.
stămbărie *s.f.* printed calico, prints.
stăncuță *s.f. ornit.* jackdaw *(Corvus monedula spermologus).*
stănoagă *s.f. poligr.* shelf for type cases.
stănog *s.n.* stable bar that separates horses or cattle.
stăpân *s.m.* **1.** master. **2.** *(proprietar și)* owner, landlord. **3.** *(patron și)* employer.
stăpână *s.f.* **1.** mistress (of the house). **2.** *(propietăreasă)* landlady.
stăpâni I. *vt.* **1.** to master. **2.** *(a conduce)* to rule, to govern. **3.** *(a domina)* to keep under. **4.** *(a avea)* to possess, to own. **5.** *(a stăvili)* to restrain, to suppress. **II.** *vi.* to sway, to reign. **III.** *vr.* to master one's temper etc.
stăpânire *s.f.* **1.** mastership, mastery. **2.** domination, dominion. **3.** *(posesiune)* possession, ownership. **4.** *(de sine)* selfpossession / control.
stăpânit *adj.* self-possesed / -contained; *~ de un gând* thought-ridden.
stăpânitor I. *s.m.* **1.** ruler, master. **2.** proprietor, owner. **II.** *adj.* ruling, governing.
stăreție *s.f.* **1.** *(locuință)* abbey. **2.** *(demnitate)* abbacy.
stărosti *vi. pop.* **1.** to woo. **2.** to utter the wedding orations.
stărui *vi.* **1.** to insist. **2.** *(a rămâne)* to persist, to subsist. **3.** *(asupra unui lucru și)* to dwell (on a thing). **4.** *(a dăinui și)* to linger.
stăruință *s.f.* **1.** insistence, persistence. **2.** perseverance, assiduity. **3.** *(proptea)* intercession, wangle.
stăruitor I. *adj.* persevering, tenacious. **II.** *adv.* perseveringly, persistently.
stătător *adj.* stagnant; *de sine ~* independent.
stătut *adj.* **1.** stuffy, close. **2.** *(d. apă)* foul.
stăvilar *s.n.* dam, weir.
stăvili *vt.* **1.** to dam. **2.** *fig.* to stem, to hold back.
stâlceală *s.f.* **1.** cudgelling, beating. **2.** mangling (a language), corruption (of a word, text).
stâlci *vt.* **1.** *(a bate)* to pommel, to beat, to pulp. **2.** *(a schilodi)* to mu-

tilate. **3.** *(o limbă)* to mangle; *(un cuvânt)* to corrupt.
stâlcit I. *adj.* beaten black and blue etc. v. stâlci. **II.** *adv.(incorect)* incorrectly.
stâlcitură *s.f.* **1.** v. s t â l c e a l ă. **2.** wrecked object.
stâlp *s.m.* **1.** pillar; post. **2.** *fig.* upholder; ~ *de cafenea* man about town; *Stâlpul astron.* Cynosure, the Northern Star; *~ul bătrâneților cuiva* smb.'s support in old age.
stâlpare *s.f. pop. (ramură verde)* green twig; *Duminica stâlpărilor* Palm Sunday.
stâmpăra *vt., vr. pop.* v. a s t â m - p ă r a.
stână *s.f.* sheepfold, pen.
stâncă *s.f.* **1.** rock. **2.** *(colțuroasă)* crag. **3.** *(faleză)* cliff. **4.** *(recif)* reef.
stâncărie *s.f.* rocks etc. v. s t â n c ă; rocky region.
stâncos *adj.* rocky, craggy.
stâng I. *s.n.* **1.** left leg. **2.** *fig.* wrong leg. **II.** *adj.* **1.** left. **2.** *pol. și* left-wing.
stânga *s.f.* **1.** the left hand. **2.** *pol.* the left; ~ *împrejur! mil.* left about!, about turn!
stângaci I. *s.m.* **1.** left-handed person. **2.** *fig.* looby, butterfingers. **II.** *adj.* **1.** left-handed. **2.** unskilful, clumsy. **III.** *adv.* clumsily.
stângăcie *s.f.* clumsiness, awkwardness.
stângism *s.n.* left-wing communism.
stângist *s.m., adj.* leftist.
stânjen *s.m.* **1.** fathom. **2.** *bot.* iris.
stânjeneală *s.f.* uneasiness, embarrassment.
stânjenel *s.m. bot.* iris *(Iris).*
stânjeni *vt.* to embarrass, to inconvenience.
stânjenit *adj.* uncomfortable, embarrassed.
stânjeniță *s.f. bot.* woodbine *(Lonicera).*
stânjeniu *adj.* violet.
stârc *s.m. ornit.* heron *(Ardea).*
stârci *vt.* to crouch.
stârcit *adj.* **1.** crouching. **2.** stunted.
stârni I. *vt.* **1.** to (a)rouse, to stir. **2.** *(a ațâța și)* to incite, to unleash. **II.** *vr.* to break out, to be unleashed.
stârpi I. *vt.* to uproot, to eradicate, to root out / up; *(a distruge)* to destroy; to exterminate; *(a desființa)* to abolish. **II.** *vr.* **1.** to be uprooted etc. (v. ~ I). **2.** *(d. femei) pop.* to become barren.
stârpire *s.f.* uprooting, eradication etc. (v. s t â r p i I.).
stârpitură *s.f.* midget, lilliputian.
stârpitură *s.f.* malformation, deformity, monster, misshape, midget.
stârv *s.n.* **1.** carrion, carcass. **2.** *peior.* (putrid) carcass, *pop.* croacker.
stea *s.f.* **1.** star. **2.** *(asterisc)* asterisk; ~ *călăuzitoare* lode star; ~ *căzătoare* shooting star; *~ua polară* the pole star, *fig.* one's lode star; *cu ~ în frunte* remarkable, prominent.
steag *s.n.* **1.** *(national)* flag. **2.** *mil. și* colours. **3.** *(stindard și fig.)* standard, banner.
steajăr *s.m. pop.* pole (particulary one fixed on the middle of a threshing floor).
steapsină *s.f. biochim.* steapsin.
stearat *s.m. chim.* stearate.
stearic *adj.* stearic; *acid ~ chim.* stearic acid, stearine.
stearină *s.f. chim.* stearin; stearic acid.
stearpă *adj. f.* barren, sterile; *(d. vacă)* dry.
steatit *s.n. mineral.* steatite, saponite.
steatoză *s.f. med.* steatosis.
steblă *s.f. bot. pop. stem, stalk.*
stegar *s.m.* standard / colour bearer.
stegocefali *s.m. pl. paleont.* stegocephalians, Stegocephalia.
stegodon *s.m. paleont.* stegodon.
stegozaur *s.m. paleont.* stegosaur *(Stegosaurus).*
steguleț *s.n.* pennon, banneret.
stei *s.n. (stâncă)* rock; *(ascuțită)* cliff; *(lespede)* slab.
steinschiller *subst. bot.* variety of German wine.
stejar *s.m. bot.* oak (tree) *(Quercus).*
stejăriș *s.n.* oak grove, grove of oaks.
stelaj *s.n.* shelves.
stelar *adj.* stellary.
stelarator *s.n. fiz.* stellarator.
stelat *adj.* stellate(d).
stelă *s.f.* stele.
steluțoară *s.f.* **1.** little star, *rar* starrulet. **2.** *bot.* v. s t e l i ț ă. **3.** *bot.* daisy, hen-and-chickens *(Bellis perennis).*
stelit *s.n. met.* stellite.
steliță *s.f. bot.* amellus starwort *(Aster amellus).*
steluță *s.f.* **1.** little star. **2.** *(asterisc)* asterisk.
stemă *s.f.* (coat of) arms, escutcheon.
sten *s.m. fiz.* sthene.
stenahorie *s.f.* v. n ă d u f.
stenic *adj. med.* sthenic; *fig.* bracing, invigorating.
stenodactilograf *s.m.* shorthand typist.
stenodactilografă *s.f.* stenotypist.
stenodactilografie *s.f.* shorthand and typing.
stenograf *s.m.*, **stenografă** *s.f.* stenographer.
stenografia *vt.* to take down in shorthand.
stenografie *s.f.* stenography, shorthand.
stenogramă *s.f.* minutes, record.
stenohalin *adj. biol.* stenohaline.
stenoterm *adj. biol.* stenothermal, stenothermic.
stenotip *s.n.* stenotype.
stenotipie *s.f.* stenotypy.
stenotipist, -ă *s.m., s.f.* stenotypist.
stenozare *s.f. text.* hardening of cellulose fibres (by immersion in formol).
stenoză *s.f. med.* stenosis; ~ *mitrală med.* mitral stenosis.
stentor *s.m.* stentor.
step *s.n.* tap dancing.
stepă *s.f. geogr.* steppe.
ster *s.m.* stere.
steradian *s.m. geom.* steradian.
steregoaie *s.f. bot.* white veratrum *(Veratrum album).*
stereo- *prefix* stereo-.
stereoacustică *s.f. fiz.* stereoacoustics.
stereobat *s.n. arh.* stereobate.
stereochimie *s.f.* stereochemistry.
stereocinematografie *s.f. cin.* stereocinema(tography).
stereocromie *s.f.* stereochromy.
stereofonic *adj.* stereophonic.
stereofonie *s.f.* stereophony.
stereofotografie *s.f.* stereophotography.
stereofotogrammetrie *s.f.* stereophotogrammetry.
stereograf *s.n.* stereograph.
stereografie *s.f.* stereography.
stereogramă *s.f.* stereogram, stereographic view / picture.
stereoizomer *s.m. chim.* stereoisomer.
stereoizomerie *s.f. chim.* stereoisometrism.
stereometric *adj. geom.* stereometric.
stereometrie *s.f.* stereometry.
stereometru *s.n.* stereometer.
stereoplanigraf *s.n.* stereoplanigraph.
stereoscop *s.n.* stereoscope.
stereoscopic *adj.* stereoscopic(al).
stereoscopie *s.f. opt.* stereoscopy.
stereotip I. *adj.* **1.** *poligr.* stereotype; *(d. o ediție)* stereotyped. **2.** *fig.*

stereotype, hackneyed, trite. **II.** *s.n.* stereotype plate.
stereotipa *vt.* to stereotype.
stereotipic *adj.* stereotypic(al).
stereotipie *s.f.* stereotypy.
stereotipist *s.m. poligr.* stereotyper, stereotypist.
stereotomie *s.f. constr., arh.* stereotomy.
steril I. *s.n.* barren gangue. **II.** *adj.* **1.** sterile; barren. **2.** *fig. și* fruitless.
sterilitate *s.f.* sterility, barrenness.
steriliza *vt.* to sterilize.
sterilizator *s.n.* sterilizer.
sterine *s.m. pl. biochim.* sterols.
sterlină *adj.* sterling.
stern *s.n.* breast bone.
sternal *adj. anat.* sternal.
sternocleidomastoidian *adj. anat.* sternocleidomastoid.
sterol *s.m. biochim.* v. s t e r i n e.
sterp *adj.* barren.
stert *s.n.* **1.** (candle)wick. **2.** (~ *de mină)* miner's lamp, davy.
stetometru *s.n. med.* stethometer.
stetoscop *s.n.* stethoscope.
stetoscopie *s.f. med.* stethoscopy.
stewardesă *s.f.* stewardess, air hostess.
stibină *s.f. mineral.* stibinite, stibine.
stibiu *s.n. mineral.* stibium, antimonium, antimony.
sticlar *s.m.* **1.** glass blower. **2.** *(geamgiu)* glazier.
sticlă *s.f.* **1.** glass. **2.** *(de geam)* window pane. **3.** *(clondir)* bottle. **4.** *(mică)* phial. **5.** *(de lampă)* chimney; ~ *cu apă* bottle of water; ~ *de ceas* watchglass; ~ *de vin* wine bottle; ~ *goală glumeț.* old soldier; ~ *mată* matted glass; ~ *suflată* hollow ware; *de* ~ glass(y).
sticlărie *s.f.* **1.** glassware. **2.** *(fabrică)* glass works; ~ *suflată* hollow ware.
sticlete *s.m.* **1.** *ornit.* thistlefinch *(Carduelis carduelis).* **2.** *fig.* policeman, cop.
sticli *vi.* to glitter.
sticlos *adj.* glassy.
sticlozitate *s.f.* vitrescence.
sticluță *s.f.* phial, vial.
stigmat *s.m.* brand, stigma.
stigmatic *adj. opt.* (ana)stigmatic.
stigmatism *s.n. opt.* stigmatism.
stigmatiza *vt.* to brand, to stigmatize.
stih *s.n.* **1.** line. **2.** *și pl.* verse.
stihar *s.n. bis.* surplice, alb.
stihie *s.f.* **1.** element. **2.** Nature. **3.** class.
stihuitor *s.m. înv.* versifier, verse, rhymer, rhymester; *peior.* poetaster.
stil *s.n.* **1.** style. **2.** *(mod și)* manner, way; ~ *bombastic* fustian; ~ *familiar* colloquial style; ~ *gazetăresc* journalese; ~ *telegrafic* cablese; *de* ~ period; *în* ~ *mare* grandly.
stila I. *vt.* to polish, to refine, to trim. **II.** *vr.* to get trained, to refine oneself, to get a polish.
stilat *adj.* stylish; refined.
stilb *s.m. fiz.* stilb.
stilet *s.n.* stilet(to).
stilist *s.m.* stylist.
stilistic *adj.* stylistic.
stilistică *s.f.* stylistics.
stiliști *s.m. pl. rel.* Christian Orthodox believers using the Julian calendar.
stilit *ist. rel.* **I.** *adj.* Stylite. **II.** *s.m.* stylite, pillar saint.
stiliza *vt.* **1.** to brush up, to polish, to edit. **2.** *artă* to stylize.
stilizare *s.f.* **1.** editing. **2.** *artă* stylization.
stilizator *s.m.* literary editor.
stilobat *s.m. arh.* stylobate.
stilou *s.n.* **1.** fountain pen. **2.** *(cu pastă)* ball(-point) pen.
stima *vt.* to esteem.
stimabil *s.m., adj.* honourable.
stimat *adj.* esteemed, respected; *Stimate domn* Dear Sir.
stimă *s.f.* esteem; *cu* ~ *(în scrisori)* yours faithfully / respectfully.
stimul *s.n. med.* stimulus.
stimula *vt.* **1.** to stimulate. **2.** *fig. și* to spur.
stimulant *adj.* stimulating, stimulative.
stimulat *adj. fiz.* activated.
stimulativ *adj.* stimulative, stimulating.
stimulator *s.m. chim.* growth promoter.
stimulent *s.n.* **1.** incentive, stimulus. **2.** *(solicitare)* challenge.
stindard *s.n.* standard, banner.
stingător *s.n.* fire extinguisher.
stinge *vt.* **1.** to extinguish, to put out. **2.** *el.* to switch / turn off. **3.** *(un proces)* to quash. **4.** *(o datorie)* to pay off. **5.** *(varul)* to slake. **II.** *vr.* **1.** to die out / down. **2.** *(a muri și)* to pass away, to breathe one's last.
stingere *s.f.* **1.** extinction. **2.** *mil.* taps.
stingher *adj.* **1.** alien, odd. **2.** *(singuratic)* lonely.
stinghereală *s.f.* embarrassment, uneasiness.
stingheri *vt.* to inconvenience, to hamper.
stingherit *adj.* embarrassed, ill-at-ease.
stinghie *s.f.* **1.** perch, pole. **2.** *anat.* groin.
stins I. *adj.* **1.** extinguished, put out. **2.** *(slab)* faint, faded. **II.** *adv.* faintly, dimly.
stipelă *s.f. bot.* stipe(la).
stipendia *vt.* to stipend, to support.
stipendiu *s.n.* stipend.
stiplex *s.n. tehn.* plexiglax.
stipula *vt.* to stipulate, to lay down.
stipulație *s.f.* stipulation, provision.
stipulă *s.f. bot.* stipula.
stirax *s.m. bot.* styrax *(Styrax).*
stiren *s.m. chim.* styrene.
stirigoaie *s.f. bot.* white / false / swamp hellebore *(Veratrum album).*
stiroflex *s.n. el.* styroflex.
stirpe *s.f. (neam) elev.* family, origin, stock.
stivă *s.f.* stack, pile.
stivui *vt.* **1.** to heap / pile up. **2.** *tehn.* to staple; to layer.
stoarce *vt.* **1.** to squeeze. **2.** *(rufe)* to wring. **3.** *fig.* to drain, to exhaust. **4.** *(bani)* to extort. **5.** *(pe cineva de bani)* to bleed; *a* ~ *lacrimi* to bring tears to the eyes; *a* ~ *un secret etc.* to draw a secret etc.
stoc *s.n.* stock, supply.
stoca *vt.* to stock(pile), to corner.
stocaj *s.n.*, **stocare** *s.f.* stock(ing), corner(ing).
stocastic *adj.* by stochastic, at random, randomized, alleatory, resulting from guesswork.
stocher *s.n. ferov.* stoker.
stocli *subst.* breed of swine.
stoechiometric *adj. chim.* stoich(e)iometric.
stoechiometrie *s.f. chim.* stoich(e)iometry.
stofă *s.f.* **1.** stuff. **2.** *(țesătură și)* cloth, material; ~ *ecosez* tartan-cloth, plaid.
stog *s.n.* haystack.
stogoș *adj.* of or related to a local sheep breed.
stogoșat *adj.* **1.** of or relating to a sheep breed. **2.** pointed (cap).
stoic I. *s.m.* stoic. **II.** *adj.* stoical. **III.** *adv.* stoically.
stoicism *s.n.* stoicism, endurance.
stokes *s.m. fiz.* stokes.
stol *s.n.* bevy, flock.
stolă *s.f. bis.* stole, orarium, surplice.
stolnă *s.f. min.* drift, adit.
stolnic *s.m. odin.* High Steward.
stolniceasă *s.f. înv., pop., ist. României* High Steward's wife.
stolnicel *s.m. ist. României* (in Wallachia and Moldavia) court-official.

stolon *s.n. bot.* stolon, offset.
stolonifer *adj. bot.* stolonate, stoloniferous.
stomac *s.n.* **1.** stomach; *(familiar și)* tummy. **2.** *zool. și fig.* paunch.
stomacal *adj.* stomachal, gastric.
stomată *s.f. bot.* stoma(te).
stomatită *s.f. med.* stomatitis.
stomatolog *s.m.* stomatologist.
stomatologic *adj. med.* stomatologic.
stomatologie *s.f.* stomatology.
stop I. *s.n.* **1.** traffic light(s). **2.** *(roșu)* stop. **II.** *interj.* stop!
stopa I. *vt.* **1.** to stop. **2.** *(o stofă etc.)* to close darn. **II.** *vi.* to stop, to pull up.
stopă *s.f. nav.* nipper, stopper.
stoper *s.m.* **1.** *sport* stopper. **2.** *(pt. haine)* (close)darner.
stor *s.n.* (roller) blind, sunblind.
storcătoare *s.f.* squeezer.
storci *vt.* **1.** v. s t o a r c e. **2.** to crush.
storna *vt. ec.* to rectify a book-keeping error.
stornare *s.f.* v. s t o r n o.
storno *subst. ec.* **1.** (action of) rectifying a book-keeping error. **2.** transfer.
stors I. *s.n.* wringing (of washing). **II.** *adj.* **1.** wrung out. **2.** *(istovit)* exhausted, drained, worn out.
stos *s.n.* faro, basset.
stovaină *s.f. farm.* stovaine.
strabism *s.n. med.* strabism(us), anorthopia.
strabometru *s.n. tehn., med.* strabismometer.
strabotomie *s.f. med.* strabotomy.
strachină *s.f.* dish; basin.
stradă *s.f.* street; ~ *dosnică / laterală* by-street; ~ *mare* main street; *pe* ~ in the street.
stradelă *s.f.* (narrow) street, bystreet, lane.
stradivarius *s.n. muz.* Stradivarius, *fam.* Strad.
strai *s.n.* și *pl.* clothes.
strajă *s.f.* watch, guard; *de ~ păcii* watching over peace.
strampontină *s.f.* v. s t r a p o n t i n ă.
strană *s.f.* **1.** pew. **2.** *(a dascălilor)* lectern.
strangula *vt.* to strangle.
strangulare *s.f. tehn.* throttling.
strangulat *adj.* strangled, throttled.
stranietate *s.f.* strangeness, oddity, curiosity, strange / alien nature.
straniu I. *adj.* strange, bizarre. **II.** *adv.* strangely, queerly.
strapazan *s.n. nav.* thole(pin), oar lock.
strapontin *s.n.* v. s t r a p o n t i n ă.
strapontină *s.f.* **1.** bracket seat. **2.** *(într-un automobil)* cricket seat.
stras *s.n.* rhinestone.
strașnic I. *adj.* **1.** terrible; severe. **2.** *(oribil)* dreadful; frightful. **3.** *(minunat)* slap-up, capital. **II.** *adv.* **1.** terribly, awfully. **2.** wonderfully, capitally. **III.** *interj.* capital!, splendid!
strat *s.n.* **1.** stratum, layer. **2.** *(de vopsea)* coat (of paint). **3.** *(de flori)* bed; *~uri sociale* social strata, walks of life.
stratagemă *s.f.* stratagem, ruse.
strată *s.f. ec., geol.* non-systematic register containing all the economic operations of a firm.
strateg *s.m.* strategist.
strategic I. *adj.* strategical. **II.** *adv.* strategically.
strategie *s.f.* strategy.
stratifica *vt., vr.* to stratify.
stratificare *s.f.* stratification; bedding; ~ *concordantă* conformable bedding, conformity; ~ *discordantă* inconformity.
stratificație *s.f.* v. s t r a t i f i c a r e.
stratiform *adj. geol. etc.* stratiform.
stratigrafic *adj.* stratigraphic.
stratigrafie *s.f. geol.* stratigraphy.
stratocumulus *subst. meteo.* stratocumulus.
stratojet *s.n. av.* jet plane designed to fly within the stratosphere.
stratoplan *s.n. av.* stratospheric aircraft.
stratosferă *s.f.* stratosphere.
stratosferic *adj.* stratospheric.
stratostat *s.n.* stratospheric baloon.
stratus *s.m.* stratus (cloud).
stră- *prefix* grand-.
străbate *vt.* **1.** to cover, to traverse. **2.** *(a străpunge)* to pierce.
străbătător *adj.* **1.** piercing. **2.** traversing, covering.
străbun I. *s.m.* ancestor, forefather. **II.** *adj.* traditional, ancient.
străbunic *s.m.* great grandfather.
străbunică *s.f.* great grandmother.
străbunici *s.m. pl.* great grandparents.
strădanie *s.f.* endeavour, effort.
strădui *vr.* to strive, to do one's best.
străduință *s.f.* v. s t r ă d a n i e.
străfulgera *vi.* to flash (through one's mind).
străfund *s.n. (și pl.)* innermost depths.
străin I. *s.m.* **1.** foreigner. **2.** *(necunoscut)* stranger; *prin ~i* abroad. **II.** *adj.* **1.** foreign. **2.** *(necunoscut)* strange, unknown. **3.** *(al altcuiva)* somebody else's.
străinătate *s.f.* foreign countries; *din* ~ from abroad; *în* ~ abroad.
străinism *s.n.* foreignism, loan / foreign word.
străjer *s.m.* guard, watchman.
străjui I. *vt.* to watch, to guard. **II.** *vi.* to (be on the) watch; to tower, to rise.
străjuitor *adj.* watching, guarding.
străluc *s.m. entom.* capricorn beetle *(Cerambyx)*.
străluci *vi.* **1.** to shine, to radiate. **2.** *(a scânteia)* to flash, to sparkle; to glow.
strălucire *s.f.* brilliance, brightness; *(slabă)* glow; *(metalică)* glint.
strălucit I. *adj.* brilliant, splendid. **II.** *adv.* brilliantly, wonderfully.
strălucitor *adj.* brilliant, radiant.
strămoș *s.m.* ancestor, forefather; *pl. și* forebears.
strămoșesc *adj.* traditional, customary; our forefathers'...
strămurare *s.f. pop. (pt. îmboldit)* goad.
strămuta *vt., vr.* to (re)move, to shift.
strămutare *s.f. jur.* transfer (of case to another court).
strămutat *adj.* displaced.
strănepoată *s.f.* great granddaughter.
strănepot *s.m.* **1.** great grandson. **2.** *pl.* great grandchildren.
strănut *s.n.* sneeze.
strănuta *vi.* to sneeze.
străpungător *adj.* piercing etc. v. s t r ă p u n g e.
străpunge *vt.* **1.** to pierce, to penetrate. **2.** *fig.* to break (through). **3.** *(a înjunghia)* to stab.
străsnici *vt.* to awe; *(a înfricoșa)* to frighten.
strășnicie *s.f.* **1.** sternness, severity. **2.** harshness, cruelty.
străvechi *adj.* ancient, as old as the hills; *din timpuri* ~ from times immemorial.
străvedea *vr.* to see one's own image.
străveziu *adj.* **1.** transparent, translucent. **2.** *fig.* obvious.
strâmb I. *adj.* **1.** wry, crooked. **2.** *(înclinat)* slanting. **3.** *fig.* *(greșit)* false, wrong; *(nedrept)* unfair, biassed. **II.** *adv.* **1.** awry, slantwise. **2.** *fig.* wrongly, mistakenly.
strâmba I. *vt.* **1.** to twist, to crook. **2.** și *fig.* to distort. **II.** *vi. a ~ din nas* to turn up one's nose (at smth.).

III. *vr.* **1.** to twist. **2.** *(a face strâmbături)* to make wry faces; to make grimaces.
strâmbătate *s.f.* *(nedreptate)* injustice.
strâmbătură *s.f.* grimace, wry / long face.
strâmt *adj.* **1.** narrow, small. **2.** *(strâns)* tight, close.
strâmta I. *vt.* **1.** to (make) narrow. **2.** *(hainele)* to take in. **3.** *(a reduce)* to diminish. **II.** *vr.* **1.** to (get) narrow. **2.** to be reduced / diminished.
strâmtoare *s.f.* **1.** *(defileu)* gorge(s). **2.** *(marină)* straits. **3.** *fig.* tight spot; *la ~* at a pinch.
strâmtora I. *vt.* **1.** to drive smb. into a corner, to drive smb. hard / to extremities, to drive smb. in(to) straits, to put smb. to a standstill, to pursue smb. close; *(a încurca)* to nonplus, *fam.* to stump. **2.** *(a sili)* to oblige, to compel. **II.** *vr.* to reduce one's expenses.
strâmtorare *s.f.* reduced circumstances.
strâmtorare *s.f.* **1.** driving into a corner etc. v. s t r â m t o r a. **2.** v. s t r â m t o a r e.
strâmtorat *adj.* in reduced circumstances, hard up.
strângător *adj.* thrifty, sparing.
strânge I. *vt.* **1.** to tighten. **2.** *(a apăsa)* to squeez; to compress. **3.** *(a restrânge)* to restrain. **4.** *(a împături)* to fold. **5.** *(d. pantofi)* to pinch. **6.** *(a aduna)* to gather, to amass. **7.** *(a culege)* to pick up, to glean. **8.** *(a acumula)* to hoard, to heap up, to stock. **9.** *(a colecționa)* to collect. **10.** *(impozite)* to levy, to raise. **11.** *(a întări)* to strengthen, to consolidate; *a ~ bani* to lay by (money), to claw money; *(de la oameni)* to collect money; *a ~ masa* to clear the table / the dishes, to clear away; *a ~ rândurile* to serry the ranks, to rally (closer). **II.** *vi.* **1.** to press. **2.** *(d. pantofi)* to pinch. **III.** *vr.* **1.** to gather, to assemble, to congregate. **2.** *(a se ghemui)* to crouch.
strângere *s.f.* pressing, compression; tightening; *~ de inimă (scrupul)* compunction, pang; *(teamă)* misgiving, apprehension; *~ de mână* hanshake.
strâns I. *s.n.* gathering (in); *~ul recoltei* harvesting, gathering in. **II.** *adj.* **1.** tight; close; compressed. **2.** *(d. rânduri)* serried; *~ pe corp* tight fitting. **III.** *adv.*closely, tightly.
strânsoare *s.f.* grip.
strânsură *s.f.* gathering; *oaste de ~* army of sorts.
streașină *s.f.* eave(s).
streche *s.f.* gadfly.
strechea *vi.* to stampede.
strecura I. *vt.* **1.** to strain. **2.** *(a furișa)* to smuggle. **II.** *vr.* **1.** to filter (in). **2.** *(a se furișa)* to slink, to steal in / out.
strecurat *s.n.* straining etc. v. s t r e c u r a.
strecurătoare *s.f.* strainer, collander.
strei *subst. zool.* local swine breed.
strein v. s t r ă i n.
streliți *s.m. pl. ist. Rusiei* special infantry police corps from which the royal guards were elected.
strepede *s.m. entom.* cheese magot / hopper *(Piophila casei).*
strepezeală *s.f.* setting on edge (of the teeth).
strepezi I. *vt.* to set on edge. **II.** *vr.* to be set on edge.
streptocid *s.n. farm.* streptococcidal drug.
streptococ *s.m. med.* streptococcus.
streptococic *adj.* streptococcic.
streptococie *s.f. med.* streptococcosis.
streptomicină *s.f.* streptomycin.
stress *s.n.* stress.
stria *vt. tehn.* to streak, to channel, to striate.
striat *adj. anat., geol.* striated.
striație *s.f. anat. etc.* striation.
strica I. *vt.* **1.** to spoil, to mar. **2.** *(a sparge)* to break, to wreck. **3.** *(a sfărâma)* to crush. **4.** *fig.* și to blast, to dash. **5.** *(a corupe)* to pervert, to corrupt, to deprave; *nu ~ orzul pe gâște* honey is not for the ass's mouth. **II.** *vi.* to be harmful / injurious; *n-ar ~ să pleci* you'd better go. **III.** *vr.* **1.** to be spoilt, to be out of order. **2.** *(a se înrăutăți)* to deteriorate, to go wrong. **3.** *(a putrezi)* to decay, to rot. **4.** *(a se deprava)* to be perverted / corrupted.
stricat I. *s.m.* debauchee, dissolute fellow. **II.** *adj.* **1.** spoilt, damaged, marred. **2.** *(putred)* rotten, decayed. **3.** *(rău mirositor)* foul. **4.** *(alterat)* tainted, polluted. **5.** *(imoral)* unchaste. **6.** *(pervers)* dissolute, debauched. **III.** *adv.* badly.
stricată *s.f.* dissolute woman, wanton, woman of loose morals, woman of the town.
stricăciune *s.f.* **1.** harm, damage. **2.** *(corupție)* corruption; immorality.
stricător *adj.* **1.** destructive, wrecking. **2.** *(d. copii)* naughty.
stricnină *s.f.* strychnin.
strict I. *s.n.* *~ul necesar* the essential. **II.** *adj.* strict; rigid. **III.** *adv.* strictly; sternly.
strictețe *s.f.* strictness, rigour.
strictura *vt. tehn.* to narrow, to constrict.
stricturare *s.f. tehn.* stricture, constriction.
strictură *s.f. med.* stricture, constriction.
stricțiune *s.f. fiz.* reduction in area.
strident I. *adj.* **1.** strident, shrill. **2.** *fig.* și blatant. **II.** *adv.* **1.** stridently, shrilly. **2.** *fig.* blatantly.
stridență *s.f.* **1.** harshness, shrillness. **2.** *fig.* jarring note.
stridie *s.f. zool.* oyster *(Ostrea).*
stridor *s.m. med.* stridor.
stridulant *adj. entom.* stridulant, stridulating, stridulous, creaking, chirping (insect).
striga I. *vt.* to call. **II.** *vi.* **1.** to call (out), to shout. **2.** to vociferate, to clamour; *a ~ catalogul* to call the roll.
strigare *s.f.* call; *~a catalogului* roll-call.
strigă *s.f.* **1.** *ornit.* barn / screech owl, hissing (white) owl *(Strix flammea).* **2.** v. s t r i g o a i c ă.
strigăt *s.n.* call; cry; shout; yell etc. v. s t r i g a.
strigător *adj.* **1.** crying, blatant. **2.** *fig.* scandalous, shocking; *~ la cer* clamant, revolting.
strigătură *s.f.* witty couplet.
strigiforme *s.n. pl. ornit.* Strigiformes.
strigoaică *s.f.* **1.** *(strigoi)* ghost, hobgoblin. **2.** *(babă urâtă și rea)* old hag.
strigoi *s.m.* ghost, phantom.
strigoiaș *s.m. entom.* small night moth / butterfly.
strimer *s.m. fiz.* streamer.
stringent *adj.* urgent, pressing.
stringență *s.f.* acuteness; urgency.
stripa *vt. met.* to strip.
stripare *s.f. met.* stripping.
striper *s.n. tehn.* crane stripper.
striu *s.n.* **1.** *constr.* stria, *pl.* striae. **2.** score, scratch. **3.** rib.
strivi *vt.* **1.** to crush. **2.** *(a covârși)* to overwhelm.
strivire *s.f.* **1.** crushing. **2.** *tehn.* collapsing.
strivitor *adj.* crushing etc. v. s t r i v i.
stroboscop *s.n. fiz.* stroboscope.

stroboscopic *adj. fiz.* stroboscopic.
stroboscopie *s.f. fiz.* stroboscopy.
strofant *s.m. bot.* Strophantus *(Strophanthus).*
strofantină *s.f. farm.* strophanthin.
strofă *s.f.* stanza.
strofoidă *s.f. geom.* strophoid, strophoidal curve.
strolea *s.m. fam.* booby, ninny.
stromă *s.f. bot.* stroma.
stronghil *s.m.* v. s t r u n g h i l.
strongil *s.m. zool.* Strongylus.
strongiloză *s.f. med. vet.* strongylosis, strongyhydrosis.
stronțiană *s.f. chim.* strontia.
stronțianit *s.n. mineral.* strontian(ite).
stronțiu *s.n. chim.* strontium.
strop *s.m.* **1.** drop. **2.** *fig.* whit, jot.
stropeală *s.f.* sprinkling, watering.
stropi I. *vt.* **1.** to sprinkle. **2.** *(a păta)* to (be)smear. **II.** *vi.* to sputter, to spurt. **III.** *vr.* to smear one's clothes.
stropit *adj.* sprinkled, watered.
stropitoare *s.f.* (watering) can.
stropitură *s.f.* **1.** aspersion, sprinkling. **2.** *(strop)* drop.
stropș(e)ală *s.f.* abuse, bad language, swearing.
stropși I. *vt.* **1.** to beat, to thrash. **2.** *(un cuvânt)* to corrupt, to mangle. **II.** *vr. a se ~ la cineva* to browbeat / bully smb.
stropșit *adj.* **1.** trodden etc. v. s t r o p ș i. **2.** *fam.* v. s m i n t i t.
structura *vt.* to organize, to structure.
structural *adj.* structural.
structuralism *s.n.* structuralism.
structuralist *adj., s.m.* structuralist.
structură *s.f.* structure.
strugure *s.m.* (bunch of) grapes.
strujan *s.m. bot.* corn / maize stalk.
struji *vt.* to peel off, to shell, to pod.
strună I. *s.f.* string; cord. **II.** *adv.* smoothly, like a house on fire.
strung *s.n.* lathe.
strungar *s.m.* turner, lathe operator.
strungă *s.f.* **1.** pen, sheepfold. **2.** *(poartă)* wicket, turnstile. **3.** *geogr.* clough.
strungăreață *s.f.* gap (between one's front teeth).
strungări *vt.* to shape / turn on (a) lathe.
strungărie *s.f.* **1.** *(ca atelier)* turnery, turning shop. **2.** *(ca meserie)* turning.
strungăriță *s.f.* shepherd (woman).
strunghil *s.m. iht.* variety of gudgeon *(Gobius melanostomus).*
struni *vt.* **1.** to bridle. **2.** *fig.* și to curb, to keep in check.
strunji *vi.* to (turn on a) lathe.
strup *s.n.* belt under horse's tail.
struț *s.m. ornit.* ostrich *(Struthio camelus).*
stuc *s.n.* stucco .
stucatură *s.f.* moulding.
stud-book *s.n.* stud-book.
studeniță *s.f.* **1.** *pop.* v. g i n g i v i t ă. **2.** *bot.* sandwort, sandweed *(Arenaria).* **3.** *bot.* knawel *(Scleranthus).*
student *s.m.* student; *(în ultimii ani)* undergraduate; *(boboc)* freshman; *~ fruntaș* class man, *fam.* shark; *~ în medicină* medical student.
studențesc *adj.* student('s)...
studențește *adv.* like a student, in the manner of students.
studenție *s.f.* student / university years.
studențime *s.f.* the students.
studia I. *vt.* **1.** to study. **2.** *(a cerceta)* to investigate, to examine. **II.** *vi.* to study, to learn; *a ~ la universitate* to attend university courses.
studiat *adj.* **1.** (well)studied. **2.** *(afectat și)* affected, artificial.
studio *s.n.* **1.** studio. **2.** *(pat)* couch bed.
studios *adj.* studious, diligent, fond of learning.
studiu *s.n.* **1.** study. **2.** *(cercetare)* investigation, research. **3.** *pl.* și education, schooling. **4.** *muz.* étude; *în ~* under consideration.
stuf *s.n. bot.* reed; rush.
stufat *s.n. cul.* onion / garlic stew.
stufărie *s.f.* v. s t u f ă r i ș.
stufăriș *s.n.* reed thicket.
stufit *s.n. constr.* rush / reed plate / sheet.
stufos *adj.* **1.** bushy. **2.** *(d. copaci și)* leafy, branchy. **3.** *(des)* thick.
stup *s.m.* beehive.
stupar *s.m.* hiver.
stupă *s.f.* **1.** *text.* hemp tow (pad). **2.** *rel.* stupa.
stupărie *s.f.* bee garden, apiary.
stupărit *s.n.* bee keeping.
stupefacție *s.f.* stupefaction, amazement.
stupefia *vt.* to stupefy, to dumbfound.
stupefiant I. *s.n.* intoxicant; *fam.* dope, drug. **II.** *adj.* stupefying.
stupefiat *adj.* dumbfounded, stupefied.
stupi *vi., vt. reg.* to spit.
stupid I. *adj.* **1.** stupid, silly. **2.** *(monoton)* dull, monotonous. **II.** *adv.* stupidly, foolishly.
stupiditate *s.f.* stupidity, idiocy.
stupilă *s.f. mil.* quick-match, firing-tube.
stupină *s.f.* bee garden, apiary.
stupiniță *s.f.* **1.** diminutive of apiary. **2.** *bot.* ragged robin, cuckoo flower *(Platanthera bifolia).*
stupit *s.m.* **1.** *reg.* spittle. **2.** *bot.* cuckoo flower *(Cardamine pratensis).*
stupizenie *s.f.* stupidity; foolishness.
stupoare *s.f.* stupor.
sturion *s.m. iht.* sturgeon *(Acipenser).*
sturionicultură *s.f.* sturgeon growing / nursery.
sturlubatic *adj., s.m.* v. z v ă p ă i a t.
sturz *s.m. ornit.* thursh *(Turdus).*
sturzoaică *s.f. ornit.* she-thursh *(Turdus).*
suahili *s.m. pl. geogr., lingv.* Swahili.
suav *adj.* suave, sweet, gentle.
suavitate *s.f.* suavity, suaveness.
sub *prep.* **1.** under. **2.** *(mai jos de)* below; *~ pământ* underground; *~ zero* below zero.
subacvatic *adj.* subaqueous (light), subaquatic (exploration).
subalimenta *vt., vr.* to underfeed, to undernourish.
subalimentare *s.f.* malnutrition, underfeeding.
subalimentat *adj.* underfed.
subalimentație *s.f.* malnutrition, undernourishment, underfeeding.
subalpin *adj.* subalpine.
subaltern I. *s.n.* underling. **II.** *adj.* subordinate.
subalternare *s.f. log.* subalternation.
subansamblu *s.n. tehn.* sub-assembly, subsystem, subunit.
subaprecia *vt.* to underrate.
subapreciere *s.f.* underestimation; underestimate; underrating.
subarbă *s.f. nav.* bobstay.
subarbust *s.m. bot.* sub-shrub, suffrutex.
subarenda *vt.* to sublease.
subarendare *s.f.* underlease, sublease (of land).
subarendaș *s.m.* sub-lessee.
subarmonică *s.f. fiz.* subharmonic.
subatomic *adj. fiz.* subatomic.
subcarpatic *adj.* sub-Carpathian.
subchiriaș *s.m.* subtenant.
subclasă *s.f.* sub-class.
subcomisar *s.m. odin.* undercommissary.
subcomisie *s.f.*, **subcomitet** *s.n.* subcommittee; subcommission.
subconsumație *s.f.* underconsumption.
subconștient *s.n., adj.* subconscious.

subcontrarietate *s.f. filoz.* subcontrariety.
subcortical *adj. anat.* subcortical.
subcutanat, subcutaneu *adj.* hypodermic, subcutaneous.
subdezvoltare *s.f. ec.* underdevelopment.
subdezvoltat *adj.* underdeveloped.
subdialect *s.n. lingv.* subdialect.
subdirector *s.m.* **1.** deputy manager. **2.** *(de școală)* deputy headmaster.
subdivide *vt.* to subdivide.
subdiviziune *s.f.* subdivision.
subdominantă *s.f. muz.* subdominant.
suberifica *vt., vr. chim.* suberification.
suberină *s.f. chim.* suberin.
subestima *vt.* to underestimate.
subetaj *s.n. geol.* sub-stage.
subevalua *vt.* v. s u b a p r e c i a.
subgrindă *s.f. constr.* saddle beam.
subgrup *s.n. mat. etc.* subgroup.
subgrupă *s.f.* subgroup.
subicter *s.n. med.* mild jaundice.
subiect *s.n.* **1.** subject. **2.** plot. **3.** *(temă)* theme. **4.** *(de conversație)* topic. **5.** *(obiect)* object, cause.
subiectiv I. *adj.* **1.** subjective. **2.** *(părtinitor)* biassed, partial. **II.** *adv.* subjectively.
subiectivism *s.n.* subjectivism.
subiectivist *s.m. filoz.* subjectivist.
subiectivitate *s.f.* subjectivity; *(părtinire)* partiality.
subinel *s.n. mat.* subring.
subintitula *vt.* to subtitle.
subit I. *adj.* sudden, unexpected; *deces ~, moarte ~ă* sudden / unexpected death. **II.** *adv.* suddenly, unexpectedly, all of a sudden.
subîmpărți I. *vt.* to subdivide. **II.** *vr.* to be subdivided.
subîmpărțire *s.f.* subdivision.
subînchiria *vt.* to sublet.
subînchiriere *s.f. jur.* subletting; sub-renting; sub-tenancy; sub-lease.
subîntinde *vt. geom.* to encompass an arc.
subînțelegere *vr.* to go without saying, to be implied.
subînțeles I. *s.n.* implication, connotation; *cu ~* meaningful(ly). **II.** *adj.* implied, self-understood.
subjonctiv *s.n.* subjunctive.
subjuga *vt.* to subjugate, to captivate.
sublim I. *s.n. ~ul* the sublime, sublimity. **II.** *adj.* sublime. **III.** *adv.* divinely, wonderfully.
sublima *vt., vi., vr.* to sublime.
sublimare *s.f. chim., fiz.* sublimation.
sublimat *s.m.* sublimate.
sublimitate *s.f.* sublimity.
sublingual *adj. anat.* sublingual.
sublinia *vt.* **1.** to underline. **2.** *fig.* și to stress, to emphasize.
subliniere *s.f.* **1.** underlining. **2.** *fig.* și stress, emphasis.
sublocatar *s.m., s.f.* subtenant, sub-lessee.
sublocotenent *s.m.* second lieutenant.
submarin *s.n., adj.* submarine.
submersibil *adj., s.n.* submersible.
submersiune *s.f.* submersion, submergence.
submicron *s.m. fiz. etc.* submicron.
submina *vt.* to undermine, to sap.
subminare *s.f. jur.* undermining.
submultiplu *s.m.* submultiple.
submulțime *s.f. mat.* subset.
subnormală *s.f. mat.* subnormal (of curve).
subnutrit *adj.* underfed.
subnutriție *s.f.* v. s u b a l i m e n t a r e.
subofițer *s.m.* non-com(missioned officer), N.C.O.
subordin *s.n.* sub-order.
subordinare *s.f. mat.* subordination.
subordine *s.f. în ~a (cu gen.)* subordinated to (smb. etc.).
subordona *vt.* to subordinate.
subordonare *s.f.* subordination.
subordonat *adj., lingv. etc.* subordinated.
subordonatoare *adj. lingv.* subordinatory.
subpământean *adj.* underground, subterranean.
subpolar *adj.* subpolar.
subpopulat *adj.* underpopulated.
subprefect *s.m. ist.* subprefect.
subprefectură *s.f. ist.* subprefecture.
subpresiune *s.f. fiz.* underpressure.
subprodus *s.n.* by-product; secondary product.
subraț *s.n.* armpit.
subrauri *s.n. pl.* dress shields.
subrăcire *s.f. fiz.* supercooling.
subrăcit *adj. fiz.* supercooled.
subretă *s.f.* soubrette.
subroga *vt. jur.* to subrogate.
subrogare *s.f. jur.* subrogation, substitution; delegation (of power rights).
subscrie I. *vt.* **1.** to sign. **2.** *(o sumă)* to subscribe. **II.** *vi.* to subscribe.
subscriere *s.f.* subscription, signature.
subscripție *s.f.* subscription (list).
subscris *s.m.* subscriber.
subsecretar *s.m.* undersecretary.
subsecretariat *s.n.* function of an under-secretary of State.
subsecție *s.f.* subsection.
subsecvent *adj.* subsequent.
subsemna *vt. rar* to subscribe; to sign.
subsemnatul *s.m.* the undersigned; *glumeț* yours truly.
subsidență *s.f. geol., meteor.* subsidence.
subsidiar *adj.* subsidiary.
subsidiu *s.n.* subsidy, stipend.
subsol *s.n.* **1.** *arhit.* basement. **2.** *geogr.* subsoil. **3.** *(al paginii)* foot; *notă de ~* foot note.
subsolaj *s.n. agr.* subsoiling.
subsonic *adj. fiz., av.* subsonic.
subspecie *s.f. biol.* subspecies.
substantiv *s.n.* noun.
substantiva *gram.* **I.** *vt.* to substantivize. **II.** *vr.* to be substantivized.
substantival *adj. gram.* substantival.
substantiviza *vt., vr. lingv.* to use (word, phrase) as a noun; to substantivize.
substanță *s.f.* **1.** substance. **2.** *(esență și)* essence, gist. **3.** *(materie și)* matter, stuff; *de ~* substantial, pithy.
substanțial I. *adj.* **1.** substantial. **2.** *(nutritiv și)* nourishing. **3.** *fig.* și pithy, cogent. **II.** *adv.* substantially, considerably.
substanțialitate *s.f.* substantiality.
substație *s.f.* sub-station.
substituent *s.m.* substitute.
substitui I. *vt.* to substitute (a new thing for the old one), to replace (an old thing by a new one). **II.** *vr.* to take the place (of smb. else).
substituire *s.f. jur.* entail (to grandchildren or grandnephews).
substitut *s.m. jur.* deputy public prosecutor.
substituție *s.f.* substitution.
substractiv *adj. foto.* subtractive.
substrat *s.n.* **1.** *lingv.* substratum. **2.** *el.* substrate. **3.** *fig.* și mainspring, real reason.
subsuma I. *vt.* to subordinate; to include; to incorporate. **II.** *vr. pas.* to be subordinated etc. v. ~ I.
subsuoară I. *s.f.* armpit; *la ~* v. II. **II.** *adv.* under one's arm.
subtangentă *s.f. geom.* subtangent.
subtensiune *s.f. el.* low-tension voltage.
subteran I. *s.n.* underground, depth. **II.** *adj.* underground.
subterană *s.f.* catacomb, underground gallery; *(cavernă)* cave.

subterfugiu *s.n.* **1.** subterfuge, dodge. **2.** *(ascunziș)* creephole.
subtext *s.n.* subtext; undercurrent.
subtil I. *adj.* **1.** subtle, fine. **2.** *(isteț)* shrewd. **3.** *(fin și)* nice, delicate. **4.** sophisticated. **II.** *adv.* subtly, finely.
subtilitate *s.f.* nicety, fineness.
subtiliza *vt.* **1.** to subtilize. **2.** *fam.* to make away, to lift, to nobble, to sneak; to appropriate.
subtitlu *s.n.* **1.** subtitle. **2.** *(la un articol)* cross heading.
subton *s.n. muz.* subtone, undertone.
subtropical *adj.* subtropical.
subția I. *vt.* **1.** to (make) thin. **2.** *(a dilua)* to dilute. **3.** *fig.* to refine, to polish. **II.** *vr.* **1.** to grow thinner. **2.** *fig.* to become refined / genteel.
subțioară *s.f., adv.* v. s u b s u o a r ă.
subțiratic *adj.* **1.** thin(nish). **2.** *fig.* flimsy, unsubstantial.
subțiratic *adj.* **1.** *(d. oameni)* very thin, slender, weak. **2.** *(d. obiecte)* (too) thin. **3.** *(d. voce)* shrill, high-pitched, strident.
subțire I. *adj.* **1.** thin. **2.** *(fin)* fine; subtle. **3.** *(zvelt)* slender, slim. **4.** *(d. voce și)* shrill, strident. **II.** *adv.* **1.** thinly. **2.** *(ușor)* slightly, finely.
subțirel *adj.* thinnish.
subțirime *s.f.* thinness.
subunitate *s.f.* subunit.
suburban *adj.* suburban.
suburbie *s.f.* suburb; purlieus.
subvenție *s.f.* subvention, stipend.
subvenționa *vt.* to subsidize, to stipend.
subversiv *adj.* subversive, seditious.
subzidi *vi. constr.* to strengthen (an old piece of masonry).
subzista *vi.* to subzist, to continue, to exist.
subzistent *s.f.* subsisting, existing, still extant.
subzistență *s.f.* sustenance.
suc *s.n.* juice.
sucală *s.f. text.* reel, winder.
succeda I. *vt.* to succeed (to smb.). **II.** *vr.* to succeed each other, to come in turn.
succedaneu *s.n.* substitute, succedaneum.
succedare *s.f.* succesion; alternation.
succes *s.n.* **1.** success; *pl.* victories, progress. **2.** *(șlagăr, piesă)* hit; *cu ~* successfully; triumphantly; *de ~* successful; popular.
succesiune *s.f.* **1.** succession. **2.** *jur. și* inheritance.
succesiv I. *adj.* successive. **II.** *adj.* successively.
succesor *s.m.* successor, heir.
succesoral *adj. jur.* relating to succession, successional.
succin *s.n. mineral.* v. c h i h l i m - b a r.
succin(c)t *adj.* succinct, concise, terse.
succinic *adj. chim.* succinic (acid).
suceală *s.f.* **1.** *(capricii)* caprices, whims, freaks. **2.** *(lipsă de rațiune)* lack of reason, unreason; *(absurditate)* absurdity; folly.
suci I. *vt.* **1.** to twist. **2.** *(a răsuci și)* to roll, to turn. **3.** *(a strâmba și)* to crook. **4.** *(a scrânti)* to sprain. **5.** *(gâtul, mâna)* to wring. **II.** *vr.* to twist, to turn.
sucilă *s.m. fam.* wronghead, wrong-headed fellow.
sucit I. *s.m.* cranky / crotchety fellow. **II.** *adj.* **1.** twisted, turned. **2.** *(strâmb)* wry, distorted. **3.** *(ciudat)* cranky, crotchety. **4.** *(capricios)* whimsical.
sucitoare *s.f. ornit.* wry-neck *(Jynx torquilla).*
sucitor *s.n.* rolling pin.
sucitură *s.f.* *(cotitură)* turn(ing).
sucomba *vi.* to succumb.
suculent *adj.* **1.** juicy. **2.** *(substanțial)* substantial.
suculență *s.f.* succulence; *(gust)* taste.
sucursală *s.f.* branch.
sud *s.n.* south; *~-vest* south-west; *de ~* south(ern); *la ~* in the south; *la ~ de* south of; *spre ~* southwards.
suda *vt., vr.* **1.** to weld, to solder. **2.** *fig.* și to join.
sudabil *adj.* that can be soldered; weldable.
sudabilitate *s.f.* weldability.
sud-african *s.m., adj.* South-African.
sudalmă *s.f.* oath.
sud-american *s.m., adj.* South-American.
sudamină *s.f. med.* sudamina (of typhoid fever etc.).
sudare *s.f. tehn.* welding.
sudație *s.f.* sweating.
sud-dunărean *adj.* South of the Danube.
sud-est *s.n.* South-East.
sud-estic *adj.* *(d. o regiune)* south-eastern; *(d. vânt)* south-easterly.
sudet I. *s.m. ist.* Sudet (German). **II.** *adj. geogr.* Sudeten.
sudic *adj.* South(ern).
sudiți *s.m. pl. ist.* (in Wallachia and Moldavia) inhabitans under foreign jurisdiction.
sudoare *s.f.* sweat, perspiration.
sudor *s.m.* welder.
sudoral *adj.* sudorific.
sudorific *adj.* sudorific.
sudoripar *adj. anat.* sudoriparous, sudoriferous, pers-piratory.
sudoriță *s.f.* woman welder.
sudui I. *vt.* to abuse. **II.** *vi.* to swear.
suduitură *s.f.* oath.
sudură *s.f.* welding.
sud-vest *s.n.* South-West.
sud-vestic *adj.* *(d. o regiune etc.)* south-western; *(d. vânt)* south-westerly.
suedez I. *s.m.* Swede. **II.** *adj.* Swedish.
suedeză *s.f.* **1.** Swede, Swedish woman. **2.** *(limba)* Swedish, the Swedish language.
suferi I. *vt.* **1.** to suffer. **2.** *(a suporta)* to endure, to bear. **3.** *(a permite)* to permit; to tolerate; *a nu ~ amânare* to brook no delay; *a ~ transformări* to undergo (many)changes. **II.** *vi.* to suffer (from).
suferind I. *s.m.* invalid. **II.** *adj.* ailing.
suferință *s.f.* **1.** suffering, pain. **2.** *(necaz)* trouble, tribulation.
sufertaș *s.n.* lunch pail.
suffolk *subst. zool.* suffolk (breed of live stock).
suficient I. *adj.* **1.** sufficient, enough. **2.** *(încrezut)* self-sufficient, conceited. **3.** *(satisfăcător)* satisfactory. **II.** *adv.* sufficiently, enough. **III.** *interj.* that will do!
suficiență *s.f.* self-sufficiency.
sufism *s.n. rel.* Sufi(i)sm.
sufit *s.n. arh.* soffit.
sufită *s.f. teatru* border, upper part of a stage.
sufix *s.n. lingv.* suffix.
sufixa *vt. lingv.* to suffix.
sufixație *s.f. lingv.* suffixion.
sufla I. *vt.* **1.** to blow (off / away). **2.** *(cuiva)* to prompt. **3.** *(a lua)* to steal. **4.** *(o vorbă)* to breathe. **II.** *vi.* **1.** to blow. **2.** *(a răsufla, a adia)* to breathe. **3.** *(cuiva)* to prompt; *a ~ din greu* to pant, to gasp (for breath).
suflai *s.n.* **1.** *tehn.* blow pipe. **2.** *ferov.* blower.
suflantă *s.f. tehn.* blower.
suflare *s.f.* breath(ing); *fără ~* breathless, panting; *(mort)* dead.
suflat *s.n.* v. s u f l a r e.
suflător *s.m.* **1.** wind instrument; *pl.* the winds. **2.** *(muzicant)* wind instrumentalist.
sufleca *vt.* to roll / turn up.

sufler *s.m.* prompter.
suflerie *s.f. tehn.* blowing engine, blast engine; blower.
suflet *s.n.* **1.** soul. **2.** *(inimă și)* heart. **3.** *(conștiință)* conscience. **4.** *(suflare)* breath(ing). **5.** *(om)* man, human being; *cu ~ul la gură* out of breath, panting; *de ~* adopted; *din ~* heart-felt; *(adverbial și)* from the bottom of one's heart; *fără ~* heartless(ly), callous(ly); *într-un ~* in a hurry.
sufletesc *adj.* soul..., spiritual.
sufletește *adv.* spiritually, morally.
sufleței *s.n.* *~e! fam.* my dear / darling!
sufleu *s.n. cul.* soufflé.
suflu *s.n.* **1.** blast (of an explosion). **2.** *(suflare)* breath.
suflură *s.f. met.* blow (hole).
sufoca *vt., vr.* to stifle.
sufocant *adj.* stifling, smothering.
sufoziune *s.f. geol.* suffusion.
sufragerie *s.f.* **1.** dining room. **2.** *(mobilă)* dining-room furniture.
sufragetă *s.f. ist.* sufragette.
sufragiu *s.n.* suffrage, vote.
sugaci *s.m.*, **sugar** *s.m.* suckling, nurseling.
sugativă *s.f.* **1.** blotting paper. **2.** *fig.* *(bețiv)* toper.
sugărel *s.m. bot.* germander *(Teucrium montanum).*
sugătoare *s.f.* **1.** blotting paper. **2.** *bot.* pine sap, bird's nest *(Monotropa hypopitys).*
suge I. *vt.* **1.** to suck. **2.** *fig.* to sponge on. **II.** *vi.* **1.** to suck. **2.** *fig.* to booze, to swill.
sugel *s.m.* **1.** *med.* whitlow, panaris, panaritium. **2.** *bot.* dead nettle *(Lamium)*; *~ alb* white dead nettle *(Lamium album).*
sugera *vt.* **1.** to suggest. **2.** *(a insinua)* to insinuate.
sugere *s.f. rar* sucking.
sugestie *s.f.* **1.** suggestion. **2.** hypnosis.
sugestiona *vt.* to produce an effect of suggestion on.
sugestiv I. *adj.* suggestive, graphical. **II.** *adv.* graphically, eloquently.
sugestivitate *s.f.* suggestiveness.
sughiț *s.n.* **1.** hiccup. **2.** *(de plâns)* sob.
sughița *vi.* **1.** to hiccup. **2.** *(de plâns)* to sob.
sughițare *s.f.*, **sughițat** *s.n.* hiccoughing, hiccuping.
sugiuc *s.n.* Turkish delight (with nuts).
sugruma *vt.* **1.** to strangle. **2.** și *fig.* to smother, to stifle, to choke.
sugrumat *adj.* **1.** strangled. **2.** *(d. voce)* smothered, choked.
sugrumătură *s.f.* v. g â t u i r e.
suhat *s.n.* common pasture.
sui *vt., vi., vr.* to climb up.
suicid *s.n.* suicide.
sui-generis *adj.* sui generis.
suine *s.n. pl. zoot.* Suina.
suiș *s.n.* **1.** *(tendință)* uptrend. **2.** *(urcare)* climbing.
suit *s.n.* climbing (up).
suitar *s.m.* v. s o i t a r.
suită *s.f.* **1.** suite. **2.** *(alai și)* retinue. **3.** *(serie și)* succession, chain. **4.** *(la cărți)* suit; *(la pocher)* straight.
suitoare *s.f. min.* raising shaft.
suitor *adj.* climbing, rising.
sul *s.n.* **1.** roll. **2.** *(de mașină de scris)* feed-roller.
sulă *s.f.* awl.
sulcină *s.f. bot.* v. s u l f i n ă.
sulemeneală *s.f.* painting, loud make-up, heavy rouging.
sulf *s.n. chim.* sulphur.
sulfamidă *s.f. farm.* sulphamid.
sulfanilic *adj. chim.* sulphanilic (acid), AE sulfanilic.
sulfat *s.n. chim.* sulphate.
sulfata *vt.* **1.** *chim.* to sulphate. **2.** *agr.* to treat with copper sulphate.
sulfatare *s.f. el.* sulphating (of accumulator plates).
sulfatază *s.f. biochim.* sulphatase.
sulfatizare *s.f. chim.* sulphatization, AE sulfatization.
sulfhidric *adj. chim. acid ~* hydrogen sulphide.
sulfină *s.f. bot.* melilot *(Melilotus).*
sulfit *s.m. chim.* sulphite.
sulfitare *s.f. chim.* sulphitation, AE sulfitation.
sulfocianhidric *adj. chim.* sulphocyanic, thiocyanic (acid).
sulfocianură *s.f. chim.* sulphocyanide, AE sulfocyanide.
sulfonare *s.f. chim.* sulphonation.
sulfurare *s.f. chim.* sulphur(iz)ation, AE sulfuration.
sulfurat *adj. chim.* sulphuretted; *hidrogen ~* hydrogen sulphide, sulphuretted hydrogen.
sulfură *s.f. chim.* sulphide, sulphuret; *~ de carbon* carbon disulphide; *~ de fier* iron pyrites; *~ de plumb* lead sulphide, galena.
sulfuric *adj. chim.* sulphuric.
sulfuros *adj.* chim. sulphurous.
sulger (sluger) *s.m. ist. României* purveyor.
sulgiu *s.m. ist.* tax on beef and mutton.
suliman *s.n.* paint.
sulimeni *vr.* to paint one's face, to raddle.
sulimenită *adj. fem.* raddled, painted; *o femeie ~* a (painted) Jezebel.
sulițaș *s.m.* **1.** javelin thrower. **2.** *ist.* spearman.
suliță *s.f.* **1.** javelin. **2.** *ist.* spear.
sulițică *s.f. bot.* variety of clover *(Dorycnium herbaceum).*
sulky *subst. sport* sulky.
sultan *s.m.* sultan.
sultanat *s.n.* sultanate.
sultană *s.f.* sultana.
sultanin *rar* **1.** *adj.* of good quality. **2.** raisins grapes.
sultă *s.f. jur., fin.* balance (to equalize shares etc.); additional payment (over and above the legal price).
sultănesc *adj.* sultan's...
suma *vt. mat.* to sum up; to find the sum of (terms of a series etc.).
sumabilă *adj. mat.* summable.
sumac *s.m. bot.* sumac(h) *(Rhus coriaria).*
suman *s.n.* thick long coat.
sumar I. *s.n.* **1.** summary. **2.** *(conținut)* table of contents. **II.** *adj.* **1.** summary. **2.** brief, frugal. **III.** *adv.* summarily; scantily.
sumator *s.m. cib.* summator.
sumație *s.f. fiziol. etc.* summation.
sumă *s.f.* **1.** sum; amount. **2.** *(număr)* number; *~ globală* lump sum; *o ~ de* a lot of.
sumbru I. *adj.* sombre, gloomy. **II.** *adv.* gloomily.
sumedenie *s.f.* lot, multitude; a great deal (of).
sumerian *adj., s.m.* Sumerian.
sumes *adj.* *(d. mânecă)* rolled / turned up; *(d. haină)* tucked up.
sumete *vt.* v. s u f l e c a.
sumisiune *s.f. livr.* v. s u p u n e r e.
summum *s.n.* acme, height, summit of (civilization etc.).
suna I. *vt.* **1.** to ring. **2.** *(la telefon)* to ring / call up. **3.** *(d. ceas)* to strike. **II.** *vi.* **1.** to ring; to sound. **2.** *(d. clopote și)* to toll. **3.** *(d. zurgălăi)* to chime. **4.** *(a răsuna)* to resound. **5.** *(d. ceas)* to strike the hours. **6.** *(a glăsui)* to read, to run; *a ~ din (corn etc.)* to blow (the horn etc.).
sunătoare *s.f.* **1.** rattle. **2.** *bot.* all-saints'-wort, hardhay *(Hypericum perforatum).*
sunător I. *s.m.* *~i fam.* hard cash. **II.** *adj.* sonorous, resounding.
sunet *s.n.* **1.** sound. **2.** *(de clopote și)* ring, toll.

sunna *subst. rel.* Sunna, Sunnah.
sunnism *s.n. rel.* Sunnism.
sunt *prez. de la* a fi. **1.** *pers.* **I.** (I) am. **2.** *pers. a III-a (pl)* (they) are.
supa *vt.* to sup.
supapă *s.f.* valve.
supă *s.f. cul.* **1.** soup. **2.** *(concentrată)* broth.
supăra I. *vt.* **1.** to annoy, to vex. **2.** to irritate, to irk. **3.** *(a necăji)* to nag, to tease. **4.** *(a deranja)* to disturb, to trouble. **II.** *vr.* **1.** to be angry / irritated. **2.** *(a se înfuria)* to fly into a temper. **3.** *(a se certa)* to quarrel, to fall out. **4.** *(a se întrista)* to grieve, to be sorrowful.
supărare *s.f.* **1.** anger, sorrow. **2.** *(necaz)* trouble, grief, suffering. **3.** *(pierdere)* loss, bereavement. **4.** *(ofensă)* offence, outrage.
supărat *adj.* **1.** angry, cross (with smb. / at a thing). **2.** *(trist)* aggrieved, sorrowful.
supărăcios *adj.* ill-tempered, grumpy.
supărător *adj.* **1.** annoying, irritating. **2.** *(regretabil)* unfortunate.
super- *prefix* super-.
superangular *adj.* superangular.
superarbitru *s.m.* higher referee (deciding on a tie between umpires).
superb *adj.* superb, splendid.
superciment *s.n. constr.* rapidhardening / Portland cement.
superficial I. *adj.* superficial, shallow. **II.** *adv.* superficially, wantonly.
superficialitate *s.f.* shallowness, flimsiness; perfunctoriness.
superficie *s.f. jur.* superficies.
superfin *adj.* superfine, of extra quality.
superfiniție *s.f. tehn.* superfinish.
superflu *adj.* superfluous, redundant; unnecessary, unwanted.
superfosfat *s.m. chim., arg.* superphosphate.
supergalaxie *s.f. astr.* supergalaxy.
superheterodină *s.f. radio* superheterodine.
supericonoscop *s.n. telec.* image iconoscope, supericonoscope (image tube).
superior I. *s.m.* superior. **II.** *adj.* **1.** superior (to). **2.** *(mai înalt)* high(er). **3.** *(de sus)* upper.
superioritate *s.f.* superiority.
superlativ *s.n., adj.* superlative.
supermagazin *s.n.* superstore, supermarket.
supernovă *s.f. astr.* supernova.
superorticon *s.n. telec.* superorthicon.
superpoziție *s.f.* superposition (of triangles, of geological strata etc.).
superproducție *s.f. cin.* epic.
supersonic *adj.* supersonic.
superstiție *s.f.* **1.** superstition. **2.** *(eres)* old wives' tale.
superstițios *adj.* superstitious.
supeu *s.n.* supper.
supieră *s.f.* soup tureen.
supin *s.n. gram.* supine.
supinație *s.f. anat.* supination.
supleant I. *s.m.* deputy, substitute. **II.** *adj.* alternate.
supletiv *adj. gram.* suppletive.
suplețe *s.f.* suppleness, litheness.
supliciu *s.n.* **1.** torture, ordeal. **2.** *fig.* și torment.
supliment *s.n.* **1.** supplement, addition. **2.** extra (dish, ticket, payment etc.).
suplimenta *vt.* to supplement.
suplimentar *adj.* **1.** supplementary, additional. **2.** *(d. muncă etc.)* overtime.
suplini *vt.* **1.** to replace, to be a substitute for. **2.** *(o lipsă etc.)* to make up for, to compensate.
suplinire *s.f.* **1.** substitution, replacement. **2.** *(a unei lipse)* compensation.
suplinitor *s.m.* substitute (teacher etc.), deputy.
suplu *adj.* supple, lithe.
suport *s.n.* support, prop.
suporta *vt.* **1.** to support, to bear. **2.** *(a suferi)* to abide, to tolerate.
suportabil I. *adj.* tolerable, bearable. **II.** *adv.* tolerably.
suporter *s.m. sport* supporter, fan.
supozitor *s.n.* suppository, *înv.* collyrium.
supoziție *s.f.* supposition, conjecture.
supozițional *adj., s.n.* suppositional.
supra- *prefix* supra-, super-.
supraabundent *adj.* superabundant, redundant.
supraabundență *s.f.* superabundance; *com.* glut.
supraaglomera *vt.* to overcrowd.
supraaglomerare *s.f.* overcrowding.
supraaglomerație *s.f.* v. s u p r a a g l o m e r a r e.
supraalimenta *vt.* to overfeed.
supraalimentare *s.f. tehn.* supercharging.
supraalimentație *s.f. med.* overfeeding, over-nourishment.
supraaprecia *vt.* to overrate, to overestimate, to overvalue.
supraarbitru *s.m.* referee (deciding a tie between umpires).
suprabugetar *adj.* extraordinary, not included in the budget.
supraclasă *s.f. biol.* superclass.
supraconductibilitate *s.f. fiz.* supraconductivity, superconductivity, supraconduction, superconduction.
supraconductiv *adj. fiz.* superconductive.
supraconductor *fiz.* **I.** *adj.* supraconductive, superconductive. **II.** *s.m.* supraconductor, superconductor.
supracopertă *s.f.* jacket, wrapper.
supracurent *s.m. el.* overcurrent.
supradimensionat *adj.* outsized.
supradominantă *s.f. muz.* submediant; la (of movable do system).
supraestima *vt.* to overestimate.
supraetaja *vt. constr.* to add additional floors (to a building).
supraetajare *s.f. constr.* penthouse.
supraevalua *vt.* to overestimate, to overvalue.
supraexcitație *s.f. med.* overstimulation.
supraexpunere *s.f. foto.* over exposure.
supraexpus *adj. foto.* over exposed.
suprafață *s.f.* **1.** surface. **2.** *(întindere)* area. **3.** *(spațiu)* space; ~ *locuibilă / locativă* floor space; *de* ~ surface..., shallow; *la* ~ on the surface.
suprafiresc *adj.* supernatural.
suprafluid *adj. chim.* in a state of superfluidity.
suprafluiditate *s.f. chim.* superfluidity.
suprafortăreață *s.f. av.* superfortress.
suprafuziune *s.f. fiz.* superfusion, surfusion; supercooling, undercooling.
supraimpresiune *s.f. foto., cin.* superimposition.
supraimprimare *s.f. poligr.* superimposition.
supraimpunere *subst. geol.* pseudomorphism; superimposition.
suprainfecție *s.f. med.* **1.** secondary infection. **2.** superinfection.
supraînălțare *s.f. constr.* superelevation.
supraîncălzi *vt.* to overheat; *(aburul)* to superheat.
supraîncălzire *s.f. fiz.* overheating, superheating.
supraîncălzitor *s.n. tehn.* (steam) superheater.
supraîncărca *vt.* to overload, to overcharge.
supralicita *vt.* to overbid.

supralicitator *s.m.* overbidder.
supralicitație *s.f.* overbid.
supramodulație *s.f. radio.* overmodulation.
supramuncă *s.f.* surplus labour.
supranatural *s.n., adj.* supernatural, preternatural.
supranaturalism *s.n.* supernaturalism; preternaturalism.
supranormativ *adj.* redundant, excess.
supranume *s.n.* appellation; *poreclă* nickname.
supranumerar *s.n., adj.* supernumerary.
supranumi *vt.* to (nick)name.
supraofertă *s.f.* overbid.
supraom *s.m.* superman.
supraomenesc *adj.* superhuman.
supraordonat *adj.* **1.** superordinated. **2.** higher in a hierarchy. **3.** *lingv.* governing.
suprapământesc *adj.* preternatural, supernatural.
suprapopula *vr.* to overpopulate.
suprapopulat *adj.* overpopulated.
suprapopulație *s.f. biol.* overpopulation.
suprapresiune *s.f. tehn.* overpressure.
suprapreț *s.n.* high / stiff price.
supraproducție *s.f.* overproduction.
supraprofit *s.n.* superprofit.
suprapune I. *vt.* to superpose. **II.** *vr.* to overlap.
suprapunere *s.f.* superposition, overlapping.
suprarăcire *s.f. fiz.* supercooling, overcooling.
suprarăcit *adj. fiz.* overcooled.
suprarealism *s.n.* surrealism.
suprarealist *s.m., adj.* surrealist.
suprarenal *adj. anat.* suprarenal, surrenal.
suprarenină *s.f. biochim., med.* adrenalin.
suprasarcină *s.f. tehn.* overload, overcharge, surcharge.
suprasatura *vt.* to supersaturate.
suprasaturat *adj. fiz.* supersaturated, oversaturated.
suprasaturație *s.f.* **1.** *chim.* supersaturation. **2.** *fig.* satiation.
suprasensibil *adj.* supersensible.
suprasolicita *vt.* to overtax.
suprastatal *adj.* superstate...
suprastructură *s.f. filoz.* superstructure; *bază și ~* basis and superstructure.
suprataxă *s.f. ec.* extra tax, surtax, supertax.
supratensiune *s.f.* over-pressure; *el.* over-voltage.
supratimp *s.m.* overtime.
supratipar *s.n.* overprint, superscript.
supratonică *s.f. muz.* supertonic; re (of movable do system).
supratopire *s.f. fiz.* v. s u p r a f u - z i u n e.
suprauman *adj.* superhuman.
supraunitar *adj.* more than one; above the figure 1.
supraveghea I. *vt.* **1.** to oversee, to supervise. **2.** *(a păzi)* to follow, to watch. **II.** *vr.* to keep oneself in hand.
supraveghere *s.f.* supervision; watch.
supraveghetor *s.m.* overseer, superintendent.
supraviețui *vi. (cu dat.)* to outlive (smb.); to survive (smth.).
supraviețuire *s.f.* survival, outliving.
supraviețuitor I. *s.m.* survivor. **II.** *adj.* surviving.
supravoltaj *s.n. el.* boost(ing).
supravoltor-devoltor *s.n. el.* reversible booster.
suprem *adj.* supreme, paramount.
suprematism *s.n. artă* suprematism.
supremație *s.f.* supremacy; *~ aeriană* command of the air.
supresor *adj. tehn.* suppressor.
suprima *vt.* **1.** to suppress. **2.** *(un cuvânt)* to cross / cut out. **3.** *(pe cineva)* to kill, *fam.* to do for. **4.** *(a anula)* to cancel. **5.** *(a înlătura)* to abolish, to eliminate.
supt I. *s.n.* **1.** sucking. **2.** *fig.* boozing, swilling; *a avea darul ~ului* to drink (hard). **II.** *adj.* **1.** thin, wasted. **2.** *(d. obraji)* sunken, hollow.
supune I. *vt.* **1.** to subdue, to subject. **2.** *(cercetării)* to examine. **3.** *(a prezenta)* to submit, to table. **II.** *vr.* **1.** to submit, to obey. **2.** *(a capitula)* to surrender. **3.** *(unei rugăminți etc.)* to comply (with a request etc.).
supunere *s.f.* **1.** submission, obedience. **2.** *(cucerire)* conquest, defeat.
supura *vi. med.* to fester.
supurant *adj. med.* running, suppurating.
supurație *s.f. med. festering.*
supus I. *s.m.* subject; *~ umil* underdog. **II.** *adj.* **1.** submissive; unresisting, pliant. **2.** *(ascultător)* obedient, dutiful; *~ la* liable to. **III.** *adv.* dutifully, submissively.
supușenie *s.f.* citizenship.
sur *adj.* **1.** grey. **2.** *(cărunt și)* grizzled, hoary.
surată *s.f. pop. (soră)* sister; *(prietenă)* friend; *(dragă)* dear.
surâde *vi.* to smile; *a-i ~ cuiva* to smile at smb.; *fig.* to appeal to smb.
surâs *s.n.* **1.** smile. **2.** *(ironic)* grin, sneer.
surâzător *adj.* smiling, beaming.
surâzând *adj.* v. s u r â z ă t o r.
surcea *s.f.* chip.
surd I. *s.m.* deaf person. **II.** *adj.* **1.** deaf. **2.** *(d. consoane)* mute, voiceless. **3.** *(d. zgomot)* muffled. **4.** *(ascuns)* smothered, hidden; *~ ca masa* stone-deaf.
surda *adv. de-a ~* uselessly, in vain, to no end.
surdă *s.f.* deaf woman / girl.
surdină *s.f.* sourdine, mute; *în ~* in an undertone.
surditate *s.f.* **1.** deafness. **2.** *fon.* voicelessness.
surdomut I. *s.m.* deaf-mute. **II.** *adj.* deaf and dumb.
surdomutism *s.n. med.* deaf-mutism.
surdopedagogie *s.f.* education of the deaf-mute.
surescita *vt.* to (over)excite.
surescitabil *adj.* easily excited; excitable.
surescitabilitate *s.f.* (over-)excitability.
surescitant *adj.* strongly exciting.
surescitare *s.f.* excitement.
suret *s.n. ist. României* translation or copy of an act or letter.
surfila *vt. text.* to overcast.
surghiun *s.n.* exile, banishment.
surghiuni *vi.* to banish.
surghiunire *s.f.* exile; banishment, banishing.
surghiunit *s.m.* exile.
surguci *s.m.* **1.** *bot.* garden / rocket larkspur *(Delphinium Ajacis).* **2.** plume, tuft.
surioară *s.f.* little sister, *fam.* siss(y), sis.
suriu *adj.* greyish.
surlă *s.f.* trumpet.
surmena I. *vt.* to overwork. **II.** *vr.* to strain / work too hard.
surmenaj *s.n.* overwork(ing).
surogat *s.n.* **1.** substitute, ersatz. **2.** *fig.* imitation.
surpa I. *vt.* **1.** to pull down. **2.** *fig.* și to undermine. **II.** *vr.* to crumble, to cave in.
surpare *s.f.* **1.** crumbling, cave-in. **2.** *(a pământului)* landslide.
surpat *adj.* **1.** crumbled; caved / fallen in; tumbledown. **2.** *(bolnav de hernie) pop.* hernial.
surpătură *s.f.* **1.** crumbling etc. v. s u r p a. **2.** landslide. **3.** ruin(s). **4.** *(hernie) pop.* rupture, hernia.

surplombă *s.f.* overhang, beetle; bulge.
surplus *s.n.* surplus, excess.
surprinde *vt.* **1.** to surprise. **2.** *(a mira și)* to astonish, to amaze. **3.** *(a prinde)* to catch (unawares). **4.** *(a ajunge)* to overtake. **5.** *(a auzi)* to overhear.
surprindere *s.f.* surprise; astonishment, wonder; *prin ~* by surprise; *luat prin ~* (caught) unguarded.
surprins *adj.* surprised, astonished.
surprinzător I. *adj.* **1.** surprising, astonishing. **2.** *(neașteptat și)* unexpected, unwarrantable. **II.** *adv.* amazingly, surprisingly.
surpriză *s.f.* **1.** surprise. **2.** *(mirare și)* astonishment, wonder. **3.** *sport* upset.
sursă *s.f.* source.
surtuc *s.n.* (sack) coat, jacket.
surtucar *s.m. peior.* **1.** townsman. **2.** intellectual.
surugiu *s.m.* coachman.
surveni *vi.* to occur, to happen.
surzeală *s.f.* deafness.
surzenie *s.f.* deafness.
surzi I. *vt.* to deafen. **II.** *vi.* to grow deaf.
surzire *s.f.* **1.** deafening. **2.** *(surzenie)* deafness.
sus I. *s.n.* upper part; *cu ~ul în jos* upside down, topsy-turvy; *s.m.* not himself, upset; *în ~ul râului* upstream. **II.** *adv.* up, above; on top; *~ mâinile!* hands up!; *~ și tare* loudly; *de ~ până jos* from clew to earing; *de ~* (on) high; *în ~* upward; *pe ~* high; *(cu de-a sila)* by main force, bodily. **III.** *interj.* up!
susai *s.m. bot.* sow / swine thistle *(Sonchus).*
susan *s.m.* sesame.
susceptanță *s.f. el.* susceptance.
susceptibil *adj.* **1.** susceptible. **2.** *(țâfnos)* testy, tetchy; *~ de* liable to; apt to.
susceptibilitate *s.f.* susceptibility, sensitiveness.
susceptivitate *s.f. fiz.* v. s u s c e p t i b i l i t a t e.
suscita *vt.* to arouse, to stir; to bring about.
sus-citat *adj.* above-mentioned.
susmenționat *adj.*, **susnumit** *adj.* above-mentioned.
suspantă *s.f. av.* suspending ropes (of balloon, car, parachute); rigging line (of parachute).
suspect I. *s.m.* suspect, doubtful person. **II.** *adj.* suspicious, doubtful.
suspecta *vt.* to suspect.
suspenda *vt.* **1.** to suspend. **2.** *(ședința etc.)* to adjourn. **3.** *(a atârna)* to hang.
suspendare *s.f.* **1.** *jur.* suspension, delay (of judgement / trial). **2.** postponement, delaying. **3.** *(din funcție)* suspension.
suspendat *adj.* suspended, hanging.
suspense *s.f.* suspense; *cu ~* thrilling, based on suspense.
suspensie *s.f.* suspension.
suspensiv *adj.* suspensive.
suspensoid *s.n. chim.* suspensoid.
suspensor *s.n.* suspensory bandage.
suspiciune *s.f.* suspicion, doubt.
suspin *s.n.* sigh, sob.
suspina *vi.* to sigh, to sob; *a ~ după* to hanker after.
suspinare *s.f.* **1.** sighing. **2.** *(suspin)* sigh.
suspinatul *s.m. glum.* yours truly, number one; și ~ same here.
suspus *adj.* highly placed.
sussex *subst. zool.* Sussex (breed of cattle).
sustentație *s.f.* sustentation; *av. etc.* lift.
sustrage I. *vt.* **1.** *(a fura)* to embezzle, to defalcate. **2.** *(a ascunde)* to hide. **II.** *vr. a se ~ de la* to elude, to shirk.
sustragere *s.f.* embezzlement, defalcation.
susținător *s.m.* **1.** upholder, supporter. **2.** *(al familiei)* breadwinner.
susține I. *vt.* **1.** to uphold, to back. **2.** *(a încuraja)* to encourage, to countenance. **3.** *(o părere etc. și)* to maintain, to assert. **4.** *(a pretinde)* to allege. **II.** *vr.* **1.** to stand, to hold (one's ground). **2.** *(materialicește)* to support oneself, to earn one's living.
susținere *s.f.* support(ing).
susținut *adj.* constant, unfailing.
susur *s.n.* murmur, purl(ing); whisper.
susura *vi.* to murmur, to purl.
sutană *s.f. bis.* cassock.
sutar *s.n. fam.* hundred-lei note.
sutaș *s.m. ist. Romei* centurion.
sutașa *vt., vi.* to braid.
sută *s.f., adj., num.* hundred; *la ~* per cent.
sutălea *adj., num.* one hundredth.
sutien *s.n.* bra(ssière).
sutime *s.f.* hundredth.
sutura *vt. med.* to suture (lips of wound etc.), to sew, to stich up.
sutură *s.f.* **1.** *med.* suture. **2.** *anat.* suture, join.
suvei *s.n. ind. extr.* socket, casing socket (for lifting the casing).
suveică *s.f.* shuttle.
suvenir *s.n.* **1.** souvenir, keepsake. **2.** *(amintire)* memory, remembrance.
suveran I. *s.m.* sovereign, monarch. **II.** *adj.* sovereign, paramount.
suveranitate *s.f.* sovereignty.
suzeran *adj., s.m. ist.* suzerain.
suzeranitate *s.f.* suzerainty.
suzetă *s.f.* baby's dummy *sau* comforter.
svastică *s.f.* swastika, fylfot; *(hitleristă etc.)* haken-kreuz.
sveter *s.n.* sweater.
sving *s.n. sport. etc.* swing.
swami *subst. rel.* Swami.
syrinx *s.n.* **1.** *zool.* syrinx. **2.** *muz.* Pan's pipes; panpipe.

Ș

Ș, ș *s.m.* the twenty-second letter of the Romanian alphabet (corresponding English sound: sh in shoe).
șa *s.f.* saddle.
șabacă *s.f. înv.* openwork embroidery / tracery.
șabăr *s.n. tehn.* scraper.
șablon I. *s.n.* **1.** pattern. **2.** *tehn. și* templet. **II.** *adj.* **1.** staple, standard(ized). **2.** *peior.* hackneyed, humdrum. **3.** *(nediferențiat)* indiscriminate.
șablona *vt. tehn.* to template.
șabotă *s.f. tehn.* anvil block.
șacal *s.m.* **1.** *zool.* jackal. **2.** *fig. și* vulture.
șagă *s.f.* v. g l u m ă.
șagrin *s.n. ind. pielăriei* shagreen.
șagrina *vt. ind. pielăriei* to shagreen, to grain.
șah I. *s.m.* shah. **II.** *s.n. sport* **1.** chess. **2.** *(atac)* check; ~ *mat* checkmate; *în* ~ in check. **III.** *interj.* check!
șahăr-mahăr *s.n.* a umbla cu ~ *fam.* to play (at) fast and loose, to be a humbug.
șahist *s.m. sport* chess player.
șaibă *s.f. tehn.* washer.
șaisprezece *s.m., adj., pron., num. card.* sixteen.
șaisprezecelea *adj., num. ord.* sixteenth.
șaisprezecime *s.f.* sixteenth.
șaizeci *s.m., adj., pron., num. card.* sixty.
șaizecilea *adj., num. ord.* sixtieth.
șal *s.n.* shawl.
șaland *s.n. nav.* barge; ~ *de cărbuni* coal hopper / highter.
șalander *s.m. nav.* bargee, bargemaster.
șalanger *s.m. sport* challenger.
șalău *s.m. iht.* pike perch, zander *(Lucioperca sandra).*
șale *s.f. pl. anat.* loins.
șalon *s.n.* **1.** *biol.* chalone. **2.** *text.* shalloon. **3.** *mar.* drag- / trawlnet.
șalter *s.n. tehn.* switch.
șalupă *s.f. nav.* (motor) boat.
șalvari *s.m. pl.* shalwars.
șaman *s.m. rel. orientală* shaman.
șamanism *s.n. rel. orientală* shamanism.
șambelan *s.m.* chamberlain.
șamiza *vt. ind. pielăriei* to chamois, to dress, to taw.
șamotă *s.f. constr.* chamotte, fire clay.
șampanie *s.f.* champagne.
șampaniza I. *vt.* to aerate, to give sparkle to; to prepare champagne from. **II.** *vr. pas.* to be aerated etc. v. ~ I.
șampanizare *s.f.* champagnization.
șampon *s.n.* shampoo.
șampona *vt.* to shampoo.
șan *s.n.* last, boot / shoe tree.
șancru *s.n. med.* chancre; ~ *moale* chancroid.
șandrama *s.f.* ramshackle building, jerrybuilt house.
șanfrena *vt. tehn.* to chamfer, to bevel.
șanjant *adj.* shot silk.
șansă *s.f.* **1.** *(noroc)* chance, luck. **2.** *(ocazie)* opportunity.
șansonetă *s.f. muz.* chansonnette.
șansonetist *s.m.* **1.** chansonnier, singer of chansonnettes. **2.** song-writer.
șantagist *s.m.* blackmailer.
șantaj *s.n.* (piece of) blackmail.
șantaja *vt.* to blackmail.
șantajist *s.m.* blackmailer.
șantan *s.n.* cabaret, night club.
șanteză *s.f.* chanteuse.
șantier *s.n.* **1.** (building) site. **2.** *nav.* shipyard.
șantung *s.n. text.* shantung.
șanță *s.n.* **1.** ditch. **2.** *tehn.* groove.
șapă *s.f. constr.* covering, capping.
șapcă *s.f.* peaked cap.
șapirograf *s.n.* mimeograph; xerograph.
șapirografia *vt.* to ditto, to xerograph.
șapirografiere *s.f. tehn.* mimeographing, copying by photostat.
șapte *s.m., adj., pron., num. card.* seven.
șaptelea *adj., num. ord.* seventh.
șaptesprezece *s.m., adj., pron., num. card.* seventeen.
șaptesprezecelea *adj., num. ord.* seventeenth.
șaptezeci *s.m., adj., pron., num. card.* seventy.
șaptezecilea *adj., num. ord.* seventeenth.
șaradă *s.f.* puzzle, enigma.
șarampoi *s.n. reg.* pile, stake.
șaretă *s.f.* gig.
șarg *adj. (d. cai)* dun, light bay.
șariaj *s.n. geol.* drifting (of alluvial deposits).
șarja I. *vt.* to charge. **II.** *vi.* to play up, to overemphasize.
șarjă *s.f.* **1.** charge. **2.** *(caricatură)* cartoon, caricature.
șarlatan *s.m.* quack, cheat, fraud.
șarlatanie *s.f.* quackery, charlatanry, *fam.* flam; imposture.
șarlotă *s.f. cul.* charlotte.
șarnieră *s.f.* **1.** *tehn.* hinge, butthinge, joint. **2.** *paleont.* hinge. **3.** *geol.* crest bend axis (of fold). **4.** aileron-, elevator-, hinge-.
șarpantă *s.f. constr.* framework.
șarpe *s.m. zool.* snake, serpent; ~ *cu clopoței* rattlesnake *(Crotalus adamantus)*; ~ *cu ochelari* naja, cobra *(Naja naja).*
șart I. *interj.* slap! **II.** *s.n. cu* ~ **1.** *adj.* due, proper, adequate. **2.** *adv.* duly; properly, adequately; *după* ~ according to custom.
șase I. *s.m., adj., pron., num. card.* six. **II.** *interj.* nix! jiggers!
șaselea *adj., num. ord.* sixth.
șaseprezece *num. card., adj., s.m.* v. ș a i s p r e z e c e.
șasiu *s.n. tehn.* chassis, frame.
șaten *adj.* brown.
șatră *s.f.* **1.** Gipsy camp. **2.** Gipsy tribe.
șavanți *s.m. pl. geogr.* Shavanté(s).
șăgalnic I. *adj.* waggish, droll. **II.** *adv.* waggishly, humorously.
șătrar *s.m.* wandering / nomadic Gipsy.
șchioapă *s.f.* span; *de o* ~ knee-high to a grasshopper.
șchiop I. *s.m.* lame man; *fam.* lame duck. **II.** *adj.* **1.** lame, halting. **2.** *fig.* deficient, imperfect.
șchiopa *vi.* **1.** to become lame. **2.** v. ș c h i o p ă t a.
șchiopăta *vi.* **1.** to limp, to hobble. **2.** *(a fi șchiop)* to be lame. **3.** *fig.* to be deficient.

școală *s.f.* **1.** school. **2.** *(învățătură)* schooling, education; ~ *confesională* denominational school; ~ *de corecție* reform / approved school, reformatory; ~ *(de cultură) generală* all-round / comprehensive school; ~ *medie* secondary school; ~ *profesională* vocational / technical school; ~ *primară* elementary school; *cu* ~ educated; *fără* ~ uneducated.
școlar I. *s.m.* school boy, pupil; *pl.* schoolchildren. **II.** *adj.* school; educational.
școlaritate *s.f.* period of instruction (at school).
școlariza *vt.* to school.
școlarizare *s.f.* education, schooling.
școlăresc *adj.* **1.** oversimplified. **2.** school; schollboy.
școlărește *adv.* like a schoolboy.
școlări *vi.* to learn (at a school).
școlărime *s.f.* schoolchildren; pupils.
școlăriță *s.f.* schoolgirl.
ședea *vi.* **1.** to sit (down). **2.** *(a locui)* to live. **3.** *(a se odihni)* to (take) rest; *a-i* ~ *(bine, rău)* to fit / suit smb. (well, badly etc.); *a* ~ *pe vine* to squat (on one's hams); *îi șade bine să* it becomes him to.
ședere *s.f.* sitting; stay(ing), sojourn.
ședință *s.f.* **1.** sitting. **2.** *(adunare)* meeting. **3.** session.
ședită *s.f. chim.* cheddite.
șef I. *s.m.* chief, head; ~ *de cabinet* chef de cabinet, secretary; ~ *de catedră* head of department; ~ *de echipă* foreman; *sport* skipper; ~ *de gară* station master. **II.** *adj.* chief.
șefie *s.f.* **1.** leadership. **2.** management; superintendence.
șeic *s.m. pol., rel.* sheik(h).
șelac *s.n. chim., tehn.* shellac(k).
șelar *s.m.* saddler.
șelărie *s.f.* saddler's, saddle-maker's.
șelf *s.n. geogr.* (continental) shelf.
șemineu *s.n.* hearth, fireplace.
șemizetă *s.f.* chemisette.
șenal *s.n. mar.* channel, fairway, clear way.
șenilă *s.f. auto.* caterpillar, chain track.
șepcar *s.m.* hatter.
șeping *s.n. tehn.* shaping.
șeptel *s.n.* livestock.
șeptime *s.f.* seventh (part).
șerardizare *s.f. met.* sherardization.
șerb *s.m. ist.* serf.
șerbet *s.n. cul.* fruit syrup boiled hard.
șerbetieră *s.f.* sherbet / jam jar.
șerbie *s.f. ist.* serfdom, serfage, serf-ownership.
șerif *s.m.* sheriff.
șerlac *s.n. chim., tehn.* shellac(k).
șerlai *s.n. bot.* salvia *(Salvia aethiopis)*.
șerpar I. *s.m. ornit.* snake buzzard, serpent eagle *(Circaetus gallicus)*. **II.** *s.n.* v. b r â u, c h i m i r.
șerpărie *s.f.* snakes.
șerpesc *adj.* snake...
șerpește *adv.* like a snake.
șerpoaică *s.f.* **1.** female snake. **2.** *fig.* shrew, vixen.
șerpui *vi.* to wind; to meander.
șerpuire *s.f.* winding.
șerpuitor *adj.* winding, meandering.
șerpuitură *s.f.* winding, turn; meander.
șerpușor *s.m. bot.* club moss *(Lycopodium complanatum)*.
șerui *vt. ind. pielăriei* v. d e s c ă r n a.
șervet *s.n.* **1.** napkin. **2.** *(prosop)* towel.
șervețel *s.n.* **1.** napkin; paper serviette. **2.** *(pt. copii)* baby's diaper.
șes *geogr.* **I.** *s.n.* plain. **II.** *adj.* flat, even.
șesime *s.f.* sixth (part).
șevalet *s.n.* easel.
șevalieră *s.f.* signet-ring, seal-ring (worn by men).
șever *s.n. tehn.* shaver.
șeverui *vi. tehn.* to shave.
șeviot *s.n.* Cheviot (English breed of sheep).
șevretă *s.f. ind. pielăriei* sheep skin.
șevro *s.n. ind. pielăriei* kid.
șezătoare *s.f.* (literary) social.
șezlong *s.n.* deck / lounge chair.
șezut *s.n. anat.* bottom, buttocks.
șfichi *s.n.* **1.** lash. **2.** *fig. și* ting.
șfichiui *vt.* to lash.
șfichiuitor *adj. fig.* biting, cutting.
șfichiuitură *s.f.* **1.** lash. **2.** *fig.* cuting-up.
și I. *adv.* **1.** also, too. **2.** *(deja)* already. **3.** *(chiar)* even; ~ *tu* you too, also you; ~ *mai* ~ even better, greater etc. **II.** *conj.* and.
șiac *s.n. tet.* kind of rough woollen fabric.
șiboi *s.n. bot.* wallflower *(Cheiranthus cheiri)*.
șic I. *s.n.* **1.** elegance, smartness. **2.** *(haz)* point, grace. **II.** *adj.* smart, elegant.
șicana *vt.* to chicane (smb.), to put spokes in (smb.'s) wheels; to hinder; to tease.
șicanare *s.f.* pettifoggery; teasing.
șicanator *adj.* pettifogging, cavilling.
șicană *s.f.* pettyfoggery, cavil.
șie *pron. reflexiv. înv.* v. s i e ș i.
șif *s.n. poligr.* composing galley.
șifon *s.n. text.* chiffon.
șifona I. *vt.* to rumple, to ruffle. **II.** *vr.* **1.** to crease; to ruck. **2.** *fig., fam.* to take offence.
șifonabil *adj.* **1.** easily creasable. **2.** *fig.* touchy, tetchy, easily offended.
șifonier *s.n.* wardrobe.
șiism *s.n. rel.* Shi'ism, Shiism.
șild *s.n. constr.* door handle / (protecting) plate.
șiling *s.m. fin.* shilling.
șimi *s.n. (dans)* shimmy.
șină *s.f.* **1.** rail. **2.** *(de sanie)* runner.
șind(r)ilă *s.f.* shingle, chapboard.
șindrilar *s.m. (cel care face șindrilă)* shingle splitter; *(cel care bate șindrila)* shingler.
șindrili *vt.* to shingle.
șinșilă *s.f. zool.* chinchilla *(Chinchilla lanigera)*.
șintoism *s.n. rel.* Shintoism.
șinui *vt. tehn.* to tyre.
șip *s.m. iht.* (common) sturgeon *(Acipenser sturio)*.
șipcă *s.f.* slat.
șipot *s.n.* **1.** *(izvor)* (gushing) spring. **2.** *(jgheab)* chute; *(burlan)* pipe.
șir *s.n.* **1.** row, file. **2.** *geogr.* range. **3.** *(serie)* series, succession. **4.** *(legătură)* connection; *în* ~ in succession; in a file; *în* ~ *indian* in Indian file.
șirag *s.n.* **1.** necklace; chain. **2.** *(de mărgele)* string of beads.
șiră *s.f.* (de paie) hayrick; *șira spinării* backbone.
șiret I. *s.m.* slyboots, sly dog. **II.** *s.n.* **1.** (shoe) lace / string. **2.** *(șnur)* cord. **3.** *pl.* face. **III.** *adj.* cunning, sly. **IV.** *adv.* cunningly, artfully.
șiretenie *s.f.* cunning, art(fulness).
șiretlic *s.n.* trick, dodge.
șiroi I. *vi.* **1.** to stream, to flow (in great volumes), to gush; *(a se prelinge)* to drip. **2.** *(a curge repede)* to stream / run swiftly. **II.** *s.n.* stream, torrent.
șist *s.n. geol.* shale, schist, slate; ~ *bituminos* bituminous / combustible shale ; ~ *nisipos* sandy shale; ~*(uri) argiloase* argillaceous schists, clay slates; ~*uri cristaline* crystaline schists.
șistificare *s.f. ind. extractivă.* exfoliation.
șistos *adj. geol.* schistose, schistous, slaty.
șistuozitate *s.f. geol.* schistosity.
șiș *s.n.* swordcane, swordstick, rapier, dagger (encased / hidden in a walking stick).

șișâi *vi.* to rustle.
șișcă *s.f.* chopped straw, chaff.
șiștar *s.n.* milk pail.
șiștav *adj.* *(pipernicit)* stunted, undergrown; *(mic)* small; *(plăpând)* feeble, weak.
șiștăvi *vr.* **1.** *(a se zbârci)* to shrivel. **2.** *(d. oameni)* to grow sickly.
șitar *s.m.* v. ș i n d r i l a r.
șită *s.f.* clapboard.
șitui *vt.* v. ș i n d r i l i.
șlagăr *s.n. muz.* hit.
șlam *s.n. ind. extractivă.* sludge, slime, silt.
șlampăt *adj.* slatternly, untidy; drab.
șleahtă *s.f.* **1.** clique, coterie. **2.** *ist. Poloniei* lower aristocracy.
șleampăt *adj.* v. ș l a m p ă t.
șleau *s.n.* road; *pe* ~ openly, straightforwardly.
șlefui *vi. tehn.* to polish.
șlefuitor *s.m. tehn.* polisher.
șlep *s.n. nav.* barge.
șlibovită *s.f.* slivovitz, kind of strong plum brandy.
șliș *s.n.* **1.** *tehn.* slot, groove. **2.** (front) slit, fly.
șmale *s.n. pl. poligr.* condensed type.
șmecher I. *s.m.* slyboots, dodger. **II.** *adj.* **1.** sly, crafty. **2.** *(deștept)* clever, sharp.
șmecheresc *adj. fam.* of a slyboots / dodger.
șmecheri I. *vt.* to dupe, to swindle, *fam.* to take in. **II.** *vr.* to grow wise.
șmecherie *s.f.* **1.** cunning, art(fulness). **2.** *(artificiu)* dodge, trick. **3.** *(înșelătorie)* cheat, swindle.
șmen *s.n. fam. argou* cheat / (tricky) deal in foreign currency.
șmenar *s.m. fam. argou* trickster, spieler, crook, con man.
șmirghel *s.n. tehn.* emery.
șnapan *s.m.* charlatan.
șnaps *s.n.* spirits, *pop.* lush, the creature.
șnec *s.n. tehn.* helical conveyer; conveyer worm.
șnițel *s.n. cul.* schnitzel, battered steak.
șnur *s.n.* **1.** cord. **2.** (shoe) lace.
șnurceramică *s.f. ist., artă* method for adorning pottery.
șnurui *vt.* **1.** *aprox.* to seal a file of documents. **2.** to lace up.
șnuruit *adj.* **1.** sealed with a string; cord-bound. **2.** adorned with cords.
șo *interj.* ~ *pe el!* hark! hoiks!
șoaldă *s.f. a umbla cu șoalda fam.* to play (at) fast and loose, to be a humbug.
șoaldină *s.f. bot.* wall pepper, wallwort pricket *(Sedum acre).*
șoaptă *s.f.* whisper; *în* ~ whispering.
șoarece *s.m. zool.* mouse *(Mus musculus)*; ~ *de bibliotecă* bookworm; ~ *de câmp* harvest mouse *(Microtus arvalis).*
șobolan *s.m. zool.* rat *(Mus decumanus).*
șoc *s.n.* **1.** shock. **2.** *(lovitură și)* blow, impact. **3.** *auto.* choke; *de* ~ shock...
șoca *vt.* to shock; to astonish.
șocant *adj.* shocking, lurid.
șodo *s.n.* eggnog, eggflip, posset.
șodron *s.n.* v. ș o t r o n.
șofa *vi.* to drive (a car).
șofer *s.m.* **1.** (car) driver. **2.** *(al cuiva)* chauffeur.
șofran *s.m. bot.* saffron *(Crocus sativus).*
șofrănaș *s.m. bot.* safflower; bastard saffron *(Carthamus tinctorius).*
șofrănel *s.n. bot.* crocus *(Crocus banaticus).*
șoim *s.m. ornit.* falcon *(Falco).*
șoiman *s.m.* v. ș o i m.
șoimane *s.f. pl.* v. i e l e.
șoimar *s.m.* falconer, hawker.
șoimărit *s.n. înv.* falcony, hawking.
șoimărițe *s.f. pl.* v. i e l e.
șoimește *adv.* like a falcon; swiftly.
șold *s.n. anat.* hip, haunch.
șoldan *s.m.* **1.** *zool.* young hare, leveret, puss. **2.** *fig.* young man; *(copil)* child; *(mânz) fig.* colt.
șoldar *s.m.* crupper, breeching.
șoldeală *s.f.* hip fractura (of cattle).
șoldi *vt.* v. s p e t i.
șolduros *adj.* large-hipped.
șoltic *adj., s.m.* **1.** v. g h i d u ș. **2.** v. ș t r e n g a r.
șolticărie *s.f.* **1.** v. g h i d u ș i e. **2.** v. ș t r e n g ă r i e.
șoltuz *s.m. ist.* ruler of a town, headsman (in Moldavia).
șoma *vi.* to be unemployed, to be on the dole, to be out of work; *(parțial)* to work (on) short hours.
șomaj *s.n.* unemployment; ~ *parțial* short hours.
șomer I. *s.m.* unemployed worker; *pl.* the unemployed; ~ *parțial* worker on short hours. **II.** *adj.* unemployed, idle; on the dole.
șomoiog *s.n.* wisp of straw etc.
șontâc *adv.* halting, hobbling, limping; ~ - ~ *fam.* likety-split.
șonticăi *vi.* to limp, to hitch, to halt; *fam.* to dot and go one.
șontorog I. *adj.* lame, halt(ing). **II.** *s.m.* v. s l ă b ă n o g II.
șonăit *adj.* lame, halt(ing); deformed.
șopăi *vi.* to whisper.
șopârlaiță *s.f.* **1.** *(anghină difterică) pop.* diphtheria. **2.** *bot.* germander speedwell, bird's eye *(Veronica chamaedrys).*
șopârlă *s.f. zool.* lizard *(Lacerta).*
șopârliță *s.f. bot.* fluellen *(Veronica Teucrium).*
șopot *s.n.* **1.** murmur, purl; rustle; *(continuu)* murmuring, purling; rustling. **2.** *(șoapte)* whispers; *în* ~ in a whisper.
șopoti *vi.* **1.** to murmur, to whisper. **2.** *(a susura)* to purl.
șopotitor *adj.* murmuring etc. v. ș o p o t i.
șopron *s.n.* shed.
șopru *s.n.* v. ș o p r o n.
șopti *vt., vi.* to whisper, to murmur.
șoptit I. *adj.* whispered etc. v. ș o p t i. **II.** *s.n.* **1.** whispering, murmuring. **2.** *(șoaptă)* whisper; *pe ~e* in a whisper, under one's breath.
șoptitor *adj.* whispering.
șorecar *s.m. ornit.* buzzard *(Buteo).*
șoricar *s.m.* **1.** *zool.* ratter, rat terrier. **2.** *ornit.* kite, forktail *(Milvus regalis).*
șoricesc *adj.* mouse...
șorici *s.n.* skin of beacon, rind.
șoricioaică *s.f. chim. pop.* ratsbane.
șorliță *s.f. ornit.* v. g a i e l. 2.
șort *s.n.* shorts.
șorț *s.n.* **1.** apron. **2.** *(de fetiță și)* pinafore.
șosea *s.f.* highway, highroad.
șosetă *s.f.* sock.
șoșele *s.f. pl.* ~ *și momele fam.* lies and frauds; *a umbla cu ~ și momele* to play tricks, *fam.* to kid.
șoșon *s.m.* high overshoe; *(de cauciuc)* high gallosh.
șot *s.n. geogr.* saline lake, chott (in North Africa).
șotie *s.f.* **1.** trick, practical joke. **2.** *(poznă)* prank.
șotron *s.n.* hop-scotch.
șovar *s.n. bot.* **1.** bur flag / reed *(Sparganium ramosum).* **2.** v. r o g o z. **3.** v. p a p u r ă.
șovăi *vi.* to dilly-dally, to vacillate.
șovăială *s.f.* v. ș o v ă i r e.
șovăielnic *adj.* v. ș o v ă i t o r.
șovăire *s.f.* hesitation, vacillation; *fără* ~ unhesitatingly.
șovăitor *adj.* **1.** hesitating, halting. **2.** *(d. glas)* faltering.
șovin *adj.* chauvinistic.
șovinism *s.n.* chauvinism, jingoism.
șpaclu *s.n. constr.* spatula.

șpagă *s.f. argou* v. ș p e r ț.
șpais *s.n. med.* speiss.
șpalt *s.n. poligr.* galley proof, slip.
șpan *s.n. tehn.* chip, splinter, slat; *pl.* chippings, shavings.
șpangă *s.f. înv. reg.* **1.** iron bar, crowbar. **2.** bayonet, sword.
șparli *vt. (a fura) argou* to angle, to prig, to cabbage, to make; *a o ~* to hook / bear it, to leave on the qt / quiet.
șpăclui *vi. constr.* filling.
șpăltui *vt. ind. pielăriei* to split.
șpăltuire *s.f. tehn.* splitting.
șperaclu *s.n.* skeleton / master key.
șperlă *s.f.* (hot) ashes; *a zvârli / a arunca ~-n ochii cuiva* to throw dust into smb.'s eyes.
șperț *s.n. argou* bribe, AE graft.
șperțar *s.n. argou* bribe taker, AE grafter.
șperțui *vt. argou* to bribe, to grease the palm of.
șperțuială *s.f. argou* bribery, AE grafting.
șpilhozen *s.n. pl.* romper.
șpis *s.n. poligr.* turn.
șplint *s.n. tehn.* split / forelock pin.
șplit *s.n. constr.* split stone.
șpraiț *s.n. constr.* splice, prop.
șpringuire *s.f. tehn.* bending.
șpriț *s.n.* **1.** *fam.* wine and soda water. **2.** *tehn.* sprinkler.
șprițui *vt. tehn.* to sprinkle.
șprițuitor *s.n. tehn.* spraying device.
șrapnel *s.n.* shrapnel.
șrot *s.n. agr.* gri(s)t, groats.
șrotuire *s.f. tehn.* hulling.
ștab *s.m.* **1.** *mil.* Army Headquarters. **2.** general staff (in Army etc.). **3.** *fam.* toff; big noise.
ștachetă *s.f. sport* lath.
ștafetă *s.f. sport* relay race.
ștaif *s.n.* **1.** collar stiffener. **2.** *(la pantofi)* heel counter; *cu ~ fig.* stiff.
ștampila *vt.* to stamp; to tag.
ștampilă *s.f.* **1.** stamp. **2.** *fig.* tag, cliché.
ștangă *s.f.* bar, rod.
ștanța *vt. tehn.* to punch.
ștanțare *s.f. tehn.* stamping, punching.
ștanță *s.f. tehn.* punching machine, puncher, die.
ștănțui *vt.* v. ș t a n ț a.
șteamp *s.n. tehn. înv.* pestle stamp; stamp(head).
ștecăr *s.n. el.* plug.
ștemui *vt. tehn.* to ca(u)lk.
ștemuire *s.f. tehn.* caulking, peening.
ștemuitor *s.n., s.m.* caulker.
ștergar *s.f.* towel.
ștergătoare *s.f.* door mat.
ștergător *s.n.* **1.** v. ș t e r g a r. **2.** rag; duster; house flannel. **3.** *auto. etc.* (wind-)screen wiper.
șterge **I.** *vt.* **1.** to wipe (up). **2.** *(a usca)* to dry. **3.** *(praful)* to dust. **4.** *(a curăța)* to clean. **5.** *(cu guma etc.)* to erase. **6.** *(un text)* to strike out. **7.** *fig.* to wipe off; *a ~ (trecutul) cu buretele fig.* to let bygones be bygones; *a ~ de pe fața pământului* to raze to the ground; *a ~ din controale(le armatei)* to cashier. **II.** *vr.* **1.** to wipe oneself (dry). **2.** *fig.* to go away, to dissolve; *a se ~ pe mâini* to wipe one's hands.
șterpeleală *s.f. fam.* prigging etc. v. ș t e r p e l i; *(furt)* theft.
șterpeli *vt. fam.* to filch, to pinch.
șters **I.** *s.n.* wiping. **II.** *adj.* **1.** dull, flat. **2.** *(spălăcit)* drab; colourless.
ștersătură *s.f.* **1.** wiping etc. v. ș t e r g e. **2.** erasure, blot; correction.
ștevie *s.f. bot.* patience (dock), garden sorrel *(Rumex)*.
ști **I.** *vt.* **1.** to know. **2.** *(a cunoaște și)* to be acquainted with; to be aware of; *a ~ să* can; *știi să dansezi?* can you dance? *a nu ~ ce să facă* to be at a loss (what to do). **II.** *vi.* to know, to be conversant (with a problem etc.); *a ~ de* to know; *(a asculta de)* to listen to. **III.** *vr.* to be known, to be common knowledge.
știft *s.n. tehn.* peg, pin, plug.
știftuit *adj. tehn.* fixed with pins.
știință *s.f.* **1.** science. **2.** *(cunoaștere)* knowledge, learning; acquaintance; *cu (bună) ~* deliberately, intentionally.
științific **I.** *adj.* scientific. **II.** *adv.* scientifically.
știmă *s.f.* **1.** pixy, sprite. **2.** *muz.* part.
știobâlc *interj.* plop!
știr *s.m. bot.* amaranth *(Amarantus)*.
știrb **I.** *s.m.* toothless person. **II.** *adj.* gap-toothed, toothless.
știrbi *vt.* **1.** to notch. **2.** *fig.* to encroach upon, to curtail. **3.** *(a micșora)* to diminish.
știrbitură *s.f.* **1.** gap between two teeth. **2.** *(spărtură)* breach. **3.** *(colț rupt)* chipped corner.
știre *s.f.* (piece / item of) news; *pl.* tidings, information; *cu ~a cuiva* with smb.'s knowledge; *fără ~a mea* without my knowledge.
știubei *s.n.* v. s t u p.
știucă *s.f. iht.* pike, jack *(Esox lucius)*.
știulete *s.m.* corn cob.
știut *adj.* well-known.
știutor **I.** *s.m. ~ de carte* literate person. **II.** *adj.* hep, knowledgeable.
ștraif *s.n. tehn. cin.* stripe.
ștrand *s.n.* swimming pool / place.
ștrasuri *s.n. pl.* rhinestone.
ștreang *s.n.* halter, noose.
ștrengar **I.** *s.m.* scapegrace, colt. **II.** *adj.* roguish, playful.
ștrengăresc *adj.* v. ș t r e n g a r I.
ștrengărește *adv.* roguishly, playfully.
ștrengări *vi.* **1.** to roam, to tramp, to engage (oneself) in practical jokes. **2.** to jest, to play merry pranks.
ștrengărie *s.f.* merry prank, gambol; *pl.* frolics.
ștrengăriță *s.f.* playful / frolicsome girl.
ștrudel *s.n. cul.* strudel.
ștuc *s.n. constr.* stucco.
ștucaturi *s.f. pl.* mouldings.
ștupui *vt. tehn.* to indent the mudguard of footwear.
ștuț *s.n. tehn.* connecting piece.
ștuțui *vt. ind. pielăriei* to trim.
șubă *s.f.* fur coat.
șuber *s.n. min.* filling / charging hopper.
șubler *s.n. tehn.* sliding / vernier callipers.
șubred *adj.* **1.** unstable. **2.** *(bolnăvicios)* sickly, frail. **3.** *(subțire)* flimsy, unsubstantial. **4.** *(d. case)* jerrybuilt, ramshackle.
șubrezenie *s.f.* frailty; flimsiness; *(slăbiciune)* weakness, feebleness.
șubrezi *vt., vr.* to weaken.
șubrezire *s.f.* weakening.
șuetă *s.f.* gossip, chat.
șugărel *s.m. bot.* poly, pella mountain *(Teucrium montanum)*.
șugubăț **I.** *s.m.* wag, humorous person. **II.** *adj.* waggish, humorous.
șugui *vi. (a glumi) reg. fam.* to joke.
șui *adj.* **1.** *(zvelt)* slender. **2.** *(îngust)* narrow. **3.** *(țicnit)* doltish, *fam.* cracked, batty, wrong in the upper stor(e)y.
șuier *s.n.* whistle; *(al vântului, al glonțului)* singing; *(al glonțului etc.)* whizz.
șuiera *vi.* to whistle.
șuierat *s.n.* whistling.
șuierător *adj.* **1.** whistling. **2.** *lingv. (d. consoană și)* sibilant.

șuierătuă *s.f.* v. ș u i e r.
șuiet *s.n.* **1.** *(al vântului)* roar(ing). **2.** *(al frunzelor)* rustle, rustling. **3.** *(susur)* purl(ing), murmur(ing).
șuiță *s.f. zool.* ground squirrel *(Citellus citellus)*.
șular *s.n.* **1.** basting, tacking. **2.** *(ață)* basting / tacking thread.
șuncă *s.f. cul.* ham.
șunt *s.n. el.* shunt.
șură *s.f.* shed; barn.
șurub *s.n. tehn.* screw.
șurubărie *s.f.* **1.** *tehn.* screws. **2.** *fig.* v. t e r t i p.
șurubelniță *s.f. tehn.* screwdriver.
șușanea *s.f. fam.* **1.** show business. **2.** improvised show or concert of poor quality.
șușarcă *s.f. bot.* carex, sedge *(Carex)*.
șușă *s.f. fam.* v. ș u ș a n e a.
șușoteală *s.f.* whispering.
șușoti *vi.* to whisper.
șușui *vi.* *(a foșni)* to rustle; *(a murmura)* to murmur; *(a șopti)* to whisper.
șușuit *s.n.* rustling etc. v. ș u ș u i.
șușuitor *adj.* rustling etc. v. ș u ș u i.
șut *s.n.* **1.** shot. **2.** *min.* shift.
șuta *vi.* to shoot.
șuti *vt. argou* to steal, to filch, to pinch, to pick (smb.'s pockets).
șuț *s.m. argou* common thief, pick-pocket, pikferer.
șuvar *s.m. bot.* bird grass, fowl meadow-grass *(Poa trivialis)*.
șuviță *s.f.* **1.** tress, strand. **2.** *(fâșie)* stripe.
șuvoi *s.n.* stream; flood.
șvab *s.m., adj. geogr.* Swabian.
șvaițer *s.n. cul.* Swiss cheese.
șvară *s.n.* black coffee.
șvăbesc *adj. geogr.* Swabish, Swabian.
șvăboaică *s.f. geogr.* Swabian (woman).

T

T, t *s.m.* T, t, the twenty-third letter of the Romanian alphabet.
ta *adj.* your; *a* ~ yours.
tabac *s.n.* tobacco, *fam.* baccy; (*de prizat*) snuff; *a trage* ~ to take snuff.
tabacheră *s.f.* **1.** cigarete box. **2.** *înv.* snuff-box. **3.** *constr.* skylight.
tabagic *adj.* tobacco...
tabagism *s.n. med.* tabacism, tabacosis.
taban *s.n.* **1.** v. b r a n ă. **2.** v. p l a z.
tabără *s.f.* **1.** camp. **2.** *mil. și* bivouac; ~ *de vară* holiday camp.
tabel *s.n.*, **tabelă** *s.f.* **1.** table. **2.** *(planșă)* plate, picture, figure.
tabela *vt.* to tabulate, to table.
tabelar *adj.* tabular.
tabernacol *s.n. rel., arh.* tabernacle.
tabes *s.n. med.* tabes.
tabetic *adj. med.* tabetic.
tabiet *s.n.* **1.** habit; mania. **2.** comfort.
tabinet *s.n.* tabby, tab(b)inet.
tablagiu *s.m.* (passionate) backgammon player.
tablatură *s.f. muz. odin.* tablature.
tablă *s.f.* **1.** tin / iron plate; *(colectiv)* sheet iron. **2.** *(de lemn)* board. **3.** *(la școală)* blackboard. **4.** *(tabel)* table. **5.** *pl.* *(joc)* backgammon; *tabla înmulțirii* multiplication table; ~ *de materii* (table of) contents; ~ *ondulată* corrugated iron.
tabletă *s.f.* **1.** tablet, lozenge. **2.** *(pilulă)* pill.
tablier *s.n. constr.* deck, flooring, superstructure of a bridge.
tablou *s.n.* **1.** picture. **2.** *artă și* painting, canvas. **3.** *teatru* scene. **4.** *(tabel)* table. **5.** *tehn.* board. **6.** *fig.* description, fresco; ~ *de gen* genre painting, conversation (piece);~ *vivant* tableau vivant.
taboriți *s.m. pl. ist.* Taborites.
tabu *s.n.* taboo.
tabular *adj.* tabular.
tabulata *s.n. pl. paleont.* Tabulata *(Favosites)*.
tabulator *s.n.* tabulator.
tabulatură *s.f. ist. muz.* Tabulatur.
tabun *s.n.* herd of half-wild horses.
taburet *s.n.* ottoman.
tac I. *interj.* smack!, slap!, crack! **II.** *s.n.* (billiard) cue.
tacâm *s.n.* **1.** cover (for one, for two etc.). **2.** *pl.* (silver) plate.
tachelaj *s.n. nav.* rigging.
tachet *s.m. tehn.* lug, peg.
tachina *vt.* to tease, to banter.
tachinare *s.f.* teasing.
tacit I. *adj.* tacit, unspoken; *acord* ~ gentlemen's agreement. **II.** *adv.* tacitly.
taciturn *adj.* taciturn, silent.
taclale *s.f. pl.* v. t a i f a s.
tact *s.n.* **1.** *muz.* beat; time. **2.** *fig.* light hand, tact(fulness); *cu* ~ tactful; *(adverbial)* tactfully; *fără* ~ tactless; *(adverbial)* tactlessly.
tactic *adj.* tactic.
tactică *s.f.* tactic(s).
tactician *s.m. mil.* tactician.
tacticos *adj., adv.* leisurely.
tactil *adj.* tactile; *simț* ~ tactile sense, feel, (sense of) feeling, (sense of) touch.
tactism *s.n. biol.* tactism.
tadjic I. *s.m. geogr.* Ta(d)jik, Tadzhik. **II.** *adj. lingv.* Tajiki (language).
tafta *s.f.* taffeta.
tagalog *subst. lingv.* Tagalog, Filipino language.
tagmă *s.f.* guild, corporation; caste, clique.
tahi- *prefix* tachy-.
tahicardie *s.f. med.* tachycardia.
tahifagie *s.f. med.* tachyphagia.
tahigraf *s.n. poligr.* recording tacheometer.
tahimetrie *s.f.poligr.* tacheometry.
tahimetru *s.n.* tacheometer, tachymeter.
tahion *s.m. fiz.* tachion.
tahipnee *s.f. med.* tachypn(o)ea.
tahistoscop *s.n. med.* tachistoscope.
tahân *s.n. cul.* meal of sesame seeds.
tahogenerator *s.n. tehn., el.* speed indicating / voltage generator, electric(al) speed counter, electric(al) speedometer.
tahograf *s.n. tehn.* tachograph.
tahometru *s.n. tehn.* tachometer.
taică *s.m.* **1.** father. **2.** (*vocativ*) my boy, my son; my dear (old man).
taifas *s.n.* chat, prattle; *a sta la* ~ to chat(ter).
taifun *s.n. meteo.* typhoon.
taiga *s.f. geogr.* taiga.
taille *subst. ist.* tall(i)age, tax, toll.
tain *s.n.* **1.** ration, portion. **2.** *fig.* quota, share.
taină *s.f.* **1.** mystery, secret. **2.** *fig.* skill, knack; *în* ~ secretly, in secret.
tainic I. *adj.* **1.** secret, abstruse. **2.** mysterious. **3.** *(ascuns)* hidden, recondite. **4.** *peior.* collusive. **5.** *(nespus)* untold, unsaid. **II.** *adv.* secretly; mysteriously.
tainiță *s.f.* vault; hidden place.
taior *s.n.* tailor-made suit, costume.
taipin *s.m. ist. Chinei* Taiping.
takâr *s.n. geogr.* Central Asian clay desert.
tal *s.n. bot.* thallus.
talamus *s.m. anat.* thalamus.
talan *s.m. pop.* v. d a l a c.
talangă *s.f.* bell (of a wether, cow etc.).
talant *s.m. ist. fin.* talent.
talasoterapie *s.f. med.* thalassotherapy.
talaș *s.n.* sawdust.
talaz *s.n.* breaker, billow.
talc *s.n.* **1.** mineral talc. **2.** *(pudră)* talcum (powder).
talcos *adj.* talcky, talcous, talcose.
tale *adj.* your; *ale* ~ yours.
talent *s.n.* **1.** talent. **2.** *(har și)* gift, knack. **3.** *(persoană și)* genius; virtuoso.
talentat *adj.* talented, gifted.
taler I. *s.m. ist.* dollar. **II.** *s.n.* **1.** (*farfurie*) plate; (*de lemn*) wooden platter, trencher; (*tavă*) tray. **2.** (*conținutul*) plateful. **3.** (~ *de balanță*) scale (of a balance), pan / dish of a balance. **4.** *pl. muz.* cymbals. **5.** *pl. sport* skeet, clay pigeons.
talger *s.n.* **1.** dish, plate. **2.** *pl. muz.* cymbals.
talhâș *s.n. ist.* a report presented by the visi(e)r to the sultan, concerning the rulers of vassal village (in the Ottoman Empire).
talie *s.f.* **1.** waist (line). **2.** *(mărime)* size. **3.** *(statură)* stature.

talimănie *s.f. com. nav.* tally service.
talion *s.n.* retaliation.
talionic *adj.* retaliatory, of reprisals / retorsion / retaliation, according to Lex Talionis.
talisman *s.n.* talisman, amulet.
taliu *s.n. chim.* thallium.
talmeș-balmeș I. *s.n.* hotch-potch. **II.** *adv.* helter-skelter, pell-mell.
talmud *s.n. rel.* Talmud.
talmudic I. *adj.* Talmudic(al). **II.** *adv.* *Talmudically.*
talmudism *s.n.* cabalism, hairsplitting.
talmudist *s.m. rel.* **1.** Talmudist, Talmudic commentator. **2.** *fig.* pedant, doctrinaire.
talofite *s.f. pl. bot.* thallophytes.
talon *s.n.* heel (of a stocking).
talona *vt. sport* to heel (out).
talonet(ă) *s.n., s.f.* heel piece, heel sock lining.
talpă *s.f.* **1.** sole (leather). **2.** *anat. și* instep. **3.** runner (of a sledge); *Talpa iadului* the devil's dam; *Talpa țării* the common people, the rank and file.
talpină *s.f.* synthetic material used for man-made soles.
talus *s.n. anat.* thallus.
taluz *s.n.* gradient.
taluza *vt.* to chamfer.
talveg *s.n.* thalweg.
taman *adv.* **1.** precisely, just. **2.** *(numai)* only, barely, scarcely.
tamarin *s.m. bot.* tamarind (tree) (*Tamarindus indica*).
tamariscă *s.f. bot.* tamarisk (plant) (*Tamarix*).
tambuchi *s.n. nav. hatch.*
tambur *s.n.* **1.** *arh.* porch, door vestibule, lobby. **2.** *tehn.* barrel, drum, tambour, cylinder; roll; reel.
tambură *s.f. muz. odin.* tamboura.
tamburină *s.f.* tambourine.
tam-nisam *adv.* v. n i t a m - n i - s a m.
tampon *s.n.* **1.** *ferov. pol.* buffer. **2.** *(de vată etc.)* swab. **3.** *(de sugativă)* blotter.
tampona *vt.* **1.** to collide / clash with. **2.** *med.* to wad, to tampon.
tamponament *s.n. med.* plugging (of wound), stopping up, dabbing (with pad), tamponade, tamponage.
tamponare *s.f.* **1.** tamponing etc. v. t a m p o n a. **2.** *ferov. etc.* collision.
tam-tam *s.n.* **1.** tom-tom. **2.** *fig.* fuss, to-do.
tanagra *s.f.* Tanagra (figurine).
tanaj *s.n. ind. pielărie* **I.** tanning, tannage, dressing (of skins).
tanant *s.m.* tanning material.
tanat *s.m. chim.* tannate.
tanatofobie *s.f. med.* thanatophobia.
tanc *s.n.* **1.** tank. **2.** *mil.* armoured car. **3.** *(rezervor și)* container. **4.** *(petrolier)* tankship, tanker.
tanchetă *s.f. mil.* tankette, whippet.
tanchist *s.m. mil.* tankman, AE tanker.
tandem *s.n.* tandem.
tandrețe *s.f.* tenderness, affection.
tandru I. *adj.* tender; fond, affectionate. **II.** *adv.* tenderly, fondly.
tangaj *s.n.* rocking.
tangent *adj.* **1.** tangent. **2.** *fig.* approaching.
tangentă *s.f. geom.* tangent.
tangențial *adj.* **1.** tangent. **2.** *fig.* indirect, light.
tanghir *poligr.* touching.
tangibil *adj.* tangible, touchable.
tangibilitate *s.f.* tangilility, tangibleness.
tangou *s.n.* tango.
tanin *s.n. chim.* tannin.
taninos *adj.* tannoid, tannic.
taniza *vt. ind.* to impregnate or treat with tannin.
tantal *s.n. chim.* tantalum.
tantalic *adj.* tantalizing.
tantalit *s.n. mineral.* tantalite.
tanti *s.f.* **1.** aunt. **2.** *(proxenetă)* procuress.
tantiemă *s.f.* **1.** quota, share. **2.** *(plată)* fee, royalties.
tantrism *s.n. rel.* Tantrism.
taoism *s.n. rel.* Taoism.
taolă *s.f.* meander.
tapa I. *vt.* **1.** *fig.* to touch (for money). **2.** *(părul)* to tease (one's hair). **II.** *vr.* to tease one's hair.
tapaj *s.n.* **1.** fuss. **2.** *(scandal)* uproar.
tapet *s.n.* wall paper; *pe ~* on the carpet.
tapeta *vt.* to hang with tapestry; to (hang with) paper.
tapetar *s.m.* paper hanger.
tapiocă *s.f.* tapioca (starch).
tapir *s.m. zool.* tapir *(Tapirus).*
tapisa *vt.* **1.** to hang with tapestry; to paper. **2.** (*mobilă*) to upholster.
tapiserie *s.f.* tapestry.
tapița *vt.* v. t a p i s a 2.
tapițer *s.m.* upholsterer.
tapițerie *s.f.* **1.** upholstery, upholsterer's trade. **2.** upholsterer's.
tapoșnic *s.m. bot.* red hemp-nettle (*Galeopsis ladanum*).
tapură *s.f. met.* crack.
tarabagiu *s.m.* shopkeeper, retailer.
tarabă *s.f.* **1.** stall, stand. **2.** *(tejghea)* counter. **3.** *(gheretă)* booth.
tarabostes *s.m. pl. ist. României* Geto-Dacian aristocracy, pileates (with religious ranks).
tarac *s.m.* pole, pillar.
taraf *s.n.* folk music band.
taragot *s.n. muz.* tarogato, bass clarinet used by folk musicians in Hungary and Romania.
tarama *s.f.* salted roe.
tarantelă *s.f.* tarantella.
tarantulă *s.f. entom.* tarantula spider (*Tarantuia*).
tarapana *s.f. înv.* mint.
tarar *s.n.* fanning machine.
tară *s.f.* **1.** tare. **2.** *fig.* defect, evil.
tardigrad *zool.* **I.** *adj.* tardigrade, slow-paced. **II.** *s.m.* tardigrade, water bear *(Tardigrada).*
tardiv I. *adj.* belated. **II.** *adv.* too late in the day.
tardivitate *s.f.* tardiness, lateness.
tare I. *adj.* **1.** hard, solid. **2.** *(puternic)* strong; stout. **3.** *(durabil)* enduring, resistent. **4.** *(d. pânză)* starched. **5.** *(d. ființe)* vigorous, robust. **6.** *(rezistent)* hardy. **7.** *(împietrit)* steeled. **8.** *(autoritar)* mighty, authoritative. **9.** *(pregătit)* well-informed. **10.** *(convingător)* convincing, conclusive. **11.** *(sonor)* loud, resounding. **12.** *(d. aer)* bracing, invigorating. **13.** *(d. culori)* blatant, gaudy; *~ de cap* dull, stupid; *~ de înger* game, strong-hearted; *~ de ureche* hard of hearing. **II.** *adv.* **1.** very (much), extremely, exceedingly. **2.** *(sonor)* loudly, aloud, clearly. **3.** *(intens)* strongly; quickly.
targă *s.f.* stretcher.
tarhon *s.m. bot.* tarragon *(Artemisia dracunculus).*
tarif *s.n.* **1.** tariff. **2.** *(taxă, curs)* rate.
tarifar *adj.* tariff...
tarla *s.f.* field, area under crop.
tarlaliza *vt. agr.* to parcel out (a field).
tarniță *s.f. geogr. etc.* saddle.
taro *s.m. bot.* taro.
taroc *s.n.* tarot, taroc; (*partidă*) game of tarot.
tarod *s.n. tehn.* tap, tap screw, master tap, gauging tap, roughing tap, finishing tap.
taroda *vt. tehn.* to furnish with a tap.
tarpan *s.m. zool.* tarpan (*Equus gmelini*).
tars *s.n. anat.* tarse, tarsus.
tarsian *adj. anat.* tarsal.

tarsioidee *s.f. pl. zool.* Tarsioidea.
tartan *s.n.* **1.** tartan (cloth). **2.** tartan (plaid).
tartană *s.f. nav.* tartan(e).
Tartar *s.m. mit.* Tartarus.
tartă *s.f.* (fruit) tart.
tartină *s.f.* sandwich.
tartor *s.m.* **1.** devil, arch-fiend. **2.** *fig.* ringleader.
tartoriță *s.f.* **1.** she-devil; she-tartar. **2.** *fig.* shrew, scold, termagant.
tartrat *s.m. chim.* tartrate.
tartric *adj. chim. acid ~* tartaric acid.
tartru *s.n.* **1.** tartar. **2.** *(dentar)* toph(us).
tas *s.n.* (plate of) scales.
tasa *vi.* to settle, to subside.
tasare *s.f. geol., constr.* settlement, settling.
taster *s.n. tehn.* monotype taster, monotype keyboards apparatus.
tastieră *s.f. muz.* **1.** keyboard. **2.** organ mechanism.
tașcă *s.f.* bag, sack.
tataie *s.m.* **1.** *fam.* dad(die). **2.** *fam.* grandpa(pa).
tată *s.m.* **1.** father, *fam.* daddy. **2.** *(apelativ)* my boy, my son; old man. **3.** *(străbun)* forefather. **4.** *fig.* originator, begetter; *~ de familie* head of the family; *din ~ în fiu* from generation to generation.
tatona I. *vt.* to probe, to sound. **II.** *vi.* to grope, to act tentatively.
tatonare *s.f.* sounding, probing.
tatu *s.m. zool.* tatu, armadillo (*Dasypus*).
tatua *vt., vr.* to tattoo (oneself).
tatuaj *s.n.* tatto(ing).
tatuare *s.f.* tattooing.
tatuat *adj.* tattooed.
taumaturg *s.m.* thaumaturge.
taur *s.m.* bull.
taurin *zool.* **I.** *adj.* of or relating to a bull. **II.** *s.m. și pl.* (member of the) Bovidae family.
taurină *s.f. biochim.* taurin(e).
taurisci *s.m. pl. ist. antică* **1.** *(germani)* Taurisci. **2.** *(sciți)* Teurisci(s).
taurocolic *adj. biochim.* taurocholic (acid).
tauromahie *s.f.* tauromachy, tauromaquia.
tautocronă *s.f. fiz.* tautochrone.
tautocronism *s.n. fiz., geom.* the property of being tautochronous.
tautologic *adj.* redundant, tautological.
tautologie *s.f.* tautology.
tautomerie *s.f. chim.* tautomerism.
tavan *s.n.* ceiling.
tavă *s.f.* **1.** tray, salver. **2.** *(de copt)* griddle.
tavernă *s.f.* den, speak-easy.
taxa *vt.* **1.** to tax. **2.** *fig. (a eticheta)* to label, to style; *(a socoti)* to hold, to consider.
taxacee *s.f. pl. bot.* Taxaceae.
taxare *s.f.* taxation.
taxator *s.m.* conductor.
taxație *s.f. ind.* dendrography.
taxă *s.f.* **1.** *ec., jur.* duty. **2.** *(de intrare, școlară etc.)* fee. **3.** *(cotizație)* due. **4.** *(la electricitate etc.)* rate(s). **5.** *(la poștă etc.)* charge; *taxe portuare* harbourdues; *(d. convorbiri) cu taxă inversă)* collect.
taxi *s.n.* taxi-(cab), cab.
taxidermie *s.f. med.* taxidermy.
taximetru *s.n.* **1.** taxi-(cab). **2.** *(aparat de taxat)* taximeter.
taxinomie *s.f.* v. t a x o n o m i e.
taxodiacee *s.f. pl. bot.* Taxodiaceae.
taxonomie *s.f. biol.* taxonomy, taxology, (science / method of) classification.
taylorism *s.n. ec.* Taylorism.
tăbăcar *s.m.* tanner.
tăbăcăresc *adj.* currier's... ; tanner's...
tăbăcărie *s.f.* **1.** tannery. **2.** *(fabrică)* tan(ning) yard.
tăbăceală *s.f.* **1.** (leather) dressing; (*de piei fine*) tawing. **2.** (*argăseală*) (tan) ooze, oozing, bark / tanning liquor, tan pickle, tannin(g).
tăbăci *vt.* **1.** to tan. **2.** *fig.* to thrash.
tăbăcire *s.f. ind. pielărie* **I.** tanning, tawing, tannage.
tăbăcit *adj.* **1.** tanned. **2.** *(de soare etc.)* sun-tanned, weather beaten. **3.** *fig.* hardened, callous.
tăbărî *vi. (asupra)* to swoop (upon), to prey (upon).
tăblie *s.f.* panel, pane.
tăbliță *s.f.* **1.** plate. **2.** *(pt. scris)* slate.
tăblui *vt. constr.* to roof a house with sheet iron.
tăcăi *vi.* (*d. păsări*) to peck; (*d. inimă*) to beat; (*d. ceas*) to tick, to go tick-tack.
tăcăitoare *s.f. ornit.* shrike, butcher bird (*Lanius*).
tăcea *vi.* to be / keep silent; to stop talking, singing etc; *ia tacă-ți gura! / taci (din gură)!* shut up!
tăcere *s.f.* **1.** silence, quiet. **2.** *(liniște)* stillness. **3.** reticence; *în ~* silently.
tăciuna *vr.* to rust, to smut, to blight.
tăciunat *adj.* **1.** very black. **2.** *bot.* smut touched.
tăciune *s.m.* **1.** ember. **2.** *bot.* smut.
tăciunos *adj. bot.* blighted, rusty, smutty, smutt(i)ed.
tăcut I. *s.n. pe ~e* silently, on the quiet. **II.** *adj.* **1.** silent. **2.** quiet, calm. **3.** taciturn, reticent.
tăfălog *adj. pop.* sluggish, slow.
tăgadă *s.f.* denial, denying.
tăgădui *vt.* to deny.
tăgăduială *s.f.* denial, constentation.
tăgăduire *s.f.* **1.** denying. **2.** (*ca act*) denial.
tăgârță *s.f.* bag, satchel.
tăi *adj.* your; *ai ~* yours; your folk.
tăia I. *vt.* **1.** to cut. **2.** *(a despica)* to cut open; to split. **3.** *(a șterge)* to cross out, to cut off (a passage). **4.** *(felii)* to slice. **5.** *(un drum)* to open, to blaze. **6.** *(a săpa)* to dig. **7.** *(a brăzda)* to furrow. **8.** *(a străbate)* to traverse, to cross. **9.** *(a ucide)* to kill, to slay; to behead. **10.** *(un animal)* to slaughter, to butcher. **11.** *(a cresta)* to notch. **12.** *(a spinteca)* to rip. **13.** *(a opri)* to stop, to cut short. **14.** *fig. (a reteza)* to suppress, to diminish. **15.** *(o minge)* to slice; *a ~ ghearele cuiva* to cut / clip smb.'s claws; *l-am tăiat fig.* I went one better than him; *nu mă taie capul ce să fac* I don't know what to do; *a ~ drumul cuiva* to waylay smb.; *a-i ~ cuiva pofta* to teach smb. better; *a-i ~ cuiva pofta de mâncare* to spoil smb.'s appetite. **II.** *vi.* **1.** to cut. **2.** to use a short cut, to shorten the way; *(el) taie și spânzură* he is the boss; *a-i (mai) tăia cuiva din nas* to bring smb. down a peg or two. **III.** *vr.* **1.** to get cut, to cut oneself. **2.** *(d. țesături)* to rend. **3.** *(d. lapte)* to curdle; *m-am tăiat la deget* I cut my finger.
tăiere *s.f.* cutting, splitting.
tăietor *s.m.* cutter; *~ de lemne* woodcutter.
tăietură *s.f.* **1.** cut. **2.** *(rană și)* wound. **3.** *(într-un text și)* passage crossed out; *tăieturi din presă* press-clippings.
tăifăsui *vi.* to colloque, to prattle.
tăinui *vt.* **1.** to conceal, to keep secret. **2.** *(un obiect și)* to secrete.
tăinuire *s.f. jur.* **1.** abating (of thieves etc.). **2.** concealment (of stolen goods). **3.** concealment of truth / evidence; hiding.
tăinuit *adj.* hidden, concealed; (*tainic*) secret; (*izolat*) isolated; (*discret*) discreet.
tăinuitor *s.m.* swagman, receiver, fence.
tăios I. *adj.* **1.** sharp, cutting. **2.** (*d. vânt*) sharp, biting, cutting; (*d. ger*) biting; (*d. ton*) sharp, rough; (*d. critică*) severe; (*d. o remarcă*)

biting; (*d. răspuns*) curt. **II.** *adv.* sharply; roughly; severely.
tăiș *s.n.* **1.** edge, blade. **2.** *(de daltă)* chisel bit; *cu două tăișuri* two-edged.
tăiței *s.m. pl. cul.* noodles.
tălăzui *vi., vr.* to billow, to form waves.
tălăzuire *s.f.* billowing; surge.
tălmăci *vt.* **1.** to interpret; to translate. **2.** to explain. **3.** to express, to voice.
tălmăcire *s.f.* translation, interpretation.
tălmăcitor *s.m.* **1.** translator. **2.** *fig.* interpreter.
tălpaș *s.m. înv., mil.* foot soldier, logger, infantryman; *pl.* the foot.
tălpășiță *s.f. a-și lua tălpășița fam.* to scuttle away, to pack off.
tălpig *s.n.* **1.** treadle, pedal. **2.** (*de sanie*) runner.
tălpoi *s.n.* **1.** *constr.* beam. **2.** v. t ă l p i g 2. **3.** *fig.* v. t a l p a - i a - d u l u i.
tălpos *adj.* clayey.
tălpui *vt.* to sole.
tămădui I. *vt.* **1.** to heal, to cure. **2.** *(suferințe)* to allay. **II.** *vr.* to recover (from), to be healed (of).
tămăduire *s.f.* healing, curing, cure; recovery.
tămăduitor *adj.* healing, curing.
tămâia I. *vt.* **1.** *rel.* to incense. **2.** *fig.* to extol. **3.** to flatter, to curry favour with. **II.** *vr. se ~ză reciproc aprox.* it's roll my log and I will roll yours.
tămâiat *adj.* **1.** incensed etc. v. t ă m â i a. **2.** *fam.* boozy, tight, lit up, fuddled.
tămâie *s.f.* **1.** (frank)incense. **2.** *fig.* (*parfum*) perfume, odour. **3.** *fig.* (*lingușire*) fulsome praise, flattery.
tămâierniță *s.f. rel.* censer, thurible.
tămâioară *s.f. bot.* violet (*Viola*).
tămâioasă *s.f.* **1.** *bot.* muscadine. **2.** (*vin*) muscat(el), muscadel.
tămâios *adj.* (frank)incense... ; (*aromat*) scented, perfumed; *struguri tămâioși bot.* muscadine; *vin ~* muscat(el), muscadel.
tămâiță *s.f. bot.* **1.** goosefoot (*Chenopodium botrys*) **2.** Mexican tea (*Chenopodium ambrosioides*); *~ de câmp* ground pine, field cypress (*Ajuga chamaepithys*).
tămbălău *s.n.* **1.** to-do, high-go. **2.** *(chef)* junket, carousal.
tăpălăgos, tăpălog *adj.* heavyfooted.
tăpșan *s.n.* **1.** flat piece of ground. **2.** v. m a i d a n. **3.** (*pantă*) slope. **4.** (*șes*) plain.
tăpși *vt.* **1.** v. b ă t ă t o r i I. **2.** *fig. (a mângâia)* to caress; (*a bate ușor*) to pat.
tărăboanță *s.f.* (wheel)barrow.
tărăboi *s.n.(zgomot) fam.* row, shindy, halloo, hallabaloo, hullabaloo.
tărăbuțe *s.f. pl.* belongings, *fam.* goods and chattels.
tărăgăna I. *vt.* **1.** to protract, to tergiversate. **2.** *(vorba)* to drawl. **II.** *vi.* to dilly-dally, to shilly-shally.
tărăgănare *s.f.* **1.** protraction, tergiversation. **2.** *(în vorbire)* drawl.
tărăgănat *adj.* **1.** protracted; dragging along. **2.** *(d. vorbă)* drawling.
tărășenie *s.f. fam.* story, thing; (*bucluc*) *fam.* scrape, mess.
tărâm *s.n.* **1.** realm, region. **2.** *(lume)* world. **3.** *fig.* sphere, domain (of activity). **4.** *(poetic)* clime; *de pe tărâmul celălalt* from the other / next world.
tărâțe *s.f. pl.* **1.** husk, chaff; *(fine)* bran. **2.** *(de lemn)* sawdust.
tărbacă *s.f. a da în ~* to tar and feather.
tărbăceală *s.f.* thrashing, licking.
tărbăci *vt. fam.* v. a d a / l u a î n t ă r b a c ă.
tărca *vt.* v. v ă r g a.
tărcat *adj.* striped.
tărcătură *s.f. pop.* motley, disharmonius combination of colours.
tărhat *s.n. (povară)* burden; (*calabalâc*) chattels.
tăricel I. *adj.* rather strong; somewhat strong. **II.** *adv.* rather strongly; somewhat strongly.
tărie *s.f.* **1.** strength, power. **2.** *(rezistență)* firmness, hardiness. **3.** *(alcoolică)* concentration.
tărnaț *s.n.* v. p r i s p ă.
tărtăcuță *s.f.* **1.** *bot.* gourd *(Lagenaria).* **2.** *fig.* pate, noddle.
tărtăneț *adj.* **1.** podgy, squat. **2.** (*rotund*) round.
tătar *s.m., adj.* Tartar.
tătarcă *s.f.* v. t ă t ă r o a i c ă.
tătăiș *s.m. bot.* fleabane (*Pulicaria*).
tătăneasă *s.f. bot.* blackwort, comfrey (*Symphytum officinale*).
tătăresc *adj.* Ta(r)tar.
tătărește *adv.* **1.** like a Ta(r)tar. **2.** (*ca limbă*) Tatar.
tătăroaică *s.f.* Ta(r)tar (girl / woman).
tătân *s.m. pop.* v. t a t ă.
tău I. *s.n.* puddle; lake. **II.** *adj.* your; *al ~* yours.
tăun *s.m. entom.* gadfly *(Tabanus).*
tăurel, tăurean *s.m.* young bull, steerling, bullock.
tăvalgă *s.f. reg. bot.* Spiraea, meadow sweet *(Filipendula ulmaria).*
tăvăleală *s.f.* **1.** rolling. **2.** wrestling, fight. **3.** *fig.* wear and tear.
tăvăli I. *vt.* **1.** to roll. **2.** *(iarba etc.)* to tread upon, to trample. **3.** *fig.* to (be)smear, to soil. **II.** *vr.* **1.** *(a se da tumba)* to turn somersaults; to roll. **2.** *fig.* to wallow; *a se~ de râs* to split one's sides with laughter.
tăvălug *s.n.* (steam-)roller.
tăvălugi *vt.* **1.** (*a netezi*) to roll, to flatten out (with a roller). **2.** *agr.* to crush, to break.
tâlc *s.n.* **1.** sense, meaning. **2.** interpretation, explanation; *cu ~* meaningful; *(adverbial)* meaningfully.
tâlcui *vt.* to explain; to expound; to comment(ate); to translate; to interpret.
tâlcuitor *s.m.* v. t ă l m ă c i t o r.
tâlhar *s.m.* **1.** robber, bandit. **2.** *fig.* scoundrel, knave, rogue; *~ de drumul mare* highwayman; footpad.
tâlhărea *s.f. bot.* **1.** lactuca (*Lactuca sagittata*). **2.** v. s u s a i.
tâlhăresc *adj.* predatory, plunderous; piratical.
tâlhărește *adv.* **1.** like a thief / robber. **2.** *fig.* piratically; criminally.
tâlhări *vi.* to be a thief, to lead a thief's life.
tâlhărie *s.f.* robbery; hold-up.
tâlpac *adj.* (*lutos*) clayey, sticky; (*mlăștinos*) marshy.
tâlv *s.n. bot.* v. t i g v ă 1.
tâmp *adj.* **1.** (*tocit*) blunt. **2.** v. t â m p i t II.
tâmpenie *s.f.* stupidity, idiocy, silliness.
tâmpi I. *vt.* to stultify, to brutify. **II.** *vr.* to grow dull / stupid, to become foolish.
tâmpire *s.f.* stultification, besotment, dulling, obnubilation.
tâmpit I. *s.m.* nitwit, halfwit. **II.** *adj.* stupid, idiotic.
tâmplar *s.m.* **1.** carpenter. **2.** *(de mobilă)* joiner.
tâmplă *s.f.* temple.
tâmplărie *s.f.* **1.** carpentry. **2.** *(de mobilă)* joinery. **3.** *(atelier)* joiner's shop. **4.** *(obiecte)* woodwork.
tânăr I. *s.m.* **1.** youth, young man. **2.** *(necopt)* shaveling, stripling, lad. **II.** *adj.* **1.** young. **2.** immature; unfledged. **3.** *(tineresc)* juvenile; *tinerii furioși* the angry young men; *de~* from an early age, from one's youth.
tânără *s.f.* **1.** young girl, lady / woman. **2.** teenager.

tândală *s.m.* good-for-nothing, ne'er-do-well; gawk, lout.
tândăli *vi.* to idle, to dawdle, to loiter.
tângui *vr.* to mourn, to keen.
tânguială *s.f.* wailing, lament(ation).
tânguios *adj., adv.* v. t â n g u i t o r.
tânguire *s.f.* v. t â n g u i a l ă.
tânguitor I. *adj.* mournful, sorrowful; (*d. un cântec*) plaintive, doleful, dolorous. **II.** *adv.* mournfully *etc. v.* ~ I.
tânjală *s.f. a se lăsa pe* ~ to slack (work).
tânji *vi.* **1.** to languish, to ail. **2.** *(d. plante)* to wilt, to droop. **3.** *(după)* to hanker (after), to crave (for).
tânjitor I. *adj.* **1.** languid, languorous. **2.** (*plin de jale*) sorrowful. **II.** *adv. languidly etc. v.* ~ I.
târî, târâi I. *vt.* **1.** to drag / pull (along). **II.** *vr.* **1.** to crawl, to creep. **2.** *(d. obiecte)* to hang low, to scrape the ground.
târâie-brâu *s.m.* **1.** loafer, idler. **2.** *(cuțitar)* rowdy, rough customer.
târâș *adj.* **1.** crawling, creeping. **2.** *fig.* with difficulty; ~ *grăpiș* by hook or by crook.
târât *s.n.* dragging etc. v. t â r î.
târâtoare *s.f.* reptile.
târâtor *adj.* **1.** creeping, creepy, crawling. **2.** *fig.* grovelling, cringing, sneaking, servile, mean-spirited, abject; *bot. plante târâtoare* creepers, trailers.
târâtură *s.f.* **1.** human rag. **2.** *(stricată)* baggage, slattern.
târcol *s.n. a da târcoale (unui loc)* to hover about (a place).
târfă *s.f. vulg.* harlot, whore, slut, bitch, tart, drab, AE broad, dame.
târg *s.n.* **1.** *(bâlci)* fair; market. **2.** *(tranzacție)* bargain; transaction, deal. **3.** *(rușinos)* collusion. **4.** *(oraș)* borough, market town; *la spartul ~ului* after the fair, late in the day.
târgaș *s.n.* v. t â r g u i a l ă.
târgoveață *s.f.* townswoman, town dweller.
târgoveț *s.m.* inhabitant of a borough; townsman.
târgui I. *vt.* to shop, to buy. **II.** *vr.* to bargain; to haggle (over smth.).
târguială *s.f.* **1.** shopping, purchase. **2.** *(tocmeală)* bargaining, negotiation; squabble.
târlaș *s.m.* sheep breeder.
târlă *s.f.* sheep fold / pen.
târlici *s.m. pl.* slippers.
târn *s.n.* besom; groom.
târnaț *s.n. reg.* v. p r i s p ă.
târnă *s.f.* **1.** wicker basket. **2.** wicker beehive.
târnăcop *s.n.* pick(axe), AE pick mattock.
târnoseală *s.f.* **1.** sanctification. **2.** incense. **3.** *pop.* thrashing, beating.
târnosi *vt. rel.* to consecrate, to dedicate a church.
târnui *vt.* **1.** to besom. **2.** (*a bate*) *fam.* to pommel, to belabour.
târpan *s.n.* reed / hemp scythe.
târsână *s.f.* rope made of horse or goat hair.
târș *s.m.* **1.** *bot.* dwindled or dry tree. **2.** *agr.* haypole, pole for hayride.
târșâi I. *vt.* to drag; (*picioarele*) to shuffle. **II.** *vr.* v. t â r î II.
târtiță *s.f.* rump.
târzielnic *adj.* **1.** belated, rather late (in the day). **2.** *fig.* lazy, slow, dull.
târziu I. *s.n. într-un* ~ after a long time, long afterwards. **II.** *s.n.* late, belated. **III.** *adv.* late; *cel mai* ~ at the latest; *mai* ~ later, further on, afterwards.
te *pron.* you, *înv., poetic* thee; *(reflexiv)* yourself, *înv. poetic* thyself.
teacă *s.f.* sheath, scabbard.
teafăr *adj.* **1.** healthy. **2.** *(la minte)* sane, sound. **3.** *(neatins)* unharmed, safe.
teamă *s.f.* fright, fear; awe; *de ~ să nu* for fear of.
teanc *s.n.* **1.** bale. **2.** (*grămadă*) pile, heap; (legătură) bundle; ~*uri*, ~*uri*, by / in heaps, by armfuls; *un ~ de hârtii* a bundle of papers / deeds; *un ~ de mărfuri* a bale of goods; *un ~ de scrisori* a file of letters.
teapă *s.f.* **1.** kind, sort, class, description, category, cast, stamp, cut, *fam.* kidney. **2.** condition, class, (social) standing; *un om de teapa lui* a man of his stamp / cast / calibre; *sunt toți de-o ~ fam.* they are much of a muchness.
teasc *s.n.* (printing) press.
teatral *adj.* **1.** theatrical, dramatic. **2.** *fig. și* affected. **3.** *peior.* histrionic.
teatrolog *s.m. artă* theatrician.
teatrologie *s.f.* theatre science.
teatru *s.n.* **1.** theatre, stage. **2.** *(sală și)* house. **3.** *(genul dramatic)* drama. **4.** *fig.* circus, show. **5.** *(profesiune)* acting, stage. **6.** *(loc și)* scene, field; ~ *de marionete* puppet show; ~ *de operă* opera house; ~ *de păpuși* Punch and Judy show; ~ *de război* combat zone; ~ *de revistă* burlesque; ~ *de vară* open-air theatre.
tebaină *s.f. chim.* thebaine.
teban *adj., s.m.* Theban.
tecalemit *s.n. ind. min.* grease gun, stamp(ing) lubrificator.
technețiu *s.n. chim.* technetium.
teck *s.m. bot.* **1.** teak *(Tectona grandis).* **2.** *ind.* teak wood.
tecnafes *s.n.* v. t i g n a f e s.
tecnetron *s.n. el.* technetron.
tectită *s.f. mineral.* tektite.
tectonică *s.f. geol.* tectonics.
tectrice *s.f. pl. ornit.* tectrices, (wing) coverts.
tedeum *s.n. bis.* Te-deum, religious service.
teflon *s.n. chim.* Teflon.
tegument *s.n. anat., bot.* tegument.
tegumentar *adj.* tegumentary.
tehnic *adj.* technical; technological.
tehnică *s.f.* **1.** technique(s); technology. **2.** *(artă)* skill, craft, art.
tehnicește *adv.* technically.
tehnician *s.m.* **1.** technician, technical expert. **2.** *fig.* practitioner.
tehnicism *s.n.* technicism.
tehnicitate *s.f.* technicalness, technicality.
tehnicolor *adj. cin.* Technicolor.
tehnico-organizatoric *adj.* technical and organizational.
tehno- *prefix.* techno-.
tehnocrat *s.m.* technocrat.
tehnocratic *adj.* technocratic.
tehnocrație *s.f.* technocracy.
tehnografie *s.f.* technography.
tehnolog *s.m.* technologist.
tehnologic *adj.* technological.
tehnologie *s.f.* technology, technique.
tehnoredactare *s.f.* make-up.
tehnoredactor *s.m.* make-up editor.
tehnoredacție *s.f.* make-up.
tei *s.m.* **1.** *bot.* lime / linden tree *(Tilia).* **2.** *(coardă)* bast (fibre).
teică *s.f.* **1.** *(la moară)* hooper. **2.** (*jgheab*) trough.
teină *s.f.* theine.
teios *adj., bot.* fibrous.
teism *s.n. filoz.* theism.
teist *s.m. filoz.* theist.
teișor *s.m. bot.* corchorus (*Kerria japonica*).
tejghea *s.f.* counter; table.
tejghetar *s.m.* shop clerk / assistant.
tel *s.n.* **1.** egg-whisk. **2.** *(la pat)* spring.
telal *s.m.* peddlar, huckster.
telangiectazie *s.f. med.* telangiectasia, telangiectasis.
tele- *prefix* tel(e)-.
teleagă *s.f. (căruță)* cart; *(cu două roți)* (wheel-)barrow.

teleap-teleap *adv.* limping along, lickety-split.
teleautograf *s.n. tehn.* tel(e)autograph, telewriter.
telebusolă *s.f.* tele-compass.
telecinematrograf *s.n.* telecinematography, radio movies, filmtelevision.
telecomandat *adj. tehn.* (operated by) remote control.
telecomandă *s.f.* remote control.
telecomunicație *s.f.* telecommunication.
telediafonie *s.f. telec.* far-end crosstalk.
telefax *s.n. telec.* telefacsimile, (tele)fax, Fax.
teleferic *s.n.* funicular; ski-lift.
telefon *s.n.* **1.** telephone (set); *fam.* phone. **2.** *(convorbire)* (phone-)call; *~ public* call box; *~ul e închis (pentru neplată)* the telephone is discontinued; *~ul e ocupat* the line is engaged; *a da un ~* to make a (phone) call.
telefona *vt.* to (tele)phone; *a ~ cuiva* to ring / call smb. up; *a ~ cu taxă inversă* to reverse charges.
telefonic I. *adj.* telephone. **II.** *adv.* by telephone.
telefonie *s.f.* telephony.
telefonist *s.m.* telephoneoperator.
telefonometrie *s.f. telec.* telephonometry.
telefotografia *vt. telec.* to take a telephoto(graphy).
telefotografie *s.f.* **1.** telephotography. **2.** *(în sens concret)* telephotograph.
telegar *s.m.* trotter, trotting horse.
telegenic *adj.* telegenic.
teleghidare *s.f. av., nav.* command guidance, radio guidance; remote control.
teleghidat *adj.* guided.
telegraf *s.n.* **1.** telegraph(y). **2.** telegraph-apparatus.
telegrafia *vt.* to telegraph, to cable, to wire.
telegrafic I. *adj.* **1.** telegraph(ic). **2.** *fig.* lapidary. **II.** *adv.* by telegraph.
telegrafie *s.f.* telegraph(y); *~ fără fir* wireless telegraph(y), radio-telegraph(y).
telegrafist *s.m.* telegraph-operator.
telegramă *s.f.* **1.** telegram. **2.** *fam.* wire, cable.
teleimprimator *s.n.* start-stop teleprinter.
teleindicator *s.n.* teleindicator.
telejurnal *s.n.* TV news (bulletin).
teleleică *s.f.* light woman, street walker, *fam.* strumpet.
teleleu *s.m. a umbla ~* to loaf.
telemăsurare *s.f. tehn., telec.* telemetering, telemetry.
telemăsură *s.f. telec.* telemetering.
telemea *s.f. cul.* cottage-cheese.
telemecanică *s.f.* telemechanics, remote control.
telemetric *adj.* telemetric(al).
telemetrie *s.f.* telemetry.
telemetru *s.n.* telemeter.
telencefal *s.n. anat.* telencephalon.
teleobiectiv *s.n.* teleobjective.
teleologic *adj.* teleological.
teleologie *s.f. filoz.* teleology.
teleosteeni *s.m. pl. iht.* Teleostei, Teleostomi.
telepatic *adj.* telepathic.
telepatie *s.f.* telepathy.
teleradiografie *s.f. med.* teleradiography, tele(o)roentgenography.
telerecording *s.n. telec.* telerecording.
telereglaj *s.n. telec.* distant regulation.
telescop *s.n.* telescope.
telescopic *adj.* telescopic.
telescriptor *s.n. telec.* teleprinter; (AE) teletypewriter.
telesemnalizare *s.f. tehn.* distant transmission, remote signalling.
telespectator *s.m.* (tele)viewer, TV spectator.
telet(a)ip *s.n.* teletype(writer), telescriptor.
teletermometru *s.n. tehn.* telethermometer.
teletin *s.n. reg.* Russia(n) / Muscovy leather.
teletipseter *s.n. tehn.* Teletypesetter.
televiza *vt.* to televise, to telecast, to show on (television / T. V.).
televiziune *s.f.* television, TV; telly; *~ în culori* colour-television, colour-cast; *la ~* on (the) TV.
telex *s.n. telec.* telex.
telson *s.n. zool.* telson.
telur *s.n. chim.* tellurium.
teluric *adj.* **1.** *chim.* telluric. **2.** arising from the soil; earthly.
tematic *adj.* thematic; of subjects / themes.
tematică *s.f.* theme(s), subject(s).
temă *s.f.* **1.** theme. **2.** subject, thesis. **3.** *muz.* motif. **4.** *pl.* homework, exercise(s). **5.** *lingv.* root, radical; *pe tema (cu gen.)* around...
temător *adj.* **1.** fear-striken, cowardly. **2.** distrustful, suspicious.
tembel I. *s.m.* indolent, dawdler. **II.** *adj.* indolent.
tembelism *s.n.* indolence.
teme *vr.* **1.** to be afraid. **2.** *(a se îngrijora)* to worry; *a se ~ de* to be afraid, to fear of; *mă tem că...* I'm afraid that...; *se temeau de ziua de mâine* they worried for the morrow; *a nu se ~ de nici un dușman* to fear no colours.
temei *s.f.* **1.** foundation, basis. **2.** *(motiv)* ground; reason, occasion; *cu ~* thoroughly; *fără ~* groundless, ungrounded.
temeinic *adj.* **1.** solid, earnest. **2.** thorough(going), profound. **3.** well-grounded, justified.
temeinicie *s.f.* **1.** solidity, durability, strength. **2.** *(seriozitate)* thoroughness; steadfastness; *cu ~* insistently.
temelie *s.f.* **1.** foundation(s), basis. **2.** *fig.* și cornerstone.
temenea *s.f.* **1.** bow; curtsey, bob. **2.** *(mai ales fig.)* kowtowing.
temerar *adj.* **1.** temerary, bold. **2.** *(nechibzuit)* reckless, rash.
temere *s.f.* **1.** fear, dread. **2.** suspicion, doubt.
temeritate *s.f.* **1.** temerity, intrepidity. **2.** *(nesocotință)* recklessness, rashness.
temnicier *s.m.* gaoler, turn-key.
temniță *s.f.* jail, prison; *~ grea* penal servitude.
tempera[1] *s.f. artă* tempera, tempora.
tempera[2] **I.** *vt.* to moderate, to mitigate; to damp(en). **II.** *vr.* to abate, to calm down.
temperament *s.n.* **1.** temperament. **2.** *(vigoare)* zest, pep.
temperamental *adj.* temperamental.
temperanță *s.f.* temperance; teetotalism.
temperat I. *adj.* temperate. **II.** *adv.* moderately.
temperatură *s.f.* **1.** temperature. **2.** *(febră și)* fever.
templier *s.m. ist.* (Knight) Templar.
templu *s.n.* temple.
tempo *s.n.* tempo.
temporal *adj. gram. etc.* temporal.
temporală *s.f. gram.* temporal clause.
temporar I. *adj.* temporary; transient. **II.** *adv.* temporarily; transitorily.
temporiza *vt.* to delay, to tarry, to dally, to temporize.
temporomaxilară *adj., s.f. anat.* temporomaxillary.
temut *adj. (de ~)* dreaded, feared; *poetic* dread.
ten *s.n.* complexion.
tenace I. *adj.* **1.** tenacious; *(d. culori)* wearing; *(tare)* strong. **2.** *fig.* tenacious, dogged, stubborn. **II.** *adv. tenaciously.*

tenacitate *s.f.* **1.** tenaciousness. **2.** *fig.* și persistence, perseverance.
tencui *vt.* to plaster (up).
tencuială *s.f.* mortar, plaster.
tendar *s.n. nav.* awning stretcher.
tendă *s.f. nav.* awning.
tendenționism *s.n.* **1.** *artă, lit.* tendenz, tendentiousness (of painting, novel etc.). **2.** *pol.* bias, tendentiousness.
tendenționist *adj.* tendentionist.
tendențios *adj.* tendentious; biassed.
tendențiozitate *s.f.* tendentiousness; bias, partiality.
tender *s.n.* tender.
tendinos *adj. anat.* tendinous, tendonous.
tendință *s.f.* **1.** tendency, trend. **2.** *(înclinație)* ply, bent, propensity. **3.** *(părtinire)* bias.
tendon *s.n. anat.* tendon, sinew.
tendor *s.n. tehn.* tender.
tenebre *s.f. pl.* dark(ness).
tenebros *adj.* **1.** dark, gloomy. **2.** *fig.* shady, dubious.
tenesm *s.n. med.* tenesmus.
tenghelită *s.f. ornit.* thistle finch, goldfinch (*Fringilla carduelis*).
teniază *s.f. med.* t(a)eniasis.
tenie *s.f. zool.* tape-worm *(Taenia solium).*
tenis *s.n. (de câmp)* lawn tennis; ~ *de masă* table tennis.
tenno *s.n. pol.* Tenno, Japanese emperor.
tenor *s.m.* tenor.
tenosinovită *s.f. med.* tenosynovitis.
tensiometru *s.n. fiz.* tensiometer.
tensiune *s.f.* **1.** tension. **2.** *(încordare și)* strain. **3.** *(arterială)* (high) blood pressure.
tensometrie *s.f. fiz.* measurement of the surface tension, tensiometry.
tensometru *s.n. tehn.* dynamic tensometer.
tensor *s.m. mat.* tensor.
tensorial *adj. mat.* tensorial.
tenta *vt.* **1.** to tempt, to (al)lure. **2.** *fig.* to appeal to (smb.).
tentacul *s.n.* tentacle.
tentacular *adj.* tentacular.
tentaculate *s.n. pl. zool.* Tentaculata.
tentativă *s.f.* attempt, trial.
tentație *s.f.* temptation, lure, allurement.
tentă *s.f.* tint, hue.
teobromină *s.f. chim.* theobromine.
teocrat *s.m.* theocrat.
teocratic *adj.* theocratic.
teocrație *s.f.* theocracy.
teodicee *s.f.* theodicy.
teodolit *s.n.* theodolite.
teofilină *s.f. farm.* theophylline.
teogonic *adj.* theogonic.
teogonie *s.f.* theogony.
teolog *s.m.* theolog(ue); student of divinity.
teologic *adj.* theological; of divinity.
teologie *s.f.* theology.
teorbă *s.f. muz.* theorbo.
teoremă *s.f.* theorem.
teoretic *adj.* **1.** theoretical; ideological. **2.** *peior.* unpractical.
teoreticește *adv. theoretically.*
teoretician *s.m.* theorist.
teoretiza *vt.* to theorize.
teoretizare *s.f.* theorization.
teorie *s.f.* theory.
teozof *s.m.* theosophist.
teozofic *adj. filoz., rel.* theosophic(al).
teozofie *s.f.* theosophy.
tera- *prefix* tera-.
teracotă *s.f.* terracotta.
teramicină *s.f. farm.* Terramycin, oxytetracylin.
terapeutic *adj.* therapeutical.
terapeutică *s.f.* therapeutics; therapy.
terapie *s.f.* therapy.
terasament *s.n.* embankment, earthwork.
terasă *s.f.* terrace.
teratogen *adj. biol.* teratogen(et)ic.
teratologic *adj. biol.* teratological.
teratologie *s.f. anat., fiziol.* teratology.
teratom *s.n. med.* teratoma.
terbiu *s.n. chim.* terbium.
terchea-berchea *s.m. fam.* good-for-nothing (fellow), never-do-well, ne'er-do-well.
terci *s.n.* **1.** (thin) hominy; (*fiertură*) gruel, porridge. **2.** any pulpy mass, mash; *a face ~ pe cineva~ fam.* to beat smb. soundly / to a mummy / to a jelly, to squash smb.
terciui *vt.* to crush, to mash.
terebentină *s.f.* turpentine.
terebint *s.m. bot.* terebinth (tree) (*Pistacia terebinthus*).
tereftalic *adj. chim.* terephtalic (acid).
teren *s.n.* **1.** ground, plot of land. **2.** *(loc)* (house) lot. **3.** *(de sport)* field, sportsground; *(de tenis, volei, baschet)* court; *(de golf)* links. **4.** *fig.* field, province. **5.** *(loc de întâlnire)* setting, venue; ~ *accidentat* hilly ground; ~ *de camping* camping ground.
terestru *adj.* **1.** land; ground... **2.** *astr.* terrestrial.
terezie *s.f.* **1.** steelyard, (kind of) scales. **2.** scale.
terfeli *vt.* **1.** to soil, to defile. **2.** *(a mânji)* to (be)smear.
terfelit *adj.* solied etc. v. t e r f e l i.
terfelog *s.n.* **1.** (*registru*) register. **2.** *pl.* v. h â r ț o a g e.
tergal *s.n.* terylene, tergal.
tergiversa *vt.* to tergiversate, to protract.
tergiversare *s.f.* tergiversation, procrastination.
teribil **I.** *adj.* **1.** terrible, dreadful. **2.** horrible, awful. **3.** extraordinary, formidable. **II.** *adv.* **1.** terribly, fearfully, dreadfully. **2.** awfully.
tericol *adj. zool.* terricolous, terricole.
terier *s.m.* terrier (dog).
terifia *vt.* to terrify, to awe.
terifiant *adj. livr.* terrifying, dreadful, terrible.
terific *adj.* terrific, terrible.
terigen *adj. geol.* terrigenous.
terilen(ă) *s.n., (s.f.)* Terylene.
terină *s.f.* terrine.
teritorial *adj.* territorial.
teritorialitate *s.f. jur.* territoriality.
teritoriu *s.n.* territory.
termal *adj.* thermal; hot.
terme *s.f. pl. ist. Romei* thermae.
termen *s.m.* **1.** term, word. **2.** relations. **3.** *pl. (condiții)* terms, conditions. **4.** *în ~ mil.* conscripted, under the colours; ~ *ambiguu* equivocal / ambiguous term; ~ *de botanică* botanicalterm; ~ *învechit* archaism, obsolete word / expression; ~ *juridic* law term; ~ *de predare* completion date;~*limită time limit.*
termic *adj.* thermic, thermal.
termidorieni *s.m. pl. ist. Franței* Thermidor(ean) / Thermidorian revolutionaries.
termie *s.f. fiz.* thermal unit.
termificare *s.f.* introduction of district heating plants.
termina **I.** *vt.* **1.** to finish, to end. **2.** *(a desăvârși)* to complete, to conclude. **II.** *vi.* to finish, to get done. **III.** *vr.* to (come to an) end; *s-a terminat cu el* he is lost.
terminal *adj.* terminal.
terminare *s.f.* termination, finish.
terminat *s.n. pe ~e* running short; nearly finished.
terminație *s.f.* termination, ending.
terminologic *adj.* terminological.
terminologie *s.f.* terminology; vocabulary.
terminus *s.n.* terminus.
termionică *s.f. fiz.* thermionics.
termistor *s.n. fiz.* thermistor.
termit *s.n. met.* thermit(e).

termită *s.f. entom.* termite.
termo- *prefix* therm(o)-.
termocauter *s.n. med.* thermocautery.
termocentrală *s.f.* thermoelectric power station.
termochimic *adj. chim.* thermochemical.
termochimie *s.f. chim.* thermochemistry.
termocoagulare *s.f. med.* thermocoagulation.
termoconducție *s.f. fiz.* thermal conduction.
termoconvecție *s.f. fiz.* (thermo)convection.
termocuplu *s.n. el.* thermocouple.
termodifuzie *s.f. fiz.* thermodiffusion.
termodinamică *s.f. fiz.* thermodynamics.
termoelasticitate *s.f. fiz.* thermodynamic aspects of elastic deformations.
termo-electric *adj.* thermoelectric.
termoelectricitate *s.f.* thermoelectricity.
termoelement *s.n. fiz.* thermoelement, thermocouple.
termoemisie *s.f. fiz.* thermoelectronic emission.
termoficare s.f. v. t e r m i f i c a r e.
termoficat *adj.* connected to district heating.
termofil *adj. bot., biol.* thermophilic, thermophilous.
termofixare *s.f. text.* termosetting.
termofor *s.n.* thermophore.
termogen *adj.* thermogenous.
termogenie *s.f. fiz.* thermogenesis.
termograf *s.n. fiz.* thermograph.
termoizolant *adj.* thermoinsulating.
termoizolare *s.f. constr.* thermal insulation.
termolabil *adj. fiz.* thermosensitive.
termoluminescență *s.f. fiz.* thermoluminescence.
termometric *adj.* thermometric(al).
termometrie *s.f.* thermometry.
termometru *s.n.* thermometer.
termonastie *s.f. bot.* thermonasty.
termonuclear *adj.* thermonuclear.
termoplastic *adj. fiz.* thermoplastic.
termoreceptor *s.m. fiziol.* thermoreceptor.
termoreglare *s.f. fiziol.* thermoregulation.
termoregulator *s.n.* thermoregulator, thermostat.
termoreleu *s.n. tehn.* thermal relay.
termorezistență *s.f. fiz.* thermal resistance.
termorigid *adj. fiz.* v. t e r m o p l a s t i c.
termos *s.n.* thermos(-bottle).
termoscop *s.n.* thermoscope.
termosferă *s.f. fiz., geogr.* thermosphere.
termosifon *s.n. fiz.* thermosyphon.
termostabil *adj.* thermostable.
termostat *s.n.* thermostat.
termosterilizare *s.f.* thermal sterilization.
termotehnică *s.f.* thermotechnics calorifics.
termoterapie *s.f.* heat cure, thermotherapy.
termotropism *s.n. biol.* thermotropism.
tern *adj.* **1.** dull, tarnished, lustreless. **2.** *fig.* dull, flat.
ternar *adj.* ternary, triple; *măsură ~ă muz.* triple time.
teroare *s.f.* **1.** terror. **2.** persecution.
terofite *s.f. pl. bot.* therophytes.
terorism *s.n.* terrorism.
terorist *s.m., adj.* terrorist.
teroriza *vt.* **1.** to terrorize. **2.** *fig.* to bully, to cow.
terpene *s.f. pl. chim.* terpenes.
terpentină *s.f.* v. t e r e b e n t i n ă.
terpin *s.n. farm.* terpin, terpinol.
terra firme *s.f. bot.* Amazonian tropical forest outside the flooded areas.
terra rossa *s.f. geol.* terra rossa.
tertip *s.n.* trick, stratagem; creephole.
terț I. *s.m.* third party / person. **II.** *adj.* third.
terțarolă *s.f. nav.* reef (band).
terță *s.f. muz.* tierce.
terțet *s.n. muz.* tercet.
terțiar *adj.* tertiary.
terțiari *s.m. pl. ist., rel.* tertiaries.
terțină *s.f. stil.* terza rima.
tesac *s.n. ist.* **1.** short broad sword of former infantrymen or street policemen. **2.** sword sheath.
tescovină *s.f.* **1.** husks of grapes. **2.** *(rachiu)* marc brandy.
tescui *vt.* **1.** to press fruit (for obtaining juice). **2.** to throng, to pack, to stuff.
tescui *vt.* to press; to squeeze.
tesla *fiz.* tesla.
teslă *s.f.* adze.
tesneac *s.m. ist., pol.* Bulgarian left-wing socialist.
test *s.n.* test.
testa *vt.* to bequeath, to will.
testaceu *zool.* **I.** *adj.* testacean, crustacean. **II.** *s.n.* testaceous / crustaceous animal.
testament *s.n.* **1.** will. **2.** *și rel.* testament.
testamentar *adj.* testamentary.
testatoare *s.f. jur.* testatrix.
testator *s.m.* testator, bequeather.
testea *s.f.* packet, bunch; dozen.
testemel *s.n.* headcloth, kerchief (for the head).
tester 1. *ind. extractivă* sampler. **2.** *tehn. etc.* tester.
testicul *s.n.* testicle; *fam.* stone, ball.
testicular *adj.* testicular, orchic.
testimonial *adj. jur.* testimonial, based on (witnesses') evidence.
testimoniu *s.n. jur.* testimony.
testosteron *s.m. fiziol.* testosterone.
teșcherea *s.f. fam.* purse.
teși *vt.* **1.** to cut obliquely. **2.** to round, to blunt.
teșilă *s.f. cu gândul (cam) pe ~* hesitating(ly).
teșire *s.f. tehn.* chamfering.
teșit *adj.* **1.** wry, inclined. **2.** rounded, blunted.
teșitor *s.n. tehn.* countersink.
teșitură *s.f.* **1.** *tehn.* bevel cant. **2.** (*ciot*) stump, stub.
teșmecherie *s.f. fam.* thievish / roguist trick, piece of roguery.
tetanic *adj. med.* tetanic.
tetanie *s.f. med.* tetany.
tetanism *s.n. med.* tetanism.
tetanos *s.n. med.* tetanus.
tetea *s.m. pop.* **1.** father, *fam.* dad. **2.** grandfather, *fam.* grandpa.
teterist *s.m. mil. odin.* educated young man with shorter term of conscription.
tetină *s.f.* baby's dummy / comforter.
tetra- *prefix* tetr(a)-.
tetracarbonil *s.n. chim.* tetracarbonyl.
tetrachenă *s.f. bot.* tetrachene.
tetraciclină *s.f. farm.* tetracycline.
tetraclormetan *s.n. chim.* tetrachlorometane.
tetraclorură *s.f. chim.* tetrachloride.
tetracoralieri *s.m. pl. zool.* Tetracoralla.
tetracord *s.n. muz. odin.* tetrachord.
tetradrahmă *s.f. ist., fin.* tetradrachm(a).
tetraedric *adj. geom.* tetrahedral.
tetraedrit *s.n. mineral.* tetrahedrite.
tetraedru *s.n. geom.* tetrahedron.
tetraetilplumb *s.n. chim.* tetra-ethyl lead.
tetraevanghel *s.n.* the four gospels.
tetragon *s.n. geom.* tetragon.
tetragonal *adj. geom.* tetragonal.
tetrahidronaftalină *s.f. chim.* tetrahydronaphthalene, tetralin.
tetralină *s.f. chim.* tetralin, tetrahydronaphthalene.

tetralogie *s.f.* tetralogy.
tetrametru *s.n. stil.* tetrameter.
tetrapod *s.n. bis.* lectern.
tetrarh *s.m.* tetrarch.
tetrarhie *s.f.* tetrarchy.
tetrasilab(ic) *adj.* tetrasyllabic.
tetratlon *s.n. sport* tetrathlon, four-sports contest.
tetratlonist *s.m. sport* tetrathlon athlete, tetrathlete.
tetravalent *adj. chim.* tetravalent, quadrivalent.
tetrodă *s.f. el., telec.* tetrode.
teu *s.n.* T(ee)-square.
teugă *s.f. nav.* forecastle.
teurgie *s.f. filoz., rel.* **1.** theurgy. **2.** (white) magic. **3.** miracle, wonder(-working).
teuton I. *s.m.* Teuton, German. **II.** *adj.* Teutonic, of / relating to the Teutonic Order; German.
tevatură *s.f.* **1.** agitation, fret. **2.** *(gălăgie)* hubbub, noise.
tex *s.n. text.* system of measuring the thickness of textile fibres.
text *s.n.* **1.** text, written passage. **2.** original. **3.** *muz.* lyrics.
textier *s.m.* lyricist.
textil *adj.* textile, woven.
textilă *s.f.* **1.** textile plant. **2.** *pl.* fabrics, tissues.
textilist *adj.* textile.
textolit *s.n. el.* textolite.
textologie *s.f. lit.* comparative literary analysis (of texts).
textual I. *adj.* textual, word for word. **II.** *adv.* **1.** textually, to the letter. **2.** in so many words.
textură *s.f.* **1.** texture. **2.** *geol.* (rock) structure.
tezaur *s.n.* **1.** treasure. **2.** fortune, riches, wealth. **3.** *(de monede și)* hoard. **4.** *fig.* thesaurus. **5.** *fin.* treasury, public finances.
tezauriza *vt.* to hoard, to save up.
teză *s.f.* **1.** thesis. **2.** written paper. **3.** *(idee și)* idea, theory; *~ de licență* graduation paper.
tezism *s.n. filoz, lit., artă* thesism, didacticism, emphasis on thesis.
tezist *adj.* thesist, didactic, emphasizing of thesis.
theravada *s.m. rel.* Theravada, Hinayana.
theromorpha *subst. paleont.* Theromorpha, Pelycosauria.
ti *interj.* **1.** *(phii!)* gee! **2.** *(păcat)* oh!, alas!
tiamină *s.f. biochim.* thiamin(e); thiamine chloride, vitamin B1; thiamine base.
tiară *s.f.* (papal) tiara, triple crown.
tibia *s.f. anat.* tibia, shin.
tibial *adj. anat.* tibial.
tibișir *s.n. (cretă) înv.* chalk.
tic *s.n.* (spasmodic) tic.
ticăi I. *vi.* **1.** *(d. inimă)* to throb, to go pit-a-pat. **2.** *(d. ceasornice)* to tick. **II.** *vr.* to dally, to tarry, to dawdlle, to dilly-dally.
ticăială *s.f.* **1.** dawdling, pottering about; dilly dallying, wasting one's time. **2.** working slowly and meticulously.
ticăit I. *s.n.* **1.** *(al inimii)* throb, pit-a-pat. **2.** *(al ceasului)* tick. **II.** *adj.* inefficient, slow.
ticălos I. *s.m.* miscreant, scoundrel. **II.** *adj.* **1.** wicked, knavish. **2.** good-for-nothing, vile.
ticăloși *vr.* to go to the bad.
ticăloșie *s.f.* **1.** baseness, wickedness, turpitude. **2.** *(acțiune)* knavish trick, dastardly deed.
tichet *s.n.* ticket, coupon.
tichie *s.f.* cap; skull cap; (*de noapte*) night cap; *a se naște cu tichia în cap* to be born with a silver spoon in one's mouth / with a caul on one's head.
ticlui *vt.* **1.** to arrange, to put / knock together. **2.** *fig.* to concoct, to fabricate.
ticluire *s.f.* **1.** arrangement. **2.** invention, figment.
ticsi *vt.* to throng, to fill.
ticsit *adj.* crammed.
tictac *s.n., interj.* tick(ing).
tiefdruck *s.n.,* tifdruc *s.n. poligr.* copperplate printing.
tifan *s.n.* small fishing net.
tific *adj.* typhoid.
tiflă *s.f.* snook.
tiflită *s.f. med.* typhlitis.
tiflopedagogie *s.f.* typhlopedagogy, typhlopedagogics.
tifobaciloză *s.f. med.* typhobacillosis.
tifoid *adj.* typhoid.
tifon *s.n.* **1.** gauze. **2.** *med.* lint.
tifos *s.n. med.* typhoid fever; *~ exantematic* exanthemum fever, typhus.
tigaie *s.f.* **1.** pan. **2.** *(de prăjit)* frying-pan.
tighel *s.n.* stitch.
tigheli *vt.* to stitch.
tignafes *s.n. vet.* heave.
tigoare *s.f. reg. (trântor)* lazybones, sluggard, slug-abed.
tigroaică *s.f.* tigress.
tigru *s.m. zool.* tiger *(Felis tigris).*
tigvă *s.f.* **1.** skull, brain pan. **2.** *bot.* gourd.
tihai *interj.* oh my!
tihăraie *s.f. pop.* **1.** ravine; (*povârniș*) slope. **2.** (*desiș*) thicket. **3.** v. p ă p u r i ș.
tihnă *s.f.* quiet, repose; *în ~* quietly, at leisure; *fără ~* untiringly.
tihni *vi.* to be pleasant / enjoyable; *nu mi-a ~t* I couldn't enjoy it.
tihnit *adj.* **1.** peaceful, restful. **2.** uneventful, peaceable.
tijă *s.f.* **1.** rod. **2.** *bot.* stem.
tildă *s.f.* tilde, swung dash.
tiliacee *s.f. pl. bot.* Tiliaceae.
tilincă *s.f. pop.* **1.** (sheperd's) pipe. **2.** v. t a l a n g ă.
tilișcă *s.f. bot.* enchanter's nightshade (Circaea).
tilită *s.f. paleont.* tillite, fossil moraine.
tiloză *s.f. chim.* methyl cellulose.
timar *s.n. ist. Turciei* timar, fief awarded to military chiefs.
timariot *s.m. ist. Turciei* military chief holding a timar.
timbra *vt.* to stamp, to stick a stamp on.
timbrat *adj.* stamped.
timbru *s.n.* **1.** stamp. **2.** *muz.* timbre, colour. **3.** *(în fonetică)* tamber.
timid *adj.* **1.** timid, coy. **2.** modest. **3.** delicate, gentle.
timiditate *s.f.* **1.** timidity, shyness. **2.** modesty. **3.** delicacy.
timoftică *s.f. bot.* cat's-tail grass, herd's grass, timothy (grass) (*Phleum pratense*).
timol *s.m. chim.* thymol.
timonă *s.f.* helm, wheel.
timonerie *s.f. nav. wheel house.*
timonier *s.m.* helmsman, steers-man.
timonieră *s.f.* coxswains's box.
timora *vt.* to cow, to browbeat.
timorat I. *adj.* timorous. **II.** *adv. timorously.*
timp I. *s.m.* time, measure. **II.** *s.n.* **1.** time. **2.** *(meteorologic)* weather. **3.** *(răgaz)* respite. **4.** *(epocă)* times, day; age. **5.** *muz.* beat. **6.** *gram.* tense; *~ liber* leisure, space time; *câtva ~* for some time; *cu timpul* in the long run; *din ~, la ~* in due time.
timpan *s.n.* **1.** *anat.* ear drum, tympanum. **2.** *muz. pl.* timpani.
timpanist *s.m. muz.* tympanist, timpanist, drummer.
timpuriu *adj.* **1.** early. **2.** precocious, untimely. **3.** *(necopt)* unripe; *de ~* (too) early.
timus *s.n. anat.* thymus.
tină *s.f.* **1.** mud, slime. **2.** *(țărână)* earth, dust.

tinctorial *adj.* tinctorial; *lemn* ~ dyewood, dyer's wood, colouring wood.
tinctură *s.f.* tincture.
tindalizare *s.f.* tyndallization.
tindă *s.f.* entrance room, vestibule.
tinde *vi. a ~ la...* to tend to... ; *(a năzui la)* to seek..., to aim at..., to aspire to..., to strive for... ; *a ~ să...* to tend to...
tindeche *s.f. text.* temple(t), stretcher.
tine *pron.* you.
tinerel I. *s.m.* shaveling, youngster. **II.** *adj.* young.
tineresc *adj.* youth(ful), juvenile.
tinerește *adv. youthfully; (a se îmbrăca etc.)* young.
tineret *s.n.* youth, young people; *de ~* youth(ful).
tinerețe *s.f.* **1.** youth. **2.** *fig.* youthfulness; *de ~* early.
tinerime *s.f.* young people, youth.
tinetă *s.f.* bucket, utensil.
tingire *s.f.* (sauce) pan.
tinichea *s.f.* tin (box / plate).
tinichigerie *s.f.* **1.** tinker's trade. **2.** tinker's shop.
tinichigiu *s.m.* tinker.
tintometru *s.n.* tintometer.
tio- *prefix* thi(o)-.
tioalcool *s.m. chim.* thioalcohol.
tiocarbamidă *s.f. chim.* thiocarbamide, thiourea.
tiocianat *s.m. chim.* thiocyanate.
tiocianic *adj. chim.* thiocyanic (acid).
tiofen *s.m. chim.* thiophene.
tiofenol *s.m. chim.* thiophenol.
tiol *s.m. chim.* thiol.
tiosulfat *s.m. chim.* thiosulphate.
tiosulfuric *adj. chim.* thiosulphuric (acid).
tiouree *s.f. chim., med.* thiocarbamide, thiourea.
tip I. *s.m.* cove, individual. **II.** *s.n.* **1.** type; prototype. **2.** *(tipar și)* pattern, genre, sort. **III.** *adj.* standard(ized).
tipar *s.n.* **1.** printing, print. **2.** *(șablon)* pattern, model. **3.** *(mulaj)* mould, cast; *sub ~* in press.
tiparniță *s.f. înv.* **1.** printing press. **2.** printing house.
tipări I. *vt.* to print, to publish. **II.** *vr.* to be printed / published.
tipărire *s.f.* **1.** printing. **2.** publication, editing.
tipăritură *s.f.* **1.** printing, publication. **2.** printed work, publication; *pl.* printed matter.
tipesă *s.f. fam.* jade, *argou* flossy; woman.
tipic[1] **I.** *s.n.* typical character, specific element, (quint)essence. **II.** *adj.* typical (of), specific (to).
tipic[2] *s.n.* **1.** pattern, templet. **2.** tradition, rule.
tipicar I. *s.m.* fastidious person. **II.** *adj.* finical, fastidious.
tipie *s.f.* frustum-shaped hillock.
tipiza *vt.* to typify; to standardize.
tipizare *s.f.* **1.** typification; standardization. **2.** *arhit.* type design.
tipo- *prefix* typ(o)-.
tipograf *s.m.* printer, printing worker.
tipografic *adj.* printing..., typographical.
tipografie *s.f.* printing works.
tipolitografie *s.f. tehn.* typolithography.
tipologic *adj.* typological.
tipologie *s.f.* **1.** typology. **2.** character drawing.
tipometru *s.n. poligr.* typometer.
tipsie *s.f.* **1.** tray; plate. **2.** *pl. muz.* cymbals.
tiptil *adv.* **1.** on tiptoe, lightly. **2.** *(pe furiș)* stealthily, by stealth.
tir *s.n.* **1.** *mil.* fire. **2.** *sport* target shooting.
tiradă *s.f.* tirade; monologue.
tiraj *s.n.* **1.** circulation. **2.** *(la sobă)* draught.
tiralior *s.m. mil. înv.* rifleman.
tiran I. *s.m.* **1.** tyrant, despot. **2.** *fig.* autocrat, bully. **II.** *adj.* autocratic, despotic.
tiranic *adj.* tyrannical, despotic.
tiranie *s.f.* **1.** tyranny. **2.** despotism, autocracy.
tiraniza *vt.* **1.** to tyrannize. **2.** to terrorize, to bully.
tirant *s.m. constr.* tie bar, tie member.
tiratron *s.n. telec.* thyratron.
tirbușon *s.n.* corkscrew.
tireoglobulină *s.f. fiziol.* thyroglobulin.
tireopriv *adj. med.* thyroprival (syndrome).
tireotoxicoză *s.f. med.* t(h)yrotoxicosis.
tireotrop *adj. fiziol.* thyreotropic, thyrotrophic (hormone).
tirfon *s.n. tehn.* screw(ed) (rail) spike.
tirighie *s.f. chim.* tartar.
tirit *s.n. constr.* Thyrite.
tiroid *adj.* thyroid.
tiroidă *s.f. anat.* thyroid (gland).
tiroidian *adj.* thyroidian.
tirolez *s.m., adj.* Tirolese.
tiroleză *s.f.* **1.** Tyrolese. **2.** *muz.* Tyrolienne.
tiroxină *s.f. biochim.* thyroxin(e).
tirs *s.n. mitol.* thyrsus, *pl.* thyrsis, Dyonissus's staff adorned with grapes.
tisă *s.f. bot.* yew tree *(Taxus baccata).*
tisular *adj. anat.* tissual, of tissue.
tișlaifăr *s.n.* doily, doyly.
titan *s.m.* **1.** *mit.* Titan; *fig.* genius. **2.** *chim.* titanium.
titanic *adj.* titanic, tremendous.
titanit *s.n. mineral.* titanite.
titanomagnetit *s.n. mineral.* titanomagnetite.
titirez *s.m.* (spinning) top.
titlu *s.n.* **1.** title. **2.** *jur.* right, legal base. **3.** *fig.* claim. **4.** *chim.* titre. **5.** *(grad și)* degree. **6.** *(rang și)* rank; *~ de glorie* desert, merit, glory; *~ de proprietate* property deed; *cu ~ de împrumut* as a loan; *cu ~ de încercare* tentatively, experimentally.
titra *vt., vi.* to titrate.
titrare *s.f.* **1.** *chim.* titration. **2.** *(a unui film etc.)* subtitling.
titrat I. *s.m.* university graduate. **II.** *adj.* **1.** having a degree. **2.** *chim.* titrated.
titular I. *s.m.* **1.** holder. **2.** master. **II.** *adj.* **1.** full. **2.** entitled. **3.** permanent, official. **4.** appointed; *profesor ~* professor in ordinary.
titulatură *s.f.* title.
tiv *s.n.* hem(stitch); selvedge.
tivi *vt.* to hemstitch.
tivilichie *s.f. pop.* embroidered traditional singlet or shirt front.
tivitură *s.f.* **1.** hemming etc. v. t i v i. **2.** (*tiv*) hem, seam. **3.** *(chenar)* edge, edging, border, welt(ing), skirt.
tiz *s.m.* namesake.
tizană *s.f.* herb tea.
tizic *s.n.* dung and straw used as fuel / for brickmaking.
tmeză *s.f. stil.* tmesis.
toacă *s.f.* **1.** bell board. **2.** *(înserare)* sunset, vesper.
toaie *s.f. bot.* v. o m a g.
toaletă *s.f.* **1.** toilet. **2.** *(îmbrăcăminte și)* dress, attire. **3.** *fig.* covering, dressing. **4.** *(closet)* lavatory, water closet; *~ de sărbătoare* one's Sunday best.
toamna *adv.* in autumn.
toamnă *s.f.* autumn; AE fall; *~ lungă / târzie* Indian summer; *astă ~* last autumn; *la ~* next autumn.
toană *s.f.* **1.** whim, fancy. **2.** mood, disposition; *cu toane* moody, whimsical.

toancă *s.f.* meander (of a swift stream); (*vârtejuri*) whirlpools.
toarce I. *vt.* to spin. **II.** *vi.* **1.** to spin. **2.** *(d. pisici)* to purr.
toartă *s.f.* ear (of a vessel); *prieteni la ~* close / bosom friends.
toast *s.n.* toast; *a ridica / rosti un ~* v. t o a s t a.
toasta *vi.* to give / propose a toast, to toast.
toată I. *adj.* **1.** all. **2.** *(întreg)* whole, full; *~ lumea* all the world; *(toți oamenii)* everybody, everyone, every man; *~ ziua* all day long, *(clar)* obviously, clearly; *cu ~ răceala etc.* in spite of the cold etc.; *de ~ frumusețea* most beautiful / fine, *fig.* classical, standard. **II.** *pron.* all (of it). **III.** *adv.* fully, completely, all.
toate I. *adj.* **1.** all. **2.** *(fiecare)* every; *~ acestea* all this / these; *~ celea* everything; *cu ~ acestea* nevertheless, however; in spite of all this; *de ~ zilele* every day...; *din ~ părțile* from all sides; *după ~ probabilitățile* in all likelihood; *în ~ părțile* everywhere; *pe ~ drumurile / cărările* at every corner. **II.** *pron.* **1.** everything. **2.** *(partitiv)* all (of them); *~ ca ~, dar...* it's all right, but...; *de ~* all and sundry; *după ~* after all; *înainte de ~* first of all; above all.
tobă *s.f.* **1.** drum. **2.** mosaic salame. **3.** *(la cărți)* diamonds; *toba mare* kettle drum; *~ de...* full of...
tobogan *s.n.* slide, chute.
toboșar *s.m.* drummer, drum player.
tobralco *s.n. text.* cotton tartan-patterned fabric.
toc I. *s.n.* **1.** *(de scris)* penholder, pen. **2.** *(de pantof)* heel. **3.** *(teacă)* scabbard, sheath. **4.** *(de ușă etc.)* frame, jamb; *~ cui* stiletto heel; *~ cu pastă* ball pen; *~ rezervor* fountain pen. **II.** *interj.* knock!
toca I. *vt.* **1.** to hash. **2.** *(cu mașina)* to mince. **3.** *(a cresta)* to notch, to hack. **4.** *(bani) fig.* to play ducks and drakes with, to waste (smb.'s fortune). **5.** *fig. (a pisa)* to bother, to pester (smb.). **II.** *vi.* **1.** to prate, to prattle. **2.** to clack, to rattle. **3.** *rel.* to hammer on the bellboard.
tocană *s.f. cul.* goulash; *~ de iepure* jugged / stewed hare.
tocat *adj.* hashed, minced.
tocată *s.f. muz.* toccata.
tocă *s.f.* toque.
tocăni *vi.* to knock.
tocătoare *s.f. tehn.* meat-mincing machine.
tocător I. *adj.* hacking etc. v. t o c a I, 1. **II.** *s.n.* **1.** (*cuțit de tocat*) (meat) chopper, chopping knife, cleaver. **2.** (*scândură de tocat*) chopping / cutting board.
tocătură *s.f.* minced meat, forcemeat.
toceală *s.f.* swotting, cramming.
toci I. *vt.* **1.** to blunt, to jag. **2.** *fig.* to dull, to wear out. **3.** *(a învăța)* to swot, to cram. **II.** *vi. fig.* to swot, to cram. **III.** *vr.* to be blunted, to get blunt / dull; to wear out.
tocilar *s.m.* **1.** whetstone grinder. **2.** *fig.* swot.
tocilă *s.f.* **1.** grindstone. **2.** *(piatră)* whetstone.
tocilărie *s.f.* **1.** whetstone grinding. **2.** whetter / grinder's shop.
tocit *adj.* **1.** blunted, jagged; dulled. **2.** *(uzat)* worn (out); threadbare.
tocitoare *s.f.* (fermenting) tub.
tocmai *adv.* **1.** just, precisely. **2.** *(de curând)* recently, lately; scarcely; *~ cine ne trebuie* he is the very man; *nu ~* not exactly.
tocmeală *s.f.* **1.** bargaining, negotiation. **2.** *(înțelegere)* understanding, convention.
tocmi I. *vt.* **1.** to hire; to engage. **2.** *(a închiria și)* to book, to rent. **II.** *vr.* **1.** to bargain; to negotiate, to haggle. **2.** *(a se angaja)* to engage / pledge (to do).
tocoferol *s.m. biochim.* alpha-tocopherol.
tocsin *s.n.* tocsin.
tofus *s.m. med.* toph(us), chalkstone.
togă *s.f.* toga.
toharică *adj., s.f. lingv.* Tocharian, Tokharian.
tohoarcă *s.f. reg.* untanned sheep-skin coat.
toi *s.n.* height; *în toiul luptei* in the thick of the battle.
toiag *s.n.* **1.** staff. **2.** *(baston)* (walking) stick. **3.** *fig.* prop, mainstay.
tolă *s.f. met.* sheet plate.
tolăni *vr.* to sprawl; to recline.
tolbă *s.f.* **1.** (game) bag, satchel. **2.** *(cu săgeți)* quiver.
tolera *vt.* **1.** to tolerate, to allow (of). **2.** *(a suporta)* to bear, to stand.
tolerabil *adj.* tolerable, admissible.
tolerant *adj.* tolerant, broadminded, liberal.
toleranță *s.f.* **1.** tolerance. **2.** indulgence, permission.
tololoi I. *s.n.* v. z a r v ă. **II.** *s.m.* v. f l e c a r.
tolometru *s.n. fiz.* tholometer.
tolteci *geogr.* **I.** *s.m.* Toltec(a). **II.** *adj.* Toltecan.
toluen *s.n. chim.* toluene.
toluidină *s.f. chim.* toluidine.
tom *s.n.* volume, tome.
tomahawk *s.n.* tomahawk.
tomată *s.f.* tomato.
tombac *s.f. met.* tombac(k).
tomberon *s.n.* dumping cart, tumbril.
tombolă *s.f.* tombola, lottery.
tombolo *s.n. geol.* tombolo.
tomism *s.n. filoz., rel.* Thomism.
tomna *vi. pop.* to pasture (the sheep, cattle) in autumn.
tomnat *s.n.* **1.** autumn pasturing. **2.** autumn pasturing toll.
tomnatic *adj.* **1.** autumnal. **2.** *fig.* elderly, middle-aged.
tomografie *s.f. med.* tomography.
ton I. *s.m.* tunny (fish). **II.** *s.n.* **1.** *muz.* tone; note; (musical) sound. **2.** intonation, tune. **3.** *fig.* fashion. **4.** *(nuanță)* shade, hue, colour.
tonaj *s.n.* tonnage.
tonalitate *s.f.* **1.** *muz.* tonality; intonation. **2.** *(culoare)* shade, hue. **3.** prevalent feature, characteristic.
tonare *s.f. tehn.* toning.
tonatic *adj.* whimsical, capricious.
tonă *s.f.* (metric) ton.
tondo *s.m. artă* tondo.
tonetă *s.f.* stand, stall.
tonic I. *s.n.* cordial, tonic. **II.** *adj.* **1.** tonic, stressed. **2.** *(întăritor)* invigorating, cordial.
tonică *s.f. muz.* tonic, key note.
tonicitate *s.f. med.* tonicity.
tonifiant I. *adj.* tonifying, tonic, bracing. **II.** *s.n. med.* tonic (medicine).
tonifica *vt.* to toughen, to fortify.
tonomat *s.n.* juke-box.
tonometrie *s.f. tehn.* tonometry.
tonou *s.n. av.* horizontal spin, roll.
tonsură *s.f. bis.* tonsure, shaven crown.
tont I. *s.m.* **1.** booby, dullard. **2.** *(neîndemânatic)* gawk, lout. **II.** *adj.* **1.** dull, stupid. **2.** *(neîndemânatic)* gawky, awkward.
tontină *s.f. ist., fin.* tontine, mutual benefit fund, equity (fund).
tontiniar *adj. ist., fin.* tontine, referring to mutual insurance.
tontoroi *s.n.* whirl(ing), spinning round; *a juca / sări ~ul* v. ț o p ă i.
tonus *s.n. med.* tonus.
top *s.n.* ream.
topaz I. *s.n.* topaze; *(fumuriu)* cairngorm. **II.** *adj.* topaze-coloured.
topciu *s.m. ist.* artillery man.

topenie *s.f. fam.* disaster, calamity.
topi I. *vt.* **1.** to melt. **2.** *(metale și)* to smelt. **3.** *(zăpadă)* to thaw. **4.** *(cânepă etc.)* to ret, to rot. **5.** *(untură)* to render. **6.** *(a consuma)* to eat up; to consume, to exhaust. **7.** *fig.* și to soften. **II.** *vr.* **1.** to melt. **2.** *(d. zăpadă)* to thaw. **3.** *fig.* și to soften, to relent. **4.** *(a dispărea)* to dissolve; to disappear. **5.** *argou (a pleca)* to skedaddle, to be off.
topic *adj.* **1.** topical; local. **2.** toponymic.
topică *s.f.* order of words.
topilă *s.f.* retting pond, rettery.
topinambur *s.m. bot.* Jerusalem artichoke *(Helianthus tuberosis).*
topire *s.f.* **1.** melting. **2.** *(în metalurgie)* smelting. **3.** *(a zăpezii)* thaw(ing). **4.** *(a cânepii)* retting, rotting.
topit I. *s.n.* **1.** (s)melting. **2.** *(al cânepii)* retting, rotting. **II.** *adj.* **1.** melted. **2.** *(d. plumb)* molten. **3.** *(d. cânepă)* retted. **4.** *(îndrăgostit)* keen / nuts (on smb.).
topitoare *s.f.* smelting furnace.
topitor *s.m.* smelter.
topitorie *s.f.* **1.** smelting iron furnance. **2.** *(de cânepă)* retting pond / installation.
topitură *s.f.* fusion.
toplița *s.f.* warm spring / brook.
topo- *prefix* top(o)-.
topograf *s.m.* topographist.
topografic *adj.* topographic(al), surveying..; *ridicare ~ă* topographical survey.
topografie *s.f.* **1.** topography, land survey. **2.** *(așezare)* location.
topologie *s.f. mat.* topology.
topometrie *s.f.* topometry, plotting of points, surveying.
topometru *s.m.* surveyor.
toponim *s.n.* toponym.
toponimic *adj.* toponymical.
toponimie *s.f.* toponymy.
topor *s.n.* axe; hatchet; *din ~* unrefined; uncouth.
toporaș *s.m. bot.* violet *(Viola).*
toporiscă *s.f.* v. b a r d ă.
toporiște *s.f.* scythe / axe handle.
topspin *s.n. sport* top side (blow).
toptan *s.n. cu toptanul* wholesale; in abundance, galore.
toptangiu *s.m.* (large / wholesale) merchant, wholesaler, *argou* don.
topuz *s.n. odin.* mace.
tor *s.n.* **1.** *geom.* tore, torus. **2.** *arh.* torus.
torace *s.n. anat.* chest, thorax.
toracic *adj. anat.* thoracic.
toracoplastie *s.f. med.* thoracoplasty.
torcătoare *s.f.* spinster, spinning woman.
torcător *s.m.* spinner.
torcătorie *s.f.* v. f i l a t u r ă.
torcreta *vt. constr.* to inject concrete.
torcretare *s.f. constr.* injection of concrete.
toreador *s.m.* bull-fighter.
torent *s.n.* torrent, stream.
torențial I. *adj.* torrential, pouring. **II.** *adv.* cats and dogs.
torero *s.m.* v. t o r e a d o r.
toreutică *s.f. ist., artă* toreutics.
torid *adj.* torrid; sultry.
torit *s.n. mineral.* thorite.
toriu *s.n. chim.* thorium.
tornadă *s.f.* tornado.
toroid *s.n. geom.* toroid.
toroipan *s.n. reg. fam.* club; bludgeon, cudgel.
toron *s.n.* strand of a rope.
toropeală *s.f.* **1.** torpor. **2.** reverie, dreaming. **3.** apathy. **4.** *(arșiță)* scorching heat.
toropi *vt.* **1.** *(a slăbi)* to enervate, to cause, to wilt. **2.** *(a adormi)* to make drowsy.
toropit *adj.* **1.** *(slăbit)* torpid, enervated, wilting. **2.** *(adormit)* drowsy, dozing.
toropitor *adj.* enervating, wilting.
torpedo *s.n.* back pedal, coaster brake.
torpila *vt.* **1.** to (sink by a) torpedo. **2.** *fig.* to frustrate, to wreck.
torpilă *s.f.* **1.** *mil.* torpedo. **2.** *iht.* torpedo, electric ray *(Torpedo marmorata).*
torpilor *s.n. nav.* torpedo boat.
torr *s.m. fiz.* torr.
tors I. *s.n.* **1.** spinning. **2.** purring (of a cat). **3.** *anat.* torso. **II.** *adj.* spun.
torsadă *s.f. arh.* cable moulding.
torsiograf *s.n. tehn.* torsi(o)graph.
torsiometru *s.n. tehn.* torsiometer.
torsiona *vt.* to twist, to produce torsion in.
torsiune *s.f.* **1.** torsion. **2.** v. c o n - t o r s i u n e.
torsor *s.m. fiz.* torque.
tort *s.n.* **1.** spun yarn; spool. **2.** v. t o r t ă.
tortă *s.f.* **1.** fancy / cream cake. **2.** birthday / wedding cake.
torticolis *s.n. med.* torticollis, crick in the neck, stiff neck; wryneck.
tortuozitate *s.f. geol.* tortuosity, crookedness.
tortura *vt.* **1.** to torture, to persecute. **2.** *fig.* to torment.
torturant *adj.* torturing.
torturat *adj.* tortured; *~ de gânduri* thought-ridden.
tortură *s.f.* **1.** torture, suffering. **2.** *fig.* torment.
torță *s.f.* torch.
torțel *s.m. bot.* dodder, devil's guts *(Cuscuta).*
tory *subst. ist. Angliei* Tory.
tos *adj. zahăr tos* castor / granulated sugar.
toscan *adj. arh.* Tuscan.
tot I. *s.n.* **1.** whole, entirely. **2.** unit. **3.** total. **4.** *fig.* the (quint)essence, the pith (and marrow); *cu ~ul* entirely, root and branch. **II.** *adj.* **1.** all. **2.** *(întreg)* whole, entire. **3.** *(fiecare)* every; *~ anul* throughout the year; *~ omul* every man (Jack); Tom, Dick and Harry; *~ timpul* always, even, perfect; *cu ~ dinadinsul* purposely, purposefully; *cu ~ dragul* with all my love; *de ~ felul* of all kinds; *în ~ momentul* all the time; *în ~ cazul* in any case; anyhow; *peste ~ locul* everywhere. **III.** *pron.* **1.** everything. **2.** *(partitiv)* all (of it). **IV.** *adv.* **1.** *(temporal)* still; even now. **2.** *(în prop. negative)* not yet, not even now. **3.** *(în continuare)* further, still, on. **4.** *(mereu)* always, all the time. **5.** *(cam)* about, some. **6.** *(invariabil)* invariably, permanently. **7.** *(repetat)* repeatedly, often(times). **8.** *(crescând)* more, increasing. **9.** *(la fel)* also, likewise, to the same extent. **10.** *(tocmai)* precisely, just. **11.** *(iar)* again, anew; the same as usual. **12.** *(numai)* exclusively, only. **13.** *(complet)* wholly, completely. **14.** *(în orice caz)* anyhow, in any case; *~ de atâtea ori* as many times.
total I. *s.n.* (sum) total; *în ~* in all, altogether. **II.** *adj.* **1.** total, entire. **2.** full, thorough (going). **3.** general, universal. **4.** absolute. **5.** *ec.* all-out, overall.
totalitar(ist) *adj.* totalitarian; authoritarian.
totalitarism *s.n.* totalitarianism.
totalitate *s.f.* total, ensemble; *în ~* entirely.
totaliza *vt.* **1.** to totalize, to tote (up). **2.** *(a centraliza)* to summarize. **3.** *(a se ridica la)* to amount to.
totalizator *s.n.* totalizator, totalize, *fam.* total.
totalmente *adv.* absolutely, utterly, totally.

totdeauna *adv.* **1.** always, ever. **2.** usually, as a rule; *pentru ~* for good (and all); definitively; *rel. și poetic* for ever (and ever).
totdeodată *adv.* v. t o t o d a t ă.
totem *s.n.* totem.
totemic *adj.* totemic.
totemism *s.n.* totemism.
totodată *adv.* **1.** at the same time, simultaneously. **2.** *(pe de altă parte)* on the other hand.
totuna *adv.* all the same; *mi-e ~* it makes no difference (to me).
totuși *conj.* however, still; *și ~* and yet, for all that.
toți I. *adj.* all, every. **II.** *pron.* all (people), every(body), every man (Jack).
toulouse *s.f. ornit.* Tolouse goose.
toval *s.n.* neat's leather.
tovarăș *s.m.* mate; associate; partner, companion; *~ de cameră* room-mate; *~ de drum* fellowtraveller; *~ de suferință* fellow sufferer; *~ de viață* life-mate.
tovărășie *s.f.* **1.** *(societate)* association. **2.** partnership, participation.
toxic I. *s.n.* toxic substance. **II.** *adj.* toxic, (ob)noxious, poisonous, venomous.
toxicitate *s.f.* toxicity.
toxicolog *s.m. med.* toxicologist, toxicologue.
toxicologic *adj. med.* toxicologic(al).
toxicologie *s.f.* toxicology.
toxicoman *s.m.* drug addict, *argou* dope fiend.
toxicomanie *s.f.* toxicomania, drug addiction.
toxicoză *s.f. med.* toxicosis, toxemia.
toxiinfecție *s.f. med.* toxinfection, toxi-infection.
toxiinfecțios *adj.* toxinfectious, toxi-infectious.
toxină *s.f.* toxin.
toxoplasmoză *s.f. med.* toxoplasmosis.
trabuc *s.n.* cigar.
trac I. *s.m.* Thracian. **II.** *s.n.* (stage-)fright; excitement. **III.** *adj.* Thracian.
tracasa *vt.* to worry, to bother, to plague.
tracic *adj.* Thracian.
tracta *vt. tehn.* to draw along, to drag.
tractabil *adj.* manageable, supple; kindly, amiable.
tractat *adj.* towed.
tractir *s.n.* **1.** cab, den. **2.** *(bordel)* brothel.
tractor *s.n.* tractor; *~ pe șenile* caterpillar tractor.
tractorist *s.m.* tractor-driver.
tractus *s.n. anat.* tract(us).
tracțiune *s.f.* drive; *dublă ~* four-wheel drive.
tradescanția *s.f. bot.* tradescantia *(Tradescantia zebrina).*
tradiție *s.f.* tradition; custom.
tradițional *adj.* traditional, usual.
tradiționalism *s.n.* traditionalism.
tradiționalist I. *adj.* traditionalistic. **II.** *s.m.* traditionalist.
traducător *s.m.* translator; interpreter.
traduce *vt.* **1.** to translate. **2.** to render (into another language); to interpret. **3.** *fig.* to express; *a ~ în viață* to materialize, to carry out.
traducere *s.f.* translation; interpretation; *~ în viață* materialization, achievement.
traductibil *adj.* translatable.
traductor *s.n. telec.* translator.
trafic *s.n.* **1.** trade; commerce. **2.** illicit trade. **3.** traffic, circulation.
trafica *vi.* *(cu)* to traffic (in); to trade illicitly (in).
traficant *s.m.* trafficker, dealer; *~ de alcool* bootlegger; *~ de stupefiante* dope dealer; *~ de carne vie* slave dealer.
trafor *s.n.* tracery work.
trafora *vt.* to fret-saw, to jigsaw.
traforaj *s.n.* fret-saw, jigsaw.
trage I. *vt.* **1.** to draw. **2.** *(tare)* to pull; to haul; to tug at. **3.** *(a scoate)* to pull out. **4.** *(clopotele)* to ring. **5.** *(zăvorul, un glonte)* to shoot. **6.** *(a îndemna)* to urge, to prompt. **7.** *(a târâi)* to drag. **8.** *(a atrage)* to cause, to entail. **9.** *(a suferi)* to suffer, to bear. **10.** *(concluzii și)* to derive, to infer; to learn. **11.** *(a tipări)* to print; *a ~ o bătaie cuiva* to lick / thrash smb.; *a ~ chiulul* to shirk work, to play truant; *a ~ clapa cuiva* to give smb. the slip; *a ~ la răspundere* to hold smb. answerable; *a ~ la sorți* to draw lots for (smth.); *a ~ mâța de coadă* to live from hand to mouth; *a ~ palme cuiva* to slap smb.'s face, to box smb.'s ears; *a ~ un perdaf cuiva* to comb smb.'s hair for him; *a ~ pe roată* to break on the wheel; *a ~ pe sfoară* to take in, to diddle; *a ~ un profit din ceva* to profit by smth.; *a ~ o spaimă* to be frightened to death; *a-și ~ sufletul / răsuflarea* to have a deep breath; *a ~ un somn / la aghioase* to get forty winks, to flop; *și-a tras (repede) o rochie pe ea* she clapped on a dress. **II.** *vi.* **1.** to pull. **2.** *(cu arma)* to shoot, to fire. **3.** *(a cântări)* to weigh. **4.** *(a poposi)* to put up (at a house etc.). **5.** *(a tinde)* to feel attracted (towards); to tend (towards). **6.** *(a fi curent, a avea tiraj)* to draw; *~ a bogăție* he is bound to be rich; *~ a moarte* his death is near; *a ~ cu urechea* to eavesdrop, to overhear; *a ~ cu ochiul / cu coada ochiului (la)* to dart / cast glances at; *a ~ de* to tag at; *a ~ la măsea* to booze, to swill; *a ~ la fit* to play truant / hookey; *a ~ la sorți* to draw lots and cuts; *~ să moară* he breathes his last; *a ~ unul într-o parte și unul în cealaltă* to be at cross purposes. **III.** *vr.* **1.** to make for, to move. **2.** *(a se târî)* to crawl, to creep. **3.** *(dintr-o familie)* to descend (from), to be born into a family. **4.** *(dintr-un loc)* to come / hail (from). **5.** *(a fi provocat)* to originate (in) / derive (from), to be caused (by); *se ~ dintr-o familie muncitorească* he was born into the working class.
tragedian *s.m.* tragedian, tragedy actor.
tragediană *s.f.* tragedian, tragic actress, tragedienne.
tragedie *s.f.* **1.** tragedy. **2.** *fig.* și misfortune, catastrophe.
tragere *s.f.* **1.** drawing, pulling. **2.** *(tir)* shooting; fire; *~ de inimă* eagerness, zeal, diligence; *~ la sorți* drawing of lots; *~ la țintă* target shooting; *~ pe roată* breaking on the wheel; *~ pe sfoară* cheating, diddling, taking in; *tehn.* drawing; lure, attraction.
tragic I. *s.n.* tragic (aspect etc.); *în ~* tragically, dramatically. **II.** *adj.* **1.** tragic. **2.** sad, mournful, dramatic. **3.** nefarious, unfortunate; dreadful. **III.** *adv.* tragically, sadly.
tragicomedie *s.f.* tragicomedy.
tragicomic *adj.* tragicomical.
tragism *s.n.* tragic sense, dramatism.
traheal *adj. anat.* tracheal.
trahee *s.f. anat.* trachea.
traheidă *s.f. bot.* tracheid.
traheită *s.f. med.* tracheitis.
traheotomie *s.f. med.* tracheotomy.
trahit *s.n. mineral.* trachyte.
trahomă *s.f. med.* trachoma.
trai *s.n.* **1.** living, existence; life. **2.** *(material și)* livelihood, bread.
traiect *s.n.* route.

traiectorie *s.f.* trajectory.
trailă *s.f.* ferry.
traină *s.f. nav.* dragging.
trainic I. *adj.* **1.** lasting, durable. **2.** solid, resistant. **II.** *adv.* solidly, durably.
traistă *s.f.* **1.** bag, wallet. **2.** *(conținutul)* bagful, sackful; *traista ciobanului bot.* shepherd's purse *(Capsella bursa pastoris).*
tralala *interj.* tra la la, tol-de-rol; *a fi cam ~ fam.* to be a bit harebrained / scatter-brained.
tramă *s.f.* tissue, texture.
trambala *vr.* to go to and fro.
trambulină *s.f.* **1.** springboard. **2.** *(la înot)* diving board.
tramcar *s.n.* tramcar.
traminer *s.m.* Traminer, German variety of white wine.
trampă *s.f.* bargain.
tramvai *s.n.* tram(way); *cu ~ul* by tram.
tranc *interj.* pop!
trancanale *s.f. pl. pop.* **1.** (*catrafuse*) *fam.* sticks, traps. **2.** (*vorbe goale*) *fam.* twaddle.
tranchet *s.n. nav. fender.*
tranchilizant *adj., s.n. farm.* tranquilizer, sedative.
trandafir *s.m.* **1.** *bot.* rose (flower) *(Rosa).* **2.** thin spiced pork sausage; *~ de dulceață* cabbage rose; *~ sălbatic* dog-rose, wild rose; *lemn de ~* rosewood.
trandafiriu *adj.* **1.** pink(-coloured), rosy. **2.** *fig.* și sanguine, optimistic.
trans- *prefix* trans-.
transalpin *adj.* Transalpine.
transaminare *s.f. biochim.* transamination.
transaminază *biochim., med.* transaminasis.
transatlantic I. *s.n.* liner, transatlantic steamer. **II.** *adj.* transatlantic.
transă *s.f.* trance; *a cădea în ~* to go / fall into a trance.
transborda *vt.* to transship.
transbordare *s.f.* transshipping, transshipment.
transbordor *s.n.* **1.** *ferov.* transporter bridge. **2.** *nav.* train ferry.
transcarpatic, transcarpatin *adj.* Transcarpathian.
transcaucazian *adj.* Transcaucasian.
transcedentalist *adj., s.m. filoz.* transcedentalist.
transcendent *adj.* transcendental, metaphysical.
transcendentalism *s.n. filoz.* transcendentalism.
transcendență *s.f.* transcendence.
transcrie *vt.* **1.** to transcribe, to copy (officialy). **2.** *muz.* to arrange, to instrument.
transcriere *s.f.* transcription.
transcripție *s.f.* **1.** transcription, copy. **2.** *jur.* registration.
transdanubian *adj.* Transdanubian.
transductor *s.n. el.* magnetic amplifier.
transept *s.n. bis.* transept.
transfer *s.n.* transfer; change of job.
transfera I. *vt.* to transfer; to change from one place to another. **II.** *vr.* to move, to change one's job.
transferabil *adj.* transferable.
transferare *s.f.* **1.** transferring etc. v. t r a n s f e r a. **2.** (*ca act*) shift, transferring.
transfigura I. *vr.* to be transfigured. **II.** *vt.* to change.
transfigurare *s.f.* **1.** transfiguring. **2.** change, transformation.
transfigurație *s.f.* transfiguration.
transfocator *s.n.* zoom (lens).
transforma I. *vt.* **1.** to transform, to change. **2.** *(în)* to turn into. **3.** *(a îmbunătăți)* to improve. **II.** *vr.* **1.** to change, to be changed. **2.** *(în)* to turn into.
transformabil *adj.* transformable.
transformare *s.f.* **1.** transformation; change. **2.** *(socială)* upheavel. **3.** *sport* place-kick.
transformator I. *s.n.* transformer. **II.** *adj.* changing, innovating.
transformism *s.n. biol.* transformism.
transformist *s.m.* transformist, quick-changer.
transfug *s.m.* runaway, defectionist; turncoat, apostate.
transfuza *vt. rar.* to transfuse.
transfuzie *s.f.* transfusion.
transgresiune *s.f. geol.* transgression.
transhidrogenaze *s.f. pl. biochim.* dehydrogenase.
transhumanță *s.f.* moving of flocks (to / from an Alpine pasture).
transiluminare *s.f. med.* transillumination.
transilvan *adj.*, **transilvănean** *s.m., adj.*, **transilvăneancă** *s.f.* Transylvanian.
transistor *s.n. el.* transistor.
translativ *adj. jur.* translative.
translator *s.m.* translator, interpreter.
translație *s.f.* translation.
transliterație *s.f.* transliteration.
translucid *adj.* translucent.
transluciditate *s.f.* translucence.
transmarin *adj.* oversea..., transmarine.
transmigra *vi.* to transmigrate.
transmigrație *s.f.* transmigration.
transmisibil *adj.* **1.** transmissible. **2.** *med.* contagious. **3.** *jur.* negotiable.
transmisibilitate *s.f.* transmissibility.
transmisie *s.f.*, **transmisiune** *s.f.* **1.** transmission. **2.** *(transmitere și)* conveyance. **3.** *radio și* broadcast. **4.** *tehn. și* drive, gear.
transmite I. *vt.* **1.** to transmit. **2.** *(a preda și)* to convey; to hand (over). **3.** *radio și to broadcast.* **4.** *(a răspândi)* to spread, to circulate, to propagate; to disseminate. **II.** *vi.* to broadcast, to transmit. **III.** *vr.* **1.** to spread. **2.** to be infectious; to be handed. **3.** *(în familie etc.)* to be handed down (from one generation to another). **4.** *(a se moșteni)* to run in the family.
transmițător *s.n.* transmitter.
transmutație *s.f.* transmutation.
transoceanic *adj.* transoceanic.
transparent I. *s.n.* **1.** (Venetian) blind. **2.** *(pt. scris)* black lines. **II.** *adj.* **1.** transparent; pellucid; translucid. **2.** *fig.* diaphanous. **3.** *(d. țesături și)* flimsy, light. **4.** *fig.* obvious, evident.
transparență *s.f.* transparence.
transperant *s.n.* Venetian blind, shutter.
transpira *vi.* **1.** to perspire, to sweat. **2.** *fig.* to leak, to get abroad.
transpirat *adj.* perspired (all over), in a sweat.
transpirație *s.f.* perspiration, sweat.
transplanta *vt.* to transplant.
transplantare *s.f.* **1.** transplantation. **2.** *med.* transplant.
transport *s.n.* **1.** *(și pl.)* transport(ation), conveyance. **2.** *(cantitate)* supply, consignment.
transporta *vt.* **1.** to transport, to convey. **2.** *(a duce)* to carry, to deliver.
transportabil *adj.* movable, portable.
transportat *adj. fig.* transported, beside oneself, overjoyed.
transportor *s.m., adj.* conveyor.
transpozitiv *adj. lingv.* transpositional.
transpoziți(un)e *s.f.* transposition.
transpune I. *vt.* to transpose. **II.** *vr. fig.* to imagine oneself.
transpunere *s.f.* transposition.
transsaharian *adj.* Trans-Saharian.
transsiberian *adj.* Trans-Siberian.

transsubstanțiere *s.f.* transubstantiation.
transsudație *s.f.* transudation.
transsudat *s.n. fiziol.* transudate.
transvaza *vt.* to decant.
transversal I. *adj.* transversal, perpendicular, cross. **II.** *adv.* crosswise.
transversală *s.f. geom.* transversal (line).
transvertor *s.n. el.* transverter.
tranșa *vt.* **1.** to solve, to settle (an issue). **2.** to trench, to carve (meat).
tranșant *adj.* categorical, final.
tranșă *s.f.* part, portion; instalment.
tranșee *s.f.* trench; ditch.
tranzacție *s.f.* **1.** transaction. **2.** convention, compact.
tranzacțional *adj.* of the nature of a transaction etc. v. t r a n z a c ț i e.
tranzistor 1. *s.n. el., telec.* transistor. **2.** *fam.* transistor / portable radio, *cu ~i* transistor.
tranzistoriza *vt.* to transistor(ize).
tranzistorizat *adj. el.* transistorized.
tranzit *s.n.* transit.
tranzita *vt.* to convey in transit.
tranzitare *s.f.* **1.** conveying in transit. **2.** transit.
tranzitiv *adj.* transitive.
tranzitivitate *s.f.* transitivity, transitiveness.
tranzitoriu *adj.* transitory, provisional.
tranziție *s.f.* transition; *de ~* intermediate, transitory.
tranzițional *adj.* transitional.
trap *s.n.* trot; *la ~* at a trot.
trapă *s.f.* trap(-door).
trapez *s.n.* **1.** trapez. **2.** *geom.* trapezium.
trapeză *s.f. bis.* refectory.
trapezoedru *s.n. geom.* trapezo-hedron.
trapezoid *s.n. geom.* trapezoid.
trapezoidal *adj.* trapezoidal.
trapist *s.m. rel.* Trappist (monk).
tras *adj.* **1.** drawn. **2.** *(d. fată)* drawn, sunken; *~ la față* haggard.
trasa *vt.* **1.** to draw. **2.** to mark, to indicate, to show; to map out, to outline. **3.** *(o sarcină)* to assign, to set, to map out. **4.** *(o curbă etc.)* to plot, to trace.
trasat *s.n. tehn.* tracing.
trasator *s.m., s.n.* tracer.
trasă *s.f. ferov.* route diagram.
traseu *s.n.* route, tract.
trasor *s.n.* **1.** tracer. **2.** tracer atom.
trass *s.n. mineral.* trass.
trata I. *vt.* **1.** to treat. **2.** to behave towards (smb.). **3.** *(oaspeți)* to entertain; to dine, to wine etc. **4.** *(un bolnav și)* to attend to, to cure. **5.** *(o temă și)* to deal with, to dwell upon. **II.** *vt.* to negotiate, to discuss.
tratabil *adj.* treatable.
tratament *s.n.* **1.** treatment. **2.** *med. și* cure, medical attendance. **3.** attitude, behaviour.
tratare *s.f.* treatment.
tratat *s.n.* **1.** treaty, pact, agreement. **2.** *(carte)* treatise; handbook.
tratative *s.f. pl.* negotiations, talks.
tratație *s.f.* treat, entertainment.
trată *s.f. ec.* bill of exchange.
traul *s.n. mar.* trawl.
trauler *s.n. mar.* trawler.
traumatic *adj.* traumatic.
traumatism *s.n. med.* traumatism.
traumatologie *s.f. med.* traumatology.
travaliu *s.n.* **1.** work; labour; effort(s). **2.** *med.* travail, *fam.* labour, throes.
travee *s.f. arh.* bay.
travelling *s.n. cin.* dolly, travelling (platform).
travers *s.n. nav.* beam, broadside (of vessel).
traversa I. *vt.* to traverse, to cross. **II.** *vt.* to cross (over); to go over.
traversare *s.f.* **1.** crossing. **2.** fishing (of anchor). **3.** bearing (of sails) to the wind ward.
traversă *s.f.* **1.** *constr.* cross piece, traverse. **2.** *ferov.* sleeper.
traversină *s.f. nav.* cross tree; beam of balance.
travertin *s.n.* travertine.
travesti I. *s.n.* to disguise (in dress of opposite sex). **II.** *vr.* to disguise oneself.
travestire *s.f.* disguising; disguise.
travestit *adj.* disguised, masked.
trăda I. *vt.* **1.** to betray. **2.** to sell, to be a traitor to. **3.** *(o cauză și)* to abandon, to forsake. **4.** *(un plan și)* to disclose, to divulge; to lay bare. **5.** *(a manifesta și)* to show, to express; *mă trădează memoria* my memory fails me. **II.** *vr.* to betray oneself, to reveal one's intention(s).
trădare *s.f.* **1.** treacherousness, betrayal. **2.** *(de țară)* treason. **3.** *fig.* unfaithfulness, faithlessness.
trădătoare *s.f.* traitress.
trădător I. *s.m.* traitor. **II.** *adj.* **1.** treacherous, faithless. **2.** *(revelator)* tell tale.
trăgaci *s.n.* trigger.
trăgătoare *s.f.* **1.** (*riglă*) ruler. **2.** (*curea*) (rope of the) trace. **3.** (*~ de cizme*) boot jack. **4.** (*vână de bou*) bull's pizzle.
trăgător I. *s.m.* **1.** puller. **2.** *(țintaș)* shot, marksman; *~ de elită* sharp shooter; *~ de sfori* wire puller; intriguer, machinator. **II.** *s.n.* drawing / road pen.
trăi *vi.* **1.** to live. **2.** to be alive; to lead one's life, to exist. **3.** to last; *Trăiască România!* Long live Romania!, *așa să trăiești* so help you God; *a ~ ca în sânul lui Avram* to live in clover; *a ~ cu capul în nori* to walk on air; *a ~ într-un turn de fildeș* to live in watertight compartments; *să trăiești!* your health!, cheerio.
trăinicie *s.f.* solidity, durability.
trăire *s.f.* (life) experience.
trăirism *s.n.* life for life's sake.
trăirist *ist. României filoz.* **I.** *adj.* of or relating to "life for life's sake" philosophy. **II.** *s.m.* advocate of "life for life's sake".
trăit *s.n.* life, living.
trăitor *adj.* living.
trăncăneală *s.f.* chatter, prating.
trăncăni I. *vt.* to prattle, to babble. **II.** *vi.* to gas, to chatter.
trăncănit *s.n.* chattering etc. v. t r ă n c ă n i.
trăpaș *s.m.* trotter.
trăsătură *s.f.* **1.** *(mișcare)* stroke; touch. **2.** *(element)* feature; trait, element; *dintr-o ~ de condei* at one stroke of the pen.
trăscău *s.n.* strong brandy.
trăsnaie *s.f.* whim, odd freak; merry prank.
trăsneală *s.f.* whim, freak, oddity.
trăsnet *s.n.* lightning, thunder (bolt).
trăsni I. *vt.* **1.** to thunder. **2.** *(a lovi)* to strike, to hit. **II.** *vi.* **1.** *impers.* to thunder. **2.** *fig.* to occur(to smb.), to appear unexpectedly.
trăsnit I. *s.m.* madman, loony. **II.** *adj.* cranky, barmy on the crumpet.
trăsnitură *s.f.* thunderbolt; roar (of thunder).
trăsură *s.f.* **1.** carriage, coach. **2.** *(birjă)* cab, hackney coach; *~ de unire* hyphen.
trăsurică *s.f.* perambulator, *fam.* pram.
trâmbă *s.f.* **1.** whirlwind. **2.** *(de apă)* waterspout. **3.** roll (of smoke).
trâmbița I. *vt.* **1.** to announce, to proclaim. **2.** *fig.* to puff, to advertise. **II.** *vi.* to blow the trumpet.
trâmbițaș *s.m. mil., muz.* trumpeter.
trâmbiță *s.f.* clarion, bugle, trumpet, *poetic* trump; *trâmbița judecății de apoi* the last trump.

trândav *adj.* idle, lazy.
trândăveală *s.f.* v. t r â n d ă v i r e.
trândăvi *vi.* to dilly-dally, to loiter.
trândăvie *s.f.* sloth, laziness.
trândăvire *s.f.* idling.
trânji *s.m. pl. med. fam.* piles, h(a)emorrhoids.
trânjoaică *s.f. bot.* illyric cowfoot (*Ranunculus illyricus*).
trântă *s.f.* wrestle.
trânteală *s.f.* **1.** *fam.* licking, drubbing. **2.** *fam.* scuffle; *a mânca ~ fam.* to get hell / it hot.
trânti I. *vt.* **1.** to fling, to cast (to the ground). **2.** *(a doborî)* to fell, to pull down. **3.** *(a izbi)* to slam. **4.** *(a scăpa)* to drop. **5.** *(la examen)* to pluck, to plough. **II.** *vi.* to fling things about. **III.** *vr.* to fling oneself (down).
trântit *adj.* sprawling, (lying) at full length, recumbent.
trântitură *s.f.* **1.** throwing etc. v. t r â n t i. **2.** v. t r â n t ă.
trântor *s.m.* **1.** *entom.* drone. **2.** *fig. și* lazybones. **3.** *(parazit și)* idler, loafer.
trântori *vi.* v. t r â n d ă v i.
treabă *s.f.* **1.** business, activity. **2.** *(muncă)* work. **3.** *(slujbă)* job. **4.** *(chestiune)* problem, affair. **5.** *(situație)* situation, condition; *treburi casnice* housework; *de ~* reliable, fine, decent.
treacă-meargă I. *adv.* so-so, passably, tolerably. **II.** *interj.* let it be!
treacăt *s.n.* passing; *în ~* incidentally, fugitively; offhandedly.
treanca-fleanca *interj.* moonshine!, fiddlesticks!
treapăd *s.n.* **1.** running. **2.** *med. pop.* looseness (of the bowels); diarrhoea. **3.** (*trap*) trot.
treaptă *s.f.* **1.** step; tread. **2.** *pl.* flight (of steps). **3.** *fig.* degree, level; *pe o ~ superioară* on a higher plateau.
treasc *s.n. înv.* firework cannon; small mortar.
treaz *adj.* **1.** (wide-)awake. **2.** *(vioi)* quick, alive. **3.** *(nebăut)* sober. **4.** *(atent)* vigilant, watchful; *de-a binelea* wide-awake.
trebălui *vi.* to potter (about the house); to do small / odd jobs.
trebnic *s.n. bis.* prayer book.
trebui *vi.* **1.** must, to have to. **2.** *(moralmente)* ought to; *(mai slab)* should. **3.** *(a fi necesar)* to be necessary; *a-i ~* to need; *trebuie să mă duc* I must go; *trebuie neapărat* you must needs; *trebuie să fi sosit deja* he must have arrived already; *nu e ceea ce trebuie* it isn't the (clean) thing.
trebuincios *adj.* useful, necessary.
trebuință *s.f.* need, necessity; *de ~* needful, necessary.
trecătoare *s.f.* mountain pass; gorge.
trecător I. *s.m.* passer-by; pedestrian. **II.** *adj.* passing, transient.
trece I. *vt.* **1.** to pass (through). **2.** *(a traversa)* to cross, to traverse. **3.** *(a înscrie)* to register, to record, to enter; *a ~ Rubiconul* to cross the Rubicon; *a ~ sub tăcere* to hush. **II.** *vi.* **1.** to pass. **2.** *(pe lângă)* to pass by, to go / fly past. **3.** *(d. vânt)* to blow. **4.** *(înainte)* to go forward / along, to advance. **5.** *fig.* to experience, to undergo, to suffer. **6.** *(pe la cineva etc.)* to drop in, to call (at smb.'s house). **7.** *(de un punct)* to pass. **8.** *fig. (prin minte etc.)* to occur, to come. **9.** *(a străpunge)* to break through, to pierce, to come through. **10.** *(d. timp și)* to elapse. **11.** *(d. boli și)* to heal, to be over. **12.** *(a depăși)* to go beyond. **13.** *(drept ceva / cineva)* to be held as...; to pass for...; *a ~ la fapte* to take action; *a ~ la inamic* to desert the colours; *a ~ peste capul cuiva* to act in defiance of smb.; *a ~ peste* to pass; to ignore; *a ~ prin* to traverse, to cross, to pass through. **III.** *vr.* **1.** to wither, to wilt, to pine away. **2.** *(d. fructe)* to grow overripe. **3.** *(a se sfârși)* to die away, to die off, to be spent; *a se ~ cu firea* to exaggerate.
trecento *subst. ist. artei* treccento.
trecere *s.f.* **1.** passing, passage. **2.** going (to and fro). **3.** march. **4.** *fig.* influence, pull. **5.** *ferov. etc.* crossing, passage; *~ de nivel* level crossing; *~ (pentru) pietoni* zebra / pedestrian crossing; *în ~* incidentally, fugitively.
trecut I. *s.n.* **1.** past. **2.** *gram. și past tense; ~ul apropiat* the recent past; *~ul de luptă al poporului* the people's past struggles; *în ~* in the past, formerly; *din ~* of yore. **II.** *adj.* **1.** past. **2.** old; obsolete, superannuated. **3.** previous, prior, former. **4.** *(ca vârstă)* old; elderly. **5.** *(ofilit)* wilted, withered; *un om ~ prin ciur și prin dârmon* a hard-boiled man, a man of the world.
trefila *vt. tehn.* to wire-draw.
trefilat *s.n. tehn.* wire drawing; *mașină de ~* drawing machine.
trefilator *s.m. tehn.* wire drawer.
treflat *adj. arh.* trefoil(ed).
treflă *s.f.* clubs.
trei I. *s.m., adj., pron., num.* three; *câte ~* by threes; *~ sferturi* three quarters; *(la rugby)* three-quarter backs. **II.** *adj.* three; third.
treier *s.n. agr.* threshing.
treiera *vt.* to thresh, to thrash.
treierat *s.n.*, **treieriș** *s.n.* threshing(-time).
treierătoare *s.f. agr.* threshing machine, thresher.
treierător *s.m.* thresher.
treieriș *s.n.* v. t r e i e r a t.
treilea *adj., num.* third.
treiler *s.n.* trailer.
treime *s.f.* **1.** one third; third part. **2.** *rel.* trinity.
treisprezece *s.m., adj., pron., num.* thirteen.
treisprezecelea *adj., num.* thirteenth.
treizeci *s.m., adj., pron., num.* thirty.
treizecilea *adj., num.* thirtieth.
trematod *s.n. zool.* trematode.
tremă *s.f.* trema, umlaut.
tremol(o) *s.m. muz.* tremolo.
tremolit *s.n. mineral.* tremolite.
tremur *s.n.* **1.** trembling. **2.** *(fior)* shiver. **3.** *(scuturătură)* jerk. **4.** *(de aripi, frunze etc.)* flutter, quiver. **5.** *fig.* vibration; thrill.
tremura *vi.* **1.** to tremble, to shake. **2.** *(ușor)* to quiver, to dither. **3.** *(de frig)* to shiver (with cold). **4.** *(a se înfiora)* to shudder. **5.** *(d. lumină și umbre)* to flicker, to dance. **6.** *(a vibra)* to vibrate.
tremurat I. *s.n.* **1.** trembling, tremble. **2.** *(fior)* quiver, thrill. **II.** *adj.* **1.** trembling, quivering. **2.** *(nesigur)* shaky, hesitant.
tremurătoare *s.f. bot.* dodder / quaking grass (*Briza media*).
tremurător *adj.* v. t r e m u r a.
tremurătură *s.f.* tremble, quiver.
tremurând *adj.* trembling etc. v. t r e m u r a.
tremurici I. *s.n.* v. t r e m u r. **II.** *s.m. (pl.)* quaker(s).
tren *s.n.* train; *~ accelerat* fast train; *~ blindat* armoured train; *~ de aterizare* under-carriage; *~ de marfă* goods train, AE freight train; *~ expres* express train; *~forestier* log train; *~ personal* slow train: *~ rapid* through train; *~ sanitar* hospital train.
trenă *s.f.* train.
trenci *s.n.* trench / rain coat; waterproof, mackintosh.

trening *s.n.* training suit; sports outfit.
trențăros *adj.* ragged.
trențui *vr.* to be worn out, to be frayed / torn.
trepan *s.n. med.* trepan.
trepana *vt. med.* to trepan.
trepanație *s.f. med.* trephination, trepanning, trephining.
trepădătoare *s.f. bot.* mercury (*Mercurialis annua*).
trepăduș *s.m.* **1.** errand boy, runner. **2.** fig. menial, stooge.
trepetnic *s.n.* popular book of foretelling / divination based on movements of the body.
trepida *vi.* **1.** to vibrate, to shake. **2.** *tehn.* to chatter. **3.** *fig.* to be thrilled / eager.
trepidant *adj.* **1.** trepidating, throbbing. **2.** bustling, agitated.
trepidație *s.f.* **1.** trepidation, vibration. **2.** *fig.* agitation, bustle.
trepied *s.n.* tripod.
treponemă *s.f. biol.* treponema, spiroch(a)ete *(Treponema pallidum)*.
treponemoză *s.f. med.* treponematosis.
treptat I. *adj.* gradual, successive. **II.** *adv.* gradually, step by step.
tresă *s.f.* **1.** braid. **2.** *(arătând gradul)* pip, star. **3.** shoulder strap.
tresălta *vi.* v. t r e s ă r i.
tresări *vi.* to start; to be startled.
tresărire *s.f.* start(ing).
trestie *s.f. bot.* reed, rush; cane; ~ *de zahăr* sugar cane.
trestiiș *s.n.* reed plot.
trestioară *s.f. bot.* small reed (*Calamagrostis arundinacea*).
tretin *s.m.* three-year old horse.
trezi I. *vt.* **1.** to wake, to awaken. **2.** *fig.* to (a)rouse. **II.** *vr.* **1.** to rise, to get up, to awake. **2.** *(din beție)* to be sobered. **3.** *(din leșin)* to come to, to recover. **4.** *fig.* to become conscious. **5.** *(d. băuturi etc.)* to grow stale; *a se ~ cu cineva* to find oneself face to face with smb.
trezie *s.f.* watchfulness; consciousness.
trezire *s.f.* (a)wakening etc. v. t r e z i.
trezit *adj. (d. băuturi etc.)* stale.
trezorerie *s.f.* treasury.
trezorier *s.m.* treasurer.
tri- *prefix* tri-.
tria *vt.* **1.** to sort. **2.** to select; to pick and choose. **3.** *mil.* to comb.
triadă *s.f.* triad.
triaj *s.n.* **1.** selection, sorting. **2.** *ferov.* marshalling / shunting (yard).
trial *s.n. sport* trial.
trianglu *s.n. muz.* triangle.
triangula *vt.* to triangulate.
triangulație *s.f.* triangulation.
triasic *geol.* **I.** *adj.* Triassic. **II.** *s.n.* Trias.
triatlon *s.n. sport triathlon.*
triatomic *adj. chim.* triatomic.
trib *s.n.* tribe.
tribadism *s.n.* tribadism, tribady, lesbianism, sapphism.
tribal *adj.* tribal, tribe...
triballi *s.m. pl. ist.* Triballi, Trachian tribes.
tribazic *adj. chim.* tribasic.
triboelectricitate *s.f. fiz.* triboelectricity.
triboluminescență *s.f. fiz.* triboluminescnce.
tribord *s.n.* starboard.
tribrah *s.n. stil.* tribrach.
tribulație *s.f.* tribulation, trial.
tribun *s.m.* tribune; spokesman (of the people etc.).
tribunal *s.n.* **1.** tribunal, law court. **2.** *(judecătorii)* the bench; ~ *militar* military tribunal, court martial; ~ *suprem* Supreme Court.
tribunat *s.n. ist.* tribunate, tribuneship.
tribună *s.f.* **1.** (grand) stand, elevated stalls. **2.** *(pt. discursuri)* rostrum. **3.** *(ziar)* tribune.
tribut *s.n.* tribute; contribution.
tributar *adj.* tributary; dependent.
tric(o)- *prefix* trich(o)-.
tricefal *adj.* tricephalic.
tricentenar *s.n., adj.* tercentenary.
triceps *s.m. anat.* triceps (muscle).
triceratops *subst. paleont.* Triceratops.
trichiază *s.f. med.* trichiasis.
trichină *s.f. zool.* trichina, thread worm (*Trichinella spiralis*).
trichinoză *s.f. med.* trichinosis.
tricicletă *s.f.* triciclu *adj.* tricycle.
triclinic *adj. chim.* triclinic.
tricliniu *s.n.* triclinium.
tricloretilenă *s.f. chim.* trichlor(o)ethylene.
triclormetan *s.m. chim.* trichloromethane, chloroform.
tricocefal *s.m. zool.* trichocephalus, trichuris.
tricocefaloză *s.f. med.* trichocephaliasis, trichuriasis.
tricofiție *s.f. med. vet.* trichophytia, trichophytosis.
tricolor *s.n., adj.* tricolour.
tricomonas *s.m. zool.* Trichomonas.
tricomonază *med.* trichomoniasis.
tricomonoză *s.f. med.* trichomoniasis.
triconc *adj. arh., bis.* trichonch, three-apse.
tricoptere *s.n. pl. entom.* Trichoptera; the caddis flies.
tricorn *s.n.* cocked hat.
tricot *s.n.* stockinet.
tricota *vt., vi.* to knit.
tricotaje *s.n. pl.* knitwear, knited goods.
tricotat I. *adj.* knitted. **II.** *s.n.* knitting *mașină de ~* knitting loom / machine.
tricou *s.n.* sweater, jumper.
tricrezilfosfat *s.n. chim.* tricresyl phosphate.
tricromatic *adj.* trichromatic.
tricromie *s.f.* tri-colour process.
trictrac *s.n.* backgammon.
tricuspid *adj. anat.* tricuspid.
trident *s.n.* trident.
tridimensional *adj.* three-dimensional, 3-D.
tridimit *s.n. mineral.* tridymite.
triedru *geom.* **I.** *adj.* trihedral. **II.** *s.n.* trihedral angle.
trienal *adj.* triennial.
triere *s.f.* **1.** sorting (out). **2.** picking, selecting. **3.** *mil.* comb-out.
trietanolamină *s.f. chim.* triethanolamine.
trifazat *adj. el.* triphase; *curent ~ el.* three-phase current.
trifazic *adj. el.* three-phase.
trifid *adj. bot.* trifid, three-cleft.
trifoi *s.m. bot.* trefoil, clover *(Trifolium)*.
trifoiaș *s.m. bot.* yellow clover (*Trifolium procumbens*).
trifoiște *s.f.* **1.** clover field. **2.** *bot.* marsh / water trefoil (*Menyanthes trifoliata*).
trifoliat *adj. bot.* trifoli(ol)ate, three-leaved.
trifolioză *s.f. med. vet.* trifoliosis, clover disease.
triforiu *s.n. arh.* triforium.
triftong *s.m.* triphthong.
trifurcat *adj.* trifurcate.
trigemen *anat.* **I.** *s.m.* trigeminal (nerve). **II.** *adj.* trigeminal.
trigger *s.n. el., trigger.*
trigliceridă *s.f. biochim.* triglyceride.
triglif *s.n. arh.* triglyph.
trigon *s.n.* triangular cookie; *anat. ~ cerebral* fornix.
trigonometric I. *adj.* trigonometric(al). **II.** *adv.* trigonometrically.
trigonometrie *s.f.* trigonometry.
triiodotironină *s.f. biochim.* triiodothyronine.
tril *s.n.* trill.
trilingv *adj.* trilingual.

trilion *s.n.* trillion, AE quadrillion.
trilobat *adj.* **1.** *bot.* trilobate. **2.** *arh.* three-cusped.
trilobit *s.m. paleont.* trilobite.
trilogie *s.f.* trilogy.
trimer I. *s.m. chim.* trimmer. **II.** *s.n. tehn.* trimmer.
trimestrial *adj.* quarterly, trimensual.
trimestru *s.n.* **1.** quarter. **2.** *(la școală)* term.
trimis *s.m.* **1.** envoy. **2.** messenger, delegate.
trimite I. *vt.* **1.** to send. **2.** *(prin poștă)* to post, to mail. **3.** *(a expedia)* to ship, to dispatch. **4.** *(a transmite)* to convey, to transmit; *a ~ pe cineva la plimbare* to send smb. about his business; *a ~ pe cineva la dracul* to commend smb. to the devil; *a ~ pe cineva pe lumea cealaltă* to do for smb.; *a ~ pe cineva în judecată* to sue smb. at law. **II.** *vi.* to send (for the doctor etc.).
trimitere *s.f.* **1.** task, assignement. **2.** *(într-o carte etc.)* reference.
trimițător I. *adj.* sending, forwarding. **II.** *s.m.* sender, forwarder.
trimorf *adj. mineral.* trimorphic, trimorphous.
trimorfism *s.n. mineral.* trimorphism.
trimotor *av.* **I.** *adj.* three-engined. **II.** *s.n.* three-engined plane.
trincă *s.f. nav.* foresail.
trinchet *s.m. nav.* foremast.
trinitarian *adj., s.m. rel.* Trinitarian.
trinitate *s.f.* (Holy) Trinity.
trinitrat *s.n. chim.* trinitrate.
trinitroceluloză *s.f.* v. fulmicoton.
trinitrofenol *s.m. chim.* trinitrophenol.
trinitroglicerină *s.f.* v. nitroglicerină.
trinitrotoluen *s.n.* trinitrotoluene.
trinom *s.n. mat.* trinomial.
trio *s.n. muz.* trio.
triod *s.n. bis.* triodyon.
triodă *s.f. el.* triode, three-electrode lamp, electron tube.
trioleină *s.f. chim.* triolein.
triolet *s.n.* **1.** triolet. **2.** *muz.* triolet.
trior *s.n. agr.* screening machine, sifter.
triora *vt. agr.* to screen, to separate.
trioxid *s.m. chim.* trioxide.
tripaflavină *s.f. chim.* trypaflavine, acriflavine.
tripalmitină *s.f. chim.* tripalmitin.
tripanosoma *s.f. zool.* trypanosome *(Trypanasoma).*
tripartit *adj.* tripartite.
tripla *vt.* to treble.
triplet *s.n.* third copy; third form.
tripletă *s.f. sport* the three centre men.
triplex *s.n. ind.* Triplex (glass).
triplicat *s.n.* triplicate, third copy.
triplu I. *s.n.* **1.** treble. **2.** *sport* hop, step and jump. **II.** *adj.* treble; *~ salt* hop, step and jump.
tripod *s.n.* tripod.
tripol *s.m. telec.* tri-pole.
tripolar *adj.* tripolar.
tripoli *s.n. mineral.* Tripoli (stone).
tripotaj *s.n.* jobbery.
tripou *s.n.* tripot, gambling house.
tripsină *s.f. fiziol.* trypsin.
tripsinogen *s.n. biochim.* trypsinogen.
triptază *s.f. biochim.* tryptase.
triptic *s.n.* triptych.
triptofan *s.m. biochim.* trypto-phan(e).
tripton *s.n. biol.* tryptone.
triremă *s.f. ist., nav.* trireme.
trisecți(un)e *s.f.* trisection.
trisepal *adj. bot.* trisepalous.
trisfetite *s.f. pl. rel.* the Three Saints / Hierarchs.
trisilab *s.n.* trisyllable.
trisilabic *adj.* three-syllable(d).
trismus *s.n. med.* trismus.
trist *adj.* **1.** sad. **2.** *(întristat)* (ag)grieved, sorry, unhappy. **3.** *(sumbru)* gloomy; mournful. **4.** *fig.* grievous, unfortunate; *de ~ă amintire* hateful, odious.
tristearină *s.f. chim.* tristearin.
tristețe *s.f.* **1.** sadness, grief, sorrow. **2.** *(amărăciune)* bitterness, ruefulness. **3.** *(profundă)* heart-ache.
trișa *vi.* **1.** to trick (in card playing). **2.** *fig.* to cheat, to hoax.
triscă *s.f. muz.* kind of (short) pipe.
trișor *s.m.* **1.** trickster. **2.** (card) sharper, rook.
tritiu *s.n. chim.* tritium.
triton I. *s.m.* **1.** *mitol.* Triton. **2.** *zool.* triton, water salamander (*Triton*). **3.** *zool.* (*moluscă*) trumpet shell (*Triton*). **II.** *s.n. muz.* tritone.
tritura *vt. chim.* to triturate.
triumf *s.n.* **1.** triumph. **2.** *fig.* success, victory; *în ~* triumphantly.
triumfa *vi.* **1.** to triumph, to vanquish, to be victorious. **2.** *fig.* to succeed, to be successful; *a ~ asupra (cu gen.)* to get the upper hand of...
triumfal *adj.* **1.** triumphant, triumphal. **2.** *fig.* solemn, stately.
triumfător *adj.* **1.** triumphant, victorious. **2.** *fig.* successful, triumphant. **3.** *fig.* și radiant.
triumvir *s.m. ist.* triumvir.
triumvirat *s.n. ist.* triumvirate.
triunghi *s.n.* triangle; *~uri asemenea* congruent triangles.
triunghiular *adj.* triangular.
trivalent *adj. chim.* trivalent.
trivial *adj.* **1.** coarse, vulgar. **2.** indecent, smutty.
trivialitate *s.f.* **1.** coarseness, tastelessness. **2.** *(grosolănie)* obscenity, ribaldry.
trivializa I. *vt.* **1.** to make trite. **2.** to vulgarize. **II.** *vr. pas.* to become trite.
trivium *s.n. ist.* trivium.
trizaharide *s.f. pl. chim.* trisaccharide.
troacă *s.f.* **1.** tub, trough. **2.** *pl.* old clothes; old shoes.
troc *s.n.* truck, barter.
trocar *s.n. med.* trocar.
trofeu *s.n.* **1.** trophy. **2.** *(pradă)* prey, booty.
trofic *adj.* trophic, nutritional.
troficitate *s.f. fiziol.* trophicalness, trophicity.
troglobie *s.f. biol.* troglobiont.
troglodit *s.m.* **1.** troglodyte, cave-dweller. **2.** *fig.* primitive / uncouth man.
trohaic *adj. stil.* trochaic.
troheu *s.m. stil. trochee.*
troian I. *s.n.* **1.** snowdrift; snow heap. **2.** *(morman)* heap. **II.** *adj.* Trojan.
troică *s.f.* troika.
troieni *vt.* to bury in snow; to cover with snow.
troienit *adj.* snowbound.
troiță *s.f.* crucifix, triptych.
trol *s.n. mitol. troll.*
troleibuz *s.n.* trolley-bus.
troleu *s.n.* **1.** trolley. **2.** *fam.* trolley-bus.
troliu *s.n. min.* winch; *~ de macara* crane winch.
trombă *s.f.* **1.** water-spout. **2.** *(vârtej)* whirlwind.
trombină *s.f. biochim.* thrombin.
trombochinază *s.f. biochim.* thrombokinase.
trombocite *s.f. pl. fiziol.* thrombocyte.
trombocitopenie *s.f. med.* thrombocytopenia.
tromboflebită *s.f. med.* thrombophlebitis.
trombon *s.n.* trombone.
trombonist *s.m. muz.* trombonist.
tromboplastină *s.f. biochim.* thromboplastin.
tromboză *s.f. med.* thrombosis.
trompă *s.f.* **1.** *(de elefant)* trunk. **2.** *(la insecte)* proboscis. **3.** *anat.* tube.
trompe l'œil *s.n. artă* trompe l' œil.

trompet *s.m.* trumpeter.
trompetă *s.f.* trumpet; bugle.
trompetist *s.m.* trumpet-player, trumpeter.
tron *s.n.* **1.** throne. **2.** *fig.* sceptre, sway.
trona *vi.* **1.** to rule. **2.** *fig.* to dominate; to tower.
tronc *interj.* **1.** crash! thud! **2.** well, I never!; *a-i cădea cuiva cu ~ la inimă fam.* to be smitten with smb., to be gone on smb.
troncăni *vi.* **1.** to rattle, to clatter. **2.** v. t r ă n c ă n i.
troncon *s.n. geom.* frustum of a cone.
tronconic *adj. geom.* in the shape of a truncated cone.
tronson *s.n.* **1.** *constr.* section (of any roughly cylindrical object). **2.** *(în transporturi)* section / portion of line.
troostită *s.f. met.* troostite.
trop I. *interj.* ~, ~ tramp! (tramp!). II *s.m.* trope.
tropar *s.n. bis.* hymn.
tropăi *vi.* to clatter (along), to thump.
tropăit *s.n.* trampling; clatter (of hoofs).
tropic *s.n.* **1.** tropic. **2.** *pl.* și tropical zone.
tropical *adj.* **1.** tropical. **2.** *(cald)* torrid.
tropicalizare *s.f. ind.* tropicalization.
tropism *s.n. biol.* tropism.
tropopauză *s.f. meteo.* tropopause.
troposferă *s.f. meteo.* troposphere.
tropot *s.n.* clatter of hoofs.
tropoti *vi.* v. t r o p ă i.
trosc *interj.* thud!, thump!, slap!
troscot *s.n.*, **troscovă** *s.f. bot.* knot grass (*Polygonum aviculare*).
trosnet *s.n.* pop, crash.
trosni I. *vt.* to crack. **II.** *vi.* to crack, to hit.
trosnitor *adj.* cracking.
trosnitură *s.f.* crash, crack.
trotil *s.n.* trotyl, TNT, AE triton.
trotinetă *s.f.* (child's) scooter.
trotuar *s.n.* pavement, AE sidewalk.
trubadur *s.m.* troubadour.
truc *s.n.* trick, stratagem, artifice.
truca *vt.* **1.** to fake, to rig, to cook, to manipulate. **2.** *fin. etc.* to employ special effects / tricks.
trucaj *s.n. cin.* trick picture, special effects.
truculent *adj.* truculent.
truculență *s.f.* truculence.
trudă *s.f.* **1.** toil, effort. **2.** *(osteneală)* trouble, pains; *cu multă ~* at great pains.
trudi *vt., vr.* **1.** to toil (and moil), to drudge. **2.** to take great pains, to make efforts. **3.** *(a se istovi)* to work oneself to death, to overwork oneself.
trudit *adj.* fatigued, tired.
truditor *adj.* toiling.
trudnic *adj.* tiring, exhausting.
trufanda *s.f.* hasting, hothouse fruit / vegetable.
trufaș I. *adj.* haughty, arrogant. **II.** *adv.* haughtily, arrogantly.
trufă *s.f.* **1.** truffle **2.** *bot.* truffle *(Tuber).*
trufi *vr.* to be haughty; to plume oneself.
trufie *s.f.* arrogance, haughtiness.
truism *s.n.* truism.
trunchi *s.n.* **1.** trunk. **2.** *(ciot)* stump. **3.** *(butuc)* block. **4.** *geom.* frustum.
trunchia *vt.* **1.** to maim. **2.** *(un text)* to truncate, to garble, to distort.
trup *s.n.* **1.** body. **2.** *fig.* clay. **3.** *(trunchi)* trunk. **4.** *(cadavru)* corpse, dead body.
trupă *s.f.* **1.** *mil.* troop, body (of soldiers). **2.** *mil. (soldați de rând)* rank and file. **3.** *(teatru)* troupe, company; *trupe aeropurtate* paratroopers; *trupe de șoc* commando, rangers.
trupesc *adj.* **1.** bodily. **2.** *(fizic)* physical, corporal. **3.** sensual, sexual.
trupeș *adj.* strong, well-built.
trupeșie *s.f.* sturdiness, stoutness, corpulence, burliness, fleshiness.
trupește *adv.* physically, bodily.
trupină *s.f.* v. t u l p i n ă.
trupiță *s.f. agr.* body of a plough.
trusă *s.f.* (surgeon's etc.) case; *de prim ajutor* dressing-case, first-aid kit.
trusou *s.n.* trousseau.
trust *s.n.* **1.** *(capitalist)* corporation, trust. **2.** *(socialist)* association / group of industries.
truvai *s.n.* gag.
truver *s.m. ist.lit.* trouvere.
tsunami *s.m.* tsunami.
tă *interj.* tut-tut-tut!
tu *pron.* **1.** you. **2.** *înv.* thou.
tuaregi *s.m.* T(o)uaregs.
tub *s.n.* **1.** tube. **2.** *(țeavă și)* pipe; *~ catodic* cathode tube; *~uri fluorescente* strip lighting.
tubaj *s.n.* tubing.
tubare *s.f. min.* tubing.
tubă *s.f. muz. tuba.*
tubercul *s.m.* **1.** *bot.* tuber **2.** *med.* tubercule.
tuberculat *adj. bot.* tuberculed, tuberculated.
tuberculină *s.f. med.* tuberculin.
tuberculiza *vr.* to waste, to become phthisical.
tuberculos I. *s.m.* consumptive / tubercular patient. **II.** *adj.* consumptive, phthisical.
tuberculoză *s.f. med.* tuberculosis, *fam.* consumption.
tuberoză *s.f. bot.* tuberose *(Polianthes tuberosa).*
tuberozitate *s.f. anat.* tuberosity.
tubiflore *s.f. pl. bot.* Tubiflorae, Polemoniales.
tubiform *adj.* tubiform.
tubing *s.n. min.* tubing.
tubular *adj.* tubular, tube...
tubulatură *s.f.* (system of) pipes.
tubulură *s.f. tehn.* tubulure, tubulature.
tucan *s.m. ornit.* toucan *(Ramphastos).*
tuci *s.n.* cast iron.
tuciuriu I. *s.m.* blackamoor, gipsy. **II.** *adj.* swarthy, dark.
tuf *s.n. geol.* tufa.
tufan *s.m. bot.* pubescent oak *(Quercus pubescens).*
tufar *s.m.* bush-like tree.
tufă *s.f.* shrub; bush; *~ de Veneția* nothing; nobody, not the shadow of a ghost.
tufănică *s.f. bot.* large simple chrysanthemum *(Crysanthemum indicum).*
tufărie *s.f.*, tufăriș *s.n.* v. t u f i ș.
tufiș *s.n.* shrub(bery).
tufit *s.n. geol.* tuffite.
tufli *vt.* to pull.
tufos *adj.* bushy.
tughrik *s.m. fin.* tug(h)rik.
tugra *s.f.* v. t u r a.
tui *s.n. ist.* (in the Ottoman Empire) tuft of white horse tail attached to the golden knob of a spear, indicating a high rank or power.
tuia *s.f. bot.* (American) arbor vitae, white cedar *(Thuja occidentalis).*
tuid *s.n.* v. t v i d.
tuior *s.n.* (dragging) tow boat.
tul *s.n. text.* tulle.
tularemie *s.f. med.* tularemia.
tulbura I. *vt.* **1.** to trouble. **2.** *(pe cineva și)* to disturb, to worry. **3.** *(a emoționa)* to move. **4.** *(a zăpăci)* to make dizzy, to dazzle; to confuse. **5.** *(a învârti)* to eddy, to whirl. **II.** *vr.* **1.** *(d. ape)* to be troubled. **2.** *(d. vreme)* to break. **3.** *(d. oameni)* to fly into a temper; *(a se emoționa)* to flutter, to be flurried.
tulburare *s.f.* **1.** trouble, disorder, disturbance. **2.** *fig.* unrest; agitation. **3.** *(emoție)* anxiety, revolt.
tulburat *adj.* **1.** troubled. **2.** *(d. oameni și)* agitated, moved.

tulburător *adj.* **1.** troubling. **2.** *(emoționant)* exciting; thrilling. **3.** *(d. frumusețe)* alluring, tantalizing.
tulbure *adj.* **1.** troubled. **2.** *(în vârtej)* eddying, whirling. **3.** *(d. apă)* muddy, dirty. **4.** *(neclar) fig.* dim, diffuse. **5.** *fig.* confused, muddled.
tulburel *s.n.* thick (new) wine.
tulburos *adj. pop.* v. t u l b u r e 1.
tulei *s.n.* down.
tuleu *s.m. bot.* ha(u)lum, stem.
tuli I. *vt. a o ~ fam.* to decamp, to take one's hook, to hook it. **II.** *vi.* to go, to proceed, to start.
tulichină *s.f. bot.* spurge olive *(Daphne mezereum).*
tulipă *s.f.* v. l a l e a.
tuliu *s.n. chim.* thullium.
tulnic *s.n. muz. aprox.* alp(en)horn.
tulpan *s.n.* head-dress, headkerchief.
tulpină *s.f.* **1.** stem. **2.** *(de copac)* trunk. **3.** *med.* strain.
tulumbă *s.f.* hose; fire-engine.
tumbă *s.f.* somersault; caper.
tumefacție *s.f. med.* tumefaction.
tumefia *vr.med.* to tumefy, to swell.
tumefiat *adj. med.* tumefied, swollen.
tumescent *adj. fiziol.* tumescent.
tumescență *s.f. fiziol.* tumescence.
tumid *adj. med.* tumid.
tumoare *s.f. med.* tumour.
tumul *s.m.* tumulus.
tumular *adj.* tumular.
tumult *s.n.* **1.** tumult. **2.** *(zarvă)* din, hubbub.
tumultuos *adj.* tumultuous; impetuous.
tun I. *mil. s.n.* cannon, gun; *~ anti-aerian* anti-aircraft gun; *~ anticar* anti-tank gun. **II.** *adv.* soundly.
tuna *vi.* **1.** *impers.* to thunder. **2.** *fig.* to roar, to blast; *a ~t și i-a adunat* birds of a feather flock together; *a ~ și a fulgera (de mânie)* to thunder (with rage).
tunar *s.m. mil.* artillery man.
tunător *adj.(d.glas etc.)* thunderous; stentorial.
tunde *vt.* **1.** *(pe cineva)* to cut the hair of. **2.** *(părul etc.)* to cut, to shear (animals). **3.** to mow (the grass); *a o tunde (argou)* to skipp off, to show a clean pair of heels.
tundere *s.f.* cutting etc. v. t u n d e.
tundră *s.f. geogr.* tundra.
tunel *s.n.* tunnel.
tunet *s.n.* **1.** thunder. **2.** *fig.* peal, roar (of applause etc.).
tung *subst. bot.* tung (tree).
tungsten *s.n. chim.* tungsten.
tunică *s.f.* tunic, coat; jacket.
tunicieri *s.m. pl. zool.* tunicata *(Tunicata; Urochordata).*
tunisian *adj., s.m. geogr.* Tunisian.
tuns I. *s.n.* **1.** hair-cut. **2.** *(al animalelor)* shearing. **II.** *adj.* **1.** cut; trimmed. **2.** *(d. mustață și)* clipped. **3.** *(d. animale)* shorn. **4.** *(d. iarbă)* cut; mown.
tunsoare *s.f.* haircut.
tupeu *s.n.* gumption, pluck.
tupi-guarani *subst. geogr.* Tupi-Guarani.
tupila *vr.* **1.** to crouch. **2.** to hide. **3.** *(a se furișa)* to slink.
tur *s.n.* **1.** tour; round. **2.** *sport și* lap (of the route). **3.** seat (of the trousers); *~ de orizont* general survey; *~ de forță* tour de force; *a face ~ul orașului* to see the lions of the town; *(cu cineva)* to show smb. the lions.
tura *s.f. ist.* seal monogram or emblem of the Ottoman Sultan.
turație *s.f.* revolution, rotation; turn.
tura-vura *interj.* clap-trap!
tură *s.f.* **1.** shift. **2.** *(la șah)* castle, rock; *în tura de noapte* on the night shift.
turba *vi.* **1.** *med.* to grow rabid. **2.** *fig.* to grow furious / mad.
turban *s.n.* turban.
turbare *s.f.* **1.** *med.* rabies, hydrophobia. **2.** *fig.* passion, temper.
turbat I. *adj.* **1.** *med.* rabid. **2.** *fig.* furious, violent. **II.** *adv.* rabidly, madly.
turbă *s.f. geol.* peat.
turbărie *s.f.* peat bog.
turbelariate *s.n. zool.* Turbellaria.
turbidimetrie *s.f. tehn.* turbidimetry.
turbidimetru *s.n. tehn.* turbidimeter.
turbiditate *s.f. fiz., tehn.* turbidity.
turbină *s.f. tehn.* turbine.
turbionar *adj.* vortical, swirling.
turbobur *s.n. ind.* turbodrill.
turbocompresor *s.n. tehn.* turbocompressor.
turbofor *s.n. ind.* turbodrill.
turbogenerator *s.n. tehn.* turbogenerator.
turbopompă *s.f. ind.* turbo pump.
turbopropulsor *s.n. av.* turboprop (plane).
turboreactor *s.n. av.* turbojet.
turbosuflantă *s.f. tehn.* turboblower.
turboventilator *s.n. tehn.* turboventilator; *av.* turbofan.
turbulent *adj.* **1.** turbulent, riotous. **2.** *(nesupus)* mutinous.
turbulență *s.f.* turbulence, riot.
turbur *adj.* v. t u l b u r.
turc I. *s.m.* **1.** *geogr.* Turk. **2.** *rel.* Mohammedan, Moslem. **II.** *adj.* **1.** *geogr., lingv.* Turkish. **2.** *ist.* Ottoman.
turca *s.f. pop. înv.* folk show, v. c a p r a.
turcă *s.f. lingv.* Turkish, the Turkish language.
turcesc *adj.* Turkish.
turcește I. *adj.* like the Turks, in a Turkish way. **II.** *adv.* **1.** Turkish. **2.** *(ca poziție)* crosslegged.
turchez *adj. pop.* blue.
turci I. *vt.* to Turkify, to Turkicize. **II.** *vr.* **1.** to become a Turk, to turn Mahommedan. **2.** *(a se îmbăta) fam.* to be three sheets in the wind.
turcic *adj. lingv.* Turkic.
turcime *s.f.* Turks.
turcism *s.n. lingv.* Turkish idiom.
turcmen *adj., s.m.* Turk(o)man.
turcoaică *s.f.* Turk(ish)woman).
turcoază *s.f. geol.* turquoise.
turco-tătar *adj. geogr.* Turko-Tatar.
tureatcă *s.f.* boot leg, leg of a boot.
turelă *s.f.* **1.** turret. **2.** *nav.* cupola.
turf *s.n.* **1.** turf; race course. **2.** *(curse)* (horse) races.
turgescent *adj. med.* turgescent.
turgescență *s.f. med.* turgor.
turgor *s.n. med.* turgor.
turicea *s.f.*, **turicel** *s.m. bot.* tower's mustard / treacle (Turritis glabra).
turicioară *s.f. bot.* v. t u r i ț ă m a r e.
turingit *s.n. mineral.* thuringite.
turism *s.n.* **1.** tourism; touring. **2.** *(mașină)* motorcar; *~ automobilistic* motoring.
turist *s.m.* **1.** tourist, excursionist. **2.** *(pedestru și)* globetrotter.
turistic *adj.* touristic.
turiță *s.f. bot.* catch weed, grip grass *(Gaium aparine)*; *~ mare* agrimony, liverwort *(Agrimonia eupatoria).*
turlac *adj. pop.* **1.** *(beat)* tipsy. **2.** *(zăpăcit)* flurried.
turlă *s.f.* **1.** *constr.* tower. **2.** *arh. bis.* spire (of a church). **3.** *(la sondă)* oilderick, headgear.
turmac *s.m. zool.* buffalo calf (under one year).
turmalină *s.f. mineral.* tourmalin.
turmă *s.f.* **1.** *zool.* herd, flock. **2.** *fig. (gloată)* mob; rabble, riff-raff.
turmenta *vr. (a se îmbăta)* to get intoxicated / drunk.
turmentat *adj. (beat)* intoxicated, drunk, tipsy.
turn *s.n.* **1.** *constr.* tower. **2.** *(la șah)* rook, castle.
turna I. *vt.* **1.** to pour. **2.** *(fontă etc.)* to cast. **3.** *(în forme)* to mould. **4.** *(a denunța)* to denounce, to inform

against. **5.** *(un film)* to shoot. **II.** *vi.* **1.** *meteo.* to pour, to rain cats and dogs. **2.** *fig. argou* to squeak, to inform.
turnant *adj.* revolving, rotating; *ușă ~ă* revolving door.
turnantă *s.f.* **1.** revolving bookcase. **2.** *(curbă)* curve, bend.
turnare *s.f.* **1.** pouring. **2.** *met.* moulding, casting. **3.** *cin.* shooting.
turnat *s.n. met.* v. t u r n a r e 2.
turnător *s.m.* **1.** *met.* foundryworker. **2.** *fig.* squeak informer.
turnătorie *s.f. met.* foundry (works).
turnesol *s.n. chim.* litmus.
turneu *s.n.* tour.
turnir *s.n. ist.* tournament.
turnișor, turnuleț *s.n. arh. nav. etc.* turret.
turnură *s.f.* **1.** turn. **2.** *lingv.* locution; phrase. **3.** *odin.* tournure, bustle (of a woman's dress).
turonian *s.n., adj. geol.* Turonian.
turpitudine *s.f.* turpitude.
turtă I. *s.f.* cake; bread; *~ dulce* ginger bread; *~ oleaginoasă* oilcake. **II.** *adv.* dead (drunk).
turtel *s.m. bot.* v. j n e a p ă n.
turti I. *vt.* to batter, to crush; to flatten. **II.** *vr.* to be battered / crushed.
turtire *s.f.* **1.** prolateness. **2.** *(acțiunea)* crushing.
turtit *adj.* **1.** flattened; (*plat*) flat. **2.** (*zdrobit*) crushed; (*d. nas*) bashed in.
turturea *s.f.,* **turturică** *s.f. ornit.* turtle dove *(Streptopelia turtur).*
turturel *s.m. ornit.* male turtle dove.
turui *vi.* v. h u r u i; *îi ~e gura fam.* his clack goes thirteen to the dozen.
turuială *s.f.* **1.** v. h u r u i a l ă. **2.** flow of language, volubility of tongue.
tuse *s.f. med.* cough(ing); *~ convulsivă sau măgărească* whooping cough.
tuslama *s.f. cul.* kind of tripe stew.
tusor *s.m. text.* tussore (silk).
tuspatru *num. card.* all four (of them).
tustrei *num. card.* all three (of them).
tuș *s.n.* **1.** China ink. **2.** *sport* touch.
tușa *vt. elev.* to move, to impress, to touch.
tușant *adj. elev.* touching, moving, impressive.
tușare *s.f. tehn.* touching up.
tușă *s.f.* **1.** touch (line). **2.** *pop. (mătușă)* aunt.
tușeu *s.n. muz.* touch.
tuși *vi. med.* to cough.
tușică *s.f. pop. fam.* auntie.
tușier *s.n. sport* linesman.
tușieră *s.f.* ink pad.
tușina *vt.* to shear, to cut, to trim (hair, fur).
tușinătură *s.f.* shearing; trimming; cutting (of hair, fur).
tușit *s.n. ned.* coughing.
tută 1. *s.f. ind. petrolului* die collar. **2.** *min.* screw socket. **3.** *s.f. reg.* fool, foolish woman or man.
tutela *vt.* **1.** to be guardian / warden to, to have the wardship of. **2.** *fig.* to watch over, to take care of.
tutelaj *s.n.* v. t u t e l ă.
tutelar *adv.* upper, higher.
tutelă *s.f.* **1.** guardianship. **2.** *pol.* trusteeship.
tutorat *s.n.* v. t u t e l ă.
tutore *s.m.* guardian.
tutti *subst. muz.* tutti.
tutu *s.n.* tutu (ballet dancer's dress).
tutui *vt., vr.* to thou and thee (each other).
tutuială, tutuire *s.f.* **tutuit** *s.n.* (theeing and) thouing.
tutun *s.n.* tobacco.
tutunărie *s.f.* tobacco plantation.
tutunărit *s.n. înv.* **1.** tobacco cultivation. **2.** *ist.* tax on tobacco cultivation.
tutungerie *s.f.* tobacco shop, tobacconist's.
tutungiu *s.m.* tobacconist.
tutuniu *adj.* snuff-coloured.
tuzlama *s.f.* v. t u s l a m a.
tvid, tweed *s.n.* **1.** *text.* tweed. **2.** (*haine*) tweed(s).
twist *s.n. muz.* twist.

Ț

Ț, ț *s.m.* the twenty-fourth letter of the Romanian alphabet (approximate English sound: ts, as in tsetse).
țac *interj.* **1.** *(imită zgomot de pași grei)* tramp! **2.** *(imită zgomotul trăgaciului etc.)* click!
țafandache *s.m. fam.* (dressed-up) swell masher, fine gentleman.
țaglă *s.f. met.* billet; *cu ochii* ~ with fixed / staring eyes.
țambal *s.n. muz.* cembalo, dulcimer.
țambalagiu *s.m.* dulcimer / cembalo player.
țambră *s.f.* boarding, timbering.
țanc *s.n.* crag; *la* ~ on the dot.
țandără *s.f.* chip, splinter.
țanțoș I. *adj.* cock-a-hoop, proud. **II.** *adv.* preening, proudly.
țap *s.m.* **1.** *zool.* he-goat. **2.** half-pint, small mug (of beer); ~ *ispășitor* scapegoat.
țapinar *s.m. reg.* raftsman who uses a pick to hook logs.
țapină *s.f. reg.* raftsman's pick.
țapoș *adj.* with upright horns.
țar *s.m. ist.* czar, tsar, tzar.
țarat *s.n. ist.* czardom.
țară *s.f.* **1.** country; land. **2.** *(patrie)* homeland, fatherland. **3.** *(regiune rurală)* country(side); villages; *țara făgăduinței* the land of promise; *țara minunilor* Wonderland; *țara Românească* Wallachia; *țările de Jos* the Low Countries; *de la* ~ from the countryside, rural.
țarc *s.n.* **1.** fold, pen, enclosure. **2.** reservation.
țarcă *s.f. ornit.* magpie *(Pica pica)*.
țarevici *s.m. ist.* czarevitch.
țarină[1] *s.f. ist.* czarina.
țarină[2] *s.f.* upturned land, field.
țarism *s.n. ist.* czarism, tsarism.
țarist *adj.* czarist.
țață *s.f.* **1.** *reg.* aunt. **2.** *fam. (mahalagioaică)* dowdy, gossip.
țăcălie *s.f.* goatee; imperial.
țăcăneală *s.f.* **1.** v. ț ă c ă n i t I. **2.** *fig.* ț i c n e a l ă.
țăcăni *vi.* to rattle, to clack.
țăcănit I. *s.n.* click; clacking. **II.** *adj.* crazy, potty.
țăcănitură *s.f.* rattle, clacking.
țăndărică *s.f.* **1.** small splinter. **2.** *fig.* short person, dwarf.
țăpoi *s.n.* **1.** pitchfork, hay fork. **2.** *(la casele țărănești)* rafter (of the roof).
țăpoșică *s.f. bot.* matweed *(Nardus stricta)*.
țăran *s.m.* **1.** peasant. **2.** *(mai ales în Anglia și S.U.A.)* farmer. **3.** *(sătean)* villager; ~ *cooperator ist.* cooperative farmer; ~ *mijlocaș* middle peasant.
țărancă *s.f.* peasant woman / villager.
țărăncuță *s.f.* country girl, *(poetic)* lass.
țărănesc *adj.* peasant..., rustic.
țărănește *adv.* **1.** like a peasant; rustically. **2.** *fig.* uncouthly, rudely, boorishly.
țărănie *s.f.* rustic life; rusticity.
țărănime *s.f.* peasantry, peasants; ~ *cooperatistă ist.* cooperative farmers.
țărănoi *s.m. peior.* churl, country bumpkin.
țărână *s.f.* **1.** dust. **2.** *(pământ)* earth, ground. **3.** *fig.* clay, dust.
țărcui *vt.* to pen, to enclose the sheep / cattle in a fold.
țărm *s.n.* **1.** shore. **2.** *(de râu)* bank. **3.** *fig.* haven.
țărmuri *vt.* **1.** to form the boundary / frontier of, to border on. **2.** to divide, to separate. **3.** *fig.* to confine, to limit, to circumscribe.
țăruă *s.m.* stake, peg.
țâfnă *s.f.* **1.** pip. **2.** *fig.* ill-humour, petulance.
țâfnos *adj.* testy, tetchy.
țâmburuc *s.n.* v. ț u m b u r u ș.
țânc *s.m. fam.* chit, mite.
țângău *s.m. peior.* whippersnapper.
țânțar *s.m. entom.* gnat, mosquito *(Culex pipiens)*; ~ *anofel* anopheles *(Anopheles)*.
țâr *s.m. cul.* dried herring.
țâră *s.f. fam.* little bit.
țârâi *vi.* **1.** to drizzle, to mizzle. **2.** *(ca sunet)* to ring. **3.** *(d. greieri)* to chirp.
țârâit *s.n.* dripping etc. v. ț â r â i.
țârâită *s.f. cu țârâita* by drops; little by little.
țârâitură *s.f.* v. ț â r â i t.
țârcovnic *s.m. bis.* verger, sacristan.
țâșni *vi.* **1.** to gush, to spout. **2.** *fig.* to spring (out), to rush (out).
țâșnitoare *s.f.* drinking fountain.
țâșnitor *adj.* gushing, spouting, springing.
țâșnitură *s.f.* gush; spring, leap; ~ *de apă* jet of water.
țâști *interj.* hist! hush! sh! silence!
țâță *s.f.* teat, pap; *pl. și* bosom.
țâțâi *vi.* to tremble, to quiver.
țâțâit *s.n.* quivering etc. v. ț â ț â i.
țâțână *s.f. tehn. pop.* hinge.
țeapă *s.f.* **1.** splinter, sliver. **2.** *(spin)* thorn. **3.** *(de animal)* spine, spike. **4.** *(pt. tortură)* stake.
țeapăn I. *adj.* **1.** stiff, rigid. **2.** *(de durere)* (be)numbed (with pain). **3.** *fig. și* formal, cleancravatish. **II.** *adv.* stiffly, rigidly.
țeastă *s.f. fam.* **1.** skull. **2.** *(cap)* head.
țeavă *s.f.* **1.** tube, pipe. **2.** *(de armă)* barrel.
țechin *s.m. ist. fin.* sequin(o).
țel *s.n.* aim, target.
țelină *s.f.* **1.** *bot. (tulpina)* celery; *(rădăcina)* celeriac *(Apium graveolens)*. **2.** *agr.* fallow land.
țeliniș *s.n. agr.* fallow (land).
țelinos *adj.* fallow, untilled, uncultivated.
țep *s.m.* **1.** thorn, prick. **2.** *(de animal)* spine, spike.
țepoaică *s.f. bot.* matweed *(Nardus)*.
țepos *adj.* **1.** spiky, bristly. **2.** *bot.* thorny, prickly.
țepușă *s.f.* **1.** stake. **2.** *(așchie)* splinter, chip. **3.** *(ghimpe)* thorn.
țesală *s.f.* currycomb.
țesăla *vt.* **1.** *(cai)* to curry(-comb). **2.** *fig. fam.* to whack, to pommel. **3.** *fig.* to polish, to brush up, to teach manners.
țesălat *s.n.* curry-combing etc. v. ț e s ă l a.
țesător *s.m.* weaver.
țesătorie *s.f.* **1.** weaving. **2.** *(fabrică)* weaving mill.
țesătură *s.f.* texture, fabric; *țesături de lână* wools.
țese I. *vt.* **1.** to weave. **2.** *(ciorapi)* to darn. **3.** *fig.* to hatch, to plot. **II.** *vi.* to weave. **III.** *vr.* to be (inter-)woven.

țest *s.n.* griddle.
țestos *adj.* shelled.
țesut I. *adj.* woven etc. v. ț e s e. **II.** *s.n.* **1.** weaving etc. v. ț e s e. **2.** *anat.* texture; tissue; ~ *conjunctiv* connective tissue.
țețe *s.f. entom. musca* ~ tsetse fly *(Glossina palpalis).*
țevărie *s.f. tehn.* piping, pipes.
țevui *vt. text.* to wind.
ți, -ți, ți- *pron.* v. ț i e.
țică *s.m. fam.* brat; kid(dy), urchin.
țiclău *s.n.* cliff; peak.
țiclean *s.m. ornit.* nuthatch *(Sitta europaea).*
țicneală *s.f. fam.* craze, monomania.
țicni *vr. fam.* to go mad, to become crazy / dotty.
țicnit *adj. fam.* batty, potty.
țidulă *s.f. pop.* note, slip of paper.
ție *pron.* (to) you.
țigaie *s.f.* **1.** *(oaie ~)* breed of sheep with prime wool; sheep belonging to this breed. **2.** *(lână ~)* prime wool.
țigan *s.m. geogr.* Gipsy.
țigancă *s.f. geogr.* gipsy woman, female gipsy.
țigară *s.f.* **1.** cigarette. **2.** *fam.* cig, fag; ~ *de foi* cigar.
țigaret *s.n.* cigarette holder.
țigaretă *s.f.* v. ț i g a r ă.
țigănesc *adj.* **1.** gipsy(like). **2.** *(d. limbă)* Romany.
țigănește *adv.* (in) Romany.
țigăni *vr.* **1.** *fam.* to cadge. **2.** *fam.* to bargain over smth., to haggle.
țigănie *s.f.* haggling, squabbling.
țigănime *s.f.* gipsies, gipsy tribe.
țigănos *adj.* swarthy, dark.
țigănuș *s.m.* **1.** gipsy boy. **2.** *omit.* eastern flossy ibis *(Plegadis falcinellus)* **3.** *iht.* umbra *(Umbra canina).*
țigărar *s.m. entom.* byctiscus *(Byctiscus befulae).*
țigher *s.n.* crab wine, *fam.* rot gut.
țiglar *s.m.* tile maker.
țiglă *s.f.* tile.
țiglăi *subst. geol.* large moundshaped landslides.
țiglean *s.n. ornit.* titmouse, tomtit *(Parus).*
țiglină *s.f. tehn.* scraper.
țignal *s.n.* v. s i g n a l.
țiitoare *s.f.* kept mistress; concubine.
țimir I. *s.n. fam. ist. României* official guide of foreign travellers. **II.** *s.m.* emblem / escutcheon (of noble families / cities).
țincuire *s.f. tehn.* manual or mechanized making of fittings for wooden corner pieces.
țincvais *s.n.* zinc white.
ține I. *vt.* **1.** to hold. **2.** *(a păstra)* to keep. **3.** *(a reține și)* to retain, to stop. **4.** *(a conserva și)* to preserve. **5.** *(a întreține și)* to keep up; to maintain. **6.** *sport (un adversar)* to collar; *a ~ casa* to be the breadwinner, to keep one's family; *a ~ o cuvântare* to make a speech; *a-și ~ firea* to keep oneself in check; *~-ți firea!* hold your horses! *a ~ o lecție* to give a lesson; *a ~ o conferință* to (give a) lecture; *a ~ locul (cu dat.)* to substitute for; *a- și ~ gura* to hold one's tongue. **II.** *vi.* **1.** to last, to keep. **2.** *(a rezista)* to resist, to endure; *a ~ cu cineva* to side with smb.; *a ~ de* to belong to; to be under; *a ~ la cineva* to be fond of. smb. to hold smb. dear; *a ~ să* to like, to wish, to insist on (doing smth.). **III.** *vr.* **1.** to hold (oneself) (erect etc.). **2.** *(a se stăpâni)* to refrain oneself, to hold tight. **3.** *(a avea loc)* to take place, to be held; to happen; *a se ~ de* to lean against; *a se ~ de o treabă* to stick to one's job; *a se ~ de cuvânt* to be as good as one's word; *nu m-am putut ~ de râs* I could not help laughing; *a se ~ pe picioare* to stand; *~-te bine!* don't give way; hold tight / hard.
ținere *s.f.* keeping, holding; ~ *de minte* memory.
țingău *s.m. fam.* nipper; youngster.
țintar *s.n.* nine men's morris.
țintaș *s.m.* marksman; shot; *e un ~ perfect;* he is a dead shot; *e prost ~* he is a bad marksman / a poor shot.
țintat *adj.* **1.** v. ț i n t u i t. **2.** *(d. animale)* with a blaze.
țintaură *s.f. bot.* **1.** centaury *(Centaurea).* **2.** ball / crop / knap weed, bull's head *(Centaurea nigra).*
țintă *s.f.* **1.** target. **2.** *fig. și* aim, goal. **3.** *(a unui atac)* receiving end. **4.** *(cui)* nail, tack. **5.** *(de bocanc)* spike; *(pt. alpinism)* clinker, weltnail; ~ *a batjocurii* laughing stock; *fără ~* aimless(ly), (at) random.
ținti I. *vt.* to aim at, to train (the cannon) at. **II.** *vi.* **1.** to aim (at smth.). **2.** *(a năzui la)* to strive (for / after).
țintirim *s.n. reg.* graveyard.
țintui *vt.* **1.** to nail, to rivet. **2.** to fix, to fasten; *a ~ la stâlpul infamiei* to put to the stake / in the pillory; *a fi ~ la pat* to be bed-ridden.
țintuit *adj.* **1.** nailed. **2.** *fig.* dumbfounded; stock-still; ~ *de groază* terror-stricken; ~ *în pat* bed-ridden, laid-up.
ținut I. *adj.* region, country(side), province. **II.** *adj.* kept, bound; ~ *ascuns* unspoken; ~ *secret* undisclosed.
ținută *s.f.* **1.** carriage, deportment. **2.** *(a corpului și)* port. **3.** *(mers)* gait, amble. **4.** *(purtare)* conduct, demeanour. **5.** *(haine)* suit, clothes, attire. **6.** *mil.* uniform; ~ *de campanie mil.* combat suit; ~ *de gală* evening suit; *(de) mare ~* full dress; *de ~ fig.* decorous, decent, clean.
țipa *vt., vi.* **1.** to shout, to cry. **2.** *(tare)* to scream, to yell. **3.** *(sinistru)* to screech.
țipar *s.m. iht.* **1.** loach *(Cubitis).* **2.** *(anghilă și fig.)* eel *(Anguilla vulgaris).*
țipăt *s.n.* **1.** shout, scream. **2.** *(puternic)* yell. **3.** *(sinistru)* screech.
țipător *adj.* **1.** strident, blatant. **2.** *(d. culori și)* glaring, gaudy.
țipenie *s.f.* person, man; *nici ~* not the shadow of a ghost.
țipirig *s.n. chim. pop.* salmiac.
țiplă *s.f.* **1.** ox bladder. **2.** cellophane paper. **3.** celluloid.
țist *interj.* hush! sh! mum! (w)hist!
țistar *s.m. zool.* v. p o p â n d ă u.
țiteră *s.f. muz.* zither.
țiței *s.n.* crude oil, petroleum.
țiui *vi.* **1.** to whizz, to whistle. **2.** *(d. glonă și)* to ping; *îmi ~e urechile* my ears tingle.
țiuit *s.n.* **1.** whizz(ing sound). **2.** *(de glonă)* ping. **3.** *(al urechilor)* tingle.
țiuitor *adj.* high-pitched.
țiuitură *s.f.* whiz etc. v. ț i u i.
țivlitoare *s.f.* decoy / bird whistle, bird call.
țoală *s.f.* **1.** rug, cloth. **2.** *pl.* togs, clothes.
țoapă *s.f.* **1.** cad, churl. **2.** *(femeie)* frump.
țoc *interj.* smack!
țocăi *vt.* to smack.
țoi *s.n.* brandy glass.
țol I. *s.m.* inch. **II.** *s.n.* rug, cloth.
țop *interj.* hop! jumb! go!
țopăi *vi.* to hop; to jump; *țopăind* hippety-hoppety.
țopăială *s.f. fam.* hopping, jumping.
țopăit *s.n.* v. ț o p ă i a l ă.
țopârlan *s.m.* lout, country bumpkin; uncouth fellow.
țopesc *adj.* tawdry, gaudy.
țucal *s.n.* chamber pot.
țucără *s.f. bot. (fasole ~)* French bean, scarlet runner *(Phaseolus vulgaris).*

țucsui *vi. fam.* to booze, to guzzle.
țugui *s.n.* **1.** *(pisc conic)* conical (mountain) peak; *(vârf)* top, peak. **2.** *(con)* cone.
țuguia *vt., vr.* to taper; *(d. buze)* to purse (up).
țuguiat *adj.* tapering, pointed.
țuguitură *s.f.* v. ț u g u i.
țuhaus *s.n. argou (închisoare)* quod, limbo, cooler, sneezer; *a sta la ~* to pick oakum, to be put in quod / jug.
țuicar *s.m.* (plum-brandy) distiller.
țuică *s.f.* plum brandy.
țuicări *vr.* to crook the elbow, to drink brandy.
țumburuș *s.n.* salience, protuberance.
țunder *s.n. chim.* zunder.
țundră *s.f.* v. s u m a n.
țurcan *adj. (d. oi)* tzurcana, with long wool; *(d. lână)* long-stapled.
țurcană *s.f.* **1.** *zool.* tzurcana sheep. **2.** (tzurcana) lambskin cap / bonnet.
țurcă *s.f.* **1.** *(joc)* tipcat. **2.** *(căciulă)* fur bonnet / cap.
țurcănesc *adj.* v. ț u r c a n.
țurloi *s.n. pop.* **1.** *anat.* shin bone, tibia. **2.** *fam.* pin, hook, peg; leg. **3.** *(canal)* gully, sewer.
țurțure *s.m.* icicle.
țușcov *s.m. iht.* variety of bleak, chalcalburnus *(Chalcalburnus chaloides).*
țuțuia *vr.* v. c o c o ș a.
țuțuian *s.m.* Transylvanian shepherd.

U

U, u, *s.m.* U, u, the twenty-fifth letter of the Romanian alphabet.
ubicuitate *s.f.* ubiquity, omnipresence.
ubicvist *adj., s.m. ist., rel.* Ubiquitarian, Ubiquarian.
ucaz *s.n.* **1.** ukase, decree of the Czar. **2.** *fig.* ukase.
ucenic *s.m.* **1.** apprentice. **2.** *fig.* disciple.
ucenici *vi.* to be bound as an apprentice, to be indented to a master (as an apprentice).
ucenicie *s.f.* **1.** apprenticeship. **2.** *(contract)* indenture.
ucide *vt.* **1.** to kill. **2.** *(a asasina)* to murder, to assassinate. **3.** *fig. și* to destroy.
ucidere *s.f.* killing; murdering; *Uciderea Pruncilor* the Massacre of the Innocents.
ucigaș I. *s.m.* murderer, assassin. **II.** *adj.* murderous, criminal.
ucigă-l-crucea *s.m.*, **ucigă-l-toaca** *s.m.* Old Nick, the dickens, the devil.
ucigător *adj.* murderous; terrible, dreadful.
ucisătură *s.f.* **1.** *fam.* good hiding, sound flogging. **2.** bruising.
ucraineancă *s.f.* v. u c r a i n e a n ă.
ucrainesc *adj.* Ukrainean.
ucrainește *adv.* **1.** like a Ukrainian. **2.** Ukrainian.
ucrainian *s.m., adj.* Ukrainian.
ucrainiană *s.f.* Ukrainian (woman).
ud I. *s.n.* water. **II.** *adj.* **1.** wet. **2.** *(umed)* damp; moist; ~ *leoarcă* dripping wet, drenched.
uda I. *vt.* **1.** to wet, to soak, to drench. **2.** *(a umezi)* to damp, to moisten. **3.** *(d. un râu)* to flow through, to water. **4.** *(florile)* to water; *a-și ~ gâtlejul* to wet one's whistle, to moisten one's clay. **II.** *vr.* to get wet / soaked; to wet one's clothes.
udarnic *s.m.* shock worker, udarnik.
udat I. *adj.* wet(ted) etc. v. u d a. **II.** *s.n.* wetting etc. v. u d a.
udătură *s.f.* **1.** water; rain. **2.** *(băutură)* drink.
udeală *s.f.* v. u d ă t u r ă 1, 2.
udmă *s.f. med. pop.* plump, rising, swell(ing).
udometru *s.n. fiz.* v. p l u v i o m e - t r u .
ued *s.n. geogr.* wadi, oued.
uf *interj.* ugh!, well!, alas!
uger *s.n.* udder.
ughi *s.m. ist. fin* Hungarian gold coin.
ugui *vi.* to coo.
uguit *s.n.* cooing.
uhu *interj.* tu-whit! to-whoo!
uideo *interj.* v. h u i d e o ll.
uie *s.f. ornit.* buzzard (*Buteo*).
uimi *vt.* to amaze, to stagger.
uimire *s.f.* amazement, perplexity.
uimit *adj.* amazed, astonished.
uimitor *adj.* amazing, perplexing, staggering.
uita I. *vt.* **1.** to forget. **2.** *(a neglija)* to omit, to neglect, to overlook; *nu ~* remember. **II.** *vi.* to forget, to be forgetful. **III.** *vr.* **1.** to look (at smth. / smb.), to watch (smb.). **2.** *(a fi uitat)* to be forgotten / omitted; *a se ~ la* to watch; to eye; *fig.* to mind.
uitare *s.f.* forgetfulness, oblivion; *~ de sine* self-denial.
uitat *adj.* **1.** forgotten etc. v. u i t a. **2.** very old. **3.** long.
uitător *adj.* **1.** forgetting. **2.** looking.
uitătură *s.f.* look, glance; (*plină de curiozitate*) peep.
uituc I. *s.m.* scatterbrain. **II.** *adj.* absent-minded, oblivious.
uitucie *s.f.* **1.** forgetfulness. **2.** absent-mindedness.
uiuiu *interj.* oh!
uium *s.n. înv.* miller's fee paid in grain (for milling, threshing etc.).
ujbă *s.f. muz.* thole (pin), oar lock.
ulama *s.f. rel.* ulama, ulema.
ulan *s.m. mil.* uhlan, lancer.
ulcea *s.f.* v. u l c i c ă.
ulcer *s.n. med.* ulcer.
ulcera I. *vt.* **1.** *med.* to ulcerate **2.** *fig.* to wound, to hurt, to vex. **II.** *vr.* to ulcerate.
ulcerație *s.f. med.* ulceration.
ulceros *adj. med.* ulcerous.
ulcică *s.f.* small pot, mug / cup.
ulcior *s.n.* v. u r c i o r.
ulei *s.n.* **1.** oil. **2.** *(comestibil)* edible / salad oil. **3.** *(tablou și)* oil painting, canvas.
uleia *vt.* to oil, to grease.
uleios *adj.* oily, oleaginous.
ulema *s.f.* v. u l a m a.
ulicioară *s.f.* **1.** (village) lane. **2.** by-street.
uligaie *s.f. zool.* **1.** v. u l i u. **2.** v. e r e t e.
uliță *s.f.* **1.** narrow street, lane, alley. **2.** street.
uliu *s.m. ornit.* sparrow-hawk, goshawk *(Accipiter)*.
ulm *s.m. bot.* elm (tree) *(Ulmus)*.
ulmiă *s.n.* elm grove.
ulster *s.n.* ulster.
ulterior I. *adj.* subsequent; further. **II.** *adv.* after(wards), subsequently.
ultim *adj.* **1.** last. **2.** final, ultimate. **3.** *(cel mai recent)* latest.
ultimativ *adj.* ultimatum...
ultimatum *s.n.* ultimatum.
ultimo I. *s.n.* last day of the month. **II.** *adv.* at the end of the month.
ultra- *prefix* ultra-.
ultrabazic *adj. geol.* ultrabasic.
ultracentrifugă *s.f. ind.* ultracentrifuge, high-speed centrifuge.
ultracondensor *s.n. fiz.* ultracondenser.
ultrafiltru *s.n.* ultrafilter.
ultragia *vt.* to outrage, to abuse, to insult, to molest.
ultraism *s.n.* avant-garde Spanish literary movement (1919).
ultraj *s.n.* **1.** outrage, insult. **2.** (*la pudoare*) indecent assault.
ultra-liberal *adj., s.m.* ultraliberal.
ultra-liberalism *s.n.* ultraliberalism.
ultramarin *adj., s.n.* ultramarine.
ultramicroanaliză *s.f.* ultramicroanalysis.
ultramicron *s.m. fiz.* ultramicron.
ultramicroscop *s.n. fiz.* ultramicroscope.
ultramicroscopic *adj.* ultramicroscopical.
ultramicroscopie *s.f.* ultramicroscopy.
ultramontan *adj.* ultramontane.
ultramontanism *s.n.* ultramontanism.
ultraroșu *adj.* ultrared, infrared.
ultrascurt *adj.* ultrashort.
ultrasentimental *adj.* gushing.
ultrasonic *adj. fiz.* ultrasonic.

ultrasonoterapie *s.f. med.* ultrasound therapy, supersonic therapy.
ultrasunet *s.n.* ultrasound.
ultraviolet *adj.* ultraviolet.
ultravirus *s.n. biol.* ultravirus.
ulubă *s.f.* v. h u l u b ă.
uluc *s.n.* **1.** groove. **2.** *(jgheab)* rain pipe. **3.** *(de gard)* lath.
ulucă *s.f.* **1.** thick plank / board. **2.** *pl.* board fence.
uluci *vt.* **1.** to plane, to smooth. **2.** to groove.
ului *vt.* to stagger, to perplex.
uluială *s.f.* amazement, astonishment.
uluit *adj.* **1.** amazed, wonderstruck. **2.** *(încurcat)* taken aback, at a loss.
uluitor *adj.* amazing, astonishing.
uman I. *adj.* **1.** human, man's. **2.** *(omenos)* humane, decent. **II.** *adv.* humanely, decently.
umanioare *s.f. pl.* humanities, classical learning.
umanism *s.n.* humanism.
umanist *s.m.* humanist.
umanistic *adj. univ.* classical.
umanistică *s.f.* humanities, humane studies.
umanitar *adj.* humanitarian.
umanitarism *s.n.* humanitarianism.
umanitarist *s.m.* humanitarian.
umanitate *s.f.* **1.** humanity. **2.** *(omenie și)* humaneness, kindness. **3.** *(omenire)* mankind.
umaniza I. *vt.* to humanize. **II.** *vr.* to become human / humane.
umăr *s.m.* **1.** shoulder. **2.** *(de haine)* dress-hanger; ~ *la* ~ shoulder to shoulder, side by side.
umbelă *s.f. bot.* umbel.
umbelifer *adj. bot.* umbelliferous.
umbeliferă *s.f. bot.* umbelliferous plant, *pl.* umbelliferae.
umbeliform *adj. bot.* umbelliform.
umbla I. *vt.* to scour, to cover. **II.** *vi.* **1.** to go. **2.** *(pe jos și)* to walk, to go on foot. **3.** *(a călători)* to travel. **4.** *(cu vehicul public sau călare)* to ride. **5.** *(cu automobilul)* to drive. **6.** *(a rătăci)* to wander, to scour the country; *a ~ cu* to handle; to tamper / meddle with; *(un aparat)* to use; *(cu cineva)* to go / walk out with smb.; ~ *cu fofârlica.* to hedge, to be cagey; *a ~ cu pomana* to cadge; *a ~ după* to look for, to seek; *a ~ după cai verzi pe pereți* to go on a wild goose chase; *a ~ haihui* to colt.
umblat *adj.* widely travelled.
umblătoare *s.f.* latrine.
umblător *adj.* **1.** *(pe jos)* walking. **2.** *(rătăcitor)* wandering. **3.** *(mobil)* mobile.
umblătură *s.f.*, **umblet** *s.n.* **1.** gait, amble. **2.** *(plimbare)* walk(ing).
umbrar *s.n.* arbour, bower.
umbratic *adj.* shady, umbrageous.
umbră *s.f.* **1.** *(de copaci etc.)* shade. **2.** *(a unei persoane)* shadow. **3.** *(frig)* coolness. **4.** *(întuneric)* dark, night. **5.** *(închisoare)* stone, jug, quod. **6.** *fig.* aspersions, blame; *umbre chinezești* galanty show.
umbrelar *s.m.* **1.** umbrella maker. **2.** *(ca negustor)* umbrella man.
umbrelă *s.f.* **1.** umbrella. **2.** *(de soare)* sunshade, parasol.
umbri *vt.* **1.** to shade, to cast a shadow on. **2.** *fig.* to eclipse.
umbric *adj. ist.* Umbrian.
umbrire *s.f.* **1.** shadowing, shading; dark shade. **2.** *text.* fabric printing method.
umbriș *s.n.* shady place / corner.
umbrit *adj.* **1.** shadowy, shady, dark. **2.** *fig.* eclipsed, thrown / put into (the) shade.
umbros *adj.* shady; cool.
umecta *vt.* to humectate, to moist(en), to damp, to humidify.
umectare *s.f.* moistening.
umed *adj.* **1.** moist, damp. **2.** *(ud)* wet.
umeraș *s.n.* coat hanger.
umezeală *s.f.* moistness, dampness, moisture, humidity.
umezi I. *vt.* **1.** to moisten, to wet. **2.** *(tare)* to drench, to soak. **II.** *vr.* to become moist / damp.
umezire *s.f.* moistening, humidification, humectation, damping.
umezit *adj.* moist.
umezitor I. *adj.* humectant, moistening, wetting. **II.** *s.n.* wetting or moistening appliance of machine.
umfla I. *vt.* **1.** to fill. **2.** *(tare)* to (cause to) swell. **3.** *(a exagera)* to exaggerate. **4.** *(a lua)* to seize, to take; *l-a ~t râsul* he could not help laughing. **II.** *vr.* to swell (up), to be swollen; *a se ~ în pene* to set up one's comb.
umflare *s.f.* inflation etc. v. u m f l a.
umflat *adj.* **1.** swollen; filled. **2.** *fig.* highflown, bombastic; pompous. **3.** *(d. prețuri)* steep, exaggerate.
umflătură *s.f.* swelling.
umidificare *s.f.* moistening.
umidifug *adj.* dampproof, impervious to humidity / moisture.
umiditate *s.f.* humidity, moisture.
umidometru *s.n. tehn.* moisture meter; humido-meter.
umil I. *adj.* **1.** humble, low(ly). **2.** *(supus)* meek, submissive. **II.** *adv.* humbly; meekly.
umili I. *vt.* **1.** to humiliate, to humble. **2.** to outrage, to oppress. **II.** *vr.* **1.** to humiliate oneself, to stoop. **2.** to kowtow (before smb.).
umilință *s.f.* **1.** humility, meekness. **2.** *(rușine)* shame, hurt, slight.
umilit *adj.* **1.** humiliated, humble(d). **2.** craven, mean.
umilitor *adj.* humiliating, degrading.
umlaut *s.n. lingv.* umlaut.
umoare *s.f. anat.* humour.
umor *s.n.* **1.** humour. **2.** *(scris și)* facetiae; ~ *ieftin* slapstick.
umoral *adj. fiziol.* humoral.
umorist *s.m.* humorist.
umoristic *adj.* humorous.
umple I. *vt.* **1.** to fill (up). **2.** *(a ghiftui)* to stuff, to cram; *a ~ de o boală* to infect with a disease; *a ~ de cerneală etc.* to stain with ink etc. **II.** *vr.* to fill, to be filled.
umplut *adj.* **1.** filled. **2.** *(îndesat)* stuffed.
umplutură *s.f.* **1.** forcemeat, filling. **2.** *fig.* padding, verbiage.
un I. *art., adj.* one. **II.** *pron.* somebody; one; *unul altuia* (to) each other; *unul după altul* one after another; *nici ~ul* none (of them), nobody; *nici unul din doi* neither. **III.** *num.* one.
una I. *pron.* **1.** one thing. **2.** v. u n **II.** II. *num.* one.
una corda *muz.* una corda.
unanim I. *adj.* unanimous, univocal. **II.** *adv.* unanimously; to a man.
unanimism s.n. lit. unanimism.
unanimitate *s.f.* unanimity, unanimousness.
unchi *s.m.* uncle.
unchiaș *s.m.* aged / old man, greybeard.
unchieș *s.m.* v. u n c h i a ș.
uncial *adj. poligr.* uncial.
uncie *s.f.* ounce.
uncinat *adj. bot.* uncinate, hooked.
uncrop *s.n.* boiling water.
uncropeală *s.f.* drowsiness, torpor, languidness.
undametru *s.n. el.* wavemeter, ondometer.
undă *s.f.* wave.
unde *adv.* **1.** where. **2.** *(încotro și)* whither. **3.** *(când)* when; then; *acolo ~* where; *de ~* whence; *pe ~?* where?, which way?
undeva *adv.* **1.** somewhere; else where. **2.** *(în prop. interog.)* anywhere.
undină *s.f.* undine, water pixy, pixie.
undiță *s.f.* fishing rod / line.
undrea *s.f.* knitting needle.
undui *vi.* to wave, to undulate.
unduios *adj.* undulous, wavy.

unduire *s.f.* waving, undulation.
unduit *adj.* **1.** wavy, undulated. **2.** *(d. sunet)* modulated, harmonious.
unealtă *s.f.* **1.** tool. **2.** *(instrument și)* instrument, utensil. **3.** *(agricolă)* implement. **4.** *fig.* stool pigeon, decoy.
unele I. *adj.* some, certain. **II.** *pron.* some.
unelti *vt., vi.* to machinate, to scheme.
uneltire *s.f.* plot, machination.
uneltitor I. *adj.* plotting etc. v. u n e l t i. **II.** *s.m.* intriguer, plotter, conspirator.
uneori *adv.* sometimes, occasionally.
ungar *adj.* Hungarian, Magyar.
ungară *s.f., adj.* Hungarian.
unge *vt.* **1.** to oil, to grease; to lubricate. **2.** *(o rană etc.)* to salve, to rub. **3.** *(a vopsi)* to paint. **4.** *(a mitui și)* to bribe. **5.** *(domn etc.)* to anoint.
ungere *s.f.* oiling, greasing, lubrification.
ungher *s.n.* corner, nook.
unghi *s.n.* angle.
unghie *s.f.* **1.** nail. **2.** *(de animal)* claw.
unghiular *adj.* angular, cornered.
unguent *s.n.* ointment.
ungur *s.m.*, **unguresc** *adj.* Hungarian, Magyar.
unguraș *s.m. bot.* horehound (*Marrubium*).
ungurean *s.m.* **1.** v. u n g u r. **2.** Transylvanian.
ungureancă *s.f.* v. u n g u r o a i c ă.
unguresc *adj.* Hungarian.
ungurește *adv.* (in) Hungarian, (in) Magyar.
unguroaică *s.f.* Hungarian (woman).
uni I. *s.n.* plain (colour). **II.** *adj.* plain. **III.** *vt., vr.* **1.** to unite, to join. **2.** *fig.* și to blend, to combine.
uniat *adj. rel.* Uniat(e).
uniatism *s.n. rel.* Uniatism.
uniax *adj. fiz.* uniaxial.
unic *adj.* **1.** one, single, only. **2.** *(deosebit)* unique. **3.** *pol.* united.
unicameral *adj. jur.* unicameral, one-chamber (Parliament).
unicapsular *adj. bot.* unicapsular.
unicarpelar *adj. bot.* monocarpellary.
unicat *s.n. jur.* unicum, *pl.* unica; sole exemplar.
unicelular *adj.* unicellular.
unicitate *s.f.* oneness, singleness.
unicolor *adj.* one-coloured.
unicord *adj. muz.* single-string...
unicorn *s.m. mit.* unicorn.
unifica I. *vt.* to unify, to amalgamate. **II.** *vr.* to merge, to combine.
unificare *s.f.* **1.** unification, union. **2.** *pol., ec., jur.* merger.
unificator *adj.* unifying.
uniflor *adj. bot.* uniflorous, unifloral.
unifoliat *adj. bot.* unifoliate, unifoliar.
uniform I. *adj.* **1.** uniform, homogeneous. **2.** *(neted)* even. **II.** *adv.* **1.** uniformly, homogeneously. **2.** *(neted)* evenly, plainly.
uniformă *s.f.* uniform.
uniformitate *s.f.* uniformity, homogeneousness.
uniformiza *vt.* to standardize, to homogenize.
unii I. *adj.* some, certain. **II.** *pron.* some.
unilateral *adj.* unilateral, one-sided; *fig.* și narrow-minded.
unilateralitate *s.f.* unilateralism, unilaterality.
unilateralitate *s.f.* one-sidedness.
unilingv *adj. lingv.* unilingual.
unilocular *adj. bot.* unilocular.
unime *s.f. mat.* unit, figure of one dimension.
uninominal *adj.* uninominal.
unional *adj.* union...
unionism *s.n. pol.* unionism.
unionist *s.m. ist.* unionist.
unipar *adj. biol.* uniparous.
unipersonal *adj.* unipersonal.
unipetal *adj. bot.* unipetalous.
unipolar *adj.* unipolar, homopolar, single-pole.
unire *s.f.* **1.** union. **2.** *(acord și)* agreement, concord; *(coaliție și)* coalition, alliance.
unisexual *adj. biol.* unisexual.
unisexuat *adj., s.f. bot.* unisexual, unisexed.
unison *s.n.* unison.
unit *adj.* **1.** united; joint. **2.** *fig.* close-knit.
unitar *adj.* unitary, integrated.
unitarian *adj. rel.* Unitarian.
unitarianism *s.n. rel.* Unitarianism.
unitate *s.f.* **1.** *(element)* unit. **2.** *(unire)* unity, union, agreement. **3.** *(omogenitate)* homo-geneousness, uniformity, conformity. **4.** *(în literatură)* unity; ~ *de măsură* measure; ~ *moral-politică* moral and political unity.
uniune *s.f.* **1.** union. **2.** *(unire și)* alliance, confederation, association.
univalv *adj.* **1.** *bot.* univalvular; **2.** *zool.* (*d. moluște*) univalve.
univers *s.n.* universe, world.
universal I. *adj.* **1.** universal, world. **2.** *(d. un magazin)* department (store). **II.** *adv.* universally, generally.
universalii *s.f. pl. filoz.* universals, universalia.
universalism *s.n.* **1.** universality. **2.** *filoz.* Universalism.
universalitate *s.f.* generality, universality.
universaliza *vt.* to generalize.
universiadă *s.f. sport* students' sports competition.
universitar I. *s.m.* member of the professoriate. **II.** *adj.* university.
universitate *s.f.* university; college; ~ *populară* university extension scheme.
univoc *adj.* univocal.
uns *s.m.* anointed person; elect.
unsoare *s.f.* **1.** grease, oil. **2.** *(alifie)* ointment, salve; pomade.
unsprezece *s.m., adj., pron., num.* eleven.
unsprezecelea *adj., num.* eleventh.
unsuros *adj.* **1.** greasy. **2.** *(murdar)* filthy, sticky. **3.** *(uleios)* oily.
unt *s.n.* **1.** butter. **2.** *(ulei)* oil; ~ *de ricin* castor oil.
untdelemn *s.n.* (edible) oil.
untieră *s.f.* butter dish.
untișor *s.n. bot.* figwort (*Ranunculus ficaria*).
untos *adj.* buttery; greasy.
untură *s.f.* grease, fat; ~ *de pește* cod-liver oil.
unulea *num. ord.* first.
uperizare *s.f. chim.* uperization.
ura[1] *s.n.* **1.** cheer, ovation. **2.** *pl.* și applause. **II.** *interj.* hurrah!
ura[2] **I.** *vt.* to wish. **II.** *vi.* to go a-wassailing (on New Year's Eve).
uracil *s.n. biochim.* uracil.
uragan *s.n.* hurricane, tornado.
urangutan *s.m. zool.* orang-outang, orang-utan *(Simia satyrus)*.
uraninit *s.n. mineral.* uraninite.
uranisc *s.n.* canopy.
uranită *s.f. agr.* rotten manure.
uraniu *s.m.* uranium.
uranografie *s.f. astr.* uranography.
urare *s.f.* **1.** wish; well-wishing. **2.** *pl.* good wishes, congratulations.
ură[1] *s.f. bot.* Gymnadenia; *(Gimnadenia coropea)*.
ură[2] *s.f.* **1.** hatred. **2.** *(dușmănie)* enmity, ill-blood.
urător *s.m. aprox.* wait; v. u r a 2 II.
urătură *s.f.* v. u r a r e.
urâcios *adj.* **1.** hateful, unpleasant. **2.** *(urât)* ugly, ungainly. **3.** *(rău)* wicked, vicious. **4.** *(scârbos)* disgusting, repulsive.
urâciune *s.f.* **1.** ugliness, ungainliness. **2.** monster, abortion.
urât I. *s.n.* ennui, spleen. **II.** *adj.* **1.** ugly, plain. **2.** *(urâcios)* hideous, hateful. **3.** *(imoral)* mean, foul. **4.**

(*răutăcios*) wicked, dirty. **5.** *(d. miros)* foul, bad. **III.** *adv.* **1.** foully, unfairly. **2.** wickedly, meanly.
urâțenie *s.f.* ugliness, ungainliness.
urâți I. *vt.* to render ugly. **II.** *vr.* to grow ugly / plain.
urban *adj.* **1.** town..., city. **2.** *(politicos)* civil, urbane.
urbanism *s.n.* **1.** town planning. **2.** *lingv.* urbanism.
urbanist *s.m.* urbanist, town-planner.
urbanistic *adj.* town-planning...
urbanistică *s.f.* town-planning.
urbanitate *s.f.* urbanity.
urbaniza *vt.* to urbanize.
urbe *s.f.* town, city.
urca I. *vt.* **1.** to climb, to ascend. **2.** *(o scară etc. și)* to mount. **3.** *(a înălța)* to put up, to force up. **4.** *(a spori)* to increase, to enhance. **II.** *vi.* **1.** to rise, to climb. **2.** *(a crește)* to grow, to increase. **3.** *(într-un vehicul)* to get up. **III.** *vr.* **1.** to climb (up). **2.** *(a se înălța)* to rise, to soar; *a se ~ la fig.* to amount to; *a se ~ (într-un vehicul)* to get on (a bus etc.).
urcare *s.f.* **1.** climbing. **2.** mounting. **3.** rise; rising. **4.** *(ușă la tramvai etc.)* entrance.
urcat *adj.* high; steep.
urcător *adj.* climbing, rising.
urcior *s.n.* **1.** pitcher, ewer, jug. **2.** *(la ochi)* sty(e).
urcuș *s.n.* climb, ascent.
urdă *s.f. cul.* soft cottage cheese (containing whey).
urdina *vi.* to have the runs.
urdinare *s.f.* diarrhoea, *pop.* the runs.
urdiniș *s.n. apicultură* bee entrance.
urdoare *s.f.* bleary eyes.
urduca *vi.* v. h u r d u c a.
urduros *adj.* blear-eyed, rheumy, gumming.
ureadnic *s.m. ist. României* court official, representative of the ruler.
urează *s.f. biochim.* urease.
ureche *s.f.* **1.** ear. **2.** *muz.* ear for music. **3.** *(de ac)* eye of a needle.
urechea *vt.* to pull / tweak one's ears, to castigate (by pulling / tweaking one's ears).
urecheală *s.f.* tweaking / pulling one's ears, thrashing, beating.
urecheat I. *s.m.* **1.** *fam.* ass, neddy, donkey. **2.** *fam.* rabbit, hare. **II.** *adj.* long-eared.
urechelniță *s.f.* **1.** *entom.* earwig *(Forficula auricularia)*. **2.** *bot.* houseleek *(Sempervivum tectorum)*.
urechia *vt. fam.* to warm smb.'s ears.
urechiuță *s.f. bot.* chanterelle, cantharellus *(Cantharellus cibarius)*.
uredinale *s.f. pl. bot.* uredinales, uredinae *(Uredinales)*.
uredinofloră *s.f. bot.* flora of uredo / uredinales.
uree *s.f. biochim.* urea.
ureide *s.f. pl. chim.* ureides.
uremic *adj. med.* uraemic.
uremie *s.f. med.* uraemia.
uretan *s.m. chim.* urethane, carbamate.
ureter *s.n. anat.* ureter.
uretral *adj. anat.* urethral.
uretră *s.f. anat.* urethra.
uretrită *s.f. med.* urethritis.
uretroscop *s.n. med.* urethroscope.
urgent I. *adj.* urgent, pressing. **II.** *adv.* urgently, quickly.
urgenta *vt.* to speed up, to accelerate, to hasten.
urgență *s.f.* urgency, emergency; *de ~* urgently, immediately.
urgie *s.f.* **1.** wrath. **2.** *(a soartei)* scourge.
urgisi *vt.* **1.** to forsake, to leave. **2.** to hate, to abhor, to hold in abhorrence.
urgisit *adj.* forsaken, oppressed.
uriaș I. *s.m.* giant, titan. **II.** *adj.* giant, huge, colossal.
uric[1] *s.n. ist.* **1.** a nobleman's or a monastery's estate. **2.** (property) deed / document.
uric[2] *adj. chim.* uric.
uricar *s.m. înv. ist.* (chancery) clerk / secretary.
uricemie *s.f. med.* uricacidaemia, uricaemia.
uridină *s.f. chim., biol.* uridine.
urina *vt. anat.* to urinate, to pass / to make water; *vulg.* to piss.
urinar *adj.* urinary; *vezică ~ă* (urinary) bladder, urocyst.
urină *s.f.* urine, water.
urinifer *adj. anat., med.* uriniferous.
urî I. *vt.* to hate, to loathe. **II.** *vr.* to hate each other; *a i se ~ cu* to be fed up with (smth.).
urla *vi.* **1.** to roar. **2.** *(a țipa și)* to yell, to howl.
urlătoare *s.f.* (*cascadă*) waterfall.
urlător *adj.* howling.
urlet *s.n.* **1.** roar. **2.** *(țipăt și)* howl, yell.
urlui *vt. pop.* to rough-grind.
urluială *s.f. pop.* coarse meal / flour.
urluitoare *s.f. agr.* grinder.
urm *s.n. bot.* ash (tree); *(Fraxinus ornus)*.
urma I. *vt.* **1.** to follow (close). **2.** *(a asculta și)* to obey. **3.** *(cursuri)* to attend. **4.** *(a respecta)* to keep, to observe. **5.** *(a continua)* to continue, to resume; *a ~ să* to be to, to be supposed to. **II.** *vi.* **1.** to follow, to succeed. **2.** *(a continua)* to continue, to go on. **3.** *(la școală etc.)* to attend courses; to go to school etc; *va ~* to be continued; *după cum urmează* as follows.
urmare *s.f.* **1.** following, continuation. **2.** *(a unei cărăi)* sequel. **3.** *(rezultat)* outcome, consequence; *drept / ca ~* as a result; *prin ~* therefore, consequently.
urmaș *s.m.* **1.** successor, descendant. **2.** *(moștenitor)* heir. **3.** *pl.* offspring, posterity.
urmă *s.f.* **1.** trace; mark **2.** *(de picior)* footprint. **3.** *(semn)* sign, vestige. **4.** *(de vânat)* trail, scent; *cei din ~* the last; *(din doi)* the latter; *din ~* from behind; *în cele din ~* finally, eventually; *în urma* following; *cu doi ani în ~* two years ago; *pe ~* then, afterwards.
urmări *vt.* **1.** to follow, to pursue. **2.** *(din ochi)* to watch, to look after. **3.** *(a fila)* to shadow. **4.** *(a persecuta și)* to persecute, to pester. **5.** *(a goni)* to hunt, to chase. **6.** *(în justiție)* to sue (at law). **7.** *(un scop și)* to have in view; *mă poți ~?* are you with me?
urmărire *s.f.* **1.** pursuit; following. **2.** *(goană)* chase, hunt.
următor *adj.* next, following; (*d. lucruri*) subsequent, ensuing; successive.
urnă *s.f.* **1.** urn. **2.** *(electorală)* ballot box; *la urne* at the polls.
urni *vt., vr.* to move, to set moving.
urobilină *s.f. chim., biol.* urobiline.
urobilinogen *s.n. biochim.* urobilinogen.
urocordate *s.n. pl. zool.* Urochorda, Urochordata.
urodel *s.n. zool.* urodele, caudate.
urogastronă *s.f. biochim.* urogastrone.
urogenital *adj. anat.* urogenital, urogenitary.
urografie *s.f. med.* urography.
urologie *s.f. med.* urology.
uroscopie *s.f. med.* ur(in)oscopy.
urotropină *s.f. farm.* cystamin.
urs *s.m. zool.* bear *(Ursus)*; *~ alb* polar bear *(Ursus maritimus)*.
ursar *s.m.* (gipsy) bear leader.
ursă *s.f. Ursa Mare* the Great Bear; *Ursa Mică* the Lesser Bear.
ursăresc *adj.* bear leader's...
ursi *vt.* to predestinate, to preordain, to foreordain.

ursit *s.m.* predestined husband.
ursită *s.f.* fate, lot.
ursitoare *s.f.* Fate, Parca.
ursiu *adj.* reddish-brown.
ursoaică *s.f.* **1.** she-bear, female bear. **2.** *arhit.* dormer window; funnel, chimney.
ursuleț *s.m.* **1.** bear's cub / whelp. **2.** *(jucărie)* Teddy bear.
ursulină *s.f.* Ursuline (nun).
ursuz I. *s.m.* morose / grumpy person. **II.** *adj.* morose, surly. **III.** *adv.* grumpily, morosely.
urticacee *s.f. pl. bot.* Urticaceae.
urticant *adj.* urticant.
urticarie *s.f. med.* rash.
urui *vi.* v. h u r u i.
uruitură *s.f.* v. h u r u i t u r ă.
urzeală *s.f.* **1.** warp. **2.** *(mașinație)* machination, intrigue.
urzi *vt.* **1.** to warp. **2.** *(a mașina)* to hatch, to plot; *a ~ un complot* to plot, to collude.
urzica *vt., vi., vr.* to nettle (oneself).
urzică *s.f. bot.* **1.** (stinging) nettle *(Urtica dioica)*. **2.** *(moartă)* dead nettle *(Lamium maculatum)*.
urzicător *adj.* v. u r t i c a n t.
urzicătură *s.f.* nettle rash, urtication.
urzitor *s.m.* **1.** *text.* warper. **2.** *fig.* plotter, schemer, intriguer.
urzitură *s.f.* **1.** warp; texture. **2.** *fig.* foundation, basis; structure.
usca I. *vt.* **1.** to dry. **2.** *(a șterge)* to wipe (dry). **3.** *(la aer)* to air. **4.** *(a epuiza)* to exhaust. **II.** *vr.* **1.** to (become) dry. **2.** *(a seca)* to run dry; to drain. **3.** *(d. flori)* to wither; to droop.
uscare *s.f.* drying.
uscat I. *s.n.* **1.** drying. **2.** *(pământ)* land. **3.** *(continent)* mainland, continent; *de ~* land.... **II.** *adj.* **1.** dry. **2.** *(ofilit)* withered, drooping. **3.** *(arid și)* barren, arid. **4.** *(ars)* parched, scorched.
uscăcios *adj.* **1.** rather dry. **2.** v. u s c ă ț i v.
uscăciune *s.f.* **1.** dryness. **2.** *(secetă)* drought. **3.** *fig.* aridity, barrenness.
uscător *s.n.* drier, drying device / apparatus.
uscătorie *s.f.* drying room / stove.
uscături *s.f. pl.* drywood; brushwood.
uscățele *s.f. pl.* v. v r e a s c u r i.
uscățiv *adj.* bony, scraggy.
usciór *s.m.* v. u ș o r I.
usnă *s.f. pop.* brim, rim.
ustaș *s.m. ist.* Croatian fascist terrorist (in the 1930's).
ustensile *s.f. pl.* utensils, tools, implements.
ustilaginale *s.f. pl. bot.* Ustilaginales.
ustura *vt.* **1.** to smart; to burn. **2.** *fig.* to sting, to bite.
usturătură *s.f.* **1.** v. u s t u r i m e. **2.** burning.
usturime *s.f.* smarting pain.
usturoi *s.n. bot.* garlic *(Allium sativum)*.
usturoia *vt.* to add garlic to a meal, to flavour with garlic.
usturoiat *adj.* garlicky.
usturoiță *s.f. bot.* garlic mustard, hedge garlic, Jack-by-the-hedge *(Alliaria officinalis)*.
usuc *s.n.* *(în lâna oilor)* yolk, wool oil.
ușar, ușer *s.m. ist.* (high official acting as) usher at court.
ușă *s.f.* **1.** door. **2.** *(prag)* threshold. **3.** *(deschidere)* doorway. **4.** *fig. și* gate; *~ de la stradă* street door; *~ turnantă* hinged door; *cu ușile închise fig.* in camera.
ușcior *s.m.* v. u ș o r I.
ușier *s.m.* usher.
ușiță *s.f.* wicket.
ușor I. *s.m.* (door) jamb. **II.** *adj.* **1.** light. **2.** *(de făcut)* easy. **3.** *(mic)* slight. **4.** *(abia simțit)* gentle. **5.** *(subțire)* thin; superficial. **III.** *adv.* **1.** easily, as easy as nothing. **2.** *(fără apăsare etc.)* lightly.
ușura I. *vt.* **1.** to lighten. **2.** *(a micșora)* to diminish, to moderate. **3.** *(a slăbi)* to relieve. **4.** *(a alina)* to soothe, to calm. **5.** *(o povară și)* to disburden, to alleviate. **II.** *vr.* **1.** to relieve oneself. **2.** *(a-și face nevoile)* to relieve nature.
ușurare *s.f.* **1.** relief; alleviation. **2.** facilitation.
ușuratic I. *adj.* flippant, careless. **II.** *adv.* wantonly, flippantly.
ușurătate *s.f.* v. u ș u r i n ț ă.
ușurător *adj.* soothing, easing, relieving.
ușurel *adv.* slowly, gently, easily; *mai ~!* take it easy, don't be so hoity-toity!
ușurime *s.f.* **1.** facility. **2.** *fig.* light-mindedness.
ușurință *s.f.* **1.** *(pondere)* lightness. **2.** *(facilitate)* facility, easiness. **3.** *(frivolitate)* wantonness, flippancy. **4.** *(nechibzuință)* carelessness, rashness. **5.** *(îndemânare)* agility, nimbleness; *cu ~* easily, without difficulty; *(neserios)* recklessly.
ut *s.m. muz.* ut, C.
uter *s.n. anat.* uterus, womb.
uterin *adj. anat.* uterine.
util *adj.* useful, good; reasonable.
utila *vt.* to equip.
utilaj *s.n.* equipment, outfit.
utilare *s.f.* equipment.
utilitar *adj.* utilitarian; service...
utilitarism *s.n. filoz.* utilitarianism.
utilitarist *adj., s.m.* utilitarian.
utilitate *s.f.* use(fulness).
utiliza *vt.* to use, to utilize, to resort to.
utilizabil *adj.* utilizable.
utilizare *s.f. el.* utilization.
utopic *adj.* Utopian.
utopie *s.f.* Utopia.
utopism *s.n.* utopianism.
utopist *s.m.* Utopian, Utopist.
utrenie *s.f.* morning service, matins.
uța *adv. a da ~ (pe genunchi)* to dance / dangle on one's knees; *a se da ~* to rock, to swing; *(pe un scaun)* to balance oneself on a chair.
uvalas *subst. geol.* uvala.
uvarovit *s.n. mineral.* uvarovite, uvarowite.
uvertură *s.f.* overture.
uviol *s.n.* uviol glass.
uvraj *s.n.* literary / scientific work.
uvrier *s.m.* worker, workman.
uvular *adj. lingv.* uvular.
uvulă *s.f. anat.* uvula.
uz *s.n.* **1.** usage. **2.** *(obicei și)* custom, tradition. **3.** *(întrebuințare și)* use, utilization.
uza I. *vt.* **1.** to use. **2.** *(a roade etc.)* to wear out / off. **II.** *vi. a ~ de* to resort to, to use. **III.** *vr.* to wear (out).
uzaj *s.n.* **1.** v. u z u r ă. **2.** *livr.* usage; custom.
uzanță *s.f.* usage, tradition.
uzare *s.f.* wear and tear.
uzat *adj.* **1.** worn out. **2.** *(d. haine)* threadbare, shabby.
uzbec *s.m., adj.* Uzbek.
uzina *vt.* to tool, to machine(-finish), to manufacture.
uzinaj *s.n.* machining, tooling, machine-finishing.
uzinare *s.f.* v. u z i n a j.
uzină *s.f.* works, factory; *~ de apă* water works; *~ de gaz* gas works; *~ electrică* power station.
uzita I. *vt.* to use. **II.** *vr. pas.* to be used.
uzitat *adj.* in (current) usage, current.
uzual I. *adj.* usual; customary. **II.** *adv.* usually.
uzucapiune *s.f. jur.* usucap(t)ion.
uzufruct *s.n.* usufruct.
uzufructuar *adj., s.m. jur.* usufructuary.
uzurar I. *adj. ec.* usurious, usurer's ...; *împrumut ~* usurious loan, loan at an exorbitant interest. **II.** *s.m.* usurer.
uzură *s.f.* wear (and tear).
uzurpa *vt.* to usurp.
uzurpare *s.f.* usurpation.
uzurpator *s.m.* usurper.

V

V, v *s.m.* V, v, the twenty-sixth letter of the Romanian alphabet.
v- *pron.* v. v ă.
va *vi. defectiv: mai va* just wait; *va să zică* therefore, then.
vacant *adj.* vacant; unoccupied; empty.
vacanță *s.f.* **1.** holiday(s). **2.** *jur., pol.* recess. **3.** *(slujbă)* vacancy; *vacanța mare* the summer holidays, the long; *în ~* on holiday(s); during the holidays.
vacarm *s.n.* uproar, hubbub.
vacat *s.n. poligr.* white page.
vacă *s.f.* **1.** cow. **2.** *fig.* goose; *~ cu lapte* milk cow; *~ de muls fig.* pigeon; *~ încălțată* dolt, blockhead.
vaccin *s.n.* **1.** vaccine. **2.** *(vaccinare)* vaccination.
vaccina *vt.* to vaccinate.
vaccinal *adj. med.* vaccinal.
vaccinare *s.f.* vaccination; inoculation.
vaccinator *s.m. med.* vaccinator; (*doctor*) vaccinating physician.
vaccină *s.f. med.* vaccinia, cow pox.
vaccinoterapie *s.f. med.* vaccin therapy, vaccinotherapy.
vacs *s.n., interj.* v. v a x.
vacuitate *s.f.* vacuity, emptiness.
vacuolar *adj.* **1.** *biol.* vacuolar. **2.** *bot., geol.* vesicular.
vacuolă *s.f.* **1.** *biol.* vacuole. **2.** *bot., geol.* vesicle.
vacuum *s.n.* **1.** vacuum. **2.** vacuum apparatus.
vacuumare *s.f. fiz., constr.* vacuumizing.
vacuumetru *s.n. fiz.* low-pressure manometer / gauge, vacuummeter.
vad *s.n.* **1.** ford. **2.** shop of good custom. **3.** frequented place.
vademecum *s.n.* vade-mecum, guide book.
vadră *s.f.* **1.** *ist.* Wallachian and Moldavian volume measure unit (about 10 liters). **2.** pail used in the countryside.
vaer *s.n.* cry, lament.
vag I. *adj.* **1.** vague, indefinite. **2.** *fig.* dim, hazy. **II.** *adv.* vaguely, dimly.
vagabond I. *s.m.* tramp. **II.** *adj.* vagabond, vagrant.
vagabonda *vi.* to loaf, to ramble.
vagabondaj *s.n.* vagrancy.
vagant *adj.* vagrant, rambling.
vagin *s.n. anat.* vagina.
vaginal *adj. anat.* vaginal.
vaginită *s.f. med.* vaginitis.
vagon *s.n.* **1.** waggon. **2.** *(de pasageri)* carriage. **3.** *(de marfă)* truck; *~ cisternă* tank waggon; *~ de bagaje* luggage van; *~ de dormit* sleeping car; *~ restaurant* dining car, diner.
vagonet *s.n.* truck; tub.
vagonetar *s.m.* haulage man.
vagotomie *s.f. med.* vagotomy.
vagotonie *s.f. fiziol.* vagotony, vagotonia.
vai *interj.* oh dear!, poor me! *~ de tine!* I pity you!
vaiet *s.n.* **1.** groan, moan. **2.** lamentation.
vaișeșika *subst. filoz.* Vaisheshika, Vaișesika.
vajnic *adv.* dauntless, vigorous.
val *s.n.* **1.** wave. **2.** *(mare)* billow, comber. **3.** *(de apărare)* wall; *~ de căldură* heat wave; *~ de greve* strike wave; *~urile vieții* the ups and downs of life; *~ vârtej* like a bolt. **4.** *ist. mil.* vallum, precinct earthwork wall.
valabil *adj.* **1.** valid. **2.** *(curent și)* available; current. **3.** *(îndreptățit)* justified, legitimate.
valabilitate *s.f.* validity, justification.
valah *s.m., adj.* Vlach, Wallachhian.
valahic *adj. ist.* Wallachian.
valdensi *s.m. pl. ist. rel.* Waldenses, Valdenses.
vale *s.f.* **1.** valley. **2.** *(vâlcea)* dale, glen; *în* sau *la ~* down (the valley); down(hill); *(pe râu)* downstream; *mai la ~ fig.* below, later on.
valență *s.f.* valence.
valerianacee *s.f. pl. bot.* Valerianaceae, the Valerian family.
valeriană *s.f.* valerian.
valerianic *adj. chim.* valeric, valerianic (acid).
valet *s.m.* **1.** flunkey, footman. **2.** *(la cărăi)* knave, jack.
valeu *interj.* v. a o l e u.
valgus *adj. anat.* valgus.
valid *adj.* able-bodied.
valida *vt.* to validate.
validare *s.f.* validation.
validitate *s.f.* validity.
valină *s.f. biochim.* valin(e).
valiu *s.m. ist. Turciei* vali, governor of a vilayet.
valiză *s.f.* **1.** valise, portmanteau. **2.** *(mare)* suitcase; *~ diplomatică* diplomatic mail.
valmă *s.f.* bustle; *de-a valma* helter-skelter, higgledy-piggledy; all of a heap.
valoare *s.f.* **1.** value. **2.** amount. **3.** și *fig.* worth. **4.** *fig.* merit, desert. **5.** *(sens)* sense, meaning. **6.** importance, significance; *de ~* valuable; *fig.* și worthy; *fără ~* worthless; *în ~ de* to the sum of.
valon *s.m., adj.* Walloon.
valora *vi.* to be worth; to cost.
valoric *adj.* value...
valorifica *vt.* to capitalize, to turn to (good *sau* the best) account.
valorificare *s.f.* capitalization; turning to account; utilization.
valoriza *vt. filoz.* to valuate, to valorize.
valoros *adj.* **1.** valuable, precious. **2.** *fig.* și worthy, distinguished.
vals *s.n.* waltz, valse.
valsa *vi.* to waltz.
valsator *s.m.* waltzer.
valtrap *s.n.* shabrack; caparison.
valț *s.n. tehn.* **1.** roll(er). **2.** mixing mill.
valutar *adj.* currency..., money...
valută *s.f.* (foreign) currency.
valvar *adj.* valv(ul)ar.
valvă *s.f. bot., tehn. etc.* valve.
valvârtej I. *adv.* **1.** quickly, rushingly, nervously, anxiously. **2.** in a jumble. **II.** *s.n.* jumble, bustle.
valvolină *s.f.* (heavy) machine / valve oil.
valvular *adj.* valvular, valvulate.
valvulă *s.f. anat., tehn.* valvule; valvelet.
valvulotomie *s.f. med.* valvulotomy.
vamal *adj.* custom (house), customs...
vamă *s.f.* **1.** custom house, customs. **2.** *(taxă)* (custom) duty.

vameș *s.m.* custom-house officer.
vampă *s.f.* vamp, gold-digger.
vampir *s.m.* vampire.
van *adj.* **1.** vain; fruitless. **2.** idle, futile; *în* ~ vainly, in vain.
vanadinit *s.n. mineral.* vanadinite.
vanadiu *s.n. chim.* vanadium.
vană *s.f.* **1.** tub. **2.** *tehn.* valve.
vandabil *adj. ec.* merchantable, salable, marketable.
vandabilitate *s.f. ec.* salability, marketability.
vandal *s.m.* vandal.
vandalic *adj.* vandalic.
vandalism *s.n.* vandalism.
vang *s.n. constr.* stair horse, string board, stringer.
vanilie *s.f.* **1.** *bot.* vanilla (plant) *(Vanilia aromatica)*. **2.** vanilla.
vanilină *s.f. chim.* vanillin.
vanitate *s.f.* vanity, pride.
vanitos *adj.* vainglorious, conceited.
vapor I. *s.m.* steam, vapour. **II.** *s.n.* steamer; (steam)ship.
vaporean *s.m.* v. m a r i n a r.
vaporiza *vt., vr.* to vaporize.
vaporizare *s.f.* vaporization.
vaporizator *s.n.* **1.** vaporizer. **2.** *(de parfum)* atomizer, sprayer.
vaporos *adj.* vaporous; ethereal.
var *s.n.* lime; ~ *nestins* quick lime; ~ *stins* slaked lime.
vara *adv.* in summer (time).
varactor *s.n. telec.* varactor.
vară *s.f.* **1.** (girl) cousin. **2.** *(anotimp)* summer; ~ *primară* cousin german; *astă* ~ last summer; *de* ~ summer (time); *la* ~ next summer.
varec *s.n. bot.* seaweed.
varegi *s.m. pl. ist.* Varangians.
vargă *s.f.* rod, switch.
vari *s.m. zool.* ruffed lemur *(Lemur varius / variegatus)*.
varia *vt., vi.* to vary, to alter.
variabil *adj.* **1.** variable; changeable. **2.** *(schimbător)* changing, fluctuating. **3.** *(nestabil)* inconstant, inconsistent.
variabilă *s.f. mat.* variable.
variabilitate *s.f.* variability, changeableness, mutability; unsteadiness; fluctuation.
variantă *s.f.* variant; alternative.
varianță *s.f. fiz.* variation.
variat *adj.* varied, diverse.
variator *s.n. tehn.* speed variating device.
variație *s.f.* variation.
varicap *s.n. telec.* v. v a r a c t o r.
varice *s.f. med.* milkleg.
varicelă *s.f. med.* chicken pox.
varicocel *s.n. med.* varicocele.
varicos *adj. med.* varicose.
varietate *s.f.* variety.
varieteu *s.n.* music hall, variety show.
variolă *s.f. med.* smallpox, variola.
variolic *adj. med.* variolous, variolic.
variometru *s.n. el., av.* variometer.
varistor *s.n. el.* varistor.
varmetru *s.n. el.* varmeter.
varniță *s.f.* **1.** lime chest. **2.** lime kiln.
varometru *s.n. el.* varhour meter; reactive energy meter.
varus *adj. anat.* varus.
varză *s.f. bot.* cabbage; ~ *acră* sau ~ *murată* brine cabbage, sauerkraut.
varzea *s.f.* tropical Amazonian forest localized in a flooded area.
vas *s.n.* **1.** vessel. **2.** *(oală și)* pot, receptacle. **3.** *mar. și ship, craft;* ~ *de flori* flower vase; ~ *de linie* battle ship; ~ *de lut* sau *pământ* earthen pot; ~ *de război* man-of-war, warship; *~e comunicante* communicating vessels.
vasal *s.m., adj.* vassal.
vasalitate *s.f.* vassalage.
vascular *adj. anat.* vascular, vasculiferous.
vasculariza *vt.* to vascularize.
vascularizat *adj. anat.* vascularized.
vascularizație *s.f. anat.* vascularization.
vaselină *s.f.* vaseline, petrolatum.
vasilcă *s.f. pop.* **1.** adorned pig's head carried on a tray by lads who sing carols on New Year's Eve. **2.** name of the carol they sing.
vasoconstrictor *adj., s.n.* vasoconstrictor.
vasoconstricție *s.f. fiziol.* vasoconstriction.
vasodilatare *s.f. med.* vasodilatation.
vasodilatator *adj. med.* vasodilator, vasodilating; vasohypotonic.
vasodilatație *s.f. med.* vasodilatation.
vasomotor *adj. fiziol.* vasomotor.
vasopresină *s.f. biochim.* vasopressin.
vast *adj.* vast, large.
vastitate *s.f.* vastness, ampleness; large scope.
vatală *s.f. text.* weaver's reed.
vată *s.f.* **1.** cotton(-wool). **2.** *(de croitorie)* wadding; ~ *de sticlă* glasswool.
vatelină *s.f.* wadding.
vatir *s.n.* hempen or linen rough cloth used for lining clothes.
vatman *s.m.* wattman; AE motor man.
vatos *s.m. iht.* raja *(Raja clarata)*.
vatră *s.f.* **1.** hearth, fireplace. **2.** *(casă)* house, home. **3.** *(arie)* area.
vax I. *s.n.* **1.** shoe polish. **2.** *fig.* și piffle, trifle. **II.** *interj.* fiddlesticks!, (tommy) rot!
vază *s.f.* **1.** *(vas)* (flower) vase. **2.** *(renume)* renown, fame. **3.** *(autoritate)* authority, pull; *cu* ~ renowned, outstanding.
vă *pron.* **1.** *acuz.* you. **2.** *dat.* (to) you.
văcar *s.m.* cowherd, cowboy.
văcălie *s.f.* v. v e ș c ă.
văcărit *s.n. ist.* tax on the number of cattle.
văcăriță *s.f.* (woman) cowherd.
văcsui *vt.* to black, to polish.
văcsuitor *s.m.* shoeblack.
vădană *s.f. fam.* widow.
vădi I. *vt.* to show, to evince. **II.** *vr.* to become clear, to turn out, to prove.
vădit *adj.* obvious, manifest.
vădrărit *s.n. ist.* tax on each twelve litres of wine.
văduv *s.m.* widower.
văduvă *s.f.* **1.** widow. **2.** *(bogată)* dowager; ~ *de paie* grass widow.
văduvi *vt.* to deprive, to rob (of).
văduvie *s.f.* widowhood.
văduvioară *s.f.* **1.** young widow. **2.** *iht.* orfe, ide (*Leuciscus idusidus*).
văduvit *adj.* widowed.
văduviță *s.f. iht.* cisco, lake herring, Leucichthys *(Leuciscus idus)*.
văgăună *s.f.* gully, ravine.
văicăreală *s.f.* lamentation, wailing.
văicări *vr.* to wail, to lament.
văicărit *s.n.* v. v ă i c ă r e a l ă.
văioagă *s.f. reg.* narrow and not very deep valley, ravine.
văita *vr.* to groan, to lament.
văitare *s.f.* **văitat** *s.n.* lamentation, wailing.
văl *s.n.* **1.** veil. **2.** *fig.* film, haze; *~ul palatului* soft palate, uvula.
vălătuc *s.m.* **1.** roll; cylinder. **2.** roller. **3.** thread. **4.** (*pt. case*) wattle.
vălătuci *vt.* to roll out, to flatten (out) with a roller.
vălmășag *s.n.* **1.** confusion, jumble. **2.** *(zarvă)* tumult, hubbub.
vălăui *vt.* **1.** *met.* to roll on. **2.** *text.* to tumble.
vălăuitor *s.m. ind.* expander.
vălurire *s.f.* v. u n d u i r e.
văluros *adj.* v. u n d u i t.
vămui *vt.* **1.** to make (smth.) clear customs. **2.** *fig.* to take a toll of.
vămuire *s.f.* clearing customs.
văpaie *s.f.* flame, blaze.
văpaiță *s.f.* **1.** earthen lamp. **2.** torch, rush-light.
văr *s.m.* cousin; ~ *primar* cousin german.

văra *vi.* **1.** to spend the summer. **2.** to keep the sheep or cattle in a pasture area for the summer.
vărar *s.m.* **1.** lime burner. **2.** (*vânzător de var*) lime dealer.
vărat *s.n.* **1.** spending the summer. **2.** keeping the sheep or cattle in a pasture area for the summer.
văratic *adj.* summer (time)...
vărărie *s.f.* (*cuptor*) lime kiln; (*depozit*) lime storage.
vărdare *s.f. ornit.* popinjay (*Picus viridis*).
văarga *vt.* to streak.
vărgat *adj.* striped, streaked.
văros *adj.* limy.
vărsa I. *vt.* **1.** to pour (out). **2.** *(din greșeală)* to spill. **3.** *(sânge, lacrimi)* to shed. **4.** *(bani)* to pay, to deposit. **5.** *(a voma)* to vomit, to bring *sau* throw up. **6.** *(a răsturna)* to upset, to tipple. **II.** *vi.* to vomit, to cast forth. **III.** *vr.* **1.** to be spilled; to be upset. **2.** *(d. râu)* to flow (into the sea).
vărsare *s.f.* **1.** pouring. **2.** *geogr.* river mouth; ~ *de sânge* bloodshed.
vărsat *s.n.* **1.** smallpox. **2.** *(vărsătură)* vomit(ing); ~ *de vânt* chickenpox; ~ *negru* variola, cowpox.
vărsământ *s.n.* payment.
Vărsătorul *s.m.* the Water carrier, Aquarius.
vărsătură *s.f.* vomiting.
vărui *vt.* to whitewash.
văruială *s.f.*, **văruire** *s.f.* whitewashing.
văruit *s.n.* whitewashing.
vărzar *s.m.* cabbage grower.
vărzare *s.f.* cabbage pie.
vărzărie *s.f.* **1.** cabbage garden. **2.** (*grădină de zarzavat*) vegetable garden.
văsărie *s.f.* v. v e s e l ă.
vătaf *s.n.* **1.** bailiff. **2.** *(administrator)* manager.
vătală *s.f. text.* weaver's reed.
vătăma *vt.* **1.** to harm, to damage. **2.** *(a răni)* to wound, to hurt.
vătăman *s.m. ist.* (in medieval Moldavia). **1.** head of a free village. **2.** representative of the feudal squire in the vassal villages.
vătămare *s.f.* **1.** harm, damage. **2.** *(rană)* wound.
vătămătoare *s.f. bot.* anthyllis (*Anthyllis vulneraria*).
vătămător *adj.* **1.** harmful, injurious. **2.** *fig.* detrimental, prejudicial (to).
vătămătură *s.f.* **1.** wound. **2.** *pop.* rupture, hernia.
vătășel *s.m.* **1.** *ist.* clerk in the town-hall. **2.** bailiff. **3.** best man or herald at wedding.
vătrai *s.n.* poker.
vătui[1] *s.m.* heifer.
vătui[2] *vt.* to wad, to pad.
vătuit *adj.* wadded, padded.
văz *s.n.* **1.** sight. **2.** *(vedere și)* eyesight.
văzdoagă *s.f. bot.* common tansy (*Tanacetum vulgare*).
văzduh *s.n.* air.
văzut *adj.* seen etc. v. v e d e a; *de* ~ worth seeing; *a fi bine* ~ *de...* to be well thought of by..., appreciated, esteemed.
vâj *interj.* (*d. aripi, obuz, elice de avion*) whirr! (*d. glonă, mașină care trece în viteză*) whizz!
vâjâi *vi.* **1.** to whistle, to whizz; to roar. **2.** *(d. glonț și)* to ping. **3.** *(d. urechi)* to buzz.
vâjâială *s.f.* v. v â j â i t; *în* ~ *fam.* on the spree / rampage / randan.
vâjâietoare *s.f.* rattle.
vâjâit *s.n.* whiz(zing); roar(ing) etc. v. v â j â i.
vâjâitor *adj.* roaring etc. v. v â j â i.
vâjâitură *s.f.* v. v â j â i t.
vâlcea *s.f.* dale, glen.
vâlnic *s.n. reg.* **1.** thick cloth. **2.** veil, headkerchief. **3.** cleft skirt.
vâltoare *s.f.* eddy, whirl(pool).
vâlvă *s.f.* commotion, stir.
vâlvătaie *s.f.* blaze.
vâlvoare *s.f.* v. v â l v ă t a i e.
vâlvoi *adj.* dishevelled.
vâna I. *vt.* **1.** to hunt, to chase. **2.** *(a împușca)* to shoot. **II.** *vi.* to hunt, to go a-hunting.
vânat *s.n.* **1.** game. **2.** *(mâncare)* venison. **3.** *(vânătoare)* hunting.
vână *s.f.* **1.** vein. **2.** *anat. și vena.* **3.** *min.* lode; ~ *de bou* bull's pizzle; *pe vine* squatting, hunching.
vânăt *adj.* bluish, purple.
vânătaie *s.f.* **1.** bruise. **2.** *(la ochi)* black eye.
vânătă *s.f.* aubergine, eggplant.
vânătoare *s.f.* **1.** hunting, sport. **2.** *(goanț)* chase. **3.** *fig.* hunt; ~ *de balene* whaling; ~ *de păsări* fowling; *de* ~ hunting; sporting.
vânător *s.m.* hunter, sportsman; *~i de munte* mountain troops.
vânătoresc *adj.* hunter's.
vânătorește *adv.* like a hunter etc. v. v â n ă t o r.
vânătorie *s.f.* hunting.
vândut I. *s.m.* traitor. **II.** *adj.* sold (out); corrupt.
vânj *s.m. bot.* elm tree *(Ulmus levis)*.
vânjos *adj.* strong, sturdy.
vânos *adj.* sinewy; strong.
vânt *s.n.* **1.** wind. **2.** *(adiere)* breeze. **3.** *(puternic)* gale; hurricane; *ca ~ul* quick as lightning; *de* ~ wind; *în* ~ *fig.* uselessly.
vântoasă *s.f.* strong gust of wind, great gale; storm; whirlwind; high wind.
vântos *adj.* windy.
vântrea *s.f. nav.* sail.
vântura I. *vt.* **1.** to winnow, to fan. **2.** *(o idee etc.)* to ventilate. **3.** *(lumea)* to roam, to scour. **II.** *vr.* to wander; to go about.
vântură-lume *s.m.* **1.** adventurer. **2.** *fam.* gassy / windy fellow, gas bag.
vânturătoare *s.f. agr.* winnow(ing machine).
vânturător *s.m.* adventurer; ~ *de fraze fam.* gas bag, phrasemonger.
vânturătură *s.f.* **1.** winnowing. **2.** chaff.
vântură-țară *s.m.* v. v â n t u - r ă - l u m e.
vânturel *s.m. ornit.* v. v i n d e r e u.
vânzare *s.f.* **1.** sale. **2.** *(trădare)* treason, treachery; ~ *la licitație* sale by auction.
vânzătoare *s.f.* shop assistant *sau* girl, AE clerk.
vânzător *s.m.* **1.** seller, vendor. **2.** shop assistant, AE clerk; ~ *ambulant* street vendor, pedlar; ~ *de țară* traitor (to one's country).
vânzoleală *s.f.* bustle, turmoil, fret(ting), commotion, agitation.
vânzoli I. *vt.* to stir. **II.** *vr.* to fuss, to bustle, to go to and fro.
vârcolac *s.m.* werwolf, wolfman; vampire, ghoul; ghost.
vârf *s.n.* **1.** tip; top. **2.** *(pisc)* summit, peak. **3.** *fig.* și climax, acme. **4.** *(ascuțiș)* point. **5.** *geom.* vertex; *în ~ul degetelor* on tiptoe; *cu* ~ full to the brim; *cu* ~ *și îndesat fig.* with a vengeance.
vârfui *vt.* to heap; to fill to the brim.
vârî I. *vt.* **1.** to shove, to thrust. **2.** *(implica)* to involve. **3.** *(a investi)* to invest, to sink. **4.** *(adânc)* to bury; *fig.* și to get, to put. **II.** *vr.* **1.** to interfere, to meddle. **2.** *(ca un intrus)* to intrude, to poke one's nose. **3.** *(a se târî)* to creep; *a se* ~ *sub pielea cuiva* to curry favour with smb.
vârstă *s.f.* **1.** age. **2.** *(perioadă și)* period; era; ~ *înaintată* advanced age; *în* ~ elderly; *în* ~ *de 7 ani* seven years old; *între două~e*

middleaged; *cu vârsta* in the long run, with the years. **3.** *reg.* stripe (of colour); mark left by lash on skin. **4.** nosegay bouquet.
vârstnic *adj.* **1.** ripe, mature. **2.** of age.
vârșă *s.f.* bow net; *(pt țipari)* eel (pout) basket.
vârtej *s.n.* **1.** eddy, whirlpool. **2.** *(de vânt)* whirlwind. **3.** *fig.* whirl; bustle.
vârtelniță *s.f.* reel.
vârtop *s.n.* v. h â r t o p.
vârtos I. *adj.* **1.** solid, firm. **2.** strong, vigorous. **3.** *(țeapăn)* rigid, stiff. **4.** *(și fig.)* tough. **II.** *adv.* **1.** strongly, vigorously. **2.** rigidly, firmly; *cu atât mai ~ cu cât...* (all) the more so as...
vârtoșie *s.f.* **1.** vigour; strength; force. **2.** *(a caracterului)* harshness, sternness, rigour, asperity, inflexibility.
vârtute *s.f. înv.* **1.** strength. **2.** courage, bravery. **3.** property; quality.
vâsc *s.n. bot.* mistletoe *(Viscum album).*
vâscos *adj.* viscous, viscid.
vâslaș *s.m.* oarsman.
vâslă *s.f.* **1.** oar. **2.** *(padelă)* paddle.
vâsli *vi.* **1.** to row. **2.** *(cu padela)* to paddle.
vâzdoagă *s.f. bot.* African marigold *(Tagetes erecta).*
veac *s.n.* **1.** century. **2.** *fig. și* age, period, epoch. **3.** *(eternitate)* eternity; *în veci* for ever; to the end of time.
vece *s.f. ist* **1.** (town) council (in Russia). **2.** Parliament or government (in Yugoslavia).
vecernie *s.f.* vespers.
veceu *s.m. fam. pop.* lavatory, water closet.
vechi *adj.* **1.** old, ancient. **2.** *(demodat)* obsolete, superannuated.
vechil *s.m.* steward, bailiff.
vechime *s.f.* **1.** age; *(mare)* antiquity. **2.** *(în slujbă)* seniority, length of service; *din ~* (from days) of yore.
vechitură *s.f.* **1.** old thing, old dress. **2.** *pl.* old clothes. **3.** *pl. (mobile)* lumber.
vecie *s.f.* eternity; *pe ~* for ever.
vecin I. *s.m.* neighbour; *prin ~i* in the neighbourhood. **II.** *adj.* neighbouring, adjacent.
vecinătate *s.f.* **1.** neighbourhood. **2.** *(apropiere)* proximity; vicinity; *bună ~* neighbourliness.
vecinie *s.f. ist.* serfdom.
vectocardiografie *s.f. med.* vectocardiography.
vector *s.m. mat.* vector.
vectorial *adj. mat.* vectorial.
vedanta *s.f. filoz., rel.* Vedanta.
vedda *s.m. geogr.* Vedda(h).
vede *s.f. pl. filoz., rel.* Vedas.
vedea I. *vt.* **1.** to see. **2.** *(a observa)* to notice. **3.** *(a asista la și)* to witness, to attend. **4.** *(a întâlni)* to meet. **5.** *(a vizita)* to visit. **6.** *(a înțelege și)* to understand, to realize; *nu l-am văzut în viața mea* I never clapped eyes on him; *vezi să nu!* don't fear!; *vezi să nu cazi* mind your step. **II.** *vi.* to see, to have (good) eyesight; *a ~ de* to look after, to mind; *ca să vezi!* just imagine!. **III.** *vr.* **1.** to be seen *sau* visible. **2.** *(a se pomeni)* to find oneself. **3.** *(a se ivi)* to show.
vedenie *s.f.* **1.** vision, hallucination. **2.** phantom, apparition.
vedere *s.f.* **1.** sight. **2.** *(văz și)* eyesight. **3.** *(priveliște și)* view. **4.** *(ilustrată)* picture postcard. **5.** *(părere)* opinion, view, idea. **6.** *(întâlnire)* meeting, visit; *vederi înguste* provincialism; *în ~a (cu subst.)* with a view to *(cu subst. sau forme în -ing).*
vedetă *s.f.* **1.** star, leading actor *sau* actress. **2.** *mar.* vedette, gunboat; *~ rapidă* speedboat; *~ torpiloare* torpedo boat.
vedetism *s.n.* swashbucklery, swagger.
vedic *adj. ist. rel.* Vedic.
vedoșii *s.m. pl.* v. v e d d a.
vegeta *vi.* to vegetate.
vegetal *adj.* vegetable, vegetal.
vegetale *s.f. pl.* plants.
vegetalin *s.n.* vegetable butter.
vegetar(ian)ism *s.m.* vegetarianism.
vegetarian *s.m., adj.* vegetarian.
vegetativ *adj.* vegetative; *înmulțire ~ă* vegetative propagation.
vegetație *s.f.* **1.** vegetation. **2.** *pl. med.* adenoids.
veghe *s.f.* **1.** wakefulness. **2.** *(și strajă)* watch; *de ~* vigilant.
veghea I. *vt.* to watch. **II.** *vi.* **1.** to be awake, to watch. **2.** *fig.* to be vigilant.
vehement I. *adj.* vehement, heated. **II.** *adv.* vehemently; ardently.
vehemență *s.f.* vehemence, violence, passion, bitterness, acrimony; impetuosity.
vehicul *s.n.* vehicle.
vehicula *vt.* to spread, to circulate, to convey, to transmit.
vel *adj. ist.* great (preceeding a title or a rank in medieval Wallachia or Moldavia).
velar *adj. lingv.* velar.
velarium *s.n. ist. arh.* velarium.
velatură *s.f. nav.* sails.
velă *s.f.* sail.
veleat *s.n. pop.* **1.** year. **2.** end of one's life / days.
veleitar *adj.* ambitious.
veleitate *s.f.* ambition, striving.
velin *adj.* vellum (paper).
velință *s.f.* **1.** v. c e r g ă. **2.** carpet.
velist *s.m. sport* yachtsman.
velit *adj. ist.* great, having the first rank in the noblemen's hierarchy (in medieval Moldavia or Wallachia).
velnicer *s.m.* owner of a brandy distiller / of a still.
velniș *s.m. bot.* elm tree *(Ulmus levis).*
velniță *s.f.* (brandy) distiller, still.
velociped *s.n.* (ordinary) cycle, *fam.* machine.
velocitate *s.f.* velocity.
velodrom *s.n.* cycling track.
velur *s.n. text.* velvet.
velurat *adj. text.* frayed (of leather).
velveton *s.n. text.* velveteen.
venal *adj.* venal, mercenary, corruptible; corrupt.
venalitate *s.f.* venality, corruption.
venă *s.f. med.* vena, vein; *vena cavă* vena cava.
vendetă *s.f.* vendetta, murderous revenge.
venectazie *s.f. med.* venectasia, phlebectasia.
venera *vt.* to venerate, to worship.
venerabil *adj.* venerable, honourable.
venerabilitate *s.f.* venerability.
venerare *s.f.* veneration.
venerat *adj.* venerated.
venerație *s.f.* veneration, awe.
veneric *adj.* venereal.
venerolog *s.m. med.* venerologist.
venerologie *s.f. med.* venerology.
venesecție *s.f. med.* venesection, venisection.
venetic *s.m., adj.* alien.
veneți *s.m. pl. ist.* Venetes, Venettis.
venețian *s.m., adj.* Venetian.
veni *vi.* **1.** to come; to arrive. **2.** *(a intra)* to drop *sau* come in. **3.** *(a apărea)* to appear, to turn up; *a-i veni (bine, rău cuiva)* to fit (smb.) well, badly etc.; *a ~ în întâmpinare (cu gen.)* to meet (smb. *sau* smth.) halfway; *a-i ~ rău (de emoție etc.)* to be taken ill etc.; *a-i ~ să (plece etc.)* to feel like (leaving etc.); *a~ din (o cauză)* to result from (a cause); *ce i-a venit?* what made him do it?; *a ~ pe lume* to be born; *a ~ acasă* to

come home *(și fig.)*; *bine ați ~t!* welcome!
venin *s.n.* **1.** venom, poison. **2.** *fig.* și spite, malice. **3.** *(fiere)* gall, bile.
veninariță *s.f. bot.* hedge / water hyssop (*Gratiola officinalis*).
veninos *adj.* **1.** venomous, poisonous. **2.** *(rău)* noxious, pernicious.
venire *s.f.* arrival, coming.
venit I. *s.n.* **1.** income, revenue. **2.** *(salariu)* wages. **3.** *(venire)* arrival, coming; *bun ~* welcome. **II.** *s.m.* newcomer.
venos *adj.* venous.
ventil *s.n. tehn.* valve.
ventila *vt.* to air, to fan.
ventilare *s.f.* **1.** ventilation, airing. **2.** *fig.* spreading.
ventilator *s.n.* fan, ventilator.
ventilație *s.f.* ventilation, airing.
ventral *adj. anat. etc.* ventral.
ventricea *s.f. bot.* speedwell (*Veronica*).
ventricul *s.n. anat.* ventricle.
ventricular *adj. anat.* ventricular.
ventriculografie *s.f. med.* ventriculography.
ventrilică *s.f. bot.* (common) speedwell (*Veronica officinalis*).
ventriloc *s.m.* ventriloquist.
ventru *s.n.* **1.** *fiz.* antinode loop (of wave, vibrating segment); ventral segment (of vibrating medium). **2.** *tehn.* bulge, swell.
venturi *subst. fiz.* venturi.
venturimetru *s.n. fiz.* Venturi meter.
ventuză *s.f.* **1.** cupping glass. **2.** *zool.* sucker.
Venus *s.f. mitol., astr.* Venus; *~ de Milo* Venus of Melos.
veracitate *s.f.* truthfulness, veracity.
verandă *s.f.* veranda.
verant *s.n. foto.* magnifying glass.
veratrină *s.f. farm.* veratrine, cevadine.
verb *s.n.* verb.
verbal I. *adj.* **1.** verbal. **2.** *(oral și)* oral. **II.** *adv.* orally.
verbină *s.f. bot.* vervain (*Verbena officinalis*).
verbozitate *s.f.* verbosity, wordiness, prolixity.
verde I. *s.n.* **1.** green (colour). **2.** *(verdeață)* verdure. **3.** *(la cărți)* spades. **II.** *adj.* **1.** green. **2.** *(verzui și)* greenish. **3.** *(proaspăt și)* fresh. **4.** *(viguros și)* hearty, hardy. **5.** *(necopt și)* unripe; raw. **III.** *adv.* openly, to smb.'s teeth.
verdeață *s.f.* **1.** green. **2.** *(plante și)* verdure. **3.** *pl.* greens, greengrocery.
verdict *s.n.* **1.** verdict. **2.** *jur. și* ruling.
veresie *s.f.* credit; *pe ~* on tick, on the cuff.
verga *s.f. nav.* top sail yard; studding-sail boom.
vergă *s.f. nav. yard.*
vergea *s.f.* rod.
vergență *s.f. fiz.* vergency.
vergeturi *s.f. pl. med.* vibex.
veridic I. *adj.* truthful, colourable. **II.** *adv.* truthfully, veridically.
veridicitate *s.f.* veracity, truthfulness, lifelikeness.
verif *s.n. în ~* askew.
verifica *vt.* to check (up), to verify.
verificabil *adj.* verifiable.
verificare *s.f.* check(ing), verification.
verificat *adj.* **1.** checked, verified. **2.** *(d. persoane)* skilled, experienced.
verificator I. *adj.* verifying etc. v. v e r i f i c a. **II.** *s.m.* controller, inspector.
verigar *s.m. bot.* buckthorn (*Rhamnus cathartica*).
verigariu *s.m.* v. v e r i g a r.
verigaș *s.m.* pander, pimp, procurer.
verigașă *s.f.* procuress.
verigă *s.f.* link.
verigel *s.m. bot.* broom rape (*Orobanche*).
verighetă *s.f.* wedding ring.
verism *s.n. lit., artă, muz.* Verism.
verist I. *adj.* verist(ic). **II.** *s.m.* verist.
verișoară *s.f.* cousin (german).
verișor *s.m.* cousin, coz.
veritabil *adj.* **1.** genuine. **2.** *(real și)* real, actual. **3.** *(autentic și)* authentic, true. **4.** *(credincios și)* staunch, loyal. **5.** *(pur)* pure, sterling. **6.** *(natural)* natural.
vermicid *s.n.* vermicide.
vermicular *adj.* vermicular, worm-shaped.
vermiculit *s.n. mineral.* vermiculite.
vermiform *adj.* vermiform, vermicular.
vermifug *adj., s.n.* vermifuge.
vermilion *s.n.* **1.** *chim.* vermilion. **2.** *artă pl.* cinnabar.
vermină *s.f. entom.* vermin.
vermis *s.n. anat.* vermis (of the cerebellum).
vermorel *s.n. tehn.* **1.** pesticide pump (for orchards, vineyards). **2.** housepainter's pump.
vermut *s.n.* vermouth.
vernal *adj.* vernal.
vernier *s.n. geom., fiz.* vernier (scale).
vernis *s.n.* varnish.
vernisa *vt.* to varnish.
vernisaj *s.n.* vernishing (day), inauguration.
vernisare *s.f. artă* **1.** varnishing. **2.** (vernisaj) varnishing day, inauguration day.
veronal *s.n. farm.* veronal, barbitone.
veros *adj.* dubious, fishy.
verosimil *adj.* likely, plausible.
verosimilitudine *s.f.* verisimilitude.
vers *s.n.* **1.** *(și pl.)* verse. **2.** *pl. și* poetry. **3.** *(rând)* line; *~uri albe* blank verse; *~uri proaste* doggerel, hedge rhyme.
versant *s.n.* slope, mountainside.
versat *adj.* expert, adept (at), well-versed, experienced (in).
versatil *adj.* inconstant, fickle, vacillating, wavering, irresolute.
versatilitate *s.f.* inconstancy, fickleness, vacillation, versatility.
verset *s.n.* verse.
versifica *vt., vi.* to versify.
versificare *s.f.* versification.
versificator *s.m.* versifier; *~ prost* rhym(est)er.
versificație *s.f.* **1.** versification, metrical structure. **2.** versification, poetic art.
versiune *s.f.* version.
verso *s.n.* verso, back (of the page).
versor *s.m. mat.* a vector the module of which is 1.
verstă *s.f.* verst.
vertebral *adj.* vertebral.
vertebrat *s.n., adj.* vertebrate.
vertebră *s.f. anat.* vertebra.
vertex *s.n. anat.* vertex.
vertical I. *adj.* vertical, perpendicular. **II.** *adv.* **1.** vertically. **2.** *(la rebus etc.)* down.
verticală *s.f.* vertical (line).
verticalitate *s.f.* verticality, perpendicularity.
verticil *s.n. bot.* verticil, whirl.
verticilat *adj.* verticillate, whorled.
verticilioză *s.f.* verticilliose, verticilliosis.
vertiginos I. *adj.* **1.** breathtaking, staggering, rapid. **2.** *(amețitor)* dizzy, giddy. **II.** *adv.* dizzily, rapidly.
vertij *s.n. med.* vertigo.
vervă *s.f.* verve; go.
vervenă *s.f. bot.* v. v e r b i a n ă.
verzală *s.f. poligr.* capital.
verziș *s.n.* (*frunziș*) foliage.
verzui *adj.* greenish.
vesel I. *adj.* merry, blithe. **II.** *adv.* joyfully, gladly.
veselă *s.f.* plates and dishes.
veseli *vr.* to make merry, to rejoice (at smth.); to carouse.

veselie *s.f.* joy, cheerfulness; merrymaking.
vespasiană *s.f.* street urinal, chalet, public convenience.
vest *s.n.* West; *de* ~ West(ern) westerly; *la* ~ *de* west of.
vestală *s.f.* vestal.
vestă *s.f.* waistcoat, vest.
veste *s.f.* news (item), (piece of) news; *pl.* tidings, information; *fără* ~ suddenly, unexpectedly.
vesti *vt.* **1.** to herald; to announce. **2.** to inform; to let (smb.) know.
vestiar *s.n.* **1.** cloakroom. **2.** *(cu dulăpioare)* locker room.
vestibul *s.n.* vestibule, entrance hall.
vestibular *adj.* vestibular.
vestic *adj.* western.
vestigiu *s.n.* vestige, trace.
vestimentar *adj.* clothing..., dress...
vestire *s.f.* announcement; *Buna Vestire* Annunciation.
vestit *adj.* **1.** famous, celebrated, renowned. **2.** *peior.* notorious, ill-famed.
vestitor **I.** *s.m.* **1.** herald, harbinger. **2.** *(sol și)* messenger. **II.** *adj.* heralding.
veston *s.n.* jacket, coat.
vescă *s.f.* *tehn.* sieve frame / hoop.
veșmânt *s.n.* **1.** attire, garment. **2.** *rel.* canonicals, vestment, sacerdotal attire.
veșnic **I.** *adj.* **1.** eternal, everlasting. **2.** *(neîntrerupt)* endless, ceaseless, permanent. **II.** *adv.* always, incessantly.
veșnicie *s.f.* **1.** eternity, immortality. **2.** *fig.* ages, long time.
veșted *adj.* withered, drooping.
veșteji **I.** *vt.* **1.** to wither, to wilt. **2.** *(a înfiera)* to brand, to stigmatize. **II.** *vr.* to fade, to droop.
veștejit *adj.* withered, off-colour.
veteran *s.m.* **1.** ex-serviceman. **2.** și *fig.* veteran, old-timer.
veterinar **I.** *s.m.* **1.** veterinary surgeon; *fam.* vet; *glumeț* horse doctor. **2.** *mil.* farrier. **II.** *adj.* veterinary.
veto *s.n.* veto.
vetrice s.f. bot. common tansy (*Tanacetum vulgare*).
vetust *adj.* stale, dusty.
veveriță *s.f.* *zool.* squirrel *(Sciurus vulgaris)*.
vexa *vt.* to hurt, to offend.
vexatoriu *adj.* insulting, offending.
vexațiune *s.f.* insult; offence.
vezical *adj.* *anat., med.* vesical.
vezicant *adj.* vesicant, vesicatory.
vezicator *adj.* vesicant.
vezică *s.f.* bladder.
vezicătoare *s.f.* *farm.* blister, vesicatory.
veziculă *s.f.* vesicle, bladder; ~ *aeriană iht.* air bladder, (fish) sound, swimming bladder.
vezuvian *subst. mineral.* vesuvianite, idocrase.
vi *pron.* (to) you.
via **I.** *vi.* to exist, to live, to be alive / living; to last. **II.** *prep.* via, through; by way of.
viabil *adj.* viable, fit to live, capable of living.
viabilitate *s.f.* viability.
viaduct *s.n.* viaduct.
viager *adj.* life(long).
viață *s.f.* **1.** life. **2.** *(existență și)* existence. **3.** *(vioiciune și)* vitality, vigour. **4.** *(realitate)* reality. **5.** *(durată)* lifetime, life span; *viața la țară* country life; *de* ~ life; *fig.* merry, gay; *în* ~ alive; above ground; during one's life.
vibra *vi.* to vibrate.
vibrafon *s.n.* vibraphone.
vibrant *adj.* vibrating, stirring.
vibrare *s.f.* vibration.
vibratil *adj.* vibratile.
vibrato *adv.* *muz.* vibrato.
vibrator **I.** *adj.* vibrating. **II.** *s.n.* *fiz.* vibrator.
vibrație *s.f.* vibration.
vibrion *s.m.* *med., biol.* vibrio.
vibrioză *s.f.* *med.* vibrosis, vibronic abortion.
vibrograf *s.n.* vibrograph.
vibrometru *s.n.* vibrometer.
vibronetezire *s.f.* *tehn.* superfinishing.
vicar *s.m.* dean.
vicariat *s.n.* office of locum tenens.
vice- *prefix* vice-.
viceamiral *s.m.* *mil., mar.* vice-admiral.
vicecancelar *s.m.* vice-chancellor.
vicecomite *s.m.* *ist.* deputy county ruler; vice count, viscount.
viceconsul *s.m.* vice-consul.
vicepreședinte *s.m.* vice-president, vice-chairman; *prim* ~ first vice-chairman.
vicerege *s.m.* viceroy.
viceversa *adv.* vice versa.
vicia *vt.* **1.** to vitiate; to spoil. **2.** *(aerul etc.)* to pollute.
viciat *adj.* **1.** corrupt(ed), vitiated. **2.** *(d. aer etc.)* polluted, foul.
vicinal *adj.* *drum* ~ by-road / local / country road; field way.
vicios *adj.* vicious.
vicisitudine *s.f.* vicissitude; hardship.
viciu *s.n.* vice, bad habit.
viclean **I.** *adj.* cunning, artful; *cel* ~ the evil one. **II.** *adv.* slyly.
vicleim *s.n., pop.* Nativity drama.
vicleni **I.** *vi.* *înv.* **1.** to plot, to instigate (against smb.). **2.** to behave treacherously. **II.** *vt.* **1.** to cheat on smb., to betray. **2.** to fathom, to sound.
viclenie *s.f.* art(fulness), cunning.
vicleșug *s.n.* sly trick, fraud.
viconte *s.m.* viscount.
vicontesă *s.f.* viscountess.
victimă *s.f.* victim; prey.
victorie *s.f.* victory, triumph; success.
victorios **I.** *adj.* victorious, triumphant. **II.** *adv.* victoriously, triumphantly.
vid *s.n.* **1.** vacuum. **2.** *fig.* void, emptiness.
vida *vt.* **1.** to void, to empty. **2.** *tehn.* to vacuum.
vidanja *vt.* to empty.
vidanjor *s.m.* nightman.
video- *prefix* video.
videocasetă *s.f.* videocasette, videotape.
videocasetofon *s.n.* videocasette recorder (VCR).
videofrecvență *s.f.* *telec.* video frequency.
videoplayer *s.n.* videocasette player.
vidicon *s.n.* *telec.* vidicon.
vidră *s.f.* *zool.* otter *(Lutra vulgaris)*.
vie *s.f.* vineyard.
vienez *s.m., adj.* Viennese.
vier *s.m.* **1.** wine grower, vintager. **2.** *zool.* boar.
vierit *s.n.* vine culture / growing.
viermănos *adj.* worm-eaten.
viermănoșa *vr.* to become infested with worms.
vierme *s.m.* *zool.* worm; ~ *de mătase* silk worm.
viermișor *s.m.* little / tiny worm, wormling, vermicule.
viermui *vi.* to swarm.
viermuială *s.f.* swarming; vermin.
viermușor *s.m.* v. v i e r m i ș o r.
viespar *s.n.* wasps' / hornets' nest.
viespariță *s.f.* wasps' nest.
viespărie *s.f.* v. v i e s p a r.
viespe *s.f.* **1.** *entom.* wasp, hornet *(Vespa)*. **2.** *fig.* shrew, scold.
vietate *s.f.* creature, living being.
vietnamez *s.m., adj.* vietnamese.
viețui *vi.* to live.
viețuire *s.f.* living; (*viață*) life.
viețuitoare *s.f.* v. v i e t a t e.
viețuitor *adj.* living, animate.

viezure *s.m. zool.* badger *(Meles vulgaris).*
vifor *s.n.* gale; snowstorm.
viforatic *adj.* stormy, tempestuous.
viforî *vi.* **1.** to be stormy. **2.** v. v i s c o l i.
vifornită *s.f.* v. v i f o r.
viforos *adj.* windy, wintry.
vigilent *adj.* vigilant, watchful.
vigilență *s.f.* vigilance, watchfulness; *lipsit de ~* easy-gullible.
vigilitate *s.f. psih.* watchfulness.
vignetă *s.f.* vignette.
vigoare *s.f.* **1.** vigour, strength. **2.** *fig. și* force; *în ~* in force; *(valabil)* valid, operative.
vigonie *s.f.* **1.** *zool.* vicuña, vicu(g)na. **2.** *text.* vicuña (wool, cloth).
viguros *adj.* **1.** vigorous, forceful. **2.** robust, hardy.
viitor I. *s.n.* **1.** future. **2.** future times, futurity; *de ~* coming; prospective; *în ~* in (the) future; in the years to come; *pe ~* in the future, from now on. **II.** *adj.* **1.** future. **2.** *(următor)* next, following.
viitorime *s.f.* **1.** after-ages / -times, futurity. **2.** posterity, future generations.
viitorologie *s.f.* futurology.
viitură *s.f.* high flood.
vijelie *s.f.* gale, storm.
vijelios *adj.* stormy, tempestuous.
viking *adj., s.m. geogr., ist.* Viking.
vilaiet *s.n. ist. Turciei* vilayet.
vilanelă *s.f. muz.* vilanella.
vilă *s.f.* **1.** villa. **2.** *(mică)* cottage.
vilbrochen *s.n. tehn.* crankshaft.
vileag *s.n.* common knowledge; *în ~* publicly; *a da în ~* to disclose, to reveal.
vilegiatură *s.f.* villegiatura, holidays (in the country); *în ~* on holiday(s).
vilegiaturist *s.m.* holiday maker.
vilozitate *s.f. anat.* villosity.
vin *s.n.* wine; *~ fiert* mulled wine; *~ gol* plain wine.
vinariță *s.f. bot.* sweet(-scented) woodruff (*Asperula odorata*).
vinars *s.n. pop.* brandy.
vinaturi *s.n. pl.* wines.
vină *s.f.* guilt; blame; *fără vina cuiva* without anybody being to blame.
vinărici *s.n. ist. României* tithe paid in wine.
vinci *s.n.* winch, windlass.
vinclu *s.n.* v. c o l ț a r.
vinde I. *vt.* **1.** to sell; to deal in. **2.** *(a trăda)* to betray, to sell out; *a ~ angro / cu ridicata* to sell wholesale; *a ~ cu amănuntul* to retail; *a ~ gogoși* to cut it too fat. **II.** *vi.* to sell. **III.** *vr.* **1.** to sell (oneself). **2.** *(d. marfă)* to sell (like hot cakes etc.).
vindeca I. *vt.* to heal, to cure. **II.** *vr.* to recover (from an illness), to get over (an illness).
vindecabil *adj.* curable.
vindecare *s.f.* recovery, healing.
vindecătoare *s.f. bot.* v. u s t u r o i ț ă.
vindecător I. *adj.* healing. **II.** *s.m.* healer.
vindecea *s.f. bot.* wood / common betony (*Betonica officinalis*).
vindecuță *s.f. bot.* v. u s t u r o i ț ă.
vindereu *s.m. ornit.* kerstel (*Falco tinnunculus*).
vindiac *s.n.* windproof jacket / coat.
vindicativ *adj.* vindic(a)tive; revengeful.
vindrover *s.n. agr.* windrower, side-delivery rake, swather.
vinerea *adv.* on Friday(s).
vineri I. *s.f.* Friday; *Vinerea Mare* Good Friday. **II.** *adv.* (on) Friday.
vineriță *s.f. bot.* bugle (*Ajuga reptans*).
vinețea *s.f. bot.* corn flower, bluebottle (*Centaurea cyanus*).
vinețeală *s.f.* **1.** v. v â n ă t a i e. **2.** washing blue, bluing.
vinețică *s.f. bot.* **1.** v. v i n e r i ț ă. **2.** russula (*Russula*).
vinețit *adj.* bluish.
vinețiu *adj.* purplish, purple.
vingalac *s.n. poligr.* composing stick.
vinicer *s.m. pop.* wine month; September.
vinicol *adj.* wine-making.
vinicultor *s.m.* vintager.
viniculturǎ *s.f.* wine growing.
vinietă *s.f.* vignette.
vinifer *adj.* **1.** viniferous, wine-bearing, wine-producing. **2.** v. v i n i c o l.
vinifica *vt.* to subject the must to the process of vinification.
vinificare *s.f.*, **vinificație** *s.f.* vinification.
vinificator *s.m.* wine maker, viniculturist.
vinil *s.m. chim.* vinyl.
vinilin *s.n.* polyvinyl.
viniplast *s.n.* vinyplast.
vino-ncoace *s.n.* come-hither, sex appeal.
vinos *adj.* **1.** winy, vinous. **2.** tasting / smelling like wine, of a winy flavour / taste.
vinotecă *s.f.* wine cabinet, collection of choice wine bottles.
vinovat I. *s.m.* culprit; guilty man. **II.** *adj.* guilty, culpable; *cine-i ~?* who is to blame?
vinovăție *s.f.* guilt(iness).
vintir *s.n.* pound net.
vintre *s.f. pl. pop.* **1.** *anat.* groin, inguinal region. **2.** *med.* v. d i a r e e.
vintrilică *s.f. bot.* speedwell (*Veronica*).
vioară *s.f.* **1.** violin. **2.** *(scripcă)* fiddle; *vioara a doua* second violin; *fig.* second fiddle.
vioi I. *adj.* **1.** lively. **2.** *(vesel)* cheerful, sprightly. **3.** *(rapid)* quick, brisk. **II.** *adv.* eagerly, cheerfully; briskly.
vioiciune *s.f.* **1.** liveliness, briskness. **2.** joyfulness, mirthfulness. **3.** agility.
viol *s.n.* rape, violation.
viola *vt.* **1.** to violate. **2.** *(legea și)* to break, to infringe. **3.** *(o femeie și)* to rape, to ravish. **4.** *(a profana și)* to profane, to defile.
violacee *s.f. pl. bot.* violaceae.
violaceu *adj.* violaceous, purplish-blue.
violare *s.f. jur.* violation, infringement, breach (of law etc.).
violator *s.m.* **1.** *jur.* law breaker, trespasser, offender. **2.** violator. **3.** ravisher.
violă *s.f. muz.* viola.
violent I. *adj.* **1.** violent, impetuous. **2.** *(nervos)* irrascible, ill tempered. **3.** *(fierbinte și)* hot(-blooded), ardent. **4.** *(vehement)* vehement. **II.** *adv.* violently, stormily.
violenta *vt.* to do violence to.
violență *s.f.* violence; force, irritation.
violet *s.m., adj.* violet.
violetă *s.f. bot.* violet *(Viola).*
violină *s.f. muz.* v. v i o a r ă 1.
violoncel *s.n.* cello.
violoncelist *s.m.* cellist.
violonist *s.m. muz.* violin player, violinist.
viorea *s.f. bot.* violet *(Viola).*
viorist *s.m.* crooner, fiddler.
vioriu *adj.* violet blue.
viperă *s.f. zool.* viper *(Vipera).*
viplă *s.f.* wiepla, alloy used in dentistry.
vipușcă *s.f.* (trouser) braid, piping braiding, edging.
vira I. *vt.* to transfer. **II.** *vi.* to turn, to steer.
viraj *s.n.* turning, bend; *~ brusc* hairpin bend.
viral *adj.* viral, infectious.
virament *s.n.* transfer.
viran *adj.* waste, vacant.

virare *s.f.* **1.** turn(ing). **2.** bend(ing). **3.** *fin.* transfer. **4.** *chim.* change of colour.
virga *s.f. meteo.* virga.
virgin *adj.* **1.** virgin, chaste. **2.** *(neînceput)* maiden.
virginal *adj.* virginal, maiden(ly).
virgină *s.f.* maiden, virgin.
virginitate *s.f.* maidenhood, virginity.
virgulă *s.f.* **1.** comma. **2.** *(la cifre, procente)* point.
viril *adj.* virile, manly.
virilism *s.n. anat., fiziol.* virilism.
virilitate *s.f.* virility, manliness.
virnanț *s.m. bot.* rue (*Ruta graveolens*).
viroagă *s.f.* ravine.
virolă *s.f. tehn.* coining ferrule; ring die; collar.
virotic *adj.* virous, viral.
viroză *s.f. med.* virosis.
virtual *adj.* virtual.
virtualitate *s.f.* virtuality; potentiality.
virtualmente *adv.* virtually.
virtuos I. *s.m.* virtuoso. **II.** *adj.* virtuous; chaste.
virtuoz *s.m.* virtuoso, *pl.* virtuosi.
virtuozitate *s.f.* **1.** virtuosity; proficiency. **2.** *(desăvârșire)* consummation.
virtute *s.f.* **1.** virtue. **2.** *(castitate și)* chastity, continence; *în ~a...* by virtue of..., under...
virulent *adj.* virulent; powerful.
virulență *s.f.* virulence, acidness.
virus *s.n. biol., cib.* virus.
vis *s.n.* **1.** dream. **2.** *(fantezie)* chimera; illusion. **3.** *(farmec)* magic; *~e plăcute* sweet dreams; *de ~* fairy(like).
visa I. *vi.* to dream (of / about smb.). **II.** *vi.* to dream (of); to be dreaming / wistful.
visare *s.f.* (day)dream, dreaminess, wistfulness.
visător I. *s.m.* dreamer. **II.** *adj.* dreamy, wistful.
visătorie *s.f.* dreaminess.
viscer *s.n. anat.* internal organ, viscus, *pl.* viscera.
visceral *adj. anat.* visceral.
viscere *s.n. pl.* viscera; entrails.
visceroptoză *s.f. med.* visceroptotis.
viscol *s.n.* snowstorm, blizzard.
viscoleală *s.f.* v. v i s c o l.
viscoli *vi. viscolește* there is a snow storm / blizzard; a blizzard is raging.
viscolit *adj.* storm-swept.
viscoză *s.f.* viscose.
viscozimetru *s.n. fiz.* viscosimeter.
viscozitate *s.f.* viscosity.
visigot I. *adj.* Visigothic. **II.** *s.m.* Visigoth.
vist *s.n. înv.* whist.
vistierie *s.f.* treasury, treasure house.
vistiernic *s.m.* treasurer.
vistiernicie *s.f. ist. României* treasurer's office.
vișin *s.m. bot.* (morello) cherry tree *(Prunus acida)*.
vișinată *s.f.* cherry brandy.
vișină *s.f.* (morello) cherry.
vișinet *s.n.* (sour) cherry orchard.
vișiniu *adj.* cherry-coloured.
vitacee *s.f. pl. bot.* vitaceae.
vital *adj.* **1.** essential; vital. **2.** crucial.
vitalism *s.n. biol.* vitalism.
vitalist I. *adj.* vitalistic. **II.** *s.m.* vitalist.
vitalitate *s.f.* vitality, liveliness.
vitaliza *vt.* to vitalize.
vitamină *s.f.* vitamin.
vită *s.f.* **1.** ox, cow. **2.** *pl.* cattle. **3.** *fig.* blockhead, dolt; *vite cornute* horned cattle; *vite de prăsilă / rasă* breeding stock; *vite de muncă* draught cattle, *fig.* hacks, drudges.
viteaz I. *s.m.* hero, brave man. **II.** *adj.* brave, valiant.
vitejesc *adj.* heroic, gallant.
vitejește *adv.* heroically, stoutly.
vitejie *s.f.* bravery, gallantry.
vitelină *s.f. chim.* vitellin.
vitelus *s.m. biol.* vitellus, yolk (of egg).
viteză *s.f.* **1.** speed. **2.** *(rapiditate)* rapidity, promptness; *~ maximă (admisă)* speed limit; *cu o ~ de* at a speed / rate of; *cu ~ maximă* (at) top speed.
vitezometru *s.n.* speedometer, tachometer.
viticol *adj.* viticultural, wine growing.
viticultor *s.m.* wine grower.
viticultură *s.f.* viticulture.
vitiligo *subst. med.* vitiligo, leucoderma.
vitraliu *s.n.* stained / coloured glass window.
vitreg I. *adj.* step..., half... **2.** *fig.* unjust, unfair. **3.** *(nefavorabil)* unpropitious, inauspicious. **II.** *adv.* cruelly, harshly.
vitregi *vt.* **1.** to wrong, to disfavour. **2.** *(a persecuta)* to victimize, to persecute.
vitregie *s.f.* hostility, inauspiciousness.
vitren *s.n. mineral.* vitrain.
vitrifica *vt. și vr.* to vitrify.
vitrificare *s.f.* to vitrify, to coat with transparent plastic.
vitrină *s.f.* **1.** shop window. **2.** *(în casă etc.)* show / glass case.
vitriol *s.n. chim.* vitriol.
vitrit *s.n.* v. v i t r e n.
vitros *adj.* glassy, vitreous.
vitular *adj. med. vet.* vitular; *febră ~ă* puerperal / milk fever (of cows).
viță *s.f.* **1.** *bot* vine *(Vitis vinifera)*. **2.** *(neam)* descent, stock; *~ de vie* (grape-)vine; *~ sălbatică* creeper; *de ~ (nobilă)* of noble extraction descent.
vițea *s.f.* heifer.
vițel *s.m.* **1.** calf. **2.** *(carne)* veal; *~ul de aur* the golden calf.
vițelar *s.m. bot.* sweet vernal grass (*Anthoxanthum odoratum*).
vițos *adj.* long-haired; (*d. lână*) long-staple(d).
viu I. *s.m.* **1.** living person. **2.** *pl.* the living. **3.** *rel.* the quick. **II.** *adj.* **1.** living; alive. **2.** *(puternic)* strong; intense, loud. **3.** *(vioi)* vivid, lively. **4.** *(d. lumină, culori)* bright, dazzling. **5.** *rel.* quick. **6.** *(d. argint)* quick; *~ și nevătămat* safe and sound; *de ~* alive. **III.** *adv.* **1.** vividly, briskly. **2.** strongly, intensely; *~ colorat* coloury, full of colour.
vivace *adj.* **1.** lively, vivid. **2.** *muz.* vivace.
vivacitate *s.f.* liveliness, animation.
vivandieră *s.f. mil. odin.* cateress for soldiers, sutler.
vivant *adj. tablou ~* tableau vivant, living picture.
vivat I. *s.n.* cheer, hurrah. **II.** *interj.* hurrah!
vivianit *s.n.* vivianite.
vivieră *s.f.* fish prescreve, fish pond (for preserve fish).
vivifiant *adj.* vivifying, quickening, enlivening, invigorating, bracing.
vivipar I. *adj. zool., bot.* viviparous. **II.** *s.n. bot.* viviparous plant.
viviparitate *s.f.* viviparity, viviparousness.
vivisecție *s.f.* vivisection.
viza *vt.* **1.** to visa. **2.** *(a aproba)* to sanction, to O.K. **3.** *(a ținti la)* to aim at, to covet. **4.** *(pe cineva)* to hint at, to refer to.
vizare *s.f.* vise(ing), endorsement.
vizavi I. *s.n.* counterpart; *de ~* opposite; across the street. **II.** *adv.* opposite; across the street.
viză *s.f.* **1.** visa; stamp; sanction. **2.** *iht.* viza (sturgeon) *(Acipenser nucliventris / glater)*.
vizetă *s.f.* peep hole.
vizibil I. *adj.* visible; perceptible. **II.** *adv.* visibly, obviously.
vizibilitate *s.f.* visibility.
vizieră *s.f.* visor.

vizigot *s.m., s.f., adj.* **I.** *s.m.* Visigoth. **II.** *adj.* Visigothic.
viziona *vt.* to see.
vizionar I. *s.m.* visionary, dreamer. **II.** *adj.* visionary.
vizir *s.m.* vizi(e)r.
vizirat *s.n. ist.* vizierate, viziership.
vizita *vt.* to pay a visit to, to call on (smb.).
vizitator *s.m.* caller, visitor.
vizită *s.f.* **1.** call. **2.** *(lungă)* visit; ~ *medicală* medical inspection; *în ~* on a visit (to smb.).
vizitiu *s.m.* coachman.
viziune *s.f.* **1.** vision. **2.** *(fantomă)* apparition.
vizon *s.m.* vison, mink.
vizor *s.n.* sight.
vizual *adj.* visual; of view.
vizualiza *vt.* to visualize.
vizuină *s.f.* **1.** lair, den. **2.** *(gaură)* hole, burrow.
vlad *s.m.* *(prost) pop.* Simple Simon.
vlagă *s.f.* strength, vitality.
vlădică *s.m.* **1.** *înv.* ruler, hospodar. **2.** bishop.
vlăgui I. *vt.* **1.** to exhaust, to drain. **2.** *fig.* și to deplete. **II.** *vr.* to drain one's strength.
vlăguit *adj.* exhausted, drained of strength.
vlăguitor *adj.* exhausting, *fam.* fagging.
vlăjgan *s.m.* strapping fellow.
vlăstar *s.n.* **1.** offspring, scion. **2.** *bot. și offshoot.*
voaiant *adj.* gaudy, showy, blatant, *argou* tacky.
voal *s.n.* veil.
voala I. *vt.* **1.** to veil. **2.** *(sunete)* to muffle. **3.** *foto.* to fog, to halate. **II.** *vr.* to become fogged.
voaletă *s.f.* (hat) veil.
voastră *adj.* your; *a ~* yours.
voastre *adj.* your; *ale ~* yours.
vocabular *s.n.* vocabulary.
vocabulă *s.f.* word.
vocal *adj.* vocal.
vocală *s.f.* vowel.
vocalic *adj.* vowel...
vocalism *s.n. lingv., muz.* vocalism.
vocaliza *vt. și vi.* to vocalize.
vocaliză *s.f.* vocalization.
vocativ *s.n. gram.* vocative.
vocație *s.f.* **1.** vocation, calling. **2.** *(înclinație)* propensity, proclivity.
voce *s.f.* voice; *cu ~ scăzută* in a low voice; *cu ~ tare* aloud.
vocifera *vi.* to clamour.
vociferare *s.f.* shouts, vociferation, outcries, uproar, clamour, to-do, ado, hubbub.
vocoder *s.n. telec.* vocoder.
vodă *s.m.* hospodar, ruler.
voder *s.n. telec.* voder.
vodevil *s.n.* vaudeville.
vodevilist *s.m.* vaudevillist.
vogă *s.f.* fashion, vogue.
voi[1] *pron.* you; yourselves; ~ *ăștia* you all.
voi[2] **I.** *vt.* **1.** to want. **2.** *(a intenționa)* to intend, to aim at (doing smth.). **II.** *vi.* **1.** will, to want. **2.** *(a dori)* to wish.
voiaj *s.n.* **1.** journey, trip. **2.** *(pe mare)* voyage; ~ *de nuntă* honeymoon trip.
voiaja *vi.* **1.** to travel. **2.** *(pe mare)* to voyage, to cruise.
voiajat *adj.* widely travelled.
voiajor *s.m.* traveller; ~ *comercial* commercial traveller, AE salesman.
voie *s.f.* **1.** will, wish. **2.** *(plăcere)* pleasure. **3.** *(permisiune)* permission, consent; ~ *bună* mirth; *de bună ~* of one's own accord, willingly; *de ~! mil.* (stand) at ease!; *fără ~* unintentional, *(adverbial)* unwillingly, in spite of oneself; *în voia soartei* at the mercy of fate.
voievod *s.m.* hospodar, voivode.
voievodal *adj. ist.* of or related to voivodes / rulers / princes; princely.
voievodat *s.n.* principality.
voinic I. *s.m.* **1.** hero. **2.** giant. **3.** *(în basme)* Prince Charming. **II.** *adj.* **1.** strong, robust. **2.** *(sănătos)* sound, healthy.
voinicesc *adj.* **1.** heroic; brave, courageous. **2.** *(puternic)* strong, manly.
voinicește *adv.* heroically etc. v. v o i n i c e s c.
voinici *vi. pop.* to act bravely / heroically.
voinicică *s.f. bot.* **1.** hedge mustard *(Sisymbrium)*. **2.** v. u s t u r o i ț ă.
voinicie *s.f.* **1.** valiance, courage, manliness. **2.** heroic deed / exploit. **3.** v. h a i d u c i e.
voinicos *adj.* handsome; strong.
voință *s.f.* **1.** will. **2.** *(dorință)* wish, desire. **3.** *(putere)* willpower.
voios I. *adj.* mirthful, cheerful. **II.** *adv.* mirthfully, gaily.
voioșie *s.f.* cheerfulness, joyousness, gaiety (of heart), joviality; good humour / temper.
voit I. *adj.* deliberate, intentional. **II.** *adv.* deliberately, intentionally.
voitor *adj.* willing, ready.
volan *s.n.* **1.** steering-wheel. **2.** *(la rochie)* flounce.
volant *adj.* **1.** flying, detachable. **2.** *(d. hârtie)* loose.
volapük *s.n. lingv.* Volapük.
volatil *adj.* volatile.
volatilitate *s.f.* volatility.
volatiliza *vr.* **1.** to volatilize. **2.** *fig.* to vanish, to disappear.
volatilizabil *adj.* volatilizable.
volatilizare *s.f.* volatilization.
volbura *vr.* v. î n v o l b u r a.
volbură *s.f.* **1.** whirlwind. **2.** *(bulboană)* eddy, whirlpool. **3.** *bot.* bindweed *(Convolvulus arvensis)*.
volburos *adj.* eddying.
volei *s.n.* volley-ball.
voleibalist *s.m.* volley-ball player.
volet *s.n.* **1.** *av.* flap, trimming tab. **2.** *auto., av.* throttle valve, butterfly valve.
voleu *s.n.* **1.** *artă* leaf (of a polyptych). **2.** *sport* volley. **3.** blinds, shutter.
volhinian *s.n., adj. geogr.* Volhynian.
volieră *s.f.* **1.** aviary, (large) bird cage. **2.** *(d. fazani)* pheasant mew.
volitiv *adj.* volitional, volitive.
volițional *adj.* volitional.
volițiune *s.f.* volition.
voloc *s.n.* trammel, drag / sweep / trawling / trail net.
volt *s.m. el.* volt.
voltaic *adj. el.* Voltaic, of Volta.
voltaj *s.n.* voltage.
voltametru *s.n. el.* voltameter.
voltamper *s.m. el.* voltampere.
voltampermetru *s.n. el.* wattmeter.
voltă *s.f.* **1.** vault. **2.** *fig.* thorough change, upheaval.
volterian *adj.* Voltairean, Voltairian.
voltijă *s.f. sport* mounting gymnastics.
voltmetru *s.n. el.* voltmeter.
voltolizare *s.f. chim.* voltolization.
volubil *adj.* voluble, talkative.
volubilitate *s.f.* talkativeness, loquaciousness.
volum *s.n.* **1.** volume. **2.** *(carte)* tome, book; work. **3.** *(mărime și)* bulk, size.
volumetric *adj.* volumetric(al).
volumetrie *s.f.* volumetry.
voluminos *adj.* **1.** bulky, sizable. **2.** *(d. persoană)* burly, stout.
voluntar I. *s.m.* volunteer. **II.** *adj.* **1.** voluntary. **2.** *(încăpățânat)* obstinate, stubborn. **3.** *(neascultător)* self-willed, strong-headed.
voluntariat *s.n.* voluntariate.
voluntarism *s.n. filoz.* voluntarism.
voluntarist *s.m. filoz.* voluntarist.
voluptate *s.f.* **1.** voluptuousness; lust. **2.** delight, relish; pleasure.

voluptos *adj.* voluptuous; lustful.
volută *s.f.* volute.
volvox *s.n. zool.* Volvox *(Volvocaceae, Volvocidae).*
volvulus *s.n. med.* volvulus.
voma *vt., vi.*, vomita *vt., vi.* to vomit, to bring up (one's food).
vomă *s.f.* **1.** vomiting, nausea. **2.** vomiting, throwing up.
vomer *s.n. anat.* vomer, ploughshare bone.
vomică *adj. bot. nucă ~* nux vomica, vomic / vomiting nut.
vomitiv *s.n., adj.* emetic.
voniceriu *s.m. bot.* spindletree, prick-wood; *(Evonymus europaeus, Evonymus vulgaris).*
vopsea *s.f.* **1.** *(de ulei)* paint. **2.** *(chimică)* dye.
vopselar *s.m.* colour man.
vopsi I. *vt.* **1.** *(cu pensula)* to paint. **2.** *(în soluție)* to dye. **3.** *(a vărui)* to whitewash. **II.** *vr.* to make up, to paint one's face etc.
vopsit I. *s.n.* dyeing etc. v. v o p s i. **II.** *adj.* painted etc.
vopsitor *s.m.* painter.
vopsitorie *s.f.* dye works.
vor *vb. aux.* they will; they shall.
vorace *adj.* voracious, rapacious.
voracitate *s.f.* voracity, voraciousness, ravenousness, gluttony, greediness.
vorbă *s.f.* **1.** word. **2.** *(vorbărie)* talk, prating. **3.** *(ceartă)* quarrel, conflict. **4.** *(proverb)* saying, adage. **5.** *(promisiune și)* promise. **6.** *(obiecție)* objection; *vorba (a)ceea* as the saying goes; *~ cu ~* word for word; *~ lungă* rigmarole; *(persoană)* chatterbox; *vorbe goale* gas, empty words; *din ~ în ~* little by little.
vorbăreț I. *s.m.* chatterbox, windbag. **II.** *adj.* talkative, loquacious.
vorbărie *s.n.* idle talk, tittle-tattle, gossip.
vorbi I. *vt.* **1.** to speak; to talk. **2.** *(a rosti)* to utter, to say; *a ~ pe cineva (de rău etc.)* to speak (evil etc.) of smb. **II.** *vi.* **1.** to speak (to smb.). **2.** *(a discuta)* to talk, to chat. **3.** *(în public și)* to make a speech, to speechify; *a ~ despre un subiect* to speak / talk of smth.; *a ~ deschis* to speak one's mind; *a ~ în fața unei adunări* to address a meeting; *a ~ aiurea* to talk nonsense; *a ~ în vânt* to waste one's breath; *a ~ liber* to speak off-hand; *a ~ peltic* to lallate, to lisp; *a ~ pe nas* to twang; *la drept vorbind* to tell you the truth, in fact. **III.** *vr.* to agree / to be to.
vorbire *s.f.* speech; speaking; *~ directă* direct speech; *~ indirectă* reported speech; *~ peltică* lallation.
vorbit *adj.* **1.** spoken. **2.** *(d. limbă)* colloquial.
vorbitor I. *s.m.* speaker. **II.** *s.n.* parlour. **III.** *adj.* speaking, talking.
vorland *s.n. geogr., geol.* vorland, table land or plain before foothills.
vornic *s.m.* **1.** *înv.* Minister for Internal Affairs. **2.** *înv.* Minister of Justice. **3.** *odin.* village chief, magistrate, headman of a village. **4.** *odin.* justice of the peace. **5.** v. v o r n i c e l.
vorniceasă *s.f.* v. d r u ș c ă.
vornicel *s.m.* best man.
vorovi *vb. înv.* v. v o r b i.
vorticism *s.n. artă* vorticism.
vorticist *s.n. adj. artă* vorticist.
vostru *adj.* your; *al ~* yours.
voștri *adj.* your; *ai ~* yours.
vot *s.n.* **1.** vote *(drept de vot și)* suffrage, franchise. **3.** *(votare)* polling, voting; *~ consultativ* voice but not vote; *~ deliberativ* full vote; *~ deschis* (vote by) show of hands; *~ secret* vote by ballot.
vota I. *vt.* **1.** to vote. **2.** *(o lege etc.)* to pass, to carry. **3.** *(a alege și)* to elect. **II.** *vi.* to vote; to poll.
votant *s.m.* voter, elector.
votare *s.f.* voting, poll(ing).
votcă *s.f.* vodka.
votiv *adj.* votive; *capelă ~ă* chantry; *tablou ~* votive / commemorative picture.
vrabie *s.f. ornit.* sparrow *(Passer).*
vrac *s.n.* bulk goods; *a vinde în ~* to sell in bulk.
vraci *s.m.* **1.** quack, charlatan. **2.** *(vrăjitor)* wizard, sorcerer. **3.** *(doctor)* physician.
vraf *s.f.* heap, pile.
vraiște *adj.* **1.** topsy-turvy, in a heap. **2.** *(deschis)* open.
vrajă *s.f.* **1.** charm, spell. **2.** *(magie)* magic, enchantment. **3.** *(neagră)* black magic, witchcraft.
vrajbă *s.f.* feud, dissension; *în ~* at variance.
vrană *s.f.* bung hole; *cep de ~* bung.
vrăbioară *s.f. cul.* sirloin.
vrăbioi *s.m. ornit.* cock sparrow, he-sparrow *(Passer).*
vrăfui *vt.* to heap / to store up.
vrăji *vt.* to bewitch, to cast a spell upon.
vrăjit *adj.* **1.** bewitched, charmed. **2.** *fig.* și entranced.
vrăjitoare *s.f.* witch, sorceress.
vrăjitor *s.m.* wizard, conjurer.
vrăjitorie *s.f.* witchcraft; black magic / art.
vrăjmaș I. *s.m.* enemy, foe. **II.** *adj.* **1.** hostile, inimical. **2.** *(d. natură etc.)* inhospitable, unfavourable.
vrăjmăși I. *vt.* to show enmity / ill will to, to malign; to hate. **II.** *vr.* *(reciproc)* to be at enmity.
vrăjmășie *s.f.* **1.** enmity, hostility. **2.** *(vrajbă)* feud, hatred.
vrea *vt., vi.* v. v o i 2.
vreascuri *s.n. pl.* brushwood.
vrednic *adj.* **1.** worthy, deserving. **2.** *(harnic)* hardworking, active. **3.** *(potrivit)* fit, suitable; *~ de cinste* respectable.
vrednicie *s.f.* **1.** merit, desert. **2.** *(hărnicie)* industry, efficiency.
vrej *s.n.* creeping stalk.
vreme *s.f.* **1.** time. **2.** *(meteorologie)* weather. **3.** *(răgaz)* respite. **4.** *pl.* times, age; *~ bună* fine weather; *~ frumoasă* glorious weather; *cu vremea* in the long run; in due time; *de la o ~* after a time; *de ~ ce* since, because; *din vremuri de demult* from times of yore; *în ~a aceea* at that time; *pe vremuri* formerly.
vremelnic I. *adj.* **1.** temporary, provisional. **2.** *(trecător)* transient, ephemeral. **II.** *adv.* temporarily, for some time.
vremelnicie *s.f.* transitoriness, transience.
vremuială *s.f.* bad weather, weathering.
vreo *adj.* **1.** some. **2.** *interogativ* any.
vreodată *adv.* ever; at any time.
vrere *s.f.* **1.** will. **2.** decision. **3.** wish, desire. **4.** intention.
vreun *adj.* **1.** some. **2.** *(în prop. interogative)* any.
vreuna *pron.* vreunul *pron.* **1.** one (of them); somebody. **2.** (*în prop. interogative*) any(body).
vrie *s.f.*, vrilă *s.f. av.* corkscrew spin, spinning dive.
vrută *s.f. vrute și nevrute* idle talk.
vtori *num. ord. ist. României* second (preceding a title).
vui *vi.* **1.** to hum, to din. **2.** *(a mugi)* to roar. **3.** *(d. urechi)* to buzz.
vuiet *s.n.* **1.** rumble, din. **2.** *(muget)* roaring.
vuietoare *s.f. bot.* crowberry, crakeberry (*Empetrum nigrum*).
vulcan *s.m.* volcano.
vulcanic *adj.* **1.** volcanic. **2.** *fig.* și Vesuvian, fiery.

vulcanism *s.n.* **1.** volcanism, vulcanism. **2.** impetuosness.
vulcanit *s.n. mineral.* vulcanite, ebonite.
vulcaniza *vt.* to vulcanize, to cure.
vulcanizare *s.f.* vulcanization.
vulcanizator *s.m.* vulcanizer.
vulcanolog *s.m.* volcanologist.
vulcanologie *s.f.* volcanology.
vulg *s.n.* the common / low people, vulgus; rabble, mob.
vulgar I. *adj.* **1.** vulgar. **2.** *(ordinar)* unrefined, coarse. **3.** *(josnic)* base, mean, low. **II.** *adv.* coarsely, vulgarly.
vulgarism *s.n.* vulgarism.
vulgaritate *s.f.* **1.** vulgarity, coarseness. **2.** vulgar expression.
vulgariza I. *vt.* **1.** (*știința etc.*) to popularize. **2.** (*a face vulgar*) to coarsen, to vulgarize. **II.** *vr.* to grow vulgar.
vulgarizare *s.f.* vulgarization, popularization.
vulgarizator *s.m.* vulgarizer, popularizer.
vulgata *s.f. rel.* the Vulgate.
vulnerabil *adj.* vulnerable, weak.
vulnerabilitate *s.f.* vulnerability.
vulpe *s.f. zool.* **1.** fox; *fem.* vixen *(Vulpes vulpes)*. **2.** *(pui)* cub.
vulpesc *adj.* **1.** fox-like, vulpine. **2.** *fig.* cunning.
vulpește *adv. like a fox.*
vulpoaică *s.f.* **1.** *zool.* she-fox, vixen. **2.** *fig.* sly / cunning fox.
vulpoi *s.m.* he-fox.
vultan *s.m. ornit.* v. v u l t u r.
vultur *s.m. ornit.* eagle *(Aquila)*; vulture *(Neophron)*; *de ~* eagle's.
vulturaș *s.m.* eaglet.
vulturesc *adj.* aquiline, eagle('s)...
vulturește *adv. like an eagle.*
vulturică *s.f. bot.* mouse ear (*Hieracicum pilosella*).
vulturoaică *s.f. ornit. rar* she-eagle *(Aquila)*.
vulvă *s.f. anat.* vulva.
vumetru *s.n. el.* modulation meter, monitor.

W

W, w *s.m.* W, w, the twenty-seventh letter of the Romanian alphabet.
wahhabit *s.m. ist. rel.* Wah(h)abite, membre of the Wah(h)abit sect.
walchia *s.f. paleont.* walchia.
walon *adj., s.m. geogr.* Walloon.
warant *s.n. ec.* warrant.
water closet *s.m.* water closet, W.C.
water-polo *s.n. sport* water polo.
watt *s.m. fiz., el.* watt.
wattmetru *s.m. el.* wattmeter.
wattoră *s.f. fiz.* watt-hour.
wattormetru *s.n.* watt-hour meter; wattmeter.
weber *s.m. fiz.* Weber.
week-end *s.n.* week-end.
western *s.n.* horse opera.
whig *s.m. ist. Angliei, pol.* Whig.
whisky *s.n.* whisky.
white-spirit *s.n. chim.* white-spirit.
widia *s.f. med.* widia alloy.
willemit *s.n. mineral.* willemite.
williamsonia *s.f. pl. bot., geol.* williamsonia.
witerit *s.n. mineral.* witherite.
wolfram *s.n. mineral.* wolfram(ium), tungsten.
wolframit *s.n. mineral.* wolframite.
won *s.n. fin.* won (Korean monetary unit).
wulfenit *s.n. mineral.* wulfenite.
wyandotte *subst. ornit.* Wyandotte.

X, x *s.m.* X, x, the twenty-eighth letter of the Romanian alphabet.
x *s.m. mat. etc.* x; *raze* ~ x-rays.
xantină *s.f. chim.* xanthine.
xantofilă *s.f. bot.* xanthophyll.
xantogenare s.f. chim. xanthation.
xantogenat *s.m. chim.* xanthogenate.
xantomatoză *s.f. med.* xanthomatosis.
xantonă *s.f. chim.* xanthone.
xantopsie *s.f. med.* xanthopsia.
xenie *s.f. bot.* xenia.
xeno- *prefix* xen(o)-.
xenofob *s.m., adj.* xenophobe; jingoist.
xenofobie *s.f.* xenophobia.
xenolit *s.n. geol.* xenolith.
xenomanie *s.f.* xenomania.
xenon *s.m. chim.* xenon.
xeres *s.m.* sherry (wine).
xerodermie *s.f. med.* xeroderm(i)a.
xerofită *bot.* **I.** *s.f.* xerophyte. **II.** *adj.* xerophytic.
xeroform *s.n. bot. etc.* xeromorphous.
xeroftalmie *s.f. med.* xerophthalmia.
xerogel *s.n. chim.* xerogel.
xerografie *s.f.* xerography, xerox copying.
xerox *s.n. fam.* **1.** xerox (machine); copying machine. **2.** xerox copy.
xeroză *s.f. med.* xerosis.
xifoid *adj. anat.* xiphoid; *apendice* ~ xiphoid appendix.
xilen *s.m. chim.* xylene.
xilidină *s.f. chim.* xylidine.
xilină *s.f. chim., farm.* xylin(e).
xilofag *adj. entom.* xylophagous.
xilofon *s.n. muz.* xylophone.
xilofonist *s.m. muz.* xylophonist.
xilograf *s.m.* wood carver.
xilografia *vi.* to carve in wood, to engrave on wood.
xilografic *adj.* xylographic.
xilografie *s.f.* wood carving; *(gravură)* xylography, wood cut.
xilogravură *s.f.* wood cut.
xiloid *adj.* xyloid, higreous, woody.
xilon *s.n.* xylenol.
xiloză *s.f. chim.* xylose.
xoanon *s.n. ist. artei* xoanon, *pl.* xoana.

Y, y *s.m.* Y, y, the twenty-ninth letter of the Romanian alphabet.
yancheu *adj., s.m.* Yankee.
yard *s.m.* yard.
yemenit *s.m., adj. geogr.* Yemenite.
yen *s.n. fin.* yen (Japanese monetary unit).
yerba maté *bot.* Paraguai tea, maté.
yoga *s.f.* yoga.
yoghin *s.m.* yogi(n), (Indian) ascetic.
yohimbină *s.f. farm.* yohimbine.
york *s.m. zool.* York.
yterbiu *subst. chim.* ytterbium.
ytriu *subst. chim.* yttrium.
yuan *s.n. fin.* yuan (dollar) (Chinese monetary unit.).
yucca *subst. bot.* yucca, yuca *(Yucca).*

Z

Z, z *s.m.* Z, z, the thirtieth letter of the Romanian alphabet.
za *s.f.* **1.** link. **2.** *pl.* coat of mail, hanbeck.
zacuscă *s.f. cul.* pickled fish; snack.
zadar *s.n.* *în ~* uselessly, vainly, in vain.
zadarnic I. *adj.* **1.** useless, vain. **2.** fruitless, unfruitful. **3.** unnecessary, unavailing. **II.** *adv.* in vain, uselessly.
zadă *s.f. bot.* larch tree *(Larix decidua).*
zadie *s.f. pop.* striped woolen skirt (part of the Romanian traditional costume).
zahana *s.f.* **1.** slaughter house. **2.** *(specialități)* choice meat cuts. **3.** restaurant serving special dishes of fried meat.
zaharicale *s.f. pl.* sweetmeats, *fam.* sweets, lollipops.
zaharide *s.f. pl. biochim.* saccharides.
zaharifica *vt. chim.* to saccharify.
zaharificare *s.f. chim.* saccharification.
zaharificator *s.n. chim.* saccharifier.
zaharimetrie *s.f. chim.* saccharimetry.
zaharimetru *s.n. chim.* saccharimeter.
zaharină *s.f. farm.* saccharine.
zaharisi I. *vt.* to sugar, to candy. **II.** *vr.* **1.** to candy. **2.** *fig.* to dodder, to grow soft-minded.
zaharisit *adj.* **1.** candied. **2.** *fig.* doddering, doting.
zaharniță *s.f.* sugar box / basin.
zaharos *adj.* sugar(y).
zaharoză *s.f. chim.* saccharose.
zaharuri *s.n. pl. biochim.* sugars.
zahăr *s.n.* sugar; *~ candel* candy; *~ cubic* lump sugar; *~ de trestie* cane sugar; *~ praf* powdered / confectioner's sugar; *~ tos* castor / granulated sugar; *de ~* sugar(y); *fig.* wonderful, sporting.
zaherea (zaharea) *s.f. ist. României* supplies Moldavia and Wallachia were obliged to offer the Ottoman army.
zaiafet *s.n.* carousal, clam bake, feast.
zair *s.m. fin.* zaire (monetary unit in Zair).
zalhana *s.f.* v. z a h a n a.
zamac *s.n. met.* zinc alloy.
zambilă *s.f. bot.* hyacinth *(Hyacinthus).*
zambos *s.m. geogr.* sambo, zambo.
zamcă *s.f. ist.* fortress, citadel.
zapateado *s.n. muz.* zapateado.
zapciu *s.m. ist. României* administrator, tax-collector.
zapis *s.n. înv.* deed.
zaporojan *s.m. ist. României* Zaporozhe, cossack.
zar *s.n.* **1.** die. **2.** *pl. (joc)* (game of) dice.
zaraf *s.m. ist. României* usurer.
zară *s.f.* butter milk.
zare *s.f.* **1.** horizon; vista. **2.** *(de lumină)* streak (of light); *în ~* in the distance.
zargan *s.m. iht.* garfish, garpike (*Belona belonacuzini*).
zariște *s.f. pop.* **1.** vista, sky line, horizon. **2.** clearing, glade.
zarnacadea *s.f. bot.* **1.** (poet's) narcissus (*Narcissus poeticus*). **2.** daffodil (*Narcissus pseudonarcissus*).
zarvă *s.f.* **1.** hubbub, uproar, combustion. **2.** *(scandal)* fuss, row. **3.** *(agitație)* bustle, agitation.
zarzavagiu *s.m.* **1.** greengrocer. **2.** *(ambulant)* costermonger.
zarzavat *s.n. bot.* vegetables, greens.
zarzăr *s.m. bot.* ungrafted apricot tree *(Prunus armeniaca).*
zarzără *s.f. bot.* ungrafted apricot.
zarzuela *s.f. muz.* zarzuela, Spanish comic opera.
zaț *s.n.* **1.** *poligr.* matter. **2.** *(de cafea)* lee, grounds.
zaveră *s.f.* **1.** *ist.* the Greek revolution of 1821. **2.** revolt, rebellion, rising.
zavescă *s.f. ist. României* tax payed to the treasury for the resumption of a trial (in medieval Moldavia).
zavistie *s.f. înv.* **1.** envy. **2.** enmity. **3.** feud, intrigue, denunciation.
zavragiu I. *adj.* quarrelsome, *fam.* fond of a row. **II.** *s.m.* **1.** tinner. **2.** squabbler, brawler.
zăbală *s.f.* (curb) bit.
zăbavă *s.f.* **1.** delay, dalliance; respite, repose. **2.** *pop.* pastime, entertainment; *fără ~* prompt; *(adverbial)* promptly, on the spot.
zăbălos *adj.* nasty looking; hideous.
zăbăluță *s.f.* curb (chain).
zăbăuc *adj.* scatter- / addle-brained, muddled, moony, giddy.
zăblău *s.n. text.* fabric woven out of tow or goat-hair.
zăbovi *vi.* to tarry, to linger.
zăbovitor *adj.* tarrying, lingering.
zăbranic *s.n.* crape.
zăbrea *s.f.* **1.** iron bar. **2.** *pl.* trellis, lattice.
zăbreli *vt.* to surround with a grating / railing; to lattice.
zăbrelit *adj.* latticed.
zăbun *s.n.* peasant's quilted homespun coat.
zăcare *s.f.* falling ill; disease, illness, sickness.
zăcământ *s.n.* deposit(s).
zăcătoare *s.f.* shady resting place for cattle; repose place; camp.
zăcea *vi.* **1.** to lie. **2.** *(a se afla și)* to be (found). **3.** *(bolnav și)* to be laid low. **4.** *(în mormânt și)* to rest.
zăcere *s.f.* **1.** lying. **2.** v. z ă c a r e.
zăcut *adj.* **1.** who has been lying in bed for a long time. **2.** stale.
zădărî *vt.* to incite, to rouse.
zădărnici *vt.* to baffle, to thwart.
zădărnicie *s.f.* futility, wantonness.
zădărnicire *s.f.* frustration, defeat, discomfiture etc. v. z ă d ă r n i c i.
zăduf *s.n.* **1.** sultry / stifling heat. **2.** *(supărare)* grief, sorrow.
zăgan *s.m. ornit.* bearded / lamb vulture, lammergei(e)r, lammergeyer (*Gypaetus barbatus*).
zăgaz *s.n.* **1.** dam. **2.** *(ecluză)* weir.
zăgăzui *vt.* **1.** to dam up. **2.** *fig.* și to stem.
zăhărel *s.n.* *a duce cu zăhărelul* to lull (smb.) with promises.
zăloagă *s.f.* **1.** bookmark. **2.** chapter; part.
zălog *s.n.* **1.** pledge, (collateral) security. **2.** *(ipotecă)* mortgage. **3.** *(ostatic)* hostage.
zălogi *vt.* to pawn, to pledge.
zălud *adj. reg.* cracked, cranky; silly, foolish, doltish.

zămisli *vt.* **1.** to conceive, to beget. **2.** *fig.* și to imagine, to invent.
zămoșiță *s.f. bot.* hibiscus (*Hibiscus*).
zănatic *adj.* crazy, foolish.
zăngăneală *s.f.* clanking, clashing.
zăngăni I. *vt.* **1.** to clang, to clatter. **2.** *fig.* și to brandish. **II.** *vi.* to clatter, to clang.
zăngănit *s.n.* clang(ing), clank.
zăngănitor *adj.* clanging etc. v. z ă n g ă n i.
zănoagă *s.f.* **1.** *geogr.* high valley. **2.** (forest) glade.
zăpadă *s.f.* snow; *ca zăpada* snowy, snow-white.
zăpăceală *s.f.* **1.** flurry, confusion. **2.** *(nedumerire)* bewilderment, perplexity.
zăpăci I. *vt.* to dumbfound, to perplex. **II.** *vr.* to lose one's head, to be perplexed.
zăpăcit I. *s.m.* scatter-brains. **II.** *adj.* **1.** hare-brained, thoughtless. **2.** *(nebun)* crazy, potty. **3.** *(amețit)* bewildered, muddled.
zăplan *s.m.* v. v l ă j g a n.
zăplaz *s.n. constr.* board fence, lath-fence.
zăpor *s.n.* torrent; stream, flow; flood; thaw.
zăpușeală *s.f.* sultry heat.
zăpuși *vt.* (*d. soare*) to burn (hot).
zăpușitor *adj.* sultry, oppresive.
zărgan *s.m. iht.* needlefish, belone, AE gar *(Belone belone euxini)*.
zări I. *vt.* **1.** to catch sight of, to glimpse. **2.** *(a percepe)* to perceive, to discern. **3.** *(a observa)* to notice, to observe. **II.** *vr.* to appear, to loom.
zăticneală *s.f. pop.* disturbance, trouble, inconvenience, upset, intrusion.
zăticni *vt. pop.* to disturb, to trouble, to derange, to upset, to interrupt, to prevent, to check, to arrest.
zău *interj.* really! indeed! honest!
zăvelcă *s.f.* each of the two skirts worn by a Romanian fermale peasant.
zăvod *s.m. zool.* butcher's dog, mastiff.
zăvoi *s.n.* riverside coppice; v. și l u n c ă.
zăvor *s.n.* bolt.
zăvorî I. *vt.* to bolt; to lock. **II.** *vr.* to shut oneself up.
zâmbăreț *adj.* smiling.
zâmbet *s.n.* **1.** smile. **2.** *(rânjet)* grin, sneer. **3.** *(afectat)* simper.
zâmbi *vi.* to smile; *a ~ mânzește* to grin, to force a smile.
zâmbitor I. *adj.* smiling. **II.** *adv.* smilingly.
zâmbre *s.f. pl. vet.* flaps; *fig. făcea ~* his mouth watered.
zâmbru *s.m. bot.* Swiss pine, arolla (pine) *(Pinus cembra)*.
zână *s.f.* **1.** fairy. **2.** *(zeiță)* goddess.
zâng *interj.* clank!
zârnă *s.f. bot.* black nightshade *(Solanum nigrum)*.
zâzanie *s.f.* machination, quarrel, discord, feud.
zâzâi *vi.* v. b â z â i.
zbanghiu 1. *adj.* cross-eyed, squinting. **2.** crazy, potty; muddled.
zbat *s.n. nav.* propeller blade.
zbate *vr.* **1.** to toss, to writhe. **2.** *fig.* to struggle, to strain.
zbârceală *s.f.* v. z b â r c i t u r ă.
zbârci I. *vt.* to wrinkle. **II.** *vr.* to cover with wrinkles.
zbârciog *s.m. bot.* morel (*Morchella*).
zbârcit *adj.* wrinkled.
zbârcitură *s.f.* wrinkle.
zbârli I. *vt.* to ruffle. **II.** *vr.* **1.** to bristle up. **2.** *fig.* to get on one's hind legs.
zbârlit *adj.* tousled, dishevelled.
zbârr *interj.* whirr!
zbârnâi *vi.* to buzz, to hum; to whirr.
zbârnâială *s.f.* buzz(ing noise).
zbârnâit *s.n.* buzz.
zbârnâitor *adj.* buzzing, humming.
zbengui *vr.* to cut capers / didoes, to gambol.
zbenguială *s.f.* frolic, capers.
zbici *vt., vr.* to dry.
zbicit *adj.* dried.
zbiera *vi.* **1.** to yell, to roar. **2.** *(d. măgar)* to bray.
zbierăt *s.n.* **1.** yell. **2.** *(de măgar)* bray.
zbilă *s.n.* noose.
zbir *s.m.* sbirro, tyrant, satrap, tyrannical and brutal representative of state authority; rigid and severe person.
zbor *s.n.* **1.** flight. **2.** *(înălțare)* soar. **3.** *(ca acțiune)* flying; *~ razant* hedge-hopping; *în ~* upon the wing.
zbornic *s.n.* **1.** *ist. lit.* collection of religious commentaries, hagi-ographic legends, miscellanea etc. **2.** handwritten codex made up of miscellaneous historical, religious and literary texts.
zborăi *vr.* to shout, to yell (at smb.).
zborăit *fam.* **I.** *adj.* furious, in high dudgeon. **II.** *adv.* furiously.
zbucium *s.n.* **1.** turmoil. **2.** anxiety, fret(ting).
zbuciuma *vr.* **1.** to toss, to writhe. **2.** *fig.* to fret, to worry.
zbuciumat *adj.* **1.** agitated. **2.** *(d. viață etc.)* tumultuous, eventful.
zbughi *vt. a o ~* to rush / scuttle away.
zbura I. *vt.* **1.** to fly. **2.** *(în aer)* to blow out. **II.** *vi.* **1.** to fly; to go by airplane. **2.** *(a se înălța)* to soar. **3.** *fig.* to dash, to dart. **4.** *(a dispărea)* to flit, to vanish; *a ~ razant* to hedge-hop.
zburat *adj.* flown away; *lapte ~* curd, curdled milk.
zburătăci I. *vt* to cast / fling smth. at. **II.** *vr.* to grow (up). **III.** *vi.* **1.** (*d. zburătoare*) to take wing, to take one's flight. **2.** (*d. pui*) to grow. **3.** (*d. copii*) to grow up.
zburătăcit *adj.* quite grown-up, rather big (of chickens, children).
zburătoare *s.f.* bird; *pl.* feather.
zburător I. *s.m.* **1.** airman, pilot. **2.** *(duh)* goblin. **II.** *adj.* flying, winged.
zburătură *s.f.* chop (of wood), splinter, chunk (of wood, stone etc.); *la o ~ de piatră* at a stone's throw.
zburda *vi.* to frisk, to colt.
zburdalnic *adj.* gambolling, frolicsome.
zburdă *s.f.* sporting, gambolling, frolic, frisking; play.
zburdălnicie *s.f.* **1.** sporting; sportiveness; playfulness. **2.** *pl.* v. n e b u n i e 2.
zburdătură *s.f.* skip, jump.
zburli I. *vt.* to ruffle. **II.** *vr.* to become ruffled / entangled.
zburlit *adj.* dishevelled, tousled.
zdranc, zdrang *interj.* crash! smash!
zdravăn I. *adj.* **1.** strong. **2.** *(voinic și)* vigorous, sturdy. **3.** *(sănătos)* healthy, sound. **4.** *(la minte)* sane. **5.** *(tare)* solid, terrible. **II.** *adv.* terribly, awfully.
zdrăngăni *vt., vi.* to thrum, to rattle.
zdrăngănit *s.n.* rattling, thrumming
zdrăngănitură *s.f.* thrumming, ratling; badly played tune.
zdreanță *s.f.* **1.** rag; tatter. **2.** *fig.* human rag, flop.
zdreli *vt., vr.* to scratch (oneself).
zdrelitură *s.f.* scratch, gall.
zdrențăros I. *s.m.* tatterdemalion, ragamuffin. **II.** *adj.* ragged, tattered.
zdrențui *vr.* to be frayed / torn, to be worn out.
zdrențuit *adj.* tattered, ragged.
zdrobi I. *vt.* **1.** to crush. **2.** *(a turti și)* to squash. **3.** *fig.* și to defeat. **II.** *vr.* to crash, to be crushed.
zdrobire *s.f.* crushing; squashing; defeat.

zdrobit *adj.* **1.** crushed, defeated. **2.** *(istovit)* exhausted, fatigued. **3.** *(de durere)* overwhelmed.
zdrobitor *adj.* **1.** crushing. **2.** *(numeros)* overwhelming.
zdrumica *vt.* **1.** v. d u m i c a. **2.** v. z d r o b i.
zdruncin *s.n.* commotion, shock.
zdruncina I. *vt.* **1.** to shake. **2.** *(d. căruță)* to jolt, to jerk. **3.** *(convingerile etc.)* to shatter. **4.** *(a slăbi)* to sap, to undermine. **II.** *vi.* to jolt.
zdruncinat *adj.* shaken; jolted, jerked; shattered; sapped, undermined.
zdruncinător *adj.* (*d. trăsuri*) jolty.
zdruncinătură *s.f.* **1.** jolt. **2.** *fig.* v. z d r u n c i n.
zdup I. *s.n. argou (închisoare)* quod, college. **II.** *interj.* thud! thump!
zdupăi *vi.* to tread heavily, to trample.
zeamă *s.f.* **1.** juice. **2.** *(de carne și)* gravy. **3.** *(supă)* soup. **4.** *(lungă)* skilly.
zeamil *s.n.* v. m a i z e n ă.
zebră *s.f.* **1.** *zool.* zebra *(Equus zebra)*. **2.** *fam. (trecere pietoni)*, zebra / pedestrian crossing.
zebu *s.m. zool.* zebu, breed of domestic bulls *(Bos indicus)*.
zece *s.m., adj., pron., num. card.* ten; *de ~ ori* ten times; tenfold.
zecelea *adj. num. ord. tenth.*
zecimal *adj.* decimal.
zecimală *s.f. mat.* decimal fraction.
zecime *s.f.* tenth.
zeciui *vt. înv.* to levy tithe on, to tithe; to pay tithe(s) to.
zeciuială *s.f. înv. tithe.*
zefir *s.m., s.n.* zephyr.
zeflemea *s.f.* mockery, banter.
zeflemisi *vt.* to scoff (at), to ironize.
zeflemist *s.m.* scoffer, railer.
zeflemitor *adj.* quizzical, bantering.
zeghe *s.f.* **1.** thick twilled cloth. **2.** kind of peasant's twilled cloth coat.
zeină *s.f. chim.* zein(e).
zeitate *s.f. mitol.* deity.
zeiță *s.f. mitol. goddess.*
zel *s.n.* zeal, zest.
zelos *adj.* **1.** zealous, eager, keen. **2.** *(harnic)* diligent, hardworking.
zelot *s.m.* **1.** *ist. rel.* Zealot. **2.** *fig.* zealot, fanatic(al) partisan, enthusiast.
zemos I. *s.m.* melon. **II.** *adj.* juicy.
zemoși *vr. (d. fruct)* to become juicy, to soften (of fruit).
zemui *vi.* to be juicy, to be rich in juice; to ooze.
zen *s.n. rel., filoz.* Zen (sect).
zenana (zanana) *s.f. text.* zenana.
zencuire *s.f.* counterboring, countersinking.
zendă *s.f. lingv.* Indo-European language of the Indo-Iranian group, out of which Old Persian and Avestic derived.
zenit *s.n.* **1.** *astr.* zenith. **2.** *fig.* și summit.
zenital *adj. astr.* zenithal.
zeolit *s.n. min.* zeolite.
zepelin *s.n. av.* zeppelin.
zer *s.n.* whey.
zeri *vr.* to whey (off).
zermacup *s.m. ist. fin.* Turkish gold coin.
zero I. *s.m., s.n., num. card.* **1.** nought cipher. **2.** *(la termometru)* zero. **3.** *sport* nil; *(tenis)* love. **4.** *(la telefon)* O. **5.** *(nimic și)* nothing. **6.** *(persoană și)* cipher, nobody; *~ la ~* love (all). **II.** *adj.* zero.
zeros *adj.* wheyey.
zerovalent *adj. chim.* zero-valent.
zestre *s.f.* **1.** dowry; trousseau. **2.** *(ladă)* bottom drawer, AE hope chest.
zețaj *s.n. mineral.* settling method.
zețar *s.m. poligr.* compositor.
zețărie *s.f. poligr.* composing room, case department.
zețui *poligr.* **I.** *vt.* to compose, to set up. **II.** *vi.* to set up type.
zeu *s.m. mitol.* god.
zevzec I. *s.m.* dullard, nincompoop. **II.** *adj.* empty-headed, addle-brained.
zgaibă *s.f. med. pop.* pustule; blister.
zgardă *s.f.* collar.
zgâi *vr.* to stare, to gape.
zgâlțâi I. *vt.* **1.** to jolt, to jerk. **2.** *(a scutura)* to shake. **II.** *vr.* to shake, to tremble (with fever etc.).
zgâlțâială *s.f.* shaking etc. v. z g â l - ț â i.
zgâlțâit *s.n.* v. z g â l ț â i a l ă.
zgâlțâitură *s.f.* shake, jog; jerk.
zgândări *vt.* **1.** to rake, to poke. **2.** *fig.* to revive. **3.** *(a ațâța)* to incite, to set.
zgârcenie *s.f.* avarice, meanness.
zgârci[1] *s.n.* cartilage.
zgârci[2] **I.** *vt.* to contract. **II.** *vr.* **1.** to shrivel, to shrink. **2.** *(la ceva)* to stint; to grudge (the expense of).
zgârcit I. *s.m.* miser, skinflint. **II.** *adj.* stingy, niggardly; *~ la vorbă* chary of words.
zgârcioabă *s.f. fam.* skinflint, flayflint.
zgâria I. *vt.* to scratch; to scrape. **II.** *vr.* to get a scratch.
zgâriat *adj.* scratched.
zgârie-brânză *s.m.* skinflint, niggard.
zgârieci *s.m. tehn.* carpenter's scraper.
zgârie-hârtie *s.m. peior.* sonneteer.
zgârie-nori *s.m.* sky-scraper.
zgârietură *s.f.* scratch.
zgâtie *s.f. reg.* v. ș t r e n g ă r i ț ă.
zghihară *s.f. bot.* Moldavian variety of vine.
zglăvoacă *s.f. iht.* miller's thumb (*Collus gobio*).
zglăvoc *s.m. bot. pop.* **1.** hemp flower. **2.** v. g h i o c.
zglobiu *adj.* sprightly; mercurial; *(jucăuș)* playful, coltish.
zgomot *s.n.* **1.** noise. **2.** *(scandal)* din; clamour. **3.** *(zarvă)* fuss, ado.
zgomotos I. *adj.* noisy, blatant. **II.** *adv.* noisily, blatantly.
zgrăbunță *s.f. pop.* pimple, blotch.
zgrăbunțică *s.f. bot.* doc cress, nipplewort (*Lapsana communis*).
zgrăbunțos *adj. pop.* pimpled, pimply.
zgrepțăna *pop.* **I.** *vt., vi.* to scratch, to scrape; to plough superficially. **II.** *vr.* to climb; to catch (at smth.).
zgribuli *vr.* to huddle, to tremble (with cold).
zgribulit *adj.* huddled, trembling.
zgripțor *s.m.* **1.** *ornit.* royal eagle (*Aquila heliaca*); v. și p a j u r ă 1. **2.** *mitol.* griffin, griffon. **3.** *fig.* miser, niggard, *fam.* skinflint; brute, beast.
zgripțoroaică, zgripțuroaică *s.f. fig.* (old) hag, (old) crone.
zgrunțuros *adj.* rough, uneven.
zgudui *vt., vr.* to shake.
zguduială *s.f.* commotion; quakes, shake, shaking.
zguduire *s.f.* shake, commotion.
zguduitor *adj.* **1.** terrible, thrilling. **2.** *(emoționant)* touching, moving.
zguduitură *s.f.* shake, commotion.
zgură *s.f.* **1.** slag. **2.** *și fig.* dross. **3.** *(sport)* cinder.
zgurifica *vr.* to slag.
zguros *adj.* slaggy.
zi *s.f.* **1.** day. **2.** *(lumină și)* daylight. **3.** *(dată)* date, time. **4.** *pl.* times, years; life; *~ de lucru* week working day; *~ de muncă* work day; *~ de naștere* birthday; *~ de sărbătoare* holiday, red-letter day; *~ de ~* everyday, daily; *~lele acestea* (one of) these days; *~lele lui cuptor* dog-days; *~lele trecute* a few days ago; *~ lucrătoare* working day, week day; *ziua numelui* one's name day; *acum câteva zile*

a few days ago, the other day; *bună ziua* good morning; good afternoon; *(la revedere)* good bye; *de ~* day; *din ~ în ~* from one day to another; *într-o ~* once, one day; *(în viitor)* someday; *în ziua aceea* on that day; *la ~* up-to-day; *toată ziua* all day long, round the clock.

ziar *s.n.* **1.** (news)paper, daily. **2.** *(publicație)* journal; *~ de scandal* gossip paper, *pl.* the yellow press; *~ vechi* back number.

ziarist *s.m.* **1.** journalist, newspaperman. **2.** *(comentator)* columnist. **3.** *(vânzător)* newspaper boy.

ziaristică *s.f.* journalism; press.

zibelină *s.f.* **1.** *zool.* sable (*Mustela zibellina*). **2.** (*blană de ~*) sable fur; (*ca haină*) sable cloack / cape.

zibetă *s.f. zool.* civet cat (*Viverra zibetha*).

zicală *s.f.* saying, adage.

zicătoare *s.f.* v. z i c a l ă.

zice I. *vt.* **1.** to say. **2.** *(a rosti și)* to utter. **3.** *(a relata și)* to tell. **II.** *vi.* **1.** to say. **2.** *(a cânta)* to sing. **3.** *(dintr-un instrument)* to play; *ca să zicem așa* so to speak, as it were; *zis și făcut* no sooner said than done. **III.** *vr. se ~ că* they say, it is said that; *se ~ că e plecat* he is said to be away; *s-a zis cu tine* it's all over with you.

zicere *s.f.* **1.** saying, quotation. **2.** utterance, speech, communication.

zid *s.n. constr.* wall.

zidar *s.m. constr.* bricklayer, mason.

zidărie *s.f. constr.* **1.** masonry, bricklaying. **2.** *(construcție și)* brickwork. **3.** *(de piatră)* stonework.

zidărit *s.n.* v. z i d ă r i e 1.

zidi *vt. constr.* **1.** to build. **2.** *(a înălța)* to erect, to raise. **3.** *(a închide)* to wall in / up.

zidire *s.f. constr.* **1.** building etc. v. z i d i. **2.** (*concret*) building, construction.

zidit I. *adj.* built etc. v. z i d i; *bine ~* well built. **II.** *s.n.* v. z i d i r e 1.

ziditor *s.m. și fig.* founder, creator.

zigomatic *adj. anat.* zygomatic.

zigomă *s.f. anat.* cheek / yoke bone, zygoma.

zigomorf *adj. bot.* zygomorphic, zygomorphous.

zigot *s.m. biol.* zygote.

zigurat *s.n. arh., ist.* ziggurat.

zigzag *s.n.* zigzag.

zilier *s.m.* day-labourer.

zilnic *adj., adv.* daily, everyday.

zimază *s.f. chim., biol.* zymase.

zimbil *s.n.* (reed) basket.

zimbru *s.m. zool.* ure ox *(Bison bison).*

zimină *s.f. chim.* ferment, zymin.

zimogene *s.f. pl. biochim.* zymogen(e).

zimologie *s.f. chim.* zymology.

zimț *s.m. tehn.* dent; tooth.

zimța *vt. tehn.* v. z i m ț u i.

zimțar *s.n. tehn.* punch(eon).

zimțat *adj.* zimțuit *adj. tehn.* toothed; indented.

zimțos *adj. tehn.* v. z i m ț a t.

zimțui *vt. tehn.* to jag, to notch.

zinc *s.n.* **1.** chim. zinc. **2.** *poligr.* cliché.

zinca *vt. tehn.* to zincify; to zinc.

zincare *s.f. met. tehn.* zinc(k)ing, galvanization, zincification.

zincat *adj. tehn.* zinc(k)ed, zincified, zinc-coated.

zincograf *s.m. poligr.* zincographer.

zincografia *vt. poligr.* to zincograph.

zincografic *adj. poligr.* zincographic(al).

zincografie *s.f. poligr.* zincography.

zincogravură *s.f. tehn.* zinc engraving.

zincui *vt. tehn.* to zinc, to zincify.

zingirliu *s.m. ist. fin.* Turkish gold coin.

zinwaldit *s.n. mineral.* zinnwaldite.

zircon *s.n. mineral.* zircon.

zirconiu(m) *s.n. chim., mineral.* zirconium.

zis *adj.* (nick)named; styled; *așa-~* so-called; would-be; *(pretins)* self-styled.

zisă *s.f.* word; words; saying.

ziua *adv.* **1.** by day. **2.** by daylight.

ziulică *s.f. cât e ziulica de mare fam.* all day long.

zizanie *s.f. bot.* ray grass *(Lolium perenne).*

zlătar *s.m.* **I.** v. a u r a r. **II.** nomad gipsy.

zloată *s.f.* sleet.

zlot *s.m. fin. ist. fin.* zloty (monetary unit in Poland).

zmeesc *adj.* dragon's..., dragon...

zmeoaică *s.f.* **1.** dragon's mother; dragon's wife; dragon's sister. **2.** fiery mare.

zmeu I. *s.m.* dragon. **II.** *s.n. (jucărie)* kite.

zmeur *s.m. bot.* raspberry (bush), hindberry (bush) *(Rubus idaeus).*

zmeură *s.f.* raspberry.

zmeuriș *s.n.* raspberry bushes.

zmeuriște *s.f.* v. z m e u r i ș.

zoaie *s.f.* **1.** *(apă cu săpun)* soap suds, soapy water. **2.** *(lături)* dish water, *fam.* slops, *pop.* hog wash.

zoană *s.f. agr.* chaff, huff.

zob *s.n.* **1.** *bot.* oats. **2.** chips; *a face ~* to crush; *fig.* to break up.

zobi *vt. (a fărâmița)* to crumb; *(a zdrobi)* to crush.

zodiac *s.n.* zodiac; *semnele ~ului* the signs of the zodiac.

zodiacal *adj.* zodiacal.

zodiar *s.n.* v. z o d i a c.

zodie *s.f.* **1.** *(semn)* sign of the zodiac, star / sun sign. **2.** *(constelație)* zodiacal constellation. **3.** *fig.* fate, star; *zodia berbecului* the Aries; *zodia gemenilor* the Gemini; *în zodia* under the sign of...; *s-a născut în zodia porcului peior. fam.* he is a lucky dog, everything turns up trumps with him.

zodier *s.m. pop.* stargazer, astrologer, future-teller.

zoios *adj.* dirty, greasy.

zoizit *s.n. mineral.* zoisite.

zona *s.f.* v. z o n a z o s t e r.

zonal *adj.* zone, zonal.

zonare *s.f.* zoning, division into zones.

zona zoster *s.f. med.* herpes zoster, zona.

zonă *s.f. geom. etc.* zone; *(regiune)* area, region; *zona dolarului* the dollar area / zone; *zona lirei sterline* lb. sterling area; *~ de evacuare tehn.* evacuation zone; *~ denuclearizată* atom-free zone; *~ de război* war zone; *~ glacială / înghețată* frigid zone; *~ neutră* neutral zone; *~ temperată* temperate zone; *~ toridă* torrid zone; *~ tropicală* tropical zone; *~ verde* green, lung, verdure spot.

zoochimie *s.f.* zoochemistry.

zoocoră *s.f. bot.* zoochore.

zooeconomie *s.f.* zooeconomics.

zoofit *s.n.* zoophyte, animal plant.

zoografie *s.f.* zoography.

zoolatrie *s.f.* zoolatry.

zoolatru *s.m.* zoolater, worshipper of beasts.

zoolit *s.m. înv. paleont.* zoolite.

zoolog *s.m.* zoologist.

zoologic *adj.* zoological; *grădină ~ă* zoological gardens, *fam.* zoo.

zoologie *s.f.* zoology.

zoomagnetism *s.n.* animal magnetism, zoomagnetism.

zoometru *s.m. zool.* zoometer.

zoomorf *adj. artă* zoomorphic.

zoomorfic *adj. artă* zoomorphic.

zoomorfie *s.f. artă* zoomorphy.

zoomorfism *s.n. artă* zoomorphism.

zoonoză *s.f. med.* zoonosis.

zooplancton *s.n. biol.* zooplankton.

zoopsie *s.f. med.* zoopsia.
zoopsihologie *s.f.* zoopsichology.
zoospor *s.m. biol.* zoospore, swarm spore.
zoosterină *s.f. chim., biol.* zoosterine.
zootehnic *adj.* zootechnical, livestock.
zootehnician *s.m.* zootechnician, live-stock expert / specialist.
zootehnie *s.f.* livestock / animal breeding.
zooterapie *s.f.* zootherapy.
zor *s.n.* **1.** hurry, haste. **2.** efficiency, dispatch; *de* ~ rapidly, hastily; diligently.
zoralie *s.f.* kind of Romanian folk dance.
zorcan *s.m. iht.* v. p l ă t i c ă.
zorea *s.f. bot.* v. z o r e l e.
zorean *s.m. iht.* whiting, dace (*Gadus, Leuciscus*).
zorele *s.f. pl. bot.* morning glory.
zori[1] *s.f. pl.* dawn, daybreak; *în* ~ at dawn daybreak.
zori[2] **I.** *vt.* to urge, to goad. **II.** *vr.* to make haste, to hurry.
Zorilă *s.m.* **1.** personification of dawn in Romanian folk tales. **2.** calf born at dawn.
zorit I. *adj.* hasty, hurried; *a fi* ~ to be in a hurry. **II.** *adv.* hurriedly. **III.** *s.n.* daybreak.
zornăi *vt., vi.* to rattle, to jingle.
zornăială *s.f.* v. z d r ă n g ă n i t.
zornăit *s.n.* **1.** clang. **2.** *(de lanțuri)* clank.
zornăitor *adj.* clanking etc. v. z o r n ă i.
zoroastrism *s.n. ist. rel.* Zoroastrianism.
zorzoane *s.f. pl.* gewgaws, cheap ornaments.
zuav *s.m. mil.* zouave.
zugrav *s.m.* house painter.
zugrăveală *s.f.* painting.
zugrăvi *vt.* **1.** to paint. **2.** *fig.* *și* to describe, to depict.
zugrăvire *s.f.*, zugrăvit *s.n.* painting.
zuluf *s.m.* ringlet, curl.
zuluși *s.m. pl. geogr.* Zulu(s).
zumzăi *vi.* to buzz, to hum.
zumzet *s.n.* buzz(ing).
zur *interj.* whirr!
zurbagiu *s.m.* rough customer, brawler.
zurbă *s.f.* rough house, to-do.
zurgălău *s.m.* little bell.
zurliu *adj. fam.* crazy, potty.
zurui v. z o r n ă i.
zuruitor *adj.* clanging, clanking.
zuzui *vi. pop.* to murmur, to purl.
zvastică *s.f.* swastika, haken-kreuz.
zvăpăia *vr.* **1.** to become frolicsome, to fool around. **2.** to write, to toss.
zvăpăiat *adj.* **1.** frolicsome, gambolling. **2.** *(zăpăcit)* dizzy, giddy.
zvâcneală *s.f.* v. z v â c n i r e.
zvâcni *vi.* **1.** to throb, to beat. **2.** *(a sări)* to jump.
zvâcnire *s.f.* throb, pulse.
zvâcnitură *s.f.* v. z v â c n i r e.
zvânta I. *vt.* **1.** to air, to dry. **2.** *(a bate)* to beat, to thrash. **II.** *vr.* to dry (in the air).
zvântat *adj.* aired etc. v. z v â n t a.
zvânturat *adj.* **1.** scatter-brained, moony. **2.** frolicsome, gambolling. **3.** adventurous, wandering.
zvânturatic *adj.* v. z v ă p ă i a t.
zvârcoleală *s.f.* writhing, tossing.
zvârcoli *vr.* to writhe, to toss.
zvârcolire *s.f.* writhing, convulsion.
zvârli *vt.* to fling, to hurl.
zvârlitură *s.f.* fling, throw.
zvârlugă *s.f.* **1.** *iht.* groundling *(Cobitis taenia)*. **2.** *fig.* eel.
zvelt *adj.* lean-limbed; lithe.
zvon *s.n.* **1.** rumour. **2.** *(zgomot)* din, noise, hubbub. **3.** *(de clopote)* peal, toll, ringing, sound.
zvoni *vr.* to be rumoured, to get about.
zwinglianism *s.n. rel.* Zwinglianism.